IKONOGRAPHIE DER CHRISTLICHEN KUNST · BAND 4,2

GERTRUD SCHILLER

Ikonographie der christlichen Kunst

Band 4,2

Maria

GÜTERSLOHER VERLAGSHAUS
GERD MOHN

Gedruckt mit Unterstützung der Deutschen Forschungsgemeinschaft

CIP-Kurztitelaufnahme der Deutschen Bibliothek

Schiller, Gertrud:
Ikonographie der christlichen Kunst/Gertrud Schiller. –
Gütersloh: Gütersloher Verlagshaus Mohn. Bd. 4.
2. Maria. – 1. Aufl. – 1980.
ISBN 3-579-04139-8

ISBN 3-579-04139-8
© Gütersloher Verlagshaus Gerd Mohn, Gütersloh 1980
Gesamtherstellung: Paul Dierichs KG & Co, Kassel
Umschlagentwurf: M. Kortemeier
Printed in Germany

Inhalt

Abkürzungen der biblischen Bücher
(in Klammern die katholische Bezeichnung)

Am	Amos	Ob	Obadja (Abdias)
Apg	Apostelgeschichte	1 u. 2 Petr	1. und 2. Petrusbrief
Apk	Apokalypse =	Phil	Philipperbrief
	Offenbarung des Johannes	Phlm	Philemonbrief
1 u. 2 Chron	1. und 2. Chronik	Pred	Prediger (Ecclesiastes)
Dan	Daniel	Ps	Psalmen
Eph	Epheserbrief		(Ps 11–146 = kath. 10–145)
Esr	Esra (1. Esra)	Ri	Richter
Est	Esther	Röm	Römerbrief
Gal	Galaterbrief	Sach	Sacharja (Zacharias)
Hab	Habakuk	1 u. 2 Sam	1. und 2. Buch Samuelis
Hag	Haggai (Aggäus)		(1. und 2. Könige)
Hebr	Hebräerbrief	Sir	Jesus Sirach (Ecclesiasticus)
Hes	Hesekiel (Ezechiel)	Spr	Sprüche
Hi	Hiob (Job)	1 u. 2 Thess	1. und 2. Thessalonicherbrief
Hl	Hoheslied =	1 u. 2 Tim	1. und 2. Timotheusbrief
	Canticum Canticorum	Tit	Titusbrief
Hos	Hosea (Osee)	Tob	Tobias
Jak	Jakobusbrief	Weish	Weisheit Salomos
Jer	Jeremia	Zeph	Zephanja (Sophonias)
Jes	Jesaja (Isaias)		
Joh	Johannesevangelium	Apokryphen:	
1, 2 u. 3 Joh	1., 2. und 3. Johannesbrief	Ps Joh	Johannis, liber de dormitione
Jon	Jona		sanctae Deiparae, C. de
Jos	Josua		Tischendorf, Apocalypses
Jdt	Judith		apocryphae, 1866, S. 95 ff.
Jud	Judasbrief	Ps Melito	MPG V, col. 1231–1240,
Kl	Klagelieder		C. de Tischendorf, Apocal.
1 u. 2 Kön	1. und 2. Königbuch		apocr., 124 ff.
	(3./4. Könige)	Ps Jac	Pseudo-Jacobus (sog. Proto-
Kol	Kolosserbrief		evangelium)
1 u. 2 Kor	1. und 2. Korintherbrief		Text griech. ed. C. Tischen-
Lk	Lukasevangelium		dorf Evang. apocr. 1–50;
Mal	Maleachi (Malachias)		deutsch Hennecke-Schnee-
Mi	Micha (Michäas)		melcher I, 280–290
1 u. 2 Makk	1. und 2. Makkabäerbuch	Ps Matth	Pseudo-Matthäus
Mk	Markusevangelium		(Liber de ortu beatae Mariae
Mt	Matthäusevangelium		Text lat. C. Tischendorf
			Evang. apocr. 51–112.
1–5 Mos	1.–5. Buch Mose		deutsch in Auszügen
Nah	Nahum		Hennecke-Schneemelcher I,
Neh	Nehemia (2. Esra)		306–309.

Literaturabkürzungen

ArtBull	The Art Bulletin, College Art Association, 1917ff.
BKV	Bibliothek der Kirchenväter, München 1911ff.
BurlMag	Burlington Magazine, London 1903ff.
CA	Congrès Archéologique de France, Paris 1834ff.
CahArch	Cahiers Archéologiques – Fin de l'antiquité et moyen âge, Paris 1945ff.
CChL	Corpus Christianorum, series latina, Turnhout (NL) 1954ff.
ChrK	Die Christliche Kunst, München 1904ff.
GBA	Gazette des Beaux Arts, Paris 1859–1939, New York 1942–1948, New York–Paris 1948ff.
JbAC	Jahrbuch für Antike und Christentum, Münster/Westf. 1958ff.
Journ Warburg	Journal of the Warburg and Courtauld Institutes, London 1937ff.
LCI	Lexikon der christlichen Ikonographie, 8 Bde., Freiburg/B. 1968ff.
LMK	siehe Marienkunde, Lexikon der
MittFlor	Mitteilungen des Kunsthistorischen Instituts in Florenz, Berlin 1908–1941, Düsseldorf 1953ff.
MontPiot	Monuments et Mémoires publiés par l'Académie des Inscriptions et Belles Lettres, Fondation E. Piot, Paris 1894ff.
MPG	Patrologia Graeca, ed. J. P. Migne, Paris 1857 bis 1866.
MPL	Patrologia Latina, ed. J. P. Migne, Paris 1878 bis 1890.
MüJb	Münchner Jahrbuch der Bildenden Kunst, München 1906–1923, NF 1924–1937/38, 3. F. 1950ff.
Niederdt. Beiträge	Niederdeutsche Beiträge zur Kunstgeschichte, Köln 1961, München–Berlin 1962ff.
RBK	Reallexikon zur Byzantinischen Kunst, hg. von K. Wessel unter Mitwirkung von M. Restle, Stuttgart 1963ff.
RDK	Reallexikon zur Deutschen Kunstgeschichte, Stuttgart 1937ff.
RGG	Die Religion in Geschichte u. Gegenwart, 3. Auflage, Tübingen 1957ff.
RThAM	Recherches de théologie ancienne et médiévale, Löwen 1929ff.
RivAC	Rivista di Archeologia Cristiana, Rom 1924ff.
SemKond	Sbornik statej po archeologii i vizantinověděniju izdavaemyi Seminariem imeni N. P. Kondakova (Seminarium Kondakovianum, Recueil d'études. Archéologie, histoire de l'art, études byzantines), Prag 1927ff. (nach 1937: Annaly Instituta imeni N. P. Kondakova – Annales de l'Institut Kondakov).
SVRG	Schriften des Vereins für Reformationsgeschichte, Halle/Saale–Leipzig, später Gütersloh 1883ff.
WA	Weimarer Ausgabe der Werke Luthers.
WRJb	Wallraf-Richartz Jahrbuch, Köln 1924ff.
ZBK	Zeitschrift für Bildende Kunst, Leipzig (Berlin) 1866ff.
ZDVKW	Zeitschrift des Deutschen Vereins für Kunstwissenschaft, Berlin 1934–1943, 1963ff.
ZKG	Zeitschrift für Kirchengeschichte, Stuttgart 1876ff.
ZKuG	Zeitschrift für Kunstgeschichte, Berlin 1932ff.
ZKW	Zeitschrift für Kunstwissenschaft, hg. vom Deutschen Verein für Kunstwissenschaft, Berlin 1947 bis 1962. Seit 1963 ZDVKW.

Abkürzungen von Bibliotheken und Museen

Göttingen UB	Niedersächsische Staats- und Universitätsbibliothek Göttingen
Heidelberg UB	Universitätsbibliothek Heidelberg
Köln WRM	Wallraf-Richartz-Museum Köln
London BL	British Library London
London BM	British Museum London
London VAM	Victoria and Albert-Museum London
München BNM	Bayerisches National-Museum München
München SB	Bayerische Staatsbibliothek München
München UB	Universitätsbibliothek München
Mus. civ.	Museo civico – Italien
Nürnberg GNM	Germanisches Nationalmuseum Nürnberg
Oxford Bodl. Libr.	Bodleian Library Oxford
Paris BN	Bibliothèque Nationale Paris
Stuttgart LB	Württembergische Landesbibliothek Stuttgart
Wolfenbüttel HAB	Herzog August Bibliothek Wolfenbüttel

MARIA

Die Entstehung der Marienfrömmigkeit

Die Grundlagen aller Marienverehrung sind die neutestamentlichen Berichte über die Mutter Jesu, vor allem die Aussagen am Anfang des Matthäus- und des Lukasevangeliums, die besagen, sie habe ihren Sohn durch das Wirken des Heiligen Geistes als Jungfrau empfangen. Dies ist dann auch in die altkirchlichen Bekenntnisse aufgenommen worden. Beide Evangelisten betonen ihre jungfräuliche Empfängnis und die übernatürliche Zeugung des Sohnes der Jungfrau durch den Heiligen Geist, Mt 1,20 und Lk 1,35. Sie lassen die himmlischen Boten dem Joseph und der ihm anvertrauten Jungfrau die künftige Heilsbedeutung des Sohnes der Jungfrau verkünden (Mt 1,21 und Lk 1,32 f.). Die von Gott bewirkte wunderbare Entstehung Jesu, des künftigen Heilandes, durch einen göttlichen Schöpfungsakt hebt Maria in den Augen der Gläubigen hoch über alle anderen weiblichen Wesen hinaus. Diese besondere Stellung klingt schon in der Begrüßung durch Gabriel an, wie sie Lukas berichtet (1,28): »Gegrüßt seist du, Gesegnete, die du gepriesen bist unter den Frauen!« Sie wird betont durch die Begrüßung Marias durch Elisabeth, die Mutter Johannes' des Täufers: »Selig bist du, die du geglaubt hast!« (Lk 1,45). Und sie wird im Lobgesang Marias dann zum vollendeten Ausdruck gebracht: »Meine Seele rühmt den Herrn, und mein Geist freut sich über Gott, meinen Retter; denn er hat die Niedrigkeit seiner Magd angesehen, und von nun an werden mich alle Geschlechter seligpreisen, denn der Mächtige hat Großes an mir getan« (Lk 1,46–49).

Ohne Zweifel hat aber neben diesem göttlichen Handeln an Maria auch ihre demütige Hinnahme der Botschaft Gabriels in den Augen der jungen Christenheit zu der ihr gezollten Verehrung mit beigetragen. Sie kommt in den schlichten Sätzen der Antwort Marias an Gabriel zum Ausdruck: »Siehe, ich bin die Magd des Herrn; es geschehe mir nach deiner Rede« (Lk 1,38). Seit je haben die Ausleger des Lukasevangeliums die Seligpreisung durch Elisabeth auf diese Antwort bezogen. Nach diesem großen Auftakt tritt sie in den Evangelien in den Hintergrund.

Verstand sie schon ihren zwölfjährigen Sohn nicht, als sie ihn nach bangem Suchen im Kreise der Schriftgelehrten fand (Lk 2,50), so hat sie offenbar mit ihren anderen Söhnen (Mt 13,54–56; Mk 6,2 f.) nicht zu Jesu Anhängern gehört, denn anders ließen sich die schroff abweisenden Worte Jesu, als seine Angehörigen ihn zu sprechen suchten, nicht verstehen (Mt 12,46–50; Mk 3,32–35; Lk 8,19–21). Nur im vierten Evangelium gehört sie zum Kreis um ihren Sohn, bei dessen erstem Wunder in Kana sie dabei ist (Joh 2,1–11), um dann mit ihm, seinen Brüdern und seinen Jüngern nach Kapernaum zu gehen. Ebenso ist sie Zeugin seines Todes (Joh 19,25); zuvor hat Jesus seine Mutter seinem Lieblingsjünger anvertraut, indem er zwischen ihnen ein Mutter-Sohn-Verhältnis herstellte (19,26 f.). Daß Maria nach Ostern zur Urgemeinde gehört hat, geht aus Apg 1,14 hervor, ihrer letzten Erwähnung im Neuen Testament. Im übrigen konnte man aus Mt 1,25 schließen, daß ihre Ehe mit Joseph nach der wunderbaren Geburt Jesu wirklich vollzogen wurde, wie denn auch die unbefangenen Erwähnungen der Brüder Jesu in den vier Evangelien und früher schon die Nennung des Herrenbruders Jakobus durch Paulus (Gal 1,19) diese Annahme nahelegen.

Wenn auch zunächst die werdende Theologie sich offenbar mit diesen wenigen Aussagen abfand, so reichten sie augenscheinlich der Frömmigkeit nicht lange aus. Wohl um die Mitte des 2. Jahrhunderts entstand eine apokryphe Schrift, die nie Aufnahme in den Kanon fand und doch auf die Mariologie der folgenden Jahrhunderte einen kaum abschätzbaren Einfluß ausgeübt hat[1]. Dieser Roman, den das Decretum Gelasianum als Protoevangelium Jacobi minoris bezeichnete (und verdammte), ist nach seinem Selbstzeugnis nach dem Tode des Herodes von Jakobus geschrieben worden, worunter wir sicher den Herrenbruder verstehen sollen. Die Bedeutung dieser Schrift erhellt daraus, daß wir neben mehr als 30 griechischen Handschriften ganz oder teilweise erhaltene Übersetzungen ins Syrische, Armenische, Georgische, Äthiopische, Koptisch-Sahidische und Altkirchenslavische kennen – freilich nicht eine altlateinische. Sicher nicht einheitlich, wenn auch die Einschübe ebenfalls sehr alt sind, ist das Apokryphon das erste und hochbedeutende Zeugnis einer Marienverehrung. Neben der Absicht, den Wundercharakter der Geburt Jesu herauszustellen, verfolgt es eine dreifache Tendenz: 1. die davidische Abstammung Marias darzulegen, um so Jesus als Davididen zu sichern (nach Mt und Lk ist Joseph aus Davids Stamm, so daß diese Abstammung für Jesus der jungfräulichen Geburt wegen nicht zuträfe), 2. Geburt und Jugend der Gottesmutter als Vorstufe für das Kommen des Gottessohnes in Gottes Heilsplan darzustellen und 3. die immerwährende Jungfräulichkeit Marias zu behaupten.

Da das Protoevangelium auf die Marienikonographie einen nicht minder großen Einfluß als auf die Mariologie ausgeübt hat, muß sein Inhalt kurz skizziert werden: Joachim und Anna leben in langer kinderloser Ehe in Jerusalem; als Joachim seiner Kinderlosigkeit wegen verweigert wird, weiterhin als erster das Opfer darzubringen, zieht er sich für vierzig Tage zum Fasten in die Wüste zurück. In seiner Abwesenheit wird Anna von einer Magd ihrer Kinderlosigkeit wegen verhöhnt und klagt Gott betend ihr Leid. Ein Engel bringt ihr die Botschaft: »Du wirst empfangen und gebären, und deine Nachkommenschaft wird in der ganzen Welt genannt werden.« Anna weiht aus Dank das Kind dem steten Dienst Gottes, Joachim kehrt

1. Übersetzung in: E. Hennecke, Neutestamentliche Apokryphen, 3. Aufl., hrg. von W. Schneemelcher, Tübingen 1959, Bd. 1, S. 280–290.

auf die Nachricht von der Engelsbotschaft nach Hause zurück, unter der Pforte seines Hauses fällt ihm seine Frau um den Hals und teilt ihm ihre werdende Mutterschaft mit – der Widerspruch bleibt ungelöst, daß die vom Engel erst angekündigte Empfängnis dem heimkehrenden Gatten nun als schon bestehend mitgeteilt wird. Beim Dankopfer im Tempel wird dann Joachims Sündlosigkeit festgestellt. Als das Kind geboren ist, erhält es den Namen Maria, wird im Schlafgemach ihrer Mutter, die daraus ein Heiligtum gemacht hat, aufgezogen, mit »hebräischen Jungfrauen« als Gespielinnen. Als Maria ein Jahr alt ist, wird sie von den Priestern und den Hohepriestern, die zum Festmahl geladen sind, gesegnet, wobei Gottes »höchster, unüberbietbarer Segen« auf sie herabgefleht wird. Mit drei Jahren wird sie von ihren Eltern in den Tempel gebracht, wo sie wiederum gesegnet wird: »Der Herr hat deinen Namen groß gemacht unter allen Geschlechtern; an dir wird der Herr der Tage seine Erlösung für die Söhne Israels offenbaren.« Maria bleibt im Tempel zum Dienste Gottes, sie wird von einem Engel ernährt. Auf himmlische Weisung versammeln die Priester, als Maria zwölf Jahre geworden ist, alle Witwer Israels; jeder soll seinen Stab mitbringen; an wessen Stab ein Wunder geschieht, der soll Maria zur Frau haben. Aus Josephs Stab kommt eine Taube, so wird Maria ihm anvertraut. Er lehnt zunächst unter Hinweis auf sein Alter und seine Söhne ab, wird aber durch Androhung göttlicher Strafe gefügig gemacht. Später erinnern sich die Priester Marias, als sie einen neuen Tempelvorhang anfertigen lassen wollen – hier fließt die davidische Abstammung Marias ein. Sie erhält durch das Los die Aufgabe, Purpur und Scharlach zu spinnen und führt den Auftrag aus. Es folgen der Gruß des Engels am Brunnen, die Verkündigung und der Besuch bei Elisabeth. Joseph zweifelt der Schwangerschaft wegen an Maria, woraus sich ein langes Gespräch entwickelt; sein Scheidungsentschluß wird durch eine Engelserscheinung aufgehoben, die schwere Auseinandersetzung mit den Priestern wird durch die Fluchwasserprobe als Erweis der Unschuld Josephs und Marias beendet und danach, reich ausgeschmückt, Jesu Geburt in einer Höhle geschildert. Dem schließt sich die Episode der Hebamme, die Zeugin der Lichterscheinung wird, und der Salome an, die an der Jungfräulichkeit Marias zweifelt; Salome untersucht Maria, stellt ihre unversehrte Jungfräulichkeit fest, wird für ihren Zweifel mit der Lähmung ihrer Hand bestraft und, reuig und gläubig geworden, wieder geheilt. Was dann noch folgt – Magieranbetung, Kindermord und Ermordung des Zacharias –, ist für die Mariologie ohne Belang.

Neben den drei eingangs erwähnten Anliegen des Protoevangeliums, die durch die Inhaltsangabe deutlich geworden sind und die durch die apokryphe Schrift erfüllt werden, sind in ihr im Kern noch weitere Erhöhungen Marias gegeben. Aus der Verkündigung der Geburt Marias und der Feststellung der Sündlosigkeit Joachims beim Dankopfer konnten sich die Lehre von der unbefleckten Empfängnis entwickeln. Durch die Zuweisung der Brüder Jesu an eine erste Ehe Josephs war, neben der Feststellung der unversehrten Jungfräulichkeit in der Geburt (virginitas in partu) durch die Salome-Geschichte, auch die Möglichkeit der Lehre von der fortbestehenden Jungfräulichkeit (virginitas post partum) der Gottesmutter gegeben. Aus den Segenssprüchen der Priester endlich konnte man die Rolle Marias als Bringerin des Heils herauslesen, mindestens als von Gott auserwähltes Werkzeug, das am Kommen des Heils mitwirkt.

Diese gut geschriebene und sehr erbauliche Erzählung hätte wohl keine so tiefgreifende Wirkung gehabt, wäre nicht um die Mitte des gleichen Jahrhunderts in die Vorstufe des »Apostolischen Glaubensbekenntnisses« die Formel »geboren von der Jungfrau Maria« eingegangen. Bei der Knappheit aller Formulierungen dieses Symbols bedeutet das Bekenntnis zur Jungfräulichkeit der Mutter Christi die Keimzelle der offiziellen Mariologie, da in ihm überhaupt nur die wichtigsten Aussagen zu Worte kommen. Seither ist die »Jungfrau Maria« Bestandteil des kirchlichen Bekenntnisses, wodurch die Bedeutung Marias über ihre wenig ausgeprägte Rolle im Neuen Testament und über die aller anderen Heiligen hoch hinausgehoben worden ist.

Trotz dieses gewichtigen Aufklanges ist zunächst in der Theologie wenig von einer Mariologie zu spüren, und über seine Wirkung auf die Gemeindefrömmigkeit wissen wir nichts. Lediglich Clemens von Alexandria († um 215) kennt und bekennt die virginitas in partu und berichtet die Salome-Geschichte als historische Tatsache[2]. Ihm gesellt

sich Origenes († um 254) zu, der mehrfach unterstreicht, Maria sei bis zu ihrem Tode Jungfrau geblieben und habe auch nach Jesu Geburt in keinem ehelichen Verkehr mit Joseph gestanden[3]. Die große Wende in der Mariologie vollzieht sich im Zusammenhang mit zwei Ereignissen der Kirchengeschichte: Sowohl die Entstehung des Mönchtums als der reifsten Frucht altkirchlicher Askese als auch die Dogmatisierung der Wesensgleichheit Christi mit Gott-Vater in den arianischen Auseinandersetzungen durch die ökumenischen Synoden von Nicaea (325) und Konstantinopel (381) gaben der Mariologie neue Antriebskräfte und einen die gesamte Kirche umfassenden Aufschwung.

Einstimmig erklingt nun in Ost und West das Hohelied von der immerwährenden Jungfräulichkeit Marias; wer sie bezweifelt, wird als arger Ketzer verdammt. So wandte sich Papst Siricius (384–399) in einem Brief gegen die Auffassung des Bischofs Bonosus von Serdica, der Jesu Brüder Söhne Marias und Josephs sein ließ: Marias Leib wurde zum Palast des ewigen Königs, und der Sohn Gottes hätte diese Wahl nicht getroffen, wenn er Maria für so unenthaltsam hätte halten müssen, daß sie nach dem Wunder, das an ihr geschah, die Geburtsstätte des Leibes Christi durch den Samen menschlicher Vereinigung beflecken würde[4]. Man sieht, daß hier das mönchische Ideal der völligen geschlechtlichen Enthaltsamkeit sich ausdrückt, das sich eine normale Ehe der Mutter Jesu nicht mehr vorstellen kann. Im christlichen Osten sind die Aussagen im großen und ganzen gleichlautend, nur treten einige neue Züge hinzu; so betont z. B. Gregor von Nyssa († um 395), Maria habe schmerzlos geboren, da sie ohne Lust empfangen habe[5], und so läßt Epiphanius von Salamis († 403) das Kind »unbesudelt und unbeschmutzt« geboren sein[6].

In dieser Zeit aufblühender Hochschätzung der Jungfrau Maria hat ihr der syrische Theologe und Dichter Ephrem († 373) allein 52 Hymnen »De virginitate« gewidmet, in denen die Marienfrömmigkeit der Zeit ihren schönsten Ausdruck fand. Erwähnt seien aus ihnen zwei Gedanken, die über ihre Zeit hinaus gewirkt haben: Ephrem hielt die Unversehrtheit der Jungfräulichkeit in der

---

2. Stromateis VII,94,1 ff. und III,66,2 Off.

3. Commentar. in Matth. X,17; Commentar. in Joh I,4; Homilia VIII,2.

4. Epistula ad Anysium.

5. In sanctum Pascha oratio I.

6. Anakephalaia: F. A. v. Lehner, Die Marienverehrung in den ersten Jahrhunderten, 2. Aufl. 1886, S. 130.

Geburt deswegen für möglich, weil Maria den Herrn durch das Ohr empfangen habe, und er hielt sie auch für vorstellbar, indem er die Geburt Jesu mit dem Abstoßen einer Perle durch eine Muschel verglich, die danach in ihren ursprünglichen Zustand zurückkehre[7].

So wurde im Laufe des 4. Jahrhunderts aus der Jungfrau, die den Sohn Gottes gebar, die »ewige Jungfrau«, die »Anführerin der Jungfräulichkeit«[8]. Von da aus war es ein kleiner Schritt, sie als Vorbild des Asketentums zu schildern. Das Protoevangelium hat auch für diese Einschätzung Marias die Grundlagen gelegt, indem es die in klösterlicher Abgeschiedenheit sich abspielende Jugend, den Tempeldienst und die Obhut des greisen Witwers schilderte. Schon Origenes weiß zu berichten, Maria habe täglich in der Hl. Schrift gelesen, sei voller Demut gewesen und habe sich selbst als niedrige Magd angesehen[9]. Der Syrer Afrahat (er schrieb zwischen 337 und 345) überliefert, Maria habe ihre ganze Zeit dem Gebet gewidmet, täglich gefastet und Nahrung nur zur Erhaltung des Lebens aufgenommen[10]. Ambrosius von Mailand († 397) hat ganz ähnliche Gedanken niedergelegt. So wird Maria zum Vorbild, ja, zum Urbild des mönchischen Lebens[11].

In diesem Zusammenhang fällt immer häufiger der Ausdruck Theotokos (Gottesgebärerin), der wohl auf Origenes zurückgeht und im arianischen Streit vom alexandrinischen Patriarchen Alexander gegen Arius verwendet wurde. Die Bezeichnung war so im Schwange, daß Kaiser Julian den Christen vorwerfen konnte: »Ihr hört nicht auf, Maria Theotokos zu nennen«[12]. Dabei war »Theotokos« eigentlich gar nicht in erster Linie auf Maria bezogen, sondern sollte klarstellen, daß der von Maria geborene Mensch zugleich der ewige Gottessohn ist. An dieser ungemein volkstümlichen Bezeichnung sollte sich der Streit entfachen, der die Einheit der östlichen Christenheit für immer zerriß und zugleich zum ersten Mariendogma führte. Der bedeutende Bibelexeget Theodor, Bischof von Mopsuestia († 428) hatte zu dem Ehrennamen

Theotokos gesagt: »Von Natur aus zwar Menschengebärerin, da ja Mensch war, der im Leibe Marias war, Gottesgebärerin aber, da Gott in dem zu gebärenden Menschen war«[13]. Sein Schüler Nestorius, seit 428 Patriarch von Konstantinopel, ging weiter: »Theotokos« schien ihm das Christentum bei den Heiden lächerlich zu machen, man solle den Begriff meiden, da er weder im Neuen Testament noch im nicänischen Glaubensbekenntnis stehe; ihm war der Begriff Christotokos der richtige, weil in dem Namen Christus die beiden Naturen seiner Person, die göttliche und die menschliche, enthalten seien[14]. Wir können weder den Gang der Auseinandersetzung mit Kyrill von Alexandria noch den Kampf um das christologische Dogma verfolgen, hier ist nur wichtig, daß die Bezeichnung Theotokos auf dem Konzil von Ephesos (431), dem 3. ökumenischen, dogmatisiert wurde.

Dabei aber blieben Theologie und Frömmigkeit nicht stehen. Da in der Kirche die Märtyrer, dann alle Heiligen, als Fürbitter bei Gott bzw. Christus angerufen wurden, war es selbstverständlich, daß Maria nun als Theotokos in einem ganz hervorragenden Maße als Fürbitterin gelten mußte, stand sie doch zum Weltenrichter Christus in einem einmaligen Verhältnis als das ausgewählte Gefäß seiner Menschwerdung. Zunächst bezieht sich diese Fürbitte vor allem auf die Asketen, die ihrem jungfräulichen Leben nacheifern, bald aber wird sie zu des ganzen Menschengeschlechtes Mund als diejenige, die bei Gott am meisten zu erreichen imstande ist. Voller Zuversicht wendet man sich an sie, sich bei ihrem eingeborenen Sohn für die Menschen zu verwenden, und man ist gewiß, daß ihre Fürbitte helfen wird, denn Christus, der durch Moses das Gebot gab, Vater und Mutter zu ehren, hält sich selbst streng daran, auch nach seiner Rückkehr in die himmlische Herrlichkeit[15]. Alles vermag sie so zu bewirken, auch die völlige Vergebung der Sünden, die Heiligung der Herzen, die Stärkung des Glaubens, sogar die Vermittlung göttlicher Erkenntnisse[16]. Und all das hat keine Beschränkung auf den ein-

7. Vgl. Lehner a.a.O. S. 131.
8. Epiphanios von Salamis, Adv. haer. 78,10.
9. Homilia 8 in Lucam.
10. Homilia 3,10.
11. De virginibus II,2; De viduis 4 u. ö.
12. Vgl. Lehner a.a.O. S. 78.
13. De incarnatione XV.

14. Oratio 27; Epistula 1 u. ö.; Oratio 17 u. 18; Epistula 5.
15. Johannes von Damaskus, Homilia 8.
16. Vergebung der Sünden: Andreas von Kreta, Oratio 14; Heiligung der Herzen: Akathistos-Hymnus; Stärkung des Glaubens und Vermittlung göttlicher Erkenntnisse: Rabulas von Edessa.

zelnen, der sich bittend an sie wendet, vielmehr waltet ihre Fürsorge auch über der Kirche, über dem Reich und über dem Kaiser. So ist sie starker Schutz, Mauer und Feste für die ganze Welt[17].

Aus der vorbildlich asketischen Lebensführung Marias wie aus ihrer Gottesmutterschaft ergibt sich folgerichtig ihre besondere Heiligkeit. Schon Athanasios nannte sie heilig und gottähnlich[18]. Gregorios von Nazianz lehrte, der Hl. Geist habe Maria im voraus an Leib und Seele gereinigt[19], Ambrosius von Mailand[20] und Augustinus[21] nahmen sie aus der Zahl der Sünder aus, für den syrischen Dichter Ephrem war sie so unschuldig wie Eva vor dem Sündenfall[22]. Die Zahl solcher Äußerungen ließe sich fast endlos vermehren. Wichtig ist dabei, daß die Theologen schon sehr früh die Erwählung Marias als Gefäß der Menschwerdung des Gottessohnes auch ihrem eigenen Verdienst zuschrieben: Die freiwillige Übernahme des jungfräulichen Lebens und ihre darin sich zeigende Demut waren es, die sie würdig machten, vom Hl. Geist zu empfangen[23]. Mag es auch im Widerspruch zu der Anschauung stehen, der Hl. Geist habe sie zur Empfängnis gereinigt, für den nach dem himmlischen Vorbild suchenden frommen Glauben sank dieser Widerspruch in sich zusammen.

Ein so überaus heiliges Wesen konnte nach frommer Meinung nicht wie ein sündiger Mensch dem Tode bis zur Auferstehung am Jüngsten Tage verfallen sein. Noch Epiphanios von Salamis († 403) hatte zwar ausdrücklich betont, daß niemand das Lebensende Marias kenne, aber doch gleichzeitig darauf verwiesen, daß Elias den Tod nicht sah, sondern in den Himmel aufgenommen wurde, und daß auch der Apostel Johannes (apokryphen Legenden zufolge) nach seinem Tode leiblich aus seinem Grabe in den Himmel erhoben wurde[24]. Damit bahnt sich eine Entwicklung an, die noch im 5. Jahrhundert zur Entstehung vieler unterschiedlicher Legenden vom Tode und von der Himmelfahrt Marias geführt hat.

Wir können hier nicht allen einzelnen Varianten dieser apokryphen Erzählungen nachgehen, die sich untereinander manchmal recht erheblich widersprechen. Wir wollen vielmehr das Gemeinsame ihres Erzählgutes sowie das herausheben, was in der Kunst des Ostens zur Auswirkung gekommen ist: Christus sendet einen Engel zu seiner Mutter, ihr ihren bevorstehenden Tod anzukündigen; Maria bittet darum, die Apostel, die in alle Teile der Welt auf Missionsreisen gegangen sind, noch einmal um sich versammelt zu sehen. Auf wunderbare Weise werden die Jünger Jesu dann durch die Lüfte an das Sterbebett Marias gebracht; im Augenblick des Todes seiner Mutter erscheint Christus inmitten seiner Apostel, um die Seele Marias in Empfang zu nehmen, die durch Engel zum Himmel hinaufgetragen wird; Juden versuchen, die Beisetzung der Gottesmutter zu verhindern, einem von ihnen, der sich an ihrem Leichnam vergreifen will, schlägt Michael beide Hände ab; Maria wird dann außerhalb Jerusalems beigesetzt; aber einer der Zwölf, Thomas, war nicht rechtzeitig zur Sterbestunde und auch zur Beisetzung der Gottesmutter erschienen; er war zwar in Indien aus der Meßfeier heraus durch eine übernatürliche Kraft entführt und durch die Lüfte nach Jerusalem gebracht worden, aber unterwegs sah er Maria zum Himmel aufsteigen und bat sie um ihren Segen; Maria gab ihm ihren Gürtel, mit dem die Apostel ihr Grabkleid umgürtet hatten; als Thomas in Jerusalem ankam, empfing ihn Petrus mit Schelte wegen seiner Kleingläubigkeit, um derentwillen er der Ehre verlustig gegangen sei, an der Beisetzung der Jungfrau teilzunehmen; Thomas bat, ihm Marias Grab zu zeigen, damit er ihren Leichnam verehren könne; dort angekommen, fand er das Grab leer; als er das seinen Mitjüngern berichtete, schalt ihn Petrus erneut wegen seiner Kleingläubigkeit, ging aber mit den anderen Aposteln zum Grabe, das sie tatsächlich leer fanden; darauf erst berichtete Thomas (von seiner Luftreise und) von seiner Begegnung mit Maria und zeigte den Gürtel, den sie ihm gegeben hatte und den die Apostel als denjenigen erkannten,

17. Kirche: Kyrill von Alexandria, vgl. Lehner a.a.O. S. 218; Johannes von Damaskus, Homilia 5 – Reich: Kedrenos, Hist. ann. 32 Justin.: Inschrift Justinians I. und Theodoras am Altar der Hagia Sophia in Konstantinopel – Kaiser: Corpus Inscriptionum Graecarum Nr. 8640 – Schutz, Mauer und Feste: Romanos Melodos.

18. Fragm. Commentar. in Lucam; Lehner a.a.O. S. 188.

19. Oratio 45 in sanctum Pascha 9.

20. Expositio in Psalmos 118.

21. De natura et gratia 36.

22. Opera syr. II, S. 237.

23. Freiwillige Übernahme der Askese: Augustinus, De sancta virginitate 3 – Demut: Afrahat (Aphraates), Unterweisung von der Demut – Selbstgeringschätzung: Origenes, Homilia 7 in Lucam.

24. Haereses 78,11,12 u. 24.

den sie mit der Gottesmutter ins Grab gelegt hatten. Diese Erzählungen von der leiblichen Himmelfahrt Marias, deren Körper also gleichsam ihrer Seele nachgeholt wurde, haben sich rasch über die christliche Welt verbreitet[25].

Es liegt nahe, bei einem so heiligen Menschen, dessen Seele und Leib in den Himmel erhoben wurden, nach seiner Stellung im Rahmen der Heilsgeschichte zu fragen. Etwa gleichzeitig mit den Geschichten von Marias Himmelfahrt kommen die Überlegungen darüber auf. Weil niemals ein Weib gleich ihr gesehen wurde[26], weil sie aus eigenem Verdienst zur höchsten Stufe der Vollkommenheit emporgestiegen war[27], konnte Gott sie gleichsam als Leiter benutzen, um auf die Erde hinabzusteigen, als Brücke, um sich den Menschen zu nahen, als Tor, um in die Welt einzuziehen, als Schiff, um der Welt den Schatz des Himmels zuzuführen[28]. Ja, man geht noch weiter, indem man ihr zuschreibt, was Christus der Menschheit als Heil gebracht hat: Aus ihr ging die Sonne der Gerechtigkeit hervor, aus ihr leuchtete der Sohn als das Licht in der Finsternis, durch sie gelangte die ganze Schöpfung zur Erkenntnis der Wahrheit, sie befreite die Menschen vom Götzendienst, brachte die Weisheit dieser Welt zum Schweigen und führte alle Menschen zur Erkenntnis Gottes und lehrte sie den Weg wahrer Tugend[29]. Aber nicht nur die Offenbarung, auch die Erlösung wird ihr, wenigstens teilweise, zugute gehalten: Sie versöhnte den Vater durch ihren Gehorsam, sie hat die Menschen aus der Knechtschaft Satans erlöst, die alte Schlange vertrieben und den Menschen wieder Zugang zu Gott verschafft, sie hat Evas Schuld getilgt und dem Strafurteil Gottes ein Ziel gesetzt. So wird sie geradezu zum Sühnopfer des ganzen Menschengeschlechtes, durch das die Menschen die Vergebung ihrer Sünden erhalten[30]. Das ist nur eine kleine Auswahl aus den Lobpreisungen Marias, die sie als Miterlöserin feiern und das Werk Christi in den Hintergrund zu drängen drohen.

In diesem Zusammenhang entstehen nun auch die meisten der alttestamentlichen typologischen Beziehungen und der Anwendungen neutestamentlicher Bilder auf die Gottesmutter, die durch die ganze Mariologie und Marienikonographie des Mittelalters hindurch vorherrschend sein werden. So wird sie von Ephrem Syrus[31] gefeiert als der Weinstock, als die Quelle, aus der lebendige Wasser für die Dürstenden strömen; er sieht sie vorausgesagt in der verschlossenen Pforte Ezechiels, durch die der Herr eintritt, im flammenden Dornbusch auf dem Berge Horeb, in der Bundeslade, die das Manna enthielt, das Israel ernähren sollte, im Vlies Gideons, das den himmlischen Tau in sich aufnahm, im Berg Zion, auf dem Gott Wohnung nahm, im Stab Arons, der Blüten und Früchte trug. Weitere Hinweise kamen hinzu, so die Wurzel Jesse, so Eva, die Adam die Mutter des Lebens genannt hatte, so die Himmelsleiter, die Jakob im Traum sah, und die Arche, die Noah und die Seinen rettete[32].

So ist Maria, der im Neuen Testament nur eine Nebenrolle zukommt, zu einer Hauptfigur in der Frömmigkeit des Ostens schon des 5. und 6. Jahrhunderts geworden. Keiner der Heiligen ist ihr ebenbürtig, sie überstrahlt alle Märtyrer wie die Sonne die Sterne[33]. Weil sie heiliger war als alle Heiligen, konnte sie nicht mit ihnen zusammengestellt werden[34]. Sogar über den Engeln stand sie, war sie doch noch reiner als sie[35], die willig den höheren Rang der

25. Zum »Transitus Beatae Mariae Virginis« vgl. B. Altaner, Patrologie, 5. Aufl. Freiburg 1958, S. 107.

26. Jakob von Sarug, in: Ausgewählte Schriften der syrischen Dichter (BKV Nr. 57) S. 234.

27. Jakob von Sarug, ebd. S. 244.

28. Leiter: Andreas von Kreta, Oratio 14 – Brücke: Akathistos-Hymnos – Tor: Romanos, De nativitate beatae Virginis – Schiff: Ephraem Syrus ed. Lamy II, S. 526.

29. Sonne der Gerechtigkeit: Ephraem a.a.O. S. 540 – Sohn als Licht: Kyrill von Alexandria, vgl. Lehner a.a.O. S. 218 – Erkenntnis der Wahrheit: ders., vgl. Lehner a.a.O. S. 218 – Befreiung vom Götzendienst usw.: Akathistos-Hymnos.

30. Versöhnung: Sacramentum Gallicanum – Erlösung vom Teufel: Ambrosius von Mailand, De obitu Theodosii 44 – Tilgung der Schuld Evas: Andreas von Kreta, In annunciationem – Strafurteil Gottes: Andreas von Kreta, Oratio 5 – Sühnopfer: Akathistos-Hymnos.

31. Vgl. dazu E. Lucius, Die Anfänge des Heiligenkults in der christlichen Kirche, hg. von G. Anrich, Tübingen 1904, S. 454.

32. Wurzel Jesse: Andreas von Kreta, Oratio 4 – Eva: Epiphanios von Salamis, Haer 78,18 – Himmelsleiter: Andreas von Kreta, Oratio 14 – Arche: Johannes von Damaskus, Homilia 8.

33. Basileios der Große, In sanctae Deiparae annuntiationem Oratio 39.

34. Modestos, Encomium in dormitionem sanctissimae dominae nostrae Deiparae 7.

35. Johannes von Damaskus, Homilia 5 und Homilia 8.

Gottesmutter anerkennen. Seraphim und Cherubim preisen sie, die ihren Platz auf dem Thron eingenommen hat, den Gott ihr vor Grundlegung der Welt schon bereitet hat[36].

So steht, mit den Augen des Frommen gesehen, Maria ganz auf der Seite Gottes. Mit ehrfurchtsvoller Scheu sehen die Menschen zu ihr auf, und wie Christus ihr Herr, so ist Maria ihre Herrin. Sie wurde die Königin aller Menschen und die Gebieterin der ganzen Welt[37], weil sie die Mutter des Schöpfers gewesen ist.

Mit der immer zunehmenden Bedeutung Marias für die Frömmigkeit und die Kirchenlehre kam es auch zur Errichtung von ihr geweihter Kirchen. Aus der Zeit vor dem ephesinischen Konzil des Jahres 431 wissen wir von keiner Marienkirche. Erst im Zusammenhang eben dieses Konzils sprechen die Anhänger Kyrills von Alexandria von dem Gotteshaus, in dem getagt wird, als von »der Kirche, genannt Maria« (ihrer Bezeichnung für die Konzilskirche haben sich ihre antiochenischen Gegner nie angeschlossen). Es ist ganz unsicher, ob die Kirche den Namen bereits hatte, als das Konzil in ihr zu tagen begann, ob die Alexandriner, deren Schlachtruf ja der Ehrenname »Theotokos« war, die Tagungsstätte erst so benannt haben oder ob gar erst die Redaktion der Konzilsakten nachträglich der Kirche ihren Namen gab. Wie dem auch sei, die Konzilskirche von Ephesos ist die erste Marienkirche, von der wir hören. Von nun an aber entstanden rasch Marienkirchen in der christlichen Welt. Um nur einige wichtige zu nennen: In der Hauptstadt des Ostreiches, Konstantinopel, ließ der Präfekt Kyros unter Theodosius II. eine Marienkirche bauen, deren einstige Lage uns nicht bekannt ist; ihm folgte um die Mitte des 5. Jahrhunderts Kaiserin Pulcheria mit der Theotokoskirche im Blachernenviertel, die nach 1453 zerstört wurde, und der gleichnamigen Kirche in der Chalkoprateia, von der wenige Reste auf uns gekommen sind, angeblich auch mit der Kirche der Panagia Hodegetria. Kaiserin Verina, Gattin Leons I. (457–474), schloß sich mit dem Haus der Theotokos bei der Hagia Sophia an. In Rom weihte Papst Sixtus III. bald nach 431 die neuaufgebaute Basilica Liberiana

(heute Sa. Maria Maggiore) der Gottesmutter, etwa gleichzeitig entstand die Basilica Suricorum in S. Maria in Capua Vetere als Stiftung des Bischofs Symmachus an Maria (1754 zerstört) usw. Die Großzeit der Marienkirchen in Konstantinopel und im ganzen Oströmischen Reich aber war die Regierungszeit Justinians I. (527–565), der ältere Marienkirchen restaurieren bzw. neu bauen ließ und überall im Reich der Mutter Gottes Kirchen errichtete.

Von da ab reißt die Kette der Marienkirchen im gesamten Bereich der Orthodoxie nicht mehr ab, ihre Zahl ist weit größer als die der Christus geweihten. Zugleich mit der auch architektonisch sich auswirkenden gesteigerten Verehrung der Gottesmutter beginnt nicht nur die Herstellung, sondern vor allem auch die Verehrung der Bilder der »immerwährenden Jungfrau«. Hatte noch Augustinus gemeint, daß wir vom Aussehen der Mutter Christi nichts wüßten[38], so taucht wohl um die Mitte des 5. Jahrhunderts die Vorstellung auf, die Kirche besäße authentische, auf die Zeit der Apostel zurückgehende Bilder Marias. Theodoros Anagnostes, ein Lektor an der Hagia Sophia in Konstantinopel, hat im 6. Jahrhundert eine »Kirchliche Geschichte« geschrieben, von der uns Fragmente erhalten geblieben sind; in einem dieser Fragmente berichtet er von der Jerusalem-Pilgerfahrt der Kaiserin Eudokia, der Gattin Theodosius' II.; wie sie von ihrer ersten Jerusalem-Fahrt die Ketten des Petrus mitgebracht hatte, von denen die Hälfte noch heute in S. Pietro in Vincoli in Rom verehrt werden, so sandte sie von der zweiten nach dem Tode ihres Gatten (450) ihrer Schwägerin Pulcheria, nun Gattin des Kaisers Markianos, unter anderen kostbaren Heiligtümern »das Bild der Gottesmutter, das der Apostel Lukas gemalt hat«[39]. Diese Nachricht wird man nicht als Erfindung des Theodoros Anagnostes ansehen dürfen, sondern als Überzeugung der Absenderin wie der Empfängerin, die Theodoros den Akten der Zeit entnahm, über die er seine Kirchengeschichte schrieb, die von 439 bis 527 reichte. Erst Jahrhunderte später hören wir wieder von Bildern von der Hand des Evangelisten: Andreas von Kreta weiß um 726 von Pendantbildern Christi und Ma-

---

36. Ebenda.
37. Herrin der Menschen: Johannes von Damaskus a.a.O. – Königin der Menschen: Andreas von Kreta, Oratio 13 – Gebieterin der ganzen Welt: Antonios Chozebites, Miracula beatae Virginis in Choziba 1.
38. De trinitate 8,5,7.
39. Kirchengeschichte I,1.

rias in Rom und Jerusalem[40]; etwa um die gleiche Zeit schreibt der konstantinopolitanische Patriarch Germanos von einem Marienbild, das Lukas gemalt und an Theophilos nach Rom gesandt habe[41]. Es mag verwunderlich erscheinen, daß Germanos das Lukas-Bild nicht erwähnt, das Eudokia aus Jerusalem in die Kaiserstadt am Goldenen Horn gesandt haben soll, und man hat daraus geschlossen, daß es sich um einen sehr viel späteren Einschub in die Schrift des Theodoros Anagnostes handeln müsse[42]. Wenn wir aber bedenken, daß selbst für hochverehrte Christusbilder, die »nicht von Menschenhand« gemacht sein sollten, wie das Bild von Kamulia (oder Kamuliana), die Zeugnisse sehr bald aus unseren Quellen verschwinden, nachdem es vorübergehend eine geradezu überragende Rolle gespielt hatte, und daß seit dem 7. Jahrhundert die Legenden von »nicht von Menschenhand« gemachten Marienbildern aufkommen (s. u.), so wird man verstehen, warum Patriarch Germanos das Lukas-Bild seiner Stadt nicht erwähnte – man könnte auch daraus, daß er nur von dem wunderbar entstandenen Bild Christi in Edessa (damals unter arabischer Herrschaft) und von dem Lukas-Bild in Rom spricht (also von dem Zugriff des bilderfeindlichen Kaisers nicht oder nicht unmittelbar zugänglichen heiligen Bildern), schließen, er wolle die Aufmerksamkeit des Kaisers, an den er sich wendet, nicht auf die konstantinopolitanischen Bilder lenken, die er auch als Zeugnis des apostolischen Ursprunges der Bilder in der Kirche nach der Auffassung der Zeit hätte anführen können; es ging ihm nämlich darum, Leon III. von seinem Vorhaben, die Bilder in der Kirche zu verbieten, abzubringen. Wie dem auch sei, in der Zeit nach dem Bilderstreit heftete sich der Ehrentitel Lukas-Bild an das hochverehrte Marienbild der Hodegetria, der Gottesmutter der Kirche im Kloster der Hodegoi (s. u. S. 22); von ihm berichtet der russische Pilger Antonios, Bischof von Novgorod, der im Jahre 1200 Konstantinopel besuchte, und fügt hinzu, daß der Heilige Geist auf dieses Bild herabsteige, wenn es in feierlicher

Prozession durch die Stadt getragen werde[43]. Auch Papst Innozenz III. weiß in einem Brief aus dem Jahr 1207 von diesem Lukas-Bild, um das sich damals die Venezianer mit dem Lateinischen Kaiser stritten[44].

Mit der Zeit hat sich das malerische Œuvre des Lukas recht beachtlich erweitert: In Rom galt die als »Salus Populi Romani« verehrte Ikone unbestimmter zeitlicher Stellung in Sa. Maria Maggiore als Lukas-Bild, außerdem Marienbilder in Sa. Maria Novo (Sa. Francesca Romana), Sa. Maria del Populo, in S. Agostino, in Ss. Domenico e Sisto u.a.m.; andere Lukas-Bilder sind bezeugt für Grottaferrata, Monte Vergine, Trapani, Platia, Ragusa, Malta, Padua, Venedig, Marseille, Bellinzona, Chambérie, Freising, Kloster Hilandar auf dem Athos (die sog. dreihändige Panagia) usw.; berühmt waren außerdem die Lukas-Bilder in Sa. Maria del Carmine in Neapel (genannt »La Bruna«) und in der Kathedrale von Cambrai (genannt »Notre-Dame de Grâce«). Das alles sind Madonnenbilder, aber auch andere Mariendarstellungen wurden auf den Evangelisten zurückgeführt, so z.B. die fürbittende Maria in Sa. Maria in Aracoeli in Rom (s.u. S. 27), schließlich auch Christusbilder und Skulpturen. Man begnügte sich auch nicht mit der apostolischen Autorschaft des oder der Lukas-Bilder, sondern wußte schon im Bilderstreit davon zu berichten, daß Maria ihr Bild ausdrücklich gesegnet habe[45].

Um dieses Thema abzuschließen, muß erwähnt werden, daß man sich in Byzanz offenbar zunächst recht zurückhaltend gegenüber der Lukas-Tradition verhalten hat, im Abendland hingegen sie immer weiter ausspann und ins Wunderbare steigerte – Lukas zeichnete nur die Umrisse, alles andere fügte sich von selbst daran[46]. Erst spät hat sich die Lukas-Tradition in Byzanz und im Raum der Orthodoxie auch in Darstellungen niedergeschlagen, die den Evangelisten beim Porträtieren der Madonna zeigen[47], zentrale Bedeutung gewann die Legende wohl nur für das Bild der Hodegetria, *Abb. 410.*

---

40. Fragment über die Bilderverehrung, bei: E. v. Dobschütz, Christusbilder, Leipzig 1899, S. 186* Z. 29ff.

41. Rede vor Kaiser Leo III., ebd. S. 188*.

42. Ebd. S. 271**.

43. R. Wolff, Footnote to an Incident of the Latin Occupation of Constantinople. The Church and the Icon of the Hodegetria, in: Traditio 6 (1948) S. 325.

44. Epistula IX,243.

45. Vgl. dazu Dobschütz a.a.O. S. 267**–280**.

46. Ebd. S. 278** f.

47. Als ein Beispiel aus Byzanz vgl. die Zeichnung im Ms. 330 des Johannes-Klosters auf Patmos vom Jahre 1427: H. Belting, Das illuminierte Buch in der spätbyzantinischen Gesellschaft, Heidelberg 1970, Fig. 7; Lukas malt die Blacherniotissa.

Andere Bildlegenden, wie die eines Marienbildes von der Hand des Apostels Johannes in einem armenischen Kloster oder von einem Bilde der jungfräulichen Mutter mit ihrem Kinde von der Hand eines Malsklaven, der die drei Magier auf ihrer Reise nach Bethlehem begleitet haben soll (im Besitz der persischen Kirche), haben nie die Bedeutung der Lukas-Legende erreicht und bleiben lokal, auf die außerhalb der Reichskirche befindlichen Gemeinschaften beschränkt[48]. In Byzanz traten vielmehr zunächst die Acheiropoieten Marias in den Vordergrund und drängten die Lukas-Legende in den Hintergrund. Acheiropoieten, nicht von Menschenhand gemachte Bilder, galten als durch übernatürliche, wunderbare Wirkung entstandene und deshalb besonders authentische Porträts der Dargestellten[49]. Zunächst vornehmlich von Christus-Bildern ausgehend, wendet sich der Glaube an die Acheiropoieten in der Zeit des Bilderstreits nun auch den Bildnissen Marias zu. Die älteste Marien-Acheiropoietos ist die von Diospolis (Lydda, heute Lod) in Palästina; über sie geben die Berichte recht verschiedene Entstehungslegenden: Andreas von Kreta berichtet vom Bau der Kirche in Lydda durch die Apostel, die Maria Vorwürfe machten, daß sie zur Einweihung nicht erschienen sei; sie aber versichert, dauernd in der Kirche anwesend zu sein, und die Apostel finden dann auch ihr Bild in der Kirche vor; nach einem Schreiben der drei orientalischen Patriarchen an Kaiser Theophilos baten Petrus und Johannes Maria, zur Einweihung der Kirche nach Lydda zu kommen, sie aber befahl das Entstehen eines Bildes – und war bei einem späteren Besuch erstaunt, wie trefflich sie abgebildet sei; Georgios Hamartolos schließlich, ein mönchischer Chronist des 9. Jahrhunderts, weiß zu berichten, Maria habe sich bei einem Besuch in Lydda an eine Säule der Kirche gelehnt, woraufhin ihr Bild an dieser Säule erschien; endlich weiß eine sehr viel jüngere Predigt, daß das Bild Marias ohne ihr Mitwirken auf das Gebet der Apostel hin erschien[50]. Gemeinsam ist allen vier Legenden nur, daß alle

feindseligen Bemühungen, das Bild zu vernichten, vergeblich waren und sogar das Bild nur noch leuchtender und herrlicher werden ließen. Später hören wir nichts mehr von diesem Bilde; so heilig und unverletzlich es sein sollte, es scheint verschwunden zu sein, ohne weitere Spuren zu hinterlassen.

Weitere Marien-Acheiropoieten, von denen wir hören, sollen sich in folgenden Kirchen befunden haben: in einem Kloster vor dem Goldenen Tor von Konstantinopel, wo es durch literarische Quellen und durch Siegel bezeugt ist – das Kloster war gelegentlich Ausgangspunkt kaiserlicher Triumphzüge; dieses Bild soll Maria mit eigener Hand hergestellt haben, d.h. wohl aus ihrer heiligen Kraft[51]; in einer Kirche in Hyrtakion bei Kyzikos, wo sie noch 1328 Ziel einer kaiserlichen Wallfahrt war; im Acheiropoietos-Kloster in Kosinitza bei Kabala und in einem gleichnamigen Kloster in Thessalonike, in Rossano und in Catania, in Trapani, in S. Maria in Trastevere in Rom u.a.m.[52].

Übrigens soll Maria sich auch selbst künstlerisch betätigt haben: Adamnan schreibt in seinem Bericht über die Pilgerfahrt Arculfs ins Heilige Land (um 700), der gallische Bischof habe in Jerusalem ein Leinentuch gesehen mit den Bildern Christi und der Apostel, von denen berichtet wurde, Maria habe sie auf das Tuch gestickt[53]. Von dieser Leinenstickerei weiß noch Petrus Diaconus (um 1140), daß sie hoch verehrt wurde[54].

Welche Bedeutung die Frömmigkeit dem Bilde der Gottesmutter zuschrieb, sei abschließend an zwei Beispielen von zentraler politischer Wichtigkeit gezeigt: Als Herakleios von Karthago mit einer Flotte nach Konstantinopel in See stach, um Phokas' tyrannischem Regiment ein Ende zu setzen, ließ er an die Masten Marienikonen heften[55]; und als im Jahre 626 Avaren und Slaven die Hauptstadt, von der der Kaiser auf seinem Perserzug abwesend war, belagerten, ließ Patriarch Sergios auf allen Stadttoren der Westseite Marienbilder aufstellen[56]; in beiden Fällen haben die Ikonen der Jungfrau den Sieg gebracht.

---

48. Marienbild, vom Apostel Johannes gemalt: Moses von Khoren, Brief an Sahak Ardsruni; Malsklave als Begleiter der Magier: Dobschütz a.a.O. S. 143.

49. Zum Wesen der Acheiropoieten vgl. Dobschütz a.a.O. S. 263 ff.

50. Die Texte bei Dobschütz a.a.O. S. 146*f., 186* §§ 3–5 u. 237**.

51. Dobschütz a.a.O. S. 83 f.

52. Ebd. S. 84 ff.

53. Text ebd. S. 109*.

54. Text ebd.

55. Georgios Pisides, Heraclius 2,13 ff.

56. G. A. Wellen, Theotokos, Utrecht–Antwerpen 1959, S. 215.

Ehe wir uns den Marienbildern zuwenden, muß noch ein Wort zu den Marienreliquien gesagt werden. Da nach dem Glauben schon des 5. Jahrhunderts Maria leiblich in den Himmel aufgenommen worden war, konnte es sich nur um Dinge handeln, die mit ihr in Berührung gekommen oder von ihr benutzt worden sein sollten. Ihre Zahl wuchs mit der Zeit recht erheblich, wir können hier nur einige der für die späteren Zeiten wichtigen kurz anführen. So wurde der Stein, auf dem sich Maria auf der Reise nach Bethlehem niedergelassen hatte, um auszuruhen, in der Grabeskirche in Jerusalem als Altar verwendet und den Pilgern gezeigt – was nicht hinderte, an der Stelle der Rast Marias ebenfalls den Stein zu zeigen, auf dem sie gesessen haben soll[57]. In Diokaisareia in Palästina zeigte man im 6. Jahrhundert den Krug und das Körbchen, die Maria bei der Verkündigung bei sich gehabt habe (der Krug gehört zur Verkündigung am Brunnen, das Körbchen soll die Purpurwolle enthalten haben, die Maria spann, als Gabriel zu ihr trat), sowie den Sessel, auf dem sie saß, als der Erzengel vor sie trat[58]. In Nazareth hatte man das angebliche Haus Marias in eine Kirche verwandelt und zeigte in ihr wunderwirkende Kleidungsstücke der Gottesmutter[59]. In Jerusalem besaß man ihren Gürtel, mit dem die Thomas-Legende verknüpft ist, und ihre Stirnbinde[60], ebenso das – freilich erst später bezeugte – bereits erwähnte Leinentuch mit den von Maria gestickten Bildern Christi und der Apostel, das natürlich durch die intensive Berührung mit Maria im Laufe der Stickarbeit zur Berührungsreliquie geworden war. Nächst dem Heiligen Land war Konstantinopel die Stadt mit den meisten und wertvollsten Marienreliquien, darunter das Kleid, das die Jungfrau während der Schwangerschaft getragen hatte, und die Schweißtücher, in die die Apostel den Leichnam der Gottesmutter gehüllt hatten und die dank der leiblichen Himmelfahrt nun zur Verfügung standen (Kleid und Schweißtücher wurden in der Theotokos-Kirche in den Blachernen aufbewahrt und verehrt)[61] sowie ihren Gürtel, diesmal von vornherein als derjenige identifiziert, den sie während ihrer Himmelfahrt Thomas übergeben hatte (er war *das*

Heiligtum der Theotokos-Kirche der Chalkoprateia)[62]. Kleid und Gürtel galten dem Volksglauben als die zuverlässigsten Schutzwälle der Stadt, als ihr bester Schutz gegen feindliche Mächte, auch gegen die der Natur wie z. B. die in Konstantinopel recht häufigen Erdbeben[63]. Daß sich diese auf wunderbare Weise aus den Zeiten von Christi und Marias Erdenwandel hinübergeretteten Reliquien ständig durch neugefundene vermehrten, entspricht mittelalterlicher Denkweise – daß sich aber sogar noch einige Tropfen von der Milch fanden, mit denen Maria ihren Sohn gestillt hatte, läßt diese Reliquienmanie nicht im besten Lichte erscheinen.

Daß Bilder wie Reliquien Marias Wunder über Wunder taten, haben Kirche und Volk freudig und fest geglaubt. Sie hier aufzuzählen, ist ebenso unmöglich wie unnötig. Dieser Glaube gehört zum Wesen des Bilder- und Reliqienkultes, ist dessen Voraussetzung wie auch seine Konsequenz.

Die ständig steigende Hochschätzung Marias in Theologie und Frömmigkeit läßt sich auch, trotz der bruchstückhaften Überlieferung gerade auf diesem Gebiet, in der Kunst ablesen[64]. Zunächst nur als Assistenzfigur im Bilde der Geburt Christi, *vgl. Bd. 1, Abb. 146*, oder als Trägerin des göttlichen Kindes in der Anbetung der Magier, *vgl. Bd. 1, Abb. 147*, anwesend – wobei sie in Geburtsdarstellungen sogar fehlen kann, *vgl. Bd. 1, Abb. 143, 145 und 150*, – wird ihr als erste Szene, in der sie die Hauptfigur ist, seit dem frühen 5. Jahrhundert die Verkündigung zugestanden, *vgl. Bd. 1, Abb. 68, sowie 66 und 70–73*. Seit 431 verändert sich dann die Szene rasch und gründlich, nicht nur, indem die Gottesmutter in den überkommenen Szenen, vor allem in der Anbetung der Magier, durch Haltung, Kleidung und Thron hoch über ihre frühere Rolle erhoben wird, *vgl. Bd. 1, Abb. 256–259*, auch nicht nur dadurch, daß autonome Marienbilder entstehen, die anscheinend bereits um die Mitte des 5. Jahrhunderts zumindest in Konstantinopel, aber auch in Italien vorhanden waren (s. u. S. 20), sondern auch dadurch, daß Maria in Szenen an hervorgehobene Stelle tritt, in denen sie, vom

57. Theodosius, De situ terrae sanctae (ed. Gildemeister) S. 28 – Antoninus von Piacenza (ehem. zugeschr.), Itinerarium 28.

58. Antonius von Piacenza, Itinerarium 4.

59. Ebd. 5.

60. Ebd. 20.

61. Nachweise bei Lucius a.a.O. S. 467.

62. Nachweise ebd.

63. Nachweise ebd.

64. Vgl. Wellen a.a.O. Kap. 1–3.

Neuen Testament her gesehen, nichts zu suchen hat: Im Osterzyklus ist sie nicht nur eine der Frauen, die am leeren Grabe die Botschaft des Engels hören, sondern wird auch einer Erscheinung des Auferstandenen gewürdigt, *vgl. Bd.2, Abb.327*, und im Himmelfahrtsbild nimmt sie gar die zentrale Stelle ein, *vgl. Bd.3, Abb.459f.* Daß sie dann in Theophaniedarstellungen ebenfalls in die Mitte unter Christus rücken kann, *vgl. Bd.3, Abb.659f.*, ist nur eine folgerichtige Fortentwicklung. Seit dem frühen 14. Jahrhundert ist uns dann eine Szene überliefert, in der Maria sogar schon dem präexistenten Christus zugeordnet ist: In der Kirche Sv. Nikita bei Čučer (unweit Skopje) finden wir eine Darstellung, die aus der serbischen wie der russischen kirchlichen Kunst unter dem Namen »Das nichtschlafende Auge« bekannt ist, *Abb.412*; der jugendliche Christus im Typus des Emmanuel ruht, den Kopf in die rechte Hand gestützt, auf einer Kline, links von ihm steht ein Erzengel mit einem Fliegenwedel in der rechten Hand, von rechts tritt Maria heran, leicht vorgeneigt, und streckt mit ernstem, traurigem Gesicht die linke Hand zu ihrem Sohn hin aus. Die Bezeichnung der Szene geht auf Ps 121(122),3f. zurück: »Der dich behütet, schläft nicht.

Siehe, der Hüter Israels schläft noch schlummert nicht«. Man kann das Bild aus dem Löwengleichnis des Physiologos, einer christlich allegorisierenden Zusammenstellung von Tierfabeln aus frühchristlicher Zeit, auf die Zeit des Todes Jesu, also zwischen Karfreitag und Ostersonntag, deuten, heißt es doch im Physiologos: »Denn die Leiblichkeit des Herrn schläft am Kreuz, seine Göttlichkeit aber wacht, sitzend zur Rechten des Vaters. Siehe, der Hüter Israels schläft noch schlummert nicht, sagt der Prophet.«[65]. Da aber auf späteren Darstellungen, schon in Serbien im 14. Jahrhundert[66], der Erzengel Michael mit den Leidenswerkzeugen an Christi Ruhestatt tritt, dürfte eher der präexistente Christus, also der ewige Gottessohn, die zweite Person der Trinität, gemeint sein, der auf seine irdische Aufgabe eingestimmt wird. Welche Deutung man auch annimmt, die Anwesenheit Marias bei dieser im Himmel spielenden Szene bleibt so oder so verwunderlich, denn entweder hat sie, obwohl dem Leben nicht entrissen, den Sohn nach seinem irdischen Tode ins Paradies begleitet, oder sie weilt schon vor seiner Geburt im Himmel bei ihm.

Das autonome Marienbild des Ostens

Ehe wir uns den autonomen Marienbildern in der byzantinischen Kunst zuwenden, muß ein Wort zu den Namen der einzelnen Typen gesagt werden. Die Kunstgeschichte hat es sich angewöhnt, bestimmte Typen des Marienbildes der Ostkirche mit bestimmten Namen zu belegen. Das ge-

schieht, was Byzanz anlangt, leider nicht einheitlich, und die moderne griechische Forschung z.B. verbindet mit den bei uns üblich gewordenen Bezeichnungen ganz andere Bildtypen als wir[67]. Das weist auf die komplizierte und nicht selten sogar verworrene Situation hin, die durch

65. Der Physiologus, übertragen und erläutert von O. Seel, Zürich und Stuttgart 1960, S. 4. Zum Wesen dieser für die mittelalterliche Ikonographie sehr bedeutsamen Schrift vgl. ebd. S. 53ff. – Mit dem Physiologus-Bericht über den Löwen bringt H. Skrobucha die Szene in Verbindung: Kunstsammlungen der Stadt Recklinghausen, Ikonenmuseum, 3. Aufl. 1965, Nr. 60 (Ikone der Moskauer Schule um 1500).
66. Die z.B. von B. Rothemund, Handbuch der Ikonenkunst, 2. Aufl. München 1966, S. 213, vertretene Auffassung, das Thema

sei im 15. Jahrhundert in Rußland entstanden, läßt sich nicht halten, da außer Sv. Nikita auch die Erzengelkirche in Lesnovo das gleiche Motiv, durch die Leidenswerkzeuge erweitert, bietet, ebenso auch Resava (Manasija, 1406–1418). Die russischen Ikonen fügen dem Grundschema nur noch die paradiesische Landschaft zu. Ältestes russisches Beispiel ist wohl die in Anm. 65 genannte Ikone in Recklinghausen.
67. Vgl. dazu H. Hallensleben, LCI 3, Sp. 162.

die Beischriften auf den Ikonen entstanden ist. Schon in frühbyzantinischer Zeit kommt der Brauch auf, den Bildern die Namen der Dargestellten oder Kurzbezeichnungen für die dargestellte Szene beizufügen, ohne daß das bereits kanonisch wäre – es ist im Gegenteil zunächst noch die Ausnahme. Für Maria ist das meist, durch alle verschiedenen Typen hindurch, die Bezeichnung »Die heilige (Jungfrau) Maria«. Seit mittelbyzantinischer Zeit wird das Beischreiben der Namen obligatorisch, für Maria stets in der Abkürzung MP ΘY (Mutter Gottes). Hinzu treten nicht selten, aber keineswegs in der Mehrzahl der Bilder, weitere Titel Marias. Einige von ihnen lassen sich leicht als toponym (von einer Ortsbezeichnung abgeleitet) im weiteren Sinne erkennen, d. h. sie sind von Kirchen- oder geographischen Namen abgeleitet, so z. B. Hodegetria (von der Kirche im Kloster der Hodegoi bei Konstantinopel), Blacherniotissa (von der Theotokos-Kirche im Blachernenviertel in Konstantinopel), Kyriotissa (von der Marienkirche des Stadtpräfekten Kyros in Konstantinopel) oder, um auch ein geographisches Beispiel zu geben, Pelagonitissa (nach der Landschaft Pelagonien). In Rußland werden Marienbilder sehr gerne nach Städten benannt, in denen verehrte, als wundertätig berühmte Vorbilder existierten, so z. B. Kasanskaja, Korsunskaja, Tolgskaja, Vladimirskaja usw. Andere auf Marienbilder geschriebene zusätzliche Bezeichnungen erklären sich aus der Haltung Marias, so z. B. die Glykophilousa, d. h. »die süß Liebende«, eine die innige Haltung, die Mutter und Kind verbindet, in einen Begriff fassende Beischrift. Solche »Haltungs«-Namen sind z. T. wohl auch von der Wissenschaft erfunden worden; für die Dexiokratousa (die mit der rechten Hand Haltende), die Galaktotrophousa (die mit Milch Nährende) und die Deomene (die Fürbittende, von der Gebetshaltung her) sind m. W. alte Bildbeischriften nicht nachweisbar. Wieder andere Bezeichnungen sind ohne Schwierigkeiten als Ehrennamen zu erkennen: Nikopoia (die Siegschaffende), Eleousa (die Erbarmende), Platytera (die weiter ist, ergänze: als die Himmel), Zoodochos Pege (lebensspendende Quelle), Paraklesis (Trost), Psychosostria (Seelenretterin), Peribleptos (die Angesehene), Episkepsis (Heimsuchung oder Fürsorge), Herrin der Engel, Bathos (Tiefe oder Fülle) u. a. m. Einmal findet sich in einer Beischrift sogar eine material- oder technikbedingte Bezeichnung: Chymeute (die Emaillierte). Eine Ikone des Athos-Klosters Iberon (Iwiron) hat ihren Na-

men von ihrem »Amt«: sie heißt Portaïtissa (die Pförtnerin)[68].

Die Schwierigkeiten in der Typenbenennung ergeben sich nun daraus, daß gleichartig dargestellte Marienbilder oft ganz verschiedene Namen tragen, sowohl in den Beischriften als auch in der modernen Literatur; oder anders gesagt: Die gleiche beigeschriebene Bezeichnung kann sich bei völlig verschiedenen Marienbildern finden. Das beruht wohl darauf, daß man später die ursprünglich toponymen als ehrende Namen aufgefaßt hat, daß viele Beischriften dem Marienbild eher eine bestimmte Funktion zuschreiben, als daß sie es einem Vorbild oder Typus zuordnen wollen. So wird man wohl kaum zu Bezeichnungen der byzantinischen Marienbilder kommen, gegen die nicht von irgendeiner Seite her begründete Einwände erhoben werden können. Wir wollen, ohne das im Text in jedem Falle zu begründen, versuchen, im folgenden jeweils einem jeden Typus den Namen zuzuordnen, der nach den ältesten beischriftlichen Zeugnissen für ihn in Betracht kommt. Wir haben uns bemüht, uns dabei so eng wie möglich an greifbare byzantinische Traditionen zu halten. Wichtiger aber als die Frage der Typenbenennungen scheint uns, nach den jeweils greifbaren frühesten Bildzeugen zu fragen und sie, soweit sie reproduzierbar sind, auch vorzuführen, um daran an ausgewählten Beispielen späterer Zeit zu zeigende Veränderungen oder auch das ungebrochene Fortleben des ursprünglichen Typus anzuschließen.

Ein Letztes noch: Kein einmal geschaffener Typus geht in der Tradition der ostkirchlichen Malerei ganz wieder verloren, und von keinem Typus kennen wir die wirklich ursprüngliche Fassung – die immensen Verluste, die die Vernichtung kirchlicher Kunstwerke im Bilderstreit verursacht hat, ließen nur sehr vereinzelte und oft nur zufällige Zeugen übrig, die in der Mehrzahl der Fälle sicher nur Nachgestaltungen älterer Originalfassungen sind.

Autonome Marienbilder sind uns für das 5. Jahrhundert bezeugt und seit dem 6. Jahrhundert erhalten. So wird von dem 1754 zerstörten Apsisbild der Basilica Suricorum in S. Maria in Capua Vetere berichtet, es habe Maria mit dem Kinde auf dem Schoße gezeigt, umgeben von Weinranken[69]. Auch das ebenfalls zerstörte frühere Apsisbild von

68. P. Huber, Athos, Zürich 1969, Abb. 162.

69. Chr. Ihm, Die Programme der christlichen Apsismalerei

Sa. Maria Maggiore in Rom stellte Maria mit dem Kind und dazu Märtyrer dar, die ihr ihre Kränze brachten[70]. Beide Mosaiken sind um 430 entstanden. Wir dürfen uns das Aussehen Marias auf ihnen vielleicht so vorstellen, wie sie uns in dem mehr als ein Jahrhundert jüngeren Mosaik der Basilica Euphrasiana in Poreč, *vgl. Bd. 3, Abb. 635,* erhalten blieb: frontal auf prunkvollem Thron sitzend, die Füße auf ein kaiserliches Suppedion gestellt, hält sie das Kind vor der Achse ihres Körpers; sie ist in Chiton und Maphorion (Palla) in kaiserlichem Purpur gekleidet, eine feierlich-repräsentative, majestätisch ferne Gestalt, eher eine Himmelskönigin als die irdische Mutter des Menschgewordenen. Das Vorbild ist unverkennbar: es ist zweifellos das spätantike Kaiserinnenbild gewesen.

Man könnte sich vorstellen, daß dieses Bild der thronenden Gottesmutter aus der Szene einer zentral komponierten Anbetung der Magier entstanden sei, wie sie z. B. auf einer Elfenbeintafel des frühen 6. Jahrhunderts im British Museum, *vgl. Bd. 1, Abb. 259* erhalten ist, aber auch früher schon in römischen Katakombenmalereien vorkam. Auch andere Darstellungen desselben Themas zeigen die gleiche Art, die thronende Gottesmutter mit dem Kind vor der Achse ihres Körpers wiederzugeben, so z. B. das bekannte Mosaik in Sant' Apollinare Nuovo in Ravenna, *vgl. Bd. 1, Abb. 257,* oder einige der palästinensischen Ölampullen in Monza, *vgl. Bd. 1, Abb. 258,* die deswegen besonders wichtig sind, weil sie wahrscheinlich ein Mosaik der Geburtskirche in Bethlehem wiedergeben[71].

Wie dem auch sei, dieser Marientypus ist ungemein beliebt gewesen. Ihm haftet später der Name »Nikopoia«, die Siegbringende, an, weil man ihn als jenen der Marienikone ansah, unter deren Schutz Herakleios mit seiner Flotte von Karthago nach Konstantinopel segelte, um der Schreckensherrschaft des Phokas ein Ende zu setzen (610), und die er in seiner Hauptstadt zurückließ, wo sie den Ansturm der Avaren und Slaven (626) abgewiesen haben soll. Diese Ikone sollen die Venezianer 1204 geraubt haben (die Nikopoia in San Marco ist sicherlich erst nach dem Bilderstreit entstanden)[72].

Der besonders in frühbyzantinischer Zeit sehr verbreitete Typus begegnet in zahlreichen Darstellungen, in denen Maria immer das Kind mit der linken Hand am linken Beinchen hält und mit der rechten Hand an den rechten Oberarm faßt; zwei Erzengel, meist mit dem Globus und stets mit einem Stabszepter, stehen seitlich hinter der thronenden Gottesmutter. Zu den schönsten Beispielen gehört ein Flügel eines elfenbeinernen Diptychons in Berlin, *Abb. 411,* das für den ravennatischen Erzbischof Maximianus um 550 gearbeitet worden ist – der andere Flügel zeigt Christus zwischen Petrus und Paulus, *vgl. Bd. 3, Abb. 636.* Hier sind Sol und Luna in den oberen Zwickeln über der Muschelarkade im Hintergrund verehrend zugegen, die alten römisch-kaiserlichen Symbole des ewigen Reichsglückes[73]; sie heben den herrscherlichen Charakter der Darstellung unmißverständlich hervor. Auf einem großen Wandteppich in Cleveland, der wohl im 6. oder frühen 7. Jahrhundert in Alexandria gearbeitet worden ist, *Abb. 413,* erscheint über der Nikopoia (hier finden wir zum erstenmal die Beischrift »Die heilige Maria«, die Normalform der Namensbeischrift in frühbyzantinischer Zeit) in einer von Engeln getragenen Mandorla der thronende, segnende Christus, und auf dem Rahmen seitlich und unter der Madonna sind die zwölf Apostel in Medaillons in die Blütenranken gesetzt: Der ewige Gottessohn über dem Bilde des Menschgewordenen, der von seinen Jüngern und Verkündern – unter den Zwölf sind auch Lukas und Markus, wie fast immer im byzantinischen Raum[74] – umgeben ist, so werden die beiden Naturen Christi und die beiden Seiten seines Wirkens im Bilde zusammengefaßt, in dessen Mittelpunkt das von Gott auserwählte Gefäß der Menschwerdung, die Jungfrau und Gottesgebärerin, steht. Auf einer großen Ikone des Katharinen-Klosters am Sinai schließlich, *Abb. 414,* um ein letztes frühbyzantinisches Beispiel zu geben, treten zwei Heilige, durch ihre Kleidung als Offiziere und durch ihre Handkreuze als Märtyrer gekennzeichnet, wie Ehrengarden neben die Gottesmutter; das Bild des himmlischen Hofstaates ist noch vollständiger geworden. Damit stellt

vom vierten Jahrhundert bis zur Mitte des achten Jahrhunderts, Wiesbaden 1960, Fig. 10 u. S. 177f. Nr. XXXIV.

70. Ebd. S. 132f. Nr. III.

71. So z. B. A. Grabar, Martyrium II, Paris 1946, S. 172ff.

72. Abbildung bei G. Musolino, La Basilica di San Marco in

Venezia, Venedig 1955, Fig. 74. Die Ikone ist mehrfach übermalt.

73. Zu Sol und Luna als Symbolen des Reichsglücks vgl. H. P. L'Orange, Der spätantike Bilderschmuck des Konstantinsbogens, Berlin 1939, S. 174ff.

74 Vgl. dazu K. Wessel, Apostel, RBK I, Sp. 237.

sich diese Ikone neben das Apsismosaik von Poreč, *vgl. Bd. 3, Abb. 635*, auf dem die Engel auf der einen Seite Heilige und auf der anderen den Bischof und seine Begleitung als Stifter der Kirche zur Madonna heranführen. Daß dieser Madonnentypus auch nach dem Bilderstreit sich ungeschmälerter Beliebtheit erfreute, mag das im späten 9. Jahrhundert entstandene Apsismosaik der Hagia Sophia in Konstantinopel zeigen, *Abb. 415*, das nun seinerseits wegen der überragenden Bedeutung der »großen Kirche« Schule gemacht hat. Hier sind die Engel nicht unmittelbar neben die Gottesmutter gestellt, sondern seitlich aus der Apsis herausgerückt. Und in der Apsis des Domes von Monreale, *vgl. Bd. 3, Abb. 660*, wird auch die Idee des alexandrinischen Wandbehanges in besonders feierlicher Form wiederaufgenommen.

Von der Nikopoia gibt es dennoch eine Variante, die gelegentlich als Sondertypus aufgefaßt und mit anderen Darstellungen irrtümlich zusammengebracht wird: Maria hält den Christusknaben in einer Mandorla vor die Mitte ihres Leibes[75]. Die Mandorla ist ein besonders aussagestarker Hinweis auf die in dem Menschen Jesus wirkende göttliche Natur, ein bildlicher Ausdruck des göttlichen Lichtglanzes, der durch die Menschwerdung Christi in diese Welt hineinstrahlt. Die Mandorla kommt auch bei anderen Madonnentypen vor, sie ist ein Attribut des gottmenschlichen Kindes, nicht ein konstitutives Element eines eigenen Madonnentyps. Als Beispiele seien hier ein Goldmedaillon des 6. Jahrhunderts in Berlin, *Abb. 416*, das aus einem repräsentativen Bild herausgeschnitten ist, und das Apsisfresko aus der Mitte des 11. Jahrhunderts in der Sv. Sofija in Ohrid, *Abb. 417*, angeführt.

Ein anderes, sehr viel selteneres Madonnenbild ist mit Sicherheit aus der Anbetung der Magier entstanden: die stillende Gottesmutter (Maria lactans, Galaktotrophusa)[76]. Sie begegnet uns zuerst auf einem Marmorkrater des späteren 4. Jahrhunderts in Museo Nazionale in Rom, *Abb. 418*, frontal thronend, dem Kind die Brust reichend, während die Weisen von beiden Seiten heraneilen. Diese die Menschlichkeit des göttlichen Kindes besonders stark betonende und zugleich intime Darstellung ist besonders im christlichen Ägypten beliebt gewesen, während sie in

Byzanz nur selten vorkommt. Auf einer Ritzzeichnung auf Stein, die reich bemalt war, sitzt Maria als junge, liebliche Mutter vor einem Vorhang zwischen Porphyrsäulen auf einem Faltstuhl mit dickem Purpurkissen und stillt ihr Kind, *Abb. 419*, das bescheidene Kunstwerk stammt aus Medinet al-Fajum und dürfte zeitlich nicht weit von dem Krater in Rom entfernt sein, mit dem es die Nacktheit des Kindes und die noch nicht so anspruchsvolle Kleidung Marias gemeinsam hat. Auf einem viel späteren Nischenfresko aus Raum 42 des Apollo-Klosters in Bawit, *Abb. 420*, ist dann die stillende Maria in der üblichen Purpurkleidung auf den prunkvollen Thron zwischen den Aposteln gesetzt; das Kind ist wie ein kleiner Erwachsener gekleidet; darüber war Christus in der Ezechiel-Vision dargestellt; wir haben also die gleiche Aussage vor uns wie auf dem großen Wandteppich.

Ein weiteres Bild der thronenden Gottesmutter, bei dem Maria das Kind auf dem linken Arm hält und mit der rechten Hand leicht sein rechtes Knie berührt, tritt erstmals im späten 6. Jahrhundert auf, so z. B. zwischen Erzengeln auf dem Einband des Evangeliars aus St. Lupicin in Paris, *vgl. Bd. 1, Abb. 58*. Man spricht bei solchen, auch später noch häufigen Darstellungen meist von der »thronenden Hodegetria«, da wir mit diesem Bilde keinen Typennamen alter Herkunft verbinden können.

Durch den alten Namen »Hodegetria« sind wir auf einen Madonnentyp verwiesen, der ebenfalls seit dem 6. Jahrhundert nachweisbar ist und wohl am häufigsten von allen Marienbildern in Byzanz vorkommt. Die Bezeichnung wird mit einem Marienheiligtum in Konstantinopel in Verbindung gebracht, das mindestens im 10. Jahrhundert als Kloster der Hodegoi, der »Wegleiter«, bezeugt ist; dort befand sich eine wundertätige Quelle, durch die Blinde auf Fürsprache Marias sehend geworden sein sollen; die Mönche, die die blinden Pilger führten, waren die Hodegoi. In der Kirche des Klosters soll sich ein von Lukas gemaltes Marienbild befunden haben, das die Kaiserin Eudokia um die Mitte des 5. Jahrhunderts aus Jerusalem an ihre Schwägerin Pulcheria nach Konstantinopel geschickt haben soll, die dann die Marienkirche für die Ikone bauen ließ[77]. Von dem Kloster der Hodegoi her haf-

---

75. Als eigenen Bildtypus nimmt z. B. Wellen (a.a.O. S. 178 ff.) alle die verschiedenen Madonnenbilder zusammen, in denen Christus von einer Mandorla umgeben ist.

76. Früher irrtümlich von mir und anderen als in Ägypten entstandener Bildtypus angesehen.

77. Theodoros Anagnostes, Kirchengeschichte I,5.

tet dann dem Lukasbild der Name Hodegetria (Wegleiterin) an. Daher sehen wir immer, wenn Lukas als Porträtist der Madonna gezeigt wird, auf seiner Staffelei ein Bild der Hodegetria, *Abb. 410*. Von allen byzantinischen Madonnenbildern ist es das einzige, das niemals im Zusammenhang einer Szene erscheint, sondern immer isoliert bleibt.

Zu den ältesten Beispielen gehört die Hodegetria in der Apsis der Panagia Angeloktistos in Kiti auf Zypern, *Abb. 421*. Heute meist in die erste Hälfte des 7. Jahrhunderts datiert, kann das Mosaik aus stilistischen Erwägungen ebenso in die Mitte oder das dritte Viertel des 6. Jahrhunderts gesetzt werden[78]. Vor gleißendem Goldgrund steht Maria streng frontal auf einem geschmückten Suppedion; sie hält den segnenden Jesusknaben auf der linken Hand und stützt ihn mit der rechten an seinem rechten Knie (die Beischrift lautet: Die heilige Maria). Gabriel und Michael, mit Stabszepter und Globus, stehen ihr verehrend zu seiten. Es ist ein Bild von strenger, ferner Majestät, weit eher eine Darstellung der Himmelskönigin als der Mutter des Menschgewordenen. Als Halbfigur begegnet diese strenge Hodegetria sehr häufig wieder, so z. B. auf einer Ikone des frühen 7. Jahrhunderts in Sa. Maria Rotunda (dem Pantheon) in Rom, *Abb. 422*, und in mittelbyzantinischer Zeit auf Elfenbeintafeln – wir bilden als Beispiel ein Stück des frühen 10. Jahrhunderts in Berlin ab, *Abb. 423*. Das hervorstechende Kennzeichen dieses Typs der Hodegetria ist das Fehlen jeder menschlichen Beziehung zwischen Mutter und Kind. Maria scheint nur die Trägerin des gottmenschlichen Kindes zu sein, aber die Beischrift in Kiti ebenso wie das Suppedion unter Marias Füßen kennzeichnen das Bild doch in erster Linie als Mariendarstellung. Hier ist die Gottesmutter schon deutlich weit über den menschlichen Bereich erhoben, eine unverkennbare Auswirkung der hoch gesteigerten Marienverehrung.

Daneben aber, fast gleichzeitig nachweisbar, begegnet ein weiterer, gleichsam menschlicherer Typus der Hodegetria, zum ersten Male belegt auf einem nielliertem Reliquienkreuz in Providence aus dem ausgehenden 6. Jahrhundert, *Abb. 424*. Auch hier steht Maria auf dem Suppedion in ihrer üblichen Kleidung, aber sie hält das Kind nicht gleichsam mühelos, sondern ihre Haltung drückt die Anstrengung aus, den großen Knaben zu tragen: Sie schiebt die linke Hüfte vor, so daß das Kind auch auf diese Weise gestützt wird; dabei wird das rechte Bein zum Spielbein, der Oberkörper neigt sich nach rechts, und der Kopf beugt sich ausgleichend wieder nach links, dem Kinde zu. Die geringe Abweichung in der Haltung macht aus dem Repräsentations- ein Mutterbild, aus der himmlischen Majestät einen irdischen Menschen und stellt zugleich eine echte Beziehung zwischen Mutter und Sohn her. Aus diesen Anfängen, auf dem Kreuz von Providence in schlichter Handwerksarbeit ohne großes künstlerisches Geschick gestaltet, wird jene zugleich einsame, hoheitsvolle und doch menschlich nahe Hodegetria, wie wir sie z. B. in der Mitte des 12. Jahrhunderts in der Cappella Palatina in Palermo finden, *Abb. 425*: Der zum Kind geneigte Kopf mit dem nachdenklich-traurigen Ausdruck läßt die ganze Zartheit dieser Schöpfung byzantinischer Marienverehrung deutlich werden.

Noch eine Abwandlung der Hodegetria kennen wir, bei der Maria Christus auf dem rechten Arm hält; dieser Typus wird auch »Dexiokratusa« genannt (= die mit der Rechten Haltende). Das älteste erhaltene Beispiel ist eine Ikone des frühen 7. Jahrhunderts in Sa. Francesca Romana in Rom, bei der unter später, sehr ungekonnter Übermalung die originalen Gesichter von Mutter und Kind freigelegt sind, *Abb. 426*. Zu welcher Innigkeit auch dieses Marienbild gesteigert werden kann, zeigt eine Mosaik-Ikone um 1200 im Katharinen-Kloster am Sinai, *Abb. 428*.

Von den verschiedenen Spielarten der Hodegetria sind all die den Grundtypus leicht abwandelnden, nach Städten oder Landschaften benannten Madonnenbilder des marienfreudigen Rußland herzuleiten, die nur aufgezählt zu werden brauchen: die Gottesmutter von Tichvin (Tichvinskaja), von Smolensk (Smolenskaja), von Kasan (Kasanskaja), von Grusinien (Grusinskaja) usw.[79].

Als selbständiges Madonnenbild tritt neben die Hodegetria eine andere Darstellung der stehenden Gottesmutter, bei der die frontal stehende Maria den sitzend wieder-

---

78. In der Literatur gerne als Werk aus Alexandria vor den Arabern geflohener Mosaizisten angesehen (vgl. Ihm a.a.O. S. 189 Nr. XLIII), wofür jeder Beweis fehlt. Wir kennen kein einziges alexandrinisches Mosaik der christlichen Zeit, so daß die Zuwei-

sung völlig in der Luft hängt. Stilistisch steht das Mosaik den Werken um die Mitte des 6. Jahrhunderts sehr nahe.

79. Als selbständige Typen angeführt von Rothemund a.a.O.

gegebenen Knaben genau vor die Achse ihres Leibes hält. Dieser Typus ist gelegentlich inschriftlich als Kyriotissa bezeichnet[80], was wohl kaum als marianischer Ehrentitel zu verstehen sein dürfte, sondern auch auf eine Konstantinopler Kirche zurückzuführen ist, auf die Marienkirche nämlich, die der Stadtpräfekt Kyros nach 433 errichten ließ. Das älteste bekannte Beispiel findet sich auf einem goldenen Brustkreuz, *Abb. 427*, im Museo Sacro Vaticano (Beischrift: »Die heilige Gottesmutter«). Das entscheidende Motiv dieser Darstellung dürfte die Präsentation des Gottessohnes sein, der mit Buchrolle und Segensgestus die Hauptfigur dieses Typus ist. Das wird besonders deutlich auf einem niellierten Kreuz des 8. Jahrhunderts in Leningrad, *vgl. Bd. 3, Abb. 456*, wo die Kyriotissa, alle anderen Gestalten überragend, in das Himmelfahrtsbild gestellt ist, so daß Beginn und Abschluß des Erdenlebens Christi gleicherweise herausgehoben werden. Im 9. Jahrhundert erscheint sie im Chludov-Psalter, *vgl. Bd. 1, Abb. 3*, im Tondo unter der göttlichen Hand und der Taube des Heiligen Geistes, also in einem Trinitätsbild, woraus der Sinn dieses Madonnentypus besonders deutlich erhellt. Aus den repräsentativen Beispielen der Zeit nach dem Bilderstreit sei das Mosaik Johannes II. Komnenos und seiner Gattin Irene in der Hagia Sophia in Konstantinopel gezeigt, auf dem das Kaiserpaar der Kyriotissa Gaben darbringen, *Abb. 429*.

Auch für diesen Madonnentypus kommt die Nebenform vor, in der Maria ihren Sohn in einer Mandorla hält. Als Beispiel dafür sei auf eine oben schon erwähnte Miniatur aus einer syrischen Bibel des 7. Jahrhunderts in Paris verwiesen, *vgl. Abb. 160*.

Gegen Ende der frühbyzantinischen Zeit entsteht noch ein besonders menschliches und inniges Madonnenbild, das wir »Elëusa« nennen[81]. Eine Elfenbeinstatuette in Baltimore, *Abb. 430*, die gegen Mitte des 7. Jahrhunderts als ältestes Beispiel diesen Typus zeigt, bringt die thronende Gottesmutter zwischen Engeln; sie hält das sitzende Kind

auf der rechten Hand und stützt es mit der linken an der Schulter; der Knabe legt den linken Arm auf die Schuler der Mutter und schmiegt sein Gesichtchen an ihre Wange. Noch ist die Haltung Marias steil aufgerichtet, noch geht die innige Beziehung nur vom Kind aus, noch wirkt die Gottesmutter wie ein archaisches Idol, aber all das mag daran liegen, daß wir es hier mit einem Spätprodukt einer erlahmten und erstarrenden kunsthandwerklichen Produktion zu tun haben, das kurz vor der arabischen Eroberung Ägyptens in Alexandria entstanden sein dürfte. Aus diesem urtümlichen Bilde wird in der mittelbyzantinischen Zeit jene ungemein beliebte Madonnendarstellung von nie überbotener Innigkeit, für die hier die »Gottesmutter von Vladimir« (Vladimirskaja), eine konstantinopolitanische Arbeit der Zeit um 1130, als hervorragendes Beispiel stehe, *Abb. 431*. Sie gilt als Lukasbild und soll im Jahre 430 von Jerusalem nach Konstantinopel gebracht worden sein. Patriarch Lukas Chrysoberges soll sie dem Großfürsten Jurij Dolgorukij um die Mitte des 12. Jahrhunderts geschenkt haben. Sie war durch viele Jahrhunderte geradezu das Palladion der Russen[82].

Die Russen nannten die Elëusa »Umilenje«, beides bedeutet ungefähr das gleiche: Gottesmutter des Erbarmens bzw. der Rührung. Die Bezeichnung kommt aus der Vorstellung, Maria habe schon seit der Darstellung im Tempel das tragische Geschick ihres Sohnes vorausgewußt (vgl. Lk 2,35) und daher tiefes Erbarmen mit ihm gehabt. Wohl auf keiner anderen Ikone ist dieser Gedanke so vollendet ins Bild umgesetzt wie bei der Vladimirskaja, wo der verlorene Blick und der traurige Mund das wehmütige Erbarmen zurückhaltend zum Ausdruck bringen. Aber diese Bezeichnung ist in Byzanz nicht die ursprüngliche oder alleinige, wir finden außerdem »Episkepsis« (Heimsuchung, Fürsorge), »Die Freude aller« und sogar »Hodegetria« als Beischrift. Die in der Kunstgeschichte üblich gewordene Bezeichnung Elëusa ist von dem russischen Namen Umilenje her bestimmt[83].

80. Vgl. dazu H. Hallensleben, Maria, Marienbild II,2, LCI 3, Sp. 166; er versteht Kyriotissa als »allgemeinen marianischen Ehrentitel«.

81. Vgl. dazu Hallensleben a.a.O. II,7 (Sp. 170); Elëusa ist keine historische Typenbezeichnung, sondern ein marianischer Ehrentitel, der verschiedenen Marienbildern beigeschrieben werden kann. Die Einengung auf einen bestimmten Typus des Marienbildes beruht auf der russischen Bezeichnung dieses Typus als Umilenje (s. u.).

82. Zur Statuette in Baltimore vgl. K. Wessel, Die älteste Darstellung der Maria Eleousa, in: Atti del VI Congresso Internazionale di Archeologia Cristiana 1962, S. 207–214.

83. Vgl. dazu Hallensleben a.a.O. Sp. 170.

Der Seitenwechsel des Kindes, den wir an der Vladimirskaja im Vergleich zu der Elfenbeinstatuette sehen, ist auch sonst festzustellen, beide Anordnungen kommen nebeneinander vor. Aus der Eleusa entstandene, ihr gegenüber nur unwesentlich variierte, immer wieder kopierte Madonnenbilder finden sich in Rußland: die Gottesmutter von Kostroma (Kostromskaja), vom Don (Donskaja), von Tolga (Tolgskaja) und von Korsun (Korsunskaja), deren Originale als wundertätig oder siegbringend verehrt wurden[84].

In späteren Ikonen Marias »der Freude aller« legt der Knabe nur seine Wange an die der Mutter, mit beiden Händen hält er eine Schriftrolle; als Beispiel dafür zeigen wir eine Ikone des 16. Jahrhunderts aus Korfu in Berlin, *Abb. 432.*

Auch das Bild der betenden Maria ohne Christuskind entstand in frühbyzantinischer Zeit. Schon auf Goldgläsern des 4. Jahrhunderts bezeugt[85] und sicher aus der Orans der altchristlichen Grabeskunst abzuleiten, ist dieses autonome Marienbild in der Zeit vor dem Bilderstreit selten erhalten. Die Beterin Maria wird später Blacherniotissa genannt[86]. Vor dem Marienbild dieser Kirche wurde ein Gebet verrichtet, das sich an die Gottesmutter wendet, die ihre Hände, für das Heil der Gläubigen bittend, zu Christus erhebt. Wegen dieser fürbittenden Haltung wurde das Bild auch Theomene genannt. Schließlich hat es auch den Namen »Unerschütterliche Mauer« erhalten, der auf die geglaubte Rettung Konstantinopels durch Maria, die Patriarch Photios die unüberwindliche Mauer der Stadt genannt hatte, im Russensturm 862 zurückgeht[87].

Eine der ältesten Wiederholungen des Marienbildes der Blachernenkirche ist wohl das getriebene Silbermedaillon auf dem Kreuz des Erzbischofs Agnellus (556–569) in Ravenna, *Abb. 433.* In der Haltung einer frühchristlichen Orantin steht Maria, wie üblich gekleidet, mit erhobenen Händen in strenger Frontalität. Hier ist die interzessorische Stellung Marias, der großen Fürbitterin, völlig eindeutig und unmißverständlich in ein Bild umgesetzt, das ganz dem entspricht, an das sich das erwähnte Gebet richtet.

In mittel- und spätbyzantinischer Zeit wird dieser Typus sehr beliebt, vor allem als Apsisbild (*vgl. Bd. 2, Abb. 63:* Apsis der Sophienkirche von Kiew) und im Relief, in dem wir zwei Typen unterscheiden können, einmal die schlichte Wiederholung der Blacherniotissa, wofür als Beispiel eine Marmorikone des 12. Jahrhunderts in Berlin gezeigt sei, *Abb. 434,* und zum anderen die Beterin mit durchbohrten Händen, wofür ein Marmorrelief in Athen angeführt wird, *Abb. 435,* das m. E. dem späten 13. oder frühen 14. Jahrhundert angehört[88]. Diese Nebenform der Blacherniotissa findet sich ziemlich oft; die Reliefs haben anscheinend z. T. als Wasserspender gedient. Auch sie gehen auf ein Marienbild in der Blachernenkirche zurück: Kaiser Konstantin VII. Porphyrogennetos (913–959) berichtet vom kaiserlichen Bad in dieser Kirche, daß dort das Wasser einem Bild der Gottesmutter entströmte; in der Blachernenkirche wurde nämlich seit der Zeit Justinians II. (685–695 und 705–711) einmal im Jahr vom Kaiser ein zeremonielles Reinigungsbad genommen, das Wasser dazu floß aus einer silbernen Ikone[89]. Sie muß das Vorbild für die zahlreichen Blacherniotissa-Reliefs in Marmor gewesen sein, auf denen Marias Handteller durchbohrt sind und z. T. deutliche Zeichen von Versinterung zeigen.

Eine andere Nebenform der Maria orans findet sich häufig in der Kleinkunst und im italienischen Einflußbereich der byzantinischen Kunst. Hier hält Maria beide Hände mit nach vorne gekehrten Handflächen vor die Brust. Als Beispiele zeigen wir einen Serpentin-Tondo in London, *Abb. 436,* mit einer Inschrift, die die Gottesmutter um Hilfe für Kaiser Nikephoros III. Botaneiates (1078–1081) bittet, und das Apsismosaik von S. Donato auf Murano, *Abb. 437.* Woher die Veränderung der Gebetshaltung kommt, ist ungeklärt, der Sinn dieses Bildes ist der gleiche wie bei der Blacherniotissa, wie schon die Inschrift auf dem Londoner Tondo lehrt.

Nur in Rom, das de iure bis zu Karls des Großen Kaiserkrönung zu Byzanz gehörte, ist Maria als Kaiserin gekleidet[90]. Schon um 430/440 wird Maria auf dem Triumphbogen von S. Maria Maggiore in der Kleidung einer spätrömischen Prinzessin mit großem Perlenkragen,

---

84. Diese russischen Ableitungen sind bei Rothemund a. a. O. als eigene Typen vorgeführt.

85. Vgl. Wellen a. a. O. Abb. 42 a.

86. Vgl. Hallensleben a. a. O. II,3 (Sp. 166 f.).

87. Vgl. Rothemund a. a. O. S. 228 u. 229.

88. Vgl. dazu K. Wessel, Byzantinische Plastik der palaiologischen Periode, Byzantion XXXVI (1966) S. 256.

89. Konstantinos VII. Porphyrogennetos, De Ceremoniis II,12.

90. Wellen, Theotokos, S. 158 ff.

weiblichem Togakostüm und Perlschnüren im Haar dargestellt, *vgl. Bd. 1, Abb. 66, 230, 256 und 310*, also deutlich über ihren einstigen irdischen Rang hinaus erhöht. Zum erstenmal begegnet Maria uns als Kaiserin an der Apsiswand von S. Maria Antiqua. Das sehr zerstörte, z. T. von späteren Malereien überdeckte Wandbild des 6. Jahrhunderts zeigte die Gottesmutter im Typus der Nikopoia zwischen zwei Erzengeln, die Kronen darbrachten, *Abb. 438, 439*. Maria sitzt auf einem reichgeschmückten Thron mit dickem Purpurkissen und lyraförmiger Lehne – also dem Kaiserthron – vor einer Arkadenstellung, die an die Epiphanieportale spätantiker Kaiserpaläste erinnert. Auf dem Haupt hat sie eine Kaiserinnenkrone, über der ein zarter, auf die Schultern hinabfallender Schleier liegt. Ein prunkvoller Juwelenkragen ruht auf ihren Schultern, der Loros, die mit Perlen und Edelsteinen überreich bestickte Zeremonialbinde, ist ihr wie bei Kaiserinnenporträts um die ebenfalls sehr reich ornamentierte Dalmatica gelegt. Das Bild ist ganz eindeutig: Maria ist als ewige Herrscherin mit dem vollen Ornat einer byzantinischen Kaiserin wiedergegeben; und diese imperiale Würde wird noch durch die Darbringung der Kronen durch die Erzengel unterstrichen, knüpft diese Darstellung doch unmittelbar an den römischen Zeremonialbrauch des aurum oblaticium an, der Übergabe goldener Kränze an den Kaiser durch den Senat[91].

Zum gleichen Typus gehört auch die Madonna della Clemenza in Sa. Maria in Trastevere, *Abb. 440*, wohl aus dem 8. Jahrhundert, wo nur der Loros fehlt und die Engel akklamieren, statt Kronen darzubringen. Auch die späteren römischen Beispiele, wie das Fresco des 9. Jahrhunderts in der Unterkirche von S. Clemente, gehören zum Bildtypus der Nikopoia. Das Verständnis für den byzantinischen Kaiserinnenornat läßt nach, der Bildgedanke aber bleibt der gleiche: Maria Imperatrix, die später zur Regina Coeli wird.

Vielleicht geht noch ein weiteres, sehr beliebtes Marienbild auf die Zeit vor dem Bilderstreit zurück, die Deomene (Fürbittende). Sie erscheint zum erstenmal neben Christus in der Haltung der Beterin, in leichter Drehung aus der Frontalität ihrem Sohne zugewandt, auf fol. 76ʳ der vati-

kanischen Handschrift der christlichen Topographie des Kosmas Indikopleustes, *Abb. 441*. Zum Kapitel über Johannes den Täufer ist hier die Hl. Familie dargestellt, Maria, Christus, Johannes, Zacharias und Elisabeth in ganzer Figur, Anna und Symeon als Büsten in Medaillons darüber. Über Maria lesen wir »Die hl. Jungfrau Maria«, unten neben ihr »Siehe, von nun an werden mich alle Generationen selig preisen« (Lk 1,48). Die vatikanische Handschrift ist im 9. Jahrhundert in Konstantinopel entstanden, kopiert aber einen Text des 6. Jahrhunderts. Die umstrittene und noch ungeklärte Frage ist, ob auch die Miniaturen zum Text alle oder zu welchem Teil Kopien nach Vorlagen des 6. Jahrhunderts sind[92]. Wenn diese Miniatur der vatikanischen Handschrift – in den beiden anderen illustrierten Exemplaren des gleichen Textes (im Sinai-Kloster und in der Biblioteca Laurenziana in Florenz, beide aus dem 11. Jahrhundert) fehlt dieses Bild im Illustrationszyklus – zum Bildbestand der Originalausgabe des 6. Jahrhunderts gehört, haben wir in der Deomene ebenfalls einen Typus des 6. Jahrhunderts vor uns, in dem so viele autonome Marienbilder auftauchten. Die altertümliche Namensbeischrift spricht dafür.

Daß die Fürbitterin ursprünglich nicht allein gestanden haben kann, sondern auf Christus bezogen gewesen ist, zeigen neben der Kosmas-Minatur immer wieder auftretende Darstellungen, die sie mit ihrem frontal stehenden Sohn zusammen zeigen. Als Beispiele nennen wir die Elfenbeintafeln auf dem Einband des sogenannten Gebetsbuches der Kaiserin Kunigunde in Bamberg, *Abb. 442*, byzantinische Arbeiten in der Zeit um 1000, die aber aus einem größeren Zusammenhang, wahrscheinlich dem Schmuck eines Ikonostasbalkens stammen, und das Mosaik des frühen 14. Jahrhunderts in der Chora-Kirche in Konstantinopel, *Abb. 443*, auf dem auch eine von Maria ihrem Sohn fürbittend anempfohlene Stifterfigur (Isaak Komnenos) erhalten blieb.

Aber auch als isolierte Gestalt ist sie überliefert, so z. B. auf einem Marmorrelief in Washington aus dem 11. Jahrhundert, *Abb. 444*, und auf dem Freisinger Gnadenbild, *Abb. 445*, einer Ikone aus der Mitte des 13. Jahrhunderts, auf deren Beschlag sie als »Die Hoffnung der Verzweifel-

---

91. Vgl. dazu K. Wessel, Aurum coronarium, RBK I, Sp. 448–452.

92. W. Wolska-Conus (Cosmas Indicopleustès, Topographie chrétienne I, Paris 1968, S. 146–148) hält die Miniaturen für Kopien nach einer alexandrinischen Weltchronik. Die Frage ist noch nicht entschieden.

ten« bezeichnet ist. Ist dieser Ehrenname auch der Liturgie entnommen, so kennzeichnet er doch nicht nur die Stimmung der wirren Zeit nach dem 4. Kreuzzug, in der die Ikone entstand und Verzweiflung eine weit verbreitete Stimmung gewesen sein dürfte, sondern auch ganz allgemein das, was der Fromme bei der Betrachtung und Verehrung einer solchen Ikone empfand: Maria, die Fürbitterin, als letzte Zuflucht und Hoffnung in allen Nöten.

Nun gibt es schon ziemlich früh eine fürbittende Maria, die spiegelverkehrt zur Deomene wiedergegeben wird. Da das älteste bekannte Beispiel in Rom in der Kirche Sa. Maria in Aracoeli, *Abb. 448*, gezeigt wird, ein Tafelbild, das vielleicht in vorikonoklastische Zeit zurückgeht oder als Kopie des 10. Jahrhunderts nach dem schon im 7. Jahrhundert in einem Pilgerbericht erwähnten Wunderbilde angesehen werden darf[93], hat man diesen Bildtyp gelegentlich als »Gottesmutter von Aracoeli« bezeichnet. Er dürfte aber nicht, wie dieser Name nahelegen könnte, in Italien entstanden sein, denn auch in der byzantinischen Ikonenmalerei kommt er vor. Auf Siegeln und auf einer Ikone des 12. Jahrhunderts im Sinai-Kloster führt er den Beinamen »Hagiosoritissa«[94], eine Bezeichnung, die sich freilich auch gelegentlich für andere Marienbildtypen in späterer Zeit findet. Die erste Frage in diesem Zusammenhang ist die nach der Bedeutung dieses Namens. Je nachdem, ob das darin steckende Wort »soros« mit Omega oder Omikron geschrieben wird, hat er ganz verschiedene Bedeutung: Haufen, Menge bzw. Sarg, Urne. Nun wird auch dieser Bildtypus gelegentlich mit der Chalkoprateia-Kirche in Konstantinopel in Verbindung gebracht, dort aber befand sich ein Reliquienkasten mit dem Gürtel Marias (daher auch die italienische Bezeichnung »Sa. Maria del Cintura«), demnach wäre die Hagiosoritissa ein Bild im Heiligtum des Gürtels Marias gewesen, der freilich erst im 10. Jahrhundert aus der Blachernen- in die Chalkoprateia-Kirche überführt wurde, während eine andere Soros mit dem Gewand (Maphorion) Marias in der Blachernen-Kirche verblieb[95]. Man könnte demnach also die Hagiosoritissa auch mit der Blachernen-Kirche in Verbindung bringen, deren hochverehrtes Marienbild aber die

Blacherniotissa, die frontale Beterin, war. Um die Verwirrung um den Namen vollständig zu machen, muß darauf hingewiesen werden, daß die Ikone im Sinai-Kloster den Ehrennamen mit Omega schreibt, was dann etwa den Sinn »die heiligste Fülle« ergibt, also keine ortsbezogene (toponyme), sondern eine mariologische Bezeichnung. Dagegen könnte man die unglaubliche orthographische Verwilderung gerade im Bereich der Ikonenaufschriften ins Feld führen und das Omega – oder natürlich auch das Omikron – als bloßen Schreibfehler abtun – oder seine Verwendung als gezielte mariologische Umdeutung des ursprünglich toponymen Beinamens zu erklären versuchen. Genug der Überlegungen: Letztlich wissen wir nicht genau, was es mit diesem Namen auf sich hat. Seine spätere Verwendung für andere Marienbildtypen läßt aber klar erkennen, daß man zumindest in späteren Zeiten Hagiosoritissa als mariologisches Prädikat verstanden hat.

Auf der gleichen Ikone des Sinai-Klosters findet sich neben der Hagiosoritissa ein ganz ähnliches Bild der betenden Maria, nur hat sie hier den Kopf nicht gesenkt, sondern erhoben. Bezeichnet ist dieser Bildtyp als »Chymeute«, d. h. die Emaillierte. Das Verwunderliche an diesem Namen ist, daß er materialbezogen ist, was ganz einmalig dasteht. Vielleicht noch verwunderlicher aber ist, daß uns im Domschatz zu Maastricht ein kleines emailliertes Reliquiar aus dem 11. Jahrhundert erhalten blieb, *Abb. 446*, das genau den Typus der Chymeuta, also der »Emaillierten«, zeigt, wie er auf der Ikone erscheint!

Von der Bedeutung her sind Deomene, Hagiosoritissa und Chymeute ohne Zweifel nur Parellelerscheinungen zur Blacherniotissa, sinnenfällige Darstellungen der fürbittend eintretenden (interzessorisch tätigen) Gottesmutter, die eben deshalb die »Hoffnung der Verzweifelten« ist. Wir können dem noch einen weiteren, seit dem 12. Jahrhundert nachweisbaren Marientypus anschließen, der »Paraklesis« (Trost) genannt wird (ältestes bekanntes Beispiel ist die von Irene Petralifina im 12. Jahrhundert gestiftete Ikone, die seit 1185 als Besitz des Domes von Spoleto bezeugt ist)[96]. Maria steht mit leicht geneigtem Kopf und gesenktem Blick, hält mit der verhüllten rechten

---

93. Vgl. E. Lavagnino, La Madonna dell'Aracoeli e il suo restauro, Bolletino d'arte XXXI (1937–1938), S. 529–540.

94. G. u. M. Sotiriou, Icônes du Mont Sinai I, Athen 1956, Abb. 147.

95. Hallensleben a.a.O. II,11 (Sp. 174f.).

96. W. F. Volbach–J. Lafontaine-Dosogne, Byzanz und der christliche Osten (Propyläen Kunstgeschichte Bd. 3), Berlin 1967, Taf. 49 a.

Hand eine weit hinunterhängende Schriftrolle und greift mit der linken zur rechten Schulter hinüber, *Abb. 447*. Diese Haltung ist aus dem Bilde der trauernden Gottesmutter unter dem Kreuz abzuleiten *(vgl. Bd. 2, Abb. 339 und 343)*. Auf der Schriftrolle ist ein Dialog zwischen Maria und Christus zu lesen, der mit den Worten beginnt: »Nimm die Bitte deiner Mutter an, Mitleidiger! – Was bittest du, Mutter ...« Dieses Marienbild fordert also als Gegenstück das Bild des Dialogpartners Christus, entweder als des »Barmherzigen« (so in der Kirche der Panagia Phorbiotissa von Asinou auf Zypern[97]) oder als des »furchtbaren Richters« (so in der Kirche des serbischen Klosters Lesnovo). Als isoliertes Bild, ohne Christus als Pendant, scheint die Paraklesis in Serbien sehr beliebt gewesen zu sein, erscheint sie doch in der Darstellung der Translation der Gebeine Stefan Nemanjas als einzige Ikone, die mitgetragen wird[98], so in den Südkapellen der Narthices der Nemanja-Kirche in Studeniča und der Dreifaltigkeitskirche von Sopoćani; vermutlich handelt es sich um eine Wiedergabe jener Ikone, die der sterbende Stefan Nemanja sich bringen ließ, um »in ihre Hände seine Seele« zu legen[99]. Der Dialog auf der Schriftrolle und die wahrscheinliche Bedeutung dieses Ikonentypus für den als Heiligen verehrten serbischen Herrscher lassen erkennen, worin der Trost für die Gläubigen besteht, der dem Bild seinen sehr oft beigeschriebenen Namen gab: in der Fürbitte Marias für die Menschen bei dem Richter Christus.

In eine ganz andere Sphäre byzantinischer Gläubigkeit führt uns ein anderer Bildtypus, der seit mittelbyzantinischer Zeit nachweisbar ist: Vor der Brust der betenden Maria vom Typ der Blacherniotissa schwebt in einem Tondo das Bild des segnenden jugendlichen Christus. Als an ein frühes Beispiel sei an das Marmorrelief in S. Maria Mater Domini in Venedig erinnert, *vgl. Bd. 1, Abb. 2*, eine sicher byzantinische Arbeit des 11. Jahrhunderts. Ziemlich häufig wird dieser Typus irrtümlich als Blacherniotissa bezeichnet und mit der betenden Maria ohne Kind verwechselt[100]. In Apsiden findet sich mehrfach die Bei-

schrift »Platytera ton uranon« (die weiter als die Himmel Gemachte), ein aus der Basileios-Liturgie aufgenommener Begriff; dort heißt es in einem an Maria gerichteten Gebet: »Dein Schoß wurde zum Thron, und dein Leib wurde weiter als die Himmel«. Damit ist gemeint, daß Gott den Schoß der Jungfrau fähig gemacht hat, den in sich aufzunehmen, den die Himmel nicht fassen können, 1 Kön 8,27; 2 Chron 6,13; Hi 11,8, nämlich die zweite trinitarische Person. Zwar kommt die Beischrift Platytera auch für andere Madonnenbilder in Apsiden vor[101], aber die alte russische Bezeichnung dieses Typus, Znamenje (Gottesmutter »des Zeichens«), weist doch darauf hin, daß hier etwas Besonderes gemeint ist: Das »Zeichen« bezieht sich auf die Weissagung »Darum wird euch der Herr selbst ein Zeichen geben: Siehe, eine Jungfrau ist schwanger und wird einen Sohn gebären, den wird sie Emmanuel nennen«, Jes 7,14. Man hat also dieses Bild nicht als Darstellung der Gottesmutter mit dem Menschgewordenen verstanden, sondern der Jungfrau, die den ewigen Gottessohn in sich aufgenommen hat, die vom Hl. Geist empfangen hat, man hat also ein Bild der schwangeren Maria darin gesehen. Daraus erhellt, daß die spätere Ausweitung des Namens Platytera auf andere Marienbilder auf einem Mißverstehen beruht. Auf einer Patene im Athos-Kloster Xeropotamu[102] ist die Platytera als »die große Allerheiligste« bezeichnet, auf einem Mosaik in der Chora-Kirche in Konstantinopel, *Abb. 450*, als »der Ort des Unfaßbaren«, beides deutet zumindest auf ähnliche Vorstellungen hin: Panagia ist Maria eben, weil sie das Gefäß der Menschwerdung Gottes wurde, der Ort (oder Platz) des Unfaßbaren, weil Gott, den die Himmel nicht fassen können, in ihr Wohnung nahm. Die Gebetshaltung stellt Maria hier nicht als die Fürbitterin vor, sondern ist der bildliche Hinweis auf Marias Loblied, Lk 1,46–55.

Das Wunderbare und im Grunde Unirdische des Bildes wird durch die Tatsache noch unterstrichen, daß der Tondo, ohne von Maria irgendwie gehalten zu werden, vor ihrer Brust schwebt. Der Tondo, einst dem Herr-

---

97. A. u. J. A. Stylianou, The Painted Churches of Cyprus, 1964, S. 67.

98. Vgl. dazu Sv. Radojčić, Die serbische Ikonenmalerei vom 12. Jahrhundert bis zum Jahre 1459, in: Jahrbuch der Österreichischen byzantinischen Gesellschaft V (1956), S. 61 ff.; hier: S. 65 f.

99. Stefan Prvovenčani, Das Leben Nemanjas, ed. P. J. Šafařík (Prag 1968) S. 18.

100. So z. B. von Rothemund a.a.O. S. 230 (er nennt sie »Blachernoissa«).

101. Vgl. Hallensleben a.a.O. II,4 (Sp. 168).

102. F. Dölger, Mönchsland Athos, München 1943, Abb. 84.

scherbild vorbehalten, kennzeichnet hier den ewigen Gottessohn, der auch im Leibe seiner irdischen Mutter seines Amtes waltet, als den Himmelsherrn. Das Bild ist der Versuch, den Einbruch des Göttlichen in die irdische Welt sinnbildhaft zu gestalten, und wird so zum Ausdruck des zentralen Heilsgeschehens, der »Annahme der Knechtsgestalt«, Phil 2,7, durch den, der »im Anfang war«, Joh 1,1, den präexistenten Christus.

Seit dem 12. Jahrhundert können wir eine wohl ältere Variante zur Elëusa nachweisen, die Glykophilusa (die süß Liebende). Der Legende nach soll das Exemplar im Athos-Kloster Philotheu ein Geschenk des Kaisers Theophilos (829–842) sein, was sich schon dadurch als ganz unmöglich erweist, daß dieser Kaiser der letzte, sehr aktive Feind der kirchlichen Bilder auf dem byzantinischen Kaiserthron war. Der Name Glykophilusa ist erst auf nachbyzantinischen Ikonen und Wandmalereien belegt, gibt aber das zärtliche Zueinander von Mutter und Kind treffend wieder[103]. Der Unterschied zur Elëusa besteht darin, daß das Kind nicht ein Ärmchen um den Hals der Mutter legt, sondern ein Händchen an ihr Kinn, *Abb. 449*. Dabei kann Maria sowohl nach links wie nach rechts gewendet sein, und der Knabe kann entsprechend auf ihrem linken oder rechten Arm sitzen.

Eine jüngere Abwandlung dieses Typs, erstmals auf einer Wandmalerei des beginnenden 14. Jahrhunderts in Staro Nagoričino[104] überliefert, nennt man nach der Aufschrift auf einer Ikone des Jahres 1422 in Skopje die »Pelagonitissa«, *Abb. 451*. Der Name leitet sich von der antiken Bezeichnung der Landschaft Pelagonia, westlich von Prilep, her. Dort war dieser Typus im späten Mittelalter hochbeliebt und verehrt. Das Kind ist in Rückenansicht gegeben, legt den Kopf so weit zurück, daß es aus dem Bilde herausschaut, schmiegt seine rechte Wange an Kinn und Mund der Mutter und faßt mit der linken Hand fast kneifend an ihre rechte Wange. Die nahezu akrobatisch wirkende, zappelnde Haltung des Kindes wird auf späteren Beispielen gemildert, gerade sie aber gibt dem Bild etwas ungemein Menschliches und Lebensnahes.

Seit dem Beginn des 14. Jahrhunderts begegnen wir dann noch einem neuen Typus des Madonnenbildes: Aus einer Brunnenschale, gelegentlich auch aus Wasserstrudeln, wächst die Halbfigur der betenden Maria und, vor ihrer Körpermitte, die des segnenden Christusknaben. Seit dem Fresco in der Aphentiko in Mistra, frühes 14. Jh., *Abb. 452*, finden wir fast durchweg die Beischrift »Zoodochos Pege« (lebensspendende Quelle). Der Name kommt von einem Pilgerheiligtum vor den Mauern Konstantinopels, zu dem am Karfreitag gewallfahrtet wurde. Auch davon wissen wir erst seit dem frühen 14. Jahrhundert, seit nämlich Nikephoros Kallistos Xanthopulos, Priester an der H. Sophia († um 1335), seine Geschichte des Heiligtums der Zoodochos Pege schrieb und das Heiligtum selbst beschrieb. In der nachbyzantinischen Ikonographie fällt meist der Gebetsgestus Marias fort, sie hält dann das Kind wie die Kyriotissa, oder eine Hodegetria tritt an die Stelle der frontalen Mariendarstellung[105]. Nur gelegentlich fehlt das Kind und ist Maria im Typus der Blacherniotissa wiedergegeben, z. B. in der Chora-Kirche in Konstantinopel, *Abb. 443*, und in Lesnovo[106] (hier mit der Beischrift »Quelle des Lebens«). Wir haben hier wohl das einzige Beispiel unter den byzantinischen Marienbildern dafür vor uns, daß ein Ehrentitel der Gottesmutter in ein Bild übersetzt wird.

Die sogenannte Passionsmadonna (Die Allerheiligste des Leidens) scheint im serbischen Athos-Kloster Hilandar entstanden zu sein. Das Original ist nicht mehr vorhanden, aber in den 1366 gemalten Fresken von Sv. Stefan in Konče blieb eine Kopie erhalten[107]. Dieser Madonnentyp scheint dem Bilde der Darstellung Christi im Tempel entnommen, in dem das Kind vor Symeon ängstlich zurückweicht[108]. Dahinter steht die Prophezeiung Symeons, die das Nikodemus-Evangelium so formuliert hat, daß der Knabe durch die Passionsankündigung erschreckt wird[109]. Die serbischen Maler haben daraus einen Bildtypus geschaffen, auf dem sich das Kind ängstlich an der Hand der Mutter festklammert oder bei ihr Zuflucht sucht und sich zu den Leidenswerkzeugen umwendet, die

---

103. Vgl. Hallensleben a.a.O. II,7 (Sp. 171).

104. G. Millet, La Peinture du Moyen Âge en Yougoslavie, Album présenté par A. Frolow III, Paris 1959, Pl. 119.

105. Vgl. D. I. Pallas, The Theotokos-Zoodochos Pighi (neugriechisch mit engl. Resumé), Archaiologikon Deltion 26 (1971), S. 201–238.

106. R. Hamann-MacLean u. H. Hallensleben, Die Monumentalmalerei in Serbien und Makedonien vom 11. bis zum frühen 14. Jahrhundert, Gießen 1963, Abb. 347.

107. Vgl. Radojčić a.a.O. S. 76.

108. Vgl. ebd.

109. Vgl. ebd. Anm. 45.

Erzengel ihm zeigen oder die auf einem Hügel stehen. Dieser Bildtypus erfreute sich besonderer Beliebtheit in der kreto-venezianischen und in der nachbyzantinischen Malerei, *Abb. 458*.

Einige späte, vornehmlich russische Verherrlichungsbilder der Gottesmutter haben ihre Wurzel ohne Zweifel in Darstellungen, wie sie uns in den zwei oben erwähnten, aus derselben Werkstatt stammenden Kodices des 12. Jahrhunderts überliefert sind, die sechs Marienpredigten des Mönches Jakobos aus dem Kloster Kokkinobaphu in Prusa (heute Bursa) enthalten: diese Homilien erzählen das Protoevangelium Jacobi minoris mit Zusätzen aus anderen apokryphen Quellen nach. Hier finden wir auf fol. 8ʳ der Handschrift der Bibliothèque nationale, Paris, Cod. grec. 1208, als Illustrierung einer Aufzählung derer, die Maria gepriesen haben, eine zweireihige Komposition, *Abb. 453*. In der oberen Reihe thront betend, von Engelscharen umgeben, Maria mit vor die Brust erhobenen Händen. Zu ihrer Rechten stehen heilige Bischöfe und Kleriker, unter denen Johannes Chrysostomos, Basileios der Große und Gregorios von Nazianz die erste Reihe bilden, zu ihrer Linken heilige Mönche und Eremiten. Auch die untere Reihe ist in drei Gruppen geteilt: In der Mitte stehen die Märtyrer, ihnen zur Rechten Kaiser und Herrscher und zur Linken heilige Frauen, darunter drei Kaiserinnen, eine vornehme Dame und eine Matrone oder Nonne. Hier vereinen sich also fünf Chöre heiliger Menschen zum Lobe der Allerheiligsten, die sie durch ihr Leben, ihren Tod, ihre Dichtungen und Predigten oder durch reiche Stiftungen verherrlicht haben. Diese Miniatur ist nur der Auftakt zu der einmalig reichen Illustrierung der Geschichte Marias, wohl kaum schon als selbständiges Bild konzipiert; aber es konnte sich leicht verselbständigen[110].

Schon gegen Ende der byzantinischen Zeit finden wir, leicht in der Komposition verändert, die Verselbständi-gung: Um die nun als Madonna dargestellte Maria sammeln sich, nun nicht mehr starr in fünf scharf getrennte Gruppen gesondert, die Heiligen zu ihrem Lobpreis. Dieser »Über dich freuet sich« genannte Bildtypus war in Rußland seit der Mitte des 14. Jahrhunderts besonders beliebt. Wir zeigen als Beispiel eine Moskauer Ikone des ausgehenden 16. Jahrhunderts in Berlin, *Abb. 454*, auf der der Text eines Hymnus der Basileios-Liturgie – der gleiche, dem der Name Platytera entnommen ist – in die große Gloriole eingeschrieben wurde, in der die Gottesmutter thront: »An dir, Begnadigte, freut sich die ganze Schöpfung, das Heer der Engel und das Geschlecht der Menschen, geheiligter Tempel und geistiges Paradies, Zierde der Jungfräulichkeit, aus welcher Gott Fleisch wurde und ein Kind unser vor aller Zeit existierender Gott. Er hat deinen Mutterschoß zu seinem Thron gemacht und deinen Leib weiter als die Himmel gestaltet. An dir, Begnadigte, erfreut sich die ganze Welt!« Erzengel stehen im Halbkreis um Maria herum; dahinter erhebt sich eine komplizierte Kuppelarchitektur, das Bild des »geheiligten Tempels«, Sinnbild der Kirche wie des Himmlischen Jerusalem. Zu Füßen Marias erscheinen die Halbfiguren Johannes des Täufers und des Hl. Johannes von Damaskus, beide mit Schriftrollen, auf denen »Siehe, das Lamm Gottes« bzw. die Anfangsworte des Hymnus stehen, hinter ihnen Propheten und Asketen, darunter die Vertreter des »Geschlechtes der Menschen«, Könige, Kirchenväter, Märtyrer usw., einige namentlich bezeichnet. Aus der Illustration zur Einleitung der ersten Homilie des Mönches Jakobos ist eine anspruchsvolle und inhaltlich wie kompositorisch voll und gut durchdachte Darstellung geworden, die wie kein anderes Marienbild die unerreichbar hohe Überordnung Marias über alle Heiligen des Alten und Neuen Bundes ausdrückt: Auch von den Heiligen her gesehen gehört sie auf die Seite Gottes als der Thron Gottes und als »geistiges Paradies«.

---

110. Rothemund (a.a.O. S. 282) hält das Thema der nachstehend beschriebenen Ikone für eine genuin russische ikonographische Entwicklung der Zeit um 1500. Er übersieht dabei die eindeutige Vorstufe in der Jakobos-Miniatur. Außerdem spricht die – von ihm selbst erwähnte – Tatsache gegen seine Annahme, daß die Hermeneia des Dionys von Phourna (»Malerbuch vom Berge Athos«) das Thema beschreibt; es muß also griechischen Ursprungs sein. V. H. Elbern (Ikonen, Bilderhefte der Staatlichen Museen Preußischer Kulturbesitz H. 9, Berlin 1970, S. 26f., Nr. 20) hebt nur hervor, daß der Bildtypus »Über dich freuet sich« in der russischen Ikonenmalerei beliebt und im 14.–17. Jahrhundert sehr verbreitet gewesen ist. Damit kommen wir auch näher an die Jakobos-Miniatur heran als bei Rothemunds spätem Ansatz der Entstehung des Typus.

Kindheit und Jugend Marias

Das Protoevangelium des Jakobus (auch Pseudo-Jacobus – Ps Jac –, ursprünglich »Geburt der Maria« genannt) ist die wichtigste literarische Quelle für die bildlichen Darstellungen der Marienzyklen im Osten, von deren Bedeutung auch heute noch der sehr dezimierte und oft nur fragmentarisch erhaltene Denkmälerbestand in allen Kunstgattungen Zeugnis gibt. Die Verbreitung und die Zuordnung dieser Marienszenen zu biblischen Darstellungen zeigen, daß im Orient vom 5. Jh. an dieser apokryphe Text in zunehmendem Maße als integrierender Teil der heiligen Geschichte aufgefaßt wurde. Das war möglich, weil er einerseits dem Bedürfnis der Volksfrömmigkeit entgegenkam, etwas über die Herkunft und die Vorbereitung zu der Erwählung der Gottesmutter zu erfahren, worüber die knappen biblischen Berichte von Lukas und Matthäus nichts aussagen, anderseits sich im Gewand der volkstümlichen Erzählung theologisches Gedankengut verbirgt, um dessen Formulierung es in theologischen Auseinandersetzungen des vierten und fünften Jahrhunderts ging. Letzten Endes zielt die wunderbare Empfängnis Marias im Schoße ihrer Mutter Anna und die Betonung ihrer außergewöhnlichen Heiligkeit und Makellosigkeit auf das Bekenntnis zur Gottessohnschaft Christi ab, vgl. *Bd. 1, S. 16.* Die Form der Erzählung der Geburt Marias schließt an den damals bekannten alttestamentlichen Typus des Kindes der Gnade nach langer unfruchtbarer Ehe an: Sarah und Abraham – Sohn Isaak, 1 Mos 18; Hanna und Elkana – Sohn Samuel, 1 Sam 1; im Neuen Testament: Elisabeth und Zacharias – Sohn Johannes, Lk 1. Die Legende lenkt jedoch auch den Blick auf die Frau, die in der Heilstypologie als Antithese zu Eva (in Parallele zur Adam-Christus-Typologie des Paulus) als die »Neue Eva« Bedeutung gewinnt[111]. Diese in die Erzählung gekleidete theologische Konzeption gibt der Legende die große Bedeutung für das Entstehen der Mariologie und läßt sie auch, wie oben gesagt, zu einem Teil der heiligen Geschichte werden, die die Kunst – neben dem autonomen Marienbild mannigfacher Aussage – bildlich darstellte.

Für die Feier eines allgemeinen Marienfestes im 5. Jh. liegen für den Osten Anhaltspunkte vor. Von da an entfaltet sich auch die Marienverehrung, die über ihre Preisung als Gottesmutter hinausreicht, obgleich diese Funktion immer die Grundlage und der Ansatz für die Marienfrömmigkeit bleibt. Zu den einzelnen Marienfesten siehe unten.

Mitte des 6. Jh. läßt sich in Konstantinopel der Annakult nachweisen, der zweifellos mit zur Popularisierung des Protoevangeliums und zur Darstellung der Legendenzyklen, in denen neben Maria die Mutter Anna einen zweiten Schwerpunkt bildet, beitrug. Um 400 entstand in Ägypten »Die Geschichte von Joseph, dem Zimmermann«. Die ersten Kapitel erzählen Geschehnisse vor der Geburt Jesu, in denen sich deutlich Pseudo-Jakobus spiegelt[112]. Mit dem Interesse an Joseph, das im Zusammenhang mit dem Bemühen steht, den Glauben an die Jungfrauengeburt und immerwährende Jungfräulichkeit Marias zu festigen, läßt sich die sehr frühe Darstellung der Fluchwasserprobe im Tempel erklären, die nicht nur Maria, sondern auch Joseph rechtfertigt.

Die Verbreitung und die spätere Tradierung der Legende, die geringfügige Änderungen und die Aufnahme anderer Quellen mit sich bringt, läßt sich an der im ersten Abschnitt erwähnten großen Anzahl der uns bekannten Übersetzungen in viele Sprachen ermessen. Unbekannt ist, wo die Urschrift des Pseudo-Matthäus-Evangeliums (Liber de ortu beatae Maria Virginis et infantia Salvatoris) entstand. Die ältesten erhaltenen Handschriften sind lateinisch abgefaßt. Als Entstehungszeit galt in der Forschung früher das 5., heute wird das 8. oder 9. Jh. angenommen[113]. In dieses Apokryphon, das zur »Verherrlichung Marias als Königin und Jungfrau« geschrieben wurde, ist das Protoevangelium eingegangen, doch wurden im Abendland von theologischer Seite beanstandete Stel-

---

111. Marias schmerzfreie Geburt des göttlichen Sohnes hebt den Fluch, der beim Sündenfall über Eva verhängt wurde, auf, vgl. die Adamslegende in: E. Kautzsch, Alttestamentliche Apokryphen, 2. Teil, Tübingen 1900, S. 512–528.

112. Hennecke-Schneemelcher I, S. 320.

113. Hennecke-Schneemelcher I, S. 303 f. Die in der Literatur häufig genannte lateinische Wiedergabe des Textes von Tischendorf beruht nach Hennecke-Schneemelcher auf drei Handschriften des 14. und einer des 15. Jh. Siehe auch: H. Daniel-Rops, Die apokryphen Evangelien des Neuen Testaments, Zürich 1965.

len nicht übernommen und manches etwas anders erzählt, zu den Abweichungen siehe unten. In dieser Form fand die Kindheitslegende Marias im Abendland allmählich Verbreitung. Der Widerstand gegen sie in der römischen Kirche war seit dem sog. Decretum Gelasianum und Hieronymus im hohen Mittelalter noch so groß, daß es eines gefälschten Briefwechsels von zwei Bischöfen mit Hieronymus bedurfte, um Pseudo-Matthäus mit dem Kirchenvater in Verbindung zu bringen und dem apokryphen Text dadurch zur Geltung zu verhelfen[114].

Die Bildzyklen des Ostens

Im Osten sind spätestens nach dem Konzil von Ephesus einzelne Motive und Episoden aus dem Protoevangelium in die zyklischen Darstellungen zur Geburt Jesu aufgenommen worden. Wir sind auf diese Motive im 1. Band bei folgenden Gegenständen schon eingegangen: Verkündigung an Maria, Josephs Zweifel an Maria (Traum und Fluchwasserprobe im Tempel), Reise nach Bethlehem, Geburt Christi – vgl. S. 16, 44ff., 67ff., 73ff. So findet sich zum Beispiel bei der Darstellung der Verkündigung der Korb mit der Purpurwolle für den Tempelvorhang zu Füßen und die Spindel in der Hand Marias, da nach dem Protevangelium der Engel Gabriel Maria zu Hause bei der Arbeit am Tempelvorhang überraschte. Diese Motive, die Maria als ehemalige Tempeljungfrau kennzeichnen wollen, kommen auch im abendländischen Verkündigungsbild vor, solange östliche Vorbilder Geltung hatten, vgl. Bd. 1 Abb. 55, 56, 66, 68, 70–73, 75, 87, 90, 95. Der älteste bekannte Beleg für Maria mit Spindel und Wollkorb gehört allerdings der repräsentativen Kunst Roms an, dem Mosaikzyklus am Triumphbogen von S. Maria Maggiore,

432–440. Es ist schwer zu entscheiden, ob hier eine Abhängigkeit von einem östlichen Zyklus oder ein direktes Einwirken der apokryphen Erzählung vorliegt. Nur vereinzelt ist die Erscheinung des Engels am Brunnen, aus dem Maria Wasser schöpft, im Westen nachzuweisen: Mailänder Diptychon, 2. Hälfte 5. Jh., Bd. 1, Abb. 53, und das Werdener Kästchen, Abb. 67, das heute für eine karolingische Kopie nach einem Vorbild des 5. Jh. gehalten wird[115]. Wenn seit dem Ende des 8. Jh. auf manchen Darstellungen der Verkündigung und Heimsuchung eine Dienerin zu sehen ist, so geht dies auf die Aussage des Pseudo-Matthäus-Evangeliums zurück, der Hohenpriester habe Maria in das Haus des Joseph Jungfrauen als Gefährtinnen mitgegeben. Beim Geburtsbild stammen die Höhle, die Hebamme usw. die Wärterin (Badeszene) und Salome mit der gelähmten Hand aus dem apokryphen Text, vgl. Bd. 1.

Dem Anliegen, die Jungfrauengeburt hervorzuheben, dient neben der Einfügung Salomes in das Geburtsbild ebenfalls die Darstellung der von den Priestern verlangten Fluch- oder Giftwasserprobe im Tempel, durch die die Aussagen Marias dem empörten Joseph gegenüber und die Unschuld der Jungfrau bestätigt werden. Auch Joseph wird dadurch von den Vorwürfen der Priester befreit. Die Fluchwasserprobe ist im 6. Jh. innerhalb von christologischen Szenen nachzuweisen: Elfenbeintafel der Maximians-Kathedra in Ravenna, Bd. 1, Abb. 138, und Pariser Elfenbeindiptychon um 500, Abb. 58. Im historischen Staatsmuseum in Moskau befindet sich ein fragmentiertes Elfenbeintäfelchen des 6. Jh., das angeblich in Kasan erworben wurde. Dargestellt sind: die Verkündigung an Maria und die Wasserprobe. Das Fragment gehörte wahrscheinlich zu einem ähnlichen Diptychon wie das Pariser und das mit ihm weitgehend übereinstimmende in Et-

---

114. Ergänzend zu der bei Hennecke-Schneemelcher I, Kap. VIII, Kindheitsevangelien (O. Cullmann), 1959, angegebenen Literatur ist von der neueren noch zu nennen: E. de Strycker, La forme la plus ancienne du Protévangile de Jaques. Recherches sur le Papyrus Bodmer 5 avec une édition crit du texte grec et une traduction annotée., Brüssel 1961. H. R. Smid, Protevangelium Jacobi, A commentary, Assen, 1965. Die Texte deutsch: W. Michaelis, Die apokryphischen Schriften zum Neuen Testament (Slg. Dietrich Bd. 129), Bremen 1962, S. 73ff. Zur bildlichen Darstellung verweisen wir auf das einzige grundlegende Werk zu unse-

rem Thema von J. G. Lafontaine-Dosogne, Iconographie de l'enfance de la Vierge dans l'Empire byzantin et en Occident, Brüssel 1964/1965 (2 Bände). Das LCI bringt nur wenig zu den Legenden im Artikel Marienleben Bd. 3, Sp. 212–234. – Zum Gesamtkomplex siehe W. Delius, Geschichte der Marienverehrung, München–Basel 1963, zu den Apokryphen S. 43ff.

115. Wir haben das Kästchen in der ersten Auflage des 1. Bandes der früheren Forschung gemäß in das 5. Jh. datiert, diese Angabe wurde in der zweiten Auflage berichtigt.

schmiadzin. Die zweite Tafel dieses Diptychons zeigt als Hauptdarstellung den erhöhten Christus und ordnet ihm Einzelszenen seines Lebens zu. Die Marientafel ist bei diesen frühen Diptychen auf Christus, genauer gesagt auf seine Inkarnation bezogen, so daß es sich bei solchen Tafeln noch nicht um einen Marienzyklus handelt, sondern wie bei den anderen angeführten Beispielen um eine Einfügung von apokryphen Motiven in einen neutestamentlichen Zyklus. Das gilt wahrscheinlich auch für ein Fragment eines Elfenbeintäfelchens des frühen 6. Jh. in der Eremitage, Leningrad, das erstmals die Verkündigung an Anna im Garten aufweist, *Abb. 496*. Ein zweiter Teil der zerschnittenen Tafel mit der Darstellung der Heimsuchung befindet sich im gleichen Museum. Es wird angenommen, daß diese Fragmente Teile einer Marientafel sind, die sich in der John-Rylands-Libary in Manchester befindet und mit der Christustafel in Murano, *vgl. Bd. 1, Abb. 424*, ein Diptychon gebildet hat. Der Mittelteil der Marientafel zeigt die Gottesmutter mit der Magieranbetung und darunter die Geburt Jesu mit Salome. Die Leningrader Fragmente können die linke Seitentafel gewesen sein, während die rechte verloren ist; ein Täfelchen in Pariser Privatbesitz mit der Verkündigung an Maria, Fluchwasserprobe und Reise nach Bethlehem gilt als der untere Teil und eines in Berlin mit geflügelten Engeln und Kranz als der obere[116].

Angesichts dieser einzelnen, christologischen Zyklen eingestreuten Legendenmotive ist es unwahrscheinlich, daß es vor dem 8. Jh. in der Monumentalkunst schon Zyklen der Kindheitslegenden Marias gegeben hat, auch wenn man den großen Ausfall orientalischer Werke für diese Zeit in Rechnung stellt. Nach dem Konzil von Ephesus, das den Titel Gottesmutter (Theotokos-Gottesgebärerin) festschrieb, sind zwar im Laufe der Zeit Kirchen Maria geweiht worden, doch gilt dieses Patrozinium Maria als Gottesmutter, so daß diese Kirchen Darstellungen der Geburtsgeschichte Jesu erhielten, vgl. die Triumphbogenmosaiken 432–440 der vielleicht ersten Marienkirche

Roms, heute als S. Maria Maggiore bekannt[117]. Auch die in der Wissenschaft sehr unterschiedlich zwischen dem 7. und 10. Jh. datierten künstlerisch hervorragenden byzantinischen Fresken im Chorraum der Maria geweihten Kirche S. Maria foris portas in dem abseits gelegenen Castelseprio (südlich von Como) nehmen in den Zyklus zur Geburt Christi nur einzelne Legendenmotive auf, z. B. die Wasserprobe, die Reise nach Bethlehem, die zwar biblisch ist, von der Legende jedoch erweitert wurde, und bei der Geburt die Hebamme und die Badeszene (vgl. aus dem Zyklus die Verkündigung an Maria, *Bd. 1, Abb. 79*). Daß es sich hier um einen Zyklus zur Inkarnation des göttlichen Wortes und nicht um einen Marienzyklus handelt, wird nicht zuletzt an der Darstellung eines Tisches mit dem Evangelienbuch in der Mitte der unteren Bildzone der Apsis deutlich. Selbst für die 550 unter Justinian Anna geweihte Kirche in Konstantinopel gibt es keine Anhaltspunkte für einen Bildzyklus zur Geburt und zur Kindheit Marias. Immerhin mag der Annakult im Osten die zyklische Darstellung des Protoevangeliums gefördert haben, ist dieses Apokryphon von der Geburt Marias doch zugleich die literarische Quelle für das Leben Annas und Joachims.

Auf kleinasiatischem Boden befindet sich der älteste bekannte Zyklus in einer Joachim- und Annakapelle in Kızıl Çukur in Kappadokien, deren reicher, allerdings stark beschädigter Freskenschmuck auf 859/860 datiert wird und vermutlich auf Vorbilder zurückgeht, die vor der Mitte des 9. Jh. liegen. Es ist nicht anzunehmen, daß ein solcher Zyklus in dem vom Kulturzentrum abliegenden Gebiet konzipiert wurde[118]. Unter den Resten der Fresken sind zu erkennen: Rückkehr Joachims, Anna erwartet Joachim, Geburt Marias, erste Schritte Marias. Außer diesen Szenen kommen in anderen Höhlenkirchen des 10. und 11. Jh. noch folgende vor: Verkündigung an Anna und an Joachim, Einführung Marias in den Tempel und ihre Speisung als Tempeljungfrau durch einen Engel. Mehrfach kehren in dieser Malerei der Höhlenkirchen die Mt 1,18–20 ergänzenden Legendenmotive wieder: die Vor-

116. Nach W. F. Volbach, Elfenbeinarbeiten der Spätantike und des frühen Mittelalters, Mainz 1952.

117. Siehe zu diesem Werk und dem Typus der Theotokosdarstellungen Bd. 1, Abb. 52 und S. 37 ff. Von der seither neu erschienenen Literatur ist zu nennen: U. Schubert, Der politische Primatanspruch des Papstes – dargestellt am Triumphbogen von

Santa Maria Maggiore in Rom, in: Kairos, Zschr. f. Religionswiss. u. Theol. XIII, 1971, S. 194–226 (Salzburg).

118. M. Restle, Die byzantinische Wandmalerei in Kleinasien III, Abb. 351–354. N. et M. Thierry, Eglise de Zizil – Tschoukour, ..., in: Mont Piot 50, 1958, S. 105–146.

würfe Josephs an Maria und die Fluch- oder Prüfwasserprobe. Abgesehen vom zuletzt genannten Motiv und der
Verkündigung an Anna, die schon das erwähnte Elfenbeintäfelchen des 6. Jh. bringt, treten in Kızıl Çukur Szenen der Legenden auf, die im 5. und 6. Jh. noch nicht zu
belegen sind, für das 8. oder 9. Jh. aber einen größeren Zyklus vermuten lassen.

Rom war im 8. Jh. künstlerisch ohne eigene Initiative
und deshalb fremden Einflüssen zugänglich. Unter den
aus dem Osten stammenden Päpsten fand die syrische und
byzantinische Ikonographie Eingang. Ungeachtet der Zurückhaltung gegenüber dem apokryphen Protevangelium
in der römischen Kirche der Spätantike scheint es nun in
Rom zyklische Darstellungen gegeben zu haben. Nach einer Bemerkung im Liber Pontificalis[119] soll Leo III. (gest.
816) in S. Paolo f. l. m. in Rom einen Zyklus der Geschichte
Joachims und Annas haben anbringen lassen und außerdem der Kirche S. Maria Maggiore einen Teppich mit den
Darstellungen der Marienlegenden geschenkt haben. Es
fehlen jedoch nähere Angaben zu beiden Werken. Dagegen sind unter den Resten der Fresken in S. Egiziaca, einer
in den Tempel der Fortuna am Rindermarkt in Rom ein-
gebauten Kirche, die in die Zeit zwischen 872 und 882 datiert werden, einige Bildmotive erkannt worden, die einen
Legendenzyklus für die zweite Hälfte des 9. Jh. bestätigen.
Noch zu bestimmen sind folgende Szenen: Joachim auf
dem Feld, *Abb. 485*, zwei Boten kommen zu Anna, Anna
halb aufgerichtet auf dem Lager mit einer Gehilfin (Vorwürfe an Anna), Ankunft in Bethlehem. Außerdem befinden sich hier noch einige Szenen zum Tod Marias, siehe
dazu unten[120]. Die Bereitschaft, die östliche Marienikonographie in die römische Kunst zu übernehmen, fällt zeitlich etwa zusammen mit dem Bekanntwerden des Prot-
evangeliums in der lateinischen Bearbeitung des Pseudo-
Matthäus. Doch ist dieser Zyklus in Rom auch mit dem
in der Kızıl Çukur ungefähr gleichzeitig; aus beiden nur

fragmentarisch erhaltenen Werken läßt sich noch kein
klares Bild der Szenenauswahl für die zyklische Darstellung gewinnen, aber doch die Gewißheit, daß es im 9. Jh.
in der Wandmalerei Bildfolgen der Marienlegenden
gab.

Mit dem Freskenzyklus um die Mitte des 11. Jh. in der
Joachim- und Annakapelle der Sophienkirche zu Kiew ist
ein Werk auf uns gekommen, das als repräsentativ für das
11. Jh. gelten kann. Diese Kirche ließ Jaroslaw, Großfürst
des Staatenbundes der Russen, errichten, um die Befreiung
des Landes »vor der heidnischen Finsternis« durch »die
göttliche Weisheit« und die durch ihn repräsentierte
Staatsmacht zu dokumentieren[121]. Es entstand hier durch
die Heranziehung von griechischen Künstlern (vermutlich
aus Saloniki) ein klassisches Werk byzantinischer Malerei
der mittleren Epoche, deren hohe Qualität, auch wenn die
Übermalung im 19. Jh. die Farboberschicht beschädigte,
noch zu erkennen ist[122]. Der Bildzyklus der Kapelle, die
als Diakonikon dient, umfaßt: Joachim auf dem Feld (zerstört), Gebet Annas im Garten, *Abb. 497*, Begegnung von
Joachim und Anna an der Pforte, Geburt Marias,
Abb. 513, Einführung Marias in den Tempel, *Abb. 528*,
Maria erhält die Purpurwolle zur Anfertigung des Tempelvorhangs, Maria wird Joseph anvertraut, *Abb. 565*, der
Engel erscheint Maria am Brunnen, Verkündigung an Maria nach Lk 1,26–38, und der Besuch Marias bei Elisabeth
(Heimsuchung) Lk 1,39–56. Diese beiden letzten biblischen Szenen werden häufig mit dargestellt, da die Legende sie übernahm.

An den Fresken in Kiew wird deutlich, daß sich spätestens im 11. Jh. der ausführliche monumentale Zyklus der
Kindheitslegenden Marias in der Kunst des Ostens kon-
solidiert hatte. In der Buchmalerei aus Byzanz sind aus
dem 10. Jh. nur im Menologion des Basileios II. zwischen
979 und 984 einige Szenen bekannt. Es sind diejenigen, die
zum erweiterten Festbildkreis gehören, also unter liturgi-

---

119. Ed. Duchesne, Liber Pontificalis II,9 und 29. Siehe auch
St. Beissel, Geschichte der Verehrung Marias in Deutschland
während des Mittelalters, Freiburg/Br. 1909, S. 585, u. E. Hennecke, Altchristliche Malerei und Altchristliche Literatur, 1896,
zit. bei Hennecke-Schneemelcher I.

120. J. Lafontaine, Peintures médiévales dans le temple dit de
la Fortuna Virile à Rome, Brüssel–Rom 1959.

121. Siehe V. N. Lasarev, Die Malerei und die Skulptur der

Kiewer Rus, in: Geschichte der russischen Kunst, Dresden 1957,
S. 100.

122. O. Powstenko, The Cathedral of S. Sophia in Kiew, New
York 1954, Sciences in Annals of the Ukrainian Academy of Art
and Sciences in the U.S.A. III–IV (spec. issue), Abb. 113–130. V.
Lazarev, Old Russian Murals and Mosaics from the XI to the XVI
Century, London 1966. H. Logvin, Kiew. Hagia Sophia, Kiew
1971, S. 29 f.

schem Gesichtspunkt ausgewählt sind: Begegnung an der Goldenen Pforte, *Abb. 503*, Marias Geburt, *Abb. 511*, und ihre Einführung in den Tempel, *Abb. 527*, vgl. unten zu den Marienfesten.

Im Gegensatz hierzu bringen die Illustrationen der sechs Marienpredigten des Mönches Jakobos aus dem Kloster Kokkinobaphos in Prusa (Bursa in Kleinasien), 1. Hälfte 12. Jh., bis dahin nicht dargestellte Motive aus dem Protevangelium und anderen Quellen, die in spätere Werke dann und wann Eingang finden. Diese Homilien zu allen Marienfesten gehören zu der Erbauungsliteratur, deren Verfasser sich so in den Text einleben, daß sie diesen ausmalen und mit Gefühlsmomenten bereichern. Mehr noch als die Versdichtung und die Hymnen, die im Zusammenhang der Marienfeste schon sehr früh einsetzen, erweitern solche populären Betrachtungen den Motivschatz eines vorgegebenen Textes im Sinne der nachempfindenden Veranschaulichung. Die Illustrationen der Homilien des Mönches Jakobos umfassen von der Zurückweisung des dargebrachten Opfers bis zur Vorbereitung des Tempelganges Marias 14 Szenen, vom Tempelgang und Tempeldienst Marias bis zur Ankunft im Hause Josephs 16, von der Ankündigung der vorübergehenden Abwesenheit Josephs bis zur Rückkehr Gabriels in den Himmel nach der Verkündigung 11 (vgl. zwei davon, *Bd. 1, Abb. 10 und 11*), von der Bereitung des Purpurvorhangs und dessen Ablieferung im Tempel bis zum Abschied Marias von Elisabeth nach ihrem Besuch 9 und schließlich 13 Illustrationen zu der Rückkehr Josephs von der Arbeit, den Gesprächen mit Maria und den Priestern bis zur Erklärung der Unschuld nach der Fluchwasserprobe. Es sind also insgesamt 63 Illustrationen; zum Teil bleiben sie in der Tradition, viele sind neu konzipiert worden. Damit bringt diese Handschrift den umfangreichsten narrativen Zyklus, der in der byzantinischen Kunst wohl je entstanden ist[123].

Vom 12. Jh. an sind zahlreiche Zyklen der Monumentalkunst erhalten, wenn auch in schlechtem Zustand. Wir geben aus verschiedenen Gebieten die wichtigsten an und verweisen auf die Literatur. In Griechenland erhielt der Narthex der Marienkirche in Daphni bei Athen, gegen 1100, *Abb. 498*, einen Mosaikzyklus mit fünf Szenen. Darunter ist zum erstenmal die Segnung des Marienkindes durch die Priester zu belegen, wenn auch nicht erhalten[124].

In Rußland sind vor allem zwei Kirchen mit größeren Legendenzyklen zu nennen: Pskov (Pleskau), um 1156[125] und Nerediza bei Nowgorod, 1197–1199[126]. In der Spas Mirozskij (Mirozkloster) in Pskov befindet sich der Zyklus im südwestlichen Seitenraum der Kirche – ein kleiner, nahezu quadratischer tonnenüberwölbter Raum mit einem Durchgang zum Südquerarm – und überzieht Wände und Wölbung. Er ist mit 18 Bildfeldern der umfangreichste erhaltene monumentale Zyklus des 12. Jh., dessen Nebenmotive vermutlich unter anderem durch die Buchmalerei (z. B. die Homilien des Mönchs Jakobos) angeregt wurden. Die eine Hälfte der Darstellungen in der Wölbung gilt Joachim und Anna, die andere der Kindheit Marias. Die Geburt Marias ist durch die Anordnung in der Apsis als Hauptbild (über einem kleinen Fenster) hervorgehoben. Daran anschließend tritt zum erstenmal die Liebkosung des Kindes durch die Eltern auf; ein zerstörtes Feld zeigte vermutlich das Gebet des Hohenpriesters vor der Erwählung Josephs – beide Szenen kehren in den Zyklen der serbisch-makedonischen Wandmalerei des späten 13. und 14. Jh. wieder. Rußland steht seit dem Ende des 11. Jh. zeitweise in engerer Beziehung zu Saloniki, Ohrid und den serbischen und bulgarischen Städten als zu Konstantinopel, dessen Herrschaftsansprüche die russischen Großfürsten fürchteten[127]. Dadurch ist der künstlerische Einfluß der Metropole im Laufe des 12. Jh. immer mehr zurückgedrängt worden. In der Kirche von Nerediza bei Nowgorod, von der im letzten Krieg lediglich die Apsis erhalten blieb, waren nur noch einheimische Künstler tätig. Sie enthielt mehrere Darstellungen zur Kindheitsgeschichte Marias, von denen sich einige mit dem Zyklus in Pskov deckten, andere davon abwichen.

123. Zum Kodex der vatikanischen Bibliothek siehe C. Stornajolo, Miniature delle Omilie di Giacomo Monaco, Cod. vat. grec. 1162, Rom 1912. Die Doublette Paris, Bibl. Nat., Cod. gr. 1208.

124. E. Diez-O. Demus, Byzantine Mosaics in Greece: Hosios Lucas and Daphni, Cambridge (Mass.) 1931, Abb. 105–110.

125. Lafontaine-Dosogne I, S. 209f. mit Skizze des Bildprogramms und Abb. 39, 62.

126. V. Lazarev, Abb. 101. Lafontaine-Dosogne I, S. 48ff., Abb. 88.

127. Zentrum der Bestrebungen, sich der byzantinischen Hierarchie zu entziehen, war das Kloster Petschora bei Pskov.

In Georgien befindet sich in der Kirche zu Ateni ein Zyklus, vermutlich aus dem letzten Viertel des 11. Jh.(?), mit fünf Szenen. Hier sind, wie schon in Kızıl Çukur, die ersten fünf Schritte Marias zu belegen[128] und in der Höhlenkirche von Bertubani, 1213–1220, acht Darstellungen von der Zurückweisung des Opfers Joachims und Annas bis zur Einführung Marias in den Tempel[129]. Für das 14. Jh. sind noch die Marienkirche in Snetogorsk (Kloster bei Pskov), um 1313, und die Koimesiskirche in Volotovo bei Nowgorod, um 1380[130] zu nennen, um nur die wichtigsten anzugeben.

Innerhalb des ausgedehnten Mosaikschmucks von S. Marco in Venedig sind die acht Szenen des Marienzyklus – Gebet des Hohenpriesters und Übergabe Marias in die Obhut Josephs bis zur Reise nach Bethlehem –, um 1200, auf das Süd- (1690, nach den ursprünglichen Mosaiken erneuert) und Nordquerschiff verteilt, *Abb. 583*. Von den vier Ciboriumssäulen in S. Marco zeigt die linke hintere des 13. Jh. vor dem christologischen Zyklus die Marienlegenden unter Verwendung älterer Motive.

Innerhalb der östlichen Darstellungsgeschichte der Marienlegenden bilden die Zyklen der serbischen und makedonischen Wandmalerei einen wichtigen und einheitlichen Komplex, da von den vielen kleinen Klosterkirchen auf dem Balkan im Gegensatz zu den Monumenten im Kernbereich byzantinischer Kunst eine größere Anzahl erhalten blieb. Die Wandmalereien sind in den letzten Jahrzehnten nach Möglichkeit gereinigt und restauriert worden, so daß man bei mancherlei Einbußen von der zyklischen Darstellung in den kleinen Räumen noch einen guten Eindruck gewinnt, der sich allerdings durch photographische Wiedergaben nur mangelhaft vermitteln läßt. Wie in Rußland blieb der byzantinische Einfluß von dem nahen Saloniki her zeitweise rein erhalten, mischte sich aber vom 13. Jh. an verschiedentlich mit einheimischen Stilelementen. Für die Ikonographie ist diese Wandmalerei insgesamt durch die geschlossenen Themenzyklen und

ihre Anordnung im Raum, der durch seine Gesamtdekoration mit der Malerei eine Einheit bildet, von Bedeutung. Die liturgischen Bildthemen (Festbilder und die sich auf die Eucharistie beziehenden Darstellungen) sind den Brennpunkten des Gottesdienstraumes zugeordnet und dadurch abgesetzt von den erzählenden Zyklen und den Heiligendarstellungen.

Die großen Bildfolgen der Kindheit Marias, die in einigen Kirchen die Bildzone oberhalb des christologischen Zyklus (Passion und Auferstehung) der Nord- und Südwand des Naos einnehmen, setzen Ende des 13. Jh. unter König Milutin (1282–1321) aus dem Hause der Nemanjiden nach der Eroberung der nordmakedonischen Gebiete ein. Milutin entfaltete in seiner langen Regierungszeit eine ausgedehnte Bautätigkeit, der die Stiftung von Sv. Kliment in Ohrid aus dem letzten Jahrzehnt des 13. Jh. zur Seite steht[131]. Die Wandmalereien sind das signierte Frühwerk von zwei griechischen Malern – Mihail (Michael) und Eutychios. Der nächste Zyklus befindet sich in der Joachim und Anna geweihten Kirche in Studenica (Serbien), die der König 1313 erbauen ließ, vielfach Königskirche genannt. Auch hier waren die beiden griechischen Maler tätig[132]. Darauf folgt der im Raum anders angeordnete Zyklus in der Sv. Djordje (St. Georg) in Staro Nagoričino, 1317/18[133]. Die Bildmotive stimmen in diesen Zyklen nicht genau überein, aber sie gehen von der gleichen Tradition aus, die die alte Fassung der östlichen Legenden geschlossen zeigt. In der Klosterkirche von Dečani wurde zwischen 1335 und 1350 der Zyklus von Sv. Kliment nochmals wiederholt. Zu nennen wären außerdem folgende Fresken: Vorhalle zu Gradač, um 1275, Pfarrkirche in Sušica, E. 13. Jh.[134], Peterskirche von Ras bei Novi Pazar (Rascien) Ende 13. Jh. Muttergotteskirche im Patriarchat von Peč (Marienkirche) um 1330, Sv. Ahilije des Achilleiosklosters in Arilje (Moravica) 1296, hier ist nur die Geburt Marias, das Bad des Kindes und die Einführung Marias in den Tempel im Westjoch des Naos erhal-

128. V. Lazarev, Pittura Bizantina 218f.

129. Lafontaine-Dosogne I, Abb. 39, 62.

130. Lafontaine-Dosogne I, Abb. 40, 50, S. 36f.

131. Die Kirche war ursprünglich der Gottesmutter Peribleptos geweiht und wird deshalb heute noch oft Marienkirche genannt.

132. V. Petković, Monastir Studenica, Belgrad 1924, S. 59–63.

133. V. Petković – P. Popovic, Staro Nagoričino-Psoca-Kalendic, Belgrad 1933 Tf. 24–28.

134. G. Babić, Les Fresques de Sušica en Macédoine et l'iconographie originale de leurs images de la vie de la vierge, in: CahArch 12, 1926, 303–339.

135. Allgemein zu der Malerei in Jugoslawien: S. Radojčić, Geschichte der serbischen Kunst von den Anfängen bis zum Ende

ten[135]. Künstlerisch setzt sich diese Epoche von der des 11./12. Jh. (Sophienkirche in Ohrid und Sv. Panteleimon in Nerezi) ab, da sich die griechische Malerei in diesen Gebieten vom 13. Jh. an mit Stilelementen der altserbischen Malerei der Provinz Rascien durchsetzt. Doch treten immer wieder Einzelfiguren auf, die sich unmittelbar an die klassische Malerei anschließen. Die Plastizität der Figuren nimmt im 13. Jh. zu. Die Raumvorstellung des Aktionsraumes wird bewußter und ist durch schräg gestellte Architekturversatzstücke erreicht, die außerdem die zügig fortlaufende Handlung etwas gliedern. Neben realistischer individueller Schilderung ist insgesamt ein Streben nach Monumentalität wahrzunehmen. Hier haben sich Ende des 13. Jh. Stilelemente entwickelt, die bei Giottos Fresken der Arenakapelle in Padua 1305–1307 in reifer Form auftreten.

Der Zyklus in Sv. Kliment – Ohrid, der sich auf die Nord- und Südwand beschränkt, sich allerdings bis in die Pastophorien hineinzieht, beginnt auf der Südwand mit drei stark beschädigten, kaum noch erkennbaren Szenen: Zurückweisung des Opfers von Joachim und Anna. Beide kehren vom Tempel zurück. Verkündigung an Joachim bei den Hirten. Daran schließen sich an: Verkündigung an Anna im Garten, Begegnung an der Pforte, *Abb. 505*, Geburt Marias, *Abb. 514*, Joachim und Anna liebkosen das Kind, das Kind wird von drei Priestern gesegnet. Auf der Nordwand ist zu sehen: Maria wird in den Tempel geführt, ein Engel bringt Maria himmlische Speise, Gebet des Hohenpriesters vor den Stäben der Bewerber, Maria wird vom Priester Joseph in Obhut gegeben, *Abb. 564*, der Engel erscheint Maria am Brunnen, Fluchwasserprobe, Josephs Traum. In der Königskirche in Studenica fehlt dieser Traum und das Gebet des Hohenpriesters, dafür werden die Freier gesondert gezeigt. In der Georgskirche von Staro Nagoričino befindet sich der Zyklus in den zwei oberen Bildstreifen der Prothesis (vgl. Kiew). Hier fehlt die Einführung in den Tempel, als vorletzte Szene sind die Vorwürfe Josephs gegen Maria dargestellt, *Abb. 584*. Den Abschluß bildet das Trinken des Fluchwassers. Die

manchmal an die Legenden anschließenden biblischen Szenen, die zu den zwölf großen Kirchenfesten der Ostkirche gehören (Verkündigung an Maria, Geburt und Darbringung Jesu), finden in Ohrid und in Studenica in der obersten Region mit den anderen Festdarstellungen einen bevorzugten Platz. Die Darstellung des Todes Marias nimmt die ganze Westwand ein.

Aus dem frühen 14. Jh. ist jedoch auch ein hauptstädtisches Werk erhalten: die Mosaiken im inneren Narthex (Vorhalle) der Chora-Kirche (türkisch: Kariye Cami) in Istanbul, 1315–1320, der paläologischen Renaissance, dessen Qualitätsunterschiede nur auf mehrere Hände zurückzuführen sind[136]. Sie unterscheiden sich von der Wandmalerei Serbiens durch den einheitlichen künstlerischen Stil, durch die Anordnung im Raum – außer den Wänden sind auch die Gewölbe dekoriert –, und durch die detaillierte Schilderung, die im Zusammenhang mit den Homilien des Mönches Jakobos steht. Den zwanzig Darstellungen zur Kindheitsgeschichte Marias schließt sich im äußeren Narthex ein zweiter Zyklus zur Kindheit Jesu an, dessen Szenen einige apokryphe Motive enthalten. Ein dritter Zyklus zum Wirken Jesu befindet sich im äußeren und inneren Narthex. Zum Marienzyklus siehe *Abb. 486, 499, 524, 525, 530, 562, 563, 566, 581, 582*.

Am Ende der Entwicklung der monumentalen narrativen Marienzyklen der östlichen Gebiete stehen die Fresken der Peribleptos in Mistra (Peloponnes), um 1350[137], und in Bulgarien der Zyklus des Kremikovzi-Klosters bei Sofia nach 1493, *Abb. 523*[138]. Während sich die Malerei des bulgarischen Klosters und die späten Fresken Griechenlands an die alte Darstellungstradition halten, ist in den Marienzyklen auf dem Athos des 16. und 17. Jh. gelegentlich westlicher Einfluß zu beobachten[139].

Auf Ikonen bleibt die zyklische Darstellung bis ins 18. Jh. erhalten. Es gibt hierfür zwei Prinzipien der Anordnung. Die eine Gruppe führt, wie auf spätantiken Elfenbeintafeln, rahmenartig kleinere Szenen um ein größeres Bild der Gottesmutter herum, das die Mitte der Tafel einnimmt. Aus dem Anfang des 12. Jh. ist ein Kalkstein-

des Mittelalters, Berlin 1969. R. Hamann-Mac Lean und H. Hallensleben, Die Monumentalmalerei in Serbien und Makedonien, Gießen 1963 – mit Aufschlüsselung der Bildprogramme.

136. P. A. Underwood, The Kariye Djami, 3 Bände, London 1967.

137. S. Dufrenne, Les programmes iconographiques des églises

byzantines de Mistra, Paris 1970, S. 14–17, Abb. 30.

138. A. Boschkov, Die bulgarische Malerei, Recklinghausen 1969, Abb. 106 und 107.

139. Abbildungen bei G. Millet, Monuments de l'Athos, Paris 1927.

Diptychon in hervorragendem Zustand mit einer Christus- und einer Marientafel in dieser Anordnung erhalten, Berlin, *Abb. 455*. Der stehenden Gottesmutter sind hinzugefügt: Begegnung von Joachim und Anna, Geburt Marias, Einführung Marias in den Tempel mit der Speisung durch den Engel, Joachim und Anna geben Maria in die Obhut Josephs, Wasserprobe vor dem Priester; gegenüber: Verkündigung an Maria, Heimsuchung und Darbringung Jesu im Tempel. Daran schließen sich unten Todesverkündigung und Marientod an. Die Rahmendarstellungen der Christustafel beginnen mit der Geburt Jesu, darauf folgt die Taufe und Szenen seines Wirkens. Es fällt auf, daß die Darbringung Jesu im Tempel nicht dem Leben Jesu eingereiht ist, sondern der Marientafel und dadurch in der Abfolge der Szenen vor der Geburt Jesu steht. Nach dem Konzil von Ephesus bekam das Fest der Darbringung Jesu, das ursprünglich wie auch das Fest der Verkündigung an Maria zu den Herrenfesten zählte *(vgl. Bd. 1, S. 100 f.)*, allmählich einen marianischen Akzent, so daß die Darstellung beider Szenen in Marienzyklen aufgenommen sein können, auch wenn es sich nicht um ein Marienleben im Sinne des späten Mittelalters handelt. Durch die Hinzufügung des Marientodes geht die Bildfolge über die Darstellungen der Kindheit und Jugend Marias nach dem Protoevangelium hinaus und nimmt den Charakter eines Marienlebens im Sinne der Vitatafeln an.

Eine bulgarische Gottesmutterikone des 16. Jh. im Kirchenmuseum zu Sofia hält sich mit acht Darstellungen an die Vorbilder, wie sie in der Wandmalerei des Balkans erhalten sind, und schließt den Zyklus mit dem Gebet des Priesters vor den Stäben der Bewerber ab, *Abb. 457*. Dagegen umgeben auf einer griechischen Ikone aus dem 16. Jh. oder frühen 17. Jh. des byzantinischen Museums in Athen 16 Darstellungen, abschließend mit Tod und Himmelfahrt Marias, eine Passionsmadonna, *Abb. 458*. Das Christuskind erblickt zwei Engel, die Passionszeichen tragen, siehe zu dem Bildtypus Seite 26.

In Italien sind die Vitatafeln in der Epoche des byzantinischen Einflusses im 13. und 14. Jh. sehr beliebt (z. B. Franziskustafeln). Eine dergestaltige Marientafel aus S. Martino in Pisa, 1285–1290, im Museo Nazionale S. Matteo, Pisa, *Abb. 459*, gibt auf zwölf breiten Seitenfeldern neben der thronenden Gottesmutter die Kindheitslegenden Marias von der Opferverweigerung bis zum Tempelgang Marias in zwölf Szenen wieder. Eingeleitet wird der Zyklus mit der Verkündigung an Maria, den Abschluß bilden vier Heiligengestalten. Zur Ikonographie, die der abendländischen Tradition (Ps Mt) folgt, siehe unten.

Eine zweite Gruppe von Ikonen wählt aus dem Protoevangelium Szenen aus, die mit Marienfesten verknüpft sind: Begegnung von Joachim und Anna an der Goldenen Pforte, Geburt Marias und Einführung Marias in den Tempel. Die Darstellung der Koimesis, die auf einem gesondert überlieferten apokryphen Text beruht, vertritt das höchste Marienfest. In den Staatlichen Museen in Berlin-Dahlem befindet sich eine kleine Moskauer Ikone, gegen 1600, die diese vier Szenen vereint, die auch einzeln als Festtagsikonen dargestellt werden, *Abb. 456*. Sie gehört zu der Ikone der Lobpreisung der Gottesmutter, *vgl. Abb. 454*. Es ist nicht ganz sicher, ob sie zusammen ein Diptychon bildeten oder mit einem dritten verschollenen Täfelchen ein Triptychon. – Die zyklische Darstellung der Kindheitslegenden bringt noch eine russische Ikone vom Anfang 19. Jh., Recklinghausen, *vgl. Abb. 526*. Die Szenen sind um die Geburt Marias angeordnet und in ein dekoratives Formschema gezwungen.

Die Bildzyklen des Westens

Im Abendland verläuft die Darstellungsgeschichte der Marienlegenden anders als im Osten. Es ist oben schon gesagt worden, daß die Legenden in frühchristlicher Zeit theologischerseits mehrfach kritisch beurteilt, gelegentlich auch abgelehnt wurden. Aus den Stellungnahmen geht jedoch hervor, daß sie von einzelnen gelesen wurden[140]. In der Theologie der Karolingerzeit sind zum erstenmal deutliche mariologische Akzente zu beobachten. So schrieb z. B. der Abt von Corbie Paschasius Radbertus 846/49 eine Schrift »De nativitate Mariae«; schon 820/30 eine über die assumptio Mariae, siehe unten. Wie sich im 5. Jh. die orthodoxe Theologie gegen den Nestorianismus wehren mußte und es bei diesen christologischen Auseinandersetzungen zur Festschreibung des schon älteren Titels Theotokos für Maria kommt, obwohl ihn das Neue Testament nicht kennt, so wurde in karolingischer Zeit im

---

140. Vgl. auch unten *Abb. 764* das südgallische Graffito des 5. Jh. in der Katakombe des Maximin, das Maria in Oranshaltung durch eine lateinische Inschrift als Tempeldienerin bezeichnet.

Kampf gegen den Adoptianismus und unter dem Einfluß östlicher Marienfrömmigkeit Maria wieder als die Gottesgebärerin (Dei Genetrix) gepriesen und ihre königliche Abkunft aus dem Geschlechte Davids im Gegensatz zur Genealogie bei Mt 1,1 ff. und Lk 3,23 ff. hervorgehoben. Durch diese Abstammung war sie befähigt, den Rex Christus zu gebären. Mehr als die theologischen Schriften[141] prägte vermutlich die liturgische Dichtung das Bild Marias. Manches Marienlob ist in die Hymnen der Marienfeste, die vom 7. Jh. an allmählich Eingang in die römische Kirche finden, aufgenommen worden. Es seien nur einige Namen für die abendländische Mariendichtung erwähnt, der die des Ostens mit ihrer Blüte im 6./7. Jh. voranging: Venantius Fortunatus (Bischof von Poitiers, gegen 610 gest.): Lobgesang im 8. Buch der Carmina Miscellanea; Beda: Hymnus beatae Mariae; Notker Balbulus von St. Gallen (ca. 840–912): Vier Mariensequenzen. Für die Verarbeitung der zeitgenössischen theologischen Positionen in der Dichtung ist das althochdeutsche »Liber Evangeliorum« des Mönches Otfried von Weißenburg (Elsaß), vollendet um 870, sehr aufschlußreich, für uns speziell der Teil der Geburt Christi. Otfried war Schüler von Hrabanus Maurus[142]. Obwohl die frühmittelalterliche Dichtung durchweg Maria preist, so gibt es kaum einen Anlaß für die Annahme, sie beruhe auf der Kenntnis der Legendentexte. Doch ist das Gedankengut, das diesen zugrunde liegt, in der theologischen Verarbeitung in Otfrieds Evangeliendichtung aufgenommen. In der darstellenden Kunst dieser Zeit dürften die schon erwähnten Motive der Legenden (Spindel, Wollkorb, Begleiterin, Bad des Jesuskindes nach seiner Geburt etc.) aus der östlichen Bildtradition und nicht aus den literarischen Quellen stammen. Das frühmittelalterliche Bild der Verkündigung an Maria setzt sich vielmehr ebenso vom Lukastext wie von den Le-

gen den ab und zeigt die königliche Frau mit Kronreif und fürstlicher Kleidung, oft einer Palastarchitektur zugeordnet *(vgl. Bd. 1, S. 48, Abb. 73–75, 79–81, 90)*. Diese Darstellung der Gottesmutter hat wie im 5. Jh. ihre Wurzeln in der Christologie. Jedoch so sehr Maria auf Christus bezogen ist und an seiner Würde partizipiert, erhält sie doch als Königsmutter einen eigenen Rang.

Im 10. Jh. lenkte die Bearbeitung des Protoevangeliums durch Pseudo-Matthäus den Blick allmählich auch im Westen auf die Legenden von der Geburt und Kindheit Marias. Offenbar sind sie zuerst in Ordenskreisen bekannt geworden. Hrotsvit (ca. 935–975), eine sächsische Adlige im Kloster Gandersheim (ottonisches Hauskloster), faßte diesen lateinischen Prosatext in Verse: »Historia nativitatis Dei genetricis« (Hs. in SB München, A. 16. Jh. ed.). Sie hat auch Mariendramen der griechischen Kirche in ihr Dramenbuch aufgenommen. Ihre Dichtung brachte ihr die Bezeichnung »die lateinische Nachtigall von Gandersheim« ein. In den liturgischen Osterspielen, die bis in das 10. Jahrhundert zurückgehen, tritt Maria auf; und vom 13. Jh. an auch in den Passionsspielen, an denen das Volk beteiligt war. Volkssprachliche Marienlieder sind von Mitte des 12. Jh. bekannt: »Arnsteiner Mariengebet«, »Marienlied von Melk«, außerdem die größere Dichtung von 1172: »Driu liet von der maget« des Priesters Wernher, die auf dem Text des Pseudo-Matthäus beruht. In Frankreich sind für diese Zeit die Dichtungen zum Leben Marias des Kanonicus Wace von Bayeux und des Hermann von Valenciennes zu nennen. Um 1200 entstand die einflußreiche »Vita beatae virginis Mariae et Salvatoris rhythmica«, der in spätmittelalterlichen deutschen Bearbeitungen das »Marienlob« und die »Marienklage« hinzugefügt wurden (Walther von Rheinau um 1300, Philipp der Karthäuser, Steiermark). Vinzenz von Beauvais (um

---

141. Zum Beispiel: Beda Venerabilis (673–735): Comm. in Luc. MPL 92, 329 A; Hrabanus Maurus (780–856); Comm. in Matth. MPL 107; Ambrosius Autpertus (gest. 784): De nativitate perpetuae Virginis Mariae, Homilia (Ps Alcuin) 3, MPL 101; Paschasius wurde schon genannt. Vgl. hierfür L. Scheffczyk, Das Mariengeheimnis in Frömmigkeit und Lehre der Karolingerzeit, Leipzig 1959, insbesondere Kap. II, III, IV.

142. Vgl. Ulrich Ernst, Poesie als Kerygma. Christi Geburt im ›Evangelienbuch‹ Otfrieds von Weissenburg, in: Beiträge zur Geschichte der deutschen Sprache und Literatur, Bd. 95, Heft 1–3, Tübingen 1973. Der Verfasser zeigt, wie Otfried sich zwi-

schendurch immer wieder vom Lukasevangelium entfernt, um Maria als Deigenetrix zu preisen, ihre königliche Abstammung hervorzuheben – er setzt sie als Königin über die Engel – und ihre ewige Jungfräulichkeit (virgo perpetua) zu betonen – er interpretiert Lk 1,34 als Marias Gelübde ewiger Jungfräulichkeit. Joseph spielt die gleiche dienende Rolle wie bei Ps Jac und tritt nicht als Verlobter oder Mann Marias auf. Wenn Otfried die Hoheit und Einmaligkeit Marias auch eindringlich beschreibt, führt er gleichzeitig die natürliche Mutter-Kind-Beziehung weit mehr aus als der Lukastext.

1190 bis etwa 1264) übernahm in sein Speculum Historiale in den Abschnitt zur Geburt Marias Teile aus Pseudo-Matthäus, und schließlich ging dieses apokryphe Evangelium in einer überarbeiteten und verkürzten Form in die »Legenda aurea« des Jacobus de Voragine (1228–1298) vom Orden der Predigermönche, des späteren Erzbischofs von Genua, ein. Diese wohl im 3. Viertel des 13. Jh. entstandene Sammlung von Heiligenlegenden und mündlichen Überlieferungen der Kloster- und Volkstraditionen wurde das weitestverbreitete Erbauungsbuch des Mittelalters, im Klerus weit mehr gelesen als die Bibel[143].

Religiös wertvoller sind die zwischen 1300 und 1320 im Kreis der Franziskaner (Autor unbekannt) entstandenen »Meditationes vitae Christi«, weil sie durch die eingehende Betrachtung der Erzählungen zu der frommen Anteilnahme und Aneignung der heiligen Geschichten und zur Imitatio (Nachfolge) führen wollten. Diese Frömmigkeit weist zurück auf die zisterziensische mystische Frömmigkeitshaltung des Bernhard von Clairvaux. Dem Leben Jesu bzw. der Inkarnation Christi bei der Verkündigung an Maria sind in diesen Meditationes nur die Legenden, die sich auf das Leben Marias als Tempeldienerin beziehen, und ihre Verlobung mit Joseph vorangestellt. Bei der darauf folgenden ausführlichen Schilderung der

Sendung Gabriels und der Verkündigung an Maria (als Inkarnation der Dreifaltigkeit interpretiert) werden die Demut und die Einwilligung Marias in Gottes Ratschluß besonders hervorgehoben. Diese Beschreibung der Jungfrau entspricht dem Bild Marias in der Kunst des 14. Jh.[144]

Da das Epos des Priesters Wernher, um 1162, das vermutlich in Südbayern (Tegernsee?) zu lokalisieren ist[145], sich sachlich ziemlich genau an Pseudo-Matthäus anlehnt, jedoch in seiner poetischen Ausschmückung des Textes in der Form der ritterlichen Dichtung der Kreuzzugszeit ein lebendiges Zeitdokument darstellt, geben wir kurz die Abweichungen dieser beiden Texte vom Protoevangelium des Jacobus und von der späteren Legenda Aurea an. In der abendländischen Ikonographie der Kindheitsgeschichte Marias, die unreflektiert als Beginn der Geschichte Jesu aufgefaßt wurde, bildet Pseudo-Matthäus zunächst die literarische Grundlage. Handschriften dieses Textes sind bis zum 15. Jh. in größerer Zahl erhalten; oft umfassen sie nur den ersten wichtigen Teil: Joachim und Anna bis zur Flucht nach Ägypten, sind aber nicht illustriert. (Der zweite Teil fußt auf dem apokryphen Thomas-Evangelium.) Aus der Einleitung der Wernherschen Dichtung geht hervor, daß der Autor der irrigen Meinung war, der Text, den er für seine Dichtung be-

---

143. Deutsch: R. Benz, 2 Bände, Jena 1917 und 1921. Zu den wichtigsten Texten siehe auch E. Mâle, Die kirchliche Kunst des 13. Jh. in Frankreich. Deutsch von L. Zuckermandel. Straßburg 1907, S. 280–284. Vgl. zur Mariendichtung RGG IV., Sp. 758–760 (W. Delius und P. Waponewski). Roswitha von Gandersheim, Werke, Paderborn 1936.

144. Wir sind im 1. und 2. Band mehrfach auf diese »Meditationen« eingegangen. Sie hatten, angeregt durch Bonaventuras »Lignum vitae«, als Ausdruck des damaligen religiösen Bedürfnisses einen entscheidenden Einfluß auf die Frömmigkeit des späten Mittelalters, aus der sich zu einem wesentlichen Teil der Wandel in der Kunst des 14. Jh. erklärt. Die Franziskanerdichtung des 13. und 14. Jh. förderte nicht nur die populäre Marienfrömmigkeit, sondern prägte entscheidend das individuelle religiöse Erlebnis der Mystik, das zum Andachtsbild führte und auch die spätmittelalterliche Marienverehrung ermöglichte. Die »Meditationes vitae Christi« galten im Mittelalter als Werk Bonaventuras. Sie sind in der Literatur oft unter Pseudo Bonaventura oder unter Johannes de Caulibus, einem um 1270 gestorbenen Franziskaner von S. Gimignano bei Siena, zitiert. Vgl. Johannes de Caulibus, Betrachtungen vom Leben Jesu Christi, Berlin 1929. Im allgemeinen wird das Bekanntwerden dieser anonymen Schrift für die Zeit

um 1300 angenommen. Vielleicht ist sie jedoch erst im 1. Drittel des 14. Jh. verfaßt worden, sicherlich von einem Franziskaner. Siehe dazu: M. Elze, Züge spätmittelalterlicher Frömmigkeit in Luthers Theologie, in: Zeitschr. f. Theologie und Kirche, 62. Jg., 1965, H. 4, S. 387f.

145. Die Originalhandschrift der Dichtung ist verloren. Zwei Bearbeitungen – Berlin und Wien – und einige jüngere Fragmente sind auf uns gekommen. Die von einem süddeutschen Meister illustrierte Handschrift der Preußischen Staatsbibliothek ist allerdings seit dem letzten Krieg verschollen, doch hat 1925 Hermann Degering den Text metrisch übersetzt und mit allen Illustrationen publiziert: H. Degering, Des Priesters Wernher drei Lieder von der Magd, Berlin 1925. In dieser Berliner Handschrift fehlen die autobiographischen Angaben am Schluß, die in dem Wiener Exemplar, das nicht illustriert ist, erhalten sind. Der Verfasser dieser Bearbeitung erwähnt nur einmal als Autor den Pfaffen Wernher. Franz Kugler identifizierte 1831 den Autor Wernher mit einem Mönch gleichen Namens in Tegernsee. Untersuchungen zu diesen Handschriften: K. Wesle, Leben der Jungfrau, Halle (S.) 1927; H. Fromm, Untersuchungen zum Marienleben des Priesters Wernher, Turku 1955.

nutzte, sei eine Übersetzung von Hieronymus aus dem Hebräischen.

Ps Mt 1 gibt eine Charakterisierung des Joachim aus dem Stamme Juda und der Anna, der Tochter des Fürsten Isachar aus dem Stamme David. Wernher beginnt mit dem Hinweis auf Jakob (Traum und Kampf mit dem Engel) und fügt der Schilderung der Vortrefflichkeit und des Reichtums Joachims die seiner Freigebigkeit an. Er teilt seine Güter in drei Teile: einen für die Armen, einen für die Kirche, einen behält er für sich. Dann preist der Autor die große Schönheit und reine Seele Annas und erwähnt die Eheschließung von Joachim und Anna. Die Ehe bleibt 20 Jahre kinderlos – ein Fluch Gottes nach jüdischer, aber auch nach mittelalterlicher Auffassung.

Ps Mt 2: Da beide sehr fromm sind, gehen sie jedes Jahr zu den drei Hauptfesten nach Jerusalem. Das reiche Opfer, das Joachim für den Rauchaltar spendet, wird eines Tages von dem Priester Ruben zurückgewiesen und Joachims »Übermut« (Wernher) gerügt. Aus Scham über diese Schmach zieht sich Joachim in die Einsamkeit der Wüste zurück und nimmt seine Herde mit. Von Anna verabschiedet er sich nicht. Diese befällt großer Kummer. Der Gang in den Garten und das Gebet, auf das die Verkündigung des Engels folgt, sind von Pseudo-Jacobus übernommen. Wernher läßt den Engel sagen, daß sie das Kind von Joachim empfangen hat, bevor er sie verließ. Anna erschrickt über die Erscheinung des Engels und diese Botschaft so sehr, daß sie sich zu Bett legt. Da verhöhnt sie die Magd wegen ihrer Kinderlosigkeit und Verlassenheit. Die Legenda Aurea spricht weder von Klage und Gebet im Garten noch von der Verhöhnung Annas durch die Magd. Die Trauer bezieht sich auf die Abwesenheit von Joachim.

Ps Mt 3: Die Verkündigung an Joachim weicht in der älteren abendländischen Version von Pseudo-Jacobus durch die Ausweitung auf drei Szenen ab. Zuerst fordert der Engel Joachim auf, zu seiner Frau zurückzukehren. Als dieser zaudert, weil er Angst vor dem Spott der Nachbarn hat, kündet er ihm die Freudenbotschaft, die er zuerst Anna gebracht hatte. Joachim bittet den Engel, ihm ein Opfer darbringen und mit ihm ein Mahl halten zu dürfen. Nach der Version Wernhers fällt er zuerst auf die Knie und bittet um Vergebung der Sünden. Der Engel sagt ihm die Vergebung zu, wehrt sich jedoch gegen die Annahme des Opfers, weil dieses nur Gott gebürt, und entschwindet.

Joachim erzählt danach seinen Hirten von der Erscheinung des Engels und dessen Botschaft. Da er immer noch zaudert, nach Hause zu gehen, erscheint ihm der Engel wieder, diesmal im Traum, und veranlaßt ihn, zurückzukehren. Am nächsten Morgen macht sich Joachim mit seinen Hirten und der Herde auf den Heimweg. Unterdessen kommt der Engel zu Anna, als diese im Gebet auf den Knien liegt, und fordert sie auf, zur Goldenen Pforte (porta aurea) – ein bestimmter Eingang zum Tempel in Jerusalem – zu gehen. Anna erwartet dort Joachim. Wernher schildert die Freude der Begegnung, an der alle Nachbarn teilnehmen, die sich vorher von Joachim und Anna abgewandt hatten. Selbst der Priester Ruben, der das Opfer Joachims verweigert hatte, bereut seine harten Worte. – In der Legenda Aurea wird zuerst die Verkündigung an Joachim erzählt, ohne Opfer und nochmalige Traumvision, aber mit einer langen Erläuterung und Begründung der Botschaft, in der Joachim anhand der alttestamentlichen Parallelen gesagt wird, daß er an der Kinderlosigkeit schuldlos sei. Nach der Verheißung der Tochter gibt der Engel Joachim ein »Zeichen«: »So du nach Jerusalem kommst zu der Goldenen Pforte, wird dein Weib Anna dir begegnen.« Darauf folgt sehr kurz die Verkündigung an Anna mit der Weisung, nach Jerusalem zu gehen.

Ps Mt 4: Die Geburt der Tochter, die den Namen Maria erhält, ist kurz berichtet. Bei Wernher wird viel über die zukünftige Bestimmung Marias gesagt. Das Fest am ersten Geburtstag mit der Segnung des Kindes durch die Priester fehlt in den abendländischen Texten. Hrotsvith fügt allerdings hier die Namengebung und Segnung durch die Priester ein, die entsprechend dem Brauch acht Tage nach der Geburt des Kindes in das Haus gerufen werden. Pseudo-Matthäus schließt gleich die Weihe des dreijährigen Kindes zum Dienst im Haus des Herrn an. Er und Wernher betonen, daß das Kind zum Erstaunen aller allein und ohne sich umzusehen, die fünfzehn Stufen zum Tempel emporschritt. Hier fällt auf, daß Tempel und Kloster auswechselbare Vorstellungen sind, ebenso Hohenpriester und Bischof. Wernher gleicht die Erzählung den Vorstellungen seiner Zeit an, ohne den Urtext aus den Augen zu verlieren. Offenbar wirkt die Situation auf dem Tempelberg in der Kreuzfahrerzeit ein. Dieser entspricht es, wenn Maria in dem angeblich von Salomo gestifteten Kloster des Templerordens in Jerusalem lebte. – Die Legende Aurea betont ebenso Marias selbständigen Aufstieg zum Tempel und setzt die fünfzehn Stufen in Beziehung zu den fünfzehn Stufenpsalmen.

Ps Mt 5: Anna preist Gott, nachdem das Kind in die Gemeinschaft des Tempels (Klosters) aufgenommen worden ist. Bei Wernher sind hier lange Betrachtungen über die Erlösung des Menschen eingefügt.

Ps Mt 6: Während das Protoevangelium vom Leben Marias im Tempel nur sagt, Maria sei wie eine Taube gehegt worden und habe Nahrung aus der Hand eines Engels empfangen, schildern die abendländischen Texte, die eine klösterliche Gemeinschaft vor Augen haben, das vorbildliche Leben Marias als Tempeldienerin gemeinsam mit anderen Jungfrauen zusammen. Die Speisung durch den Engel wird aus den alten Texten übernommen. Maria bringt das Essen, das sie vom Kloster erhält, den Armen. Sie bewirkt Heilungen und wird deshalb von Kranken und Gebrechlichen umringt. Mit den anderen Jungfrauen webt sie nach Wernher Seidenstoff und Linnen für die Tempelherren. (Wahrscheinlich meint er die Herren des Templerordens.) Im Mittelpunkt ihres klösterlichen Lebens steht das Gebet, dabei erscheinen ihr oft Engel. – Dieses Sondergut der frühen abendländischen Texte, die das vorbildhafte aktive und kontemplative Leben der jungen Maria schildern, ist in die erwähnten »Meditationes Vitae Christi« aufgenommen, dagegen enthält es die »Legenda Aurea« nicht. Es heißt hier nur: Maria nahm täglich zu an aller Heiligkeit und ward täglich von dem Engel besucht und wurden ihr täglich göttliche Gesichte.« Allerdings sagt in diesem Text der Engel bei der Verkündigung an Joachim von dem Kind, das Maria heißen soll: »Sie soll von Kind auf dem Herrn geweiht sein, als ihr gelobt habt, und von Mutterleib an wird sie voll sein des Heiligen Geistes; sie wird nicht draußen unter dem Volk wohnen, sondern im Hause des Herrn sein immerdar.«

Ps Mt 7: Mit zwölf Jahren (nach der Legenda Aurea mit vierzehn Jahren) mußten die Jungfrauen den Tempel verlassen, denn es war üblich, sie in diesem Alter zu verheiraten. Nur Maria weigerte sich, nach Hause zurückzukehren, da ihre Eltern sie zum Dienst des Herrn geweiht haben und sie immerwährende Keuschheit gelobt hat.

Ps Mt 8: Da Maria aber nicht im Tempel bleiben kann, betet der Priester Abiathar (im Protoevangelium Zacharias), um von Gott Weisung zu erhalten, wem er Maria anvertrauen solle. Der Weisung gehorchend werden alle unverheirateten mannbaren Männer aus dem Stamme Juda (David) aufgefordert, mit Stäben (Ruten, Gerten) in den Tempel zu kommen. Joseph, der Witwer war, fühlt sich ebenfalls aufgerufen und schließt sich den elf jungen Männern an. Die Stäbe werden in das Allerheiligste gebracht. Aber am nächsten Tag fehlt ein Stab, und bei den übrigen bleibt das Zeichen der Erwählung aus. Während Abiathar opfert, offenbart ihm ein Engel, daß er den Stab des Joseph, der selbst nicht wagte, ihn zu reklamieren, übersehen hatte. Nach einer anderen Version hatte Joseph nur einen kleinen Stab gebracht und ihn im Gotteskasten versteckt. Als er gefunden war, erschien die Taube auf ihm. Joseph widersetzte sich zuerst der Wahl, fügte sich dann aber der Drohung des Priesters und führte Maria mit fünf Jungfrauen heim.

Wernher erweitert im Sinne seines ritterlichen Epos diesen Text beträchtlich. Er fügt zunächst die Absicht des Priesters ein, Maria, deren Schönheit die aller anderen Jungfrauen überstrahlt, mit seinem Sohn zu verheiraten, der sich Maria aber entschieden widersetzt. Später schildert er dann die Freier mit den Gerten als reiche junge Männer, die um ein schönes Mädchen aus fürstlichem Geschlecht werben. Weitschweifig erzählt er die Weigerung des alten Joseph, der nur eine kleine Rute gebracht hat, weil er nicht noch einmal heiraten wollte. Schließlich aber sagt er zu, Maria in Pflege zu nehmen, in der Hoffnung, später würde einer seiner Söhne sie heiraten. Doch Maria verweigert zunächst dem Bischof gegenüber wieder in langen Reden ihre Zustimmung, bis sie sich schließlich dem »unfehlbaren Himmelszeichen« beugt. Joseph steckt ihr ein goldenes Ringlein an die Hand und bittet die versammelten Herren, Maria fünf Mädchen zur Gesellschaft zu geben, da er sehr oft zur Arbeit übers Land müsse. Die vorher nicht erwähnte Königin des Landes wird nun gebeten, fünf tugendsame Mägdlein auszuwählen. Sie heißen wie auch in anderen Fassungen der Legende: Rachel, Rebecca, Sephora, Abigea, Susanna. Rechnet man die Fabulierfreudigkeit Wernhers ab, so wird dennoch im Vergleich mit dem Protoevangelium deutlich, daß die Texte des Westens ein besonderes Interesse an der von Gott vorbestimmten Wahl Josephs als Freier haben und es nicht nur darum geht, Maria einem alten Witwer in Obhut zu geben. Auch die Legenda Aurea, die in ihrer Erzählung sehr knapp ist und alle novellistischen Züge vermeidet, wird an dieser Stelle ausführlicher.

Die Ehe Marias war immer ein schwieriges Thema, da

im Neuen Testament unreflektiert von Brüdern Jesu gesprochen wird, sich diese aber nicht ohne weiteres mit einer leiblich verstandenen, immerwährenden Jungfräulichkeit Marias in Einklang bringen ließen. So war es den Autoren der Legenden wichtig, die Erwählung Josephs durch das Stabwunder hervorzuheben. Zwei Versionen des Wunders bestanden nebeneinander oder wurden gemeinsam in eine Erzählung aufgenommen: a) die Taube als Sinnbild des Heiligen Geistes, die sich auf dem Stab Josephs niederließ, manchmal auch auf seinem Haupt (bei Wernher geht sie aus dem Stab hervor und schwingt sich empor zum Himmelszelt, von wo sie gekommen war), b) das plötzliche Grünen des einen Stabes, während alle anderen dürr bleiben. Die Legenda Aurea weist dabei auf die Prophetie des Jesaja hin (gemeint ist Jes 11,1 ff., siehe Bd. 1, S. 26); ein anderer Bezug ist Aarons blühender Stab, der bei der Berufung Aarons zum Priester ein Zeichen seiner göttlichen Erwählung ist und in dieser Bedeutung in die mittelalterliche Mariensymbolik eingeht (vgl. Bd. 1, S. 65).

Das Mittelalter spricht vorwiegend von der Verlobung von Joseph mit Maria, in der Neuzeit ist es aufgrund des gewandelten Eherechts üblich, diese Verbindung Vermählung zu nennen. In der »Legenda Aurea« heißt es, daß nach dem »Verlöbnis« Joseph nach Bethlehem fuhr, um sein Haus für die »Hochzeit« zuzurichten, und Maria mit sieben Jungfrauen nach Nazareth in ihr Vaterhaus zurückging, wo ihr der Engel Gabriel erschien und die Geburt des Gottessohnes kündete. Durch die Rückkehr Marias nach Nazareth bekommt Jacobus de Voragine den Anschluß an Lk 1,26 ff. und kann so die übernatürliche Empfängnis hervorheben. Einige der älteren Texte fahren aber in Entsprechung zum Protoevangelium mit der Erzählung fort. Ps Mt 8 weiß noch zu berichten, daß der Priester (Bischof) Maria und den fünf Jungfrauen, die nach der alten Version im Hause Josephs wohnen, während dieser auswärts arbeitet, die Wolle zum Arbeiten des Tempelvorhanges sendet. Bei der Verlosung erhält Maria die purpurne Wolle zum Spinnen, weshalb sie von ihren Gefährtinnen spöttisch »Königin der Jungfrauen« genannt wird. Durch eine Engelserscheinung erschreckt, bitten sie Maria um Verzeihung. Hrotsvith von Gandersheim läßt die Mädchen zu Maria sagen: »Du sollst eine Königin auf ewig und Herrscherin des Himmels sein.« Ps Mt 9 bringt dann die Engelserscheinung am Brunnen, als Maria Wasser schöpfen will; die Verkündigung findet anschließend bei ihr zu Hause statt.

Ps Mt 10–12 berichtet von der Rückkehr Josephs, seinem Zweifel an Maria wegen ihrer Schwangerschaft und den Vorwürfen Maria und den Gefährtinnen gegenüber. An Josephs Traum schließt als Sondergut seine Bitte um Verzeihung an. Es folgen die Empörung der Priester, von denen einer die Schwangerschaft Marias bemerkt hatte, als er Joseph besuchte; schließlich die Verhöre und die Giftwasserprobe, der sich beide unterziehen müssen. Wernhers Dichtung läuft parallel zu Pseudo-Matthäus, sie ist nur in der Detailbeschreibung ausführlicher. Bei beiden Autoren mündet die Marienlegende wie schon im Protoevangelium in die neutestamentliche Erzählung der Kindheit Jesu bis zur Flucht nach Ägypten, die die schon in Bd. 1 behandelten Legendenmotive aufnimmt.

Im Vergleich mit dem Protoevangelium sind bei den abendländischen Texten eine Reihe Abweichungen zu beobachten, wenn auch der Handlungsablauf übereinstimmt. Nur der Schluß, für den es im Westen keine eigene Überlieferung gab, der auch am meisten auf theologischen Widerspruch stieß, ist im Text einfach übernommen, in der Kunst aber kaum dargestellt worden. Man begnügte sich mit der Engelsbotschaft an Joseph. Auf der erwähnten Marientafel von Pisa, 1285–1290, Abb. 459, die in der Anordnung den Ikonen ähnlich ist, folgen die Einzelszenen von der Zurückweisung Joachims im Tempel bis zum Tempelgang des Marienkindes genau der abendländischen Legendentradition des Pseudo-Matthäus. Es fehlt die im Westen übliche Darstellung der Vermählung, die der apokryphe Text nicht schildert. Möglicherweise verzichtete der Maler darauf, weil vom Auftraggeber des Bildes, das für S. Martino in Pisa bestimmt war, offenbar die Darstellung der Mantelteilung Martins und die von vier weiteren Heiligen verlangt wurde, die die weiteren Szenen ersetzen. Der Maler stellte die Verkündigung an Maria, auf die die Legende zusteuert, an den Anfang der Bildfolge und ordnete sie dadurch den erzählenden Szenen über. Diese »Überordnung« der Verkündigung ist vor allem in der italienischen Kunst des 14. und 15. Jh. bei den unterschiedlichsten Darstellungen häufig anzutreffen, weil mit ihr die Inkarnation Gottes (verbum caro factum est) und zugleich die Demut und Bereitschaft Marias sichtbar gemacht werden konnte.

Die abendländische Darstellung der apokryphen Zyklen begann, soweit wir das heute beurteilen können, in der 2. Hälfte des 12. Jh. nur zögernd. Aus dem 10. und 11. Jh. sind in der Buchmalerei nur zwei Darstellungen bekannt, die in die Bildgeschichte der Kindheitslegenden nicht einzuordnen sind. Es handelt sich auch nicht um Marienszenen im eigentlichen Sinn, sondern um die Ergänzung eines neutestamentlichen Bildzyklus. Im Reichenauer sog. Evangeliar Ottos III., Ende 10. Jh., steht oberhalb der Geburt Christi neben der Verkündigung an Maria die Vermählung Marias und Josephs, *Abb. 461*, die sich aus den biblischen Texten ableiten läßt, in der Marien-Ikonographie jedoch in dieser Bildform kein Vorbild hat, siehe unten. Ein salzburgisches Perikopenbuch um 1040, München, enthält die älteste westliche Darstellung des Tempelgangs Marias in einer einfachen Form, die das byzantinische Vorbild kaum noch erkennen läßt; darunter ist der Traum Josephs dargestellt, in dem ihm die Unschuld Marias zur Gewißheit wird. Die Einführung in den Tempel unterstreicht an dieser Stelle die Jungfräulichkeit Marias, *Abb. 460*. Da abgesehen vom Fest der Dormitio oder Assumptio Mariae andere Marienfeste in dieser Zeit noch wenig Bedeutung hatten und in den Evangelienhandschriften ohnehin kein Platz für apokryphe Geschichten war, ist es nicht erstaunlich, daß in der Buchmalerei die Jugendgeschichte Marias kaum vertreten ist. Erst für das 12. Jh. ist in England ein kleiner Zyklus im Winchesterpsalter, 1140–1160, London, nachzuweisen. Er umfaßt: die Verkündigung an Anna (einer Marienverkündigung nachgebildet), die Begegnung Joachims und Annas an der Pforte, die Geburt Marias, die Darbringung Marias im Tempel mit Taubenopfer, *Abb. 462*. Hier sind zwei unterschiedliche Begebenheiten vermischt worden, siehe unten. Der Schwerpunkt des Zyklus liegt bei Anna, deren Verehrung in England verhältnismäßig früh einsetzte. Die ersten englischen Versdichtungen des 12. Jh., die Anna gelten, stammen aus Winchester. Von den Handschriften der erwähnten Redaktionen und Nachdichtungen des alten apokryphen Textes ist bis 1200 kein illustriertes Exemplar bekannt.

Die nur in einer Kopie erhaltenen Illustrationen der verschollenen Berliner Handschrift des frühen 13. Jh. der Wernher'schen Dichtung schließen sich eng an den Text an und sind vielfach unabhängig von Vorbildern, vgl. *Abb. 468–471, 488a–f, 532, 533, 567a–f, 585a–d*. Aus dem dritten Viertel des 14. Jh. stammt eine in Italien illustrierte Handschrift der »Meditationes Vitae Christi« (Paris, B.N.), das älteste der etwa zwanzig illustrierten Exemplare, mit für unseren Zusammenhang wichtigen Miniaturen, *Abb. 534, 535, 536, 537, 538, 569*. Sie beziehen sich auf das Leben Marias als Tempeljungfrau[146]. Im ausgehenden Mittelalter sind in der Buchmalerei häufiger Illustrationen der Kindheitslegenden zu finden, und zwar vorwiegend in französischen, flämischen und englischen Stundenbüchern, die zum privaten Gebrauch bestimmt waren. Entweder sind einzelne Szenen in unterschiedlicher Auswahl einer Schmuckseite eingefügt oder mehrere einander zugeordnet; es kann auch ein Zyklus kleinformatig die Verkündigung an Maria umgeben, wie im Stundenbuch des Meisters des Herzogs von Bedford, um 1422–1425, Wien, mit zwölf kleinen Darstellungen von der Zurückweisung des Opfers bis zur Vermählung Marias, *Abb. 467*. Bei einer solchen Zuordnung zur Verkündigung, die, wie oben gesagt, als Menschwerdung Gottes aus der Jungfrau Maria gilt, wird die Bedeutung der Legenden und ihre Darstellung sehr sinnfällig, geht es doch immer wieder darum, Marias Erwähltheit und ihre Zustimmung, auf denen die Mariologie fußt, zu dokumentieren[147]. Für spätmittelalterliche liturgische Bücher, die Texte für die Marienfeste enthalten, ergibt sich die Begrenzung der Themenauswahl aus dem Zweck des Buches.

In der Kathedralplastik Frankreichs kommt es in der 2. Hälfte des 12. Jh. zu den monumentalen Mariendarstellungen, für die die mariologische Theologie den Boden bereitete: Thronende Gottesmutter (Dei genetrix), Marientod und Verherrlichung Marias (Auferstehung oder Himmelfahrt und Krönung), siehe dazu unten. Sie treten neben die älteren Darstellungen der Majestas Domini, die im 13. Jh. durch die des Weltenrichters abgelöst wird. Die

---

146. Publiziert von I. Ragusa und R. B. Green, Meditations on the Life of Christ, Paris B.N. It. 115. Princeton 1961.

147. Vgl. einige Beispiele der Stundenbücher, die allerdings unter dem Gesichtspunkt der Handarbeiten Marias als Tempel-

dienerin ausgewählt sind, bei R. L. Wyss, Die Handarbeiten der Maria, in: Festschrift für Werner Abegg, Bern 1973, Abb. 14–22, 27.

von den Orden und einigen Zentren des Marienkultes ausgehende Marienverehrung mündet im 13. Jh. in die Volksfrömmigkeit ein, vgl. die oben genannte Literatur und unten die Ausführungen zur Mariologie des Mittelalters. Aus der gleichen Zeit, aus der für Frankreich die erste volkssprachliche Mariendichtung nachzuweisen ist, stammt auch der älteste Zyklus der Portalplastik zu den Anna-Maria-Legenden, der einem monumentalen Gesamtfigurenprogramm eingefügt ist, wenn er auch den Hauptdarstellungen gegenüber untergeordnet bleibt. Die Einflüsse des Morgenlandes, die sich durch die Kreuzzüge damals zuerst in Frankreich auswirkten, mögen mit zur Aufnahme der Marienlegende in die Monumentalkunst beigetragen haben, zumal der bis dahin nur in wenigen Gegenden (Burgund und England) gepflegte Annenkult durch die Kreuzzüge mehr bekannt wurde[148]. In der zweiten Hälfte des 12. Jh. ist außerdem ganz allgemein der Beginn eines Frömmigkeitswandels zu beobachten, der erneut eine Vorliebe für die narrative Darstellung mit sich bringt[149]. Dieser erste plastische Zyklus der Kindheit Marias, der sich am Westportal (Königsportal) der Kathedrale zu Chartres befindet, *vgl. Bd. 1, Abb. 62 und 63*, eröffnet im Kapitellfries einen Leben-Jesu-Zyklus mit insgesamt etwa vierzig Motiven. Wie schon erwähnt, sind in der narrativen Darstellung die Szenen der Kindheit Marias als zur heiligen Geschichte gehörend betrachtet und dem Christuszyklus vorangestellt worden, der sich unterschiedlich ausdehnen kann. Anlaß dazu bieten die apokryphen Quellen, die zum Teil bis zur Flucht nach Ägypten reichen und in denen die biblischen Szenen mit legendären Motiven ausgestattet wurden. In Chartres handelt es sich aber um die Darstellung des Lebens Jesu bis zu den Erscheinungen des Auferstandenen. Obwohl der Kapitellfries des dreiteiligen Königsportals der Westfront, 1150–1155, inhaltlich eine kontinuierliche Einheit bildet, ist er in zwei

Zyklen aufgeteilt, die jeweils zu beiden Seiten des Mittelportals beginnen und sich nach außen über die Seitenportale hinziehen. Der linke Zyklus fängt demnach in der Mitte mit den Marienszenen an[150]. Er umfaßt: 1. Verweigerung des Opfers von Joachim und Anna. 2. Beide gehen betrübt weg. 3. Verkündigung an Joachim. 4. Joachim und Anna – sie sitzen auf einer Bank und umarmen sich. 5. Das Bad des neugeborenen Kindes – eine Abkürzung der Geburt Marias. 6. Joachim und Anna beraten über den Zeitpunkt der Erfüllung ihres Gelübdes. 7. Sie bringen Maria in den Tempel. 8. Maria steigt drei Stufen empor und blickt auf die vier Priester. 9. Maria wird Joseph vorgestellt. 10. Vermählung. 11. Joseph führt Maria heim. 12. Verkündigung an Maria im Beisein Josephs(?). Damit mündet die Bildfolge in den neutestamentlichen Zyklus ein, der nach der Anbetung der Könige auf die andere Seite überspringt und anschließend an die Taufe und Versuchung Jesu Szenen zur Passion und Auferstehung zeigt. Die Geburt Jesu ist der thronenden Gottesmutter am Türsturz des Marienportals zugeordnet. Auffallend ist die Gegenwart Josephs bei der Verkündigung, die Lk 1 und Ps Jac widerspricht. Es dürfte sich um eine Zusammenziehung der Engelsbotschaften an Maria und Joseph (Traum) handeln, doch sitzt Joseph ziemlich unbeteiligt daneben[151].

Das südliche Portal der Westfront von Notre Dame in Paris, 1165–1170, ist Anna geweiht, doch bleibt die Hauptdarstellung im Tympanon die thronende Gottesmutter mit dem göttlichen Sohn zwischen Engeln, *Abb. 463*. Im Türsturz darunter ist der Tempelgang Marias dargestellt, anschließend die Verkündigung[152], Heimsuchung, Geburt Jesu mit Hirtenverkündigung, Herodes mit den Schriftgelehrten und die nach der Befragung sich zum Gehen wendenden drei Könige. Um 1230 ist darunter ein zweiter Türsturz eingefügt worden, dessen Bildfolge

148. Vgl. bei H. Aurenhammer S. 139ff. und LCI, V, »Anna« und »Anna selbdritt«, Sp. 168–184 (M. Lechner).

149. In der karolingischen Epoche hat es mehr zyklische Darstellungen gegeben, die bis in die ottonische Zeit nachwirkten, als wir heute aufgrund des erhaltenen Denkmälerbestandes ermessen können: Müstair in Graubünden. In dieser Zeit gibt es noch keine Marienzyklen.

150. Vgl. dazu A. Heimann, The Capital Frieze and Pilasters of the Portail Royal, Chartres, in: Journ. Warburg 31, 1968, S. 73ff., mit Abbildungen. Die Skulpturen sind z. T. stark beschä-

digt und schwer zu fotografieren, da sie um die vielen kleinen Kapitele herumgeführt sind. Wir verzichten deshalb auf Abbildungen und verweisen auf diesen Aufsatz und auf E. Houvet, La Cathédrale de Chartres, Chelles 1919, Bd. 2.

151. A. Heimann nennt dazu ein älteres Beispiel in Charlieu, um 1100, und ein um einige Jahre jüngeres in S. Andrae, Pistoja.

152. Wieder ist Joseph anwesend, doch stehend; da hier die Figur in der Hand eine zum Teil geöffnete Schriftrolle hält, könnte sie m. E. auch einen Propheten (Jesaja) darstellen.

sich nach beiden Seiten in die Archivolten fortsetzt[153]. Hier sind nun weitere Szenen der Legende dargestellt, allerdings ohne die zeitliche Reihenfolge der Erzählung einzuhalten. Die drei Szenen rechts außen zeigen: 1. Das über seine Kinderlosigkeit bekümmerte Paar, Anna von Joachim geführt, 2. Die Zurückweisung des Opfers im Tempel, 3. Joachim geht mit einem Gefährten aufs Feld, *Abb. 483*. Anschließend ist in den Archivolten Joachim bei seiner Herde und die Verkündigung an ihn dargestellt; dann die Begegnung mit Anna, und zwar innerhalb eines Tores, so daß eine Säule beide Figuren zum Teil verdeckt. Es geht in der Mitte des Türsturzes mit der Verkündigung an Anna weiter. Auf der linken Seite des Türsturzes ist dann die Vermählung Marias mit Joseph dargestellt, der zu Pferd ankommt. Er ist wie Joachim als alter Jude charakterisiert. Einige novellistische Zwischenmotive verraten eine selbständige Umformung überlieferter Bildschemata, die sich nicht allein aus der niedrigen, streifenartigen Fläche erklären läßt.

Der Zyklus schließt nicht mit der Vermählung ab, sondern zeigt zwischen der ersten Szene und der Verkündigung an Anna noch den Traum Josephs, jedoch in der ungewöhnlichen Formulierung, die der Schilderung des Wernher entspricht. Die Beruhigung Josephs durch den aus der Wolke herabkommenden Engel ist erweitert; Joseph bittet kniend Maria wegen seiner Vorwürfe um Verzeihung. Solche Einzelmotive verlebendigen die Erzählung und lassen die Vertrautheit mit ihr erkennen.

Für die hochmittelalterliche Wandmalerei in Frankreich ist ein Zyklus in Vieux-Pouzauges (Vendée) um 1200 zu nennen, der die wichtigsten Szenen der Legende bringt. Der Einfluß östlicher Ikonographie ist unter anderem an dem Motiv des Engelbesuchs bei Maria im Tempel zu erkennen, der sonst im 12. Jh. im Westen nicht nachzuweisen ist[154]. Ein umfangreicher römischer Freskenzyklus in S. Giovanni a Porta Latina ist bis auf geringe Reste zerstört.

Während die Wandmalerei des 13. Jh. kaum noch Zyklen zur Kindheit Marias aufweist, sind in der Glasmalerei mehrere bekannt. In der Kathedrale zu Chartres befindet sich ein Fenster mit der einem Madonnentypus angeglichenen respräsentativen Darstellung der stehenden Mutter Anna, die Maria auf dem linken Arm und den blühenden Stab gleich einem erhobenen Zepter in der rechten Hand hält. Maria umfaßt ein Buch, das Christus symbolisiert. Das zentrale Chorfenster, um 1215, gibt einen selbständigen Marienzyklus mit zehn Szenen der Kindheits- und Jugendgeschichte wieder[155].

Die Fenster der Marienkapelle in der Kathedrale von Le Mans, 1255–1260, sind sehr stark restauriert und weitgehend erneuert[156]. Dagegen ist das dreiteilige Fenster der Kapelle der Blanche von Kastilien in St. Sulpice zu Favière, um 1300, erhalten, das sich an den Text des Pseudo-Matthäus anlehnt und insgesamt 30 Szenen zeigt, davon 15 bis zur Vermählung von Joseph und Maria.

Auf einem französischen Elfenbeinkästchen Anf. 14. Jh. in Toulouse, Musée Paul Dupuy (St. Raymond), geben zwölf Bildfelder der unteren Zone die Legenden wieder, manchmal zwei Motive auf einem Feld, *Abb. 465 a–d, 548*. Nach der Verkündigung an Maria geht dieser Zyklus auf der Vorderseite oben weiter mit dem Vorwurf Josephs, der die Schwangerschaft Marias erkennt, und der Engelbotschaft an ihn. Anschließend wieder seine Bitte um Verzeihung. Auf die Heimsuchung und die Geburt Jesu folgt dann das Leben Jesu einschließlich der Passion (8 Bildfelder auf dem Deckel), das wir nicht mit abbilden.

Nach 1300 setzt beinahe schlagartig die Darstellung der Jugendgeschichte Marias auf breiter Basis ein, und es kommt in allen Gebieten und Kunstsparten zu zyklischen Darstellungen mit bis zu zwölf, gelegentlich sogar mehr Szenen. Das französische Elfenbeinkästchen und das Fenster in Favière sind in der Freude an der ausführlichen Schilderung und der Einbeziehung von mehreren neuen Szenen, die auf den im Abendland erweiterten Texten beruhen, schon typisch für diese Epoche. Neben der repräsentativen Wandmalerei Italiens nehmen sich des Themas vor allem die Glaswerkstätten des deutschen Kulturgebiets an, in geringerem Umfang auch die Steinmetze spät-

153. Nach M. Aubert, Notre Dame de Paris. Architecture et Sculpture, Paris 1928, mit Abb.

154. P. Dechamps und M. Thibout, La Peinture Murale en France, Paris 1963, Abb. 183, 184.

155. E. Houvet – Y. Delaporte, Les vitraux de la Cathédrale de Chartres, Chartres 1926.

156. Nachzeichnung des Annafensters bei E. Mâle, Die kirchliche Kunst des 13. Jh. in Frankreich, Straßburg 1913, Abb. 95, S. 283. L. Grodecki, Les vitraux de la Cathédrale du Mans, CA 1961, S. 78f.

gotischer süddeutscher Kirchenportale, die Textilkunst – zunächst deutscher und englischer Klöster, dann auch flämischer und französischer Werkstätten – und innerhalb der Buchmalerei, wie schon erwähnt, die Miniaturisten der Stundenbücher. In der Tafelmalerei nördlich der Alpen kommen häufiger erst im 15. Jh. innerhalb der Marienaltäre einzelne Szenen vor.

Die Geburts- und Kindheitsgeschichte Marias ist noch im 14. Jh. unreflektiert als Teil des Lebens Jesu oder als dazugehörende Vorgeschichte empfunden worden. Im 15. Jh. treten die Legendendarstellungen im allgemeinen etwas zurück; nur einige Szenen werden dann noch den Marienaltären eingefügt, die die Gottesmutter innerhalb der Szenen zur Geburt und Kindheit Jesu, häufig um eine zentrale Madonnendarstellung gruppiert, zeigen. Wenn es sich um ein Marienleben handelt, ist vielfach der Tod der Gottesmutter hinzugefügt. Mit der Verbreitung des Annakultes und durch Stiftungen von Gilden, deren Patronin Anna ist, kommt es allerdings auch noch Ende des 15. und Anfang des 16. Jh. zu einigen großen Altären mit Darstellungen der Anna-Marien-Legenden. Sie geben oft als Hauptdarstellung die Heilige Sippe wieder, die der Verdeutlichung des Stammbaumes Jesu dienen.

In der italienischen Wandmalerei leitet Giotto mit den 1305–1307 vollendeten Fresken in der einschiffigen, der Maria der Verkündigung (Madonna Annunziata) geweihten Kirche zu Padua die monumentale Darstellung des Legendenzyklus ein. Die gotische Kapelle mit ihren architektonisch nicht gegliederten Wänden wird wegen ihres Standortes auf dem Platz eines ehemaligen römischen Theaters Arenakapelle genannt. Zeitlich geht den Fresken in Italien die schon erwähnte Marientafel in Pisa voraus, *Abb. 459*, die – wie Giotto – von der durch Pseudo-Matthäus bestimmten Tradition ausgeht. Möglicherweise hat Giotto diese Tafel und andere heute verschollene Werke gekannt. Er setzt den Legendenzyklus in zwölf Bilderfeldern der obersten Zone beider Seitenwände. Damit hebt er den historischen Ablauf hervor und qualifiziert die Legenden als Auftakt der Evangelien. In den beiden unteren Bildstreifen einschließlich der Chorwand ist das Leben Jesu mit Pfingsten dargestellt. Die Jugendgeschichte Marias endet im Unterschied zu allen gleichzeitigen Zyklen jenseits der Adria mit dem sog. Hochzeitszug, der Rückkehr Marias nach Nazareth, die in der Legenda Aurea erwähnt wird, *siehe unten*. Die letzten Szenen der östlichen

Zyklen (Erscheinung des Engels vor Maria am Brunnen, Vorwürfe Josephs, Fluchwasserprobe etc. – oder wie in der Chorakirche in Istanbul Schätzung, Reise nach Bethlehem) werden im Abendland nicht oder nur ganz vereinzelt unter östlichem Einfluß dargestellt.

Giotto hat die überlieferten Bildthemen künstlerisch neu formuliert, den seelischen Gehalt vertieft und durch Weglassung aller Nebenmotive eine Konzentration auf das Wesentliche erreicht. Inhaltlich setzt Giotto gegenüber der östlichen Bildtradition neue Akzente, die den abendländischen Texten entsprechen. Die zwölf in sich geschlossenen und gerahmten Bildkompositionen sind einer im ganzen Raum waltenden Ordnung, die das Heilsgeschehen repräsentiert, eingefügt. Mit all dem hat Giotto den Legendenzyklus über die narrative Darstellung hinausgeführt, *Abb. 476, 487, 489, 490, 500, 504, 516, 539, 570, 571, 572, 573*. Welchen Rang die Jugendgeschichte Marias in der Arenakapelle einnimmt, ist erst ganz zu ermessen, wenn man den Zyklus innerhalb des Gesamtwerkes sieht und sich das Verhältnis von Raum und Bild und der Bildgruppen untereinander bewußt macht. Im Brennpunkt des Raumes ist am Triumphbogen über dem Eingang zum Chor die Inkarnation des göttlichen Wortes dargestellt: Gott beauftragt den Engel an seinem Thron, der Jungfrau auf Erden die Botschaft ihrer Erwählung und ihrer Empfängnis durch den Heiligen Geist zu verkünden. Nur wenig tiefer zu beiden Seiten der Bogenwölbung kniet Gabriel und spricht über den offenen Raum hinweg Maria die Verheißung zu, *vgl. Bd. 1, Abb. 15*, und S. 21 f. Diese beiden Figuren an der Chorwand, die in der Höhe der oberen Bildzonen der Seitenwände angebracht sind, deren Darstellungen optisch und bezüglich ihres Gehaltes auf die Verkündigung an Maria zulaufen, bilden die Nahtstelle zu den folgenden Darstellungen der Kindheit Jesu im mittleren Bildstreifen. Die untere Zone zeigt die Passion des Herrn. Dem ersten Adventus des Christus an der Triumphbogenwand gegenüber türmt sich an der Eingangswand die Gerichtsdarstellung auf: der zweite Adventus, dem die Menschheit entgegen geht. Vom gestirnten blauen Grund des Gewölbes aber leuchtet das Bildnis des segnenden Antlitzes Christi und das der Maria mit dem Kind auf die im Raum versammelte Gemeinde herab. Beide Rundbilder sind von vier Prophetenbildnissen umgeben. Diese stehen nicht nur zu Christus und Maria in Beziehung, sondern ergänzen als Vertreter des alttestamentlichen Prophetentums den Stammbaum Jesu, der sich in drei Bändern über die Deckenwölbung zieht (Patriarchen, Richter und Priester, Könige). In deren unmittelbarer Nähe zur Gemeinde stehen im Sockelgeschoß die Figuren der Tugenden und Laster: Personifikationen irdischen Menschseins, doch auch Wegweisung zu den Tugenden Marias, die auf ihren Auftrag hin lebt – Tugenden, die in ihrer Vollendung oben in den Engeln am Thron personifiziert sind. Andererseits weisen die Tugenden und Laster als aktueller Aufruf zur Entscheidung auch auf das Gericht. Später haben Schüler Giottos im Chorraum das Sterben und die Verherrlichung Marias in einem weiteren Freskenzyklus dargestellt, siehe unten. Giotto zählte mit Dante zu den bedeutendsten Repräsentanten seiner Epoche, die das Erbe von Bernhard, Franziskus und Bonaventura angetreten hatten und inmitten der Auseinandersetzung mit neuen Strömungen standen. In dem von der persönlichen Konzeption getragenen und doch der Tradition eingeordneten Werk Giottos in Padua kristallisieren sich die damals lebendigen geistigen Kräfte. Die Jugendgeschichte Marias ist hier eingegangen in die Heilsgeschichte. Auch im Weltgerichtsbild Giottos nimmt Maria von der Gloria Dei umgeben zwischen Himmel und Erde schwebend als Führerin der Heiligen (vgl. unten die Assunta) eine neue und akzentuierte Stellung ein, siehe zum Gerichtsbild Bd. 5. So wird nicht nur an den einzelnen Marien-Bildtypen in einer Auffächerung ihrer Funktionen (siehe unten) die abendländische Mariologie deutlich, sondern auch in zyklischen Bildkompositionen, obgleich nie wieder bei einem Zyklus der hohe Rang der vergeistigten Innerlichkeit und der intensiven Bildsprache Giottos erreicht wurde[157].

In Italien bleibt die Wand weiterhin der bevorzugte Bildträger für die Marienzyklen. Von Giotto und seinem Kreis gab es in Florenz in der Tosinghi-Kapelle von S. Croce noch einen Zyklus, der, abgesehen von der stark restaurierten Darstellung der Himmelfahrt Marias, in der 2. Hälfte des 18. Jh. zerstört wurde. Ebenso gehen die Fresken in der Hauptchorkapelle der Badia, um 1300/05, auf Giotto zurück. Davon sind nur noch Fragmente der Szenen vorhanden: Joachim bei den Hirten, Maria im Tempel und Verkündigung an Maria[158]. Vor allem der frühere Zyklus Giottos wirkte in der Florentiner Malerei des 14. Jh. nach: S. Croce, Baroncelli-Kapelle, Fresken des Giottoschülers Taddeo Gaddi, ca. 1328–1337, und Rinuccini-Kapelle (Chor der großen Sakristei), Fresken von Giovanni da Milano und dem sog. Meister der Rinuccini-Kapelle aus dem Umkreis Orcagnas, um 1365. Hier sind in der Lünette der Chorwand die Verweigerung des Opfers dargestellt, auf je zwei untereinanderstehenden Bildfeldern die Verkündigung an Joachim mit der Begegnung an der Pforte, und die Geburt Marias, darunter der Tempelgang, *Abb. 477, 493, 517*, und die Vermählung Marias. Als spätes Florentiner Beispiel, das nicht mehr unter dem Einfluß der giottesken Ikonographie steht, sind Domenico Ghirlandajos Fresken, 1486–1490, in S. Maria Novella, Tornabuoni-Kapelle zu nennen, wo sich einzelne Szenen der Marienlegenden mit anderen mischen[159]. Wichtig ist auch ein Hauptwerk der Florentiner Plastik: der reich skulptierte Tabernakel in Or San Michele von Andrea di Cione, gen. Orcagna, 1352–1360. Hier befinden sich außer Jugendszenen auch die Todesankündigung und die Assumptio mit der Gürtelspende an Thomas[160].

Die Vorderseite des ehemaligen Hochaltars des Domes

---

157. Wir haben in den letzten drei Bänden schon mehrfach Fresken von Giotto aus Padua abgebildet. Es scheint uns hier die geeignete Stelle zu sein, kurz auf das bedeutsame Gesamtprogramm einzugehen, zumal die Darstellung der Jugendgeschichte Marias (zusammen mit den gleichzeitigen Zyklen auf dem Balkan) einen Höhepunkt erreicht, für dessen volles Verständnis die Kenntnis der Themenauswahl und ihre Zuordnung, jedoch auch ihre Verteilung im Raum uns wichtig erscheint. Ein gründlicheres Eingehen würde den Rahmen der Arbeit sprengen. Zum Bau und zur Datierung siehe in jüngster Zeit: C. Bellinati in: Ricerche storiche sulla Cappella degli Scrovegni, Patavium II, 1972, S. 57ff. Nach Abschluß meines Manuskriptes erschien in den Franziskanischen Studien, 57. Jg. 1975, ein Aufsatz von Michael

Thomas »Der Erlösungsgedanke im theologischen Programm der Arenakapelle. Erläuterungen zum paduanischen ›Lignum vitae‹ anhand theologischer Quellen.« Erfreulicherweise kann ich auf diese höchst aufschlußreichen ikonographischen Ausführungen, die meine kurzen Bemerkungen weiterführen und theologisch vertiefen, noch vor der Drucklegung hinweisen und danke an dieser Stelle dem Verfasser für die Zusendung des Aufsatzes.

158. W. Paatz, Florenz I, S. 291, vgl. für S. Croce S. 572, 603, 693.

159. J. Lauts, Domenico Ghirlandajo, Wien 1943, Tafeln 56, 58, 59, 66, 68.

160. P. Bargellini, Or San Michele a Firenze, Milano 1969.

zu Siena mit der berühmten »Maestà« Duccios bringt aus
der Marienlegende nur Darstellungen zu Tod und Verherrlichung, siehe unten. Nicht erhalten sind die größeren
Zyklen des führenden Sieneser Meisters Pietro Lorenzetti
an den Chorwänden von S. Maria dei Servi und, zusammen
mit Ambrogio, an der Fassade des Ospendale della Scala.
In der Chorapsis des Doms zu Orvieto ist ein großer Zyklus von Ugolino d'Illario, 1357–1364, auf uns gekommen[161]. Die untere Bildreihe zeigt elf Szenen von der Verweigerung des Opfers, *Abb. 478*, bis zur Ankunft Marias
und Josephs in Bethlehem. Davon sind der Tempelgang
und die Vermählung Marias zu beiden Seiten des schmalen
Mittelfensters durch ein größeres Format hervorgehoben.
Im Bildstreifen darüber stehen die Szenen von der Geburt
Christi bis zum zwölfjährigen Jesus, der mit den Eltern
den Tempel verläßt. Der Mittelteil der Fresken ist nach
oben fortgeführt, und dort sind die Ankündigung des Todes und der Tod Marias, ihre Grabtragung und Himmelfahrt, und im Gewölbe ihre Krönung dargestellt. In der
Chorkapelle von S. Francesco zu Pescia malte 1425–1430
Bicci di Lorenzo einen Zyklus, der mit der Zurückweisung des Opfers Joachims beginnt und mit dem Tod Marias schließt[162]. Der italienische Brauch, die Marienszenen
in den Chor an zentrale Stelle zu setzen, geht vielleicht auf
die französische Glasmalerei zurück, doch kann sie auch
an die byzantinische Bildordnung im Kirchenraum anknüpfen, nach der sehr häufig gerade im 13. und 14. Jh. die
Apsiswand ein großes Bild der Gottesmutter trägt. Die er-
zählfreudige Zeit löst das kultbildhafte Madonnenbild an
den Wänden ihrer Kirchen in Einzelszenen auf. Diese
Hinweise auf einige wichtige Zyklen der italienischen
Wandmalerei des 14. Jh. genügen, um deutlich zu machen,
in welchem Ausmaß in Parallele zu der oben genannten
Literatur und auf dem Boden franziskanischer Frömmigkeit die Jugendgeschichte Marias für ein Jahrhundert in
der darstellenden Kunst Bedeutung gewinnt. Im 15. Jh.
tritt sie wieder zurück, in der italienischen Tafelmalerei
des 14. und 15. Jh. hat sie nie eine besondere Rolle gespielt;
oft sind die Szenen auf die Predella verlegt.

Erst in der Renaissance sind wieder einige Zyklen anzu-

treffen (Carpaccio-Venedig, siehe unten) und von Italien
beeinflußt auch in Spanien (z. B. Valencia, Kathedrale). In
Süddeutschland beginnt um die gleiche Zeit, in der in Italien die von Giotto eingeleiteten Freskenzyklen und in
Serbien die Wandmalerei der kleinen Klosterkirchen unter
Milutin ihren Anfang nehmen, innerhalb der Glasmalerei
im Anschluß an Frankreich die Darstellung der Marienlegenden. Im Chor der Stadtpfarrkirche von St. Dionys zu
Esslingen befindet sich der älteste bekannte deutsche Zyklus der Jugendgeschichte Marias, der nach 1945 aus zehn
ehemals auf andere Fenster als Füllsel verstreuten Scheiben zusammengefügt wurde. Nach einer Rekonstruktion
könnte er die erste von vier vertikalen Bildreihen des
Christusfensters, um 1300, gewesen sein. Danach wären
zehn Szenen von Joachim und Anna bis zum Stabwunder
dem Weihnachts-, Epiphanias- und dem Passions-
Osterzyklus vorangestellt gewesen. Direkte Vorbilder für
diese Scheiben zu den Marienlegenden sind weder im
schwäbischen Gebiet noch in Frankreich bekannt, doch
sind sie etwa 20 Jahre später in der gleichen Werkstatt für
ein Fenster der Frauenkirche in Eßlingen wiederholt worden; *Abb. 542 a–d, 568.* Dieser Zyklus des Marienfensters
(Nordostfenster im Chor), das der Patronin der Kirche
geweiht ist, umfaßt zur Jugendgeschichte Marias einige
Szenen mehr, als in St. Dionys erhalten sind. Die zehn
Zeilen des dreiteiligen Fensters sind von oben nach unten
abzulesen. In der Mitte geht der Zyklus der Kindheit Marias in den der Kindheit Jesu über, der mit der Taufe abschließt. Die unterste Zeile enthält drei Darstellungen von
Vorfahren. 27 von 30 Scheiben befinden sich an Ort und
Stelle und sind in gutem Zustand. Drei sind modern ergänzt, anstelle des Propheten Jeremias eine Himmelfahrt,
die völlig sinnlos erscheint, zwei wurden außerhalb Ess-
lingens nachgewiesen. Die Reihenfolge ist nicht mehr ganz
die ursprüngliche. Das mittlere Chorfenster der Frauenkirche bringt einen Christuszyklus mit alttestamentlichen
typologischen Szenen; das dritte ist im heutigen Zustand
aus Restbeständen anderer Fenster zusammengesetzt[163].
Ikonographisch ist die Unabhängigkeit dieser Esslinger
Werkstatt auffallend. Die von St. Dionys übernommenen

161. E. Carli, Il Duomo di Orvieto, Rom 1965.
162. B. Berenson, Florenz I, Abb. 502.
163. Zur Rekonstruktion des Christusfensters in St. Dionys siehe Wentzel, Die Glasmalerei in Schwaben von 1200–1350.

Corp. vitr. med. aev. Deutschland, Bd. 1, Berlin 1958. Zum heuti-
gen Zustand des Marienzyklus S. 130–133, Abb. 240–251. Zur
Frauenkirche S. 153–158. Rekonstruktion der ursprünglichen
Reihenfolge S. 156, Abb. 280–317. Zu den beiden Scheiben, die

Bildmotive des Marienfestes sind für die Frauenkirche künstlerisch weiterentwickelt worden. Die ursprüngliche Reihenfolge der Zeilen ist (nach Wentzel): 1. David, Jeremia, Salomo, 2. Joachim und Anna, Joachims Opfer, Verkündigung an Anna, 3. Goldene Pforte, Geburt Marias, Bad des Kindes, 4. Tempelgang Marias, *Abb. 542 a*, Maria im Gebet, Maria am Lesepult, 5. Maria am Webstuhl, Krönung Marias durch zwei Engel, Stabwunder, 6. Vermählung Marias (?), Verkündigung an Maria, Heimsuchung, 7. Geburt Christi, Verkündigung an die Hirten, Verehrung des Kindes, 8. Anbetung der Könige, auf drei Felder verteilt, 9. Darbringung im Tempel, Flucht, Kindermord, 10. Schulgang Jesu, zwölfjähriger Jesus im Tempel, Taufe Jesu. Die mehrmalige Darstellung Marias als Tempeljungfrau – betend, lesend, am Webstuhl, *Abb. 542 b, c, d*, ist in dieser Vielfalt in der Glasmalerei ungewöhnlich aber in der Textilkunst des 14. und 15. Jh. beliebt. Der Intention nach könnten diese Szenen in Frauenklöstern entstanden sein, da sich die Nonnen in besonderer Weise in das Marienleben einfühlend vertieften und ihre eigenen Hauptbeschäftigungen wiedergegeben sind. Doch gibt ohnehin die Literatur durch die Vorstellung eines Aufenthalts Marias im Kloster hierfür Anregung. Die einzelnen Darstellungen des Fensters sind sehr konzentriert. Überflüssige Nebenmotive sind weggelassen: der Vorgang ist fast immer auf eine oder zwei Figuren beschränkt. Diese Knappheit dürfte nicht nur durch den geringen zur Verfügung stehenden Raum bedingt gewesen sein, sie läßt sich auch aus der Tendenz zur andachtsbildmäßigen Verdichtung, die im 14. Jh. auch auf erzählende Motive übergreift, erklären (Wentzel). Gerade in Schwabens Klosterwerkstätten sind um 1300 viele der bekannten Andachtsbildwerke entstanden, die eine große Wirkung ausstrahlen. Ein weiterer Legendenzyklus, um 1335, ist für den Ostchor der Klosterkirche zu Bebenhausen nachzuweisen. Davon befinden sich drei Scheiben (Zurückweisung Joachims, Geburt und Tempelgang Marias) in der Glasgemäldesammlung des ehemaligen württembergischen Königshauses in Schloß Altshausen[164]. Für das Ulmer Münster haben gegen 1400 die Weber der Stadt ein Anna-Marien-Fenster zu Ehren ihrer Schutzpatronin Anna gestiftet, das wahrscheinlich in der Werkstatt des Jakob Acker gearbeitet wurde, *Abb. 546*. Es führt die Tradition der Darstellung der Jugendlegenden fort und fügt an die Vermählung von Maria und Joseph noch eine häusliche Szene an: Maria am Spinnrocken und Joseph bei seiner Arbeit. Zu dem dem Fenster am Marienportal des Münsters vorausgehenden plastischen Zyklus siehe unten[165]. Doch ist Schwaben nicht das einzige Gebiet, das diese Thematik in der Glasmalerei des 14. Jahrhunderts aufgenommen hat. Der Regensburger Dom (südliche Längswand) besitzt ein ebenfalls von der Weberzunft gestiftetes zweiteiliges Fenster, um 1370, Werkstatt des Eberhard Väßler, mit einigen Sondermotiven innerhalb der zwölf Darstellungen, *Abb. 472, 473, 474, 475*[166]. Die Reihenfolge der Scheiben der jetzigen Verglasung stimmt nicht mit der ursprünglichen überein, eine Tatsache, die für die meisten Fenster gilt[167].

Für Österreich sind die vier erhaltenen Fenster aus dem Chor der Wallfahrtskirche in Straßengel bei Graz, um 1350/60, zu nennen, von denen sich zwei Scheiben im Österreichischen Museum für angewandte Kunst, *Abb. 549, 550*, und zwei (Verkündigung an Anna und Tempelgang Marias) in London, Victoria und Albert-Museum, befinden[168]. Schließlich hat noch Hans Baldung Grien im Auftrag von Sebald Schreyer für das ehemalige Karmeliterkloster in Nürnberg Fenster entworfen. Das Kloster wurde schon 1525 aufgelöst und 1557 abgebrochen. Dabei sind mehrere Fenster auf Landkirchen verteilt worden. Die Scheiben mit den Darstellungen: Geburt, Tempelgang und Vermählung Marias befinden sich heute in der evangelischen Kirche in Nürnberg-Wöhrd; zwei weitere, Joachim nimmt von Anna Abschied und Maria am Webstuhl, sind in der evangelischen Kirche in Nürnberg-Großgründlach, *Abb. 484, 547*.

Im Chor der ehemaligen Klosterkirche von Königsfel-

---

sich jetzt im Moritzburg-Museum, Halle/S., befinden (Jeremias und Verkündigung an Anna) S. 159 und Abb. 318, 319.

164. Wentzel, S. 177 ff., Abb. 402–404.

165. R. Wortmann, Das Ulmer Münster, Stuttgart 1972, S. 96, Abb. 97.

166. A. Elsen, Der Dom zu Regensburg. Die Bildfenster. Ber-

lin 1940, Tf. 61.

167. Zu Ulm siehe H. Seifert–E. v. Witzleben, Das Ulmer Münster, Augsburg 1968, S. 42 f.

168. E. Frodl-Kraft, Die Mittelalterlichen Glasgemälde in Wien, Corp. Vitr. Österreich Bd. I, S. 132.

den (Kanton Aargau, Schweiz) ist die Anordnung der Szenen des Marienfensters (das erste von insgesamt dreizehn Fenstern, links am Choreingang), 1325–1330, gesichert[169]. Nur einzelne Gläser sind ausgebessert oder ergänzt. In fünf Kreisen sind übereinander dargestellt: die Verkündigung an Joachim und die an Anna mit zwei alttestamentlichen typologischen Szenen außerhalb der Kreisform (bei Joachim: Noahs Schande, bei Anna: Erschaffung Evas aus Adams Seite), die Begegnung an der Goldenen Pforte, die Geburt Marias, der Tempelgang und zum Abschluß oben Anna selbdritt (zur Bedeutung dieses Typus siehe unten). Mit dem schlafenden Jesse in der Sockelzone (Stammbaum Jesu) wird ebenso wie mit der Erschaffung Evas deutlich, daß die Typologie Marias auf Anna zurückverlegt worden ist.

Die Textilkunst nimmt, wie schon erwähnt, ungefähr gleichzeitig mit der deutschen Glasmalerei die Marienlegenden auf. Die ständige Benutzung der kirchlichen Textilien macht sie besonders anfällig für Zerstörung, so daß in unserem Zusammenhang nur wenig Beispiele genannt werden können, die vorwiegend dem niedersächsischen Bereich angehören[170]. Im Kloster Wienhausen (heute Damenstift) bei Celle befindet sich ein Altartuch, das aus fünf verschiedenen Teilen von Seidenstickereien auf Leinen aus der Mitte des 14. Jh. zusammengesetzt ist. Dadurch sind die Szenen nicht chronologisch geordnet, doch kommen die wichtigsten der Legendenmotive vor. Das Kloster Isenhagen (ebenfalls Damenstift) besitzt eine Seidenstickerei, die vermutlich im Kloster selbst zwischen 1360 und 1370 gearbeitet wurde. Das sehr große Altartuch (102 cm : 280 cm) zeigt im Mittelfeld das Leben Jesu und bezieht die Legendenszenen mit ein. Die wiederholte Darstellung der Marienkrönung zeigt einen starken mariologischen Akzent, doch fehlen die verschiedenen Darstellungen der Maria als Tempeljungfrau, die die Glasmalerei zu dieser Zeit kannte. Diese Motive bringt jedoch ein An-

tependium aus der Jodokikapelle des Braunschweiger Doms, das um 1400 in einem Kloster der Stadt oder ihrer Umgebung gestickt wurde und sich heute im städtischen Museum zu Braunschweig befindet. Da dieser Behang mit achtzehn Szenen offensichtlich auf den Text von Pseudo-Matthäus und nicht auf den gekürzten der Legenda Aurea zurückgeht und eine Reihe von seltenen Bildmotiven bringt, nennen wir die ganze Bildfolge der drei Zeilen mit je sechs Darstellungen; zur linken Seite *siehe Abb. 466*; zur rechten die mittlere Zeile, *Abb. 544*. 1. Zeile: Vermählung von Anna und Joachim, Teilung ihrer Einkünfte in drei Teile, Verteilung von Brot an die Armen, Zurückweisung von Joachims Opfer, Verkündigung an Joachim auf dem Feld, Verkündigung an Anna. 2. Zeile: Begegnung an der Pforte, Geburt Marias, das Kind wird in die Wiege gelegt. Anna bringt Maria zur Pforte des Tempels (Kloster), Maria steigt die Treppen zum Altar hinauf, Maria im Tempel am Webstuhl (neben dem Altar). 3. Zeile: Zwei Tempeldienerinnen, Maria liest neben dem Altar sitzend im Psalterbuch, der Hohepriester im Gespräch mit Maria wegen ihrer Verheiratung. Josephs blühender Stab mit der Taube zwischen den verdorrten Stäben der anderen Freier auf dem Altar, drei betende Priester, Vermählung von Maria und Joseph. Dieser ausführliche Zyklus beschränkt sich auf die Legende und verrät, wie eingehend sich die Nonnen mit ihr beschäftigt haben und wie sie fähig waren, in abkürzender Form das ihnen Wichtigste darzustellen. Es wird beim Vergleich der Einzelszenen eine Verbindung zu der Dichtung Wernhers aufgezeigt werden.

Dagegen beschränkt sich ein gestickter Behang des 14. Jh. aus Island, Kopenhagen-Nationalmuseum, auf drei Darstellungen der Legende: Geburt, Tempelgang, Maria kniet vor einem Bischof (Hohepriester), hinter ihr zwei Freier, *Abb. 543*. Auf diese Szenen folgen sechs biblische Darstellungen: Verkündigung an Maria bis zur Flucht nach Ägypten. Ein Marienteppich von Anfang des 16. Jh.

169. E. Maurer, Das Kloster Königsfelden, Basel 1954, Abb. 177–179, S. 75 ff. Weitere Fenster mit Darstellungen der Jugend Marias: Straßburger Münster, südliches Seitenschiff, 2. Hälfte 14. Jh.; Niederhaslach (Elsaß), 1350–1370; Halberstadt Dom (Scheiben des großen Fensters völlig ungeordnet) und Cambridge, King's College Chapel, Fenster um 1527, mit Zurückweisung des Opfers, Goldener Pforte, Verkündigung an Joachim, Geburt Marias. Das 24. Fenster bringt Tod und Begräbnis Marias mit den typologischen Szenen Tod des alten Tobias und Begräbnis Ja-

kobs; das 25. die Aufnahme Marias in den Himmel mit der Himmelfahrt Henochs und die Marienkrönung mit Esther und Ahasverus. Zu diesem großen typologischen Fensterzyklus siehe H. Wayment, The Windows of King's College Chapel Cambridge, London 1972 (Corp. vitr. medii aevi Great Britain-Suppl. vol. I.).

170. Vgl. außer der älteren bekannten Literatur (M. Schuette und B. Kurth) R. Kroos, Niedersächsische Bildstickerei des Mittelalters, Berlin 1970.

im Dommuseum zu Halberstadt faßt die ganze Erzählung der Jugendgeschichte Marias im Tempelgang und der Vermählung mit Joseph zusammen. Interessant ist auf diesem Teppich die Hinzufügung von allegorischen Tieren zu den einzelnen Szenen, die im späten Mittelalter zur marianischen Symbolik gehören[171]. Ein großer Wandteppich des Klosters Wienhausen, letztes Viertel 15. Jh. (460 cm : 750 cm), verbindet die Geschichte Annas und Joachims, die bis zur Begegnung an der Goldenen Pforte dargestellt ist, mit der heiligen Sippe.

Von den französischen und flämischen Marienteppichen[172] ist die bedeutendste Folge (17 Wirkteppiche) die, die Erzbischof Robert de Lenoncoûrt für die Kathedrale zu Reims stiftete, wo sie sich heute noch befindet. Die Wirkteppiche sind von 1507 bis 1530 in Tournai gearbeitet worden. Die marianische Symbolik und alttestamentliche Typologie, wie sie in der Biblia Pauperum und im Speculum humanae Salvationis vorlag und in die lauretanische Litanei aufgenommen ist, wird hier aufgeboten, um von Szene zu Szene die Bedeutung Marias in der Heilsgeschichte zu demonstrieren[173]. Der Zyklus beginnt auf dem ersten Teppich mit dem Thron Salomos, bringt auf den nächsten die wichtigsten Szenen der Legende bis zur Vermählung von Maria und Joseph, *Abb. 557, 580*, anschließend die Geburt und Kindheit Jesu bis zur Flucht nach Ägypten, um dann mit der Darstellung der heiligen Sippe (die Familien der drei Marien) und dem Marientod abzuschließen. Es handelt sich hier um einen der umfangreichsten Marienzyklen des späten Mittelalters, der die Geburt und Kindheit Jesu ausgesprochen unter dem Aspekt Marianischer Frömmigkeit sieht[174].

Auf den plastischen Zyklus am Marienportal des Ulmer Münsters, 1380–1400, ist schon hingewiesen worden,

Abb. 464. Es sind von den Portalen spätgotischer Kirchen im süddeutschen Bereich außerdem zu nennen: Augsburg, Dom, Südportal, um 1343; Nürnberg, St. Sebald, Nordportal, um 1320; Regensburg, Dom, um 1410/20; Thann (Elsaß), Münster, Westportal, um 1342/50; und andere. Diese Steinmetzarbeiten sind teilweise künstlerisch von sehr mäßiger Qualität. Aus dem französischen Bereich ist auf dem Gebiet der Bildschnitzerei noch ein Zyklus um 1500 zu erwähnen, der in neuester Zeit durch eine Ausstellung der Cloisters in New York bekannt wurde. Er stellt auf dem ehemaligen Chorgestühl der Abteikirche von St. Jumièges den neunzehn Darstellungen zum Leben Jesu neun zur Jugendgeschichte Marias voran[175], *Abb. 551, 552, 553*. Nicht abgebildet sind die Zurückweisung des Opfers, die Verkündigung an Joachim und an Anna, die Begegnung an der Goldenen Pforte, die Geburt Marias und die Prüfung der Schwangerschaft Marias durch den Priester. Das Format bedingt jeweils die Beschränkung auf zwei oder drei Personen.

Beispiele für die Wandmalerei nördlich der Alpen sind nur wenige zu nennen. Offenbar haben Mitglieder der Familie Strigel, die von etwa 1430 bis zum Ende des dritten Jahrzehnts des 16. Jh. in Memmingen eine Werkstatt führten, die Jugendgeschichte Marias in ihren Themenkreis einbezogen, denn im bayerischen Schwaben sind abgesehen von Marienaltären (z. B. Pfullendorfer Altar, Tafeln in verschiedenen Museen) mehrere Freskenzyklen unter ihrem Einfluß entstanden. Sie sind allerdings alle durch Übermalung von Restauratoren künstlerisch beeinträchtigt, doch zeigen sie ikonographisch manche bemerkenswerte Einzelheit: St. Bartholomäus, eine kleine Kapelle in Zell bei Oberstaufen (Allgäu) um 1450, Hans Strigel d. Ä. zugeschrieben[176]; Memmingen, Evangelische

171. Vgl. hierzu George von Gynz-Rekowski, Der Marienteppich im Dommuseum zu Halberstadt, in: Niederdt. Beiträge VII, 1968, S. 153–175.

172. Vgl. F. Salet, La tapisserie française du moyen âge à nos jours, Paris 1946.

173. M. Guy, Présentation des Tapisseries de Reims, Reims 1967.

174. Hinsichtlich der typologischen Darstellung der ersten Hälfte des 16. Jh. ist auch die schon erwähnte umfangreiche Fensterfolge der King's College Chapel in Cambridge zu nennen, die mit den Legenden beginnt, dann in einen neutestamentlichen Zyklus einmündet und nach Szenen zur Apostelgeschichte Tod, Begräbnis, Himmelfahrt und Krönung Marias zeigt und fast allen Szenen typologische Vorbilder gegenüberstellt. Durch die Einbeziehung alttestamentlicher Szenen werden Anna und Maria heilsgeschichtlich gedeutet.

175. J. J. Rorimer, The Cloisters, New York 1963, S. 130f. Ich wurde durch den erwähnten Aufsatz von R. L. Wyss, den er mir dankenswerterweise zusandte, auf dieses Chorgestühl aufmerksam.

176. M. Petzet, Die Kunstdenkmäler des Landes Sonthofen, S. 1024, Abb. 887.

Stadtpfarrkirche Unser Frauen, nördliches Seitenschiff, Anfang 16. Jh.; Gestratz (Lindau), Pfarrkirche um 1440.

Die zahlreichen spätmittelalterlichen Marienaltäre bringen nur einzelne Szenen der Jugendgeschichte Marias, für deren Auswahl es keine Regel gibt (Buxtehuder Altar, von einem jüngeren Meister der Werkstatt Bertrams um 1410 für ein Frauenkloster bei Buxtehude gemalt, Hamburg, Kunsthalle, *vgl. Bd. 1, Abb. 65*). Es gibt bei diesen Marienaltären, die der handgreiflichste Ausdruck der populären Marienverehrung sind, so viele Spielarten, daß wir nicht auf einzelne Altäre eingehen können, sondern nur bei der Behandlung der einzelnen Themen einige Tafeln zur Jugendgeschichte Marias bringen. Da sehr viele Altäre bei der Entfernung aus den Kirchen und Klöstern auseinandergenommen worden sind und die noch erhaltenen Tafeln verstreut wurden, ist es bei den hohen Verlusten oft nicht mehr möglich, den ehemaligen thematischen Zusammenhang festzustellen. Auch bei Altären, die noch intakt zu sein scheinen, wie z. B. der Altar in der Pfarrkirche in Schotten (Hessen) um 1370, der die thronende Gottesmutter in dem geschnitzten Mittelschrein zeigt, sind die Tafeln der Seitenflügel nicht mehr in der richtigen Reihenfolge. Gelegentlich werden – vermutlich weil der Platz nicht ausreiche – einzelne Legendenszenen in kleinem Format anderen eingefügt, wie z. B. auf den allein erhaltenen Tafeln des Weingartner Altars von Hans Holbein d. Ä., 1493, heute im Augsburger Dom, *Abb. 480*. In der Opferzurückweisung bildet die Verkündigung an Joachim, in der Geburt Marias die Begegnung an der Pforte, im Tempelgang die Heimsuchung eine Nebenszene in einer der oberen Ecken. (Vgl. auch die Tafel eines österreichischen Meisters um 1494 in Wien, *Abb. 510*.) Ein Eindruck des gesamten Weingartner Altars in seinem ursprünglichen Zustand läßt sich aus einer Kupferstichfolge des Israhel van Meckenem, die auf Holbeins Altar zurückgeht, gewinnen[177].

Mit der Verbreitung der Annen- und Sippenaltäre um 1500, die die mit Hilfe der legendären dreimaligen Verheiratung Annas konstruierte Verwandschaft Jesu darstellen, wird es üblich, auf den Flügeln der Altäre diesem zentralen Thema das Marienleben zuzuordnen (zum Sippenaltar

siehe unten). Späte Beispiele bieten unter anderem der von der Annenbruderschaft in Auftrag gegebene Feldkircher Altar eines der Hauptmeister der Donauschule, Wolf Huber, 1515–1521, teilweise im Landesmuseum in Bregenz, *Abb. 482, 494, 521*, und der Sippen- oder Annenaltar des Quentin Massys, 1507–1509 für die Peterskirche in Löwen gemalt, Brüssel, *Abb. 481a, b, 495*. Diese Altäre erfreuten sich am Niederrhein und in Westfalen besonderer Beliebtheit (siehe LCI 4, 163–168).

Aus der Fülle der Marienaltäre des 15. Jh. ragen die Tafeln des Altars von St. Ursula in Köln vom Meister des Marienlebens, um 1465, durch die Wiedergabe des Legendenzyklus heraus. Von den acht erhaltenen Tafeln befinden sich sieben in der Alten Pinakothek in München, *Abb. 507, 519, 541, 577*, eine in London (Darbringung Jesu im Tempel). Bei geschlossenem Zustand standen sich einst die Kreuzigung Christi und die Krönung Marias (München) gegenüber. Außerdem bedeutet der Krakauer doppelflügelige Schreinaltar des Veit Stoß, 1477–1489, ein Hauptwerk der Marienaltäre an der Schwelle zwischen Mittelalter und Neuzeit, die – neben den isolierten Madonnenbildern – die Aufgipfelung der Marienfrömmigkeit in der erzählenden Form dokumentieren.

Zu diesem Komplex der spätmittelalterlichen erzählenden Mariendarstellungen gehört auch Dürers bekannte Holzschnittfolge »Marienleben« mit neunzehn Blättern, von denen eine in jeder Weise starke Wirkung ausging. Siebzehn Holzschnitte entstanden zwischen 1502 und 1504, den Marientod und die Himmelfahrt mit der Krönung Marias fügte Dürer 1510 hinzu. Die ersten sechs Blätter widmen sich den vorwiegend dargestellten Szenen der Kindheitsgeschichte von der Zurückweisung Joachims bis zur Vermählung Marias. Da keinerlei Beschränkung auf eine gegebene Bildfläche oder durch einen Auftrag vorlag, konnte Dürer alle Szenen, die in seiner Zeit zum Marienleben gezählt wurden, darstellen. Zwischen die Blätter des zwölfjährigen Jesus im Tempel und des Marientodes fügte er den »Abschied Jesu von seiner Mutter in Bethanien« ein.

Dieser geht literarisch nicht auf die apokryphen Texte, sondern auf die »Meditationen des Lebens Christi« des frühen 14. Jh. zurück und wird anschließend mehrmals geschildert, und zwar als eine Begebenheit in Bethanien entweder nach der Auferweckung des Lazarus oder nach der Salbung (Joh 11 und 12). Deshalb stehen auf Dürers

177. P. Pieper, Israhel van Meckenem, Das Marienleben, in: Festschrift für E. Trautscholdt, Heidelberg 1965, S. 68–78.

Holzschnitt Maria und Martha hinter der auf die Knie ge-
sunkenen Mutter Maria, die von einer der Frauen gestützt
wird. Dieser Abschied ist in der Tafelmalerei des 15. Jh.
nur selten im Zusammenhang von Passionszyklen wiedergegeben worden (Kölner Tafelmalerei), in der Graphik
vom späten 15. Jh. bis etwa 1530 allerdings häufig auch als
Einzelblatt. Die Ursache dafür ist, daß sich das subjektive
Frömmigkeitserlebnis in dieser Zeit sehr stark der Passion
zuwendet (vgl. die Andachtsbilder Bd. 2). Zu Beginn des
16. Jh. wird dann im süddeutschen Raum der Abschied
Jesu auch in der Tafelmalerei mehrmals dargestellt, z. B.
Martin Schaffner, Tafel des Altars von Wettenhausen,
1523, München AP (mit drei Frauen und Jüngern); Albrecht Altdorfer, um 1517, London Privatbesitz; Paul Lau-
tensack, Gedächtnistafel des Leonhard Münsterer, um
1505, Nürnberg, GNM. Bernhard Strigel bringt die Szene
auf einer Tafel, Berlin-Dahlem, die zu einem Kreuzigungsaltar von 1520 gehörte, in einer anderen ikonographischen Form: Maria sinkt in die Arme Jesu. Dürer fügt
vielleicht erstmals diesen Abschied von der Mutter einem
Zyklus des Marienlebens ein[178].

Die Darstellung des Marienlebens unter Einschluß der
biblischen Szenen hat sich parallel zu einer gesteigerten
populären Marienfrömmigkeit im 15. Jh. verselbständigt,
während sich der Marienkult mehr an Einzelwerken –
Gnaden- und Andachtsbildern – und besonders an Ma-
rienandachten entzündet. Beides mußte in der Reformation auf Kritik stoßen, die nicht Maria als der Gottesmutter galt, sondern den Auswüchsen der Verehrung Marias.
Der Humanismus, der die Frage nach der historischen
Wahrheit stellte und in Glaubenssachen ähnlich wie die
Reformatoren die Entscheidung des einzelnen verlangte,
hat die Marienlegenden ebensowenig gelten lassen wie die
Reformatoren. Mit dem Tod der Künstlergeneration um

1530, die noch im Mittelalter wurzelte und mit ihrer Kunst
je nach Aufgeschlossenheit in die neue Epoche mitgestal-
tend hineinwuchs, hörte die Darstellung der apokryphen
Motive im Abendland auf. Nur gelegentlich sind später
noch einzelne Themen als Bildgegenstände zu finden.
(Auch der Annenkult, der im späten Mittelalter blühte,
und die Darstellung der Kindheit Marias förderte, ver-
ebbte.) Die Gegenreformation hatte an der narrativen
Darstellung der Jugend Marias kaum noch besonderes Interesse. Es geht ihr um die mariologischen Bildprogramme, die die Marienlehre dokumentieren und der Verherrlichung Marias dienen, dazu siehe unten.

Die Einzelszenen

*Die Eheschließung Joachims und Annas und die Vertei-
lung des Gutes*[179]. Beide Szenen sind Sondermotive des
Abendlandes, die der Grundform der Erzählung vorangestellt wurden. Pseudo Matthäus und die ihm folgenden
Dichtungen Hrotsviths und Wernhers schildern Joachim
und Anna, als die Tochter des Fürsten Isachar, ausführlich. Sie berichten auch von der Freigebigkeit Joachims,
der seinen Besitz in drei Teile teilte: einen für die Armen,
einen für die Frommen bzw. für die Kirche, einen behielt
er selbst. Eine Illustration in der erwähnten Berliner
Handschrift der Wernherschen Dichtung vom Anfang des
13. Jh. zeigt fol. 7v diese Sezene, die seiner Eheschließung
vorangeht, *Abb. 468*. Joachim steht hinter einem runden
Tisch und teilt den Besitz, den Diener heranbringen, in
drei Haufen. Folio 8v stellt die Eheschließung dar, *Abb.
469*. Isachar legt die Hand seiner Tochter in die Joachims.
Englische Stickereien des 14. und 15. Jh., die auf Kaseln
und Pluvialen die Mariengeschichte ebenso detailliert er-

---

178. Siehe zum »Abschied Jesu« RDK I, 102–105 (O.
Schmitt); P. O. Riesemattern, Die Ikonographie des Abschieds
Jesu von Bethanien, 1931. Zu unterscheiden ist davon die Begegnung des Auferstandenen mit seiner Mutter, die vorzugsweise in
der niederländischen Malerei des 15. Jh. dargestellt wurde: Mira-
flores Altar, Berlin, um 1438 und rechter Flügel einer Replik,
New York, vor 1445, beide Schule Rogiers v. d. Weyden; Ehnin-
ger Altar um 1476 von einem Nachfolger des Dirk Bouts, vielleicht von seinem Sohn Dierick, Staatsgalerie Stuttgart. Dem
Landschaftshintergrund ist die Auferstehung Christi bzw. seine
Himmelfahrt eingefügt. Rogier hat dem Architekturbogen, unter

dem sich die Erscheinung ereignet, in kleinem Format die letzten
Szenen des Marienlebens eingefügt. Beide Abschiedsszenen
kommen auch noch im späten 16. und 17. Jh. vor, siehe A. Pigler
I, S. 475–477, u. E. Mâle, L'Art relig. du XVIIᵉ siècle, 2. Auflage,
Paris 1951.

179. Wir wiederholen die zu den einzelnen Zyklen gemachten
Literaturangaben in diesem Abschnitt nicht, sondern verweisen
auf das vorhergehende Kapitel. Es werden auch nicht alle in der
erwähnten Literatur abgebildeten oder genannten Einzelthemen
aufgezählt.

zählen wie der Braunschweiger Behang, enthalten gleichfalls die selten dargestellte Vermählung. Der niedersächsische Behang um 1400 bringt sie in einer symmetrischen Kompositionsform als erste Szene, während die Teilung des Gutes gemeinsam mit Anna danach zu sehen ist, *Abb. 466*. Der runde Tisch mit den drei Haufen gibt Grund zur Annahme einer gemeinsamen Vorlage oder der Kenntnis der älteren Buchillustrationen durch mehrere Kopien der Wernher-Dichtung. In der Zeit zwischen der Entstehung beider Werke ist die aus verschiedensten Quellen zusammengetragene Legenda Aurea bekannt geworden. In ihr ist auf die getrennte Schilderung der Tugenden Annas und Joachims vor der Eheschließung verzichtet, und es heißt, daß sie zusammen von ihrem Gut ein Drittel dem Tempel und seinen Dienern und eines den Armen und Pilgern gaben. Aus dieser hier wiedergegebenen Überlieferung erklärt sich die Darstellung der Verteilung von Brot an die Armen auf dem Antependium als zweite Szene. Das französische Elfenbeinkästchen des 14. Jh., auf dem die Eheschließung fehlt, zeigt die Verteilung nach der Verweigerung des Opfers, *Abb. 465 a, unten zweite Szene*.

Auch auf der oberitalienischen Tafel aus S. Martino in Pisa des späten 13. Jh., *Abb. 459 links*, steht Joachim allein unter dem Eingang zu seinem Haus und verteilt Gaben an nach Alter und Kleidung sehr unterschiedlich wiedergegebene Personen. Das Regensburger Fenster, um 1380, *Abb. 472, 473*, stellt dem Zyklus zwei diesbezügliche volkreiche Sonderszenen voraus: die Verteilung von Almosen an Arme und Pilger und die Stiftung an die Kirche, die ein Franziskaner auf einem Sammelbrett entgegennimmt. Ikonographisch liegt bei diesen Szenen, die der damals bekannten Texttradition sehr nahe kommen, ein anderes Vorbild zugrunde als bei den bisher gezeigten Beispielen. Wo es zu suchen ist oder ob es sich um eine selbständige Konzeption handelt, läßt sich nicht sagen, da der Bestand der Glasmalerei sehr dezimiert und erst zum Teil publiziert ist[180]. Auf dem Annen- oder Sippenaltar des Quentin Massys, 1509, *Abb. 481 a*, geht das Motiv des Opfers an die Kirche auf eine Tradition der Anna-Vita zurück, die anstelle des Lobpreises von einem besonderen

Opfer Annas nach der Geburt der Tochter berichtet, das im Tempel vom Hohenpriester aufgrund einer Geburtsbeglaubigung entgegengenommen wird. Auf dem Bild von Massys zeigt ein junger Mann neben Anna die Beglaubigung vor; Anna kniet vor dem Priester und überreicht ihm eine geöffnete Schatulle. Die Annahme des Dankopfers Marias ist auf diesem Altar, der auf beiden Flügeln nur Joachim- und Annaszenen und nicht die Kindheit Marias bringt, der Verweigerung des Opfers Joachims gegenübergestellt.

Die Verweigerung des Opfers im Tempel. Obwohl das Protoevangelium mit diesem Vorgang beginnt, sind vor dem 11. Jh. keine Darstellungen bekannt. Das mag an der Zerstörung von Fresken und Werken der Kleinkunst liegen. Für den Zyklus der Kirche in Ateni (Georgien), Ende 11. Jh., ist die Szene nachzuweisen, ebenso die Rückkehr Joachims und Annas vom Tempel. Die ältesten erhaltenen Illustrationen des Motivs enthalten die beiden griechischen Handschriften der Marienpredigten des Mönches Jakobos Kokkinobaphou der 1. Hälfte des 12. Jh., fol. 8v; für die Monumentalkunst des 12. Jh. ist der Zyklus der Kirche des Mirozklosters in Pskov (Rußland), 1156, zu nennen. Diese Darstellungen geben zwei verschiedene Traditionen wieder, die auch in der abendländischen Ikonographie zu beobachten sind. Die Handschriften zeigen Joachim allein vom Priester aus dem Tempel verwiesen (Protevangelium), und es folgen auf fol. 11v der Gang aufs Feld, das Gebet Joachims, die Verkündigung und sein Rückweg nach Hause. In den Freskenzyklen in Pskov und Ateni ist Anna im Tempel dabei, beide tragen als Opfergabe ein Lämmchen. Nach der Abweisung gehen sie gemeinsam nach Hause, und erst auf drei eingeschobenen Szenen (Gespräch miteinander, Anna betet vor dem Haus im Garten sitzend, Joachim liest, während Anna sinnend neben ihm steht) folgt in Pskov die Verkündigung an Anna und die an Joachim nach der Tradition. Diese Zwischenszenen sind eine Ausnahme. In der serbisch-makedonischen Wandmalerei gehen Joachim und Anna nach der Zurückweisung mit den Lämmchen auf dem Arm von dem Tempel weg (überall sehr schlecht erhalten), und auf den nächsten Bildfeldern folgen die beiden Verkündigungen. Der im Osten spätestens vom 13. Jh. an übliche Typus, der die in den verschiedenen Szenen wiederkehrende Tempelarchitektur (Kuppel auf vier Säulen über einem

---

180. Für die Regensburger Fenster ist in absehbarer Zeit eine Publikation des Deutschen Vereins für Kunstwissenschaft zu erwarten.

abgesonderten Bezirk) zeigt, ist noch auf einer Ikone des 16. Jh. in Sofia zu finden, *Abb. 457, links oben.*

Die frühesten Belege im Abendland sind die Illustrationen zum Text Wernhers, Anfang 13. Jh., *Abb. 470,* mit Joachim allein, und das kleine Kapitell der Westfassade in Chartres, um 1155, mit Joachim und Anna, dem eine zweite Darstellung mit dem Weggang beider folgt. Das Relief am Türsturz von Notre Dame in Paris, um 1230, *Abb. 463,* zeigt zuerst, wie Joachim Anna führt. Im Tempel, der durch zwei Arkadenbogen veranschaulicht ist, deutet der Priester auf die Thora, die geöffnet auf dem Altar liegt, und begründet so die Zurückweisung des Taubenopfers. Anschließend geht Joachim mit einem Knecht aufs Feld, *Abb. 483.* In Wernhers höfischem Epos reitet Joachim, ohne vorher zu Anna zurückzukehren, fort, *Abb. 471.*

Während in Frankreich und im byzantinischen Bereich das Opfer in Begleitung von Anna weiter dargestellt wird, setzt sich von Italien ausgehend vom späten 13. Jh. an die in der Legenda Aurea festgehaltene Version allmählich durch. Sie besagt, Joachim sei mit Stammesgenossen in den Tempel Jerusalems gegangen und aus Furcht vor deren Spott in die Einsamkeit geflohen. Die Tafel von Pisa vom späten 13. Jh. zeigt Joachim allein. Einer der drei Priester drängt ihn mit beiden Händen zum Gehen. Seine Schmach wird von mehreren Stammesgenossen beobachtet, *Abb. 459.* Giotto leitet den Freskenzyklus in Padua mit der Opferverweigerung ein, *Abb. 476.* Der von hohen Schranken umgebene Altar, über dem sich ein Ziborium auf vier Säulen erhebt, und der Ambo daneben entsprechen – obwohl sie von östlichen Vorbildern ausgehen – den Ausstattungsstücken des Chors der italienischen Kirchen in der Zeit Giottos. Während ein Priester einem im heiligen Bezirk knienden jungen Mann den Segen erteilt, weist ein anderer Joachim, der sein verweigertes Opferlamm behutsam im Arm hält, von der Öffnung der Altarschranke hinweg, vgl. die Pisaner Tafel. Diese Abweisung drückt auch die Höhe und die Richtungsführung der Schrankenwände aus. Im Gegensatz zu dieser Konzentration auf den wesentlichen Gehalt ist auf der oberen Darstellung des Freskenzyklus der Rinuccini-Kapelle von S. Croce zu Florenz, um 1365, die Vertreibung Joachims vom Altar einer großen Festzeremonie im Jerusalemer Tempel eingefügt, *Abb. 477.* In der Beschränkung auf drei Personen und zwei spottende Kinder zeigt Ugolino

d'Illario im Dom zu Orvieto, 1357–1364, die Vertreibung, *Abb. 478,* in dem erschrockenen und gramvollen Rückblick Joachims wirkt noch Giottos Joachimfigur nach.

Die Szene hat sich auch nördlich der Alpen im Laufe des 14. Jh. von vorgegebenen Bildformulierungen gelöst und soviel Bedeutung gewonnen, daß sie bei Altarwerken selbst dann dargestellt wird, wenn nur wenige Geschehnisse der Erzählung ausgewählt sind: Meister Bertram-Werkstatt, Buxtehuder Altar, um 1410, *Abb. 492,* Gesamtaltar *vgl. Bd. 1, Abb. 65;* Altar der Kirche in Schotten, hessischer Meister um 1370, *Abb. 479;* Hans Holbein d. Ä., Weingartner Altar, 1493, *Abb. 480a;* Augsburg, mit der kleinen Nebenszene der Verkündigung an Joachim; Meister von Uttenheim, 1453 (?), Neustift, Stiftsgalerie (italienischer Typus: Priester drängt mit zwei Händen Joachim weg[181]); Quentin Massys, Annenaltar, 1509, *Abb. 481b;* Wolf Huber, Feldkircher Altar, 1515–1521, Bregenz, *Abb. 482,* und andere mehr. Wolf Huber verlegt das jüdische Fest mit der Zurückweisung des Opfers in den Dom von Passau. Die Einbeziehung konkretisierbarer Architektur ist typisch für die Donauschule (vgl. Altdorfer, *Abb. 522).* Joachim ist hier wieder von Anna begleitet. Als Opfergabe wird nun die Münze üblich, die, falls Joachim sie schon auf den Altar gelegt hat, vom Hohenpriester zurückgegeben oder zu Boden geworfen wird. Auf dem Wandbild der Kapelle Zell bei Oberstaufen (Allgäu), von Hans Strigel, um 1450, hält der Priester Joachim, der sich zum Gehen wendet, am Ärmel fest, um ihm das Geld wiederzugeben. Nur in Frankreich wird gelegentlich weiterhin an der Wiedergabe des Opferlamms festgehalten: Stundenbuch, 1422–1425, *Abb. 467,* erste Nebenszene. Die Glasmalerei beschränkt sich auf ein ganz einfaches Bildschema, stellt aber Anna oft mit dar.

Der Abschied Joachims von Anna. Diese äußerst seltene Szene, die sich auf einem von Hans Baldung gen. Grien für das ehemalige Karmeliterkloster in Nürnberg entworfenen Fenster befindet, *Abb. 484,* dürfte eine freie Erfindung sein. Die populären literarischen Quellen sagen dazu nichts aus. Doch gibt es vereinzelt an dieser Stelle des Zy-

---

181. O. Pächt, Österreichische Tafelmalerei der Gotik, Augsburg–Wien 1929, *Abb. 61.*

klus Zwischenszenen, bevor Joachim auf dem Feld dargestellt wird. Auf einer bulgarischen Ikone des 16. Jh., *Abb. 457*, folgt auf die Verweigerung des Opfers, die der östlichen Tradition gemäß mit Anna dargestellt ist, die Trennung beider. Anna hat sich ihrem Haus zugewendet, während Joachim in entgegengesetzter Richtung mit energischem Schritt von dannen geht. Der Berg hinter ihm deutet das Ziel an. Auf dem Türsturz von Notre Dame, Paris, geht Joachim mit einem Knecht, ausgerüstet mit der Habe des Pilgers, fort, *Abb. 483*. Die Eigenständigkeit der französischen Ikonographie äußert sich unter anderem in der Charakterisierung Joachims als Jude durch den Pilar (Judenhut im Mittelalter). Beim Knecht ist er spitz, bei Joachim ist er oben abgeplattet und mit einer Schmuckform versehen. Der Hut wird allmählich in eine mützenartige Kopfbedeckung abgewandelt (Elfenbeinkästchen). Im Bereich der östlichen Kunst ist Joachim immer durch den Nimbus ausgezeichnet. Seit Giotto trägt er in der abendländischen Kunst vielfach ebenfalls den Nimbus. Sein Alter ist unterschiedlich gekennzeichnet.

Joachim auf dem Feld – bei der Herde, in den Bergen, in der Wüste (bei Wernher). Mit diesen Bezeichnungen ist der trauernde Joachim gemeint, der zu seinen Herden zurückgekehrt ist, aber noch nicht die Botschaft des Engels empfangen hat. Vom römischen Freskenzyklus unter Johannes VIII., 872–882, ist ein Bild erhalten, das Joachim vor einem Busch, der ihn nischen- oder höhlenartig von hinten umfängt, auf einem Steinblock sitzend zeigt, *Abb. 485*. Wahrscheinlich war das erste, zerstörte Feld des Zyklus in Kiew eine ähnliche Darstellung. Diese geschlossene Form, die in der Kunst des Ostens bis in die neuere Ikonenmalerei für die Gestalt des Joachim auf dem Feld wiederholt wird, *Abb. 458, 486*, legt den Akzent auf Gebet und Buße in der Einsamkeit, auch wenn auf dem römischen Fresko die Hirten herantreten und Joachim mit ihnen spricht. Auf der Mosaikdarstellung der Chorakirche bleiben die Hirten in einiger Entfernung scheu stehen. Die gleiche Innerlichkeit spricht aus Giottos Fresko in Padua, *Abb. 487*. Joachim kehrt mit gesenktem Haupt sinnend und trauernd von Jerusalem zurück. Er nimmt nicht die Freude des Hundes wahr. Befangenheit überkommt die Hirten, sie wagen ihren Herrn nicht anzusprechen. Die steil abfallende Felswand symbolisiert das Gefühl der Unabänderlichkeit dieses über Joachim verhängten Leides.

Die Verkündigung an Joachim. Sie ist im Osten seltener dargestellt als die an Anna, doch kommt sie vom 9./10. Jh. an vor. Im Protoevangelium wird von ihr nur indirekt durch die Nachricht Joachims an Anna gesprochen.

Zunächst ist anscheinend kein eigener Bildtypus konzipiert worden, man fügte dem sinnenden Joachim den am Himmel erscheinenden Engel hinzu. Im Kiewer Zyklus ist keine Darstellung festzustellen, in der Chorakirche ist das in Frage kommende Bildfeld zerstört. Im Narthex der Koimesiskirche in Daphni sind beide Verkündigungen in einer Komposition zusammengefaßt, *Abb. 498*. Dieses Mosaik zeigt Joachim wieder in dem Busch (Gebetsgehäuse) sitzend, doch nicht versonnen. Aufmerksam hörend vernimmt er die Botschaft des Engels, der vor ihm steht. Die Zusammenfügung beider Verkündigungen ist schon vor dem Mosaik in Daphni auf einer Ikone von Zarzma, 1010–1020, Museum zu Tbilissi (Tiflis, UdSSR), zu finden, jedoch ist bei Joachim, der auf einem Stein vor einem Baum sitzt, der Engel ebenso wie bei Anna fliegend dargestellt[182].

Im Abendland variiert die Wiedergabe der Szene. In der zweiten Archivolte des Annenportals in Paris sitzt Joachim, und der Engel fährt aus der Wolke auf ihn herab, *Abb. 463*. Voraus geht in der ersten Archivolte die sinnende Gestalt bei der Herde. Auf dem Elfenbeinkästchen, *Abb. 465a*, ist Joachim stehend dargestellt, er blickt zum Engel in der Wolke empor. Ähnlich wird die Verkündigung in der Glasmalerei und in den anderen oben genannten Zyklen verbildlicht. Auf dem Regensburger Fenster ist die Trauer Joachims durch die Hand, die er an die Wange legt, gekennzeichnet (sehr alter Trauergestus), *Abb. 475*. In der Wiedergabe der Herde und eines Hirten sind oft Anklänge an die Darstellung der Hirtenverkündigung zu beobachten.

Opfer und Traum Joachims auf dem Feld; Joachims Rückkehr. Auffallend ist die Einfügung eines Opfers und einer weiteren Engelerscheinung im Traum in den Illustrationen der Dichtung Wernhers, auf der Marientafel in Pisa und im Freskenzyklus Giottos, also bei den Werken, die sich eng an Pseudo Matthäus anschließen. Protevang. 5,1 berichtet zwar, wie Joachim Tiere seiner Herde, die er mit

182. Čubinašvili, Georgische Goldschmiedekunst, Tafel 38, 39; Lafontaine-Dorsogne I, Fig. 41.

nach Hause nahm, als Opfer dargebracht habe, doch fand das Opfer im Tempel und erst am Tag nach der Begegnung mit Anna statt, es ist Ausdruck seiner Rechtfertigung. Dieses Opfer ist in den Zyklen des Ostens ganz selten dargestellt worden. In der Legenda Aurea rechtfertigt ein Engel Joachim, indem er beim Überbringen der Botschaft die Bestimmung der verheißenen Tochter in Anlehnung an die lukanische Verkündigung an Maria erläutert. Von einem Opfer oder Traum Joachims ist nicht die Rede, Pseudo-Matthäus erzählt jedoch alle drei aufeinander folgenden Gespräche des Engels mit Joachim bei der Verkündigung, beim Opfer und im Traum Joachims. Werner fußt auf Pseudo-Matthäus und gibt den gleichen Inhalt auf seine Weise wieder. Der Text ist in der Berliner Handschrift folgendermaßen illustriert: Nach der Verkündigung an Anna, *Abb. 488a*, und dem Gespräch mit der aufsässigen Magd (nicht abgebildet), erscheint der Engel dem trauernden Joachim, der vor einem Baum sitzt, und verkündet ihm die Geburt der Tochter, *Abb. 488b*. Die nächste Illustration gibt ihn vor dem Engel kniend wieder, *Abb. 488c*. Er bittet, zum Zeichen der Vergebung seiner Schuld ein Mahl mit ihm halten zu dürfen. Der Engel ergreift seine Hand, wehrt aber die Bitte ab, da nur Gott die Sündenvergebung und Annahme eines Opfers gewähren kann. Während Joachim das Opfer dennoch bereitet, entschwindet der Engel (vgl. Manoah, Ri 13,11–21), *Abb. 488d*. Er erscheint dann in der folgenden Nacht Joachim wieder im Traum und fordert ihn dringend auf, unverzüglich heimzukehren, *Abb. 488e*.

Die Marientafel in Pisa ist von dieser Bildgestaltung völlig unabhängig. Sie überträgt den Text von Ps Matth sehr genau, *Abb. 459*. Joachim steht bei der ersten Verkündigung zwischen den Hirten und der Herde. Das nächste Feld zeigt das Gespräch mit dem Engel, daneben stehen beide vor dem Opferaltar. Dann folgt die Erscheinung im Traum und der Bericht Joachims über seine Erlebnisse an die Hirten. Schließlich macht er sich mit Hirten und Herde auf den Rückweg. Hier ist dann noch die zweite Erscheinung des Engels bei Anna eingefügt und unmittelbar daneben die Begegnung an der Goldenen Pforte. Werner bleibt auch bei der Rückkehr Joachims im Stil des ritterlichen Epos. Bei ihm reitet Joachim von einem Diener begleitet und begegnet zu Pferd Anna mit ihren Frauen. Auf die Pforte ist kein Bezug genommen, *Abb. 488f*.

Giottos Fresko des Opfers stellt den Engel im Gespräch mit Joachim dar, *Abb. 489*. Zwischen beiden steht auf einem Felsblock der Brandopferaltar, aus dem die Flammen, die das Opfer verzehren, lodern. Joachim ist vor ihm niedergefallen und stützt sich mit beiden Händen auf das Gestein. Mit äußerster Anspannung wendet er sein Angesicht dem erschienenen Engel zu und hört auf sein Wort. Er erfährt, daß seine Opfergabe von Gott angenommen und ihm alle Sünde vergeben ist. Und es wird ihm zugleich die Tochter verheißen. Hoch über dem Altar erscheint die Hand Gottes. Sie bestätigt die Worte des Engels. Ein Hirte blickt in gelöster Haltung mit betend erhobenen Händen zu dem Zeichen Gottes auf. Er ist einem steilen Felsen zugeordnet. Die intensive Spannung, die zwischen dem bußfertigen Greis, der auf das Wort der Gnade wartet, und dem hoch aufgerichteten Botschafter Gottes lebt, klingt in diesem sich dem Schauen hingebenden jungen Hirten aus. Für Giotto ist der Kontrast ein künstlerisches Mittel zur bildlichen Verwirklichung des Gehalts. Auf Joachim lastet der Vorwurf der Schuld, da Kinderlosigkeit nach dem jüdischen Gesetz die Folge der Sünde ist. Deshalb bittet, wartet und hört er mit solcher Inbrunst und in dieser demutsvollen Haltung. Die Vergebung der Sünden ist aber auch die Vorbedingung für die Geburt der Tochter, die bestimmt war, als ein reines Gefäß durch den heiligen Geist den göttlichen Sohn zu empfangen. Wenn im Mittelalter die römische Kirche auch das Dogma der unbefleckten Empfängnis Marias noch nicht formulierte, so wurde sie doch diskutiert und war dem Glauben um 1300 weithin verständlich, und zwar vor dem Hintergrund der Joachim- und Anna-Geschichte. Diesem Glauben verlieh Giotto in den Fresken Ausdruck.

Am Bildrand der Darstellung des Traums kauert Joachim ganz eingehüllt in seinen Mantel auf der Erde vor seiner Hütte und schläft, *Abb. 490*. Der Kopf ist auf den Arm gesunken, der auf dem hochgezogenen Knie liegt. Von dieser weich modellierten geschlossenen Gestaltform steigt das felsige Gelände in diagonaler Richtung empor. In einer Gegenbewegung schwebt der Engel herab. In der Seele des Träumenden vollzieht sich durch das Wort des Engels der Wandel seines Lebens. Wie es im Text der Legende heißt, erschrecken die herbeikommenden Hirten, als sie ihren Herrn schlafend vorfinden. Doch die beiden werden, wenn sie nach dem Erwachen Joachims von der Weisung des Engels erfahren, mit ihm und der Herde nach

Hause zurückkehren. Dieser Heimweg und das vorhergehende Gespräch mit den Hirten ist von Giotto nicht dargestellt worden, doch befinden sich, wie erwähnt, beide Motive auf der Marientafel von Pisa. – Spätere Darstellungen der italienischen Wandmalerei beschränken sich auf die Verkündigung an Joachim: Ugolino d'Illario, Orvieto, Domapsis, *Abb. 491*; Giovanni da Milano, Rinuccini-Kapelle in S. Croce, Florenz, um 1365, *Abb. 493*, und andere mehr.

Nördlich der Alpen ist Anfang des 15. Jh. in der Tafelmalerei noch die einfache Bildform mit dem vor Joachim stehenden Engel zu finden, wie auf dem Seitenflügel des Buxtehuder Altars der Meister Betram-Werkstatt, um 1410, *Abb. 492*. Eine sehr lebendige Darstellung gibt der sog. Meister von Schloß Lichtenstein auf einem Flügel eines Altars um 1435, Wien, *Abb. 501*. Ende des Jahrhunderts bildet sich ein Typus heraus, der in Dürers Marienleben voll ausgeprägt und um 1500 verbreitet ist: Joachim kniet in der Landschaft und wendet sich dem großen herabschwebenden Engel zu: Flügel des Annenaltars aus Feldkirch, den Wolf Huber 1515–1521 im Auftrag der Annenbruderschaft, malte, *Abb. 494*, und des Sippenaltars des Quentin Massys, 1509, *Abb. 495*. Wolf Huber übernimmt wie vor ihm schon Dürer aus dem Bild der Verkündigung an Maria das Motiv des versiegelten Dekrets in der Hand des Engels, das seit etwa 1400 vorwiegend im südostdeutschen Raum vorkommt, *vgl. Bd. 1, Abb. 117, 119 und Seite 61f*. Das Dekret soll offenbar die Sündenvergebung bestätigen.

Die Verkündigung an Anna. Der Text des Protoevangeliums beschäftigt sich mehr mit Annas Kummer als mit dem Joachims und gibt eine genaue Situationsschilderung bei der Verkündigung an Anna, die im Osten schon früh zur Formulierung eines eigenen Bildtypus führt, siehe oben. Die Verkündigung an Anna ist im Osten in früher Zeit – in Entsprechung zur Verkündigung an Maria – als Empfängnis Marias (ihre unbefleckte Empfängnis kennt die Ostkirche nicht) aufgefaßt worden, obwohl Pseudo-Jakobus nur andeutend formuliert. Im Mittelalter wurde dann im Osten und im Westen die Begegnung an der Tempelspforte als Hinweis auf die Empfängnis Marias im Schoße Annas gedeutet. Die Verkündigung an Anna gehört zu den frühesten Illustrierungen des apokryphen Textes. Die älteste bekannte Darstellung ist das oben erwähnte Elfenbeintäfelchen des 6. Jh. der Eremitage in Leningrad, *Abb. 496*, das sich noch an den damals üblichen Typus der Verkündigung an Maria anlehnt: Anna sitzt links im Profil, der Engel steht mit sprechend erhobener Hand vor ihr. Der Hinweis auf den für die Verkündigung an Anna charakteristischen Garten ist mit dem Baum und den Vögeln gegeben, wenn auch das Vogelnest mit den Jungen, bei dessen Anblick Annas Kummer von neuem aufbricht und sie ihre Klage über die ihr versagte Mutterschaft wieder beginnt, noch fehlt. In dem zweiten Bildfeld der Wandmalerei in der Joachim- und Annakapelle der Sophienkirche in Kiew, Mitte 11. Jh., *Abb. 497*, ist der ausgebildete Darstellungstypus des klagenden Gebetes im Garten Annas erhalten, der sich nur durch den herabschwebenden Engel von der Verkündigung unterscheidet. Es ist möglich, daß sich auf dem Fresko in Kiew an der hellen Stelle oben der Engel befand[183]. Der Thematik des Gebetes und der Verkündigung entspricht in der Joachimszene das Bild des trauernd auf dem Stein Kauernden und der Erscheinung des Engels, die getrennt dargestellt sein können wie in der Chora-Kirche oder verschmolzen werden wie zum Beispiel in Daphni und später in der Klemens-Kirche in Ohrid. Das Haus, aus dem Anna herausgetreten ist, Brunnen, Bäume, Vögel, entsprechen in Kiew der literarischen Quelle. Anna steht mit erhobenen bittenden Händen und blickt empor. Das Mosaik im Narthex der Kirche zu Daphni, *Abb. 498*, fügt die Magd hinzu, wandelt den Brunnen zu einem Springbrunnen ab und zeigt darüber den Engel mit dem Heroldsstab, der die Botschaft bringt. Das Vogelnest mit den Jungen, die gefüttert werden, gibt das Mosaik der Chora-Kirche in Istanbul, um 1315, wieder, *Abb. 499*. Hier sind alle Motive des Textes aus dem Protoevangelium vereint – die Gestalt im Haus ist die Magd, mit der an die Vorwürfe erinnert wird. Der Darstellungstypus bleibt im Bereich der byzantinischen Kunst bis in die neuere Zeit erhalten, wenn er auch gelegentlich etwas vereinfacht sein kann.

Die abendländische Darstellung löst sich von diesem Bildtypus. Sie geht von der Verkündigung an Maria aus, vgl. B. 1. Die Miniatur im Psalter von Winchester, 12. Jh., zeigt beide Figuren voreinander stehend, *Abb. 462*, die

183. Bei Logvin ist die Verkündigung an Maria, die Wasser schöpft, Abb. 154, irrtümlich als Verkündigung an Anna bezeichnet.

Illustration zum Text Wernhers, *Abb. 488a*, gibt Anna mit einer trauernd an die Wange gelegten Hand vor einem stilisierten Baum sitzend wieder (vgl. Joachim vor dem Baum der östlichen Bildtradition); der Engel steht vor ihr. In der abendländischen Plastik ist die Verkündigung zunächst auf die Wiedergabe der stehenden Anna und des von oben aus einer Wolke herabschwebenden Engels verkürzt.

Die Texte legen im Gegensatz zum Osten bei der Verkündigung das Schwergewicht auf Joachim. Die Verkündigung an Anna hat im Westen keine sinnbildliche Bedeutung und wird deshalb, wie oben gesagt, in der Legenda Aurea sehr viel kürzer erzählt. In Pseudo-Matthäus sind zwar die Klage im Garten, die Verhöhnung Annas durch die Magd nach der Verkündigung und die zweite Engelerscheinung, bei der Anna die Weisung erhält, an die Goldene Pforte zu gehen, enthalten, aber in der Legenda Aurea heißt es nur, daß Anna saß und weinte, als der Engel zu ihr kam, um ihr alles zu sagen, was er vorher Joachim kundgetan hatte. »Zum Zeichen« soll sie zur Goldenen Pforte gehen, wo sie ihrem Mann begegnen werde. Nach dieser Textversion wird für sie die Wende des Geschicks erst bei der Begegnung mit Joachim zur Gewißheit. Aufgrund der unterschiedlichen Überlieferung hat die Verkündigung an Anna in den Zyklen keinen festen Platz. Sie kann vor oder nach der an Joachim stehen oder erst nach der Begegnung, wie z.B. auf dem französischen Elfenbeinkästchen, *Abb. 465a*, oder am Ulmer Tympanon, *Abb. 464*. In den Zyklen der gotischen Glasmalerei und Textilkunst findet sie sich in der Regel in der einfachsten Form – Anna steht mit betend erhobenen Händen – nach der Verkündigung an Joachim. Sie fehlt oft in der italienischen Wandmalerei und nahezu immer auf den späteren Marienaltären, wenn hier der erhaltene Denkmälerbestand nicht trügt.

Die Pisaner Marientafel, *Abb. 459*, bringt, wie oben schon gesagt, alle Szenen der Anna-Erzählung nach Pseudo-Matthäus. Da für die Verkündigung eigene westliche Vorbilder fehlen, lehnt sich der Maler offenbar an östliche an. In der zweiten Bildzeile sind die klagende Anna in der Landschaft und daneben die Vorwürfe der Magd dargestellt. Nach den Joachimszenen kommt in der fünften Bildzeile die Weisung des Engels an Anna, zur Goldenen Pforte zu gehen.

Giotto stellt in Padua die Verkündigung an Anna vor Joachims Opfer auf dem Feld und seinen Traum, *Abb. 500*. Er läßt sich bei dieser Szene offensichtlich von der Tradition, die der Legenda Aurea zugrunde liegt, leiten. Anna, als ältere Frau gekennzeichnet, kniet betend in ihrer Kammer. Durch eine Öffnung in der Wand kommt der Engel zu ihr in den Raum, der der Raum ihres vereinsamten Lebens ist, das nun die Wende zur Freude nehmen soll. In einem Vorraum sitzt die Magd, in der weitausgreifenden Hand die Spindel, die hier Attribut weiblicher und dienender Beschäftigung ist. Mit der Magd greift Giotto eine Figur des byzantinischen Bildes auf, charakterisiert sie jedoch psychologisch prägnanter als die Vorbilder und stellt sie in jeder Weise in Gegensatz zu Anna. – Ugolino d'Illario schließt sich auf dem Fresko im Dom zu Orvieto Giottos Konzeption an. Er stellt die Figuren um, so daß der Engel von der anderen Seite kommend in den Raum schwebt. In den Zyklen der Baroncelli-Kapelle von Taddeo Gaddi und der späteren Rinuccini-Kapelle von Giovanni da Milano, beide in Santa Croce, Florenz, fehlt die Verkündigung an Anna. Nardo di Cione zeigt sie in S. Maria Novella, Florenz, klein im Landschaftshintergrund der Darstellung der Verkündigung an Joachim, während Luini auf einem Fresko von 1516–1521, Gal. Brera, Mailand, *Abb. 502*, umgekehrt verfährt, indem er die Verkündigung an Joachim als Nebenszene im Hintergrund plaziert und Anna kniend vor einem großen Betpult, das vor einer bildparallelen Wand steht, zeigt. Eine Magd, die auf dem Weg zu Joachim ist, stellt die Verbindung der beiden Szenen her.

Nördlich der Alpen wird in den Zyklen für die Verkündigung an Anna auch noch im 15. Jh. in der Regel die einfachste Form ohne Ortsangabe verwandt wie vorher in der Glasmalerei und in den Textilien: Der Engel fliegt auf die stehende Anna zu, oder er steht vor ihr. Auf dem von der Weberzunft gestifteten Fenster des Ulmer Münsters dürfte das Patrozinium Annas der Anlaß gewesen sein, sie an der Garnhaspel arbeitend zu zeigen. Nur manchmal ist die Szene im Zusammenhang der Erzählfreude etwas vielfältiger. So sitzt Anna auf der Darstellung des Zyklus Mitte des 15. Jh. an der Chornordwand der Bartholomäuskirche in Zell bei Oberstaufen (Allgäu) trauernd auf einer Wiese, als der Engel tröstend zu ihr tritt. Auf einer Darstellung der evangelischen Stadtpfarrkirche Unser Frauen in Memmingen, Anfang 16. Jh., wischt sie beim Eintritt des Engels in ihr Gemach mit einem Tüchlein ihre

Tränen ab[184]. Mit solchen Motiven wird an die Klage Annas der alten Texte angeknüpft. Eine künstlerisch qualitätsvolle Darstellung der Verkündigung an Anna ist im Gegensatz zu der an Joachim für diese Zeit und den Bereich nördlich der Alpen nicht zu nennen. Die Miniatur im Stundenbuch des Bedford-Meister-Ateliers, 1422 bis 1425, *Abb. 467*, übernimmt, jeder Tradition widersprechend, auch für die Verkündigung an Joachim den Innenraum.

Die Verhöhnung Annas durch die Magd. Die Trauer und Klage Annas gilt im Protoevangelium ihrer Kinderlosigkeit, in Wernhers Dichtung vor allem der langen Zeit des Alleinseins ohne Nachricht von ihrem Mann, nachdem sie schon die Engelbotschaft erhalten hatte. Daran knüpft die Verspottung durch ihre Magd an. Die Illustration dieser Szene entspricht Pseudo-Matthäus: Anna liegt erschöpft, die Hand trauernd an die Wange gehalten, auf ihrem Lager, an dessen Fußende die Magd sprechend steht. Das seltene Bildmotiv ist schon in der Kirche S. Egiziaca in Rom unter den wenigen noch erhaltenen Fresken der 2. Hälfte des 9. Jh. zu finden und ist offensichtlich nach Pseudo-Matthäus gestaltet. Im 13. Jh. gibt die Ikonentafel in Pisa, *Abb. 459*, noch einmal dieses Gespräch wieder, später scheidet es aus den Zyklen aus. Auch in der Legendenredaktion der Goldenen Legende fehlt es.

Die Begegnung von Joachim und Anna an der Goldenen Pforte[185]. Sie findet nach Protoev 4 an der Pforte ihres Hauses statt, der Akzent liegt auf der Heimkehr Joachims. Freudig eilte ihm Anna entgegen, fiel ihm um den Hals und sagte ihm, was ihr widerfuhr. In Pseudo-Matthäus und ebenso später in der Legenda Aurea ist als Ort der Begegnung die »Goldene Pforte« genannt. Diese Pforte ist das Osttor des Tempels, das nach der Prophezeiung verschlossen bleibt, bis der Messias einziehen wird, vgl. Hes 44, 1 ff. Die Architekturstücke, mit denen die Pforte bei dieser Szene dargestellt wird, sind sehr unterschiedlich; nur manchmal verweist eine Kuppel unmittelbar auf den Tempel. Doch bedeuten auch ganz einfache Versatzstücke die Goldene Pforte. Die Sinnbildlichkeit des Tempels in bezug auf Maria kommt gelegentlich dadurch zum Ausdruck, daß Typen des Alten Testaments einbezogen werden. Während im Osten, wie schon erwähnt, zunächst die Verkündigung an Anna mit der Vorstellung der Empfängnis Marias in Verbindung gebracht wurde, gilt im Abendland, wenn auch nicht unbestritten, seit etwa 1300, die Begegnung an der Tempelpforte als Sinnbild der Empfängnis, und zwar nun der »Unbefleckten Empfängnis«, die ihren Ausdruck in Umarmung und Kuß findet. Es ist schon erwähnt worden, daß die Aussagen der apokryphen Texte bezüglich der Zeit der Empfängnis nicht einheitlich sind. In der Legenda Aurea heißt es nach der Begegnung und gemeinsamen Heimkehr lapidar: »Also empfing Anna ...« (Zur Dogmatisierung der »Unbefleckten Empfängnis Marias«, die in Parallele zur »Immerwährenden Jungfräulichkeit« steht, siehe den Bildtypus der »Conceptio Immaculata« S. 154.)

Da im Osten die Begegnung an der Goldenen Pforte spätestens im 10. Jh. ebenfalls sinnbildhafte und liturgische Bedeutung hat, wird sie außerhalb von Bildzyklen auch isoliert dargestellt. Das Menologion des Basileus II., um 980, die älteste bekannte liturgische Handschrift eines Scriptoriums Konstantinopels, die einige apokryphe Szenen der Marienerzählungen aufnahm, stellt sie fol. 229 zum Fest Mariae Empfängnis dar, das nach dem griechischen Kalender am 9. Dezember gefeiert wird, *Abb. 503*. Charakteristisch für dieses Bild der Zusammenführung der für lange Zeit Getrennten ist das eilige erwartungsvolle Aufeinanderzugehen und die Umarmung, die in der Darstellung der Heimsuchung (Maria und Elisabeth, vgl. Bd. 1) vorgebildet ist. Während die ältere byzantinische Buchmalerei den Dank an Gott im Aufblicken beider zum Ausdruck bringt, verschiebt sich auf späteren Darstellungen der Akzent manchmal mehr zur zärtlichen Vereinigung.

Das Aneinanderschmiegen bringt jedoch schon die Marientafel des Berliner Diptychons des Anf. 12. Jh., deren narrativer Zyklus mit der Begegnung beginnt, *Abb. 455*, während die Darstellung im Winchester-Psalter Anna und Joachim zu beiden Seiten eines Tores stehend zeigt und sie nur durch Gesprächsgesten aufeinander bezieht, *Abb. 462*. Es handelt sich hier (im Gegensatz zur Verkündigung an Anna) um eine selbständige Bildformulierung innerhalb eines speziellen Annazyklus, die nicht aus der älteren Darstellung der »Heimsuchung« die Umarmung übernimmt. Für den Tenor der deutschen Dichtung Wernhers

---

184. F. Braun, Stadtpfarrkirche Memmingen, S. 84f.
185. RDK II, Sp. 177–180 (A. Katzenellenbogen).

ist es kennzeichnend, daß nicht die Begegnung an der Pforte, sondern die Rückkehr Joachims zu Pferd illustriert ist. Er wird von Anna und ihren Frauen erwartet, *Abb. 488f.*

In dem fortlaufend erzählenden Bildfries der Klemens-Kirche in Ohrid vom späten 13. Jh. folgt die Begegnung auf die Verkündigungen an Joachim und an Anna. Sie ist eng an die Geburt Marias gerückt, *Abb. 505.* Der Gefühlsgehalt, der sich im gegenseitigen Umgreifen der Schulter und im Kuß ausdrückt, wird von Giotto noch gesteigert, *Abb. 504.* Das geschieht nicht nur durch die Gestik der Zärtlichkeit, sondern ebenso durch das Zusammenschließen der Körper beider zu einer einheitlichen plastischen Form, die sich von den Einzelfiguren der Begleitung Annas absetzt. Obwohl mehrere Frauen aus der Stadt herauskommen, ist die ihnen entgegenwirkende Bewegungsrichtung des Heimkehrenden durch die Neigung Joachims und den Verlauf des Torbogens und der Brücke stärker als die von ihnen ausgehende. Begleitfiguren – ein Hirte bzw. einige Frauen – treten seit Giotto, vor allem in der italienischen Malerei, häufiger auf, *Abb. 508.* Die Architektur der Goldenen Pforte ist auf den plastischen Werken, in der Glasmalerei und Textilkunst meist formelhaft und knapp apostrophiert. Bei der Malerei treffen in der Regel ein Landschaftsausschnitt, der den Aufenthalt Joachims in der Fremde bezeichnet, und Architekturstücke, die auf die Stadt, von der Anna kommt, und auf die Pforte des Tempels verweisen, aufeinander – die byzantinische Miniatur des Menologions zeigt beide in schönster Ausgewogenheit.

Im 14. Jh. ist im Zuge der realistischeren Darstellungsweise ein Motiv zu finden, das auf die Schwangerschaft Annas hinweist (auch eine Parallele zur gleichzeitigen Darstellung der Heimsuchung): Joachim legt eine Hand auf den Leib Annas, französisches Elfenbeinkästchen, *Abb. 465a,* Fenster der Klosterkirche Königsfelden (Schweiz), 1325–1330.

Der Kölner Meister des Marienlebens bringt auf der ersten Tafel des Marienaltars, den er um 1465 für St. Ursula in Köln malte, als Nebenszenen die Ankunft des trauernden Joachim auf dem Feld und die Verkündigung an ihn, als Hauptszene die Begegnung an der Goldenen Pforte, *Abb. 507.* Die der Stadtmauer eingefügte Tempelpforte ist als Kirchenarchitektur der Zeit gebildet; daneben führt eine Brücke zu einem Stadttor (vgl. Giotto). Die Neben-

szenen sind Stationen auf dem Lebensweg Joachims, auf den der sich durch die Landschaft hinziehende Weg hinweist. Sein Ziel ist die Rückkehr zu seiner Frau mit der Erfüllung der Engelsbotschaft, die über einen persönlichen Gnadenbeweis hinausgeht.

Das überwirkliche Geschehen, das der Glaube mit dieser Begegnung in der Geschichte von Joachim und Anna verband, ist in der bildlichen Darstellung öfters durch einen Engel angedeutet, der die alten Eheleute zusammenführt: Schottenaltar (Hessen), um 1370, *Abb. 506,* Bartolommeo Vivarini, Gemälde 1473 in der Chiesa di S. Maria Formosa, Venedig, *Abb. 509.* Das Motiv ist vorher schon auf dem Fresko des Nardo di Cione im Kreuzgang von S. Maria Novella, Florenz, zu finden, *Abb. 508*[186]. Bei der Eröffnung des Museums im Salzburger Dom 1974 ist ein 62 cm hohes Holzbildwerk des Meister I P aus der Zeit um 1520 bekannt geworden, das dieser ikonographischen Gruppe angehört. Durch die Rückenansicht Joachims ist sein Ankommen akzentuiert. Das edle Angesicht Annas ist dem Betrachter voll zugewandt. Ein Engel umgreift die sich umarmenden Gestalten und läßt ihr Zueinanderkommen und ihre Vereinigung als von Gott bestimmt erkennen.

Eine Altartafel vor 1494, vom österreichischen Meister der Divisio apostolorum geschaffen (nach einem Bild der Aposteltrennung oder -aussendung so genannt), Wien, *Abb. 510,* zeigt an der Eingangspforte zum Tempel Adam und Eva beim Sündenfall als Antithese zu der in der Mariologie schon mit der Empfängnis Marias angezeigten Erlösung. Üblich ist diese Antithese beim Bild der Verkündigung an Maria, also bei der Inkarnation Gottes. (Vgl. oben die Bemerkung zum Fenster in Königsfelden.) Die Umarmung Joachims und Annas vollzieht sich auf diesem Wiener Bild mit scheuer Zurückhaltung. Die Aussage, die Wolf Hubers Darstellung auf dem Feldkircher Altar gibt, bleibt im menschlichen Empfindungsbereich. Anna sinkt erschöpft vom leidvollen Warten an die Brust ihres Mannes. Einen ähnlichen Eindruck vermittelt das dritte Blatt der Holzschnittfolge zum Marienleben von Albrecht Dürer, 1504, wo eine Reihe Zuschauer in zeitgenössischer Tracht eingefügt ist. Das Fresko von B. Luini,

---

186. Wenn die bei E. Mâle, 13. Jh., Abb. 95 wiedergegebene Rekonstruktion des Fensters in der Marienkapelle der Kathedrale zu Le Mans stimmt, kommt dieser Engel schon Anfang des 13. Jh. vor.

1516–1521, in Mailand gibt Anna kniend wieder und schließt sich damit an einen in dieser Zeit in Italien üblichen Darstellungstypus der Heimsuchung (Begegnung von Maria und Elisabeth) an *(vgl. Bd. 1, Abb. 134)*. Wie bei Elisabeth ist auch bei Anna das hohe Alter betont.

Das Thema verliert in der folgenden Zeit seine Bedeutung, was sich unter anderem auch in der Einbeziehung als Nebenmotiv in die Mariengeburt der niederländischen und deutschen Tafelmalerei zeigt, *Abb. 480*, Holbein (auch bei Ghirlandajos Fresken in S. Maria Novella, 1486–1490). Der besondere Gehalt der Begegnung wird nun durch den neuen Bildtypus der Immaculata conceptio ausgedrückt, siehe unten. In den Kirchen des Ostens gibt es allerdings weiterhin die Ikone der Begegnung an der Goldenen Pforte als liturgisches Festbild.

Die ältesten Zyklen Frankreichs (Chartres – Westportal, Kapitellplastik, Fenster im äußeren Chorumgang), jedoch auch in der Klosterkirche in Pskov (Rußland), fügen an dieser Stelle eine Darstellung ein, die Joachim und Anna auf einer Bank sitzend zeigt. Gemeint ist damit vermutlich das gemeinsame Warten auf die Erfüllung der Verheißung. Da in Chartres die Begegnung an der Pforte fehlt, Anna und Joachim sich im Sitzen jedoch umarmen, ist die Szene hier Ersatz für die Begegnung. Woher dieses Motiv stammt, läßt sich bei dem singulären Auftreten nicht sagen. Vereinzelt ist an dieser Stelle auch das Dankgebet Annas wiedergegeben. Das Elfenbeinkästchen fügt Joachim und Anna auf der Bank sitzend und das Dankgebet ein, *Abb. 465 b*. Ps Jac 5,1 bringt an dieser Stelle das Opfer Joachims im Tempel, das angenommen wurde. Es bezeugt nach seiner Rückkehr seine Rechtfertigung. Im Zyklus der Peribleptos zu Mistra (Peloponnes) Mitte 14. Jh. ist nach der Heimkehr Joachims diese Annahme des Opfers, das er und seine Frau darbringen, wiedergegeben. Das erwähnte Opfer Annas auf einem der Flügel des Altars von Quentin Massys, *Abb. 481*, ist im Ablauf der Geschichte hier einzuordnen. Siehe auch unten Immaculata conceptio.

Die Geburt Marias. Ps Jac 5,2; Ps Mt 4. Der Geburt Ma-

rias gilt eines der Marienfeste im Osten und im Westen. Zyklen zur Kindheit Marias enthalten diese Szene immer; sie tritt auch gesondert als Bildgegenstand auf, vor allem in der Ikonenmalerei vom 13. Jh. an, vgl. die Ikone mit vier Darstellungen, die sich auf Marienfeste beziehen, *Abb. 456*. Auf spätmittelalterlichen nordalpinen Marienaltären ist sie nicht regelmäßig zu finden, häufiger kommt sie in der italienischen Malerei vor. Die apokryphen Texte berichten nur ganz kurz und bieten keine ausschmückenden Motive. Sie erwähnen die Namengebung; im Protoevangelium heißt es, daß Anna nach ihrer Reinigung dem Kind die Brust gab und ihm den Namen Maria verlieh. Eine Textversion spricht von der Wiege, in die das Kind gelegt wird[187].

Zur Darstellung wird von Anfang an der von der Geburt Christi bekannte Gestalttypus der liegenden Mutter benutzt, vgl. Bd. 1. An die Stelle der Landschaft und der Höhle bei der Geburt Jesu treten verschiedene architektonische Versatzstücke, die einen Innenraum veranschaulichen. Anna ruht mehr oder weniger aufgerichtet auf der Kline, die auf einem Kasten oder Bett liegt. In der Regel sind ein oder zwei Wärterinnen mit dem Bad des Kindes beschäftigt. Eine sehr einfache Bildformel zeigt das Berliner Diptychon des Anf. 12. Jh., *Abb. 455*. Eine Wärterin reicht Anna eine Schale dar; das Kind liegt gewickelt in einem kleinen Bett vor dem Lager der Mutter. Schon auf der Miniatur im Menologion Basilius II., um 980, *Abb. 511*, sind der Bildkomposition drei Frauen eingefügt, die feierlich heranschreiten und auf Tellern Speise bringen. Vorbild hierfür ist das kaiserliche Zeremoniell. Diese Frauen kommen, nur etwas näher zusammengerückt, ebenso auf dem Fresko in Kiew vor, *Abb. 513*, wie auf Cavallinis Mosaik in S. Maria in Trastevere zu Rom, um 1295, *Abb. 512*, wo sie nicht Gaben bringen, sondern den Tisch decken. Anna ist auf die Frauen bezogen und nicht auf das Kind. Dieses Bildschema einer Wochenbettszene ist ganz ähnlich auch für die Geburt des Täufers Johannes und des Nikolaus von Myra verwendet worden[188].

Die Fresken in Makedonien und Serbien erweitern die Szene: Es wird zwischen den Besucherinnen, die Speisen

---

187. Lafontaine-Dosogne, 1964/65. G. Babič, Sur l'iconographie de la composition »Nativité de la vierge dans la peinture byzantine«, in: Zbornik radova Vizantolškog Instituta 7, 1961, 169–175. LCI, 2. Sp.120–125.

188. Siehe dazu eine Detailabbildung der Geburt des Nikolaus von Myra in der Kirche der Muttergottes von Ljeviša, nach 1309, in Prizren (Serbien), in: S. Radojčić, 1969, *Abb. 30*.

in verschiedenen Gefäßen bringen, den Hebammen, die sich um die Wöchnerin mühen, und den Wärterinnen, die das Kind baden oder an der Wiege wachen, unterschieden. Eine sehr reiche Komposition ist im Zyklus der Königskirche in Studenica erhalten, 1313–1314, *Abb. 515*. Hier tritt Joachim zur Wiege und verehrt das Kind, das von einer Wärterin bewacht wird. Sie hält ein Flabellum in der Hand, während auf dem Bild der Klemenskirche in Ohrid die Magd neben der Wiege am Spinnrocken arbeitet; das Bademotiv und die Hebammen fehlen hier, *Abb. 514, Ausschnitt*. Gelegentlich kann Joachim auch neben dem Lager Annas sitzen oder das Kind halten. Schon in den Homilien des Mönches Jakobos, 1. Hälfte 12. Jh., assistiert er bei der Geburt Marias. Diese Motive können in verschiedener Auswahl bei den Darstellungen im ganzen östlichen Bereich bis ins 18. Jh. wiederkehren. Gelegentlich ist Ikonen der Mariengeburt die Begegnung an der Pforte eingefügt[189]. Das Motiv der stillenden Mutter Anna bringt der Zyklus des 14. Jh. in der Peribleptos-Kirche zu Mistra (Peloponnes). Wie ein traditioneller erzählender Zyklus Anf. des 19. Jh. unter dekorativem Gesichtspunkt in ein ihm fremdes Gliederungsschema gebracht werden kann, zeigt eine russische Ikone des Museums in Recklinghausen, deren Mitte die Geburt Marias mit der Speisung und dem Bad des Neugeborenen darstellt, *Abb. 526*.

Im Abendland übernimmt die Darstellung der Geburt Marias gleichfalls den Typus der liegenden Wöchnerin und die Frauen, doch ist das Schema bei den Zyklen des 14. Jh. oft vereinfacht, *vgl. Abb. 465 b, 466 Mitte*. Ein neues erzählendes Motiv ist die Wärterin neben Annas Lager, die das gewickelte Kind im Arm hält, *Abb. 517*, oder es Anna reicht, *Abb. 516*. Auf dem Braunschweiger Antependium ist gesondert dargestellt, wie Anna und die Wärterin das Kind in die Wiege legen, *Abb. 466*. Das Ulmer Fenster stellt neben das Lager Annas einen Herd, auf dem die Suppe für die Wöchnerin gekocht wird – sicher von dem Bild der Geburt Jesu mit dem den Brei für das Kind kochenden Joseph angeregt.

Die italienische Wandmalerei des 14. Jh. knüpft an die byzantinische Bildtradition der figurenreichen Kompositionen an. Es beschäftigen sich mehrere Wärterinnen mit

dem Kind, und die Besucherinnen bringen Stärkung für die Wöchnerin. Die Vorgänge sind jedoch nicht so zeremoniell wie in der byzantinischen Kunst, es spielt sich vielmehr alles natürlich wie in einer Wochenstube ab.

Die Tafelmalerei, die die Marienszenen mit Vorliebe in die Predella setzt, begnügt sich mit einfachen Kompositionen. Vgl. ein Polyptychon in den Uffizien, Florenz (Daddi, um 1340), das Geburt und Tempelgang Marias in die Mitte der Predella setzt (links zwei Joachimszenen, rechts Verkündigung und Geburt Jesu). Bemerkenswert ist ein Madonnenbild Filippo Lippis von 1452 (Florenz, Pitti) in der Form eines Tondo, das die Geburt Marias im Hintergrund einfügt[190].

Von der Darstellung der Johannesgeburt unterscheidet sich die der Geburt Marias oft nur durch das Fehlen des Vaters Zacharias, der, bei der Verkündigung seines Sohnes stumm geworden, den Namen »Johannes« auf ein kleines Täfelchen schreibt, das ihm ein Junge reicht. Die Mitteilung an Joachim, die auf dem linken Seitenteil des Triptychons von 1342 des Pietro Lorenzetti dargestellt ist, lehnt sich offensichtlich an diese Zachariasgestalt an, *Abb. 518*. Bei Giottos Fresko, *Abb. 516*, fällt die lebhafte Mutter-Kind-Beziehung auf, die die gleichzeitige Malerei des Balkans nicht kennt. Sie hat im Bild der Geburt Christi ihre Parallele (vgl. Bd. 1). Auch die Badeszene ist nicht nur eine übernommene Formel, die das Tun der Frauen variiert. Die Figuren auf dem Fresko der Rinuccini-Kapelle in Florenz, *Abb. 517*, wirken denen Giottos gegenüber etwas gestellter, doch sind die Handlungsvorgänge reicher. Auf Bildern der Sienesischen Schule wird zuweilen Anna Wasser zum Waschen der Hände gereicht, *Abb. 520*. Die ikonographische Entwicklung der Darstellung verläuft nördlich der Alpen mit einer zeitlichen Verschiebung ähnlich wie in Italien. Auch hier werden die erzählenden Motive beim Typus der bürgerlichen Wochenbettdarstellung immer zahlreicher: Neu ist die Herausgabe eines Handtuchs aus der geöffneten Wäschetruhe auf der Tafel des Kölner Altars vom Meister des Marienlebens, um 1465, München, *Abb. 519*; auf einem Flügel des Weingartner Altars von Holbein d. Ä., 1493, Augsburg, richtet die Wirtschafterin mit dem Schlüsselbund am Gürtel das

189. Siehe die Ikone Abb. 127 A und B bei W. Felicetti-Liebenfels, Geschichte der byzantinischen Ikonenmalerei, Olten–Lausanne 1956. Der für Abb. B angegebene Standort Bayer.

Nationalmuseum stimmt nach Auskunft des Museums nicht.

190. Abbildungen siehe B. Berenson, Florenz I, Nr. 178, und Florenz II, Nr. 856.

Essen an (Nebenszene oben die Begegnung), *Abb. 480.*

Andererseits wird der Bestimmung des Kindes und dem mit dieser Darstellung verbundenen Glaubensgehalt Rechnung getragen durch die Öffnung des Himmels und die Anteilnahme der Engel (vgl. Geburt Jesu): Feldkircher Altar des Wolf Huber, 1515–1521, *Abb. 521.* Die italienische Malerei deutet im 14. Jh. den sakralen Raum nur an. So öffnet Pietro Lorenzetti auf dem linken Flügel des Triptychons von 1342, Siena, *Abb. 518,* den Geschehensraum nach hinten zum Innern einer Kirche; auf der Mitteltafel ist dieser Einblick durch einen Vorhang verhängt. Altdorfer dagegen verlegt auf einem Gemälde, um 1525, München, *Abb. 522,* die Geburt Marias in einen hohen Kirchenraum. Damit soll Maria vielleicht schon bei ihrer Geburt als Gott geweihte Tempeljungfrau und erwählte Gottesmutter gekennzeichnet werden. Eine dreischiffige Basilika, aus Bauformen der Gotik und der Renaissance errichtet, mit einem Oktogon über der Vierung und absidialen Abschlüssen von Chor, Quer- und Seitenschiffen wird durch einen sich bewegenden Engelkranz optisch zu einem Zentralraum umgewandelt. Auf einem Podest im Seitenschiff, das aber nicht als solches empfunden wird, steht am Eingang zur seitlichen Chorkapelle das Himmelbett Mutter Annas. Eine Frau serviert der Wöchnerin Suppe. Am Fußende des Bettes sitzt die Kinderfrau neben der Wiege und hält das Marienkind auf dem Schoß. Joachim, durch Stab und Beutel als Hirte wiedergegeben, kommt die Stufen herauf und blickt versonnen auf das Kind. Die freudige Anteilnahme der Himmlischen äußert sich im Reigen der Engel; die Heiligkeit des Gott geweihten Kindes kommt durch den das Weihrauchfaß schwingenden Engel, der im Zentrum des Raumes schwebt, zum Ausdruck.

El Greco, einer der Hauptvertreter des Manierismus, zeigt auf einem Gemälde der Sammlung Bührle, Zürich (vermutlich Kopie eines Schülers um 1610–1620), ähnlich wie Wolf Huber, neben dem Himmelbett Annas den offenen Himmel. An ihm erscheint Gott-Vater und wendet sich Anna zu, die betend zu ihm aufblickt. Das auffallend kleine Marienkind, um das sechs Frauen gruppiert sind, wirft das Köpfchen zurück und sieht an ihnen vorbei ebenfalls zu Gott auf. Es bildet inmitten aller Unruhe der stark bewegten Formen und Gestalten einen Konzentrationspunkt. Mit dem Bezugsdreieck Kind-Gott-Mutter ist die Erwählung des Kindes präsent.

Die Tafel eines Polyptychons des Sieneser Meisters Andrea di Bartolo vom Anfang des 15. Jh. in der National Gallery of Art, Washington, *Abb. 520,* ist von dem Triptychon des Pietro Lorenzetti künstlerisch abhängig. Doch ist der Mariengeburt im Typus der Wochenstubendarstellung ein neues Motiv eingefügt[191]. Anstelle des Bades ist dargestellt, wie eine der Wärterinnen das schon stehende Kleinkind sprechen lehrt. Das Motiv kehrt auch in dem Fresko der Mariengeburt des erwähnten Zyklus von Bicci di Lorenzo, 1425–1430, wieder. Damit ist als neuer Gedanke das Thema Erziehung oder Unterrichtung aufgenommen, das gelegentlich gesondert dargestellt wird, wobei aber Maria älter ist und von Mutter Anna gelehrt wird, siehe unten. Die Szene läßt sich insofern rechtfertigen, als die literarischen Quellen die außergewöhnlichen Eigenschaften und Begabungen des kleinen Kindes rühmen[192].

Die Darstellung der Geburt Marias ist der Kunst des Barock und Rokoko nicht ganz fremd, aber sie bedarf – wie an Altdorfer für das frühe 16. Jh. schon deutlich wurde – der Umgestaltung, um in die künstlerische und mariologische Gesamtkonzeption der Zeit aufgenommen werden zu können. Das gelang in einmaliger Weise Franz Xaver Schmädl mit dem Mitte des 18. Jh. geschaffenen Hochaltar der der Geburt Marias geweihten ehemaligen Stiftskirche in Rottenbuch bei Schongau. Der reichen Architektur des Aufbaus ist oben die Figur des thronenden Gott-Vater eingefügt. Er sendet das Marienkind herab, das in der

---

191. Vgl. die Replik des Musée de la Ville, Straßburg. Die Tafel ist jetzt mit einem weiteren Fragment eines vermutlich aus dem Münster stammenden Marienaltars, *Abb. 586,* im Frauenhaus ausgestellt.

192. Dem Sieneser Maler sind möglicherweise serbisch-makedonische Fresken mittelbar oder vielleicht auch direkt bekannt gewesen, denn es fällt auf, daß die Art, wie Anna auf dem Bett sitzt, mehr Ähnlichkeit mit der Figur des Freskos in Studeniča hat, *Abb. 515,* als mit der liegenden Anna des Triptychons Lorenzettis, *Abb.*

518, das in mancher Hinsicht unmittelbares Vorbild war. Diese Freskenzyklen enthalten eine Darstellung der ersten Schritte des halbjährigen Kindes, die in den Vorstellungsbereich der übernatürlichen Entwicklung und Begabung gehört und das Motiv des Sprechunterrichts angeregt haben könnte. Bemerkenswert ist auch die Übereinstimmung des Flabellums in der Hand einer der Wärterinnen auf dem Fresko in Studeniča und dem Bild des Sienesen. Vgl. den Bildtypus auch bei Bartolo di Fredi, S. Gimignano, S. Agostino.

Mitte auf einer Wolke stehend und von der Strahlenglorie umgeben mit ausgebreiteten Armen schwebt. Unten sind Joachim und Anna – wie Gott-Vater und das Marienkind als vollplastische Gestalten – kniend wiedergegeben. Zwischen ihnen, etwas zurückgesetzt, weist auf einem flachen Relief ein leeres Bett auf die irdische Geburt des im Goldglanz triumphierenden Kindes. Das Tabernakel ist von den drei göttlichen Tugenden bekrönt. Die vielen kleinen Engel, die über den Altaraufbau verteilt sind, tragen marianische Symbole.

Die Liebkosung des Kindes. Sie schließt sich als gesonderte Szene in den großen Zyklen des byzantinischen Kunstbereichs an die Geburt Marias an. Joachim und Anna sitzen nebeneinander auf einer Bank und liebkosen das Kind, das entweder auf dem Schoß des Vaters oder der Mutter sitzt, gelegentlich auch zwischen ihnen. Unser Beispiel *Abb. 523* entstammt einem verhältnismäßig späten bulgarischen Freskenzyklus, der jedoch an der ikonographischen Tradition des Ostens festhält, Kremikovzi-Kloster, 1493[193]. Vgl. auch die Ikone des 16./17. Jh., *Abb. 458*. Noch auf der schon erwähnten russischen Ikone vom frühen 19. Jh., Recklinghausen, *Abb. 526*, ist das Motiv zu Beginn der unteren Reihe in einem gesonderten Bildfeld zu finden.

Die sieben ersten Schritte des Marienkindes, auch Gehschule genannt. Diese Darstellung ist ebenso wie die Liebkosung eine Sonderszene innerhalb der großen Zyklen des Ostens. Protoevang 6,1 berichtet, Anna habe das Kind mit sechs Monaten auf den Boden gestellt, um zu erfahren, ob es schon stehen könne, da habe es sieben Schritte gemacht und sei zur Mutter gelaufen. Der gleichbleibende Darstellungstypus zeigt Anna sitzend, das Kind geht auf die Mutter zu, eine Wärterin begleitet wachsam die ersten Schritte. So ist die Szene in der Wandmalerei der Balkanländer und auf dem Athos bis ins 16. Jh. hinein dargestellt worden, ein besonders schönes Beispiel mit inschriftlicher Bezeichnung bieten die Mosaiken der Chora-Kirche, Istanbul, *Abb. 524*. Auffallend ist, daß Maria keineswegs als halbjähriges Kind dargestellt wurde

193. Nach Boschkov, Bulgarische Malerei.
194. Für Serbien und Makedonien vgl. Hamann-Mac Lean und Hallensleben Abb. 309.

wie vielfach bei der Liebkosung, sondern als verkleinerte Mariengestalt in deren üblicher Kleidung mit Maphorium. Dem Brauch, Maria nicht als Kind, sondern in unbestimmbarem Alter darzustellen (vgl. die Segnung des Kindes und die Einführung in den Tempel) entspricht bei dem byzantinischen Madonnenbild die verhältnismäßig große Gestalt des Sohnes, die keine Züge des Kindseins aufweist. Diese Gestaltgebung verweist bei Christus und bei Maria in den Szenen der Kindheit auf die übernatürliche Heiligkeit. Auf der russischen Ikone des 19. Jh. dürfte die Szene oberhalb der Liebkosung gleichfalls als »die ersten Schritte« zu deuten sein; der Vorgang wird durch den engen Bildraum nicht deutlich, *Abb. 526*.

Die Segnung des einjährigen Kindes. Diese Szene kommt ebenfalls in Zyklen des Ostens vor, die von der Tradition des Protoevangeliums ausgehen. 6,2 berichtet, am ersten Geburtstag Marias habe Joachim ein großes Festmahl veranstaltet, zu dem auch die Hohenpriester geladen waren. Ihnen brachte er das Kind, damit sie es segneten. Anschließend stimmt Anna ein Loblied an. Dargestellt werden in der Regel drei Priester, die feierlich an einem Tisch sitzen, auf dem einige Teller oder Schalen stehen. Joachim tritt mit dem Kind (kleine Mariengestalt), das er wie eine Gabe in verhüllten Händen trägt, von der Seite heran. Die Priester wenden sich ihm zu und heben segnend die rechte Hand: Mosaik Chora-Kirche, Istanbul, *Abb. 525*. Vgl. die Ikonen *Abb. 457, 458, 526*. Vielfach ist es üblich, Anna ebenfalls darzustellen[194]. In den beiden erhaltenen Handschriften der Marienpredigten des Mönches Jakobos, 1. Hälfte 12. Jh., ist diese Segnung breit erzählt und auf zwei Bildseiten mit je zwei Bildzonen illustriert: 1. Anna nimmt das Kind aus dem Bett. 2. Sie bringt es, gefolgt von Joachim, zu den Priestern und übergibt es einem von ihnen. Von den fünf am Tisch Sitzenden ist nur der letzte in der Reihe durch die krönchenähnliche Kopfbedeckung und den bortenbesetzten Mantel als Hoherpriester gekennzeichnet. 3. Anna steht nun auf der anderen Seite und nimmt vom Hohenpriester das Kind entgegen. 4. Anna steht lobpreisend am Bett Marias. Der abendländischen Kunst blieben diese drei Sonderszenen – Liebkosung, erste Schritte, Segnung – weithin unbekannt; sie finden sich auch nicht in der Literatur. In die oben erwähnten Marienzyklen der in englischen Nonnenklöstern im 14. und 15. Jh. gestickten liturgischen Kleidungsstücke

(Kasel, Pluviale) sind allerdings vereinzelt östliche Sondermotive wie die ersten Schritte aufgenommen.

Die Einführung Marias in den Tempel – Tempelgang Marias. Wie die Geburt Marias, so gehört auch der Tempelgang in der Ostkirche seit dem 6. Jh. zu den Marienfesten und wird deshalb häufiger als andere Szenen des Zyklus isoliert als Festbild oder mit den Geschehnissen der anderen Marienfeste zusammen dargestellt (Ikonen, liturgische Bücher), *vgl. Abb. 456.* Im Osten ist das Fest der Einführung Marias in den Tempel am 21. November durch den Patriarchen Germanos I. von Konstantinopel (733) bezeugt. Im Abendland wurde es zunächst von den Päpsten abgelehnt, setzte sich aber vom 14. Jh. an allmählich durch und wurde als Fest »Mariae Opferung« (In Präsentatione B. M. V.) ebenfalls am 21. November gefeiert. Nach Protoev 4,1 hat Anna bei ihrem flehentlichen Gebet um ein Kind gelobt, bei der Erfüllung ihrer Bitte das Kind Gott darzubringen, damit es ihm sein Leben lang diene. Dieses Gelöbnis steht in Parallele zu dem der Hanna, die, wenn Gott ihr einen Sohn geben würde, diesen sein Leben lang dem Tempeldienst weihen wollte, 1 Sam 1,11. Obwohl der Sachverhalt ein anderer ist, wird der Tempelgang Marias gelegentlich zur Darbringung Jesu (Lk 2,22–38) in Beziehung gesetzt. Es kommt vor, wie z. B. in der Kirche von Nerediza bei Nowgorod, daß das Bild des Tempelgangs Marias unmittelbar neben das der Darbringung Jesu gesetzt ist[195]. Die Darbringung des erstgeborenen Sohnes im Tempel, bei der dieser durch ein Opfer vom Tempeldienst befreit (ausgelöst) wurde, war in Verbindung mit dem Reinigungsopfer der Mutter ein jüdischer Brauch, dem sich die Eltern Jesu unterzogen. Beim Tempelgang Marias aber übergeben die Eltern die dreijährige (nach einer anderen Version die siebenjährige) Tochter den Priestern, damit sie im Heiligtum Gottes aufwachse und dem Herrn diene.

Innerhalb der Bildzyklen zu der apokryphen Mariengeschichte wird analog zu den jeweils bekannten Texten der Akzent im Osten auf die Einführung Marias in den Tempel und ihre Übergabe an den Hohenpriester durch die Eltern gelegt und im Westen auf den Tempeldienst, den Maria freiwillig übernommen hat. Protoev 7–8,1 berichtet, die Eltern hätten, als das Kind zwei alt Jahre wurde, überlegt, ob sie es schon in den Tempel bringen sollten, seien aber übereingekommen, noch ein Jahr zu warten. Diese Beratung ist zum Beispiel in dem Freskenzyklus des 14. Jh. der Peribleptos-Kirche in Mistra als eigene Szene dargestellt. Sie ist auch in den ältesten abendländischen Zyklus am Westportal von Chartres aufgenommen, doch scheint dies das einzige westliche Beispiel zu sein. Die abendländischen Textbearbeitungen enthalten sie nicht. Offenbar ist im Osten die Beratung, die auch hier äußerst selten vorkommt, vielfach zur Liebkosung abgewandelt worden, für die kein literarischer Beleg vorliegt. Als das Kind drei Jahre alt war, riefen die Eltern die »unbefleckten Töchter der Hebräer«, damit jede mit einer Fackel Maria zum Tempel begleite. Die Fackeln sollten brennen, »damit das Kind sich nicht zurückwende«. Im Tempel »empfing es der Priester, küßte und segnete es« ..., »und er setzte es auf die dritte Stufe des Altars«. Aus der Hand eines Engels empfing Maria im Tempel Nahrung. Die Eltern wunderten sich bei ihrer Heimkehr vom Tempel, daß sich das Kind nicht rückwärts gewandt hatte, und priesen dafür Gott. Diese Motive der Erzählung werden wörtlich in das Bild des Ostens aufgenommen. Der Priester, der Maria im Tempel in Empfang nahm, wird in Protoev 8,5 Zacharias genannt. Er war der Mann von Elisabeth und der Vater Johannes des Täufers, vgl. Lk 1,5–25. In der Regel ist er mit dem Nimbus ausgezeichnet und hat in der byzantinischen Kunst wie die anderen Priester außerdem eine kleine, hohe Kopfbedeckung.

Die älteste bekannte, schon voll entwickelte Darstellung des vermutlich zu Beginn des 10. Jh. geprägten und im Bereich der byzantinischen Kunst im Laufe der Jahre nur geringfügig variierten Bildtypus ist die Buchmalerei zum Fest der »Einführung der hochheiligen Gottesgebärerin in den Tempel« am 21. November im Menelogion des Basileios II., um 980, Konstantinopel, *Abb. 527.* In der Art der simultanen Darstellung ist der Aufnahme Marias in den Tempel ihre Speisung durch Engel eingefügt. Der Hohepriester ist aus dem Bezirk des Synthronos herausgetreten und geht der Jungfrau mit offenen Armen einen Schritt entgegen. Es ist meisterhaft geschildert, wie sich Maria dem Priester, der für sie das neue Leben verkörpert, voll zuwendet und nicht bemerkt, daß der Vater Abschied nehmend oder sie segnend seine Hand auf ihr Haupt legt. Hinter den Eltern stehen sieben gleich gekleidete Jung-

195. V. Lazarev, Old Russian..., Abb. 125; Lafontaine-Dosogne, Ikonographie I, Abb. 88.

frauen mit brennenden Kerzen oder Fackeln, die Maria das Geleit gegeben haben. Sieben Stufen führen zu dem Sitz Marias, auf dem sie das Brot vom Engel empfängt. Auf einem Elfenbeinrelief des 11. Jh., Berlin, schließen die Eltern den Zug zum Tempel ab, und Jungfrauen folgen der kleinen Maria. Innerhalb der Wandmalerei dürfte das Fresko von der Mitte des 11. Jh. in der Joachim-und-Anna-Kapelle der Sophienkirche in Kiew, *Abb. 528*, das älteste erhaltene Beispiel sein. Hier übergibt Anna die Tochter dem Hohenpriester, der hinter den verschlossenen Altarschranken steht. Das Fresko des 11. Jh. der Sophienkirche in Ohrid ist zum größten Teil zerstört[196], doch sind vom Ende des 13. Jh. an mehrere Darstellungen in den Kirchen des Balkangebietes erhalten, *Abb. 529*, Königskirche in Studeniča, um 1313–1314. Sie geben gleich den älteren Werken aus den verschiedenen Gegenden die genannten Motive in nur etwas unterschiedlicher Anordnung wieder. Die Eltern beschließen den Zug der Begleiterinnen mit den Fackeln. Das Ziborium überwölbt hier Maria, die dem Text entsprechend auf der dritten Stufe hinter dem Altar sitzt und mit verhüllten Händen das Brot des Himmels empfängt. Eine Ikone, Anfang 14. Jh., Ohrid, *Abb. 531*, überträgt das Bildschema seitenverkehrt in ein Hochformat. Die kleine Mariengestalt trägt einen langen weißen Schleier, ein Zeichen ihrer Jungfräulichkeit. Auf mancher Darstellung tritt an die Stelle der Empfangsgeste des Priesters die Segnung Marias (Handauflegung), so auf der Moskauer Ikone, um 1600, in Berlin, *Abb. 456*. Gelegentlich küßt Zacharias die Ankommende, Illustration in den Homilien des Mönches Jakobos Kokkinobaphou. Die Anzahl der Jungfrauen mit Kerzen kann zwischen drei und sieben schwanken. Maria

– wie bei anderen Kindheitsszenen kein Kind, sondern eine kleine Gestalt unbestimmbaren Alters in der für die Gottesmutter üblichen Kleidung – blickt zum Priester auf und nimmt keine Notiz von den Eltern. Die simultane Darstellung der Einführung in den Tempel, des Empfangs durch den Priester und der übernatürlichen Speisung bleibt in der Schwebe zwischen Erzählung und feierlichem Zeremoniell und ist für die gesamte Kunst des Ostens typisch, *vgl. Abb. 455, 457, 458*[197].

Die oben erwähnten Sondermotive von Ps Mt 4 und andere dem Abendland bekannte Versionen des apokryphen Textes prägen das Bild des Westens. Betont wird die hohe Lage des Tempels, der im Mittelalter in der Regel durch einen Altar, oft mit Buch und Kerzen, aber auch durch eine auf den Tempel verweisende Architektur wiedergegeben wird. Zu ihm führen drei bis fünfzehn Stufen, die Maria allein emporsteigt. Auf den meisten Darstellungen sieht sie sich dabei nicht um. Neben der Angabe des Protoevangeliums, Maria sei mit drei Jahren in den Tempel aufgenommen worden, steht eine andere Version, nach der Maria mit drei Jahren im Tempel Gott geweiht und erst mit sieben Jahren als Tempeljungfrau aufgenommen worden sei (z. B. in der Dichtung des Walther von Rheinau). Wie oben schon gesagt, deutet Jacobus de Voragine in der Legenda Aurea die fünfzehn Stufen als Sinnbild der fünfzehn Stufenpsalmen. Sie wurden vom Volk Israel an den Festen beim Gang zum Tempel in Jerusalem gesungen[198].

Ps Mt 6 spricht anschließend an die Aufnahme in den Tempel vom Wirken Marias als Tempeljungfrau und von dem Engel, der ihr die himmlische Speise bringt. Im Protevangelium ist die Speisung die einzige Aussage über das

---

196. Abb. 27 bei Hamann-Mac Lean und Hallensleben. Für Griechenland ist ein Mosaik in Daphni zu nennen.

197. Für die Illustrationen in den Homilien des Mönches Jacobus, die in einer größeren Bildfolge zahlreiche Einzelbegebenheiten schildern, verweisen wir auf die obengenannte Literatur.

198. G. v. Gynz-Rekowski setzt in einem Aufsatz zum Marienteppich im Dommuseum zu Halberstadt (vgl. Anm. 171, S. 52) die unterschiedliche Anzahl der Stufen in der bildlichen Darstellung zu den wichtigen Lebensaltern Marias in Beziehung: fünfzehn zu ihrem Alter, da sie die Botschaft Gabriels empfing und schwanger wurde (nach dem Protoevangelium war sie bei der Geburt Jesu sechzehn Jahre alt); drei zu dem Alter der Weihe zur Tempeljungfrau im Tempel und sieben zu dem der Aufnahme in

den Tempel; zwölf zu dem Alter, an dem Maria den Tempel verließ und Joseph anvertraut wurde. Tatsache ist, daß drei, sieben, zwölf oder fünfzehn Stufen dargestellt worden sind, fünfzehn überwiegen. Doch kommt gelegentlich auch eine andere Anzahl vor, bei Giotto sind es z. B. zehn Stufen. Dennoch wird diese Deutung der Anzahl der Stufen für das späte Mittelalter und die Renaissance zutreffen, vor allem im Zusammenhang von hinzugefügten Tier- oder Pflanzenallegorien, wie sie der Magdeburger Teppich aufweist. Zunächst wird aber für die fünfzehn Stufen die in die Legenda Aurea aufgenommene Deutung bestimmend gewesen sein. Auffallend ist, daß schon um 1200 diese Stufen über drei Bogenöffnungen geführt sind, siehe unten.

Leben Marias im Tempel. Die Legenda Aurea weiß von täglichen Engelbesuchen und -visionen zu berichten, aber nicht von der Speisung. Sie erwähnt ausdrücklich, daß die Jungfrauen, die sie begleiteten, mit ihr im Tempel blieben und die Eltern ein Opfer zum Tempel mitbrachten (vgl. das oben erwähnte Taubenopfer bei der Darbringung Jesu, Lk 2,24). Die Speisung durch die Engel ist im abendländischen Bild nicht dem Tempelgang eingefügt, sondern wird mit den folgenden Szenen des Tempeldienstes verbunden. In den Texten wird einerseits Marias Frömmigkeit, Reinheit und Heiligkeit gepriesen, andererseits ihre Schönheit und Weisheit. Wir haben oben schon erwähnt, daß Wernher in seiner Dichtung des späten 12. Jh. abwechselnd vom Tempel und vom Kloster spricht. Maria schildert er dort als die fürstliche Jungfrau, der die Gefährtinnen dienen. Im 14. Jh. betont dagegen Birgitta von Schweden in den »Revelationes«, in denen sie die während ihrer Reise im Heiligen Land 1372–1377 in visionärer Schau an Ort und Stelle von ihr nach- oder miterlebten einstigen Begebenheiten niederschrieb, den Gehorsam Marias ihren Eltern gegenüber, deren Gelübde sie im Tempel erfüllt[199]. Daß es sich hierbei um eine Übertragung der demütigen Einwilligung Marias aus der lukanischen Erzählung der Verkündigung handelt, liegt auf der Hand (Gehorsam gegenüber den Eltern – 4. Gebot – und im Sinne der Steigerung Gehorsam gegenüber Gott, Lk 1,38). Die Hervorhebung dieser Gesinnung Marias beim Tempelgang und bei ihrem Wirken als Tempeldienerin ist bezeichnend für die von der franziskanischen Bewegung geprägten Frömmigkeit, wie sie sich literarisch u. a. in den Meditationes äußert (vgl. Seite 40, Fußnote 144), die Birgitta bei der Aufzeichnung ihrer Visionen beeinflußten. Die Varianten, Stimmungsgehalte und Akzente der Textredaktionen der Kindheitslegenden lassen sich in den vielfältigen bildlichen Darstellungen des Tempelgangs Marias und ihres Wirkens als Tempeljungfrau oder -dienerin allein oder mit ihren Gefährtinnen verfolgen.

Wie oben schon erwähnt, ist in einem salzburgischen Perikopenbuch mit neutestamentlichen Lektionen aus der Zeit um 1040 eine für diese Zeit im Abendland singuläre Darstellung des Tempelganges erhalten, die lose mit der byzantinischen Ikonographie zusammenhängt, *Abb. 460.* Er ist zusammen mit dem Traum Josephs der Perikope Mt 1,20 zugeordnet. In beiden Themen geht es um Marias Erwähltheit zu außerordentlichem Geschehen. Die Bildgestaltung des Tempelgangs unterscheidet sich durch die Beschränkung auf die vier Hauptpersonen, den stilbestimmten Verzicht auf jede räumliche Angabe und durch eine andere Funktion des Engels von der byzantinischen Darstellung des 10. und 11. Jh.[200] Durch Säulen ist die neutrale Bildfläche in drei gleiche Teile gegliedert. In der Mitte steht Maria. Sie reicht eine Hand dem Priester, blickt jedoch nach oben zu dem aus dem Himmel herabkommenden Engel, der einen Kronreif über ihr Haupt hält. Dieser Kronreif ist Zeichen der Erwählung der Jungfrau, vielleicht auch schon ein Hinweis auf ihre Gottesbrautschaft und zukünftige Krönung – Gedanken, die im frühen 11. Jh. im theologischen Gespräch gelegentlich anklingen, in der Kunst aber noch kaum Niederschlag finden.

Ungewöhnlich ist auch die vierte, den Anna-Maria-Zyklus abschließende Darstellung im Winchesterpsalter, 1140–1160, London, *Abb. 462.* Sie geht hinsichtlich des Taubenopfers und der Art, wie Anna das Kind trägt und darbietet, vom Bild der Darbringung Jesu des 10. und 11. Jh. aus *(vgl. Bd. 1, Abb. 232, 233, 235, 236).* Ein Priester ist nicht wiedergegeben, dafür aber der Tempel, in dem ein großer Altar zu sehen ist. Es handelt sich hier anscheinend um die Weihe des dreijährigen Kindes zur Tempeljungfrau, aber noch nicht um die Aufnahme Marias in den Tempel. Das Fenster, Mitte 13. Jh., der Marienkapelle von Le Mans zeigte nach der erwähnten Zeichnung (Mâle, II Abb. 95) eine Bildkomposition, die von der des Winchester-Psalters nur insofern abweicht, als Joachim das Kind trägt. Außerdem ist noch der Tempelgang und das Gespräch des Engels mit Maria als Tempeljungfrau zu sehen.

Die für das Abendland typische Bildform des Tempelgangs läßt sich in Frankreich bis in die Zeit dieser englischen Buchmalerei zurückverfolgen. Der erste Türsturz

---

199. Der Einfluß der Birgitta-Visionen auf das Bild der Geburt Jesu ist Bd. 1, S. 88 ff. behandelt. Vgl. die inzwischen erschienene Arbeit: U. Montag, Das Werk der hl. Birgitta von Schweden in oberdeutscher Überlieferung. Texte und Untersuchungen: München 1968.

200. G. Swarzenski, Regensburger Buchmalerei, Abb. 56, sieht eine Vergleichsmöglichkeit der Miniatur mit dem Fresko in Nerediza, abgebildet bei Pokrowski Tf. V.

des Annenportals der Pariser Kathedrale, der noch aus der Bauzeit um 1165 stammt, während der oben schon mehrfach erwähnte zweite Sturz erst 65 Jahre später bei einem Umbau eingefügt wurde, zeigt als erste Darstellung den Tempelgang Marias, *Abb. 463*. Diese knappe Bildform enthält schon die wichtigsten Elemente der westlichen Ikonographie: Maria steigt betend allein die Treppe mit fünfzehn Stufen zu einem Altar empor, über dem eine Lampe hängt. (Analog zu anderen Werken ist Maria im Emporsteigen und nicht, wie es den Anschein hat, kniend wiedergegeben). Der betont große Kelch auf dem Altar ist vermutlich nicht nur Attribut des Altars, sondern auch Hinweis auf das Wunder der täglichen himmlischen Speisung durch den Engel, die sakramental gedeutet wird. Die offenen, über die Schulter herabfallenden Haare kennzeichnen Maria als Tempeljungfrau (vgl. das Sgraffito *Abb. 764*). Die Treppe ist – wie sehr oft auf mittelalterlichen Darstellungen – über drei Bogen geführt. Da theologische Exegese und Volksglaube den Eintritt der Gott geweihten Jungfrau in den Tempel als Vereinigung Marias mit Gott und Hinweis auf die Inkarnation Gottes sah, dürften sich die drei Bogen auf die Trinität beziehen. So kann die Treppe, die über diese drei Bogen in den Tempel führt, im Zusammenhang der mittelalterlichen Mariologie als ein Hinweis auf das Mysterium der Vereinigung des dreieinigen Gottes mit dem Menschen zu deuten sein. Sieht man den Tempelgang vor dem Hintergrund theologischer Interpretation, so wird verständlich, warum die abendländischen bildlichen Darstellungen diese sinnbildhaften Motive einfügen.

Die Illustrationen der Berliner Handschrift der Wernherschen Dichtung, Anfang 13. Jh., sind dem Text entsprechend eigenständig formuliert. Beim Tempelgang fehlt die Treppe, Maria kniet vor einem hohen Altarblock. Anna, aufwendig gekleidet, steht mit einer brennenden Kerze in der Hand hinter ihr, *Abb. 532*. Eine weitere Gestalt hält ebenfalls eine Kerze. Die begleitenden Jungfrauen fehlen, aber das Motiv der Kerze dürfte durch eine byzantinische Vorlage angeregt worden sein. Von Anfang des 14. Jh. an kommt im Zusammenhang der oben aufgeführten Zyklen der Tempelgang häufig vor, und zwar sowohl in der einfachen, auf Maria und Anna – oft mit Joachim – konzentrierten Form, als auch in der durch einige Begleitpersonen erweiterten Kompositionen. Auf dem französischen Elfenbeinkästchen steht ein Bischof neben

dem Altar, zu dem Maria betend sieben Stufen emporsteigt, während Anna unten kniet, *Abb. 465 c*. In der Mariendichtung tritt des öfteren ein Bischof an die Selle des Hohenpriesters, wie das der Zeit vertraute Kloster an die des jüdischen Tempels. Der Illustrator der erwähnten Pariser Handschrift der Meditationen 3. V. 14. Jh. zeichnet die liebevolle Schilderung der jugendlichen Maria während ihres klösterlichen Lebens in sechs Darstellungen nach. Beim Tempelgang steigt das dreijährige Kind die Treppen zum Altar hinauf, *Abb. 534*. Joachim hält hier besorgt die Hände über Maria; zugleich drückt der Gestus die Übergabe der kleinen Tochter an die Priester aus.

Der Meister des Glasfensters der Frauenkirche in Esslingen, um 1320, läßt das Kind von der fürsorglichen Mutter begleiten, die neben den drei zum Eingang einer gotischen Kirche führenden Stufen steht, *Abb. 542 a*. Auf einem isländischen Altarbehang, Mitte 14. Jh., in Kopenhagen ziert die Krone der Erwählung das Haupt Marias, die mit einem Buch in der Hand auf der zwölften Stufe vor der Giebelfront einer gotischen Kirche steht; Joachim trägt das Taubenopfer, *Abb. 543*. Ebenso schlicht geben die klösterlichen Stickerinnen des Braunschweiger Behangs den Tempelgang wieder, allerdings in zwei Szenen, *Abb. 544*: Nur von der Mutter begleitet, klopft das junge Mädchen zaghaft an die Tempel- oder Klostertür. Das nächste Bildfeld zeigt, wie Maria die Treppen zum Altar emporsteigt, auf dem ein offenes Buch zu sehen ist. Das Marienfenster des Ulmer Münsters, um 1400, hält ebenfalls noch an der Zweifigurendarstellung fest, *Abb. 546*. Maria mit auffallend langem, hellem Haar und einer Krone auf dem Haupt, die sie auf diesem Fenster schon bei der Geburt trägt, bringt selbst das Taubenopfer zum Tempel, während Anna die Hände zum Gebet faltet. Wie schon am Türsturz in Paris ist die Treppe über drei Bogenöffnungen geführt. Die Wende im Ablauf der Bewegung bewirkt eine andere Blickrichtung Marias, als sie beim Emporsteigen üblich ist. – Von den acht Szenen der Marienlegende, die an den Rückwänden des Chorgestühls von St. Jumièges, um 1500, New York, den Darstellungen des Lebens Jesu (19 Szenen) vorangestellt sind, bilden wir die drei ab, die Maria als Tempeljungfrau zeigen. Für den Gang zum Tempel, *Abb. 551*, ist eine einfache symmetrische Kompositionsform gewählt: Die Eltern übergeben am Eingang die Tochter dem Priester.

Neben diesen sehr schlichten Darstellungen der Glasmalerei und kirchlichen Gebrauchskunst entwickeln sich vom 14. Jh. an in der Wandmalerei Italiens große Bildkompositionen. Auf dem ersten Bild des Freskenzyklus in der Arenakapelle zu Padua bleibt Joachim der Zugang zum Altarbezirk unter dem Baldachin verschlossen, und er wird abgewiesen, *vgl. Abb. 476*; beim Tempelgang Marias tritt der Priester heraus und empfängt das Kind, das ihm die Mutter anvertraut, mit geöffneten Armen, *Abb. 539*. (Vgl. den östlichen Bildtypus.) Maria hält demütig die Arme überkreuzt und blickt vertrauensvoll zu Zacharias auf. Mit dem gleichen Gestus zeigt Giotto Maria bei der Verkündigung desselben Zyklus *(Bd. 1, Abb. 15)*. Die jungen Mädchen begleiten Maria nicht als Gefährtinnen, vielmehr stehen hinter den Altarschranken Frauen und blicken auf das Kind, das aus den Händen der Mutter hinübergeht in ein neues Dasein.

Nachdem ein ehemaliger Schüler Giottos, Taddeo Gaddi, im Marienzyklus der Stirnwand der Baroncelli-Kapelle im südlichen Querschiffarm von S. Croce in Florenz, nach 1328, die auf das Wesentliche konzentrierte Bildkomposition seines Meisters aufgab und in eine groß angelegte Volksszene, die sich vor und in einer Tempelarchitektur vollzieht, verwandelte, war der Weg beschritten, der dazu führte, den Tempelgang Marias in der italienischen Renaissance einer Schaustellung ähnlich wiederzugeben, *Abb. 540*. Maria wendet sich auf dem ersten Treppenabsatz den Zuschauern zu und hebt sprechend in der Richtung zu den Eltern die rechte Hand. In der Rinuccini-Kapelle des Altarraums von S. Croce, Florenz, hat ein unbekannter Florentiner Meister nach 1365 in der unteren Wandzone den Marienzyklus, den Giovanni da Milano oben begonnen hatte, fortgesetzt. Die natürliche Bewegtheit der Figuren und die kühnen Raumverkürzungen und -überschneidungen des Taddeo Gaddi sind bei ihm erstarrt; die in der Zeittracht gekleideten Figuren scheinen in Kulissen gestellt. Unter ihnen wirkt Maria auf der prächtigen Treppe einer Florentiner Kirche vereinsamt. Sie wird nicht vom Priester empfangen und aufgenommen, sondern vom Priesterkollegium offiziell erwartet.

Für die Skulptur ist die symmetrische Komposition Orcagnas am Tabernakel von Or San Michele zu Florenz, zwischen 1352 und 1360 gearbeitet, zu nennen. Es sind fünfzehn Stufen wiedergegeben; auf der siebenten Stufe wendet Maria den Blick zur Seite, als wolle sie endgültig

Abschied nehmen. Diese Rückwendung kommt von dieser Zeit an manchmal vor. Für die italienische Tafelmalerei weisen wir auf den Tempelgang von Andrea di Bartolo, Anfang 15. Jh., hin, der die Rückseite der Tafel mit der Geburt Marias einnimmt, und auf das Triptychon des Paolo di Giovanni Fei, um 1398, in Washington, Nat. Gal.

Der Meister des Marienlebens findet auf der Tafel des Kölner Altars, 1465, *Abb. 541*, einen Ausgleich zwischen der traditionellen Ikonographie und den künstlerischen Erfordernissen der Zeit. Auch hier sind die Bürger der Stadt in der Vielfalt der zeitgenössischen Trachten porträtiert, aber sie sind nicht Teilnehmer an einem Ereignis, sondern Begleiter Joachims und Annas, die an deren Abschied von ihrer Tochter teilnehmen. Der Stimmungsgehalt ist einheitlich.

Ein Altarflügel, 4. Viertel 15. Jh., Halberstadt, faßt die Kindheit Marias in den Darstellungen der Begegnung an der Goldenen Pforte (oben) und den Tempelgang Marias (unten), *Abb. 545*, zusammen und fügt als ganz kleine Nebenszenen die Verkündigungen an Joachim und an Anna (oben) und die Geburt Marias (unten) ein. Die Hervorhebung dieser beiden Geschehnisse entspricht der Bedeutung, die sie durch die Interpretation erhielten. Als Sondermotiv ist hier ein Engel eingefügt, der Maria in den Tempel begleitet. Er wendet sich anstelle des Kindes, das vom Priester empfangen wird, zurück, als wolle er die trauernde Mutter trösten. Der Interpretation der Aufnahme Marias in den Tempel kommt die Darstellung auf einem Altarflügel vom Meister des Erfurter Regler-Altars, um 1470, München, sehr viel näher als die des Halberstädter Altarflügels. Hier steht Maria als die Gottesbraut mit der Krone geschmückt auf einem Altar, vor dem Anna und Joachim knien. Die Gott Geweihte berührt in verhaltener Innigkeit die ehrfürchtig erhobenen Hände der Eltern. Auf die Tempelarchitektur ist verzichtet, aber die Treppe mit den fünfzehn Stufen ist im unteren Bildteil, der in vereinfachter Form den Tempelgang zeigt, wiedergegeben. Die Nebenfiguren stehen in zwei Gruppen oben seitlich vom Altar. Sie bilden in ihren realistischen Wiedergaben einen Gegensatz zu dem zarten Spiel der Hände der Dreiergruppe, an dem nicht eindeutig zu erkennen ist, ob es Stützen oder Lösen bedeutet.

Veit Stoß deutet auf einem der Seitenflügel des Krakauer Altars, 1477–1479, einen Innenraum an, der von den breiten Stufen und einem großen Kastenaltar ganz ausgefüllt

wird. Während Maria betend emporsteigt, wird sie von
dem Christuskind, das auf dem Altar sitzt, gesegnet. Der
sogenannte Meister von Schloß Lichtenstein hat sich auf
einer der Tafeln eines Marienzyklus, um 1435, Wien, auf
die Erfüllung des Gelübdes der Anna konzentriert, *Abb.
555.* Die Mutter führt die Gott geweihte Tochter zum Altar und übergibt sie dem Priester. An diesen Beispielen
wird deutlich, daß sich die Darstellung in der 2. Hälfte des
15. Jh. von der Legende löst und versucht, das mariologische Glaubensgut, das mit dem Eintritt der Jungfrau in
den Tempel verbunden ist, sichtbar zu machen. – Der
Tempelgang ist, nachdem die Bildzyklen im 16. Jh. auf-
hörten, als bevorzugtes Thema der Kindheitsgeschichte
bis ins 17. Jh. hinein dann und wann als Einzelbild noch
dargestellt worden (z. B. Tizian, Tintoretto, Giordano,
alle drei Venedig).

Maria als Tempeldienerin. Die Darstellung des Lebens
Marias im Tempel ist ein Sondergut der abendländischen
Kunst in der Zeit von 1300 bis etwa 1520. Die Beispiele
hierfür sind vielfältig und weit verbreitet: In Glasmalerei,
Skulptur, Textilkunst, Tafelmalerei und in der Buchmale-
rei vorwiegend in französischen und flämischen Stunden-
büchern. Der Osten bezieht in die Bildkomposition der
Aufnahme der Jungfrau in den Tempel nur die Speisung
der erhöht sitzenden Maria durch den Engel ein. Dieser
Speisung ist in dem umfangreichen Mosaikzyklus der
Chora-Kirche in Istanbul ausnahmsweise ein eigenes
Bildfeld gegeben, *Abb. 530.* Im Gegensatz zu älteren Darstellungen hebt diese Sonderszene die drei Stufen, die der
Text als Sitz Marias nennt, hervor; eine der Gefährtinnen
Marias erlebt das Wunder des Engelbesuches mit. Es ist
möglich, daß ein benachbartes, fast völlig zerstörtes Bildfeld die Unterweisung Marias darstellte. Das läßt sich aus
der noch erhaltenen Inschrift schließen, doch gibt sie keinen Aufschluß über die Motive im einzelnen. In der Peribleptos-Kirche von Mistra ist der Einführung Marias in
den Tempel als Sondermotiv, das auf die Marienpredigten
des Jakobos Kokkinobaphou zurückgeht, ein das Gespräch zwischen dem Engel und Maria lauschender Priester eingefügt. Die Intention, das Leben Marias und ihren
Dienst im Tempel darzustellen, geht im wesentlichen auf
Pseudo-Matthäus zurück. Die Erscheinung des Engels,
der Maria Nahrung bringt, ist aus der älteren Quelle übernommen, doch heißt es weiter, daß Maria die Speise, die

sie im Tempel vom Priester erhält, an die Armen weiter-
gibt. Sie verrichtet ihre Gebete und webt als Dreijährige
genau wie ihre älteren Gefährtinnen, ja sie ist sogar die Eif-
rigste im Dienst. Es heißt von ihr, daß sie am besten in
den Geboten Gottes unterrichtet ist. Sie spricht öfters mit
Engeln. Im Verhältnis zu ihren Gefährtinnen ist sie für-
sorglich, erregt sich nie und heilt Kranke durch Handauflegen. Dieser Text war noch bekannt, als schon die Legenda Aurea des Jacobus de Voragine gelesen wurde, die
nur von den täglichen Engelbesuchen und von göttlichen
Gesichten Marias im Tempel spricht. Noch im 14. Jh.
schildern die Meditationes vitae Christi am Anfang den
Tempelgang Marias und ihr Leben im Tempel mit den Gefährtinnen im Anschluß an Pseudo-Matthäus.

Manche Darstellungen des Tempelganges geben Maria
am Altar betend wieder. Dieses Gebet wird Bildzyklen oft
als Einzelszenen eingefügt; ebenso die lesende Maria. Da
die Zeit im Tempel für Maria Vorbereitung auf ihre Berufung war, sagen die Meditationen, daß sie in der Heiligen
Schrift die Stellen gelesen habe, die vom Kommen des
Messias sprechen. Verbreitet sind ferner Darstellungen,
die Maria allein oder zusammen mit ihren Gefährtinnen
beim Weben, wie es der Text sagt, vereinzelt jedoch auch
beim Sticken zeigt. Es liegt an sich nahe, sich diese weibliche Beschäftigung als Arbeit der Tempeljungfrauen vor-
zustellen. Doch steht dahinter die Erzählung des Protoevangeliums, die abgewandelt in Pseudo-Matthäus übernommen ist. Nach ihr wurde Maria, als sie schon von
Joseph in dessen Haus aufgenommen war, mit den anderen Jungfrauen eines Tages in den Tempel gerufen, wo sie
Wolle bekamen, um einen neuen Tempelvorhang zu weben. Zu Hause spann Maria die Purpurwolle, als der Engel
Gabriel zu ihr in ihre Kammer trat, um ihr die Geburt des
Sohnes zu verkünden. Das Spinnen bleibt deshalb in der
Regel den späteren Szenen vorbehalten (Spindel und
Wollkorb dem Verkündigungsbild des Ostens, der Spinnrocken dem spätmittelalterlichen westlichen Bild der
»Maria in der Schwangerschaft« oder dem »Zweifel Josephs«), während Maria als Tempeldienerin mit ihren Gefährtinnen bei anderen Handarbeiten gezeigt wird. Dabei
steht das Weben im Vordergrund, doch nicht die Arbeit
am Tempelvorhang. Die Legenda Aurea enthält die Erzählung vom Tempelvorhang nicht, sie erwähnt lediglich
im Kapitel zur Verkündigung, daß Maria von ihrem dritten bis zu ihrem vierzehnten Jahr im Tempel gedient hat.

Die Wernhersche Dichtung, die den Text des Pseudo-Matthäus ausschmückt, spricht beim Tempeldienst allgemein von dem Fleiß und Eifer, mit dem Maria den fraulichen Beruf ausübt, und erwähnt dabei das Wirken von Seidenstoff und Linnen. Die Illustration zu dieser Textstelle zeigt Maria bei den Gefährtinnen sitzend, eine Stoffbahn deutet die gemeinsame Arbeit an. Gesondert ist die Speisung durch den Engel dargestellt, *Abb. 533* Im Gegensatz zu Vorbildern des Ostens und auch zu der späteren westlichen Einbeziehung des Engels in die Darstellung der Arbeit sitzt Maria mit zwei Gefährtinnen zu Tisch, als der Engel erscheint und ein rundes Brot bringt. Als dritte Illustration sind vier Leute dargestellt, die bei Maria Hilfe und Heilung suchen.

Die Textillustrationen der erwähnten italienischen Handschrift der Meditationes 3. V. 14. Jh., Paris, die Maria beim Tempelgang als dreijähriges Kind wiedergeben, *Abb. 534*, zeigen sie dann fünfmal als junges Mädchen während der Zeit des Tempeldienstes, und zwar immer vor einem Gebäude mit offener Tür: Zuerst kniet Maria allein im Gebet neben einem Altar. Dann spinnt sie zusammen mit zwei anderen Jungfrauen, während eine dritte ein offenes Buch in der Hand hält und offenbar den anderen bei der Arbeit vorliest, *Abb. 535*. Da hier das Gebäude auffallend groß und eine Basilika mit Kuppel wiedergegeben ist, soll damit sicher auf den Tempel hingewiesen werden, für dessen Vorhang die Tempeldienerinnen das Garn spinnen. Es fällt auf, daß nur Maria auf dem Boden sitzt. Im frühen 14. Jh. kam diese Haltung im Bild Marias als Ausdruck ihrer Demut auf (siehe unten den Typus der »Umilità«). Die nächste Illustration zeigt den Engel, der Maria das Himmelsbrot bringt; dabei kniet Maria auf dem Boden, *Abb. 536*; darauf folgt der Priester mit einem Essenskörbchen, aus dem er Maria Speise reicht, *Abb. 537*, die sie auf der letzten Illustration, das gleiche Körbchen tragend, an Hungrige verschenkt, *Abb. 538*. Es handelt sich bei diesen beiden Handschriften um die einzigen, die diesen Teil des Legendentextes so ausführlich illustrieren[201].

In der Glasmalerei, die als erste den Marienzyklen die handarbeitende Tempeldienerin einfügte, wird sie am Hochwebstuhl gezeigt. Auf die Darstellung des Fensters der Kirche St. Dionys, um 1300, mit einer Gehilfin folgt die des Marienfensters der Frauenkirche, um 1320, beide in Esslingen, *Abb. 542 d*. Außerdem ist Maria, wie sie lesend vor einem Pult sitzt, *Abb. 542 b*, und beim Gebet, *Abb. 542 c*, wiedergegeben. Dabei steht sie frontal unter einer Hängelampe in einer Nische, die durch die sie umgebende gotische Architektur einen Kircheninnenraum andeutet. Es ist offenbar die Absicht, die betende Jungfrau als Sinnbild der Kirche darzustellen.

Auf dem Fenster der Wallfahrtskirche in Straßengel bei Graz, 1350–1360, Wien, *Abb. 549*, steht der Webstuhl, an dem Maria mit Garnschiffchen und Webschwert hantiert, neben einem Altar. Wie auf dem Esslinger Beispiel (ebenso auf dem Regensburger Fenster, wo Maria auf einem thronartigen Sessel sitzt), webt sie eine gemusterte Borte. Zu Füßen Marias sitzen drei Tempeldienerinnen mit Stickrahmen, Garnspule und Buch in Händen[202]. In der zweiten Zeile der Braunschweiger Seidenstickerei um 1400 schließt im rechten Teil an den Tempelgang im letzten Bildfeld die Webszene an, *Abb. 544*. Maria arbeitet – wie auf dem Ulmer Fenster – an einem Stoff, der die Breite des Webstuhls einnimmt und dessen Muster mit dem des Altarbehangs übereinstimmt. Da der Altar den Tempel vertritt, ist hier vielleicht an das Weben des Tempelvorhangs gedacht. Die untere Bildzeile des Braunschweiger Altartuches beginnt links mit zwei sich gegenübersitzenden Jungfrauen mit Spindel und Stickrahmen (?); darauf folgt Maria mit einem Buch in der Hand neben dem Altar sitzend, auf dem zwei Kelche stehen und ein geschlossenes Buch liegt. Die nächste Szene gibt dann das Gespräch des Priesters mit Maria wegen ihrer Verheiratung wieder.

Das französische Elfenbeinkästchen, Anfang 14. Jh., vereinigt in einem Bildfeld mehrere Motive, *Abb. 548, vgl. 465 c*. Da die drei jungen Mädchen in Gesichtsschnitt, Haartracht und Kleidung völlig gleich wiedergegeben sind, handelt es sich immer um Maria, die am Bandweb-

---

201. In der Handschrift der »Meditationen« kommt Maria mit anderen Frauen handarbeitend noch einmal vor, und zwar bei einer Darstellung der Heiligen Familie in Nazareth. Maria hat Besuch, und während sie und ihre Freundinnen sticken bzw. spinnen, sitzt Joseph abseits und unterrichtet den Jesusknaben. Das

Spinnen, Sticken oder Stricken ist für Maria bei Darstellungen häuslicher Szenen typisch.

202. Siehe H. Wentzel, Meisterwerke der Glasmalerei, Berlin 1951, Abb. 153, 154.

stuhl und an der Garnhaspel arbeitet und vom Engel einen Kelch in Empfang nimmt. Oben bringt ein Engel auf einem Tuch Brotstücke, und ein anderer schwingt das Weihrauchgefäß. Die Einfügung des Speise bringenden Engels in diese Szene ist typisch für die französische Kunst; neu gegenüber den Beispielen der östlichen Kunst ist jedoch die Anzahl der Engel und der Kelch. Die Nahrung, die nach dem Protoevangelium der Engel Maria in den Tempel bringt, ist Sinnbild der eucharistischen Gabe. Die Randminiaturen, die in den späteren Stundenbüchern die Darstellung der Verkündigung an Maria umgeben, zeigen häufig einen Engel, der der arbeitenden Jungfrau Brot und Kelch bringt[203]. Zwei Engel mit den Gaben sind noch um 1500 auf dem Chorgestühl von St. Jumièges zu finden, *Abb. 552*, und ebenso auf einem der oben erwähnten siebzehn Reimser Teppiche, 1507–1530, der die mariologischen Symbole, die die Lauretanische Litanei zusammenfaßte, um die webende Jungfrau gruppiert, *Abb. 557*. Einen seltsamen Kontrast bildet ihre magdhafte Kleidung mit Schürze und die sieben Engel, die als Ehrengarde hinter ihr stehen. Maria sitzt im verschlossenen Garten, der mit zu den mariologischen Symbolen gehört, die auf ihre unbefleckte Empfängnis im Schoße Annas und auf ihre eigene Jungfräulichkeit hinweisen. Die eigenartige Verknüpfung von Symbolik und realistischer Schilderung wird an den Stangen deutlich, die zugleich die Umfassung des Gartens abschließen, das Fahnentuch des Stifters der Teppiche tragen und zur Befestigung der Webfäden dienen. Gekrönt wird die Darstellung durch das Bild Gott-Vaters mit einem Schriftband, auf dem HL 4,7 zu lesen ist, ein Wort, das sich auf die Makellosigkeit der Jungfrau bezieht. Siehe zur mariologischen Symbolik unten.

Aus Frankreich übernahm der vorwiegend in Straßburg tätige Hans Baldung Grien Anfang des 16. Jh. für den Entwurf des erwähnten Fensters den Engel, der mit einer Kanne und einer verdeckten Schüssel vor Maria niederkniet, *Abb. 547*. Das Verständnis der Speisung als Eucharistie ist nicht mehr so eindeutig wie bei den Vorbildern, denn das Gefäß kann eine Wasserkanne sein, der Kelch

fehlt. Im Stundenbuch des Meisters des Herzogs von Bedford, 1422–1425, ist der Engel mißverstanden und zum Gehilfen degradiert; er wickelt Garn ab, *vgl. Abb. 467 unten*. Eine häufige Nebenszene der Darstellung der Arbeit ist wie auf Baldungs Fenster die vor einem Altar kniende Maria. Der Engel kann auch ohne Himmelsbrot dargestellt sein und ist dann vermutlich ein Hinweis auf den Umgang Marias mit Engeln oder auf ihre Visionen.

Eine zweite Eigenart der französischen Darstellungen ist das niedrige Gestell, das für die Bandweberei benutzt wird. Es ist ohnehin auffallend, daß auf deutschen Darstellungen Maria an einem hochstehenden Webrahmen oft nur eine Borte oder ein Band webt (Fenster in Esslingen, Straßengel, Regensburg; Stickerei in Braunschweig). Das kann kein Zufall sein, es kann sich auch nicht lediglich um die Darstellung einer damals beliebten Handarbeit handeln. Dazu ist die Zeitspanne, in der das Motiv des Bandwebens vorkommt, zu lang. Ob dieses Band, das die Jungfrau im Tempel webt, der Gürtel der Keuschheit ist, den z. B. auf der Darstellung der Geburt Christi des Erfurter Meisters, um 1370, ein Engel der Gottesmutter bringt, *vgl. Bd. 1, Abb. 183*, ob es das Wickelband ist, das im Zusammenhang der Windel im mittelalterlichen Weihnachtsbild und -lied Bedeutung hat, *vgl. Bd. 1, S. 85 f., insbesondere Abb. 183, 185*, muß offenbleiben. Möglich ist beides[204].

In der Tafelmalerei ist die Darstellung der Arbeit der Tempeljungfrauen selten. Die Sammlung der Abeggstiftung in Riggisberg bei Bern bewahrt ein kleines Gemälde von 1503, das die verschiedenen Handarbeiten der Jungfrauen vorführt, *Abb. 554*. Womit sich Maria beschäftigt, wird nicht ganz deutlich. Offenbar bereitet sie Garn vor, wobei ihr eine der Gefährtinnen hilft[205]. Die unterschiedlichen Raumteile – bürgerliche Stube bzw. Arbeitsraum und kirchlicher Gebetsraum, Ausdruck für das aktive und kontemplative Leben Marias – machen deutlich, wie frei von Textvorlagen diese Szenen gestaltet wurden und wie es sich dabei oft nicht mehr um die alte Vorstellung von Maria als Tempeljungfrau, sondern vielmehr allgemein um die Betrachtung ihres frommen Lebens mit einigen Ge-

203. R. L. Wyss bringt in einem Aufsatz der Festschrift für Werner Abegg, Bern 1973: Die Handarbeiten Marias, mehrere Beispiele der Stundenbücher. Die mir vom Verfasser freundlichst zugesandte Studie gab mir wertvolle Anregung.

204. R. L. Wyss deutet Seite 155 des zitierten Aufsatzes das

Band als Windelband, leider ohne eine nähere Erklärung dazu zu geben.

205. Das Bild, auf das ich durch R. L. Wyss aufmerksam wurde, ist in seinem Aufsatz ausführlich beschrieben.

fährtinnen handelt. In der Marienverehrung ist von Anfang an die Vorbildhaftigkeit ihres Lebens ein wesentlicher Gesichtspunkt. Wahrscheinlich beschrieben die mittelalterlichen Autoren das Wirken Marias im Tempel (Kloster) und ihre vorbildlichen Tugenden in erster Linie nicht im Hinblick auf ihre Bestimmung zur Gottesmutter, sondern um aufzurufen, ihr nachzueifern. Es ist bezeichnend für die Frömmigkeitsgeschichte, daß die Kunst im 14. Jh., als die Marienverehrung populär wurde, mit besonderer Liebe diese Marienszenen aufgriff, zu denen sie durch keine Vorbilder angeregt wurde. Selbst im Portalschmuck der spätgotischen Kirchen im deutschen Kunstgebiet sind diese intimen Szenen zu finden, und zwar gelegentlich mit dem zusätzlichen Motiv des Einsteckens der Altarkerze: Ulm, *vgl. Abb. 464 Mitte*, Thann im Elsaß, Münster, Augsburg Dom, Regensburg Dom und andere mehr.

Aus diesem Bildkomplex, der erzählenden Charakter hat, entwickelte sich im 15. Jh. das Andachtsbild der betenden jugendlichen Maria. Ein oberdeutscher Maler, um 1445, Straßburg Frauenhaus, *Abb. 556*, zeigt die nach innen gekehrte, im Gebet versunkene jugendliche Gestalt vor einem Altar kniend. Um sie liegen Rosen, und oberhalb des Altarschreins hängt ein Kranz aus Rosen gewunden[206]. Auf Krone, aufwendige Kleidung, thronartigen Sitz ist hier im Unterschied zu manchen anderen Darstellungen der Tempeldienerin verzichtet, alles ist bestimmt von Sammlung, Andacht, in die die Engel als die Gefährten der Betenden einbezogen sind.

Die Szene einer spanischen Altartafel des späten 14. Jh., die Luis Borassà für S. Francisco in Villafranca del Panadés (Barcelona) malte, *Abb. 558*, fügt der Darstellung der Tätigkeit der Tempeldienerinnen ihre Unterweisung an. Maria und die sieben Jungfrauen, alle modisch gekleidet, zeigen ihre Stickereien einer Frau, die in Typus und Kleidung von Anna abweicht und wohl allgemein als Lehrende gedeutet werden muß. Sie hält eine Pflanze in der Hand und vergleicht sie mit einem der gestickten stilisierten Bäumchen. Während die Jungfrauen ihre Tücher mit einfachen Pflanzen schmückten, ist auf dem Tuch Marias inmitten

eines Gartens ein Brunnen zu sehen, über dem fünf Engel schweben. (Zu diesem mariologischen Symbol des Brunnens siehe unten.) Von dieser Szene durch eine die Decke des Raumes tragende schlanke Säule getrennt, sind die Jungfrauen ein zweites Mal dargestellt. Nun bilden sie, sich wie zu einem Reigen an den Händen fassend, einen Halbkreis um Maria, die erhöht sitzt und betend zu den aus einer Wolke in den Raum zu ihr herabkommenden Engeln aufblickt. Die Bezeichnung des Bildes, »Die heilige Jungfrau in der Schule«, trifft nur für die rechte Szene zu, hat hier keinen direkten Zusammenhang mit dem Darstellungstypus der Unterweisung Marias durch Mutter Anna, die sich unabhängig von Marias Leben mit den sieben Gefährtinnen im Tempel (Kloster) entwickelt.

Die Unterweisung Marias. Eine Unterrichtsszene kommt vereinzelt innerhalb von Marienzyklen vor, z.B. auf dem Marienfenster Anfang 13. Jh. im äußeren Chorumgang der Kathedrale von Chartres. Weder das Protoevangelium noch Pseudo-Matthäus und die von ihm abhängige Literatur enthalten sie. Sie paßt auch nicht zu deren Grundtendenz, denn sie sprechen alle von den außergewöhnlichen Fähigkeiten des Kindes im Sinne eines Wunders. Außerdem hat sich – hält man sich an die Erzählung – Anna durch die Erfüllung ihres Gelübdes von ihrer Tochter bei deren Eintritt in die Tempelgemeinschaft getrennt. Die Unterweisung, die sich auf das Lesen der Heiligen Schrift bzw. einer liturgischen Lobpreisung bezieht, dürfte auf den Vorstellungskomplex, der mit der Annaverehrung verbunden ist, zurückgehen. Da sich diese erst im 15. Jh. verbreitet, kommt Anna als Lehrende im Mittelalter äußerst selten vor. In England setzt dieses Bildmotiv früher ein als auf dem Kontinent, so daß die ältesten bekannten Beispiele der lehrenden Anna dort zu suchen sind. Eine der noch erhaltenen vier Tafeln eines vermutlich ostenglischen Marienaltars, 1325–1330, die sich im Cluny-Museum, Paris, befinden, zeigt Anna und Maria, wie sie vor einem Pult stehen, und wie die Mutter der Tochter den Text im aufgeschlagenen Buch erläutert, *Abb. 559*. Da von diesem Altar nur die Tafeln mit der Geburt Jesu, der Anbetung der Könige und dem Marientod erhalten sind, wissen wir nicht, an welcher Stelle in der Bildfolge die Unterweisung stand. Ein gestickter Teppich vom Anfang des 14. Jh. im Victoria and Albert Museum, London, zeigt sie wie das Chartreser

---

206. Vgl. denselben Kranz an der Wand bei der »Maria im Ährenkleid«, Tafelbild um 1480 von Hinrik Funhof, Hamburg Kunsthalle; siehe zu diesem Typus unten.

Fenster nach dem Tempelgang[207]. Im 16. Jh. kommt die Szene vereinzelt vor, häufiger wird sie als isolierte Darstellung erst in der Barockmalerei und -skulptur. Spanien hat eine besondere Vorliebe für sie: Bartholomé Esteban Murillo, Gemälde 1655–1665, Madrid, Prado, *Abb. 561*.

Im späten Mittelalter kamen die Sippenaltäre auf, die die Verwandtschaft der angeblich dreimal verheirateten Anna zeigen. (Aus ihren Ehen sollen die im Neuen Testament genannten Marien und von diesen die Brüder Jesu, die durch diese Konstruktion zu Vettern Jesu werden, stammen.) Dem mit zehn erhaltenen Tafeln sehr umfangreichen Sippenaltar aus Memmingen von Bernhard Strigel, 1505, Germanisches Nationalmuseum Nürnberg, gehört eine Tafel mit der Unterweisung Marias an, in die Joachim einbezogen ist, *Abb. 560*. Die Unterweisung dient im Gesamtzusammenhang des Altars in erster Linie der Charakterisierung dieser Familie der Sippe, insbesondere der Tochter. In dieser Zeit vermischen sich in den vielen Darstellungen der Heiligen Familie, die nun in zahlreichen Varianten und Personengruppierungen auftreten, verschiedene ikonographische Traditionen, auf die wir hier nicht eingehen können. Vgl. unten den Darstellungstypus der »Anna Selbdritt«, der in dieser Zeit auch durch Einbeziehung Joachims erweitert und in seinem Gehalt etwas verändert wird.

Der Hohepriester vertraut Maria Joseph an; die Vermählung Marias. Dieser Szene, die im Abendland Verlobung und Vermählung Mariae genannt wird, worin sich die unterschiedliche Auffassung ausdrückt, geht die Wahl des Freiers mit dem Stabwunder voraus, Protoev 8,2 und 9,1 ff. Da die jungen Mädchen mit zwölf Jahren den Tempel verlassen mußten, um zu heiraten, beriet Zacharias mit den Priestern, was mit Maria, die Keuschheit gelobt hatte, zu tun sei. Er erhielt im Gebet von einem Engel Weisung, die Witwer des Volkes zu versammeln; jeder sollte einen Stab tragen, und derjenige, an dessen Stab sich ein Wunder ereignen würde, der solle Maria heimführen. Zacharias trug die Stäbe der zwölf Bewerber in den Tempel und betete. Dieses Gebet wird innerhalb größerer Zyklen des Ostens in fast gleichbleibender Form dargestellt: Vor dem von

Schranken umgebenen Altar, den ein Baldachin überwölbt, kniet Zacharias in Proskynese. Auf dem Altar liegen die zwölf Stäbe; dahinter sitzt oder steht Maria neben den drei Stufen: Mosaik der Chora-Kirche um 1315, Istanbul, *Abb. 562*. Nach dem Gebet gab Zacharias die Stäbe den Bewerbern zurück. Den letzten erhielt Joseph. Da ging aus dem Stab eine Taube hervor und setzte sich auf sein Haupt. Aufgrund dieses Zeichens gab ihm Zacharias Maria in Obhut. Joseph sträubte sich zuerst mit der Begründung, er sei zu alt und habe Söhne, fügte sich dann aber dem Wunsch der Priester und führte Maria in sein Haus.

Das Fresko des 11. Jh. der Sophienkirche in Kiew folgt nicht dem Legendentext und verzichtet auf diese Nebenmotive, *Abb. 565*. Joseph tritt mit Anna und Joachim in den Tempel, und Maria, die vom Priester am Altar kommt, geht auf sie zu. Die Gestik beider läßt auf gegenseitiges Einverständnis schließen.

Spätestens vom 13. Jh. an ist im Osten innerhalb von größeren Zyklen der Wandmalerei die Rückgabe des Stabes mit der Übergabe Marias an Joseph verbunden worden. Dabei sind, vor allem bei Darstellungen auf dem Balkan, alle Freier, die nach dem Protoevangelium Witwer sind, betont alt wiedergegeben. Das Zeichen der Erwählung Josephs wird sehr oft dem alttestamentlichen Vorbild der Erwählung Aarons (4 Mos 17,16ff.) angeglichen, und es wird ein grünender oder blühender Stab gezeigt. An dem Fresko der Klemens-Kirche in Ohrid, Ende 13. Jh., *Abb. 564*, wird deutlich, daß die Auffassung vertreten ist, Maria sei aufgrund ihres Keuschheitsgelübdes einem alten Witwer in Obhut gegeben worden, während das Neue Testament eine Ehe voraussetzt. Der Altersunterschied zwischen beiden ist sehr stark hervorgehoben. Joseph und der Priester Zacharias halten zusammen den blühenden Stab über Marias Haupt. Das ist keine Vermählungszeremonie, sondern mehr ein Versprechen von Mann zu Mann. Maria gibt ihre Einwilligung durch ihre Passivität. Auf dem Mosaik der Chora-Kirche in Istanbul, *Abb. 563 Ausschnitt*, legt der Priester seine Hand segnend auf das Haupt Marias und reicht Joseph, der als erster hinzutritt, seinen grünenden Stab. Die elf Stäbe der anderen Freier

207. Einige weitere Beispiele sind noch im Lexikon der Marienkunde I, Art. Anna, S. 252, angegeben. Hier werden die Statuen der Anna mit dem Marienkind, das ein Buch in der Hand hält, als mögliche Vorstufen zu der Unterweisung genannt. Ich sehe da keinen Zusammenhang, sondern deute das Buch als Hinweis auf Christus, siehe oben.

liegen noch auf dem Altar im Tempel (hinter Zacharias).

Die illustrierten Handschriften der Marienpredigten des Mönches Jakobos Kokkinobaphou schildern anschließend den Abschied Marias von den Priestern und die Reise nach Nazareth. Doch auch die Monumentenmalerei kennt die Szene, wie Joseph, von einem seiner Söhne aus erster Ehe oder einem Knecht begleitet, Maria zu sich nach Hause führt: Mosaik der Chora-Kirche in Istanbul, *Abb. 566*. Der Zyklus in Pskov zeigt ebenfalls beide Szenen, und zwar nebeneinander in der Apsis unterhalb der Geburt Marias.

Im Abendland gehört die »Vermählung von Maria und Joseph« zu den bevorzugten Szenen der zyklischen Darstellungen der Marienlegenden. Sie ist durch Lk 2,5 ohnehin legitimiert. Wir haben oben schon die Abweichungen der im Westen bekannten Texte vom Protoevangelium aufgezeigt und auf ihre Ausführlichkeit hingewiesen. Ohne Parallelen im 10. und 11. Jh. ist die Darstellung der Reichenauer Malerei im sogenannten Evangeliar Otto III. vom Ende des 10. Jh., München, *vgl. Abb. 461, Ausschnitt*. Hier tritt die abendländische Auffassung und Bildformulierung der Eheschließung hervor, die Zeremonie vollzieht ein Priester. Er legt seinen Arm um die Schultern Marias und führt sie Joseph zu, der mit beiden Händen die der Maria ergreift. Die Darstellung steht zwischen der Verkündigung an Maria und der Geburt Jesu auf einer Seite. Es handelt sich um die Illustration des Weihnachtsevangeliums und nicht der Mariengeschichte. Ohne Einfluß der apokryphen Texte ist auch in einem byzantinischen Psalter, 11. Jh., Florenz (Laurenziana, Plut VI, 23, fol. 5) die Vermählung durch die Handreichung als biblische Szene dargestellt, doch kommt sie im Osten innerhalb von Marienzyklen nicht vor.

Erst um 1230 ist am unteren Türsturz des Annenportals der Kathedrale in Paris, *vgl. Abb. 463*, eine Darstellung der Vermählung im Zusammenhang apokrypher Motive erhalten, bei der im Gegensatz zu den Beispielen der Übergabe Marias in die Obhut Josephs der östlichen Kunst des 13./14. Jh. die Einbeziehung von Joachim und Anna auffällt. Sie stehen zwischen dem Altar, auf dem die Stäbe liegen, und Maria. Joachim hält eine Hand der Tochter fest. Der Priester ergreift die Hände von Joseph und Maria, um sie zusammenzuführen. Ganz links sind die Ankunft des Joseph zu Pferd, die erste Begegnung des Paares, bei der Joseph den blühenden Stab schon in der Hand hält, und ein Freier, der seinen Stab zerbricht, dargestellt.

Aus dem frühen 13. Jh. stammen die Illustrationen der langen Erzählung Wernhers, dem die Vermählung Marias besonders wichtig ist und der sie mit Sondermotiven ausschmückt, siehe oben. Von den neun Illustrationen dieses Textabschnittes bilden wir fünf ab, *Abb. 567 a–e*: Maria weigert sich, den Sohn des Bischofs zu heiraten; Gebet des Bischofs und der Freier, nachdem die Gerten abgegeben worden sind; der Engel sagt dem Priester beim Opfer am nächsten Tag, wo die vermißte Gerte zu finden ist; Überreichung dieser Gerte, auf der sich die Taube niederläßt, an Joseph, der als einziger der Freier als alter Mann wiedergegeben ist; Marias Vermählung mit Joseph, die erst nach einer nochmaligen entschiedenen Weigerung Marias zu heiraten (nicht abgebildet), erfolgt.

Das Elfenbeinkästchen des 14. Jh. von Toulouse, *vgl. Abb. 465 c, d*, gibt auch das zweimalige Gebet des Bischofs wieder, anschließend die Vermählung im Beisein von Joachim und Anna. Der Braunschweiger Behang, *vgl. Abb. 466*, zeigt in der dritten Bildzeile das Gespräch des Priesters mit Maria wegen ihrer Heirat. Darauf folgt auf dem nicht abgebildeten Teil des Behangs ein Altar, auf dem die zwölf Stäbe stehen (nach dem Vorbild des Darstellungstypus von Aarons Stab, *vgl. Bd. 1 Abb. 21, 129*), der mittlere trägt Blätter, auf seiner Spitze sitzt die Taube. Auf dem anschließenden Feld knien drei Priester dem Altar zugewandt; die Vermählung, mit Anna (neben Maria) und Joachim (neben Joseph), schließt den Zyklus ab. Der isländische Behang in Kopenhagen, *Abb. 543*, zeigt nur das Gespräch Marias mit dem Priester und zwei der Freier. Die einfache, symmetrisch angeordnete Bildform der Vermählung im Tempel kommt bis 1500 dann und wann vor, zum Beispiel Chorgestühl von St. Jumièges, *Abb. 553*.

Eigenartig ist eine Darstellung des Marienfensters der Frauenkirche in Esslingen, 1320–1325, *Abb. 568*, auf der Joachim und Joseph wie bei einem Vertrag durch Handschlag das Verlöbnis bekräftigen. Von zwei weiteren Gestalten, vermutlich Anna und Maria, ist nur noch eine zu erkennen. Die oberitalienische Illustration in den »Meditationen«, 3. Viertel 14. Jh., *Abb. 569*, erweitert die Vermählungsszene durch einige mißmutige Freier, die hinter Joseph stehen, und die an Anna anschließenden Frauen.

Joachim führt die Hand der Braut, an deren Finger Joseph einen Ring steckt (vgl. unten Giotto)[208]. Diese Beispiele machen nicht nur den Unterschied der Auffassung der westlichen Darstellung zu der des Ostens, sondern auch die vielen Varianten im Abendland deutlich. Erst nach Giotto bildet sich in der italienischen Wandmalerei ein Darstellungsschema, an dem sich über längere Zeit hinweg die Künstler orientieren.

Giotto, dessen Fresken dieser oberitalienischen Illustration vorangehen, fächert das Stabwunder und die Vermählung in Padua in vier Darstellungen auf. *Abb. 570*: Die Freier – alles junge Männer, als letzter der alte Joseph – bringen ihre Stäbe in den Tempel, die der Hohepriester in Empfang nimmt und auf den Altar legt. *Abb. 571*: Die Priester und die Freier knien im Gebet vor dem Altar mit den Stäben, über dem die Hand Gottes erscheint. Sie veranschaulicht die göttliche Stimme, die verheißt, daß durch das Zeichen der Taube an einem der Stäbe der Mann für Maria bestimmt werde. *Abb. 572*: Die Vermählung wird durch das Anstecken des Ringes bekräftigt. Giotto hat diese Zeremonie, die der Text erwähnt, vermutlich zum erstenmal in die Darstellung der Vermählung übernommen. Auch die Anwesenheit einiger enttäuschter Freier ist im Abendland neu. Die ebenerdige Tempelarchitektur stimmt mit der der vorhergehenden Szenen überein. Der Stab Josephs ist als Lilie wiedergegeben, auf deren Blüte die Taube steht. Ps Mt 7 spricht vom grünenden Stab, auf dessen Blüte sich die Taube des Heiligen Geistes niederläßt[209]. *Abb. 573*: Der sog. Hochzeitszug.

An dieser vierten Darstellung wird Giottos Erfindungskraft in der Umgestaltung von Vorbildern byzantinischer Ikonographie besonders deutlich. Die in der Chora-Kirche in Istanbul auf drei Personen beschränkte Darstellung: Joseph führt Maria in sein Haus, *Abb. 566*, wird von Giotto anders konzipiert.

Auch Cimabue malte den Hochzeitszug im Chor von Assisi, aber das Fresko ist so zerstört, daß es zum Vergleich nicht herangezogen werden kann. Erkennbar ist, daß er nicht, wie der byzantinische Meister in der Chora-Kirche, nur die Heimführung Marias darstellt, sondern einen größeren Zug. Bei Giotto fällt auf, daß Joseph gar nicht dabei ist, es sich also nicht im eigentlichen Sinn um einen Hochzeitszug handelt. Er stellt vielmehr die Version, die in der Legenda Aurea aufgezeichnet ist, dar. Nach ihr kehrt Maria, von sieben Jungfrauen geleitet, nach der Verlobung in ihr Vaterhaus nach Nazareth zurück, während Joseph wieder seiner Arbeit nachgeht. Giotto hat dieser Heimkehr Marias eine Feierlichkeit verliehen, die über den Vorgang hinausweist. In ein weißes Gewand gekleidet und als einzige durch den Nimbus ausgezeichnet, schreitet sie in der Mitte des Zuges. Der Abstand zu den vorausgehenden Männern und zu den folgenden sieben Jungfrauen isoliert sie und steigert die der Gestalt innewohnende Würde. Die Musikanten spielen nicht fröhlich auf, sie sind vielmehr in die feierliche Stimmung hineingenommen. Giotto geht es – wie bei der Begegnung von Joachim und Anna und beim Tempelgang Marias – auch bei ihrer Rückkehr nach Nazareth um die Deutung dieser Geschehnisse im Verständnis seiner Zeit und seines Umkreises. Gerade die Franziskaner haben in der Nachfolge Bonaventuras das Gespräch über die unbefleckte Empfängnis und die Sanctificatio wiederaufgenommen. Maria, die von Sünden Freie, ist auf dieser Darstellung auf dem Weg zu einer mystischen Hochzeit, denn in Nazareth wird der Engel Gabriel ihr erscheinen. – In der Regel schließen die Zyklen zur Jugendgeschichte mit der Vermählung ab oder lassen die Verkündigung und Heimsuchung noch folgen. Es ist eine Ausnahme, wenn Bartolo di Fredi in die Darstellung der Vermählung im Tempel die Rückkehr Marias in ihr Elternhaus einschließt, Tafelbild 1388, Siena, Pinakothek[210].

Die in Italien verbreitete Darstellung der Vermählung (Sposalizio) vermehrt im Laufe des 14. Jh. die Anzahl der Beteiligten und steigert die Enttäuschung der Freier zu aggressiven Handlungen, obwohl keiner der Legendentexte vom Zorn der Freier spricht. Das Zentrum des Freskos der Rinuccinikapelle in S. Croce, *Abb. 574*, ordnet in einer symmetrischen Komposition zu beiden Seiten des Priesters Joseph und Maria, Joachim und Anna und davor noch ein weiteres Paar an, das durch die Rückenansicht

---

208. Hier schließen die Sendung Gabriels (vgl. das Chorwandfresko Giottos in Padua *Bd. I, Abb. 15*) und drei Illustrationen des betrachtenden Textes zur Verkündigung an, der Marias demutvolle Einwilligung und Zustimmung zu ihrer Berufung und

ihre Empfängnis bei einem Gespräch mit der Trinität hervorhebt; sie wird Maria von Gabriel bestätigt.

209. Die Lilie wird später ein Hauptattribut Josephs.

210. Lafontaine-Dosogne, Iconographie II, Abb. 71.

und das ins Profil gewendete·Angesicht den Blick des Betrachters auf den Priester lenkt. Um diese Mittelgruppe
bewegt sich eine erregte Menge. Zwei Freier bedrohen Joseph, sie holen zum Schlag aus (vgl. hierfür auch das Tabernakel Orcagnas in Or San Michele), einer zerbricht seinen Stab. Dieses Motiv kehrt bis ins 16. Jh. wieder.
Außerhalb des Tempels hält ein Knecht den baumartigen
blühenden Stab Josephs, der, obwohl sehr groß, nur von
zwei Freiern als Zeichen beachtet wird.

Einen Höhepunkt in der Bildgeschichte der Sposalizio
bildet Raffaels Gemälde seiner umbrischen Zeit, das er für
S. Francesco in Città di Castello 1504 malte. Am Gesims
des hoch stehenden Tempels sind Signatur und Datum angebracht, Mailand, Brera, *Abb. 575.* Auffallend ist das Alter Josephs, das dem Marias entspricht. Raffael folgte dabei
seinem Lehrer Perugino, während im allgemeinen der
Altersunterschied betont wird. Die Gestalt des Freiers,
der den Stab über dem Knie zerbricht, hat Raffael aus der
Bildtradition des 14. Jh. übernommen. Der hinter diesem
stehende junge Mann biegt die Gerte in größter Gelassen-
heit und fügt sich so dem Stimmungsgehalt der Harmonie
der Bildkomposition ein. – Der Mailänder Bernardino
Luini hat entgegen der Gepflogenheit um 1500, sich auf
die Vermählung zu konzentrieren, die Erwählung Josephs
in einer dramatischen vielfigurigen Bildkomposition gesondert dargestellt, Mailand, Brera. Er gab Joseph gleich
den umbrischen Meistern als jungen Mann wieder.

Während in der italienischen Renaissance die Vermählung vor dem Tempel stattfindet, verlegt sie die nordalpine
Kunst vielfach in den Tempel. Ein ikonographisch außer-
gewöhnliches Tafelbild des Robert Campin, um 1420,
Prado, Madrid, *Abb. 576,* stellt die Vermählung unter den
mit gotischen Bauelementen wiedergegebenen Eingang
eines Kirchenbaus, der vermutlich als Brautpforte zu verstehen ist. Unmittelbar daneben wird inmitten einer
knienden und einer unruhig sich bewegenden Gruppe das
Gebet des Hohenpriesters vor der Wahl des Freiers in einem Rundtempel gezeigt. Joseph (kahlköpfig), der seinen
kleinen, bereits blühenden Stab in der rechten Hand hält,
will sich davonschleichen, wird aber an den Stufen des
Ausgangs von zwei Männern festgehalten. Der Tempel ist
durch die romanischen Bauformen und den figürlichen
Schmuck an den Kapitellen und in den kleinen Bogenfel-
dern entsprechend der niederländischen Symbolsprache
des 15. Jh. nicht nur Ort der Handlung, sondern Sinnbild

des Alten Testamentes (vgl. Bd. 1, S. 59). Der plastische
Bildschmuck gibt Typen des Alten Testamentes wieder;
die Fenster zeigen die Erschaffung Evas, den Sündenfall,
die Austreibung aus dem Paradies und den Brudermord.
Damit klingt die Eva-Maria-Typologie an. Die gegensätz-
lichen Bauten verkörpern außerdem die Synagoge-Ekklesia-Typologie, der die Erzählung eingefügt ist oder die
durch die Erzählung hindurchscheint. Der gotische Bau,
der das Neue Testament und die Ekklesia symbolisiert, ist
noch nicht vollendet. Die unfertigen Teile oben und beim
Anschluß an den Rundtempel weisen darauf hin, daß der
neue Bund den alten nach vollbrachtem Erlösungswerk
einbeziehen, umfangen, überhöhen wird. Einen anderen
Sinn kann die unvollendete Architektur kaum haben. Die
Pfeilerstümpfe (zwei sind mit einer Strohmatte, die ein
Stein beschwert, abgedeckt), die sich an die in den Tempel
führenden Stufen heranschieben, gehören zum Kirchenbau. Die Synagoge-Ekklesia-Typologie spiegelt sich
außerdem im Figurenschmuck des Kircheninnern – das
nur der Vorraum einer Kirche ist – wider: In der Mitte der
oberen Wandzone thront Gott-Vater, ihm zur Linken
steht die Synagoge mit den Gesetzestafeln. Auf seiner
rechten Seite ist die noch unsichtbare Ekklesia zu ergänzen. Bei der Trauung von Joseph und Maria wird hier
nicht das Anstecken des Ringes gezeigt, sondern die im
Kult darauf folgende Zeremonie, die die Unlösbarkeit der
Ehe versinnbildlicht: Der Priester umwindet die ineinan-
derliegenden Hände von Joseph und Maria mit seiner
Stola. Bei dem Bestreben der Kunst des 15. Jh., der Wirklichkeit möglichst nahe zu kommen, werden Teile des
Priesterornats (Schild mit zwölf Steinen vor der Brust,
Glöckchen am Gewandsaum, Kopfbedeckung) der Anweisung im Alten Testament, 2 Mos 28, angeglichen.

Der Meister des Marienlebens, München, *Abb. 577,* der
aus der kirchlichen Trauzeremonie die Segnung des Bundes veranschaulicht, versucht, das spätgotische Retabel
durch die Mose- und Prophetenfiguren und die hebräische
Schrifttafel der historischen Situation anzupassen. Heinrich Douvermann ist auf dem Relief von 1522 des Schnitzaltars der Nikolaikirche in Kalkar konsequenter und läßt
dem jüdischen Bilderverbot entsprechend das Retabel
völlig schmucklos, *Abb. 579.* Von 1400 an werden Maria
und Joseph in der deutschen Kunst bei der Trauung auch
kniend dargestellt. Ein Konstanzer Meister, 1400–1410,
Abb. 578, ziert die kniende Braut mit der Krone der Him-

melskönigin. Diese Tafel des Rosgartenmuseums zu Konstanz gehörte vermutlich zu einem Flügelaltar. Auf ihrer anderen Seite ist die Geburt Christi nach der Vision der Birgitta dargestellt *(vgl. Bd. 1, Abb. 198)*[211].

In der Regel sind die Eltern (bei Maria *Abb. 465 d, 577* oder zu beiden Seiten des Priesters bzw. des Paares *Abb. 553, 578* stehend) und einige Männer und Frauen anwesend. Die Frauen gehen letzten Endes auf die Gefährtinnen Marias zurück, treten jedoch seit Giotto als Bürgerfrauen auf, die durch ihre Teilnahme an den Geschehnissen diese in den Erlebnisbereich des Betrachters übertragen. Unter den Männern sind häufig die anderen Freier zu erkennen, auch wenn sie keine Stäbe haben. Sie werden, abgesehen von Italien, höchst selten erregt oder verärgert charakterisiert. Der hessische Schottenaltar, um 1370, zeigt sie in östlicher Manier sehr alt und mit kahlen Stäben. In dem oben erwähnten schlecht restaurierten Freskenzyklus im Chor der Kapelle in Zell bei Oberstaufen (Allgäu) hat Hans Strigel d. Ä. gegen 1450 dem Stabwunder ein eigenes Bildfeld gegeben, vielleicht unter italienischem Einfluß: Der Priester reicht über den Altar hinweg Joseph den blühenden Stab (Lilie). Einer der Freier wendet sich zum Gehen; ein anderer zerbricht seinen Stab über dem Knie. Die Vermählung ist danach in der einfachsten Form dargestellt.

Mit Dürers Holzschnittfolge zum Marienleben, den letzten großen Marienaltären und der Reimser typologischen Teppichfolge, die für die Vermählung ebenso wie für alle anderen Marienszenen alttestamentliche Vorbilder[212] bringt, *Abb. 580, Ausschnitt*, hört um 1530 auch die Darstellung der Vermählung auf. Sie wird jedoch im Zusammenhang mariologischer Bildprogramme der Deckenmalerei des 17. und 18. Jh. zusammen mit einigen anderen Szenen gelegentlich wiederaufgegriffen (z.B. Steinhausen, Württ.). In einem neuen Sinnzusammenhang ist die Vermählung in der Wallfahrtskirche Mariä Geburt in Witzighausen (Landkreis Neu-Ulm), 1740 erbaut, zu finden. In den acht Kartuschen über dem umlaufenden Gesims sind nicht, dem Patrozinium entsprechend, Sze-

nen der Geburt Marias, sondern der Kindheit Jesu: Verkündigung an Maria, Traum Josephs, Heimsuchung, Anbetung der Hirten, Anbetung der Könige, Darbringung im Tempel, zwölfjähriger Jesus im Tempel, Heilige Familie im Hause zu Nazareth. Dieses letzte Thema ist in der barocken Tafelmalerei sehr beliebt. Der Asamschüler Christoph Thomas Scheffler aus Augsburg, von dem die gesamte Ausmalung stammt, hat in die Mitte dieses Zyklus eine Darstellung gesetzt, die die Vermählung von Maria und Joseph als Sinnbild des Neuen Bundes dem Alten Bund gegenüberstellt, der, wie im 18. Jh. üblich, durch den siebenarmigen Leuchter, die Schaubrote, den Opferstein und die Bundeslade veranschaulicht ist. Im Zentrum dieses Kuppelbildes thront die Sapientia mit Schild und Helm. Die Inschrift lautet: »Die Weisheit hat sich ein Haus gebaut, als die Mutter Jesu mit Joseph vermählt ward.« Die Interpretation der Vermählung Marias, die das niederländische Bild um 1420 in der verschlüsselten Ekklesia-Symbolik der damaligen Zeit schon anklingen ließ, kommt auf dieser Darstellung der süddeutschen Rokoko-Malerei im Zusammenhang des so viele Bildprogramme der Zeit bestimmenden Gedankens der triumphierenden Kirche zum Ausdruck.

Die Vorwürfe gegen Maria und ihre Rechtfertigung (Prüfwasserprobe). Die letzten Episoden des Protoevangeliums vor der Reise nach Bethlehem und der Geburt Christi kreisen um die übernatürliche Schwangerschaft Marias nach dem Besuch des Engels Gabriel. 9,3 erwähnt den »Abschied Josephs«, der für mehrere Monate zur Arbeit geht. Wernher spricht vom Bau eines Schiffes (Arche) in Kapernaum. Maria bleibt inzwischen mit ihren Gefährtinnen im Hause des Joseph. Sowohl der große Mosaikzyklus der Chora-Kirche in Istanbul, *Abb. 582*, als auch die Illustrationen der Lieder von der Magd nehmen diese Szene auf. Joseph wird von seinem Sohn begleitet.

Für die schon mehrfach erwähnte »Übergabe der Wolle für den Tempelvorhang«, Protoev 10, gibt es zwei Versionen: Die Priester rufen Maria und ihre Gefährtinnen in

---

211. Siehe A. Stange IV, S. 27 ff.

212. Auf der einen Seite ist die Hochzeit des jungen, vom Engel geleiteten Tobias dargestellt, dessen Frau von einem Dämon besessen war, der jeden Mann, der sich ihr näherte, tötete. Tobias war der erste Mann, dem der Dämon durch die Hilfe des Engels

nichts anhaben konnte, Tobias Kap. 6–8. Die andere alttestamentliche Hochzeit ist die Jakobs mit Rahel, um die er sieben Jahre bei Laban dienen mußte, 1 Mos 29. In der Mitte oben steht über der Vermählung der Salomonische Tempel, zu seiner Beziehung zu Maria siehe unten bei Symbolik.

den Tempel, dargestellt in der Chora-Kirche, *Abb. 581*, oder die Wolle wird Maria durch Boten der Priester in das Haus gebracht, Illustration zum Text Wernhers, *Abb. 585 a*. Im Freskenzyklus der Sophienkirche in Kiew steht die Übergabe der Wolle an Maria im Tempel vor der Vermählungsszene.

Darauf folgt in Protoev 11 die auch schon mehrfach erwähnte sogenannte »Vorverkündigung« beim Wasserschöpfen aus einem Brunnen im Garten, bei der Maria den Engel nicht sieht, sondern nur seinen Ruf vernimmt, Mosaik in S. Marco, Venedig, um 1200, *Abb. 583*, oder an einer Quelle, *vgl. Bd. 1, Abb. 67*. Die Wernhersche Dichtung bringt beide Verkündigungen. Bei der ersten ist in Parallele zum Text der Augenblick illustriert, wie der Engel, nachdem er gesprochen hatte und Maria sich ihm zuwandte, sein Angesicht verhüllt und sich damit unsichtbar macht, *Abb. 585 b*. Die abendländischen Zyklen (häufig auch die des Ostens) stellen in der Regel nur die Verkündigung in der Kammer dar und fahren, wenn überhaupt, mit biblischen Szenen in Entsprechung zu den Texten fort. Der Osten fügt hier die »Vorwürfe Josephs« bei seiner Rückkehr ein. Dieses Bildmotiv ist schon in der kleinasiatischen Höhlenmalerei zu finden und hält sich bis in die spätmittelalterliche Wandmalerei des Balkans, z.B. Georgskirche in Staro Nagoričino, 1317–1318, von Michael und Eutychios gemalt, *Abb. 584*. Bei Wernher wendet sich der Unmut Josephs, nachdem er bei seiner Rückkehr die Schwangerschaft Marias entdeckte, gegen die Gefährtinnen Marias, die ihm aber die Unschuld ihrer Herrin beteuern, *Abb. 585 c*. Auf diese Sonderszene der Dichtung folgen hier der Traum Josephs (vgl. Mt 1,20) und seine Bitte an Maria um Verzeihung, *Abb. 585 d*. Auf welche Quelle Wernher bei dieser »Reue Josephs« zurückgreift, ist ungewiß; sie ist am Annenportal, Paris, in Verbindung mit dem Traum Josephs dargestellt, *vgl. Abb. 463*. Der Türsturz steht zeitlich nur in geringem Abstand zu den Illustrationen, gehört aber einem anderen Kunstgebiet an. Beide Male kniet Joseph vor Maria und blickt zu ihr auf, vgl. auch das Elfenbeinkästchen, *Abb. 465 e oben links*, wo der Reue Josephs die Entdeckung der Schwangerschaft und der Traum des Engels vor Joseph vorangehen. Der Leuchter in der Hand Josephs deutet auf die nächtliche Stunde der Engelserscheinung. Um 1300 ist diese Bitte um Verzeihung in den szenenreichen Zyklus des Fensters der Wallfahrtskirche von Saint-Sulpice de

Favière aufgenommen. Sie steht hier vor der Vermählung. Das kann auf eine Vertauschung der Scheiben bei einer Restaurierung zurückzuführen sein, kann aber auch mit der Legendenversion zusammenhängen, die besagt, daß Maria nach der Erwählung Josephs zunächst nach Nazareth zurückkehrte, wo dann der Engel Gabriel zu ihr kam, und Joseph nach Bethlehem ging, um die Hochzeit vorzubereiten. Danach können Verkündigung und Heimsuchung, Josephs Zweifel und Bitte um Verzeihung vor der Vermählung stehen wie auf diesem Fenster, wo die Erwählung Josephs allerdings fehlt. Die Reue Josephs scheint ein abendländisches Sondergut zu sein, das seinen Ursprung wahrscheinlich in Frankreich hat. Sie tritt an die Stelle der weiteren Begebenheiten der östlichen Legenden- und Bildtradition.

Die »Prüfwasser- oder Giftwasserprobe« schließt häufig die Zyklen des Ostens ab, so noch in den Kirchen des Balkans. Sie wird als ein Gottesurteil von den Priestern, die Maria und Joseph harte Vorwürfe machen, verlangt und findet im Tempel im Beisein eines Priesters statt. Nach Protoev 16 unterziehen sich beide dieser Probe, die die Unschuld Marias bestätigt, da ihnen das Giftwasser nichts anhat. In der Darstellung gibt es zwei Formulierungen, die eine zeigt nur Maria, wie sie das Trinkgefäß im Beisein des Priesters zum Munde führt, die andere läßt Maria und Joseph gleichzeitig oder getrennt in zwei Darstellungen trinken. Das Relief der Maximian-Kathedra in Ravenna, 545–553, zeigt Maria vor dem Priester und fügt einen Engel ein. Im Mosaikzyklus von S. Marco um 1200 folgt die Prüfwasserprobe unmittelbar auf die Verkündigung am Brunnen, *Abb. 583*. Darunter steht der »Traum Josephs« und die »Reise nach Bethlehem« mit dem Sohn Josephs aus erster Ehe. Es ist alte Tradition, diese beiden auf Mt 1, 20–25 und Lk 2, 1–5 beruhenden Szenen zusammen darzustellen und sie größeren Marienzyklen anzufügen, obwohl die Erzählungen von Josephs Traum und Prüfwasserprobe die gleiche Tendenz haben, vgl. Bd. 1, *Abb. 136–139* und Seite 67f. Der Reise nach Bethlehem ist manchmal das »Edikt des Kaisers Augustus« vorangestellt wie in der Chorakirche. In dem oben erwähnten Salzburger Perikopenbuch, um 1040, *Abb. 460*, ist der Traum Jospehs verbunden mit dem Eintritt der Gott geweihten Jungfrau in den Tempel. Zur nächsten Perikope Lk 2,1 ff. folgt in diesem Buch die Darstellung des Edikts mit der Reise nach Bethlehem, die im Abendland, abgesehen von einigen apokryphen Marienzyklen, nur selten illustriert worden sind, *vgl. Bd. 1, Abb. 140* und Seite 68.

Die Wernhersche Dichtung bringt aufgrund der alten Texte sogar die Prozedur vor den Hohenpriestern nach dem Traum und der Reue Josephs sehr ausführlich. Ein Priester entdeckte die Schwangerschaft bei einem Besuch im Hause Josephs und veranlaßte von sich aus die Untersuchung. Verhör und Wasserprobe finden für jeden getrennt statt, da die jüdischen Priester schwer von der Unschuld Marias zu überzeugen sind. Diese Ausführlichkeit der Illustration – auch des Textes – ist jedoch eine Ausnahme, denn der Ikonographie des Westens blieb dieser ganze Komplex fremd, und man hielt sich an die weit diskretere Erläuterung, wie sie in der Erzählung des Neuen Testamentes vom Traum Josephs gegeben ist. Allerdings gibt es Ausnahmen. Das Chorgestühl von St. Jumièges, um 1500, zeigt die Entdeckung der Schwangerschaft durch den Priester.

Im ausgehenden Mittelalter klingt in einer kleinen deutschen Bildgruppe der Vorwurf Josephs gegenüber Maria an. In verschiedener Weise ist auf diesen Darstellungen Joseph zur schwangeren Maria, die in der Regel die Spindel in der Hand hält, in Beziehung gesetzt. Dabei kann der Akzent auf den stummen Vorwürfen des mißmutigen Joseph (mehr Gekränktsein als Vorwurf) oder auf dem Erkennen der Mutter des Herrn liegen, *vgl. Bd. 1, Abb. 141, 142.* Ein unbekannter oberdeutscher Meister um 1420 hat auf einem Flügel eines schon erwähnten ehemaligen Marienaltars, der vermutlich aus dem Straßburger Münster stammt und sich heute im Frauenhaus befindet, *Abb. 586,*

die schwangere Maria in ein häusliches Milieu gesetzt. Es handelt sich hier um eine der frühesten Darstellungen eines geschlossenen Innenraumes mit wirklichkeitsnaher Inneneinrichtung in der deutschen Tafelmalerei. Maria ist mit der purpurnen Wolle für den Tempelvorhang beschäftigt und dabei in Gedanken versunken. Auf einer Arbeitsbank liegt das Handwerkszeug des Joseph. Er ist im Begriff hinauszugehen, und das heißt wohl, er will Maria verlassen, Mt 1,19. Unter der Türe hört er die Stimme des Engels. Die ausgestreckte Hand des Himmelsboten weist ihn zurück zu Maria. Der Wasserbehälter in der Wandnische mit dem Becken darunter und das große weiße Handtuch deuten, wie auf vielen Verkündigungsbildern dieser Zeit, die Jungfräulichkeit Marias an. Die Arbeit am Tempelvorhang ist kein Motiv dieses Abschnittes der Erzählung, denn der Vorhang war schon vor der Rückkehr Josephs abgeliefert, vielmehr ist das Garn in der Hand Marias ein Hinweis auf die Zeit ihres Tempeldienstes und damit auf die Unversehrtheit und Schuldlosigkeit der Gott Geweihten[213].

Das Anliegen, die geheimnisvolle Empfängnis Marias und die Menschwerdung Gottes verständlich zu machen, das schon im 2. Jh. zum Entstehen des apokryphen Evangeliums von Pseudo-Jacobus führte, ist auch noch im späten Mittelalter lebendig und versucht sich im Bild zu artikulieren, oft in verdichteter und sublimerer Form, als dies in der breiten Erzählung geschah. Über viele Jahrhunderte hin sind die Legenden in immer neuen Fassungen ein wichtiger Beitrag zur Bildung der katholischen Mariologie und – nicht zuletzt, indem sie in den Werken der kirchlichen Kunst optisch anschaulich wurden – zur allgemeinen Marienverehrung.

213. Zu dieser Bildgruppe, die sehr wesentlich von der Tendenz zum Andachtsbild geprägt ist, gehören außer den beiden schon im 1. Band abgebildeten Tafelbildern eine Wandmalerei 2.V. 15. Jh. in der St. Urban-Kirche in Unterlimpurg bei Schwäbisch Hall, siehe A. Stange, Deutsche Malerei der Gotik, Bd. IV, Abb. 128; eine Darstellung des Marien-Annen-Fensters in Ulm, um 1400; ein Tafelbild um 1430–1440 (ohne Joseph) aus Németújvár, Budapest, Museum der Bildenden Künste, siehe R. L. Wyss, *Abb. 36* in dem zitierten Aufsatz und D. Radocsay, Gotische Tafelmalerei in Ungarn, Budapest 1963.

Der Tod Marias und ihre Verherrlichung

Einleitung

Der griechischen Bezeichnung für den Tod Marias – Koimesis tes Hagias Theotokou = Todesschlaf der heiligen Gottesgebärerin – entspricht im Lateinischen: Dormitio Beatae Virginis Mariae – das Entschlafen der Gottesmutter, vereinfacht Marientod; auch Pausatio = Grabesruhe genannt. Im Osten wird das Wort ›Koimesis‹ und der damit bezeichnete Bildtypus vereinzelt auch für den Tod von Heiligen verwendet, während ›Dormitio‹ im Westen nur für den Tod Marias gebraucht wird. Diese Bezeichnungen sind für den Gehalt, der sich damit verbindet, und für die bildliche Darstellungen nicht ganz zutreffend, da die mit dem Tod Marias verbundenen Glaubensvorstellungen und Glaubensaussagen sehr viel differenzierter sind und nicht nur den Tod meinen. Man spricht deshalb auch von Transitus = Hinübergehen oder von Assumptio = Aufnahme. Unter beiden Begriffen ist zunächst das Aufgenommenwerden der Seele Marias in das Paradies unmittelbar nach ihrem Tode verstanden worden. Die Begriffe Paradies und Himmel sind nicht genau abgegrenzt. Die Frage nach dem Schicksal des Leibes der Gottesmutter, nach der Assumptio corporis, stellt sich immer wieder und ist für die Entwicklung der mariologischen Lehre von der Verherrlichung und Wirksamkeit Marias die Kernfrage, doch wird sie über das Mittelalter hinaus von Rom nicht eindeutig beantwortet. Der Begriff Assumptio Mariae bleibt in der Schwebe und wird von den Theologen unterschiedlich akzentuiert. Ebenso sind viele bildliche Darstellungen in ihrer Aussage nicht eindeutig. Deshalb sollte die Bezeichnung Himmelfahrt für die Darstellung der Assumptio bis zum späten Mittelalter vermieden werden, es sei denn, sie ergibt sich aus konkreten Motiven. Erst 1950 gab Papst Pius XII. bei der Dogmatisierung der Himmelsaufnahme Marias, die er in persönlicher Verantwortung vollzog, eine endgültige Definition, nach der die Mutter Christi, nachdem sie ihren irdischen Lebenslauf vollendet hatte, mit Leib und Seele in die himmlische Herrlichkeit aufgenommen wurde. Damit kam die Entfaltung und die in ihrer Klärung bis zum 18. Jh. von einzelnen katholischen Theologen immer wieder in Frage gestellte mariologische Glaubensvorstellung für die römisch-katholische Kirche anscheinend zum Abschluß. Das Neue Testament macht keine Aussage über das Lebensende Marias; die letzte Erwähnung der Mutter des Herrn steht Apg 1,14. Ebenso liegen hierfür keine authentischen Vätertexte vor. Selbst im Osten, wo früh schon die Bereitschaft zur Marienverehrung zu beobachten ist, kommt das Fragen nach dem Lebensende der Gottesmutter erst Mitte oder Ende des 5. Jh. auf, nachdem die Konzilien im Zusammenhang der Klärung christologischer Fragen Maria den Titel Gottesgebärerin (Theotokos) zuerkannten und sich die ältere Vorstellung der immerwährenden Jungfräulichkeit nun als Glaubensfrage darstellte. In dieser Zeit war noch keine Jerusalemer Grabestradition bekannt, die später, nachdem das angebliche Grab am Ölberg bei einer Öffnung leer gefunden worden sein soll, im Volksglauben eine Rolle als Beweis für Marias Auferstehung spielte. Als die Frage nach dem Tod und dem darauf folgenden Schicksal der Gottesmutter einmal gestellt war, wurde es dem frommen Gemüt allmählich selbstverständlich, daß die Jungfrau, die ohne Schmerzen geboren hatte, auch ohne Todesnot starb und daß der jungfräuliche Leib, der den Heiligen Gottes geboren hatte – irdische Arche des göttlichen Sohnes –, nicht im Grab verwesen konnte, sondern von ihrem Sohn zu sich aufgenommen worden ist. Drei Faktoren wirkten im Osten bei der Entfaltung des Assumptioglaubens mit und bedingten sich gegenseitig: die Legendenbildung, die Predigt und die Liturgie.

Der oben von Klaus Wessel im Kapitel zur Entstehung der Marienfrömmigkeit kurz zusammengefaßte graecosyrische Legendenstoff ist für das Ende des 5. Jh. nachzuweisen. Anlaß für diese Apokryphen, die keinen historischen Wert haben, war das Fehlen von Aussagen zum Leben der Gottesmutter im Neuen Testament und bei den Kirchenvätern. Es entstehen im Laufe des 6. und 7. Jh. in mehreren Sprachen verschiedene Redaktionen, die in der Absicht, durch die Schilderungen von Wundern beim Heimgang Marias ihre Erhöhung zu Christus als »historisches Ereignis« zu berichten, übereinstimmen, in einzelnen Motiven und der Ausschmückung der Erzählungen, vor allem beim Geschehen am Grab, aber voneinander abweichen. Da neben der Glaubenstradition diese anschaulich erzählten Apokryphen als literarische Quellen für die bildliche Darstellung des Todes und der Aufnahme in den Himmel der Gottesmutter Bedeutung gewannen, geben wir einige gekürzt wieder. Die im griechischen Bereich am weitesten verbreitete Redaktion, deren Urschrift als verschollen gilt, ist unter dem Pseudonym des Apostels Johannes (Ps Joh) bekanntgeworden. 1866 publizierte C. Tischendorf einen Text nach einer griechischen Handschrift des 11. Jh., der mehrfach bezeugt ist und von dem allgemein ausgegangen wurde[214]. Ein zweiter griechischer Text, der auf Johannes von Thessaloniki (Erzbischof von 610 bis 649) zurückgeht und sich offenbar gegen Fälschungen in der Weitergabe von Überlieferungen wendet, ist nach einer lateinischen Fassung 1933 von Dom R. Wilmart ediert[215]. Ein arabischer Text, Johannis Apostoli de Transitu Beatae Mariae Virginis Liber, ist aus dem 9./ 10. Jh. bekannt[216]. A. Wenger glaubt in zwei von ihm entdeckten und edierten Handschriften, die er mit den edierten Texten vom Ps Johannes und Johannes von Thessalonich verglich, die gemeinsame Quelle für diese beiden Texte in der griechischen Fassung des 11. Jh. (Bibl. Vat. Cod. gr. 1982) und einer lateinischen, von der Reichenau stammenden Handschrift des 9. Jh. (Kassel, Landesbibl. CCXXIX) gefunden zu haben[217].

Die wichtigsten Stationen der ausführlichen Erzählung der vatikanischen Handschrift, die in mehreren Redaktio-nen wiederkehren, fassen wir im folgenden zusammen, da sie sich in der bildlichen Darstellung niederschlagen: Ein Engel kommt zu Maria und verkündet ihr ihren in drei Tagen bevorstehenden Tod. Er bringt ihr eine Palme aus dem Paradies mit dem Bescheid, sie den Aposteln zu geben, und fordert sie auf, mit ihr zum Ölberg zu gehen, wo ein längeres Gespräch zwischen ihnen stattfindet (nach anderen Versionen: Christus erscheint und sagt ihr, sie solle zum Ölberg gehen, um aus der Hand eines Engels die Palme des Paradieses zu empfangen; oder: Maria betet am Heiligen Grab und bittet um ihren Tod. Gabriel erscheint und verkündet ihr die Erfüllung des Gebetes). Zu Hause stimmt sie ein Loblied an und bittet, daß keine böse Macht in der Stunde des Sterbens über sie komme. Sie hört die Stimme Christi, der ihr zusagt, selbst zu kommen. Während sie bei einer brennenden Lampe mit den drei Frauen und Angehörigen betet, erscheint auf einer Wolke der Apostel Johannes. Maria bittet ihn, bei ihr zu bleiben, da sie morgen sterben werde, und bei der Bestattung mit den Brüdern ihren Leib zu schützen, denn sie habe mit eigenen Ohren gehört, daß der Hohepriester ihn verbrennen wolle. Sie gibt ihm die Palme des Paradieses und zwei Kleider mit der Bitte, sie an zwei Witwen zu verschenken. Unter Donner erscheinen dann die übrigen elf Apostel. Petrus freut sich besonders über die Ankunft des Paulus

214. Johannis, Liber de dormitione sanctae Deiparae, C. de Tischendorf, Apocalypses apocryphae, 1866, S. 95–112; deutsch von Lehner, Marienverehrung, 2. Aufl. Stuttgart 1886, S. 244. Eine lateinische Fassung unter dem Pseudonym Joseph von Arimathia nach einer Handschrift des 13. Jh., S. 113–123. Vgl. auch die Edition der Fassungen des Ps Johannes von M. Jugie, 1926. Jugie datiert diese griechische Fassung zwischen 550 und 580.

215. Dom R. Wilmart, Les anciens récits de l'Assomption et Jean de Thessalonique, in: RThAM 12, 1940, S. 209–235. Siehe auch M. Jugie, Patr. Orient. 19,3, 344–438. Ders. Verf. zu den Quellen allgemein (auch zu den lateinischen, syrischen, ägyptischen, armenischen und slawischen): La mort et l'assomption de la Ste. Vierge, Città del Vaticano, 1944.

216. Hrsg. von Maximilian Enger, Elberfeld 1854.

217. A. Wenger, L'Assomption de la Très Ste. Vierge dans la tradition byzantine du VIᵉ au Xᵉ siècle, Paris 1955 (Arch. de l'Orient Chrétien). Wenger publiziert den griechischen Text des Codex Vatic. gr. 1982, fol. 181–189, 11. Jh. mit einer französischen Übersetzung und eine von der Reichenau stammende lateinische Fassung des 9. Jh. der Lds. Bibl. Kassel, Codex Augiensis

CCXXIX, fol. 184v–190v. Dieser Textform, die er für die der verschollenen griechischen Quelle hält, gibt er das Sigel R. Wenger macht noch mit weiteren, bis dahin nicht publizierten Assumptio-Apokryphen bekannt und entwirft einen Stammbaum der verschiedenen Textfassungen. Eine für das Verständnis des Assumptio-Glaubens des 6./7. Jh. im Osten wichtige Predigt des Theoteknos siehe S. 270ff. Dazu G. Söll 1978, S. 14f. – Theologische Literatur zur dogmengeschichtlichen Entwicklung: M. Jugie, 1944. J. Beumer, in: Lexikon für Marienkunde, Bd. 1 »Aufnahme«, Sp. 421–438 (1967). Zuletzt G. Söll, Mariologie, Handbuch der Dogmengeschichte, Bd. 3, Fasc. 4, Freiburg 1978. Zu den Legenden siehe auch ikonographische Arbeiten: O. Sinding, Mariae Tod und Himmelfahrt, Christiana 1903, S. 7–13. L. Wratislaw-Mitrovic und N. Okunev, La Dormition de la Sainte Vierge dans la peinture médiévale orthodoxe, in: Byzantinoslavica III, 3, 1931, S. 134–173. E. Staedel, Ikonographie der Himmelfahrt Mariens, Straßburg 1935. H. R. Peters, Die Ikonographie des Marientodes, Diss. Berlin 1950 (Maschinenschrift). Klaus Wessel, in: RBK II, 1256–1262 (1971).

und bittet ihn, ein Gebet zu sprechen. Ausführlich wird von der Begrüßung der Apostel untereinander und von den Gesprächen mit Maria berichtet. Um die dritte Morgenstunde erscheint, nachdem Donner sein Kommen anzeigte, Christus selbst mit einer unzählbaren Schar von Engeln, Michael und Gabriel sind genannt. Sie singen vor dem Haus. Der Herr begrüßt Maria und die Apostel. Maria dankt ihm und »vollendet ihr Werk mit ihm lächelnd zugewandtem Gesicht«. Christus umarmt sie, nimmt ihre heilige Seele, die er mit einem leuchtenden Tuch umhüllt und Michael in die Hand gibt. Die Apostel sehen die Seele in einer vollendeten menschlichen Gestalt, die dem Leib ähnlich ist, doch ohne Anzeichen des Geschlechts. Der Herr weist danach Petrus an, den Leib Marias in einem neuen Grab, das er außerhalb der Stadt links finden wird, zu bestatten und dort mit den Aposteln zu warten, bis er wieder zu ihnen sprechen wird. Die Apostel und die drei Frauen legen den Leichnam auf eine Bahre, nachdem dieser vorher noch gebeten hatte, seiner zu gedenken, worauf Christus antwortete: »Ich werde Dich nicht verlassen, meine Perle, den unverletzten Schatz.« Nach einem edlen Wettstreit zwischen Johannes und Petrus, in dem es darum ging, wer würdig sei, die Palme zu tragen, zieht Johannes mit der Palme in der Hand dem Begräbniszug voraus und singt: »Israel zog aus Ägypten, Alleluja.« (Nach anderer Version Petrus.) Christus und die Engel begleiten Hymnen singend von den Menschen ungesehen in Wolken den Zug. Der Hohepriester hört die Stimmen des Engelchors, und als er sich nach der Unruhe erkundigt, erfährt er, daß Maria zu Grabe getragen wird. Vom Satan angestiftet, will er die Leiche verbrennen und die Apostel töten lassen. Aber die Engel schlagen die bewaffneten Juden mit Blindheit. Die Hände des Hohenpriesters verdorren an der Bahre, als er diese berührt, um sie umzuwerfen. Die Arme werden abgeschlagen, und die Hände bleiben an der Bahre hängen. (Nach anderer Version: Mit unsichtbarer Macht schlägt ein Engel die Arme des Hebräers, der Jephonias genannt ist, mit einem feurigen Schwert ab.) Weinend fleht der Hohepriester die Apostel an, ihm in seinem Unglück zu helfen, und erinnert Petrus daran, daß er ihn bei dem Verhör Jesu vor dem Hohen Rat im Hof gesehen habe. Als Schüler Jesu müsse er ihm helfen können. Nach einem längeren Gespräch, in dem Petrus den Juden vorwirft, Jesus getötet zu haben, läßt er den Zug anhalten. Nach dem Bekenntnis des Hohenpriesters zu

Jesus Christus und zur Gottesmutter lösen sich die Hände von der Bahre, und er wird geheilt. Petrus gibt ihm einen Zweig der Palme und weist ihn an, damit die Menge der Erblindeten, die sich nicht mehr zurechtfindet, zu heilen. Ihnen verkündet der Hohepriester dann, was ihm widerfuhr.

Die Apostel bringen den Leichnam zum Grab, bestatten ihn und warten auf den Herrn. Nach drei Tagen erscheint Christus mit seinen Engeln wieder und gibt Michael die Weisung, den Leib Marias in das Paradies zu bringen, wo er beim Baum des Lebens niedergelegt und mit der Seele vereint wird. Die Apostel sind auf Wolken zum Paradies mitgekommen und werden nun von Christus wieder zu ihren Wirkungsstätten gesandt.

Ob dieser ausführliche Text des Ps-Johannes wirklich die verschollene Urfassung des Apokryphons wiedergibt oder eine frühe Zusammenfassung von Traditionen darstellt, wird nicht mehr mit Sicherheit zu ermitteln sein. Auf jeden Fall war dieses Apokryphon im ganzen griechischen Sprachbereich seit dem 6. Jh. verbreitet und ist im Mittelalter im Abendland bekanntgeworden. Das geht aus der Reichenauer lateinischen Redaktion des 9. Jh. in Kassel und aus den Übernahmen daraus in die Legenda Aurea hervor. Teile davon waren auch orientalischen Kirchen bekannt und sind vermutlich über syrische Mönche nach Irland gekommen.

Die Abweichungen der Texte und die ungenauen Formulierungen liegen vor allem bei dem Geschehen nach der Bestattung. Die Unsicherheit über das Schicksal des Leibes Marias drückt sich manchmal in mehreren Varianten innerhalb einer Textgruppe aus. Die koptischen Texte, nach denen Christus selbst der Gottesmutter den Tod verkündet und nur Petrus, Paulus und Jakobus zur Sterbestunde kommen, enthalten drei Varianten zum Transitus. Einmal heißt es, Christus werde mit Michael und Gabriel kommen, um Maria an den Ort der Unsterblichkeit zu geleiten, damit sie in seinem Königreich bei ihm sei. Den Leib wird er beim Lebensbaum lassen, wo ihn der Cherub mit dem Schwert und zwölftausend Engel bis zum Tag der Verherrlichung Christi behüten werden. Nach einer anderen Version sagt Christus bei der Todesverkündigung, er wolle den Leib Marias im Herzen der Erde bewahren bis zum Tag seiner Wiederkunft. Ein dritter Text schildert, wie Christus die Seele Marias, die nach dem Sterben in seine Arme eilt, in himmlische Gewänder hüllt und die

Apostel den Leib in das Tal Josaphat zu Grabe tragen. Dabei geht Petrus am Kopfende der Bahre und Johannes am
Fußende. Erst acht Monate später (die genannten Daten,
16. Januar und 15. August, beziehen sich auf Marienfeste)
versammeln sich die Apostel wieder an dieser Stätte, um
die wunderbare leibliche Auferstehung Marias zu
schauen, zu der Christus mit Myriaden von Engeln und
der Seele Marias erscheint. Leib und Seele vereinigen sich
am Grab, und Christus fährt mit Maria in einem feurigen
Wagen zum Himmel empor. Diese Zeitspanne zwischen
Bestattung und Auferstehung hebt einerseits den leiblichen Tod hervor, andererseits aber das Wunder der Auferstehung des unversehrten Leibes. Die Wiederbelebung
Marias am Grab und ihre Auffahrt mit Christus scheinen
koptisches Sondergut zu sein. – Ps Joh spricht nach dem
von Tischendorf edierten Text am zurückhaltendsten von
der Auferstehung: Wohlgeruch stieg aus dem hl. Grab ...
und drei Tage lang wurden unsichtbarer Engel Stimmen
gehört, welche den aus ihr geborenen Christus priesen.
Am dritten Tag waren die Stimmen verstummt, und daran
erkannten alle, daß ihr unbefleckter und ehrwürdiger Leib
ins Paradies versetzt war.

Der in verschiedenen Fassungen überlieferte Text des
Erzbischofs Johannes von Thessaloniki variiert in den
zwölf vorliegenden Handschriften bei der Beschreibung
der Grabtragung mit dem Angriff der Juden und vor allem
bei der Aussage zu dem Schicksal des Leibes Marias. Fünf
Handschriften schweigen zu dem, was nach dem Begräbnis geschieht, vier lassen die Möglichkeit einer Auferstehung offen und drei sprechen klar davon (vgl. Jugie S.
140).

Die von Tischendorf publizierte Fassung des Ps-Johannes gibt einen für die bildliche Darstellung des Empfangs
im Himmel aufschlußreichen Hinweis: Christus kündet in
der Sterbestunde seiner Mutter an, daß ihr ehrwürdiger
Leib nach dem Tod in das Paradies versetzt, ihre heilige
Seele aber »in den Himmel in die Schatzkammer meines
Vaters« gebracht werden wird. Als ihr Leib nach drei Tagen ins Paradies aufgenommen wurde, erwiesen ihr ihre
Mutter Anna, Elisabeth und die Erzväter mit den Chören
der Heiligen große Ehre, Seite 111.

Die Vorstellung von der Trennung von Leib und Seele
nach dem Tod und von einem Weiterleben der Seele im
Paradies (Refrigerium) oder in der Hölle ist, obwohl dem
Neuen Testament kaum zu entnehmen, schon im frühen
Christentum von den Griechen übernommen worden.
Dieser Bericht, der den von der Seele getrennten Leib Marias nach dem Tod in das Paradies versetzt, verdeutlicht
die Ratlosigkeit dem Schicksal des Leibes Marias gegenüber, dessen Verwesung man nicht wahrhaben wollte.
Solche Ungereimtheiten sind bei volkstümlichen Legenden hinzunehmen, doch lehnt die katholische Theologie
mit Recht ab, diese Schilderungen mit dem katholischen
Glauben an die Aufnahme Marias in den Himmel gleich-
zusetzen.

Im Westen ist zuerst bei Gregor von Tours (538–594)
ein kurzer Auszug aus den östlichen Legenden innerhalb
der von ihm verfaßten Märtyrer-Viten und Wunderbe-
richte nachzuweisen. Es stand ihm wahrscheinlich eine lateinische Fassung eines syrischen Fragments des späten
5. Jh. zur Verfügung[218]. Gregor schließt den Bericht vom
Tod Marias an den des Pfingstereignisses an, das die Apostel in die verschiedenen Länder zur Mission führte. Die
Todesverkündigung an Maria, ihre Angst vor den Juden
oder den Dämonen und die Fahrt der Apostel auf den
Wolken fehlen bei ihm. Es heißt nur, daß alle Apostel zu
Maria kamen, als sie hörten, daß die Gottesmutter aus der
Welt aufgenommen werden sollte. Die Christophanie, der
Empfang der Seele Marias und deren Weitergabe an Michael sind knapp erzählt; ebenso die Grabtragung und Bestattung am nächsten Tag. Am Grab erscheint der Herr,
läßt den unbelebten Leib aufnehmen und auf einer Wolke
in das Paradies tragen. Dort wird er vereint mit der Seele,
und Maria hat mit den Auserwählten teil an den ewigen
Freuden.

Dem Abendland wurde das griechische Transitus-Apo-
kryphon vor allem durch eine in mehreren Exemplaren
erhaltene lateinisch überlieferte Redaktion – »Liber de
transitu Virginis Mariae« – bekannt, die vermutlich in der
2. Hälfte des 6. Jh. oder (nach Jugie erst im 7. Jh.) entstand.
Sie ist fälschlich mit Bischof Melito von Sardes († um 180)
in Verbindung gebracht worden und als Pseudo-Melito

---

218. Mirac. lib. I, De gloria martyrum, MPL 71, 705–800, cap.
IV, 708, De apostoli et beato Maria. Ein syrisches Fragment ist
von W. Wright, Contributions to the Apocryphal Literature of
the New Testament, mit syrischem und englischem Text publiziert, London 1865.
A. Stuiber, Refrigerium interim, Bonn 1957.

bekannt. Der Autor gibt sich als Schüler des Apostels Johannes aus und sagt, daß er nur das berichte, was er von diesem wisse, und die aufgekommenen Fälschungen verurteile[219]. Schon der Anfang dieser Texte bringt neue Motive: Der nahende Tod wird Maria, die im Haus der Eltern des Johannes am Ölberg wohnt, zwei Jahre nach der Himmelfahrt des Herrn von einem Engel verkündet. Er bringt ihr Sterbegewänder und einen leuchtenden Palmzweig. An ihn ist die gleiche Aufforderung geknüpft wie in den anderen Apokryphen. Maria bittet um die Gegenwart der Apostel. Als Johannes von Ephesus als erster zu ihr kommt, weint sie zunächst, zeigt ihm dann aber voll Freude die Gewänder und den Palmzweig. Danach versammeln sich alle Apostel mit Paulus, die nach göttlichem Befehl auf Wolken herbeikommen, und werden von Johannes begrüßt. Die Länder, aus denen die Apostel kommen, sind in der einen Textgruppe alle genannt. Diese fügt auch ein Dankgebet Marias auf dem Ölberg ein. Die Christophanie mit einer großen Schar von Engeln am Sterbebett, die Bitte Marias, sie vor einem Anschlag des Satans zu schützen, und die Übergabe der Seele an Michael entsprechen der allgemeinen Vorstellung. Der Bestattung in einem neuen Grab ostwärts der Stadt im Tal Josaphat geht die Bereitung des Leichnams durch drei Frauen voraus. Hier heißt es, daß ihr Leib (in der anderen Fassung ihr Gesicht) einer blühenden Lilie gleiche und ein lieblicher Duft von ihm ausgehe. Petrus und Paulus tragen die Bahre, Johannes geht mit dem Palmzweig voran, Engel begleiten psalmodierend den Zug. Der Überfall der Juden wird kurz erwähnt. Der von Petrus geheilte Hohepriester erhält wie im griechischen Ps-Johannes ein Stück des Palmzweiges, um die übrigen Juden, die erblindeten, damit zu heilen. Die Blindheit ist hier als Unvermögen, die Jungfrau und Gottesmutter zu erkennen, erläutert (vgl. oben das Motiv der Augenbinde bei der Synagoge); der Palmzweig verdeutlicht die Verheißung der Aufnahme Marias in das Paradies; die Sterbegewänder gehören zum Totenbrauchtum. Als vom Engel überbracht sind sie – in Parallele zu den weißen Gewändern, die die Getauften erhalten, und den weißen Kleidern der Märtyrer nach Apk 6,11 und 7,9 – Zeichen der Zugehörigkeit zu den Erwählten des Paradieses. Eine Redaktion des Mittelalters spricht von den »schneeweißen Ehrenkleidern«, die der Engel Maria bringt. Pseudo-Melito übernimmt auch die dreitägige Grabesruhe und die Bewachung des Grabes durch die Apostel. Als Christus erscheint, erinnert er die Apostel zuerst daran, daß er ihnen verheißen hat, einst auf zwölf Thronen in seinem Reich zu sitzen. Dann sagt er von Maria, daß sie von Gott ausersehen wurde, ihm den Leib zu bereiten, und er sie deshalb für sich als unverletzlichen Tempel der Reinheit geheiligt habe. Er fragt die Apostel, was mit Marias Leib geschehen solle. Sie antworten: Wie du nach der Todesüberwindung in der Herrlichkeit regierst, so soll auch Maria auferstehen zu den Freuden des Himmels. Christus stimmt ihnen zu. Michael bringt die Seele Marias vom Paradies herab, und Gabriel wälzt den Stein vom Grab. Dann fordert Christus Maria auf, aufzustehen, damit sie nicht die Auflösung ihres Leibes im Grab erleide: »Exsurge, amica mea et proxima mea ...« Maria erhebt sich und preist Gott. Michael und die Engel geleiten sie ins himmlische Paradies. Auffallend sind einige Züge, die die Auferstehung Marias den biblischen Texten zur Auferstehung Christi angleichen. Nach einer der beiden Textgruppen haben die Apostel nicht gesehen, wie die Engel Maria emportrugen, weil ein blendendes Licht die Apostel zu Boden warf.

Die Gürtelspende an Thomas, die die von Tischendorf S. 95–112 publizierte lateinische Fassung nach dem Assumptio-Bericht bringt – vermutlich, um die körperliche Aufnahme in den Himmel zu bekräftigen –, kennen die griechischen Texte nicht. Sie nennen beim Tod Marias Thomas, der mit Paulus am Fußende des Bettes steht. In die deutsche Literatur hat nur Konrad von Heimesfurth Anfang des 13. Jh. diese Episode übernommen. Sie findet sich in einem der beiden Überlieferungsstränge der »Hinfarth Marias«. Es wird im lateinischen Text erzählt, Thomas, der in Indien missionierte, sei zu spät nach Jerusalem gekommen und von der Wolke auf dem Ölberg abgesetzt worden. Von da sah er, wie Engel Maria zum Himmel trugen. Nach seinem Gebetsanruf reichte sie ihm ihren Gürtel herab. Thomas eilte darauf zu den Aposteln und sagte ihnen, daß der Leichnam Marias nicht mehr im Grab sei. Da sie ihm nicht glauben wollten, öffneten sie das Grab und fanden es leer. Daraufhin zeigte er ihnen den Gürtel.

219. Ps. Melito, MPG V, col. 1231–1240, C. de Tischendorf, Apocal. apocr., 124–136. Siehe auch M. Reinisch, Ein neuer Transitus Mariae des Pseudo Melito, Diss. München 1955, unter M. Haibach-Reinisch, Rom 1962.

Die Parallele zu Elias, der bei seiner Himmelfahrt den Prophetenmantel Elisa zuwarf, ist offenkundig, vgl. Bd. 3, Seite 144f. und *Abb. 448, 452, 455.*

Manche merkwürdigen Züge der apokryphen Schriften, z.B. das Sprechen des Leichnams, lassen sich nur als Analogien zu der im Orient verbreiteten Legende über Adam und Eva verstehen, an der sich einige der Marienlegenden orientiert haben[220].

Diese im Osten entstandenen Legenden, die, abgesehen von der Fassung des Johannes von Thessaloniki, alle anonym sind, spiegeln neben örtlichen Traditionen der Volksfrömmigkeit auch theologisches Gedankengut wider, sie fördern einerseits den Ausbau einer Marienlehre, andererseits bilden sie eine Unterströmung neben der offiziellen Lehre von Byzanz, die zwar die Assumptio Marias nie bestritt, aber die quasi-historischen Berichte ignorierte und offiziell dazu schwieg. Da nicht These gegen These stand, äußerten sich die Theologen zu dem sich entfaltenden marianischen Glaubensgut nicht in theologischen Auseinandersetzungen, sondern vor allem in Predigten zum Marienfest am 15. August, die von Gebetsanrufungen und hymnischen Hinwendungen zu Maria durchzogen sind. Sie setzen das Geheimnis des Todes und der Assumptio Marias zu ihrer Gottesmutterschaft, ihrer immerwährenden Jungfräulichkeit und ihrer außerordentlichen Heiligkeit in Beziehung und gingen auch auf die Wirksamkeit Marias nach ihrer Himmelsaufnahme als Mittlerin und Fürbitterin ein. Öfter wird deutlich, daß der von den Theologen ignorierte Legendenstoff dem Prediger bekannt war, wenn er wie Andreas von Kreta in einer Assumptiopredigt (MPG 97, 1080–1084) die zwei in voneinander abweichenden Legendenredaktionen geschilderten Vorgängen der Assumptio als Möglichkeiten nebeneinanderstellt (gleichzeitige, aber getrennte Aufnahme der Seele in den Himmel und des Leibes in einen paradiesischen Ort auf Erden und die leiblich-seeli-

sche Aufnahme in den Himmel) und dann, das Mysterium betonend, von einer dritten Möglichkeit spricht, die »unsere Erkenntnis übersteigt«, sie jedoch nicht ausführt. Auch Johannes von Damaskus (um 650–um 750), theologischer Berater des Patriarchen von Jerusalem, von dem drei Predigten zum Fest des Marientodes erhalten sind, ignoriert die Existenz von historischen Berichten über das Lebensende Marias, vertritt aber deren Gehalt. Er begründet die Assumptio corporis theologisch mit der Nähe der Gottesmutter zu ihrem Sohn und ihrer Einzigartigkeit, die sie über das Schicksal aller anderen Menschen emporhebt. In der zweiten Homilie unterscheidet er zwischen Dormitio, Assumptio und Erhöhung (Triumphzug) und stellt so den Glaubensgehalt der von den Apokryphen in volkstümlicher Weise geschilderten Vorgänge in den Zusammenhang der umfassenden Marienverehrung, die in der Verherrlichung der leiblich in den Himmel aufgenommenen Gottesmutter gipfelt[221]. Die häufige Betonung, daß Gott allein wisse, was geschehen sei, läßt das Bestreben, die Legenden zurückzudrängen, aber auch die Unsicherheit dem Assumptioproblem gegenüber erkennen. So hat z.B. Modestos, im 7. Jh. Patriarch von Jerusalem, den Tod Marias ein unsagbares Geheimnis genannt, zugleich aber ihre Aufnahme zum Herrn der Herrlichkeit gepriesen[222]. Noch im 9. Jh. konnte die Auferweckung in Frage gestellt werden, wenn auch Einmütigkeit darüber herrscht, daß der Leichnam nicht verweste, sondern an einem unbekannten Ort bis zum Jüngsten Tag bewahrt wurde.

Die Geschichte des Marienfestes am 15. August, heute als »Himmelfahrt Marias« bekannt, ist in seinen Anfängen auf einer anderen Ebene ebenso aufschlußreich für das Entstehen des Assumptio-Glaubens wie die Apokryphen[223]. Am Anfang des 5. Jh. ist für den 15. August zuerst in Jerusalem ein Fest zum Gedächtnis der Gottesgebärerin (Theotokos) belegt, das sich nach dem Konzil von Ephesus 431 im Osten ausbreitete[224]. In Analogie zu den Mär-

220. A. Dillmann, Das christliche Adambuch des Morgenlandes aus dem Äthiopischen mit Bemerkungen übersetzt, in: Jb. der biblischen Wissenschaften V, S. 1–144, Göttingen 1853.

221. Hom. 2 in dorm., MPG 96, 728–753.

222. MPG, 86, 3286. 3297.

223. Siehe A. Hollaardt, Onze Lieve Vrouw Tenhemelopneming, in: Liturgisch Woordenboek (L. W.), Bd. II, Roermond 1968, S. 1983–1991. Vgl. auch die unten genannte theologische

Literatur und für das Verständnis der Zitate aus dem Hohenlied in den Festtexten: J. Beumer, Die marianische Deutung des Hohenliedes in der Frühscholastik, in: Zschr. f. kathol. Theologie 76, 1954, S. 411–439.

224. Siehe zu dem altarmenischen Lektionar, das an der Jerusalemer Liturgie des 5. Jh. festhält, die heute maßgebende Edition: Le Codex Arménien Jérusalem 121, ed. par Athanase Renoux.

tyrerfesten, an denen der Todestag als Tag der Geburt (dies natalis) für das Himmelreich gefeiert wurde, wurde in dieses Fest des Gedächtnisses an die Theotokos in der 2. Hälfte des 5. Jh. auch die Feier des Heimgangs Marias aufgenommen. Diese Erweiterung des Festgehaltes ist dann gegen 600 unter Kaiser Maurikios (582–602) für alle Kirchen des byzantinischen Reiches vorgeschrieben, das Fest wurde Entschlafung Marias = Koimesis (zeitweise auch »Anapausis« = Grabesruhe oder »Metastasis« = Verwandlung) genannt. Diese Bezeichnung enthält keinen direkten Bezug zur Auferweckung und zur leiblichen Aufnahme Marias in den Himmel und beinhaltet auch kein Privileg für sie gegenüber den Märtyrern. Das war aber der sich entfaltenden Mariologie, die bemüht war, Maria in jeder Weise eine Sonderstellung einzuräumen, zuwenig. Es wandelte sich der Festgegenstand von dem Gedächtnis an den Tag ihrer Geburt für das himmlische Paradies (Seelenaufnahme) zu der Feier ihrer Himmelsaufnahme und Verherrlichung. Diese Wandlung kann nur unter dem Einfluß der Apokryphen vollzogen worden sein. Sie rechtfertigen das Fest als Gedächtnisfeier, denn sie sind immer mehr als historische Berichte über Tod und Verherrlichung Marias – analog zu den neutestamentlichen Berichten über Auferstehung und Himmelfahrt Jesu – verstanden worden. Die Entwicklung der liturgischen Feier vollzog sich nicht überall in gleicher Weise. So hat es in einzelnen Kirchen (Antiochien, Jakobitische Syrer und Ägypten) im 6. Jh. Mitte Januar ein Gottesmutterfest gegeben, an dem unter dem Einfluß der in diesen Gruppen geltenden Legendentradition nur die Koimesis gefeiert wurde. Daneben scheint jedoch nach dem 6. Jh. durch Übernahme des palästinensischen Festes am 15. August außerdem an diesem Tag die Assumptio corporis gefeiert worden zu sein.

Gregor von Tours hat offenbar diese Tradition des Festes im Januar gekannt und übernommen. Das Fest am 15. August ist ihm unbekannt (Hollaardt). Die alt-gallikanische Liturgie um 700 (sog. Missale Gothicum) kannte nach dem Epiphaniasfest, also auch Mitte oder zweite Hälfte Januar, eine »Missa in adsumptione sanctae Mariae matris Domini nostrae«. Die Meßtexte sprechen von der Überbringung des makellosen Leibes Marias aus dem Grabe zu Christus ins Paradies. Darin sind wahrscheinlich koptische Einflüsse zu sehen.

Die westgotische Liturgie scheint nach dem Sacramentar von Toledo (liber mozarabicus sacramentorum), 2. Hälfte 8. Jh., das Januarfest auch gekannt zu haben, feierte aber außerdem die Assumptio am 15. August. Hier wird der Auferweckung Marias und ihrer immerwährenden Jungfräulichkeit gedacht, Marias Himmelsaufnahme wird mit der Himmelfahrt des Henoch und des Elias verglichen (vgl. Bd. 3 die alttestamentlichen Typen der Himmelfahrt Christi).

In Rom war ein Marienfest Mitte Januar niemals bekannt, das ursprüngliche Gregorianum enthält noch keinen Hinweis auf das Fest der Dormitio Mariae am 15. August[225]. Entweder hat Papst Theodorus I. (643–649) (Baumstark), der dem Jerusalemer Klerus angehörte, oder der syrische Papst Sergius I. (687–701) das Jerusalemer Fest am 15. August für Rom übernommen. Von Sergius ist bekannt, daß er am Fest der »Dormitio Mariae« eine Prozession in Rom veranstaltete. Aus dem Hadrianum wird das römische Fest deutlicher (Hadrian I., 772–795). Nach ihm wurde die Prozession vor der Messe am Fest des 15. August mit der Oration »Veneranda nobis Domina« eröffnet, die sich im ganzen Mittelalter noch in Missale-Handschriften findet: »Ehrwürdig ist in unseren Augen, Herr, das Fest dieses Tages, an dem die heilige Mutter Gottes in den Tod ging, aber durch die Bande des Todes nicht festgehalten werden konnte, weil sie Deinen Sohn, unseren Herrn, geboren hat, der aus ihr das Fleisch hat angenommen.« Dieses Zeugnis ist für die Einstellung Roms dem Fest und damit dem Marientod gegenüber wichtig. Die im Abendland durch Jahrhunderte umstrittene leibliche Aufnahme Marias wird nicht erwähnt. Mit der Einführung der römischen Liturgie im karolingischen Reich und der Aufnahme des Dormitio-Festes 847 durch Leo IV. in den Festkalender mit der Hinzufügung einer Vigil und einer Octav breitete sich das Fest am 15. August im ganzen Westen aus. Ältere Liturgien, die unter direktem Einfluß orientalischer Kirchen entstanden, wurden ebenso verdrängt wie die gelegentliche Übernahme von Teilen der Legende in das Schrifttum (Gregor von Tours). Bis zum 10. Jh. war der Name »Dormitio« oder »Depositio« für das Fest üblich, danach hieß es das Mittelalter hindurch »Assumptio Beatae Mariae Virginis« und erst in neuerer

---

225. Ed. H. Lietzmann, Das Sakramentarium Gregorianum nach dem Aachener Urexemplar, in: Liturgiegesch. Quellen, Folge 3, Nr. 148, Münster 1921.

Zeit »Himmelfahrt Mariae« – Ascentio[226]. Die Lektionen des Festes enthielten im Mittelalter keine Texte der apokryphen Schriften, aber Grußorationen, zum Teil an Worte aus dem Hohenlied angelehnt, frühmittelalterliche Hymnen zum Preis der Himmelskönigin, die erwähnte Oration »Veneranda« und einen fälschlich Hieronymus zugeschriebenen Brief des 9. Jh., »Cogitis me«, siehe dazu unten. Die leibliche Aufnahme Marias in den Himmel wird in den liturgischen Texten bis zum späten Mittelalter an keiner Stelle direkt genannt. Das entspricht den vorsichtigen theologischen Stellungnahmen zur Assumptio Marias, wenn auch das Volk das Fest weithin als Gedächtnis der leiblichen Himmelfahrt verstanden haben mag.

An der Formulierung einer Marienlehre hatte Rom im frühen und hohen Mittelalter, bis zum 13. Jh., kein eindeutiges Interesse. Ungeachtet dessen wurden aber Marienfeste gefeiert. Die Transitusapokryphen stießen in der römischen Kirche allgemein auf Mißtrauen. Ihre Verbreitung wurde möglichst verhindert, doch sind sie durch Gregor von Tours und die lateinischen Redaktionen des Ps Joh und des Ps Melito in theologischen Kreisen bekanntgeworden, stießen aber allgemein auf Ablehnung. Die differenzierten und zurückhaltenden Auseinandersetzungen zwischen den verschiedenen Auffassungen, die im Bezug auf den Marientod in karolingischer Zeit einsetzten, blieben im wesentlichen den Orden überlassen. Der strittige Punkt war vor allem die leibliche Aufnahme Marias in den Himmel. Dem Abendland galt sie bei der Entfaltung einer Marienlehre nur als eine Möglichkeit, der bis zum 12. Jh. von seiten der Theologen nicht sonderlich viel Bedeutung zugemessen wurde. Es gab im Gegensatz zu den Ostkirchen kaum eindeutige Befürworter.

Die ersten Ansätze einer Marienlehre in karolingischer Zeit kommen in dem oben erwähnten, Hieronymus zugeschriebenen und an zwei von ihm betreute Nonnen, Paula und Eustochium, adressierten Brief »Cogitis me« zum Ausdruck. Er ist nach heutiger Forschung von Paschasius Radbertus, Abt von Kloster Corbie (Bistum Amiens), das dem karolingischen Hof eng verbunden war, verfaßt und beantwortet eine an ihn gerichtete Anfrage aus dem Nonnenkloster von Soissons zum Assumptio-Fest, in der es um das Schicksal des Leibes der Gottesmutter ging[227]. Radbertus widerspricht in diesem Brief der leiblichen Auferstehung der Gottesmutter, da es hierfür keinen Anhaltspunkt in der Heiligen Schrift und keinen Väterbeweis gibt. Wenn er das Wort »ascendere« benutzt, so bezieht es sich auf die Aufnahme der Seele in das Paradies, wie auch bei anderen Theologen dieser Zeit[228]. Er geht nicht auf Texte der Liturgie ein, sondern verweist auf den ursprünglichen Gegenstand des Festes am 15. August, an dem das Gedächtnis des Heimgangs der Gottesmutter gefeiert wird: »Nur dies kann als sicher angesehen werden, daß Marie am heutigen Tag herrlich aus dem Leib abgeschieden ist.« Alles weitere ist für ihn unwichtig. Wenn die Apokryphen vom leeren Grab Marias sprechen, so sei das kein Beweis für ihre leibliche Auferstehung. Ähnliches werde auch vom Grab des Apostels Johannes erzählt. Radbertus warnt die Nonnen ausdrücklich vor der Lektüre eines Transitus-Apokryphons, das er aber nicht benennt. Möglicherweise handelt es sich um den Text, den das sogen. gelasianische Dekret verworfen hat. Er begründet die Sonderstellung Marias nur aus der Schrift (Gnadenfülle, besondere Gottesbeziehung, Reinheit von Sünde) und verweist auf die Väter, die Marias Stellung im Heilsplan vor allem von der Inkarnation und von ihrer Beziehung zur Kirche betrachtet hatten (Ripberger S. 43). Die Autorität dieses Briefes war so unbestritten, daß er als Lesung in das kirchliche Stundengebet des Festes am 15. August aufgenommen wurde. (Erst die Brevierreform Pius V. von 1568 entfernte ihn daraus und ersetzte ihn durch positive Stellungnahmen zur Assumptio corporis.)

Im 12. Jh. wurde eine theologische Schrift bekannt, deren Verfasser bisher nicht ermittelt werden konnte. Sie er-

226. Schon unter den Päpsten Hadrian I. (772–795) und Paschalis I. (817–824) kommt in Rom die Bezeichnung Assumptio für das Fest auf, setzt sich aber erst vom 10. Jh. an allmählich durch.

227. Ps Hieronymus, Ep 9 Ad Paulam et Eustochium, MPL 30, 122–142, neu ediert von A. Ripberger, Der Pseudo-Hieronymus-Brief IX »Cogitis me«, in: Spicilegum Friburgense, Freiburg, Schweiz, 1962. Es handelt sich hierbei um den ersten marianischen Traktat des Mittelalters, zu dem Ripberger ausführlich Stellung nimmt.

228. Zu den theologisch-dogmatischen Fragen dieser Zeit siehe: L. Scheffczyk, Das Mariengeheimnis in Frömmigkeit und Lehre der Karolingerzeit, Leipzig 1959.

schien unter dem Pseudonym Augustinus: De assumtione Beatae Mariae Virginis Liber unus. Entgegen vielen Versuchen der letzten Jahrzehnte, sie in zeitlicher Nähe zu Radbertus anzusetzen, wird sie heute Mitte des 12. Jh. datiert, da bis jetzt keine Spuren von ihr im theologischen Schrifttum vor dieser Zeit entdeckt werden konnten[229]. Diese zeitliche Ansetzung stimmt mit der Entwicklung des Assumptioglaubens, wie er sich in der Kunstgeschichte abzeichnet, überein. Der Verfasser geht wie Radbertus nicht von den – im 12. Jh. im Westen nun allgemein bekannten – Apokryphen aus und bestätigt ebenfalls, daß die Heilige Schrift über Joh 19,27 und Apg 1,14 hinaus keine direkten Aussagen über Marias weiteres Leben macht. In seinen Ausführungen bezieht er aber in der Assumptiofrage eine Gegenposition zu Paschasius Radbertus und legt den theologischen Grund für die abendländische katholische Lehre der leiblichen Auferstehung und Himmelsaufnahme Marias, deren Entwicklung erst in der Dogmatisierung 1950 ihren Abschluß fand. Ps Augustin geht in seiner Argumentation von Schriftworten aus, deren tieferen Sinn er zu erkennen sucht, und vermag, getragen von dem Glauben an Gottes heilsgeschichtliches Handeln, die Parallele zwischen Christus und Maria darzulegen. In die Zusage des Herrn an seine Jünger, daß sie in der Herrlichkeit bei ihm sein werden, bezieht er die Gottesmutter ein, die im Leben mehr Gnade empfangen hat als andere Menschen. Er erinnert an Beispiele von Errettungen aus dem Tode im Alten Testament und folgert aus ihnen, wieviel mehr sich die den Tod überwindende Kraft Christi an seiner Mutter offenbaren und erweisen mußte. Diese Schrift eröffnet den Weg zu der begrifflichen und differenzierten Erfassung des mariologischen Glaubensgeheimnisses der Hochscholastik. Es geht nicht mehr um die Aufnahme ins Paradies, wo die Seele der Heiligen der zukünftigen Verwandlung harren, sondern um die Erhebung Marias in der neuen Leiblichkeit der Auferstehung zu Christus.

Die Ratio theologica, mit der Ps Augustin und die ihm folgenden Theologen arbeiten, schließt die mystische Frömmigkeit, die zur individuellen Christus- und Marienminne führen will, nicht aus. Es entsteht eine umfangreiche Mariendichtung und erbauliche Literatur, die auf den Legenden und auf Predigten zu den Marienfesten basiert (vgl. oben die bei der Kindheit Marias genannten Schriften und die Angaben unten) und Ausdruck der Wandlung zu einer neuen Frömmigkeit in breiten Schichten des Volkes ist. Diese Literatur von Vinzenz von Beauvais (um 1190–1264) bis zum Mariale des 14. Jh. (früher Albertus Magnus zugeschrieben) ist zugleich gegenüber theologischer Problemstellung und populärer Schau in Bildern offen, aber der Akzent verschiebt sich in diesem Bereich zur historischen Sicht des Marienlebens, d. h. zur Frage nach den Geheimnissen am Lebensende und dem Schicksal Marias nach ihrem Tod.

Von 1200 an bestreitet kaum noch ein Theologe die leibliche Aufnahme Marias in den Himmel und ihre Vereinigung mit Christus. Diese einzigartige Sonderstellung gebührt ihr als Gottesmutter. Ihre Erhöhung wird nun in das dogmatische System einbezogen, und die verschiedenen Aspekte (soteriologische, ekklesiologische, eschatologische), die auch in den bildlichen Darstellungen dieser Epoche anklingen, werden immer mehr herausgearbeitet.

Die Wurzeln, aus denen die Mariologie hervorging, bis sie schließlich in ihrer Gesamtheit von der katholischen Theologie anerkannt wurde, sind viel mannigfacher, als wir hier ausführen können. Einer der Antriebe – vielleicht unbewußt einer der entscheidenden –, der sich in der Angleichung Marias an Christus äußert, ist das Bedürfnis der Menschen, eine Frau in die fromme Verehrung einzubeziehen, sei es die Mutter oder die Jungfrau. Außerdem wollte man die zentrale Glaubensaussage der Auferstehung – mit Christus sterben und mit ihm auferstehen – an einem Menschen verwirklicht sehen. Mit der Vorstellung der Aufnahme Marias in den Himmel verbindet sich ihr Thronen an der Seite des Sohnes. Es liegt nahe, die von Christus in dieser Weise erhöhte Gottesmutter als mütterliche Fürsprecherin, insbesondere beim eigenen Tode, in Anspruch zu nehmen. Vielleicht hat im hohen Mittelalter dieser Wunsch nach einer Fürsprache vor dem richtenden Christus mit den Anstoß zu einer immer konkreteren Vorstellung der Erhöhung der Gottesmutter gegeben, denn ihre fürbittende Wirksamkeit war nur möglich, wenn sie sich durch ihre Heiligkeit gegenüber allen Menschen auszeichnete und eines besonderen Gnadenprivilegs teilhaftig wurde. Offensichtlich steht die Entfaltung der Marienfrömmigkeit auch im Zusammenhang eines neuen

---

229. Ps. Aug., MPL 40, 1141–1148. Zur Datierung und Zuschreibung: H. Barré, La croyance à l'Assomption corporelle en Occident de 750 à 1150, in: Études Mariales, Paris 1949, S. 80–87.

Lebensgefühls, aus dem sich das Verlangen nach einer persönlichen Erlösungserfahrung und -gewißheit ergibt.

Der kanonische östliche Bildtypus der Koimesis

Aus der Zeit vor dem 10. Jh. sind keine Koimesisbilder erhalten, doch ist anzunehmen, daß, nachdem spätestens gegen 600 in das in Jerusalem am 15. August gefeierte Fest der Gottesgebärerin die Feier der Koimesis aufgenommen wurde, es auch bald zu den ersten Bildformulierungen kam. Es fehlen aber für die Zeit vor der Beendigung des Bilderstreits, bei dem sich die Ikonoklasten in gleicher Weise gegen Christus- und Marienbilder wandten, jegliche Anhaltspunkte dafür, und nicht einmal für die Koimesis geweihte Kirche in Nicäa gibt es einen Hinweis auf eine vorikonoklastische Koimesisdarstellung[230]. Für das 9. Jh. ist sie nachzuweisen. Die Kirche S. Maria Egiziaca in Rom enthält innerhalb eines Freskenzyklus (zwischen 872 und 882 unter Papst Johannes VIII.) drei fragmentierte Darstellungen der Transituslegende (die Todesverkündigung durch Christus an Maria, *Abb. 657*, die Erhebung der Apostel durch die Wolken und ihre Begrüßung vor dem Haus Marias und Johannes); es war sicher auch die Hauptszene dargestellt. Für diese Malereien sind keine Vorbilder bekannt, doch müssen aufgrund ihrer auch noch an den Resten erkennbaren hohen künstlerischen Qualität Vorstufen im Osten angenommen werden[231].

Eine größere Anzahl Elfenbeinreliefs des 10. und 11. Jh. überliefert das östliche kanonische Bildschema der Koimesisdarstellung, die immer die Epiphanie Christi und die Assumptio animae einbezieht. Es bleibt als liturgisches Festbild in seiner Grundform bis in die Neuzeit im gesamten Einflußgebiet der Kirchen des Ostens erhalten: Maria liegt mit geschlossenen Augen und überkreuzten Händen auf dem bildparallel ganz vorn stehenden reich drapierten Sterbelager, zu dem als ständiges Requisit eine Fußbank gehört. Die Arme der Toten können auch seitlich neben dem Körper liegen und von ihrem Mantel oder einem Tuch überdeckt sein. Hinter dem Lager steht in der Mitte Christus, in der Regel überragt er alle weiteren Gestalten. Er blickt entweder geradeaus (byzantinische Tradition) oder seitlich zum Angesicht der Toten herab (syrische Tradition) und hält auf seinem Arm das Eidolon (Urbild) Marias, veranschaulicht als kleine, mit Tüchern umhüllte Seelengestalt, deren Angesicht oft dem der Toten gleicht. Manchmal ist sie einem Wickelkind ähnlich dargestellt[232]. In zwei Gruppen sind die Apostel um das Lager versammelt. Paulus berührt verehrend die Füße Marias, eine der Situation angepaßte Form der Proskynese, Petrus steht am Kopfende und schwingt ein Weihrauchgefäß. Mit der anderen Hand umfaßt er ein Buch oder er hält sie verhüllt trauernd an die Wange. Johannes, der im Osten wie Paulus immer mit Bart (Würdezeichen) wiedergegeben und durch weißes Haar als alt gekennzeichnet wird, steht neben Christus und beugt sich über Maria. Den zwölf Aposteln[233] mit unterschiedlichen Trauergesten sind meistens drei oder vier Kleriker hinzugefügt, die sich auf den frühen Elfenbeintafeln kaum von den Aposteln abheben, später aber durch die Kleidung charakterisiert werden.

Die beiden abgebildeten Elfenbeintäfelchen zeigen innerhalb dieses Bildschemas zwei Varianten. Das eine ist eine originale Arbeit aus Byzanz, letztes Viertel des 10. Jh., das sich im Kloster der Reichenau oder in Bamberg befand und dem kostbaren Einbanddeckel des sog. Evangeliars Ottos III. (Sohn der Theophanou) vom Ende des 10. Jh. eingefügt wurde, *Abb. 587* (München SB, lat. 4453). Christus hält die Seelenbüste Marias mit beiden

---

230. Es wird zwar manchmal in der Literatur auf eine Predigt des Andreas von Kreta († um 720) zum Koimesisfest hingewiesen, wo er von Bildern des Marientodes gesprochen haben soll, aber MPG 97, 1301–1304 ist nur die Rede von einem Bild Marias, das direkt auf sie zurückgehen soll. (Vgl. Lukasmadonna).

231. Siehe J. Lafontaine, Peint. médiév., 1959, S. 28–35. Die Verfasserin beschäftigt sich auch mit den verschiedenen literarischen Quellen, die zu diesen Darstellungen geführt haben könnten, und begründet überzeugend gegenüber älterer Literatur ihre Deutung der Bildmotive als Szenen der Transituslegende. Wir

haben uns bei einer dieser Szenen in Bd. 3, Abb. 55 an die frühere Interpretation gehalten und die nur teilweise erhaltene Begrüßung der Apostel »Johannes und Petrus am Grab« bezeichnet, obwohl damals die dritte Apostelgestalt Zweifel an der Richtigkeit der Interpretation aufkommen ließ.

232. Zu den Darstellungsformen der Seele siehe D. de Chapeaurouge, Die Rettung der Seele, in: W.R. Jb. 1973, 35, S. 9 ff.

233. Vgl. zu der symbolischen Zahl Zwölf die Darstellung der Himmelfahrt Christi im Osten, Bd. 3 Paulus wird in den Apokryphen beim Tod Marias ausdrücklich erwähnt.

Händen nach links hoch, während er sein Angesicht nach rechts Maria zuwendet. In seinem Blick äußern sich entsprechend dem Legendentext die letzten Worte des Sohnes an die Sterbende. Von oben schweben zwei Engel herab (Michael und Gabriel), um mit verhüllten Händen die Seele Marias in Empfang zu nehmen und sie ins Paradies zu geleiten. Die Stellung des Sterbebettes mit dem Kopfende an der vom Betrachter gesehen rechten Bildseite kommt sehr selten vor und läßt auf eine seitenverkehrte Kopie eines Vorbildes schließen.

Ein künstlerisch nicht so qualitätvolles Täfelchen vom Ende des 10. Jh. befindet sich in Köln, *Abb. 588*. Die auffallend große Seelengestalt, deren Gesichtszüge die einer älteren Frau sind, wendet sich nicht zur Toten zurück, sondern blickt geradeaus. Das sie umhüllende Tuch ist wie bei bestatteten Toten mit einem über Kreuz gelegten Band zusammengehalten. Deutlicher sind diese Merkmale bei der Wiederholung der Figur, die rechts oben der Engel zum Himmel (Scheibe mit Sternen) emporträgt. Als Vorbild können Darstellungen der Erweckung des Lazarus gedient haben, *vgl. Bd. 1, Abb. 560–568*, obwohl ein wesentlicher Unterschied zwischen beiden Vorgängen besteht. Bei Lazarus handelt es sich um die Erweckung eines schon bestatteten Toten, bei Maria um die im Augenblick des Sterbens eintretende Trennung von Leib und Seele. Es wird an späteren Darstellungen deutlich werden, daß die Art der Umhüllung der Seelengestalt auf die Verbindung von Koimesis und Depositio zurückgeht und aus einer solchen Darstellung übernommen worden sein wird, siehe unten zu *Abb. 601*. Das Darstellungsschema des Münchner Täfelchens mit den symmetrisch angeordneten Engeln dürfte das ältere sein. Als dann Michael als Psychopompos präzisiert und die Assumptio animae hervorgehoben werden sollte, wurde der eine der Engel abgewandelt, während der andere unverändert an der gleichen Stelle im Bild stehen blieb. Die erste Bildgruppe, die sich auf das Sterben der Gottesmutter im Beisein des göttlichen Sohnes und die Übernahme ihrer Seele konzentriert, ist in der Elfenbein-

skulptur des 10. und 11. Jh. viel umfangreicher als die zweite mit dem emporfliegenden Engel. Dieser ist auf einem Täfelchen in Darmstadt besser motiviert als auf dem Kölner, da hier Christus in der gleichen divergierenden Haltung wie auf dem Münchner Täfelchen die Seelenfigur emporhebt, die einer der beiden Engel dann zum Himmel trägt. Die östliche Bildform ist auf dem süditalienischen Elfenbeinrelief des Kästchens in der Abtei Farfa, Salerno o Amalfi, gegen 1072, Rom, *Abb. 593*, auf ein Breitformat übertragen und ikonographisch etwas abgewandelt. Einer von vier fliegenden Engeln nimmt mit ehrfürchtig verhüllten Händen die Seelenfigur in Empfang. Christus wendet sich dem Engel zu und nimmt infolgedessen nicht den traditionellen Platz in der Mitte hinter dem Totenlager ein. Johannes ist nach abendländischer Tradition jung dargestellt. Er steht aufrecht hinter dem Lager und hält die Palme des Paradieses, die auf dem ursprünglichen östlichen Bildtypus fehlt, demonstrativ wie ein Siegeszeichen. Paulus berührt nicht die Füße der Toten, sondern steht am Kopfende des Lagers. Die Kleriker fehlen auf allen westlichen Darstellungen[234].

Allmählich wird auch im Osten der Bildtypus, der sich gleichfalls in der Wand- und Tafelmalerei (Ikonen) ausbreitet, erweitert. Zunächst lokalisieren zwei seitlich eingefügte Gebäude den Vorgang. Auf Jerusalem verweist eine Kirchenarchitektur, ein Haus auf Marias Wohnung und Sterbeort. Dem Haus sind häufig die Frauen, die nach der Legende bei Maria waren, zugeordnet. Um die Symmetrie in der ganzen Bildkomposition durchzuführen, begrenzen oft zwei gleiche Gebäude mit je einer Frau den mittleren Teil der Bildfläche. Die Kleriker werden nun durch ein Omophorium oder andere Teile des Ornats gekennzeichnet. Es handelt sich um Pseudo-Dionysios, der sich selbst als einen der Teilnehmer am Begräbnis nennt. Jakobus, den Bruder Jesu, erster Bischof von Jerusalem, von dem es auch eine Erzählung zum Marientod gegeben haben soll, Timotheus, ein Priester von Jerusalem, der für die Unsterblichkeit Marias eingetreten sein soll, und

---

234. Abbildungen weiterer Elfenbeintäfelchen der Koimesis des 10. und 11. Jh. siehe Goldschmidt-Weitzmann 109, 110, 111a, 112, 113, 116e, 174, 175, 176, 177, 179, 180, 181, 195, 202, 206, 209, 234. Das gleiche einfache Grundschema verwendet auch die Ikonenmalerei – siehe Beispiele im Katharinenkloster auf dem Si-

nai, G. u. M. Sotiriou, Bd. I u. II, Abb. 42, 60, 79, 92, 211, 213, 216 – und die Buchmalerei, vgl. das sog. Phokas-Evangeliar des Athosklosters Lawra, um 1025, K. Weitzmann, in: Sem Kond 8, 1936, S. 83–98, Tf. III, 1.

Hierotheos, ein Schüler des Paulus und Bischof von Athen, der auch zum Sterbebett Marias gebracht worden sein soll (siehe Synaxarien)[235]. Eine Ikone von einem Ikonostasisbalken im Katharinenkloster auf dem Sinai, um 1200, *Abb. 589*, zeigt die Gebäude, verzichtet aber auf die Engel. Es ist allerdings möglich, daß die Tafel oben beschnitten ist. Gegenüber den Darstellungen der älteren Elfenbeintafeln äußert sich der Schmerz nicht in gefühlsbetonten heftigen Bewegungen der Figuren, sondern im Ernst des differenzierten Gesichtsausdrucks der Apostel. Die Ikonostasisbalken (Epistylien) übernehmen häufig den Zwölffeste-Bildzyklus (Dodekarton), der mit dem Marientod abschließt. (Vgl. zu den Festzyklen Sandsteintafel, 12. Jh., *Abb. 455*, und Ikone, 1600, *Abb. 456*, beide Berlin; ferner die zweite Tafel des Mosaik-Diptychons, 14. Jh., Florenz, *Bd. 2, Abb. 12*.)

Vom 13. Jh. an wird – vorzugsweise in der russischen und serbisch-makedonischen Malerei – die Doxa des erhöhten Herrn durch eine Licht- und Engelglorie hervorgehoben. Andererseits ist in dieser Zeit aber auch manchmal das Motiv des frevelnden Juden aus der Erzählung der Grabtragung in das liturgische Koimesis-Bild aufgenommen worden. Auf einer russischen Ikone des 13. Jh. (Schule von Pskov), Recklinghausen, *Abb. 591*, haben die Figuren des Frevlers und des Engels mehr didaktischen Charakter, sie agieren kaum. Der Frevler steht mit dem Rücken zur Bahre und blickt zur Gottesmutter auf. Michael neben ihm mit gezogenem Schwert scheint abzuwarten. Dramatischer ist die Episode auf dem Bild eines armenischen Evangeliars, 1232, Etschmiadzin, dargestellt, *Abb. 590*. Der Frevler, dessen Hände an der Bahre haften, ist auf Michael bezogen, der, immer noch in kampfbereiter Positur, den Blick auf Petrus richtet. Da dieses erzählende Motiv auf eine knappe Form reduziert ist, behält die Gesamtdarstellung den symmetrischen Aufbau älterer Darstellungen. Von den oben erwähnten Klerikern sind hier drei, häufig aber vier eingefügt. Christus ist von sieben Engeln umgeben. Er hält die Seele in der Gestalt eines Wickelkindes in der Hand, vgl. frühchristliche Darstellungen der Geburt Jesu *Bd. 1, Abb. 143, 144, 152 u.a.m.* – allerdings ist das überkreuzte Band beim Jesuskind auch

häufig, *Abb. 157, 165 u.a.m.* Es ist möglich, daß mit dieser kindhaften Seelengestalt auf die Taufe und die Wiedergeburt hingewiesen werden soll, die im Tod erneut und endgültig wirksam wird. Ein solcher Hinweis würde an die ursprüngliche Feier des Marienfestes anknüpfen, die den Dies natalis für das Himmelreich feierte. Der Denkmälerbestand ist zu lückenhaft, um eine Bildtradition verfolgen zu können, die der Seele bewußt die Gestalt eines ›Wickelkindes‹ als Hinweis auf die neue Geburt gibt. Es wird neben den Varianten weiterhin an der Bildform festgehalten, die sich auf die Darstellung des Marientodes konzentriert und sogar auf die Engel, die in ihrer Funktion als Psychopompoi auf die Levatio der Seele verweisen, verzichtet. Die Rückseite der Ikone der Don'schen Gottesmutter, von einem Nachfolger Theophanes' des Griechen, um 1370–1380 gemalt, Moskau, Tretjakov-Galerie, ist dafür ein eindrucksvolles Beispiel. Vor einer großen Gloriole, die den ganzen Raum zwischen den beiden Gebäuden (ohne Frauen) einnimmt, steht Christus frontal im weißen Kleid des Lichtes, über seinem Haupt ein Seraph. Er hält die kleine verhüllte Seele der Mutter im Arm. Zwei der Kleriker überragen die beiden Gruppen der Apostel. In der Bildachse steht unten auf der Fußbank eine hohe Kerze[236]. Sie mag sich wie im abendländischen Bild auf die Kerze des Sterbebrauchtums beziehen, siehe unten. Aber vielleicht sollte man sie hier mit Hieronymus als Zeichen dafür deuten, daß ein Heiliger gestorben ist, nachdem er durch das Licht des Glaubens erleuchtet war. Cassiodor (um 485–583?) sagt unter Berufung auf Joh. 1,9, daß die Seele ein Licht sei, weil sie ein Bild Gottes ist[237].

Innerhalb der Wandmalerei des Ostens sind vom 10. Jh. an Koimesisbilder in der einfachen Kompositionsform nachzuweisen, die ältesten erhaltenen, wenn auch fragmentierten Fresken befinden sich in Kappadokien. Die Darstellung in der Sümbülü Kilise (Hyazinthenkirche) bei Ihlara, frühes 10. Jh., zeigt Maria halb aufgerichtet auf einem hohen verzierten, thronartigen Lager liegend. Christus (frontale Ansicht) hält die Seelenfigur im Arm. Außerdem sind noch ein fliegender Engel, einige der Apostel und Architekturteile zu erkennen. In der Nähe befindet sich die Ağaç Altı Kilise (Kirche unter dem Baum) mit

235. Siehe M. Jugie, 1944, S. 121ff. und 70ff.

236. I. E. Grabar, V. N. Lasarev, Geschichte der russischen Kunst, Dresden 1950, Bd. 2, Abb. 123.

237. Zur Kerze siehe D. de Chapeaurouge, 1973, S. 34. Hieron. MPL. 23, Sp. 349, I. Cassiodor MPL. 70, Sp. 288.

einem Fresko vom Anfang des 11. Jh., bei dem einige Motive auffallen. Christus greift mit beiden Händen zum Mund der Sterbenden, als wolle er die ausgehauchte Seele ergreifen. Etwas höher steht Christus noch einmal mit der kleinen Seelenfigur im Arm. Hier hält Johannes den Palmzweig, den nach der Legende der Engel als Zeichen des Paradieses bei der Todesverkündigung Maria übergeben hatte[238]. Die Fresken aus der 2. Hälfte des 10. Jh. der neuen, wahrscheinlich von Kaiser Nikephoros II. Phokas gestifteten Tokalı Kilise (Göreme) lassen die erste Welle des byzantinischen Einflusses in Kappadokien erkennen. Das verhältnismäßig gut erhaltene Fresko des Marientodes zeigt den kanonischen Typus des Elfenbeintäfelchens in München.

In hauptstädtischen Gebieten sind Koimesisdarstellungen unter anderen nachzuweisen: Sv. Sofije in Ohrid um 1056–57, Neubau unter dem griechischen Bischof Leon (1037–1056); Mosaik im Naos der Klosterkirche von Daphni bei Athen um 1100, zu einem Teil zerstört; das künstlerisch von Byzanz abhängige Wandbild der Verklärungskirche in Pskov (Rußland) Mitte des 12. Jh; Thessaloniki, Panagia ton Chalkeon, nach 1028, und schließlich das Mosaik der Chora-Kirche in Istanbul, 1315–1320. Dieses zeigt Christus in frontaler Haltung ohne die direkte Beziehung zur Mutter. Er ist von einer doppelten Mandorla und von Engeln umgeben. Der Seraph über ihm betont seine Göttlichkeit und bezieht sich vielleicht auf den in einer Legendenversion erwähnten Feuerwagen (vgl. die erwähnte Ikone des späten 14. Jh. eines griechischen Malers in Moskau und *Abb. 591*). Als Beispiel für die Monumentalkunst bilden wir das Mosaik des 12. Jh. in der Martorana zu Palermo ab, *Abb. 592*. Die einfache frühe Komposition ist durch die Gebäude und die Frauen erweitert. Der Richtungsgegensatz der Bewegungen Christi, bedingt durch das Emporreichen der Seelenfigur, die auf die Tote herabblickt, die herabfliegenden Engel und die Anordnung der Apostel, entsprechen dem Münchner Elfenbeintäfelchen, *Abb. 587*.

Die geringfügigen Unterschiede dieser Darstellungen des Heimgangs Marias hinsichtlich der mit Christus herabkommenden oder mit der Seelenfigur Marias emporfliegenden Engel und des Bezuges Christi zu seiner Mutter lassen ebenso wie die Einfügung des Frevlers zwar den Grad der Nähe zum Legendentext erkennen, gehen aber in ihrer ablesbaren Aussage nicht über die Erhebung der Seele Marias unmittelbar nach ihrem Tod hinaus. Im Unterschied zu dem Bildmotiv der Levatio animae der Heiligen erscheint Christus selbst beim Tod der Mutter und nimmt ihre Seele an sich. Sie wird auf mehreren Darstellungen von Michael, zu dessen Ämtern das Seelengeleit gehört, emportragen; oft ist aber nur durch einen oder zwei Engel, die sich durch die mit dem Devotionstuch bedeckten Hände von den Christus begleitenden Engeln unterscheiden, auf die Assumptio animae hingewiesen.

Das Fresko in der Sophienkirche in Ohrid nimmt im oberen Bildteil die wundersame Fahrt der Apostel zu der sterbenden Gottesmutter auf. Zu beiden Seiten der Bildfläche trägt je eine Wolke eine Apostelgruppe[239]. Mit dieser Herbeiführung der Apostel bereitet sich die insbesondere für das Balkangebiet vom späten 13. Jh. an typische große Koimesisdarstellung vor, die in simultaner Darstellungsweise mehrere der in den Texten erzählten Begebenheiten um das Hauptbild gruppiert. Erst für das 13. Jh. läßt sich in diesem erweiterten Koimesisbild die körperliche Himmelfahrt Marias als eingefügtes Nebenmotiv nachweisen, siehe unten bei der zyklischen Darstellung.

Die abendländische Darstellung der Dormitio mit der Assumptio animae in der Buchmalerei vom 9. bis zur Mitte des 13. Jahrhunderts

Da das Abendland bis zum hohen Mittelalter nur geringes Interesse an den Legenden über das Lebensende der Gottesmutter hatte, war der direkte Einfluß der Apokryphen auf die bildliche Darstellung bis zum späten 12. Jh. gering. Vielmehr übermittelte der Osten mit Werken der Kleinkunst (Elfenbeinschnitzerei, Emailkunst, Buchmalerei), die gerade um die Jahrtausendwende in großer Anzahl

---

238. N. et M. Thierry, 1963, Abb. 78b, 39. M. Restle, Die byzant. Wandmalerei in Kleinasien, Kat. LV, S. 170, Abb. 494; vgl. auch Kat. X, DXXIII, das Fresko der älteren Tokalı Kilise im Tal von Göreme, 910–920, und Abb. 26, Kapelle 2a, in Göreme, 1070, ohne Emportragen der Seelenfigur; bei Thierry 105 f., Tf. 51b–52 die Yılanı Kilise, 2. Hälfte 11. Jh.

239. Abbildung des stark beschädigten Freskos bei Hamann-Mac Lean und Hallensleben, 1963, S. 26.

durch die Verbindung mit dem byzantinischen Hof (Theophanou, Gemahlin Ottos II.) und im 12. Jh. durch die Kreuzzüge (letzte Phase Plünderung Konstantinopels bei der lateinischen Eroberung 1204) dem Abendland bekanntwurden, das Kompositionsschema und die Bildelemente der Koimesisdarstellung den Skriptorien und Werkstätten des Westens. Aber von Anfang an wurde hier das Bildschema abgewandelt und immer wieder durch neue Gedanken bereichert, so daß die Bildgeschichte sich im Westen differenzierter und vielschichtiger darbietet als im Osten. Neben Werken, die durch die Auseinandersetzung mit der Überlieferung entstanden, treten eigene Bildschöpfungen auf. Sie sind insgesamt im Zusammenhang der sich im 10./11. Jh. zunächst in den Mönchsorden (Cluny) anbahnenden Marienverehrung und vor allem der Liturgie des Marienfestes am 15. August zu sehen. Da sich die Darstellungen bis zur Mitte des 12. Jh. im wesentlichen auf Miniaturen in liturgischen Büchern beschränken, regten vor allem deren Texte die Maler an; sie haben zwar, wie oben schon gesagt, keine Abschnitte aus den Legenden, wohl aber auf die Unio Mystica gedeutete Worte des Hohenliedes aufgenommen. Durch diesen Bezug zu der Liturgie liegt bei den Bildern der Buchmalerei vielfach der Akzent nicht beim Sterben Marias, sondern auf der visionären Schau der mystischen Vereinigung von Christus und der verklärten Seele. So sind diese Darstellungen auch weitgehend frei von der theologischen Fragestellung, die sich auf das Schicksal Marias nach ihrem Tod bezieht. Bei ihr geht es einerseits um die kontroverse Frage, ob die Seele Marias unmittelbar nach dem Tod in das Paradies aufgenommen worden sei und wie alle Menschen auf die Wiedervereinigung der Seele und des Leibes bei der Auf-

erstehung der Toten zu warten habe oder ob ihr unversehrter Leib in den Himmel zum erhöhten Christus erhoben worden sei und so die eschatologische Vollendung schon unmittelbar nach ihrem Tod vorweggenommen wurde. Andererseits zieht sich durch diese Diskussion, die in die Mariologie mit verbindlichen, wenn auch nicht dogmatisierten Aussagen der Spätscholastik einmündet, die Absicht, die Ereignisse nach dem Tod der Gottesmutter der Auferstehung, Himmelfahrt und Erhöhung des Sohnes anzugleichen. Diese Conformitas klingt in Kunstwerken vom Ende des 12. Jh. an und führt in der abendländischen Kunst zu dem Sondermotiv der Marienkrönung, das aus dem der Aufnahme in den Himmel nach ihrem Tod folgerichtig hervorgeht. Wir behandeln deshalb die Krönung Marias in der Kunst des hohen Mittelalters nicht gesondert, sondern beziehen sie in die Ausführungen zur Kathedralplastik ein, in der der Darstellungstypus ausgebildet wird.

Erst die abendländischen Bearbeitungen der alten Transituslegenden vom Ende des 12. Jh. an, eigene Mariendichtungen und Predigten zum Fest der Assumptio Mariae und schließlich die aus vielen Quellen zusammengestellte »Goldene Legende« brachten dem Volk die Geschichten vom Lebensende der Gottesmutter näher, so daß es im 13. und 14. Jh. zu zyklischen Darstellungen kommt. Das konnte nur geschehen, weil neben der individuellen Mystik eine realistischere Frömmigkeit ihr Augenmerk mehr dem Geschehen als dessen Deutung zuwandte, so daß es parallel zu anderen Themengruppen zu zyklischen Darstellungen des Marientodes kam, die sich nun an die Legendentexte anlehnten und diese wie die Kindheitslegenden als Mariengeschichte nahmen[240].

240. Die wichtigsten dieser populär gehaltenen Schriften sind: die bei den Kindheitslegenden schon genannte »Vita beatae Mariae Virginis et Salvatoris rhythmica«, gegen 1200, die die Transituserzählung enthält und am Schluß den Empfang Marias durch die neun Engelchöre und die Heiligen im Himmel breit ausführt, hrsg. v. A. Vögtlin in: Bibl. des lit. Vereins, Stuttgart-Tübingen 1888; das Büchlein »Von unserer vrouen hinvart« des Konrad von Heimesfurth, Anfang 13. Jh., hrsg. v. Pfeiffer in Zschr. f. d. Altertum (Leipzig), 8, 1851, S. 156ff. (65, 1928 und 65, 1930) und A. Kober, Gesch. d. religiösen Dichtung in Deutschland, Essen 1919, S. 69f.; »Eine Maere von Marien« von Philipp d. Karthäuser, Ende 13. Jh., Neuhochdeutsch in: W. Lindemann, Blumenstrauß von geistlichen Gedichten... S. 351ff.; s. a. H. Rückert,

in: Bibl. d. dt. Nat. Lit., Bd. 34; die »Goldene Schmiede« des Konrad von Würzburg, ein Preislied auf die heilige Jungfrau, 13. Jh., hrsg. von E. Schröder, Göttingen 1926; die Ausführungen des Vinzenz von Beauvais (ca. 1190–ca. 1264) zum Tod Marias und ihrer Aufnahme in den Himmel, die auf Ps Melito zurückgehen, im Speculum historiale VII, 75 ff. (1253 abgeschlossen); die Zusammenfassung verschiedener Quellen in der »Goldenen Legende« des Jacobus de Voragine, 2. H. 13. Jh. und das »Mariale Super Missus est«, 2. H. 13. Jh. oder erst 14. Jh., Österreich oder Böhmen (früher Albertus Magnus zugeschrieben), siehe A. Kolping, Zur Frage der Textgeschichte, Herkunft und Entstehungszeit der anonymen Laus Virginis, in: RThAM 25, S. 285–328.

Die auf uns gekommene karolingische Buchmalerei enthält die Darstellungen der Dormitio noch nicht, da sich, wie oben gesagt, das Fest am 15. August erst allmählich im karolingischen Reich ausbreitete. Der mittlere Teil des Elfenbeinreliefs der Rückseite vom sog. Tuotilo-Einband, um 900, der Stiftsbibliothek St. Gallen, *Abb. 594*, ist nicht der Ikonographie der Assumptio zuzurechnen, sondern geht auf frühchristliche Paradiesdarstellungen zurück. (Der obere Teil zeigt einen Tierkampf, der untere zwei Szenen aus der Vita des Gallus. Vgl. den vorderen Einbanddeckel mit dem von zwei Seraphim flankierten thronenden Christus-Kosmokrator *Bd. 3, Abb. 692*.) Dieses Elfenbeintäfelchen gibt im Mittelteil Maria in Oranshaltung auf einer Bodenwelle stehend, inmitten von vier sie verehrenden Engeln, wieder. Der Ort ist durch den Baum neben ihr als Paradieslandschaft zu deuten. Die betonte Oranshaltung der in frontaler Ansicht im Paradies stehenden Figur geht auf die frühchristliche Sepulchralkunst zurück. Hier sind die Oranten nach den Forschungen von Theodor Klauser ein Symbol der Gottesliebe oder die Verkörperung der Frömmigkeit zu Lebzeiten des Verstorbenen[241]. Die Inschrift des Tuotilo-Täfelchens »Ascensio sanctae Mariae« hat in der kunstgeschichtlichen Literatur mehrfach dazu geführt, in dem Relief die älteste Darstellung der körperlichen Himmelfahrt Marias zu sehen, ohne zu beachten, daß Maria nicht emporschwebt, sondern neben einem Baum steht. Das Wort »ascendere« oder »ascensio« ist, wie schon gesagt, im frühen Mittelalter für die Assumptio animae verwandt worden. Der für die damalige Mariologie aufschlußreiche und schon genannte Traktat des Paschasius Radbertus (ca. 790–856) distanziert sich von der Vorstellung einer leiblichen Auferstehung und Himmelfahrt der Gottesmutter. Notker von St. Gallen, der in Beziehung zu Tuotilo stand, war der Auffassung, Marias Seele sei unmittelbar nach ihrem Tod in das Paradies aufgenommen worden – eine Auffassung,

die seit frühchristlicher Zeit für Märtyrer und Heilige galt. Nach karolingischem Verständnis, das sich in Predigten äußert, ist das Privileg Marias der sofortige Gewinn der Gottvereinigung und der Genuß der Gottschau, deren die Seele Marias nach ihrem Tod gewürdigt wird. Als Gottesgebärerin wird sie den Märtyrern und Jungfrauen, denen die gleiche Auszeichnung zuteil wird, und den Engeln übergeordnet (Scheffczyk S. 462). Dieser Verehrung Marias als einer in besonderem Maße Heiligen ist auf dem Relief durch die vier Engel Ausdruck verliehen.

Aus der Korrespondenz beider Darstellungen dieses Bucheinbandes ergeben sich weitere Gesichtspunkte des Darstellungstypus. Für das Bild der Himmelfahrt Christi hat der Osten im 6. Jh. einen Typus geprägt, der unterhalb der in der Glorie thronenden Majestas Domini die Maria-Orans zwischen den beiden Engeln, die den Apostel das Geschehen deuten, zeigt[242]. Sie ist in der Horizontalen des unteren Bildteils hervorgehoben und durch ihre frontale Haltung und den Gebetsgestus von den Aposteln abgesetzt und sie steht in der Bildachse in enger Beziehung zum triumphierenden Christus. Ist die Darstellung in eine Kuppel übertragen, wie sie in der Sophienkirche in Saloniki aus der 2. Hälfte des 9. Jh. in fragmentarischem Zustand erhalten ist (vgl. die spätere Wiederholung in S. Marco, Venedig, *Bd. 3, Abb. 465*), so entsteht bei der Kreiskomposition der Eindruck einer Paradiesdarstellung, zumal die Kuppel als Abbild des Himmels verstanden wurde und die Bäume zwischen den Aposteln an frühchristliche Paradieslandschaften erinnern. Es ist durchaus möglich, wie mehrfach angenommen wurde, daß diese Mariengestalt zwischen den Engeln isoliert und als selbständiges Bildmotiv des Aufgenommenseins in das Paradies dargestellt wurde. Sowohl bei der östlichen Darstellung der Himmelfahrt Christi als auch bei der korrespondierenden Darstellung des triumphierenden Christus und der Maria-Orans im Paradies partizipiert Maria an der

---

241. Vgl. zu den verschiedenen Interpretationen der frühchristlichen Orans: W. Neuß, Die Oranten in der altchristlichen Kunst, in: Festschrift für P. Clemen, 1926, S. 130–149. Entgegen Neuß siehe Th. Klauser, Studien zur Entstehungsgeschichte der christlichen Kunst, in: Jb AC II, 1959, S. 115–131; III, 1960, S. 112–133; VII, 1964, S. 67–76. Klauser geht von paganen Vorbildern und deren symbolischem Gehalt aus. – Interessant für einen Vergleich zur Darstellung der Tuotilotafel ist die Darstellung der

Maria-Orans inmitten der Evangelistensymbole und der zwölf Apostel auf der Vorderwand eines karolingischen Elfenbeinkästchens um 800 im Bayerischen Nationalmuseum München, abgebildet bei A. Goldschmidt, Elfenbeinskulpturen I, Nr. 180, Goldschmidts Deutungsmöglichkeiten auf S. 86 (Ekklesia, Maria von einer Himmelfahrt Christi oder Himmelfahrt Marias).

242. Vgl. *Bd. 3, Abb. 9, 459–461, 464, 467*, mit einem anderen Anbetungsgestus *465, 466, 488*.

Verherrlichung des Herrn, wie sie bei der Anbetung der Magier an der Verehrung des Sohnes teilhat. Vielleicht kennzeichnet der Gebetsgestus der Maria-Orans[243] – im Paradies und bei der Himmelfahrt Christi – die Gottesmutter auch als Mittlerin zwischen Gott und Mensch im Sinne der Fürbitte. Der Gedanke der Mittlerschaft trat zwar um 900 in der abendländischen Mariologie noch nicht klar hervor, jedoch enthalten Hymnen des 10. Jh. die Bitte um Fürsprache. Es ist gerade Notker von St. Gallen (†912), der in einer Sequenz zum Fest der Assumptio Mariae die Regina coeli preist und am Schluß sagt, daß die ganze Kirche sie mit ihren Gesängen verehrt und demütig um Fürsprache bittet[244]. Aus der naheliegenden Ableitung der Maria-Orans zwischen den sie verehrenden Engeln vom östlichen Typus der Himmelfahrt Christi läßt sich jedoch nicht auf die Absicht des Elfenbeinschnitzers aus St. Gallen schließen, eine leibliche Himmelfahrt Marias darzustellen. Ebensowenig läßt sich die große Marienfigur im Zentrum der auf die Kreuzbalken verteilten Darstellung der Himmelfahrt Christi auf Pektoralkreuzen, *vgl. Bd. 3, Abb. 456*, oder auf einem Enkolpion als Himmelfahrt Marias deuten, wie es mitunter geschah[245]. An der Hervorhebung der Mariengestalt dieser Bildkompositionen ist jedoch die Verehrung Marias abzulesen. Dies trifft auch für das Tuotilo-Täfelchen zu, das Maria im Paradies der Repräsentation der Majestas Domini gegenüberstellt. In der vom Osten beeinflußten Kunst ist die zwischen Engeln im Paradies thronende Maria ein Darstellungstypus, der als Gegenstück zum thronenden Christus häufiger vorkommt. Es sei hier nur auf das von byzantinischer Ikonographie geprägte Mosaik der Maria-Orans zwischen

adorierenden Engeln im Paradies hingewiesen, das im Gewölbe der Protesis dem Pfingstbild im Diakonikon der Cappella Palatina in Palermo, 12. Jh., gegenübergestellt ist, und auf die obersten Reliefs beider Türflügel der Porta San Ranieri am Dom zu Pisa, um 1180. Auf der einen Tafel dieser Tür ist Christus unter einem Kuppelbaldachin thronend dargestellt und durch die Inschrift als das Licht der Welt bezeugt. Der Lobgesang der zu beiden Seiten stehenden Engel aus Jes 6,2 (Sanctus) und Mk 11,9 ist in großen Buchstaben zu lesen. Das danebenstehende Relief zeigt Maria auf einem einfachen Thron sitzend, die Hände im Anbetungsgestus vor die Brust haltend. Die Inschrift besagt »Assunta est in Celu(m)«. Auch sie wird von Engeln, die zwischen Fruchtbäumen stehen, verehrt. Im Gegensatz zu dem durch ein architektonisches Sinnbild verdeutlichten Himmel der Christusdarstellung ist für das Marienbild die frühchristliche Paradiesvorstellung mit Bäumen übernommen, die in verkürzter Form durch den stilisierten Baum auch das Tuotilo-Täfelchen zeigt[246]. Diese Hinweise mögen genügen, um die oft geäußerte Ansicht, es handle sich bei dem karolingischen Täfelchen um die älteste abendländische Darstellung der leiblichen Himmelfahrt Marias, in Frage zu stellen[247].

Die Darstellung des Marientodes mit der Aufnahme ihrer Seele in den Himmel beginnt im Abendland im späten 10. Jh. Es ist von Anfang an erkennbar, daß entweder unterschiedliche Vorlagen des Ostens benutzt wurden, die wir bei dem Ausfall des Denkmälerbestandes nicht mehr verfolgen können, oder, was wahrscheinlicher ist, daß jeweils eine eigenständige Gestaltung oder Umformung des

---

243. Dieser Marienbildtypus stammt möglicherweise aus Syrien oder Palästina und ist in der byzantinischen Kunst weit verbreitet, siehe oben *Abb. 433*. Vgl. A. Grabar, Ampoules de Terre Sainte, Paris 1958, S. 58f.

244. Vgl. H. Schrade, Zur Ikonographie der Himmelfahrt Christi, Vorträge 1928–1929 der Bibl. Warburg, Leipzig 1930, S. 154–160. Seine Deutung der Maria Orans als Kirche dürfte zu eng sein. Bei der Darstellung der Himmelfahrt Christi ist Maria als Mutter des Herrn zunächst mit den Aposteln Vertreterin der ersten Heilsgemeinde und von Joh 19,27 ausgehend Mater Apostolorum. Der Gebetsgestus kommt in der frühen Kunst zu häufig vor, als daß man aus seiner Verwendung für Maria generell die Maria Orans als Sinnbild oder Typus für die Kirche festlegen kann.

245. Abb. bei M. Meiss, in: Burl. Mag. II 1937, 14–25; J. Hecht, Die frühesten Darstellungen der Himmelfahrt Mariens, in: Das Münster 4, 1951.

246. Siehe A. Boeckler, Die Bronzetüren des Bonanus von Pisa und des Barisanus von Trani, Berlin 1953, S. 17f. und Abb. 26–31.

247. Im Zusammenhang der Dogmatisierung der leiblichen Himmelfahrt Marias, die Rom 1950 vollzog, ist in der kunstgeschichtlichen Literatur mehrfach versucht worden, frühe Darstellungen der Maria im Paradies oder der Assumptio animae als leibliche Himmelfahrt zu interpretieren. Das widerspricht sowohl der Ikonographie der Bildtypen als auch den Texten des Marienfestes am 15. August und den theologischen Aussagen bis Mitte 12. Jh.

überlieferten Bildtypus beabsichtigt war. Der Grund dafür lag nicht nur im Wandel der formal künstlerischen Formgebung, sondern in der Entfaltung und Erweiterung des marianischen Gedankengutes, das bis zum 13. Jh. noch nicht einheitlich theologisch fixiert war. So stehen neben dem abgewandelten Koimesis-Typus, wie ihn die Miniatur des Antiphonars aus Prüm, 992–1001, *Abb. 607*, zeigt, Darstellungen, die die Sterbestunde hervorheben und auf die Todesüberwindung nur durch ein Symbol hinweisen: Benediktionale von Winchester, *Abb. 604*, oder die ausschließlich die Vision der zukünftigen Herrlichkeit Marias zeigen: Augsburger Dom-Missale, *Abb. 595*. Allgemein ist zu beobachten, daß bei den Miniaturen zu den unterschiedlichen Texten und Gebeten der Festliturgie und des Stundengebetes der Akzent mehr auf der Aufnahme der Seele Marias in die Herrlichkeit Christi als auf der Sterbestunde liegt. Es geht weniger um das Lebensende der Gottesmutter als um das eschatologische Heilsgeschehen. Eine direkte Beziehung zu Legendentexten ist kaum erkennbar.

In der Farfa-Bibel aus dem Kloster Santa Maria de Ripoll (Katalonien), 1. Hälfte 11. Jh., folgt dagegen die Koimesis ohne Übergabe der Seelenfigur an den Engel in der untersten Zeile des narrativen Auferstehungszyklus fol. 370ʳ auf die Himmelfahrt Christi und die Ausgießung des Heiligen Geistes (vgl. den Ausschnitt dieser Seite ohne die untere Bildreihe *Bd. 3, Abb. 287*). Die Aufnahme des Marientodes in einen Zyklus der Erlösungsgeschichte ist hier aus einer Vorlage der östlichen Kunst übernommen. (Vgl. die erwähnte Bronzetüre am Dom zu Pisa um 1180, wo die Koimesis den Leben-Jesu-Zyklus der beiden Türflügel abschließt und auf die Himmelfahrt Christi folgt.) Sie entspricht der Voranstellung der Kindheitslegenden Marias bei Christuszyklen, beides ist im 11. Jh. im Abendland noch nicht üblich. In der Farfa-Bibel ist auf der folgenden Seite fol. 370ᵛ in kleinem Format über dem Evangelistensymbol des Matthäus (Engel) die Maria-Orans in der von vier Engeln gehaltenen Kreisgloriole im Sinne eines Verherrlichungsbildes dargestellt. Ein Zusammenhang beider Mariendarstellungen ist nicht zu erkennen, so daß es sich hier um keine Assumptio-Darstellung handelt[248].

Die der Reichenauer Schule nahestehende Miniatur im sog. Augsburger Dom-Missale, 1. Hälfte 11. Jh., London, *Abb. 595*, gibt die Maria-Orans in der Haltung wie auf dem Tuotilo-Täfelchen wieder, jedoch von der ovalen Lichtform umgeben vor einem abstrakten Gold- und Farbgrund. Das Bild ist ikonographisch nicht ganz eindeutig zu bestimmen, da es in dieser Zeit zu der in der Mandorla stehenden Marienfigur als Festbild m. W. keine Parallele gibt und die Miniatur in keinem Zusammenhang steht, wie er für diesen Gestalttypus von Mitte des 12. Jh. nachzuweisen ist. Es kann als Repräsentationsbild und Ausdruck der Hymnen der Festliturgie verstanden werden, zumal es unentschieden bleibt, ob die Engel Maria tragen oder die Verklärte zur Verehrung darbieten. Wahrscheinlicher ist aber, daß hier nur eine andere Form der Seelenassumptio vorliegt, obwohl entgegen den Reichenauer Darstellungen ein Zeichen des Himmels als Bezugspunkt fehlt. Die Bezeichnung Marias als ›Stella Maris‹ (Stern des Meeres) ist literarisch für das 10. Jh. zu belegen. Sie kommt in dem erwähnten Assumptio-Hymnus Notkers von St. Gallen und in den Versen der Geburt Marias der Hrotsvith vor[249].

In einem Lektionar der Dombibliothek (Beverina) zu Hildesheim, um 1018, sind die Darstellungen des Todes (nach byzantinischem Schema) und der Aufnahme der Seele Marias in den Himmel auf zwei Seiten verteilt, *Abb. 598* (Tod nicht abgebildet), während im Perikopenbuch Heinrichs II., 1007 oder 1012, München, *Abb. 597*, und in einem noch dem 10. Jh. angehörenden Troparium, Bamberg, *Abb. 596*, beide Gegenstände in einer Bildkomposition vereint sind. Auch die Miniatur im Kodex Brixianus der Bibliothek zu Brescia gehört zu dieser Gruppe. Christus erscheint entgegen dem traditionellen Vorbild in einer überirdischen Welt, einmal in der Gestalt der Majestas Domini, zum anderen symbolisiert in der Form der Dextera Domini mit dem dreifachen Lichtzeichen. Staunend schauen im Hildesheimer Kollektionar die Engel den Transitus der Seele Marias. Wie bei der Miniatur im Augsburger Missale kontrastiert der farbige Streifengrund unten zum Goldgrund, der hier aber oben von stilisierten Wolken, dem göttlichen Bereich, begrenzt wird. (Zu den kreuzförmigen drei Lichtstrahlen vgl. die Pfingstdarstellungen *Bd. 4, 1, Abb. 19 und 25*.) Diese drei Miniaturen sind hinsichtlich der anbetenden Seelenfigur voneinander

248. Siehe W. Neuß, Die katalanische Bibelillustration, Bonn 1922, S. 127 und Fig. 149.

249. Zur Bezeichnung W. Delius, Geschichte der Marienverehrung, München–Basel 1963, S. 9f.

abhängig. Die Form knüpft an die von zwei Engeln getragene Imago Clipeata an, wie sie mit dem Bildnis der Verstorbenen auf antiken und frühchristlichen Sarkophagen verwandt wurde. In der römischen Antike war die Imago Clipeata der Darstellung der kaiserlichen Familie und hoher Staatsbeamter vorbehalten; als Sepulchralbild gab sie das gottähnliche Bild des in der Apotheose Gewürdigten wieder, das als unsterblich von den Genien emporgetragen wird. Die christliche Kunst übernahm die Imago Clipeata zunächst als Hoheitsform für die Christusdarstellung (*vgl. Bd. 3, Abb. 523* und Seite 167), dann aber auch für Heilige und für die Sepulkralkunst. Hier ist sie als einfache Halbfigur oder als Orante Zeichen für die Erhöhung der Seele des Verstorbenen zu Gott oder in das Paradies ohne die antike Vorstellung der Apotheose (Verwandlung in eine Gottheit)[250]. An die Stelle des antiken Clipeus (Schild) ist in der Malerei eine sphärische kreisförmige Lichtgloriole getreten, ein Verherrlichungsattribut, das der Mandorla bei der stehenden Figur entspricht[251].

Vielleicht muß man aber bei dieser Form des Transitus Marias gar nicht auf die Spätantike zurückgehen, um die Anregung für diese Halbfigur der Orans im Kreis zu finden, denn der byzantinische Typus eines Marienbildes in der Form der Halbfigur in einem Tondo war im 10./11. Jh. wahrscheinlich dem Westen bekannt, *vgl. Abb. 436.* Außerdem lag es in künstlerischer Sicht nahe, vor allem bei *Abb. 597 und 598,* an dieser zentralen Stelle der Bildkomposition eine Kreisform einzufügen. War eine Bildformel erst einmal eingeführt, wurde sie weiter übernommen. Von den Aposteln sind auf der älteren Miniatur, *Abb. 596,* mehrere mit der Toten beschäftigt, andere blicken empor, als sähen sie wie in einer Vision die von Engeln zu Gott getragene Seele. Auf der Darstellung des Reichenauer Perikopenbuches *Abb. 597* konzentrieren sich die zwölf Apostel auf die Tote; Kerzen, Weihrauch, offenes Buch, Prozessionskreuze sind Attribute, die auf die Totenfeier (Commendatio animae und Missa da Requiem, siehe unten) verweisen. Sie treten mehr hervor als auf der byzantinischen Elfenbeintafel, die sich vermutlich damals im Kloster auf der Reichenau oder in Bamberg befand, *Abb. 587.* Sind im unteren Bildteil der Miniatur noch deutliche Anklänge an den Koimesis-Typus und das irdische Ereignis des Sterbens hervorgehoben, so zeugt oben die Christophanie von einer eigenständigen Gestaltungskraft, die sich nicht von der frommen Erzählung leiten läßt, sondern von der Vision der eschatologischen Vollendung des durch Christus bewirkten Heils für die Menschen[252].

Vergleicht man die Darstellung des Perikopenbuches Heinrichs II., in dem der sakrale Stil der Reichenauer Schule seinen Höhepunkt erreichte, mit der des Bernulph-Evangelistars aus dem Umkreis der Reichenauer Malschule, Mitte 11. Jh., Utrecht, *Abb. 599,* so wird die unterschiedliche künstlerische Kraft der Umsetzung von Vorbildern in die eigene geistige Vorstellungswelt evident. Im Bernulph-Evangelistar, das Reichenauer Vorbilder verarbeitete, hat ein Maler, an Kanontafeln anknüpfend, der Vorlage einen aufwendigen dekorativen Rahmen gegeben, der das zentrale Symbol der Assumptio animae abschwächt. Christus, in kontrapostischer Haltung, hält die Seele den vier herabstürzenden Engeln entgegen. Im Gegensatz zu den byzantinischen Darstellungen fällt bei den abendländischen auf, daß die Apostel keine Sandalen tragen.

In einer ganz anderen Weise formt die Salzburger Schule Mitte 12. Jh. im Perikopenbuch aus dem Kloster St.

250. Siehe zur Übernahme der Imago Clipeata in die christl. Kunst J. Kollwitz, in: Gnomon, 1941, S. 222 ff. (Rezension von J. Bolten); R. Winkes, Clipeata imago, Studien zu einer römischen Bildform, Bonn 1969.

251. Das Tuch, auf dem die Engel die Seele Marias emportragen, kann auf das Devotionstuch des höfischen byzantinischen Zeremoniells zurückgeführt werden, darüber hinaus auf das Byssustuch, das bei vorchristlichen Totenbräuchen benutzt wurde. Der Name stammt von der Pflanze, aus der dieses hauchdünne Tuch hergestellt wurde.

252. Die Abwandlungen des liturgischen Festbildes sind möglich, weil sie an keinen biblischen Text gebunden sind. Die Perikopen lassen keinen Zusammenhang zu Tod und Assumptio Mariae erkennen. So findet man im Perikopenbuch Heinrichs II. zum Fest am 15. August folgende Reihenfolge: fol. 160 v: In Vigilia Assumptiones Scte. Mariae, Text Lk 1,39–47 (Begegnung Maria und Elisabeth mit Magnificat); fol. 161 v: Bildseite mit Marientod und Seelen-Assumptio, vgl. Abbildung 597; fol. 162 r: Bildseite mit Maria und Martha; fol. 163 r; In Assumptione Scte. Mariae, Text Lk 10,38–42. Siehe A. Boeckler, Das Perikopenbuch Heinrichs II., Berlin 1944.

Erentrud Vorbilder um oder vermischt deren Motive, *Abb. 603*. Das Bild der Seele vor einer Kreisgloriole ist übernommen. Der gesteigerte Gefühlsgehalt, der in der Hinwendung der vier Apostel zur Gottesmutter zum Ausdruck kommt, deutet auf eine neue seelische Beziehung zur Gottesmutter. Es wird nicht ganz klar, ob das Anheben und Stützen des Sterbelagers (ohne Bett) Anlaß ist, die Hingabe der Apostel zu motivieren, oder ob damit die bevorstehende Grabtragung angedeutet werden soll. Auf der Darstellung eines Evangelistars aus Prüm 2.V. 11.Jh. Manchester, *Abb. 602*, scheinen zwei Apostel den Leichnam betten zu wollen. Einer der alten Namen für das Fest am 15. August war, wie erwähnt, »Depositio«; er läßt auf eine Tradition für diese Niederlegung schließen. Die Seelenfigur blickt erwartungsvoll zum Engel auf. Unter Depositio wird offenbar das Niederlegen der Toten auf das Bett oder die Bahre (Legendentext), aber vereinzelt auch in den Sarg verstanden. Das bedeutet nicht die Grablegung, sondern ist innerhalb des Marientodes nur eine Motivabänderung, ohne daß der Aussagegehalt des Bildes verändert ist. Das wird an einer Miniatur im Perikopenbuch Bertolds von St. Peter in Salzburg, 1074–1077, New York, deutlich, *Abb. 601*. Der Blick Christi auf die Mutter und der der hochgehobenen Seele auf den zurückgelassenen Leib sind gleichermaßen ausdrucksvoll. Maria ist bei der Niederlegung in den Sarg in das Leichentuch gehüllt und mit Bändern kreuzweise umwickelt. Um an der im Legendentext erwähnten Ähnlichkeit der gestalthaft von den Aposteln gesehenen Seele mit dem Leib der Gottesmutter festzuhalten, ist bei dieser Darstellungsvariante die Umhüllung der Seelengestalt die gleiche wie die der für die Bestattung bereiteten Toten. Bei der Zusammenfügung einzelner Motive aus verschiedenen Vorlagen konnte die mit Bändern umwickelte Seelenfigur in den traditionellen Koimesistypus übernommen werden wie auf dem Kölner Elfenbeintäfelchen *Abb. 588*.

Die Miniatur im Sakramentar des Bischofs Warmundus von Ivrea bei Turin, um 1001, *Abb. 600*, zum Fest der Dormitio Mariae, mit der Überschrift »Levatio coelestis Mariae«, ist in griechischen und lateinischen Buchstaben mit einem Satz umschrieben, der dem Sinn nach lautet: »Christus führt die Mitschwester in die Stadt (Himmelsburg) hinauf.« Der Engel des Seelengeleits fehlt; der Himmel ist durch ein kleines Segment angedeutet. An die Stelle des üblichen Totenbettes ist wie auf der Salzburger Miniatur der Sarg getreten.

Bei der westlichen Umformung des Bildes wird die von der Imago Clipeata beeinflußte Form der Seelenerhebung vom 12. Jh. an durch eine andere, ebenfalls für die Darstellung der Seelenrettung von Heiligen im Mittelalter verwandte, abgelöst. Diese Levatio animae coelis zeigt die Seele des Verstorbenen in bekleideter oder unbekleideter Gestalt, wie sie von zwei Engeln auf einem Tuch, das sie zwischen sich halten, emporgetragen wird. Das Motiv knüpft an das Gleichnis vom reichen Mann und armen Lazarus an, Lk 16,19ff., wo es in Vers 22 heißt, daß Lazarus nach seinem Tod von Engeln in den Schoß Abrahams getragen wird[253]. Auf einem dänischen Metall-Antependium aus Lisbjerg, 1135/50, Kopenhagen, ist der Marientod in einzelnen Szenen aufgelöst und unterhalb der in der Mitte thronenden Gottesmutter dem gliedernden Formschema eingefügt, vgl. den Mittelteil *Abb. 799*. Die beiden Engel mit der Seele Marias auf einem Tuch stehen isoliert rechts unten als Gegenstück zur Sterbeszene mit Christus auf der linken Seite[254].

Das erste Bild eines Perikopenbuches, Mitte 12.Jh., Paris, *Abb. 606*, zum Text des Festes der Assumptio Mariae nimmt diese beiden Engel in die Darstellung des Marientodes auf. Sie stehen neben dem Bett der Toten und tragen die Seelengestalt auf einem Tuch. Wie diese, so blicken auch die Engel nach oben zu Christus, der sich vom Himmel herabneigt, um die Seele der Mutter zu empfangen. Die Apostel wenden sich nicht trauernd der Toten zu, sondern schauen die Seelengestalt, als vollzöge sich das Geheimnis ihrer Aufnahme in den Himmel vor ihren Augen. Von den unterschiedlichen Gesten der Trauer des Koime-

---

253. Schoß Abrahams ist als Begriff und Bildtypus ein Sinnbild für die Aufnahme in das Paradies, siehe Bd. 6.

254. Auf dem Metallrelief ist oberhalb der Gottesmutter eine aufschwebende Gestalt dargestellt, die sich nicht eindeutig bestimmen läßt. Es ist möglich, daß in ihr die aufsteigende Seele Marias zu sehen ist. Dagegen spricht aber der Engel rechts oben, der auf einem Tuch eine Seele trägt und das Pendant zu den beiden Engeln mit der Marienseele unten bildet. Aber es ist auch möglich, daß dieser Engel zu der Verkündigung auf der anderen Seite in Bezug steht. Hier liegen noch ungelöste Probleme der ikonographischen Deutung vor.

sisbildes ist nur das Berühren der Füße der Toten geblieben, jedoch auf eine der dienenden Frauen übertragen.

Die Miniatur eines nordfranzösischen Psalters, um 1200, Paris, *Abb. 617*, zeigt bei der Levatio die Seele als kleine nackte Gestalt in Profilansicht mit betend erhobenen Händen auf einem Tuch stehend. Sie ist zwischen die Depositio und die Krönung Marias in der Urbs quadrata caelestis (vgl. Apk 21,16) eingefügt. Die Seele von Heiligen wird häufig in bezug auf Joh 3,1–8 (Wiedergeburt) als kleine nackte Gestalt dargestellt, für Maria ist das aber ungewöhnlich. Doch handelt es sich hier um eine Psalterillustration, die vielfach von geprägten Darstellungstypen abweichen[255].

Die Krone, ein älteres typisch abendländisches Motiv, ist in unserem Darstellungszusammenhang schon um die Jahrtausendwende aufgenommen worden. Die göttliche Hand reicht sie aus den Himmelswolken herab; Antiphonar aus dem Kloster Prüm, zwischen 993 und 1001, Paris, *Abb. 607*, und Benedictionale des Bischofs Aethelwold von Winchester, 975–980, London, *Abb. 604*. Diese englische Prachthandschrift, die jede Bildseite mit stark farbigem Ornamentschmuck ausstattet, gliedert die Sterbeszene in drei Zonen, über denen sich ein prunkhafter Arkadenbogen wölbt. Die Versammlung der Apostel verrät eine genauere Kenntnis der Legende, denn die wundersame Fahrt der Apostel nach Jerusalem ist durch die kleinen Wolken, die die Sockelleiste unterbrechen, angedeutet. Ein Vorbild hierfür ist nicht bekannt. Die zweite Zone zeigt Maria auf ihrem Bett, etwas aufgerichtet, im Gespräch mit den trauernden Frauen. Zwischen vier herabfliegenden Engeln, die grüßend ihre Hände Maria entgegenstrecken, reicht in der dritten Zone die Dextera Dei eine Krone dar. Weder die Gotteshand noch die Engel werden von Maria und den Trauernden bemerkt. Die

Krone ist hier nicht die der Himmelskönigin oder des davidischen Königsgeschlechts (Madonna Regina), sondern die Krone des Lebens, die nach Apk 2,10 denen verheißen ist, die bis zum Tod treu sind. Das Motiv hat seinen Ursprung in der frühchristlichen Darstellung der Überreichung des Siegeskranzes durch Christus an Märtyrer und Heilige im Paradies. Der unverwelkliche Siegeskranz der antiken Coronatio oder des Aurum Oblatium ist im christlichen transzendierenden Verständnis die unvergängliche Krone des ewigen Lebens (1 Kor 9,25), deren Verleihung Aufnahme in das Paradies bedeutet[256]. Das letzte Bild des Prümer Antiphonars, in dem den Festtexten Verse des 45. (44.) Psalms und die Festsequenz Notkers von St. Gallen (siehe oben) eingefügt sind, stellt Maria mit dem Gebetsgestus vor der Sternenmandorla auf dem Globus thronend dar, *Abb. 605*. Sie trägt keine Krone, ist aber durch diesen Thron, der das Herrschaftszeichen des erhöhten Christus ist, als Königin des Himmels und der Erde, wie sie in Hymnen gepriesen wird, aufgefaßt. Paschasius Radbertus hat, ähnlich wie vor ihm schon Ambrosis Autpertus, die Einheit von Kirche und Maria gesehen und deshalb den ekklesiologischen Gehalt der Assumptio Marias im Hinblick auf das Heil für die Menschen betont. Den 45. Psalm interpretierte er als königliches Hochzeitslied für Christus und Ekklesia, siehe oben[257].

Äußerst selten wird bei der Himmelsaufnahme Marias der antike Typus der Dextrarum iunctio benutzt, der für die frühe westliche Darstellung des Aufstiegs Christi zum Vater (Himmelfahrt) typisch ist, vgl. Bd. 3, S. 146. In der Initiale »H« zu einem Sermon über die Assumptio Marias im Passionale vom Mondsee, um 1145, des Mönchs Liutold, Wien, *Abb. 614*, sind zwei Darstellungen einander gegenübergestellt: unten wird die Tote in das Grab gelegt,

---

255. Vgl. Bd. 1, Abb. 568, die aus dem Totenreich zurückkehrende Seele des Lazarus bei seiner Auferweckung. Zur Nacktheit der Seelenfigur siehe auch Bd. 5 Apokalypse und Gericht. Zum Südportal des Straßburger Münsters, wo die Levatio Marias ein eigenes Bildfeld einnahm, siehe unten.

256. Vgl. Bd. 3. Wie verbreitet das symbolische Motiv noch im hohen Mittelalter ist, zeigen viele Darstellungen des Kruzifixus, bei denen die Hand Gottes mit dem Kranz Sieg über den Tod im umfassenden Sinn bedeutet, *vgl. Bd. 2, Abb. 354, 364, 372, 379, 380, 395*; auf einem Elfenbeintäfelchen, *Abb. 377*, um 1000, hal-

ten zwei Engel die Krone über Christus, und darüber erscheint die Hand Gottes. Dieses Zeichen über dem Kruzifix bedeutet außerdem noch Bestätigung der Göttlichkeit und der Teilhabe an der Herrschaft des Vaters.

257. Radbertus, Expos. in psalmum XLIV, MPL 120. Vgl. zur Schule von Winchester den Marientod ohne Apostel in dem von Erzbischof Robert von Jumièges Ende des 10. Jh. gestifteten Pontifikale, Rouen, Ms. Y 7, der auch die göttliche Hand mit der Krone einfügt, abgebildet: E. G. Millar, La Miniature anglaise du Xe au XIIIe siècle, Paris–Brüssel 1926, Abb. 9.

oben tragen vier Engel ihre Seele (Halbfigur in Kreisgloriole) gen Himmel. Bei der Ankunft ergreift die göttliche Hand die Rechte der Mariengestalt. Ob Mitte des 12. Jh. die ursprüngliche Bedeutung des Gestus, die Bestätigung der Mitregentschaft, noch gewußt wurde, ist unwahrscheinlich. Im Vergleich mit dem Ideengehalt anderer Darstellungen der Buchmalerei dieser Zeit könnte die Handergreifung als Empfangsgeste gemeint sein.

Eine Miniatur im Missale aus St. Martin in Tours, 12. Jh., *Abb. 608*, zeigt Maria gekrönt über dem leeren Grab schwebend. Das von zwei Engeln gehaltene Grabestuch umgibt sie wie eine Gloriole. Während einige der Apostel trauernd ins leere Grab blicken, erwartet Christus wie auf der Kölner Miniatur, *Abb. 606*, die Mater-Ecclesia. Das Bild gehört zur Initiale V der Oration »Veneranda nobis Domina«, die, wie schon erwähnt, in das Hadrianum Mitte 8. Jh. aufgenommen wurde, vgl. Seite 89. In dieser abendländischen Sondergruppe, in der Christus Maria im Himmel erwartet, kommen im 12. Jh. die Gedanken der mariologischen Brautsymbolik zum Ausdruck.

Da die Theologen bestrebt waren, Maria in die Heilsordnung einzugliedern, galt sie im hohen Mittelalter nicht mehr ausschließlich als die Mutter des göttlichen Sohnes, sondern auch als die Mutter des mystischen Leibes Christi – der Gläubigen. Die allmählich vollzogene Gleichsetzung Marias mit der Kirche und als Folge davon mit der Braut Christi, die weitgehend auf der Eva-Maria-Typologie beruht, bringt die allmähliche Übertragung der ganzen Brautsymbolik des Hohenliedes auf Maria mit sich. Auch wandelte sich die ältere Vorstellung, die in Maria das Brautgemach sah, in dem sich bei der Inkarnation die Vermählung des Logos mit der Kirche vollzog[258], zu der Indentifizierung Marias mit der Braut. Noch weit bis ins 13. Jh. hinein stehen allerdings die verschiedenen Deutungen der Braut des Hohen Liedes nebeneinander oder sie gehen so ineinander über, daß bei der bildlichen Dar-

stellung oft nicht eindeutig zu erkennen ist, ob Ecclesia-Sponsa oder Mater-Sponsa gemeint ist, siehe oben Teil 1. In der theologischen Auseinandersetzung blieb z.B. Bernhard von Clairvaux, 1090–1153, obwohl einer der bedeutendsten Marienverehrer, bei der ekklesiologischen Deutung des Hohenliedes. Honorius Augustodunensis, der gleichfalls an der ekklesiologischen Interpretation festhielt, sagt am Schluß seiner Ausführungen, daß alles, was von der Kirche gesagt ist, auch von Maria gelten könne. Rupert von Deutz (1075/80 bis um 1129/30), der alle apokryphen Mariengeschichten ablehnte, gab der marianischen Auslegung des Hohenliedes den Vorrang. Er geht von den Erwähnungen Marias im Neuen Testament aus und stellt das christologische Interesse in den Vordergrund. Petrus Damianus (1027–1072) betont, daß Christus der Bräutigam der jungfräulichen Seele sei. Mögen die Interpretationen zu Beginn des 12. Jh. noch auseinandergehen, so ist in unserem Zusammenhang vor allem wichtig, daß sich im Laufe des 12. Jh. die Vorstellung der Maria Regina mit der der Maria Sponsa verband und die Aufnahme Marias in den Himmel im 12. Jh. weithin als Vollendung des mystischen bräutlichen Verhältnisses der Gottesmutter zum Sponsus-Filius gesehen wurde. Daraus ergab sich aber kein Beweis für die leibliche Aufnahme Marias in den Himmel[259].

Doch wird verständlich, wieso von der 2. Hälfte des 12. Jh. an in das Assumptiobild einiger Handschriften aus der Illustration des Hohenliedes die Darstellungen des sich liebend umarmenden Brautpaares übernommen und durch Figuren mit Spruchbändern, deren Worte zur Typologie der Brautsymbolik gehören, ergänzt wurden. Die liturgischen Texte des Marienfestes am 15. August haben, wie bereits erwähnt, schon früh mit Lobpreisungen Marias allegorische Bezeichnungen der Braut und ihre Attribute übernommen. So lag es bei der Illustrierung der Texte zur Festliturgie nahe, als sich im späten 12. Jh. theologisch die Identifizierung Marias mit der Ecclesia-Sponsa durch-

---

258. Bereits bei Augustin, ausgehend von Ps 19 (18),6, zu finden. Serm. 120, in Natali Domini, MPL 39, 986f. Siehe auch Bd. 1, S. 61.

259. Bernhard von Clairvaux, Sermo In Dominica infra Octavam Assumptiones B.V.M., MPL 183, 129–138. Honorius Augustodunensis, Expositio in Cantica Canticorum, MPL 172, 347ff., 494. Rupert von Deutz, ebenfalls im Hohenliedkommentar

CchL, CM XXVI (1975). Petrus Damianus, Serm 21 und 28, MPL 144, 620 und 650. – Siehe ferner: J. Beumer, 1954, Anm. 220. E. Guldan, Eva-Maria, 1966, vor allem das Kap. »Mater omnium« und »die Braut und Mutter Gottes«. Bei dieser Untersuchung wird deutlich, wie viele Typen und Traditionen in der Mariologie im hohen Mittelalter und der folgenden Zeit sich verbinden und überlagern.

gesetzt hatte, Maria bei ihrer Assumptio als Braut Christi darzustellen.

Ein Einzelblatt eines Psalterfragments des 12. Jh., das als Regensburg-Prüfeninger Arbeit gilt, München, *Abb. 612*, steht am Übergang zu der neuen Bildgruppe, die die Seele nicht als Eidolon oder Abbild der irdischen Gottesmutter zeigt. Hier ist sie die gekrönte Ecclesia Orans, die in der Mandorla stehend von Christus emporgehalten wird. Zwei fliegende Engel nehmen sie in ihre Mitte. Noch fehlen die für die Sponsa-Anima typischen Motive, aber das Bild der Ekklesia-Maria ist beherrschend in die Komposition eingefügt.

Im Missale aus St. Michael in Hildesheim, um 1160, *Abb. 610*, das wir wegen seiner früh auftretenden typologischen Bezüge schon öfter heranzogen, verdeutlicht die Miniatur zum Text des Assumptio-Festes nicht nur im Hauptbild, sondern ebenso in den ihm zugeordneten Figuren und den Texten ihrer Spruchbänder die neue Auffassung der Aufnahme Marias als Mater-Sponsa-Ecclesia in den Himmel. Die Darstellung bildet zugleich einen Übergang zum Bild der Krönung[260]. Christus im Himmel erwartet Maria, die »tota pulchra amica mea« HL 4,7, im Himmel und hält für die Braut, die vom Bräutigam geführt und umarmt wird, die Krone bereit. Hier ist die Krone, die der erwählten Braut (vgl. oben im 1. Teil die Darstellung der Sponsa-Ecclesia, die nahezu immer gekrönt ist). Jedoch behält sie als Brautkrone auch die Bedeutung der Krone des ewigen Lebens. Die Vereinigung Christi mit der Braut steht stellvertretend für die mit der Seele jedes einzelnen Gläubigen. Dieses mystische Geschehen deuten Propheten, Lehrer und Engel aus der Schrift: Salomo weist mit dem Wort HL 3,6 und David mit Ps 45(44),5 auf die Braut, die zur Krone emporblickt. Der linke Engel beschreibt die Braut mit einem Wort aus Weish 7,29: »Sie geht einher herrlicher denn die Sonne und alle Sterne« und der andere: »Sie ist herrlich unter den Töchtern Jerusalems«. Das Wort des Mose bezieht sich auf das 4. Gebot und somit auf das Mutter-Sohn-Verhältnis, 2. Mos 20,12. Hieronymus, der Asket war und deshalb als Mönch galt, ist als vermeintlicher Schreiber des in den Festtext aufgenommenen Briefes (Ps Hier) den biblischen Figuren eingefügt. Er rühmt die immerwährende Jungfräulichkeit

Marias. Unten in der Mitte ist Papst Gregor dargestellt, der als einer der ersten die Braut des Hohenliedes auf die Kirche deutete. Der Text seines Spruchbandes lautet: »Hier ist, welche nichts gewußt hat von der Sünde.« Das Spruchband des Bräutigams schließlich bezieht sich auf Mt 5,17 und kann wohl so interpretiert werden: Das Gesetz des Todes ist nicht aufgelöst, sondern in der Auferstehung erfüllt worden. Die auf dieser Miniatur ineinander aufgehenden Deutungen der Brautsymbolik werden durch die Darstellung zur Oration des Festes auf der Gegenseite gedanklich noch erweitert, *Abb. 611*. Hier ist Maria, die gekrönte Jungfrau aus königlichem Stamm, in ihrer Würde als Dei Genetrix der »Wurzel Jesse« (vgl. Band 1) eingefügt. Sie bildet die Mitte des Stammes (F-Initiale), der aus Jesse wächst und von Christus und der Taube des Heiligen Geistes bekrönt wird. Den Zweigen der als Weinstock wiedergegebenen Wurzel Jesse sind zwei Propheten mit Spruchbändern eingefügt.

Eine andere Hildesheimer Handschrift, das 1159 vollendete Ratmann-Missale im Domschatz zu Hildesheim, verbindet zu Beginn der Oration des Assumptio-Festes ebenfalls die F-Initiale mit einem reichen Rankenwerk, in dem unten das leere Grab und etwas höher das gekrönte, sich umarmende Brautpaar in der Mandorla stehen. Nur am Grab wird deutlich, daß es sich um die Aufnahme der Maria-Sponsa in den Himmel handelt[261]. Es ist das gleiche Gebet illustriert wie bei der Stammbaumillustration in dem anderen Missale aus Hildesheim, und bei einer weiteren Darstellung zum Prolog des Jesaja, der mit dem Text des Ps Hier (Paschasius Radbertus) verbunden ist, Oxford, *Abb. 615*. Hier ist in einem durch Tiergestalten bereicherten ornamentalen Rankenwerk, verschmolzen mit einer E-Initiale, unten die Grablegung Marias (zwei Apostel, zwei trauernde Frauen) dargestellt. In der Mitte thront die Dei Genetrix, in der Hand das blühende Reis nach den auf Maria und die Geburt des Messias bezogenen Prophezeiungen: Jes 7,14 und 11,1 f. *(vgl. Bd. 1, S.26ff.)*. Sie sitzt auf einem Faltstuhl mit Löwenköpfen und -klauen, der vielleicht auf den Thron Salomos *(vgl. Bd. 1)* verweisen soll. Flankiert ist die Jungfrau von dem Propheten Jesaja und von Hieronymus mit Schreibgerät, beide blicken auf die »Virgo de radice Jesse«. Wir können

---

260. Die Handschrift wurde früher aufgrund ihres ehemaligen Standortes »Stammheimer Missale« genannt.

261. Abb. bei A. Boeckler, Abendländische Miniaturen bis zum Ausgang der romanischen Zeit, Berlin–Leipzig 1930, Tf. X.

dem Zusammenhang der Darstellungen zur Liturgie des Assumptio-Festes mit der Virgo de radice Jesse nicht weiter nachgehen. Bekannt ist die Beziehung zwischen der englischen und niedersächsischen Kunst im 12. und 13. Jh., die sich gerade auch in ikonographischen Besonderheiten äußert; ebenso die schon mehrfach erwähnte Vorliebe für die Brautsymbolik und -typologie der niedersächsischen Kunst. Vermutlich werden bei einer systematischen Untersuchung aller Illustrationen zu den liturgischen Texten des Festes am 15. August auch noch andere Marientypen zu finden sein. So kommt z. B. in der Salzburger Buchmalerei ein isoliertes Bild der Maria Regina vor[262]. Vgl. auch *Abb. 605.*

In einem fragmentierten Lectionarium officii, Mainz(?), um 1250, Hamburg, *Abb. 613*, ist als Festbild zu Beginn des Briefes von Paschasius (Pseudo-Hieronymus) »In assumptione sancte Mariae virginis« in der Initiale C (Cogitis) die Assumptio isoliert dargestellt. Christus schwebt auf einer Wolke (vgl. Himmelfahrt Christi) gen Himmel und trägt die mädchenhafte Seelengestalt auf seinem Arm. Sie ist als Braut, als die Christus minnende Seele (vgl. den Brief), gekrönt. Von den vier Engeln gehen die beiden oberen mit den verhüllten Händen auf die die Seele emportragenden Engel der frühen byzantinischen Darstellungen zurück. Die beiden anderen geleiten die heimkehrende Seele, die den Blick des einen Engels erwidert. Auch das vor der Brust der Seelengestalt überkreuzte Band reicht weit zurück, vgl. die Elfenbeintafel des 10. Jh., *Abb. 588.* Bei der Miniatur des 13. Jh. ist das geschmückte Band Teil des Gewandes und erinnert nicht mehr an die Binde des Grabestuches.

Zwei weitere Miniaturen des 13. Jh. verbinden die Vereinigung der Braut mit Christus und den Abschied der Apostel von der Gottesmutter am Sterbebett: ein deutsches Einzelblatt, Anfang 13. Jh., München, *Abb. 609*, und eine Bildseite eines fränkischen Psalters in Harburg, auf welcher die Seelengestalt unbekleidet ist und anstelle des Liebkosungsmotives Christus ein Schriftband mit HL 4,8: »Komm mit mir, meine Braut« hält[263]. So wird unter

dem Einfluß der Mystik das traditionelle Bild durch die Aufnahme des im frühen 12. Jh. entwickelten Bildmotivs der Braut symbolisch *(vgl. Bd. 4, 1, S. 94–106)* völlig abgewandelt: Christus erwartet oder umfängt die sponsa anima im Himmel oder trägt sie selbst empor.

Bei einigen Darstellungen drängt sich der Vergleich mit dem Madonnentypus der Elëusa in seiner Umkehrung auf. Dieses Bild der Gottesmutter der Zärtlichkeit kommt im Abendland in der 2. Hälfte des 12. Jh. auf. Auch hier kann Maria als Mater-Sponsa aufgefaßt sein, *vgl. Abb. 430–432, 802, vgl. auch Band 1, Abb. 27, 47, 59 und S. 34 f.*

Für die Wandmalerei sei auf das stark beschädigte Chorfresko der Assumptio von Cimabue, vor 1300, in der Apsis der Oberkirche von S. Francesco in Assisi hingewiesen. Obwohl sich die Fresken in sehr fragmentischem Zustand befinden, ist zu erkennen, daß Maria, als die Gottesbraut in der Mandorla neben Christus thronend, sich an ihn anschmiegt. Beide sind außerdem mit Sprechgesten einander zugewandt. Diese individuell empfundene Gefühlsbetontheit der mystischen Vereinigung ist auf diesem Fresko insbesondere Ausdruck der vor allem in Italien verbreiteten franziskanischen Frömmigkeit, denn unter Bonaventura hat dieser Orden die Marienverehrung des Volkes zu einem Höhepunkt geführt. Im unteren Teil des Wandbildes befindet sich das von den Aposteln umgebene leere Grab der Gottesmutter; darüber baut sich der himmlische Hofstaat in mehreren Reihen auf: Patriarchen und Könige des Alten Testaments, Heilige und Engel. Die alttestamentlichen Gestalten sind hier nicht als Glieder des Stammbaumes Christi und Marias eingefügt, sondern nach Bonaventuras »Lignum vitae« als Heilige des Himmels, die Communio sanctorum, die mit den Engeln Maria als Himmelskönigin empfangen, siehe unten den Empfang Marias im Himmel und ihre Krönung. Für den Gehalt der Darstellung der mystischen Vereinigung und Heimholung der Braut ist es wie beim ursprünglichen Bildtypus des Marientodes mit der Seelen-assumptio belanglos, ob das Sterbelager oder das leere Grab als Hinweis auf den Tod mit dargestellt ist[264]. Als Vorläufer dieses

262. G. Swarzenski, Salzburger Malerei, 1908 u. 1913, Abb. XXXII, 441.

263. H. Swarzenski, Lat. illum. Hs., 13. Jh., Berlin 1936, Abb. 1027, Tf. 189.

264. Abbildungen siehe B. Kleinschmidt, Die Wandmalereien in der Basilika S. Francesco in Assisi, Berlin 1930, Abb. 14. Vgl. da auch die anderen Darstellungen dieses Themenkreises in der Apsis: Die Versammlung der Apostel um das Sterbebett und das

Freskos hinsichtlich des Brautmotivs des thronenden Paares kann das um 1140 entstandene Apsismosaik von S. Maria in Trastevere, Rom, betrachtet werden[265], das wir oben bei den Beispielen der Inthronisation der Ecclesia-Sponsa (Ecclesia-Imperatrix) abbildeten, weil der Typus der reich geschmückten Braut mehr dem älteren Ekklesia-Typus (allerdings auch dem frühmittelalterlichen, auf Rom beschränkten kaiserlichen Marientypus) entspricht und die Inschriften, die typisch für die ideelle Verschmelzung der Gestalten sind, beide Einordnungen zulassen, *vgl. Bd. IV 1, Abb. 252.*

Diese Bildgruppe der Buchmalerei des 12. Jh. erhellt die ekklesiologische und eschatologische Deutung des Marientodes unter dem Aspekt der Vereinigung des erlösten Menschen mit Christus. Das Bild liturgischer Bücher zum Marienfest am 15. August nimmt im 12. Jh. an der Interpretation der mariologischen Auseinandersetzung teil. Dies geschieht – wie aus den bisherigen Ausführungen hervorgeht – durch das Aufzeigen von Querverbindungen mit anderen Traditionen und in der Aufnahme von Devotionsformen der Zeit, zum anderen jedoch auch durch die Auseinanderfaltung des Assumptiobildes in Einzelszenen, die den wichtigsten Abschnitten der Gesamtlegende entsprechen und die unterschiedlichsten Spekulationen enthalten. Außerdem nimmt die Buchmalerei teil an der gedanklichen Weiterentwicklung der Aufnahme Marias in den Himmel zu ihrer Krönung durch Christus, die sich im späten 12. und 13. Jh. künstlerisch am eindrucksvollsten in der französischen Kathedralplastik dokumentiert. Von ihr beeinflußt ist eine Doppeldarstellung des Pariser Ingeborg-Psalters, gegen 1200, Chantilly, *Abb. 618.* Sie zeigt unten die trauernden Apostel um das Grab versammelt (Grablegung) und Christus mit der unbekleideten Seelenfigur, der sich sprechend der toten Mutter zuwendet. Für den oberen Bildteil hat der Maler die Darstellung der Inthronisation der gekrönten Gottesmutter der Kathedralplastik übernommen. Auch im sog. Elisabeth-Psalter, vor 1217, Cividale, ist die Krönung noch der Dormitio zugeordnet. In der Hainricus-Handschrift, einer Sammlung liturgischer Texte, die im schwäbischen Kloster Weingarten angefertigt wurde, 2. Viertel 13. Jh., New York, *Abb.*

619, ist die Krönung dann verselbständigt und nimmt eine ganze Seite vor dem Meßkanon ein (eine ungewöhnliche Anordnung). Die Hoheit der Syntronoi im Paradies ist durch die doppelte Quadratur der Evangeliensymbole und der Paradiesesflüsse hervorgehoben.

Für den Marientod wird im 13. Jh. in der Buchmalerei das vereinfachte byzantinische Bildschema noch weiter verwandt, doch löst allmählich die Krönung die Sterbeszene ab. Bei der Miniatur im Berthold-Missale aus dem Kloster Weingarten, um 1220, New York, *Abb. 623*, fällt als persönliches Stilmerkmal des Meisters die realistische Ausdrucksweise auf, die zu heftigen Schmerzäußerungen und einigen grotesken Gestalten führt. Der im Vordergrund kniende Mann, der mit beiden Händen das Bett berührt und von Petrus angeblickt wird, ist mehrmals als der Frevler aus der Grabtragungsgeschichte gedeutet worden. Das liegt nahe. Da er jedoch, wie nur die Apostel, in der Kunst dieser Zeit barfuß ist und nur mit ihm die Zwölfzahl der Apostel erreicht wird, ist vermutlich in dieser Gestalt auch ein Apostel zu sehen, für dessen Gestaltgebung vielleicht ein Frevler einer Grabtragung als Vorbild diente. Die Seelengestalt im Arm Christi ist wieder das Ebenbild der Toten. Auch die Darstellung im Scheyerer Matutinalbuch, 1206–1225, *Abb. 616*, zeigt die westliche Adaption des Koimesis-Bildes.

Die zyklische Darstellung der Legende ist in der Buchmalerei äußerst selten. In den liturgischen Büchern geht die Darstellung in der Regel von der Festliturgie aus, zu der, wie oben erwähnt, die Legenden nicht gehören. Dadurch kreist das Festbild nahezu immer um das marianische Geheimnis der Assumptio animae. Die davon abweichenden drei Miniaturen mit sechs Szenen der Legende im englischen York-Psalter, um 1170, Glasgow, *Abb. 620–622*, erklärt sich wahrscheinlich aus der Verwendung der Psalterien nicht nur im Offizium, sondern auch für den persönlichen Gebrauch. Da diese Handschriftengruppe nicht an liturgische Texte gebunden war, konnte sie Wünsche des Auftraggebers berücksichtigen. Welcher Bildtradition der Maler bei der Bildfolge zu der alten Legende gefolgt ist, läßt sich nicht sagen, da es in der englischen Buchmalerei keine Parallele dafür gibt. Auch der

---

Gespräch Christi mit Maria Abb. 12, Marientod Abb. 13, Maria als Fürsprecherin neben Christus thronend Abb. 15. Beschrei-

bung auch bei H. Thode, Franz v. Assisi, Wien 1934, S. 229f.
265. H. Schrade, Romanische Malerei, 1963, S. 201.

Auftraggeber ist unbekannt. Auf die einzelnen Szenen gehen wir unten ein. Das Bedeutsame an diesen Miniaturen ist, daß in der gleichen Zeit, in der durch neue Bildformulierungen in der Monumentalkunst die Auffassung der Assumptio als körperliche Aufnahme Marias in den Himmel zum Ausdruck kommt, in der Buchmalerei ein sich eng an die eine der apokryphen Quellen anschließender Zyklus durch die letzte Illustration auch diese Auffassung verdeutlicht: Während Christus am leeren Grab steht und nach oben weist, tragen vierzehn Engel den senkrecht aufgerichteten, verhüllten Leichnam zum Paradies, wo er nach der hier benutzten Legendentradition mit der Seele Marias vereint werden soll[266]. Zwei Engel schwingen über dem leeren Grab Weihrauchfässer. In einer strengen Rhythmik aller Bewegungen der Engel und der damit erreichten Ornamentalisierung vermittelt die Darstellung das marianische Glaubensgeheimnis. Wir kommen auf das sich hier äußernde zentrale Problem in der Darstellung des Todes und der Erhöhung Marias im Zusammenhang der Monumentaldarstellungen zurück.

Die Darstellung in der Monumentalkunst des hohen Mittelalters

Die zweite Hälfte des 12. Jh. brachte wie für andere Themenkreise, so auch für den des Marientodes neue Impulse, die im wesentlichen von Frankreich ausgingen. Zu Beginn des Kapitels wurde schon gesagt, daß vom Ende des 12. Jh. an eine Reihe von Bearbeitungen verschiedener Fasssungen der alten Legenden und eigene Mariendichtungen entstanden, durch die die literarischen Quellen allmählich bekannt wurden. Außerdem förderte der Kontakt mit dem christlichen Orient durch die Berichte der Kreuzfahrer über ihren Besuch des Grabes Marias im Tal Josaphat am Ölberg das »historische« Interesse am Lebensende der Gottesmutter. Der erste Kreuzzug, der zur Gründung des Königreichs Jerusalem führte, ging 1099 zu Ende; der

zweite fand von 1147–1149 statt. Es ist nicht von ungefähr, daß die älteste uns bekannte Buchmalerei, die die Erhebung Marias über dem leeren Grab zeigt und durch eine Inschrift unter dem Bild einen konkreten Hinweis auf das Grab im Tal Josaphat gibt, sich im Sakramentar von St. Martin in Tours, 12. Jh., befindet, *Abb. 608*. Diese Stadt, in der ein Bischof gegen 600 zum erstenmal im Abendland Teile der Legende, die als Hinweis auf die körperliche Erhebung Marias aus dem Grab gedeutet wurden, bekannt machte (siehe oben), liegt an einer der Hauptstraßen Frankreichs, auf der die Kreuzfahrer und Pilger gen Süden zogen und von dort mit den Nachrichten aus fernen Ländern zurückkehrten. Neben dem Aufblühen der Marienverehrung im Volk, die ehedem vor allem in den Klöstern gepflegt wurde, führte die Theologie die mariologische Auseinandersetzung weiter. So treffen im 12. Jh. unterschiedliche geistige Kräfte zusammen, die zur Aufnahme und Abwandlung des Themenkomplexes in die Monumentalkunst führen. Künstlerisch sind durch den in Frankreich in der 2. Hälfte des 12. Jh. sich vollziehenden Wandel im Kirchenbau von der Romantik zur Gotik mit den großen Portalanlagen und den vielen Fenstern der diaphanen Wandstruktur neue Möglichkeiten zur Darstellung größerer Bildprogramme eröffnet worden.

Aus der Wandmalerei des 12./13. Jh. kamen nur ganz wenige Darstellungen auf uns, die den Tod Marias in dem byzantinischen ikonographischen Schema mit der Seelenassumptio darstellen, z.B. Le Liget (Indre-et-Loire), Chapelle-Saint-Jean, gegen 1200, im süddeutschen Kulturbereich: Untermais bei Meran und Paring bei Regensburg, beide 1. Hälfte des 13. Jh.[267]. Der Schwerpunkt der monumentalen Darstellung liegt in der französischen Kathedralplastik. Neben das den Darstellungen der thronenden Gottesmutter und der Kindheit Jesu gewidmete Portal (vgl. Chartres-West, *Bd. 1, Abb. 63*) treten von etwa 1170 an Marienportale, deren Zentrum die Darstellungen von Tod und Erhöhung Marias bilden. Es ist kein Zufall, daß zur gleichen Zeit als neues Thema in der Kathedral-

---

266. Nach einer anderen Quelle haben die Engel die Seele Marias, die seit dem Tod drei Tage im Paradies weilte, wieder herabgebracht, um sie im Grab mit dem Körper zu vereinen, siehe oben.

267. Zu Le Liget siehe Farbabbildung LVIII bei O. Demus, Wandmalerei 1968. In Paring ist die Themenzusammenstellung

interessant. In einem Tonnengewölbe steht die Koimesis (neben dem Abendmahl) dem Weltgericht gegenüber, während in der Regel nur eines dieser beiden Themen in einem Freskenprogramm dieser Zeit vorkommt. Der Erhaltungszustand in Paring ist schlecht; bisher nicht publiziert.

plastik das Weltgericht auftritt und allmählich die Maje-stas Domini, das christologische Hauptthema der Roma-nik, verdrängt. Die Marien- und Gerichtsportale stehen in einem gedanklichen Zusammenhang. Der Angst, die das Weltgericht auslöst, steht in der Auferstehung und der Er-höhung Marias zu Christus die an dem vollkommensten Menschen schon Wirklichkeit gewordene Erfüllung der Verheißung gegenüber. Maria ist in diesen Bildprogram-men nicht nur allgemein Typus der Kirche, sondern ins-besondere der endzeitlichen Vollendung.

Wir stellen drei einzelne Werke den früh- und hochgo-tischen Marienportalen voraus, die noch nicht zu ihnen gehören, aber für den Vergleich wichtig sind. Ein Ni-schenrelief, das sich in der Krypta von S. Pietro al Monte, oberhalb von Civate bei Lecco am Comer See befindet, *Abb. 624*, bewahrt eine Darstellung des Marientodes, die noch dem 11. Jh. angehört, aus dem wir uns sonst nur durch die Miniaturen der liturgischen Handschriften eine Vorstellung der abendländischen Darstellung machen können. Das Bildschema weicht in der Komposition von der byzantinischen Koimesis-Tradition ab, unterscheidet sich aber auch von den Buchmalereien und den späteren frühgotischen Darstellungen. Die hochgestellte Stadt ver-weist auf Jerusalem. Dicht nebeneinander stehen die Apo-stel, ihre Hände trauernd an die Wange gelegt, auf der ei-nen Seite des Sterbelagers (Bett); Christus ist mit drei Engeln (Schreitstellung) von der anderen Seite gekommen und wendet sich mit ausgereckter Hand sprechend der Toten zu. Zwei fliegende Engel haben die in Tücher ge-hüllte Seelengestalt, von der nur das Gesicht zu sehen ist, schon in Empfang genommen. Im Denkmälerbestand läßt sich für diese Anordnung der Figuren keine Parallele nachweisen. Der auffallende Unterschied zur östlichen Tradition liegt in der Gestalt Christi, deren Redegestus betont ist, und in der schmerzerstarrten Apostelgruppe. Auf jeden Kontakt einzelner zur Verstorbenen ist ver-zichtet. Obwohl das Bett, auf dem die Tote liegt, ein Re-quisit der Darstellung der Todesstunde ist, läßt sich der Einfluß der Legende am Grab nicht ganz ausschließen. Die Tote ist in Tücher gehüllt; bei den Engeln ist nicht zu entscheiden, ob sie mit der Seele herabkommen oder em-

porfliegen. Der Gestus des Herrn könnte sich auch auf die Auferweckung der Toten und die Vereinigung von Leib und Seele beziehen. Da kein Anhaltspunkt für den Einfluß dieses Teils der Legende auf die Kunst schon Ende des 11. Jh. zu erkennen ist, muß es offenbleiben, ob die Dar-stellung über die traditionelle Ikonographie des Marien-todes hinausgeht.

Um eine völlig singuläre Kompositionsform, die schon gegen Mitte des 12. Jh. die körperliche Erhebung Marias aus dem Grab und ihre Aufnahme in den Himmel in einer Tympanondarstellung verbindet, handelt es sich bei einem Fragment der Kirche in Cabestany (Ostpyrenäen), *Abb. 642*. Ohne Trennung reihen sich die Figurengruppen an-einander an. Links hebt Christus die von ihm auferweckte Mutter aus dem Grab und umfängt sie sorgsam stützend. Der Gestus ihrer erhobenen Hände bedeutet vermutlich Dank für die Errettung aus dem Tod. Kleine Engel (Frag-mente) umgeben die Zweifigurengruppe. Am Sarkophag knien zwei Apostel und erleben mit ehrfürchtig staunen-den Gesten das Wunder. Auf der anderen Seite wird die noch nicht zu neuem Leben erwachte Mariengestalt in der Glorie von Engeln getragen. Die beiden unteren heben die Mandorla mit einem kleinen Tuch an, das in der Motivtra-dition auf die Darstellung der Levatio animae coelestis zu-rückgeht. Marias Augen sind geschlossen, ihre auffallend großen Hände hängen schlaff herab. Über dem Mapho-rium trägt sie einen Kronreif. Das verzierte Tuch geht oberhalb der Brust in einen sich vorwölbenden Kragen über. Weite Ärmel mit Schmuckkanten und die seitlichen Gewandfalten verdeutlichen mit dem Kopfschmuck die Vornehmheit ihrer Kleidung. Die beiden Weihrauchge-fäße beiderseits ihres Hauptes werden von den vom Him-mel entgegenkommenden Engeln geschwungen. Mit all dem ist auf ihr zukünftiges Königtum im Himmel hinge-wiesen.

Die Mitte nimmt Christus in frontaler Stellung ein. In der Linken hält er ein großes quadratisches Buch, das in seiner Form als Buch eschatologischer Offenbarungen Vorläufer in der spanisch-südfranzösischen Apokalyp-sedarstellung hat. Seine Rechte ist in herrscherlichem Re-degestus erhoben. Zur Linken Christi steht die in den

---

268. M. Durliat, Le Maître de Cabestany, Perpignan 1954. Es ist möglich, daß in Cabestany eine besondere Verehrung des Apostels gepflegt wurde, denn in der Kirche gibt es eine Thomas-kapelle mit einem Thomasaltar von Pierre Costa aus Perpignan, 1424.

Himmel erhöhte Maria, die – wieder auffallend großen – Hände im Anbetungsgestus erhoben. Ihr Angesicht ist etwas zur Seite gewandt. Zwischen dem von Engeln umgrenzten Geschehen am Grab und Christus steht Thomas. Er wendet den Blick Maria zu, während er mit beiden Händen zur anderen Seite hin den überdimensionierten Gürtel Marias hält. Es ist die früheste bekannte Thomasfigur mit dem Gürtel, die eine selbständige abendländische Thomastradition in der Mariendarstellung wahrscheinlich macht, siehe dazu unten[268].

Als drittes Werk, das zwar zeitlich schon in die Nähe der ersten Formulierungen des frühgotischen Darstellungsschemas rückt, zu ihm aber keine Beziehung hat, ist der nur noch als Fragment erhaltene Zyklus im Bogenfeld von St. Pierre-le-Puellier, Bourges, Musée Berry um 1175, *Abb. 625*. Er setzt mit seinen sechs Szenen die Kenntnis der Legende voraus. Davon stehen drei unter einer Bogenarchitektur mit Fensterzone und Dach, die einen Innenraum angibt: Todesverkündigung, Ankunft der Apostel und Tod Marias (nahezu völlig zerstört) und außerhalb des Innenraumes die Grabtragung. Über der Architektur ist die Erhebung Marias aus dem Grab und ihre Assumptio dargestellt. Die Mandorla bildet eine Mulde, in die die gekrönte Gestalt thront. Sie ist als Orans dargestellt, noch erkennbar an den Ansätzen der Unterarme. Ebenso ist ein Teil der von ihr ausgehenden Lichtstrahlen noch zu sehen, Ausschnitt *Abb. 641*.

Eine fortlaufende Darstellung der Transituslegende ist im Abendland für diese Zeit nur im York-Psalter bekannt. Zu Cabestany ist keine Verbindung zu erkennen. Wir gehen auf diese singulären Werke unten noch einmal ein.

Die gotische Kathedralplastik im Ausstrahlungsgebiet von Paris wählte für den figuralen Schmuck der Marienportale an den großen Kathedralen nicht mehrere Szenen der Legende aus, um diese im Sinne der Erzählung ins Bild zu übertragen, sondern beschränkte sich auf die für die Glaubensaussage wichtigsten. Jedes einzelne Portal der Kathedrale ist Teil der in der Scholastik erarbeiteten bildlichen Interpretation der Heilslehre, die in der Gesamtheit der Portale entfaltet wird. Diese im spekulativen Denken und in der künstlerischen Aussagekraft eminent schöpferische Zeit dokumentiert so die Summe ihres religiösen Lebens und Denkens. Dazu gehört vom letzten Viertel des 12. Jh. an auch der marianische Glaube, der sich nicht

mehr allein auf die Genetrix Dei mit dem göttlichen Sohn im Schoß konzentriert, sondern auch das Lebensende und die Erhöhung Marias mit einbezieht und in repräsentativer Form darstellt.

Das älteste Portal dieser Art, das wir kennen, ist das Mittelportal der Fassade an der Maria geweihten Kathedrale von Senlis, um 1170, *Abb. 627–629*. Die Mariendarstellungen befinden sich wie bei all diesen Portalanlagen im Zentrum, und zwar im Türsturz der Tod oder die Grablegung und die Auferweckung Marias, im Tympanon ihre Glorifikation, die nicht ganz korrekt allgemein »Krönung« genannt wird, obwohl der Krönungsakt selbst oft nicht dargestellt ist. Die sitzenden Figuren in den Leibungen der drei inneren Archivolten sind Könige und Propheten des Alten Testaments, die als die leiblichen und geistigen Vorfahren Jesu mehrfach durch fortlaufende Ranken miteinander verbunden sind, mit denen auf die »Wurzel Jesse« bzw. den Stammbaum Jesu angespielt wird. Diese Thematik, die vereinzelt auch in der Buchmalerei im Zusammenhang unseres Themas zu beobachten ist, geht, wie oben schon erwähnt, auf die messianisch verstandene Weissagung des Jes 11,1 f., die durch Bernhard von Clairvaux mit Jes 7,14 in Verbindung gebracht und auf die jungfräuliche Gottesmutterschaft Mariens bezogen wurde, zurück *(vgl. Bd. 1, S. 26 ff. und Abb. 27, 32–35)*. So weisen diese Könige und Propheten auf die Inkarnation des Christus-Logos und somit auf Maria als Genetrix Dei hin und betonen zugleich die Abstammung aus dem Geschlecht des Königs David[269]. Die Figuren der äußeren Archivolte sind in Senlis nicht alle zu identifizieren. Andere Kathedralen vergegenwärtigen in der inneren Archivolte außerdem durch Engelgestalten die Himmelsbewohner. Die Ranken können fehlen, die Propheten, Könige und Vorfahren sind jedoch in der Regel in ein bis drei Archivoltenbögen dargestellt. In der untersten Zone der Portalanlage stehen in den Gewänden große Gestalten, Präfigurationen und Zeugen der Menschwerdung und Passion Christi. Ihre bei der französischen Revolution zerstörten Köpfe sind in Senlis im 19. Jh. durch neue ersetzt worden, doch sind an der Nordfassade von Chartres die gleichen Figurengruppen zum großen Teil erhalten. Am Pfeiler zwischen den Eingangstüren der Marienpor-

---

269. Nach Mt und Lk stammt Joseph aus dem Haus David, vgl. Bd. 1, S. 15 und 23 ff.

tale stand in der Regel eine Figur der Gottesmutter mit dem Kind; in Paris, Amiens und Reims ist sie erhalten. Ihre Anbringung in der unmittelbaren Nähe des in die Kirche Eintretenden ist kennzeichnend für das neue Frömmigkeitsbedürfnis, das den Kontakt zum Gegenstand der Devotion sucht. Diese Madonnenfigur, die auf die Schlange tritt oder auf einem Sockel mit der Darstellung der Adam-Eva-Geschichte steht, interpretiert Maria als die neue Eva, siehe dazu unten. Am nördlichen Westportal in Paris befindet sich in der Mitte des Türsturzes die Bundeslade, die sowohl auf die drei Propheten und drei Könige Israels neben ihr als auch auf die Marienfigur unter ihr bezogen ist, *vgl. Bd. 1, S. 119, Abb. 28.* In Amiens ist diese Anordnung wiederholt, vgl. die Marienfigur *Abb. 803.* Alle Figuren der Archivolten und Gewände sind in ihrer symbolischen und typologischen Bedeutung auf die zentrale Darstellung der Aufnahme der Gottesmutter in den Himmel im Tympanon bezogen.

Dieses am Mittelportal der Fassade in Senlis zum erstenmal faßbare Bildprogramm wird mit geringfügigen Abwandlungen in den nächsten Jahrzehnten öfters wiederholt: Mantes, gegen 1180 (ruinös); Chartres, Notre Dame, Nördliches Querhausportal, Mitte, 1205–1210, *Abb. 626;* Longpont (Seine-Oise), Notre Dame, Westportal, eine genaue Entsprechung zu Senlis; Laon, Notre Dame, mittleres Westportal, gegen 1200 (restauriert), *Abb. 632,* (linkes Portal Gottesmutter und Geburt Jesu, rechtes Portal Jüngstes Gericht); Braisne, Saint Yved, Westportal, 1205–1216; Paris, Notre Dame, linkes Westportal, um 1210–1220, *Abb. 631* (zum Annenportal rechts *vgl. Abb. 463,* mittleres Portal Jüngstes Gericht); Amiens, Notre Dame, rechtes Westportal, 1225–1236 (Mittelportal Gericht, linkes Portal Heiligendarstellungen), Sens, Turmportal, nach 1268; Bourges, kleines NW-Portal, um

1255/60. Der Einfluß dieser Ikonographie reicht jedoch bis Lausanne, Kathedrale, um 1230, *Abb. 635–637* und Maastricht, Bergportal von St. Servatius, um 1300[270].

Das Südportal des Straßburger Münsters, um 1230, unterscheidet sich von der französischen Portalanlage durch die Verteilung von vier Darstellungen auf die Bogenfelder und Türsturze eines Doppelportals, vgl. Bd. 4,1 den Stich von Isaak Bruun (Brunn) im Münsterbüchlein des Oseas Schadaeus von 1617, *Bd. IV 1, Abb. 129.* Erhalten sind nur die Skulpturen der Bogenfelder, Tod und Krönung. Die Thematik der beiden Darstellungen der Türsturze, die 1793 zerstört wurden – Grabtragung und die Erhebung Marias –, weichen von dem ikonographischen Schema ab und lassen nach dem Stich den Einfluß anderer Bildtraditionen erkennen, siehe unten[271].

Der Tod Marias. Die Darstellungsgruppe der frühgotischen Kathedralplastik geht von dem byzantinischen Bildschema aus, vereinfacht es und zeigt statt des Sterbelagers Marias mehrmals den Sarkophag, so daß die Niederlegung des Leichnams[272] in die Todesszene einbezogen ist oder an deren Stelle tritt. Mit der Sepultura, der Grablegung, wird die folgende Szene vorbereitet, die eine neue theologische Interpretation andeutet.

In Senlis ist die Niederlegung einbezogen und mit der Seelen-Assumptio verbunden, *Abb. 628.* Obwohl das Hochrelief sehr stark beschädigt ist, lassen sich die beiden Apostel an den Schmalseiten des Sarkophags, der dem der nächsten Szene entspricht, erkennen. Sie halten das Grabtuch; ein dritter Apostel hüllt die Tote ein. Es können aus den Fragmenten zwölf Apostel rekonstruiert werden; möglich wären auch elf Apostel und Christus, aber dieser hätte dann einen von der Bildtradition abweichenden Standort. Die personifizierte Seele Marias schwebt hier in

---

270. Zu den Stilfragen der von Senlis beeinflußten Gruppe siehe W. Sauerländer, Das Marienkrönungsportal von Senlis und Mantes, in: WR Jb. 20, 1953, 115–162. Zur Ikonographie siehe auch: E. Mâle, L'art religieux du XIIe siecle en France, Paris 1922. P. Wilhelm, Die Marienkrönung am Westportal der Kathedrale von Senlis. Diss. Hamburg 1937, gedr. 1941. Hier handelt es sich um eine eingehende ikonographische Untersuchung der Marienkrönung der Kathedralplastik des 12. Jh., die auch die einzelnen Figuren der Gewände so weit als möglich identifiziert und inhaltlich zur Hauptdarstellung in Bezug setzt. Zur Marienkrönung siehe ferner: G. Zarnecki, The Coronation of the Virgin on a Ca-

pital from Reading Abbay, in: Journ Warburg XIII, 1950, 1–20. LCI 2, Sp. 671–676. Zu Beispielen der spanischen Plastik siehe B. Nieto, Asunción, 1950.

271. Siehe A. Weiss, Die Himmelsaufnahme Mariens am Straßburger Münster und die Symbolik der Kathedralkunst, in: »Das Münster«, 4, 1951, 12–18, und die dort angegebene Literatur.

272. Das Betten eines göttlichen Toten ist eine sehr alte Zeremonie, die in die vorchristliche Mythologie zurückreicht. Vgl. auch das Niederlegen und die Bereitung des Leichnams Jesu Bd. 2, S. 185–187, *Abb. 587ff.*

frontaler Ansicht unmittelbar über der Toten zwischen den beiden Weihrauchgefäßen und wird von zwei fliegenden Engeln an beiden Handgelenken ergriffen (auf einer Seite sind die Arme zu ergänzen).

In Chartres (auch hier fehlen die Köpfe der meisten Figuren) ist der traditionelle Typus übernommen, *Abb. 626*. Das Sterbelager unterscheidet sich deutlich vom Grab der folgenden Darstellung. Christus mit der Seelenfigur auf dem Arm steht in der Mitte. Der Apostel, der sich über die Füße der Toten beugt, entstammt der byzantinischen Ikonographie.

Das nördliche Westportal von Notre Dame in Paris weicht von der in Senlis geprägten Trias ab, *Abb. 631*. Die beiden Szenen, Tod und Auferweckung, sind auf dem oberen Türsturz zusammengezogen, Einzelmotive verschiedener Darstellungsthemen wurden aufgegriffen. Einige Apostel sitzen, als hielten sie Totenwache, die anderen stehen hinter dem Sarg. Zwei Engel neigen sich über die Schmalseiten des Grabes und ergreifen das Leichentuch, um die Tote emporzuheben. Christus steht wie bei der Dormitio hinter dem Grab, hat aber nicht die Seelenfigur auf dem Arm, sondern hebt eine Hand sprechend empor und berührt mit der anderen die Tote. Wort und Handauflegen (oder -ergreifen) sind im Neuen Testament die Formen der Heilung und Totenerweckung durch Christus. Im Gegensatz zu den anderen Darstellungen der Erhebung Marias aus dem Grab in der Portalskulptur erweckt hier Christus selbst seine Mutter, die als Antwort auf den Ruf zum Leben die Hände betend erhebt. Ähnlich ist die Darstellung des Portals von St. Pierre in Poitiers[273].

Der Türsturz des Marienportals der Kathedrale in Laon ist durch drei Bogen gegliedert, *Abb. 632*. Die Apostel unter dem ersten, von denen einer mit einem Engel spricht und zwei weitere sich einander sprechend zuwenden, beziehen sich auf die Ankunft der Apostel, siehe unten. Johannes mit dem Palmzweig in der Hand steht am Fußende des Sterbelagers und blickt auf das Angesicht der Toten, um die sich mehrere Apostel bemühen. Zwischen die Darstellungen der Dormitio und der Auferweckung Marias

durch die Engel ist als Sondermotiv Christus, der die Seelenfigur an einen stehenden Engel übergibt, eingeschoben. Durch diese Isolierung der Übergabe steht Christus mit dem Rücken zum Totenlager[274]. Fliegende Engel schwingen die Weihrauchfässer, während mehrere Apostel nur geschlossene Bücher als Attribute in Händen halten, aber keine Geräte für die Totenfeier. Wenn hier auch die traditionellen Figuren und Motive übernommen worden sind, so wurden sie doch erheblich abgewandelt. Am Apostelportal der Kathedrale in Lausanne ist die Grablegung Marias ohne Christus in der einfachsten Form dargestellt, *Abb. 636*.

Der Marientod im Bogenfeld der linken Türe des Doppelportals an der Südseite des Straßburger Münsters, *Abb. 634*, gehört in der Geschlossenheit der Komposition und der Durchbildung der Einzelfiguren ebenso wie in der Differenzierung eines verhaltenen Schmerzausdrucks zu den höchsten künstlerischen Leistungen mittelalterlicher Skulptur, in denen sich die schöpferischen Kräfte der Zeit verwirklichten. Alle Bewegungen der stehenden Figuren sammeln sich in der allein vor dem Sterbelager sitzenden weiblichen Gestalt und werden von unten her wieder zum Antlitz der Toten geführt. Als eine der in den Legenden erwähnten Frauen (als Begleiterinnen der Gottesmutter, von denen sie Abschied nimmt oder die den Leichnam bereiten und mit zu Grabe tragen), die das Koimesis-Bild aufnimmt, erhält sie in dieser Komposition durch ihre Isolierung und ihren Ausdrucksgehalt einen besonderen Rang. Vgl. zu dieser Trauernden in der abendländischen Kunst die Frauengestalt der rheinischen Miniatur, *Abb. 606*.

Die Auferweckung Marias durch Engel. Sie ist eine abendländische Bildformulierung, die zum erstenmal in Senlis nachzuweisen ist. Es wird nicht ganz deutlich, ob die sechs Engel herabgekommen sind, um Maria aus dem Todesschlaf aufzuwecken, oder ob sie nach einer der Legendenversionen drei Tage die Grabwache hielten und nun, als Maria vom Tod erwacht, hinzudrängen, um sie

---

273. Da das Ergreifen des Grabestuches durch Engel oder Apostel ein ikonographisch ungenaues Motiv ist, das für die Niederlegung, Grablegung und Auferweckung der Toten benutzt wird, ist die Szene in Paris oft anders gedeutet worden. Geht man aber von der Christusgestalt und den Engeln aus, so kommt man

zu der Deutung der Auferweckung.

274. Zwei stehende Engel mit der Seelenfigur sind in Dijon, Notre Dame, um 1230, zwischen Tod und Grabtragung eingeschoben.

aus dem Grab zu heben. Einer der Engel hält über ihrem Haupt die Krone (ein Teil ist abgebrochen). Dieser neue Bildtypus ist vermutlich entstanden, um die Assumptio Marias der Resurrectio Christi anzugleichen. Christus erhebt sich jedoch auf den vielfältigen Darstellungen aus eigener Kraft aus dem Grabe, vgl. Bd. 3, während das Relief in Senlis sehr klar zum Ausdruck bringt, daß Maria zur Erhebung der Hilfe der Engel bedarf. In dieser Zeit, in die die Buchmalerei, die sich nur an den Geistlichen wendet, an der Assumptio animae festhält und oft durch die Gestalttypen der ecclesiologischen Brautmystik den seelischen Gehalt der Emporführung Marias in Entsprechung zur Festliturgie betont, schuf die sich dem Volk zuwendende Portalplastik diesen neuen Darstellungstypus, in dem die leibliche Auferstehung Marias aus dem Grab Ausdruck findet. Dieses Theologumenon wurde zwar im 12. Jh. erst von einzelnen Theologen unterstützt, aber der Volksfrömmigkeit war, seit die Erzählungen vom Heiligen Land bekanntgeworden waren, die Auferweckung Marias wohl ziemlich selbstverständlich. Es galt die fromme Ansicht, daß der Leib, der den Gottessohn getragen habe, nicht im Grab verwesen könne.

Weitab von Paris konnte die Auferweckung Marias durch Christus selbst, wie an dem Tympanonfragment von Cabestany deutlich wird, schon Mitte des 12. Jh. dargestellt werden. Sowohl Cabestany als auch Senlis sind nicht direkt von der Legende abhängig (im Gegensatz zum York-Psalter), sondern eine freie Schöpfung. Während der Darstellungstypus der Auferweckung von Cabestany etwas motiviert nur noch einmal Ende des 12. Jh. in der Kapitellplastik nachzuweisen ist, *Abb. 643*, kann die Darstellungsform der Erhebung Marias aus dem Grab durch Engel über mehrere Jahrzehnte hinweg im Türsturz der Marienportale verfolgt werden. Sie ist in der bildlichen Fassung zurückhaltender als der ältere Typus und paßt sich formal dem im Türsturz danebenstehenden Marientod an. Zur Darstellung dieses mariologischen Gedankens in den Marienportalen der großen Kathedralen konnte es vermutlich erst kommen, nachdem die oben erwähnte, erst Mitte 12. Jh. entstandene Schrift »De assumptione B. M. V. liber unus«, die ihre Autorität durch eine falsche Zuschreibung an Augustin erhielt, bekannt wurde. Sie ignoriert die Apokryphen und bedient sich nur theologischer Argumente, um die leibliche Auferstehung und Himmelfahrt mit der göttlichen Mutterschaft und der rei-

nen Jungfräulichkeit Marias zu begründen. Außerdem legt der Verfasser die Analogie der Auferstehung Christi zu der Auferweckung der Gottesmutter dar. Ps Augustin verdrängte die bis dahin wirksame Auffassung des Paschasius Radbertus (Ps Hieronymus), der den Begriff der Assumptio corporis vermied, so daß wir höchstwahrscheinlich in dem Bildprogramm der Marienportale den Niederschlag dieser neuen Definition der Auferstehung Marias und ihrer leiblichen Erhöhung zu ihrem Sohn in den Himmel zu sehen haben. Diese Auferweckung des im Grabe nicht verwesten Leibes enthält die dem späten 12. Jh. wichtigen marianischen Vorstellungen, die nun auch von der hohen Schule der Theologie anerkannt sind.

Die miteinander verbundenen Darstellungen im Türsturz, in denen sich Tod und Leben, die Trauer der Apostel und das freudige Staunen und Helfen der Engel über das Wunder der Erweckung vom Tod gegenüberstehen, sind in Chartres *Abb. 626*, Laon *Abb. 632*, Lausanne *Abb. 637* und in anderen Kathedralen von Senlis abhängig. Das Portal von Notre Dame, Paris, *Abb. 631*, das, Motive mehrerer Bildformen zusammenziehend, die Auferweckung Marias im Grabe durch Christus darstellt, ist oben erwähnt.

Eine völlig singuläre Darstellung der Auferstehung Marias befindet sich auf einem Pilasterrelief des 12. Jh. im Musée Rolin in Autun, von dem man nicht weiß, in welchem Zusammenhang es ursprünglich stand. Es zeigt die Gestalt Marias bei dem Aufstieg aus dem Grab in einer so starken Bewegungskurve, daß die Stützung ihrer ausgebreiteten Arme durch die Engel überflüssig zu sein scheint, *Abb. 630*. Dieser Auffahrt aus eigener Kraft steht die Auffassung des Reliefs in Cabestany und des erwähnten romanischen Kapitellreliefs einer Chorsäule der Kirche Notre-Dame-du-Port in Clermont-Ferrand (Auvergne) vom Ende des 12. Jh. entgegen, *Abb. 643–646* (Aufnahmen nach Gipsabgüssen). Die Auferweckte, die im Begriff ist, ihre Augen zu öffnen, ist von Christus aus dem Grab gehoben worden und wird wie ein großes Kind von ihm in beiden Armen gehalten. Die Inschrift der Bücher in den Händen der Engel deutet den Glauben an die Auferstehung Marias an, der in einer naiv realistischen Darstellung einen verständlichen Ausdruck sucht: MARIA Hon IN CELUM (Maria, die im Himmel hoch zu Verehrende). Die Darstellungen auf den anderen drei Seiten dieses Kapitels beziehen sich ebenfalls auf die Auferstehung Marias und greifen Motive aus der Gerichts-Ikonographie auf. Das nächste Feld zeigt einen Engel, der die Tuba zur Auferstehung der Toten bläst und die Siegesfahne in der Hand hält. Es ist die Fahne der Ekklesia, die sie unter dem Kreuz auf karolingischen Elfenbeintafeln als Siegeszeichen trägt (Bd. 2, Abb. 364 f.), die dann in der Hand Christi bei der Himmelfahrt und vor allem bei der Auferstehung (Bd. 3, Abb. 196) wiederkehrt. Das folgende Relief zeigt einen Engel mit dem großen Lebensbuch, dessen Inschrift besagt, daß Maria im Buch des Lebens eingetragen ist[275]. So ist denn auch auf der anschließenden Darstellung das Tor der Himmelsburg geöffnet, in der ein Altar (Bundeslade) in einer apsisartigen Nische steht. Bekrönt wird die Himmelsburg von einem Kirchengebäude, mit dem vermutlich in dem eschatologischen Zusammenhang auf die ekklesiologische Deutung der Gottesmutter verwiesen werden soll.

Die Marienfigur in der Mandorla, die vereinzelt schon in Miniaturen liturgischer Bücher im 11./12. Jh. vorkommt, ist in den Tympana von Cabestany, Abb. 642, und Bourges, Abb. 641, unterschiedlich dargestellt. In beiden Werken steht sie im Zusammenhang mit der Auferweckung der Toten und ist wahrscheinlich als Assumptio corporis zu verstehen. Es handelt sich um einen Bildtypus der Glorifikation, der in seiner Aussage oft in der Schwebe bleibt und sich allmählich mit der Vorstellung der leiblichen Aufnahme zu verbinden scheint. Von der Mitte des 12. Jh. an ist er in Marienzyklen der französischen Glasmalerei nachzuweisen. Hier bleibt diese Mariengestalt mit unterschiedlichem Gebetsgestus oder auch die Palme in der Hand tragend bis ins 14. Jh. erhalten. In der Plastik kommt sie weniger vor (Sockelrelief, Paris, 1. Hälfte 14. Jh., Sens, Marienportal, nach 1268).

Am Südportal des Straßburger Münsters wich das zerstörte Türsturzfeld unterhalb der Krönung Marias nach dem erwähnten Stich von 1617, vgl. Bd. IV 1, Abb. 129, ikonographisch von der Senlis-Tradition völlig ab, obwohl die Krönung von ihr abhängig ist, wenn auch weiter

entwickelt[276]. Die Grabtragung unterhalb der Dormitio macht es wahrscheinlich, daß für dieses Motiv, wie im Tympanon von St. Pierre-le-Pullier, eine Zyklustradition als Vorbild diente, die möglicherweise vor die Mitte des 12. Jh. zurückreicht. Die sehr zerstörte Erweckung der Toten durch Engel scheint ikonographisch Senlis verwandt; in Straßburg war dagegen der Transitus Marias nach dem oben erwähnten Typus der Levatio animae dargestellt: zwei Engel tragen die Seelenfigur in einem Tuch. In der Kathedralplastik ist dieses Motiv im Scheitel der sog. Porte romane der Kathedrale zu Reims oberhalb der im Tympanon dargestellten thronenden Gottesmutter angebracht; die Gotteshand hält die Krone für die Seele bereit, Abb. 640. Beim Straßburger Relief ist auffallend, daß es sich bei der Erhebung Marias um die Hauptdarstellung eines Bildfeldes handelt, das an die Grabtragung anschließt, also keine Entrückung der Seele sein kann. Außerdem deutet die natürliche Körperhaftigkeit der unbekleideten Mariengestalt auf die leibliche Aufnahme in den Himmel hin. Die beiden Engel, die das Tuch tragen, stehen in Schreitstellung zu beiden Seiten eines kleinen Hügels. Diese Mittelgruppe ist von sechs fliegenden Engeln umgeben. Zwischen ihnen ist Thomas zu erkennen, der sich zu Maria hinstreckt, um von ihr den Gürtel zu empfangen. Da er zum Teil von den Engeln verdeckt ist, läßt sich nicht genau sagen, ob er am Boden kniet oder steht. Die Gürtelspende ist – falls der Stich dem Original entspricht – in Straßburg für das Abendland zum erstenmal zu belegen, die Thomasgestalt mit dem Gürtel in der Hand, der immer als Beweis für die körperliche Himmelfahrt galt, ist schon auf dem Tympanonrelief in Cabestany gegen Mitte des 12. Jh. dargestellt. Thomas hat in dieser Bildkomposition durch den Platz neben dem Herrn des Himmels einen besonderen Rang – mag er dort vielleicht auch nur deshalb stehen, weil der Meister ihn nicht anders einzuordnen wußte. Auf jeden Fall beweist diese Gestalt, daß es im Abendland in der 1. Hälfte des 12. Jh. schon eine Thomastradition gab[277]. Auf sie scheint in Straßburg die

---

275. Schon im Prümer Antiphonar, gegen 1000, heißt es von Maria: Cuius memoria in libro vite est scripta.

276. A. Weiss, 1951, bringt Abb. 1 eine Vergrößerung der Himmelsaufnahme aus diesem Stich und eine umfassende Untersuchung der Einzelmotive der Darstellung.

277. A. Weiss hat die Thomasgestalt auf dem Stich erkannt,

hielt sie aber für schwebend. Er ist der Meinung, daß es sich bei der Gürtelspende in Straßburg um byzantinischen Einfluß handelt, und führt die gleichzeitige Darstellung auf der Türe von Susdal (bei Vladimir) an, Abb. 706. Diese Darstellung folgt aber einem anderen Marientypus und ist gebunden an die Verehrung der Gürtelreliquie in Byzanz, siehe dazu unten. Mir scheint die

Gürtelspende zurückzugehen, die hier mit der Levatio Marias verbunden wurde. Durch die Gürtelspende wird der Bildtypus der Seelenerhebung neu interpretiert[278].

Die Inthronisation und Krönung Marias durch Christus. Die Krönung, die im Tympanon der gotischen Portalplastik als repräsentative Hauptdarstellung des Marienprogramms hervortritt, ist ebenso wie die Auferweckung eine abendländische Schöpfung des letzten Drittels des 12. Jh. In Senlis und mehreren anderen Kathedralen zeigt allerdings diese Tympanondarstellung, die, wie schon gesagt, vielfach ungenau Krönung genannt wird, nicht den Krönungsakt, sondern die gekrönte Gottesmutter als Throngefährtin neben Christus im Himmel auf der Thronbank sitzend. Vorläufer oder Vorstadium hierfür ist in diesem Bildkomplex einerseits die gekrönte Seelengestalt bei der Assumptio, *Abb. 609, 612 f.*, andererseits auch die Krone des Lebens, die die Gotteshand über die sterbende Maria als Verheißung des himmlischen Lohns hält, *Abb. 604, 607*, und diejenige, die Christus als der Bräutigam der Seele, mit der er sich vereinen will, im Himmel für sie bereithält, *Abb. 610*. Die Symbole der Krone des Lebens und der Brautschaft gehen ineinander auf, denn die Ecclesia-Sponsa ist zugleich die Personifikation der Gesamtheit der Gläubigen, der Kirche und der Einzelseele. Die Identifizierung der Jungfrau mit der Ecclesia-Sponsa und die

Übertragung der Brautsymbolik des Hohenliedes von Ekklesia auf Maria ist die Voraussetzung für die Krönung Marias durch Christus. Als Typus der Kirche ist sie im Verhältnis zu Christus zugleich Mater und Sponsa. Christus nimmt seine Braut als Himmelskönigin in sein Reich auf und gibt ihr über das anderen Heiligen zugeteilte Maß hinaus einen höheren Anteil an seiner Herrschaft. Maria erhält oder trägt nach ihrem Tod – manchmal schon auf dem Sterbelager wie auf dem erwähnten Wandbild in Liget – die Krone des Lebens zum Zeichen dafür, daß ihr unmittelbar nach dem Tod – wie allen Heiligen – die Gnade der Vereinigung mit Christus und das neue Leben im Himmel zuteil wurde. Für Ekklesia ist die Krone Insigne, einerseits trägt sie dieses Herrschaftszeichen als Siegerin über die Synagoge, andererseits als Braut Christi, siehe oben Teil 1. Aber die Darstellung der Krönung der Ekklesia ist nicht üblich. Ausnahmen bilden einige Illustrationen zu Ps 109(110),1, die schon der ersten Hälfte des 13. Jh. angehören. Sie entstanden offenbar unter dem Einfluß der im 13. Jh. sich verbreitenden Marienkrönung; um die Mitte des Jahrhunderts wird bei dieser Psalmillustration der Ekklesiagestalttypus gegen den der Maria ausgewechselt[279]. Auch die mariologische Deutung von Ps 45(44),10ff. zielt auf die Vorstellung des himmlischen Königtums Marias. Man sah in diesen Psalmversen eine Voraussage ihrer Krönung, die die Verherrlichung ihrer Brautschaft oder ihrer

Rückführung auf eine abendländische Thomastradition richtiger, zumal das Argument, die Legende der Gürtelspende sei im Abendland erst durch die Legenda Aurea bekanntgeworden, nicht haltbar ist. Die griechische Legendentradition des Ps. Johannes scheint die Thomaslegende nach den uns bekannten Texten nicht gekannt zu haben. Sie nennt Thomas beim Marientod als anwesend. Der lateinische Text unter dem Pseudonym Joseph von Arimathia und ein arabischer Text enthalten die Thomaslegende, siehe oben Seite 87. Es kann sich unabhängig von Byzanz und von der Verehrung der Gürtelreliquie (in Italien später erkennbar) zu Beginn des 12. Jh., als die Volksfrömmigkeit nach Beweisen für die körperliche Aufnahme Marias fragte, in der Kunst eine Thomastradition gebildet haben. Möglicherweise haben Pilger berichtet, daß ihnen in Jerusalem die Stelle gezeigt wurde, an der Thomas den Gürtel erhielt. Literarische Belege hierfür liegen erst für das 14. Jh. vor. Siehe Henry L. Savage, Pilgrimages and Pilgrim Shrines in Palestine and Syria after 1095. In: The Art and Architecture of the Crusader States, ed. Harry W. Hazard (= A History of the Crusades, ed. Kenneth M. Setton, Vol. IV). Madison, Wisconsin 1977, S. 56.

278. Auf das nicht ganz geklärte Tympanonrelief des Nordportals (Paradies) des Magdeburger Doms, um 1330, kann nur verwiesen werden. Zwei Engel tragen hier den Leichnam Marias auf einer Bahre empor; unten stehen die Apostel, von denen einige ihre persönlichen Attribute tragen. Thomas, etwas abgerückt von ihnen, hält den Gürtel. Siehe W. Greischel, Der Magdeburger Dom, Berlin 1929. Abb. 74. Auf die Ikonographie geht der Verfasser nicht ein.

279. Siehe G. Haseloff, Die Psalterillustration im 13. Jh., Kiel 1938. Der Verfasser nennt drei Illustrationen mit dem Ekklesiatypus – die älteste im Psalter der Bibl. Com. in Imola Ms 100, 1204–1216, zeigt die Gekrönte mit einem Kirchenmodell in der Hand, ein für Ekklesia typisches Attribut, das bei Maria kaum vorkommt – und zwei mit dem Marientypus. Da diese Illustrationen zu Ps 109 (110) in Parallele zu der älteren, verbreiteten und dem Wortlaut des Textes völlig entsprechenden Darstellung des neben Gott-Vater thronenden Christus, der den Feind niedertritt, steht, ist sie unter dem Aspekt der Angleichung Marias an Christus zu sehen. Zu Maria, die den Feind niedertritt, siehe unten.

Gemeinschaft mit Christus bedeutet. Die Darstellung der Inthronisation der Ecclesia-Sponsa ist eine Parallele zur Krönung Marias. Bevor die eigentliche Krönung durch Christus bildlich formuliert wurde, ist wie in Senlis, Laon, Chartres etc. die Aufnahme der gekrönten Maria-Ekklesia in den Himmel als ihre endzeitliche Vollendung und ihre Inthronisation dargestellt worden. In Paris krönt dann ein Engel Maria, und in Straßburg und Sens – also erst im 13. Jh. – setzt Christus selbst die Krone auf Marias Haupt. Beide Formen der Glorifizierung sind weiterhin in der Portalplastik zu finden. Das zeigt, daß sich die Krönung unter eschatologischem Aspekt im Zusammenhang der Identifizierung der Gottesmutter mit der Ekklesia entwickelte. Erst in zweiter Linie ist sie eine Weiterführung der Vorstellungen, die sich mit der gekrönten, thronenden Gottesmutter, die den Sohn auf dem Schoß hält, oder mit ihrer Krönung durch Engel verbinden[280].

Der Königstitel für Christus gehört zum alten Überlieferungsgut. Bei dem Rang, den das irdische Königtum in karolingischer und ottonischer Zeit hatte, ist es verständlich, daß die Christusverehrung in dem Bild des herrschenden Christ-König kulminiert und auch die Mutter, der ihm am nächsten stehenden Mensch, in Hymnen und Predigten zur Feier der Assumptio als Königin des Himmels gepriesen wird. Im merowingisch-karolingischen Königtum hatte die Frau des Königs nicht nur den Titel Königin, sondern nahm an den Funktionen des Herrschers teil. Ihre Aufgabe war es vor allem, sich der Schutzsuchenden und Hilfsbedürftigen anzunehmen und für sie Fürsprache einzulegen. Da in keiner Zeit das Bewußtsein, das irdische Königtum partizipiere am himmlischen, so stark war wie in karolingisch-ottonischer Zeit, sah man das Amt der Königin auf Erden als Entsprechung zu der Funktion der von Christus zur Mitherrschaft berufenen Gottesmutter, und man war rückbeziehend bereit, Maria den Titel »Regina coeli« zu geben; im Hinblick auf ihr Wirken für die Menschen auch den der »Regina nostrae salutis«. Die Anteilnahme an der königlichen Herrschaft Christi weitet den sofortigen Gewinn der Vereinigung mit

Gott und der Vollendung nach ihrem Tod, dessen die Seele Marias bei der Assumptio gewürdigt wurde, aus. Aber gerade sie wird mit der Anteilnahme am Thron Christi und ihrer Krönung ausgesagt. Zum erstenmal hat bei dieser Thematik eine Tympanondarstellung keine Zentralfigur. Die Verbindung der Reginavorstellung mit der Intercessio bzw. der Heilsvermittlung ist durch die Assumptiolehre gefördert worden. Sie entspricht einem sich anbahnenden Wandel der Frömmigkeit, deren Akzent sich von der heilsgeschichtlichen Schau mehr und mehr auf das persönliche Heilsbedürfnis verlagert. In diesem Zusammenhang wird die Gottesmutter, die als Königin des Himmels und der Engel verehrt wird, zugleich die Mutter der Gläubigen und erhält für diese durch die ihr zuerkannte Funktion der Intercessio auch aktuelle Bedeutung. Oft bedienen sich die Hymnen und Marienpredigten ebenso wie die Gebete in der Liturgie der Marienfeste einer festlichen Bildersprache, aus der man für die frühmittelalterliche Zeit jedoch keine Marienlehre herauslesen kann, auch wenn es des öfteren die gleichen Männer sind, die einerseits Maria in einer überschwenglichen Verehrung preisen und sich andererseits nur mit Zurückhaltung um die theologische Einordnung der Gestalt der Gottesmutter in das himmlische und irdische Ordnungsgefüge mühen[281]. Sieht man diese sich in karolingischer Zeit bildende Reginavorstellung zusammen mit der Identifikation der Ecclesia-Sponsa mit Maria, die Ende des 12. Jh. häufig theologisch vertreten wird, und bezieht man die Liturgie der Marienfeste und die Auswirkungen der individuellen Frömmigkeit im späten 12. Jh. ein, so versteht man, aus wie vielen Wurzeln der katholische Glaube an Marias Teilnahme an der Herrschaft des Sohnes im Himmel und auf Erden gespeist wurde. Wie schon gesagt, kommen die alten apokryphen Texte für die Formulierung der Darstellung nicht in Frage, da sie nur von der Assumptio, aber nicht von einer Krönung sprechen. In abendländischen Redaktionen der Legenden ist jedoch vom 12. Jh. an die Erzählung am Schluß durch die Erwähnung der Krönung erweitert worden. Doch dürfte dies für die Schaffung des neuen Bildty-

---

280. Die Darstellung der Krönung der jungfräulichen Mutter mit dem göttlichen Sohn durch zwei Engel ist älter als die Krönung Marias im Himmel durch Christus; sie ist zum erstenmal nach dem Vorbild einer Herrscherkrönung oder Belehnung auf dem Titelblatt vom Evangeliar des Bernward von Hildesheim zu

belegen, siehe unten *Abb. 794*. Sie bedeutet Glorifizierung.

281. Siehe zu diesen kurzen Bemerkungen ausführlich L. Scheffczyk, 1959, Kap. VII: Die Aufnahme Mariens in den Himmel und ihre königliche Stellung als Zielpunkt des marianischen Denkens der Epoche.

pus, der in der Portalplastik den Darstellungen des Todes und der Auferweckung übergeordnet ist, nicht allein ausschlaggebend gewesen sein, da die Mariologie insgesamt damals auf die Erhöhung Marias abzielte. So unsicher sich die Darstellung der Auferweckung Marias in den unterschiedlichen Fassungen darbietet, so eindeutig ist von Anfang an die Darstellung der Teilhabe Marias am Thron Christi und ihre Krönung durch den Sohn.

Ein direkter Vorläufer für die bildliche Darstellung der Erhebung der Regina coeli auf den Thron durch den Rex gloriae war allerdings durch das thronende Brautpaar, Christus und die Kirche, gegeben, *vgl. Teil 1, Abb. 247/ 248, 251–254*. Vergleicht man aber in der Monumentalkunst die Gestalten der Ecclesia-Sponsa und der zu Christus erhöhten Maria, so fällt bei Ekklesia die hieratische Haltung auf. Mit Maria als Königin des Himmels sind zwar viele Glaubensvorstellungen verbunden, aber sie ist keine Personifikation oder Symbolfigur wie Ekklesia. Marias Thronen neben dem Sohn bedeutet ihre menschliche Vollendung, die sie von dem empfängt, den sie geboren hat, und das ihr in besonderem Maße anvertraute Amt der Fürsprache. Die Verlebendigung der Gestalten und ihre gegenseitige Zuwendung ist nicht nur eine Frage des Stils – die Werke fallen zum Teil in die gleiche Zeit –, sondern des anderen Ausgangspunktes als beim Thronbild der Ecclesia-Imperatrix, ein Titel, der Maria nicht – oder nur auf eine kurze Epoche beschränkt – beigelegt wird. Sie ist vielmehr Mediatrix (Mittlerin). Ihr Gestus bei der Krönung bedeutet in der Regel Fürbitte oder Anbetung. Das singulare Tympanonrelief von Cabestany bringt in der neben dem erhöhten Christus stehenden gekrönten Marienfigur mit dem Gestus der Anbetung schon die Grundgedanken der Marienkrönung in einer Formulierung, für die es im Denkmälerbestand dieser Zeit anscheinend keine Parallele gibt.

Auf der Darstellung im Bogenfeld von Senlis, *Abb. 627*, sitzt Maria auf einem Doppelthron mit hoher Lehne an der rechten Seite des Sohnes, der sich ihr mit erhobener Hand zuwendet; der Gestus ist nicht mehr erkennbar. Die Gekrönte hält ein geöffnetes Buch in der rechten Hand und umfaßt mit der linken in einem Mantelbausch den unteren

Teil eines abgebrochenen Zepters, das analog mit anderen Darstellungen das königliche Lilienzepter gewesen sein dürfte. Nicht die Krönung selbst, sondern das Thronen der Königin zur Rechten des erhöhten Christus ist dargestellt. Engel mit Kerzen und Rauchfaß zu beiden Seiten des von einer schwingenden Arkade umgebenen Thrones wohnen der Glorifizierung und feierlichen Inthronisation Marias bei. In Laon, *Abb. 632*, wendet sich Maria etwas mehr Christus zu. Sie hält das königliche Zepter in der Rechten; dagegen wird es ihr in Paris von Christus überreicht, *Abb. 631*. Hier empfängt sie in anbetender Haltung den Segen des Sohnes, während ein Engel ihr die Krone aufs Haupt setzt (ebenso Amiens und Longpont). In Chartres, *Abb. 626*, ist – abgesehen von der Krone auf ihrem Haupt – auf Attribute verzichtet, hier ist die ehrfürchtige Neigung Marias und der Fürbittegestus betont. Das Majestätsmotiv kommt bei Maria durch den Verzicht auf die hieratische Haltung wenig zur Geltung. Die Engel mit Leuchtern oder Weihrauchgefäßen beiderseits des Thrones, die auf allen Darstellungen wiederkehren, wiederholen Formen liturgischer Ehrung. Das das Tympanon umziehende Wolkenband verweist in Chartres auf den Himmel als Ort des Vorgangs; ob die Architekturrahmung die ewige Stadt bedeuten soll, sei dahingestellt.

Auf dem Bogenrelief in Straßburg, um 1230, *Abb. 633*, vollzieht Christus die Krönung selbst und segnet zugleich die Mater-Sponsa. Im engeren Sinn kann man erst bei diesem Bildtypus von Marienkrönung sprechen. Im Wimperg über dem mittleren Westportal der Kathedrale in Reims ist dann um 1250 der Krönungsakt, dem sechs Engel beiwohnen, gesondert dargestellt und bildet die Bekrönung der gesamten Portalanlage.

Einen ganz anderen Bildtypus vertritt ein italienisches romanisches Altarfrontale (Steinrelief) der Pfarrkirche in Bardone, 12. Jh., *Abb. 638*. Es ordnet die Krönung der Darstellung der von den vier Wesen umgebenen Majestas Domini unter, faßt sie aber auch als einen kultischen Akt auf. Zwei Engel tragen große Kerzen, zwei schwingen Weihrauchgefäße[282]. Maria steht in gebeugter (halb knender) Haltung und mit betend erhobenen Händen am göttlichen Thron. Christus segnet sie und nimmt gleichzeitig

---

282. H. Hager spricht in: Anfänge des italienischen Altarbildes, München 1962, S. 61, von »Arma Christi«. Es ist unverständlich, in den völlig gleichen Gegenständen in den Händen von zwei

Engeln Marterwerkzeuge zu sehen, zumal sie ein Pendant zu Weihrauchgefäßen in den Händen anderer Engel sind.

die Krone aus den verhüllten Händen eines von der anderen Seite herbeifliegenden Engels. Ungewöhnlich für die Ikonographie der Marienkrönung ist der Engel unten rechts, der ein Schriftband hält und zu Maria hinüberblickt. Soll durch ihn auf die Verkündigung und damit auf die Einwilligung Marias (Consensus) hingewiesen werden, in der die Mariologie das persönliche Verdienst Marias, das zu ihrer Mitwirkung an der Erlösung führt, erkennen will? Die mädchenhafte Gestalt (ohne Schleier) und ihre Haltung sprechen dafür: Ancilla Domini.

Das Tympanonrelief der Kathedrale in Lausanne, um 1230, *Abb. 635*, stimmt in einigen Motiven mit dem italienischen Altarfrontale überein. Zwischenglieder sind in der Plastik nicht bekannt, doch hat es offenbar im 12. und 13. Jh. neben der Verbindung von Thronbild und Krönung noch eine Tradition gegeben, die die Krönung nicht mit der Erhöhung Marias auf den Thron verbindet. Der Rex gloriae in der Mandorla beherrscht auf dem Relief in Lausanne die Komposition. Wie die beiden Engel mit verhüllten Händen an den Stufen des Thrones zu deuten sind, ist nicht ganz klar; vermutlich sind sie eine Ableitung von den die Mandorla tragenden Engeln. Christus nimmt wie auf dem italienischen Relief die für Maria bestimmte Krone aus den verhüllten Händen eines Engels und segnet die jugendliche Maria[283]. In zwei Leibungen der Archivolten sind aus der Thronvision des 4. und 5. Kapitels der Offenbarung des Johannes die 24 Ältesten mit den Schalen voll Rauchwerk – »das sind die Gebete der Heiligen« – dargestellt. Sie gelten wie Apostel und Propheten als Vertreter der himmlischen Kirche. Im Scheitel steht das Lamm Gottes (nicht abgebildet).

Die deutsche Portalplastik übernimmt im 2. Viertel des 13. Jh. die Marienkrönung. Eine neue Formulierung, die sich auf Deutschland beschränkt, bringt das Nordportal der Liebfrauenkirche in Trier, um 1240/50, *Abb. 639*. Maria steht mit dem Blütenzepter in der rechten Hand, die linke ehrfürchtig erhoben, in der Mitte des Tympanons und wird zugleich von Christus und einem Engel gekrönt. Hier soll sie vermutlich auch als Königin der Engel verstanden werden. Zwei Engel im Tympanon und sechs weitere in der ersten Bogenleibung halten Kronen in Hän

den, die mittleren schwingen Weihrauchgefäße. Der nächste Bogen ist wieder mit Engeln mit liturgischen Attributen gefüllt. Auf das Paradies verweisen die kleinen Bäume zu beiden Seiten der Krönung.

Neben der Krönung kommt ebenfalls die Segnung der schon Gekrönten vor, wie z.B. im Wimperg über dem Turmportal am Freiburger Münster, um 1280; im Tympanon des Nordportals am Augsburger Dom, um 1340–1345, und diesem ähnlich am Südportal der Frauenkirche in Esslingen, um 1350, in deren unterer Bildzone die Anbetung der Könige und in der mittleren Der Marientod dargestellt sind. Vgl. auch Thann, St. Theobald (Elsaß); Regensburg, Dom und Nürnberg, St. Sebald, *Abb. 679*; hier hat sich den französischen Vorbildern gegenüber die Funktion der Engel geändert. Im Laufe des 14. Jh. verliert die Krönung in der Portalskulptur ihre einstige Bedeutung.

Eines der seltenen Werke der Apsisdekoration des 13. Jh., das den Krönungsakt darstellt, ist das Apsismosaik von Torriti in S. Maria Maggiore, Rom, 1295 vollendet, *Abb. 647*. Es ersetzt das Mosaik des 5. Jh. und bildet heute das Zentrum des alten christologischen Zyklus auf dem Triumphbogen *(vgl. Bd. 1, Abb. 52, S. 37 f.)*. Über die Thematik des frühchristlichen Apsismosaiks liegen keine sicheren Nachrichten vor. Torriti hat mit der Krönung Marias ein abendländisches Thema seiner Zeit gewählt, obwohl er künstlerisch unter dem Einfluß von Byzanz stand. Wie oben schon gesagt, kannte die byzantinische Kunst die Krone weder für Christus noch für die in den Himmel aufgenommene Maria; so blieb ihr auch die Darstellung der Krönung fremd. Der römische Meister betont die Feierlichkeit des Krönungsaktes im Himmel. Der Doppelthron steht in einer Himmelsgloriole, deren blauer Grund mit Sternen, Sonne und Mond besetzt ist. Von beiden Seiten drängt sich eine Schar von anbetenden Engeln hinzu. Christus, der selbst keine Krone trägt, setzt Maria eine hohe Krone auf das Haupt, ohne seine frontale majestätische Haltung zu ändern. Maria wendet sich mit dem Fürbittengestus an Christus. Auf das 150 Jahre ältere Mosaik in S. Maria in Trastevere, das Torriti angeregt haben wird, gingen wir bei dem Thema Ecclesia-Sponsa ein,

283. Auch hier hat Maria langes offenes Haar, der Schleier fehlt, das Gewand ist mit einem Gürtel zusammengehalten. Ob mit der jugendlichen Gestalt, die an den Typus der Tempeljungfrau erinnert, auf die immerwährende Jungfräulichkeit oder auf die neue Leiblichkeit nach der Auferstehung hingewiesen werden soll, ist nicht zu entscheiden.

doch ist es wahrscheinlich, daß in dieser Darstellung einer Maria geweihten Kirche Roms schon Mitte des 12. Jh. in der Ecclesia-Sponsa Maria gesehen wurde, *vgl. Teil 1, Abb. 252, S. 99 f.* In der Apsis von Trastevere thront Christus, an Gestalt größer als die Braut, in der Bildachse und nimmt den größeren Teil des Thrones ein. Seine Gemeinschaft mit der Braut ist durch das Umarmungsmotiv ausgedrückt. Im Mosaik von S. Maria Maggiore teilt er den Thron mit der Mater-Ecclesia. In dem geöffneten Buch in der Hand Christi stehen sowohl in Trastevere wie auch in S. Maria Maggiore Worte, die, an die Vorstellung von Maria als Thronsitz des Sohnes anknüpfend, HL 4,8 a mit Ps 110 (109),1 verbinden und zu der Aufforderung Christi an die Erwählte, seinen Thron mit ihm zu teilen, umgedeutet wurden. Diese Inschrift: »Veni electa mea et ponam in te thronum meum« ist unverändert auch in andere italienische Darstellungen der Marienkrönung übernommen worden (z. B. Giebelfragment eines verschollenen Tafelbildes aus dem Kreis Guido da Siena, 4. Viertel 13. Jh., Courtauld Institute of Art, London, bei dem es sich um die älteste erhaltene Darstellung der Krönung in der italienischen Tafelmalerei handelt). Auf dem Spruchband der Braut der älteren Darstellung steht ein Wort aus dem Hohenlied. Torriti erläutert durch eine weitere Inschrift, die sich unterhalb des von der Sternenglorie umgebenen Throns zwischen den Engelgruppen befindet, die Erhöhung Marias: »Maria virgo assumpta est ad ethereum thalamum, in quo rex regum stellato sedet solio; exaltata est sancte Dei genetrix super choros angelorum ad celestia regna« (»Die Jungfrau Maria ist in das himmlische Brautgemach aufgenommen, in dem der König der Könige auf dem Sternenthron sitzt, erhöht worden ist die heilige Gottesgebärerin über die Chöre der Engel zum himmlischen Reich«)[284]. – Selbst bei dieser repräsentativen feierlichen Krönung ist wie in der Portalplastik der Bezug zum Marientod beibehalten. Er bildet die Mitte von fünf Darstellungen des Festzyklus unterhalb der Hauptdarstellung, so daß die Erscheinung Christi in der Sterbestunde Marias und die Aufnahme ihrer Seele unmittelbar unter der Krönung im Himmel steht.

Der Zeit gegen 1300 gehört auch der schon genannte Zyklus von Cimabue in dem Chorraum der Oberkirche in S. Francesco, Assisi, an. Das abschließende Thronbild zeigt nicht die Krönung, sondern betont durch die Gesten Marias und die Menschengruppe, auf die die Fürsprecherin weist, das Amt der Mediatrix. Die Architektur in S. Francesco mit den durchbrochenen Wänden läßt in dem Raum keine zentrale Anordnung zu, so daß die vier Fresken für den Betrachter als gleichwertig erscheinen.

Die zyklische Darstellung und die Nebenszenen nach den Legenden

Im Osten: Es ist oben Seite 92 schon auf die Freskenreste des Zyklus in S. Maria Egiziaca in Rom, der zwischen 872 und 882 unter Papst Johannes VIII. entstand, hingewiesen worden. Man darf annehmen, daß der Zyklus auf östlicher Ikonographie beruht und es spätestens Mitte des 9. Jh. im Bereich der Kirchen des Ostens Darstellungen einzelner Szenen der Legenden gab, wenn auch – abgesehen von den Fragmenten auf römischen Boden – keine erhalten sind. Die ältesten Zyklen, die wir kennen, sind die oben genannten Frankreichs und Englands aus dem letzten Viertel des 12. Jh.: York-Psalter, *Abb. 620–622*, und Tympanonfragment von St. Pierre-le-Pullier, Bourges, *Abb. 625*. Im 13. und 14. Jh. treten die Nebenszenen häufiger auf, und zwar gleichzeitig im Osten und im Westen. Bezüglich des Kompositionsschemas ist zu unterscheiden zwischen einer Folge von Einzelszenen, wie sie im Abendland vorkommen, und einer großen einheitlichen Komposition, die Einzelszenen der beherrschenden Darstellung des Heimgangs Marias zuordnet.

Diese simultane Form ist in der byzantinischen Wandmalerei vom späten 13. Jh. an in den kleinen Kirchen des Balkans und Griechenlands (Athos und Mistra) erhalten. In mehreren dieser Kirchen sind die architektonischen Bedingungen so, daß diese Komposition die ganze Westwand des Naos einnehmen kann und sowohl zu den Darstellungen des Festbildkreises im Gewölbe als auch zu den erzählenden Bildzyklen der Kindheit Marias an den Seitenwänden in Beziehung steht.

Der kanonischen Bildform der Koimesis, *vgl. Abb. 587, 588, 589, 592*, die schon Mitte des 11. Jh. in der Sophien-

---

284. Zur Übersetzung siehe H. Schrade, Romanische Malerei 1963, S. 202. Zu dem Giebelfragment eines Tafelbildes siehe G. Coor-Achenbach, The Earliest Italian Representation of the Coronation of the Virgin, in: Burl Mag 99, 1957, S. 328–330.

kirche in Ohrid (Makedonien) durch die Wolkenfahrt der Apostel erweitert wurde, werden im 13. Jh. zusätzliche Begebenheiten der Erzählung angefügt oder das Hauptbild wird entsprechend umgeformt. Es entstehen Kompositionen, deren Einzelmotive sich an bestimmbare, aber unterschiedliche apokryphe Quellen halten oder einer sich in der Malerei entwickelnden traditionellen Auswahl folgen[285]. Das Fresko der Dreifaltigkeitskirche (Sv. Trojica, die Grabstätte des Königs Stephan Uroš I.) von Sopočani, um 1265, erweitert das Bildschema der Koimesis, wie es sich in der Sophienkirche um 1050 (Martorana in Palermo um 1150) darbietet, um eine Engelschar, von der auf der rechten Seite Christi zwei als Psychopompoi fungieren (nicht in der alten Tradition angeordnet), um eine größere Anzahl von Trauernden am Totenbett, darunter, wie schon in der Sophienkirche, ein dritter Bischof, und um mehrere Frauen, die links auf einem Altan kniend erregt ihren Schmerz äußern. Die Wolkenfahrt der Apostel, die sich in der Sophienkirche auf zwei kleine Gruppen in den oberen Bildecken beschränkt, nimmt hier einen großen Raum ein und gewinnt an Bedeutung. In der oberen Bildzone schweben in Reihen übereinander die Apostel auf zwölf Wolken, jeder von einem Engel begleitet. In der Mitte der unteren Reihe steht Christus in der von Engeln getragenen Mandorla und kommt mit den Aposteln herab – ein Motiv, zu dem keine Parallele im Marientodbild bekannt ist[286].

In Sv. Kliment, Ohrid (ursprünglich Maria geweiht, vgl. oben den Zyklus zur Kindheit), Ende 13. Jh., nimmt die große Bildkomposition mit mehreren Legendenszenen die zweite und dritte Zone der Westwand des Naos ein, *Abb. 651*. Sie beginnt unter der Nischenwölbung mit der Verkündigung des Todes an Maria durch einen Engel, der ihr die Palme des Paradieses überreicht, und dem Abschied Marias von den Frauen, bei dem Maria in gebeugter Haltung sitzend den um sie stehenden Frauen ihren baldigen Tod mitteilt – eine Szene, die hier zum erstenmal zu bele-

gen ist und die Fähigkeit der beiden Hauptmeister der Milutinschule, Michael und Eutychios, zeigt, im seelischen Nachvollzug individuelle Emotionen zum Ausdruck zu bringen, *Abb. 650*. Auf der gegenüberliegenden Seite ist im Anschluß an die Koimesis, der die Gürtelspende an Thomas eingefügt ist, die Grabtragung mit der Szene des frevelnden Juden dargestellt. Der obere Teil der Frevlergestalt ist zerstört, doch sind die nach der Bahre greifenden Hände noch sichtbar. Michael steht mit gezogenem Schwert neben ihm und blickt zur Gottesmutter zurück, um deren Ehre willen er handelt. Anschließend an die Grabtragung sind die von Thomas zum Grab geführten Apostel dargestellt, die das Grab leer finden und sich von der Wahrheit der von Thomas berichteten Himmelfahrt Marias überzeugen (nicht abgebildet). Die Apostel an den beiden Schmalseiten des Totenbettes entsprechen weitgehend dem traditionellen Typus. Von den zahlreichen Engeln übt keiner die Funktion des Psychopompos aus. Sie gehören zur Herrlichkeit des Herrn, der von einer mehrfarbigen Lichtgloriole umgeben am Totenbett erschienen ist und die Seelengestalt der Gottesmutter in die Arme genommen hat; zu ihren Flügeln siehe unten. Die »Myriaden« (Text) von Engeln verbinden die himmlische Sphäre mit der irdischen. Sie bilden zusammen mit der Christusgestalt in der Gesamtkomposition eine starke Vertikale, die in die sich in der Horizontale ausbreitenden Einzelszenen einbricht. Das Himmelsgewölbe mit dem geöffneten Tor ist mit den irdischen Gebäuden zu einer architektonischen Einheit verbunden, um die zwölf »Wolkenschiffchen«, die die Apostel nach Jerusalem bringen, angeordnet sind. Ebenfalls in einer solchen kleinen Wolke schwebt Maria von einem Engel begleitet empor. Sie grüßt (den zur Todesstunde zu spät kommenden) Thomas und reicht ihm ihren Gürtel.

Von diesen wiedergegebenen Nebenszenen, die nicht nur Begebenheiten erzählen, sondern das Todesmysterium Marias deuten, sind die der Thomaslegende die

285. Da wir nur an einigen Beispielen die für diese simultane Darstellung der östlichen Wandmalerei charakteristische Ikonographie aufzeigen können, verweisen wir auf: L. Wratislaw-Mitrovic und N. Okunev, in: Byzantinoslavica III, 1931, S. 134–173, mit Untersuchungen einzelner Motive im Zusammenhang der literarischen Quellen und zahlreichen Abbildungen. H. Hallensleben, Die Malerschule des Königs Milutin, 1963, behandelt S. 42 ff. für diesen Zeitabschnitt die Bildprogramme, S. 68–74

die Koimesis. R. Hamann-MacLean und H. Hallensleben, Die Monumentalmalerei in Serbien und Makedonien, 1963, bringen Abbildungen und Übersichtspläne zu den Bildprogrammen. RBK II, Sp. 1258–1262 Himmelfahrt Mariae (K. Wessel).

286. Abbildungen siehe: Sophienkirche Nr. 26 und Dreifaltigkeitskirche Nr. 127 bei Hamann-MacLean und Hallensleben, 1963.

wichtigsten. Die Gürtelübergabe an Thomas und das leere Grab, zu dem Thomas die Apostel führt, setzen die leibliche Aufnahme Marias in den Himmel voraus. Der Glaube an die körperliche Erhöhung der Gottesmutter war im Osten schon seit dem 8./9. Jh. vor allem durch die Predigten beim Marienfest am 15. August verbreitet und ist von der orthodoxen Kirche nicht in Frage gestellt worden. In der Kunst wurde sie jedoch nicht isoliert als Hauptmotiv dargestellt. Es gibt auch kein Bild der Auferweckung oder der Auferstehung aus dem Grabe. Die Koimesis mit der Assumptio animae ist immer der Hauptinhalt des Festbildes geblieben. Sofern der überschaubare Denkmälerbestand nicht trügt, ist die Assumptio corporis in Verbindung mit der Gürtelspende erst im 13. Jh. in eine Bildfolge, bzw. in die simultane Komposition aufgenommen worden. Dem Fresko der Ohrider Klemens-Kirche ist die Auffahrt Marias nur als unauffälliges Nebenmotiv eingefügt. Die kleine Wolke, in der sie mit einem Engel schwebt, gleicht der aller Apostel. Aber schon für die Zeit um 1230 ist eine eigene Bildform für die Aufnahme Marias in den Himmel nachzuweisen, die offenbar von der in vorikonoklastischer Zeit formulierten, in göttlicher Herrlichkeit auffahrenden Christusgestalt des Himmelfahrtsbildes abgeleitet wurde, *vgl. Bd. 3, Abb. 460ff.* Dieser Typus der in der Mandorla thronenden Maria-Orans, die von zwei Engeln emporgetragen wird, ist auf einer der gravierten vergoldeten Kupferplatten des von der byzantinischen Ikonographie geprägten Zyklus der Westtüre der Kathedrale von Susdal (bei Wladimir), 1227–1237, zum erstenmal greifbar, und zwar mit der Gürtelspende, *vgl. Abb. 706.* Ein dritter Engel unterhalb Marias wendet sich Thomas zu, der von einem vierten Engel geführt auf einer Wolke heranschwebt, und gibt ihm den Gürtel Marias. Im unteren Teil der Platte steht Thomas vor einem Altar, auf den er den Gürtel niederlegt. Die hohe Architektur, mit der der Altar in Verbindung steht, verweist auf die Blachernen-Kirche in Konstantinopel, wo der Gürtel Marias als Reliquie verehrt wurde. Es ist anzunehmen, daß die Anregung zur bildlichen Darstellung der Gürtelspende von diesem Reliquienkult in Byzanz ausging und die byzantinische Kunst im Zusammenhang damit die von der Himmelfahrt Christi übernommene Darstellungsform der Aufnahme Marias in den Himmel schuf. Wann das geschah und wie verbreitet dieses Doppelmotiv war, ist aus Mangel an Vergleichsbeispielen nicht zu ermitteln. Zu belegen ist, daß es Ende des 13. Jh. als Nebenmotiv in den großen simultanen Koimesisfresken auf dem Balkan auftaucht, zuerst ohne den Marientypus der Susdaler Türe wie in der Klemens-Kirche, sehr bald aber mit ihm und schließlich auch der Marientypus ohne die Gürtelspende.

Das ist der Fall auf dem Fresko der Westwand der Kirche des Klosters Sv. Nikita bei Čučer (nördlich von Skopje), um 1307, das die Aufnahme der in der Glorie thronenden Gottesmutter in den Himmel, die von den Engeln am offenen Tor erwartet wird, der Mittelachse der Bildkomposition einfügt, *Abb. 654*[287]. Durch diese zentrale Anordnung und den Verzicht auf die Erzählung der Gürtelspende erhält die glorifizierte Mariengestalt im Bildgefüge mehr Bedeutung als in Sv. Kliment. Ob die Aufnahme des dem klassischen Koimesisbild fremden Himmelfahrt-Motivs durch die Kunst des Westens angeregt wurde, die seit Mitte des 12. Jh. der Vorstellung der körperlichen Erhöhung Marias in unterschiedlichen Bildformulierungen Ausdruck verlieh, kann hier nicht untersucht werden. Abgesehen von dem Assumptiomotiv beschränkt sich die Darstellung in Sv. Nikita auf die Koimesisdarstellung ohne Nebenszenen.

Die gleichen Meister, die Sv. Kliment in Ohrid und Sv. Nikita bei Čučer ausmalten und in Ohrid zum erstenmal die Grabtragung an die Koimesis anschlossen, schufen wenige Jahre später in der Joachim und Anna geweihten Kirche (Königskirche) zu Studenica, 1313–1314, und in der Kirche von Staro Nagoričino, 1317–1318, einen kombinierten Bildtypus von Tod und Grabtragung, der in der Maria oder vielleicht insbesondere der Koimesis geweihten Klosterkirche zu Gračanica um 1320 von anderen Malern wiederholt wurde.

Auf dem Fresko der Georgskirche in Staro Nagoričino steht Christus mit der kindhaften Seelenfigur im Arm zwischen Engeln hinter der Toten wie bei der traditionellen Darstellung. Aber das Bett ist zur Bahre umgedeutet, die von mehreren Aposteln getragen wird; andere gehen voraus, die Frauen folgen. In dieser zur Grabtragung umgewandelten Form ist im Vordergrund der Frevler, der die Bahre umstürzen will, eingefügt. Zu ihm wendet sich Petrus, der die Bahre mitträgt, um. Der Engel mit dem Schwert fliegt in der oberen Zone links. In der Mitte

287. Gesamtabbildung: Wratislaw-Mitrovic Pl III; Hamann-Mac Lean und Hallensleben, S. 285.

schwebt die thronende Gottesmutter in einer großen, von vielen Engeln umgebenen Glorie, *Abb. 655,* Ausschnitt[288]. Sie reicht Thomas, der in einer kleinen Wolke von einem Engel zu Maria herangeführt wird, den Gürtel. Zu beiden Seiten der Gottesmutter schweben die Apostel, dazwischen sind acht Propheten mit entfalteten Schriftrollen und acht Mariensymbole (Nach Radojčič, S. 62: Goldenes Vlies, Glut, Tor, brennender Busch, Fels, Schiff, Kirche und Stern) eingefügt.

In der Königskirche in Studenica ist der Mittelteil des Freskos zerstört, doch läßt sich an den Fragmenten die Übereinstimmung mit der Darstellung in der Georgskirche von Staro Nagoričino feststellen. Nur der Abschluß der Bildfolge ist etwas anders. In der Georgskirche bewegt sich der Leichenzug auf das leere Grab zu. In Studenica stehen rechts als Abschluß der simultanen Koimesis mehrere Frauen und Apostel um das leere Grab. An ihren Gesten ist die Verwunderung darüber, daß sie das Grab leer finden, abzulesen, *Abb. 653.*

Das Fresko der Westwand in der Klosterkirche (Uspenja Bogorodiče) von Gračanica, um 1320, zeigt im Mittelteil auch den kombinierten Typus, *Abb. 656,* oben etwas beschnitten. Von den Aposteln auf den Wolken sind nur noch Reste erhalten. Im Zentrum der Komposition steht die Christusfigur, deren achteckige Gloriole bis in den Himmelsraum reicht. Die meisten der im Halbkreis angeordneten Engel stehen am Kopfende der Bahre. Fast alle Apostel, die Kleriker und zwei Leuchter tragende Engel sind auf der anderen Seite konzentriert und in vorwärtsschreitender Bewegung zum Grab hin wiedergegeben. Dadurch liegt der Akzent auf der Prozession zum Grab. Selbst der Frevler Jephonias (im kurzen Rock) ist in weit ausholender Schreitstellung wiedergegeben. Links oben schwebt Michael mit dem Schwert. Ihm gegenüber ist rechts der Engel der alten Bildformulierung eingefügt, der mit verhüllten Händen herabkommt, um die Seele Marias aus den Händen Christi in Empfang zu nehmen. Bei diesem großen Zyklus ist Maria in der von Engeln getragenen Glorie thronend auf der rechten Seite oberhalb des leeren Grabes, über das sich die Apostel neigen, zusammen mit der Gürtelspende an Thomas eingefügt (nicht

mit abgebildet). Als gerahmte Sonderszene zeigt die Wandmalerei in Ljuboten (Serbien), um 1348, dieses Doppelmotiv noch genauso seitlich über dem leeren Grab. Die Anleihen an Darstellungen der Himmelfahrt Christi und der Frauen am leeren Grab sind hier auffallend. In Gračanica schließt sich an diese Himmelsaufnahme über dem Grab außerdem noch das Gespräch des Thomas mit den Aposteln am leeren Grab als Sonderszene an.

In der Malerei der Milutinschule fällt auf, daß bei Darstellungen ohne Assumptio die Seelenfigur im Arm Christi Flügel hat; ist aber Maria, die thronend zum Himmel getragen wird – sei es in der Mitte über der Hauptszene oder seitlich über dem leeren Grab –, der Bildkomposition eingefügt, fehlen die Flügel der Seelenfigur. Es ist nicht ausgeschlossen, daß in dieser Bildgruppe, die, vermutlich zum erstenmal in der byzantinischen Wandmalerei, mit dem Tod der Gottesmutter zugleich ihre Auffahrt und Himmelsaufnahme zu verdeutlichen bestrebt ist, dann, wenn das durch ein gesondertes Motiv in einer Darstellung nicht möglich ist, darauf durch die Flügel der Seelenfigur hingewiesen werden soll[289]. Auf dem Fresko der sehr viel später erbauten Kirche des Marko-Klosters bei Skopje, 1376–1381, steht Maria im weißen Gewand mit Engelsflügeln unter der offenen Türe des Himmels. Eine breite Lichtbahn verbindet sie mit der großen Mandorla des am Totenbett stehenden Christus[290]. Vgl. für die Varianten der Mariengestalt der Assumptio corporis die Ikone um 1600 in Athen, *Abb. 458,* letzte Szene, die Maria über dem Sterbelager auf dem Feuerwagen thronend zeigt. Zu den Darstellungen der Nebenszenen nach den Legenden im einzelnen siehe unten.

Im Westen: Die abendländische Kunst bevorzugt im Mittelalter die sukzessive Erzählform in einer Folge von in sich abgeschlossenen Szenen. Abgesehen von den beiden schon genannten Zyklen mit fünf bzw. sechs Szenen, denen unterschiedliche Legendenversionen und Bildtraditionen zugrunde liegen – Tympanonrelief in Bourges, *Abb. 625,* und York-Psalter *Abb. 620–622* – sind in der französischen Glasmalerei von Mitte des 12. Jh. an Marienzyklen bekannt (Angers, Chartres, Soissons, Troyes,

---

288. Abbildungen siehe Wratislaw-Mitrovic Pl IX und X.
289. H. Hallensleben, 1963, S. 74.
290. Wratislaw-Mitrovic Pl XV, vgl. da auch Pl XVI das

Fresko der Peribleptos in Mistra (Griechenland), auf dem Maria in Oranshaltung oberhalb von Christus steht.

Sens, Saint Quentin), bei denen die Anzahl der Szenen aus der Transituslegende schwankt, bei dem Erhaltungszustand der Fenster auch bei manchen nicht mehr feststellbar ist. Ob der ausführliche Zyklus in St. Quentin, der nachweislich von der Bearbeitung des Pseudo-Melito im Speculum historiale (VII, 75 ff.) des Vinzenz von Beauvais abhängt, ein Einzelfall ist oder Parallelen hatte, läßt sich nicht mehr ermitteln. Die Bildfolge umfaßt Todesverkündigung durch Gabriel, Apostelankunft, Erscheinung Christi und Zwiegespräch mit Maria auf dem Sterbelager, Seelenempfang, Grabtragung mit Frevler, Apostel als Hüter am Grab, zweite Erscheinung Christi, Assumptio. Es war im französischen Bereich wahrscheinlich die Regel, als Abschluß einer Bildfolge zum Marienleben nur den Tod mit dem Seelenempfang, die Grabtragung, die Assumptio Marias in der von Engeln getragenen Mandorla isoliert oder über dem Grab und vom Ende des 12. Jh. an als Abschluß die Krönung in einer der zwei Formen der Tympanonplastik darzustellen; vgl. für die beiden letzten Szenen die oben schon erwähnten Sechspaß-Fenster des Freiburger Münsters aus dem 13. und 14. Jh., *Abb. 648 und 649.* In Deutschland sind im Gegensatz zur Jugendgeschichte Marias kaum Zyklen zu unserem Thema erhalten[291]. Für Italien ist das 1287 in Auftrag gegebene Domfenster in Siena von Duccio zu nennen, das mit seinen drei Darstellungen – Erweckung, Assumptio, Krönung – nicht den narrativen Bildfolgen, sondern der Repräsentation der Verherrlichung Marias zuzurechnen ist, *vgl. Abb. 713.*

In der italienischen Tafel- und Wandmalerei sind vom Beginn des 14. Jh. an eine Reihe von Bildfolgen erhalten, die entweder an größere neutestamentliche Zyklen und Darstellungen des Marienlebens anschließen, z.B. die oben genannte Bildfolge der Chorapsis im Dom zu Orvieto von Ugolino d'Illario, 1357–1364, die mit den Kindheitslegenden beginnt *(vgl. Abb. 478, 491)* und mit der Todesankündigung, dem Marientod, der Grabtragung, Marias Aufnahme in den Himmel und ihrer Krönung in der Wölbung endet[292], oder in einer eigenen Gruppe die Transituslegende veranschaulichen[293]. Mit der oberen

Bildreihe (Aufsatz) der Vorderseite von Duccios Maestà-Tafel, dem ehemaligen Hochaltarbild des Sieneser Doms, 1308–1311 (ursprünglich neun Darstellungen, von denen die drei mittleren – vermutlich Auferstehung, Assumptio und Krönung – verschollen sind), *Abb. 659, 661, 662, 668,* und einem Freskenzyklus im Chor der Arenakapelle zu Padua, von Schülern Giottos zwischen 1305 und 1310 gemalt (sechs Darstellungen), *Abb. 660, 664, 666, 670, 671,* beginnen die gesonderten Zyklen des Todes und der Himmelfahrt Marias. Obwohl sich im 14. Jh. die Marienikonographie auf dem Balkan und in Italien ähnlich entwickelte, ist doch wenig direkte Abhängigkeit zu beobachten. Für den Westen war die textliche Grundlage vom 14. Jh. an weithin die Legenda Aurea, bei der es sich aber um eine Kompilation verschiedener Quellen handelt, die bei manchem Motiv der Erzählung nebeneinander angeführt werden. Außerdem waren im Westen, wie im Osten, ältere Bearbeitungen der Legendentexte noch bekannt. Gleichfalls ausschlaggebend für die Darstellung und ikonographische Gestaltgebung einer Szene sind die Bildtraditionen, deren Wanderung oft nicht zu verfolgen ist. Ist die Entwicklung schon für das Hauptmotiv der Assumptio bei dem lückenhaften Denkmälerbestand schwer überschaubar, so gilt das mehr noch für die Nebenmotive.

Von den größeren Zyklen Italiens stammen von Sieneser Malern neben den nicht mehr vollständig erhaltenen Tafeln des Hochaltars von Duccio[294] unter anderem ein Tafelbild von Bartolo di Fredi, 1388, Galerie zu Siena, ein Freskenzyklus mit fünf Darstellungen in der Kapelle des Palazzo Pubblico von Taddeo di Bartolo, um 1407, mit vier Szenen, *Abb. 663, 665, 667, 669,* vom gleichen Meister ein fragmentierter Zyklus in der Sakristei von S. Francesco zu Pisa, 1397 (Abschied der Apostel, Tod, Grabtragung, Grablegung), zwei Predellenbilder, Vat. Pinak. und Hannover, Landesmus. Im Dom zu Siena befindet sich im Hauptschiff noch ein Reliefzyklus von Urbano da Cortona, 1483, der nach der Jugendgeschichte Marias mit drei Szenen das Lebensende der Gottesmutter schildert und mit der Assumptio und der Krönung endet.

291. Siehe H. Wentzel, Schwaben I, S. 172.
292. Schema von Orvieto siehe LCI III, Sp. 223.
293. Nach K. Künstle, Ikonographie I, S. 573, enthält schon ein Reliefzyklus auf der Sängertribüne der Abteikirche Vezzolano in Piemont, dat. 1189, abgesehen von der Todesverkündigung, diese Szenen – nicht nachgeprüft.
294. Auf der Rückseite der Tafeln des Aufsatzes sind die neutestamentlichen Szenen der Auferstehung Christi dargestellt, vgl. Bd. 3.

In Florenz bietet das oben erwähnte Marmortabernakel von Orcagna in Orsanmichele, zwischen 1352 und 1360, einige wichtige Darstellungen zu dem Motivkreis, *Abb. 658, 672.* Für das 15. Jh. ist im Palazzo dei Trinci zu Foligno ein Zyklus von Ottaviano Nelli da Gubbio, 1424, zu nennen[295]. All diese Beispiele machen deutlich, daß der Schwerpunkt der zyklischen erzählenden Bildfolgen der Transituslegende in Siena und in der Toscana im 14. Jh. liegt. In dieser Zeit breitet sich in Italien auch die gesonderte Darstellung der Assunta aus, mit der sehr oft die Gürtelspende an Thomas als Auferstehungsbeweis verbunden ist, siehe unten.

Nördlich der Alpen spielt die zyklische Darstellung des Lebensendes der Gottesmutter in der Plastik eine geringe Rolle und bietet sich nicht so einheitlich dar wie in Italien. Eine ikonographisch interessante westdeutsche Arbeit besitzt das Diözesanmuseum in Köln in einem Buchsbaumdiptychon, Mitte 14. Jh., das auf sechs Feldern die Legende mit verschiedenen ikonographischen Besonderheiten erzählt, *Abb. 675, 676.* Die hier dargestellten Szenen finden sich auch auf einigen französischen Elfenbeintafeln[296]. Die deutsche Portalplastik nimmt im 14. Jh. häufig die Grabtragung als Zwischenglied zwischen Tod und Krönung auf und fügt die drei Szenen entweder der Kindheit Marias an, wie z. B. in Ulm, *vgl. Abb. 464,* oder zeigt sie in einem eigenen Tympanon wie in Nürnberg, St. Sebald, Nordseite, westliches Portal, um 1320, *Abb. 679.* Vgl. auch Thann (Elsaß), Theobald-Münster, Regensburg, Dom. Größere Zyklen zum Lebensende fehlen in der deutschen Portalplastik. St. Martin zu Braunschweig, um 1310, beschränkt sich auf den Marientod.

Bemerkenswert sind die Vierpaßreliefs an den Sockelwänden des Chors von Notre Dame, Paris, 14. Jh. (einige stark beschädigt), *Abb. 678.* Sie ergänzen die repräsentative Darstellung der Portalskulptur durch eine detaillierte Erzählung vom Lebensende der Gottesmutter. Für Frankreich ist ferner der Schnitzaltar von 1435 in der Kirche von Ternant (Nievre) zu nennen. – Das Stundenbuch des Jean Fouquet, 1452–1460, enthält neben den Hauptszenen, *vgl. Abb. 718, 719, 744,* auch Miniaturen mit Darstellungen einiger weiterer Motive[297].

In der deutschen Altarmalerei des 14. und 15. Jh. sind wenig zyklische Darstellungen mit den Nebenszenen erhalten. Es hat sie vermutlich auch nicht in größerem Umfang gegeben, denn in der Regel sind nur der Marientod und manchmal auch die Krönung den spätmittelalterlichen Marienaltären eingefügt worden, oder sie bildeten den Abschluß neutestamentlicher Darstellungen; *vgl. Bd. 2, Abb. 24,* und die oben im ersten Teil des Bandes schon genannten Außenseiten der Flügel des Buxtehuder Altars, um 1410, Hamburg. Von dieser Zeit an treten diese beiden Szenen auch häufiger als Hauptdarstellungen der Marienaltäre auf, um die sich weitere Marienszenen gruppieren, siehe unten. Aus dem 15. und frühen 16. Jh. sind einzelne Tafeln auseinandergenommener Altäre mit Nebenszenen bekannt. Gelegentlich sind diese auch als kleinformatige Nebenmotive einer Haupttafel eingefügt, wie z. B. auf einem Flügel des Miraflores-Altars, Berlin, eine zwischen 1442 und 1445 angefertigte Kopie des Triptychons von Granada des Rogier v. d. Weyden, heute in New York. In dem gemalten Architekturbogen, der die Darstellung der Erscheinung des Auferstandenen vor seiner Mutter überwölbt, sind dem Besuch der Frauen am Grab, der Himmelfahrt Christi und Pfingsten die Todesverkündigung an Maria, die Überreichung der Palme an Johannes und die Krönung Marias gegenübergestellt. Da die meisten Altäre nicht mehr in ihrem ursprünglichen Zustand erhalten sind, lassen sich, wie gesagt, Bildfolgen nur selten vollständig nachweisen. Sicher ist jedoch, daß das Bild des Marientodes mit der Seelenaufnahme im 14. und 15. Jh. in den deutschen Flügelaltären häufig war und schließlich auch die Marienkrönung in das Zentrum der Altarwerke rückte, siehe zu diesen Hauptthemen unten. In den folgenden Ausführungen werden Nebenszenen der Legenden in zyklischen Darstellungen der Kunst des Ostens und des Westens gemeinsam behandelt.

295. Weitere Beispiele der italienischen Malerei siehe Marle VI, Ikonogr. Index, S. 74f.

296. Siehe R. Koechlin, Les Ivoires gothiques français, Paris 1924, Abb. 221 (Triptychon mit 8 Szenen, Paris 1320–1330, Amiens; siehe dazu auch Gaborit-Chopin, Elfenbeinkunst im Mittelalter, Abb. 179, Kat. 161); ferner einzelne Szenen Abb. 213, 215, 217, 519, 779, 839.

297. Farbige Wiedergabe siehe C. Sterling u. C. Schaefer, Jean Fouquet, Les heures d'Etiennes Chevalier, Paris 1971 (Originalausgabe New York).

Die Todesankündigung und Marias Gebet am Ölberg.
Wie schon erwähnt, ist auf dem Fresko des 9. Jh. in Rom
die Verkündigung des Todes nach der koptischen Tradition wiedergegeben, so daß hier Christus selbst Maria, die
auf einer Kline ruht, erscheint, *Abb. 657.* Auf den anderen
uns bekannten Darstellungen bringt ein Engel die Nachricht. Nach einer im Osten verbreiteten Fassung war Maria am Ölberg zum Gebet, als der Engel kam (Parallele zu
Anna im Garten), nach dem lateinischen Pseudo-Melito
erscheint der Engel bei Maria im Gemach und bringt einen
Palmzweig aus dem Paradies. Die Legenda Aurea erwähnt
keine Örtlichkeit, hebt aber Marias Trauer und Todes-
sehnsucht hervor. Die ältesten erhaltenen abendländischen Darstellungen stammen aus 2. H. 12. Jh.; alle zeigen
den Engel mit Palmzweig und geben einen Raum an:
Glasmalerei in Angers (Maria hält den Palmzweig auch bei
der Assumptio); Tympanon in Bourges, *Abb. 625*; Psal-
terminiatur in Glasgow (Engel steht neben einem Altar),
Abb. 620; Kalkstein-Diptychon (mit zwei Engeln, für die
keine Parallele bekannt ist), vgl. *Abb. 455* unten. In der
serbischen Malerei finden sich drei Varianten: In
Gračanica die Verkündigung durch den Engel in der
Landschaft. In Dečani ist die Verkündigung mit dem Gebet am Ölberg verbunden, *Abb. 652.* Maria steht tief gebeugt in einer Felslandschaft. Sie öffnet die Hände, als
ob sie etwas empfangen wollte, und scheint zu lauschen.
Anstelle des Engels erscheint am Himmelssegment die
Hand Gottes, die Ölbäume verneigen sich vor der von
Gott Gerufenen. In Mateič kniet Maria beim Gebet ebenfalls tief gebeugt, und die Ölbäume neigen sich über sie.
Die Verkündigung ist gesondert dargestellt und findet im
Haus statt. Der Engel fliegt seitlich auf Maria zu, die erhöht sitzt. Ein Palmzweig ist nicht mit Sicherheit zu er-
kennen[298].

Die Szene ist im Westen vielfach der ersten Verkündigung angeglichen: Auf Duccios Tafel des Hochaltars,
Abb. 659, kniet der Engel in einem Vorraum nieder und
bringt den Palmzweig des Paradieses mit sieben Sternen.
In der Goldenen Legende heißt es: »Ihre Blätter funkelten
als der Morgenstern.« Maria wird vor einem Pult sitzend

beim Lesen in der Schrift überrascht. Das Relief Orcagnas,
Abb. 658, zeigt den Engel im Raum schwebend und Maria, wie bei Duccio, mit den Zügen des Alters. In einem
französischen Stundenbuch der Boucicaut-Werkstatt,
1410–1420 (Paris, Ms. lat. 10538, fol. 31), sind auf einer
Bildseite die beiden Verkündigungen übereinander dargestellt. Der Raum, in dessen Mitte Maria sitzt, ist bei der
ersten Verkündigung etwas reicher ausgestaltet als bei der
zweiten; Gabriel fliegt bei den Szenen von verschiedenen
Seiten in den Raum. Die demütige Annahme der Botschaft
ist bei einer solchen Zusammenstellung von Berufung und
Abberufung aus dem Leben einer der verbindenden Gedanken, der zu der Angleichung der bildlichen Darstellungen führt. Die kleine erwähnte Nebenszene auf dem
Miraflores-Altar zeigt Maria auf einem Schemel sitzend,
ein geöffnetes Buch liegt auf ihrem Schoß. Erschrocken
wendet sie sich zum Engel um und nimmt den Palmzweig
aus seiner Hand. In der Goldenen Legende sind für das
Todesalter Marias zwei Traditionen angegeben: 60 und 72
Jahre.

Das erste, sehr beschädigte Fresko im Chor der Arenakapelle knüpft an eine andere ikonographische Tradition
an. Erkennbar ist noch der unterteilte Raum eines großen
Gebäudes. In einem Teil kniet Maria mit betend erhobenen Händen, den Blick nach draußen zum Himmel gerichtet. Er gilt einer stehenden Gestalt, die zwar kaum
noch zu identifizieren ist, aber nur Christus darstellen
kann. Anstelle der Todesverkündigung ist hier vermutlich
das Gebet Marias veranschaulicht, in dem sie um den Tod
bittet, weil sie sich nach dem Sohn sehnt. In dem zweiten
Raum befinden sich die drei Frauen, die mit Maria lebten
(vgl. die Frauen in den Gebäuden des Koimesis-Bildes).

Die erste Darstellung des Kölner Buchsbaum Diptychons bringt noch eine andere Version. *Abb. 675* links
oben: Maria liegt halb aufgerichtet auf ihrem Lager *(vgl.
Abb. 657)* und zeigt dem knienden Johannes den Palmzweig[299]. Es folgt der Gang zum Ölberg mit einigen
Frauen und Johannes, der den Zweig des Paradieses trägt.
Marias Angst vor den Dämonen oder vor dem Satan, die
sowohl die alten Legenden als auch Jacobus de Voragine

---

298. Wratislaw-Mitrovic, Tafel IX, 1, und XIII, 2.

299. Nach dem Katalog des Erzbischöflichen Museums
(J. Eschweiler), Nr. 60, übergibt Johannes Maria den Ölzweig.
Das würde der ikonographischen Tradition aufgrund der alten

Legenden entgegenstehen. Nach diesen teilt Maria nach der Verkündigung durch den Engel ihren nahenden Tod dem Johannes
mit und gibt ihm die Palme.

(allerdings nur im Gespräch mit dem Engel) erwähnen, ist in der zusammensinkenden Haltung Marias und in dem Gestütztwerden ausgedrückt. Die erste Bildzeile schließt mit der allein auf dem Ölberg knienden Maria, die beim Gebet den Palmzweig in Händen hält. Das Ölberggebet gehört zur östlichen Tradition, *Abb. 652*, und wird in der Legenda Aurea nicht erwähnt. Die Todesverkündigung durch den Engel mit dem Palmzweig taucht dann noch einmal im Miniaturzyklus des Jean Fouquet, im Schnitzaltar von Ternant, beide 15. Jh., und auf einer Tafel des Christgartenaltars von Schäufelein, 1525–1530, München, auf, *Abb. 677*.

Die Ankunft der Apostel. Das Gespräch mit Maria. Nach der Homilie des Johannes von Thessaloniki kommt als erster der Apostel Johannes und spricht allein mit Maria. Die Szene kommt im 14. Jh. in der Kirche S. Nicolas Domnese in Curtea de Argeş in Rumänien vor, wo wie in Mateič das Ölberggebet und die Verkündigung im Haus getrennt dargestellt sind. In Gračanica folgt auf die Verkündigung am Ölberg die Ankunft aller Apostel, die sich ehrfürchtig der auf ihrem Bett sitzenden Maria nahen[300]. Doch bereits der Freskenzyklus in S. Maria Egiziaca in Rom, 872–882, enthält ein Freskenfragment, das die Darstellung der Begrüßung der Apostel durch Johannes vor dem Haus Marias zeigt (vgl. Fußnote 230). Diese alte Tradition nimmt die Legenda Aurea auf und berichtet gleichfalls die gesonderte Ankunft des Johannes. Maria übergibt ihm den Palmzweig mit der Bitte, ihn zum Schutz vor dem Sarg hertragen zu lassen, da sie von einem von den Juden beabsichtigten Anschlag bei ihrem Begräbnis erfahren hatte. Die anderen Apostel werden auf Wolken herbeigeführt und versammeln sich vor dem Haus. Bevor sie eintreten, unterrichtet sie Johannes von dem bevorstehenden Tod der Gottesmutter.

Duccio hält sich an diesen Text. Er zeigt in einem Gemach Johannes im Gespräch mit Maria, hinter der der Palmzweig mit sieben Sternen steht. Vor dem Haus versammeln sich indes die Apostel, *Abb. 661*. Auf der nächsten Tafel, *Abb. 662*, bringt Duccio das Abschiedsgespräch Marias mit allen Aposteln, die um ihr Lager sitzen. Nur Paulus steht; er ist außerdem durch seinen lebhaften Redegestus hervorgehoben, und bei der Ankunft der

Apostel ergreift Petrus seine Hand. Paulus ist als 13. Apostel dem nach dem Ausscheiden des Judas durch die Hinzuwahl von Matthias (Apg 1,26) wieder vollzähligen Apostelkreis hinzugefügt. Diese »historische« Genauigkeit entspricht einem Zug der damaligen Frömmigkeit. Auf die Andeutung der legendären Wolkenfahrt, die die Darstellungen in Padua und in der Sieneser Rathauskapelle durch einige schwebend ankommende Apostel geben, verzichtet Duccio. Wie das Fresko der Todesverkündigung im Chor der Arenakapelle weicht auch das des Abschieds der Apostel, *Abb. 660*, von Duccio ab. Das Gespräch mit Johannes (ohne Palmzweig) und die Ankunft der Apostel sind zusammengezogen; Paulus fehlt. Es ist nicht ausgeschlossen, daß die vorderste der drei schwebenden Gestalten Christus darstellt. Das obenerwähnte Koimesis-Fresko der Dreifaltigkeitskirche in Sopočani, Mitte 13. Jh., das Christus inmitten der auf Wolken schwebenden Apostel zeigt, verweist auf eine Bildtradition des Ostens, die in Padua aufgegriffen und abgewandelt worden sein könnte. Sehr viel lebhafter und differenzierter sind die Gespräche der bei Maria versammelten Apostel auf dem Fresko der Sieneser Rathauskapelle von Taddeo di Bartolo, *Abb. 663*. Auf jeder Seite schwebt einer der Apostel noch auf der Wolke.

Die erste der drei Miniaturen im York-Psalter, Glasgow, *vgl. Abb. 620*, schließt an die Todesverkündigung ein Gespräch Marias mit Johannes und Petrus im Stehen an, in dem sie ihnen den Palmzweig zeigt und von der Engelbotschaft berichtet. Die drei im Hintergrund stehenden Männer sind Juden, die das Gespräch beobachten (vgl. die gleichartigen Gestalten auf der nächsten Seite der Handschrift). Auch das Kölner Diptychon des 14. Jh. zeigt Maria und die Apostel beim Abschiedsgespräch stehend, *Abb. 675*. Das Wolkenband über ihnen weist auf das Wunder der Reise durch die Lüfte hin. Hans Schäufelein verbindet auf der ersten Tafel der Bildfolge des Christgartner Altars, 1525–1530, München, die Todesverkündigung durch den Engel, der zwei Apostel beiwohnen, mit dem Empfang der Apostel durch Johannes bzw. der Mitteilung des nahenden Todes der Gottesmutter an sie, stellt aber nicht wie die italienischen Zyklen das Abschiedsgespräch mit Maria dar, *Abb. 677*. Bei aller Wirklichkeitsnähe der Schilderung nimmt der Maler doch das Wunder der Wolkenreise auf und läßt die beiden zuletzt kommenden Apostel in kameradschaftlichem Gespräch auf einer

300. Wratislaw-Mitrovic Pl IX, 1.

Wolke schweben. Die Apostel kommen paarweise an, wie sie nach Mk 6,7ff. ausgesandt wurden (*vgl. Bd. 1, Abb. 443* die »Aposteltrennung«, ein für die Zeit Schäufeleins typisches Bildthema). Zum Tod Marias innerhalb dieser Zyklen siehe unten im Zusammenhang des Themas.

Die Grabtragung[301]: Von allen Nebenszenen ist die an die Sterbeszene mit der Seelen-Assumptio anschließende Grabtragung am häufigsten dargestellt worden. Es bilden sich drei Darstellungsformen heraus. Auf der erwähnten Tür von Susdal (bei Wladimir) tragen Engel Maria zu Grabe. Eine Wiederholung dieser Form im Abendland ist uns nicht bekannt. Nördlich der Alpen ist es üblich, daß zwei (Paulus und Petrus), vier oder alle Apostel den mit einem Tuch verhangenen Sarg auf einer Tragbahre mit zwei Stangen tragen, *Abb. 625, 678, 679, 680*. Die in Italien übliche Form ist von der Koimesis-Darstellung abgeleitet und einer Landschaft oder Stadtkulisse zugeordnet. Hier tragen die Apostel eine unverdeckte Bahre, auf der die Tote mit überkreuzten Händen liegt. Eine der Legendenversionen enthält ein Gespräch zwischen Petrus und Johannes, in dem jeder dem anderen den Vortritt beim Tragen der Palme lassen will. In der bildlichen Darstellung geht in der Regel Johannes mit diesem Zeichen des Paradieses voran, doch kann auch Petrus das Ehrenamt innehaben.

Die Tatsache, daß die Grabtragung zum Tal Josaphat am Ölberg schon seit dem 12. Jh. und verhältnismäßig häufig dargestellt wurde, hat verschiedene Ursachen. Wie oben bereits erwähnt, berichteten im 12. Jh. Kreuzfahrer und Pilger von dem leeren Grab Marias, das sie gesehen hatten[302]. Mit der Grabtragung – ebenso wie mit der Grablegung – wird der leibliche Tod der Gottesmutter hervorgehoben, der Vorbedingung für ihre Auferstehung ist, die im 12. Jh. ins Blickfeld rückt. Ihre Sterbestunde war mit dem Kreuzestod des Sohnes nicht vergleichbar, aber die folgenden Geschehnisse ließen sich an die, die das Neue Testament von Jesus berichtet, angleichen. Mit der Grabtragung verband die Legende den frevelhaften Versuch von Juden, den Leichnam der Gottesmutter zu schänden und ihren Haß den Jüngern Christi gegenüber zum Ausdruck zu bringen. Diese Episode war im Mittelalter so populär, daß auf sie vereinzelt sogar in der Darstellung des Marientodes hingewiesen wurde: ein italienisches Diptychon des Pietro da Rimini, 1. Drittel 14. Jh., Hamburg, *Abb. 682*. Für die östliche Kunst vgl. die Ikone *Abb. 591*, und die armenische Miniatur *Abb. 590*, außerdem die Verbindung von Sterbeszene und Grabtragung in der Wandmalerei, *Abb. 656*.

Diese Darstellungen der Ostkunst entsprechen der einen der alten Legendenversionen, die von einem Juden Jephonias spricht, dessen Hände am Sarg Marias haftenblieben, als er ihn aus Haß gegen die Mutter Jesu umstürzen wollte. Michael schlug seine verdorrten Hände ab, die in den Darstellungen dieser Szene am Sarg hängend gezeigt werden. Nicht in die Bilder aufgenommen wird die Heilung des reuigen Frevlers. Die Goldene Legende erzählt die Episode etwas anders und stattet sie mit weiteren Wundern aus. Sie spricht vom Volk, das, als es – angelockt durch den Gesang der in den Wolken verborgenen Engel – den Trauerzug sah, Waffen holte, um die Apostel anzugreifen. Mehrere dieser Männer wurden durch die unsichtbaren Engel mit Blindheit geschlagen. Der Anführer, der den Sarg umwerfen will und dessen Hände dabei verdorren, ist in diesem Text als Hoherpriester bezeichnet. Michael mit dem Schwert fehlt. Der Hohepriester wendet sich vom Schmerz gequält an Petrus um Hilfe, der vor der Heilung ein Bekenntnis zu Christus und Maria verlangt. Dem späten Mittelalter, das für groteske Gestalten eine Vorliebe hatte, gab diese Schilderung Gelegenheit, der Feierlichkeit des Leichenzuges den Angriff der ungläubigen Frevler entgegenzusetzen. Beinahe jede Darstellung bringt vom 14. Jh. an aus dieser literarischen Quelle einige Motive. Die Freude an der Dramatisierung der Episode wurde außerdem noch durch die geistlichen Spiele gesteigert[303].

Auf italienischen Bildern verfolgen die aus dem Stadttor drängenden Juden den feierlichen Leichenzug. Das

301. K. Simon, Die Grabtragung Mariä, in: Städel-Jahrbuch 5, 1926, S. 75–98.

302. Man darf für die Bedeutung des Grabes Marias im Tal Josaphat am Ölberg nicht übersehen, daß auch das Grab Davids sich nach der Tradition dort befand.

303. Neustifter oder Innsbrucker Mariae Himmelfahrtsspiel,

Hs. v. 1391, Univ. Bibl. Innsbruck. Theo Meier, Die Gestalt Mariens im geistlichen Schauspiel des deutschen Mittelalters, Berlin 1959. – Vgl. die würfelnden Kriegsknechte unter dem Kreuz oder die rohen Schergen anderer Passionsszenen, die mit dem stillen Leiden Christi kontrastieren.

Fresko in Padua, *Abb. 666*, fügt den Hohenpriester am Anfang des Leichenzuges ein; Petrus, der mit der Palme vorangeht, wendet sich zu ihm zurück. Vor dem Stadttor ist das von den Engeln mit Blindheit geschlagene Volk durcheinander auf dem Boden liegend wiedergegeben. Bewaffnete Männer blicken entsetzt empor, denn sie hören den Gesang der für sie unsichtbaren Engel. Taddeo di Bartolo, *Abb. 667*, zeigt zwei Männer mit verkrampften Händen der Bahre folgend, auf die der Hohepriester erschrocken blickt. In der Stadtansicht sind Gebäude der Stadt Siena zu erkennen.

Nördlich der Alpen sind beim Frevlermotiv beide Varianten, die verdorrten oder gelähmten und die abgehauenen Hände, bekannt. Der strafende Engel fehlt bei beiden Versionen. Der Angreifer ist in der Regel nicht als Hoherpriester gekennzeichnet, sondern durch den im Mittelalter üblichen Judenhut allgemein als Jude; die Gruppen bestehen aus grotesken Volkstypen oder Soldaten. Die Miniatur des York-Psalters in Glasgow zeigt nicht alle Apostel; vier von ihnen tragen die verhängte Bahre auf ihren Schultern, *vgl. Abb. 621*. Petrus geht mit Buch und Palme in den Händen voran, wendet sich aber – wie zwei der Träger – zurück. Die beiden Männer mit langem Bart und Hut, von denen der vordere den verdeckten Sarg berührt, sind die Juden. Fünf ebensolche Männer stehen auf der Dormitio-Darstellung der oberen Bildhälfte drohend im Hintergrund und drei bei dem Gespräch Marias mit Johannes und Petrus, *Abb. 620*. Auf dem unteren Bildfeld des rechten Flügels vom Kölner Diptychon, *Abb. 676*, tragen Paulus und Petrus die verhängte Bahre. Der als Jüngling wiedergegebene Frevler ist durch die Rückenansicht und seine Isolierung hervorgehoben. Am Stadttor tritt dem Zug eine drohende Gestalt entgegen. Eines der Vierpaßreliefs im Sockelgeschoß des Chors der Pariser Kathedrale, 1. Hälfte 14. Jh., *Abb. 678*, zeigt die zwölf Apostel, wie sie gemeinsam die langen Stangen der Bahre mit dem verhüllten, geschlossenen Sarg tragen. Von den beiden Frevlern, die – ebenso wie der des Kölner Diptychons – keine Kopfbedeckung tragen, hängt einer noch am Sarg, die Hände des anderen sind abgeschlagen, und er selbst ist niedergestürzt. Vgl. auch das Relief der Kirche Saint-Ouen, Rouen, und zwei spanische Beispiele: Retabel von S. Maria del Castillo in Fromista und das Retabel von Pedro Diaz in der Colegiata von Tudela, beide 15. Jh.

Noch turbulenter ist die Gruppe bei der Grabtragung zwischen Marientod und Krönung auf dem Tympanon des Portals an der Nordseite von St. Sebald in Nürnberg wiedergegeben, *Abb. 679*. Einer der Frevler liegt wie tot (oder erblindet?) auf dem Boden, die beiden anderen sind über ihn gestürzt. Alle drei heben ihre verkrampften gelähmten Hände hoch. Für die Gestraften oder Gerichteten scheint es keine Hoffnung auf Heilung zu geben, wenn nicht das Gebet des Apostels neben ihnen Rettung bringt. Dieses Gebet tritt an die Stelle des Gesprächs des Frevlers mit Petrus. Die Engel, von denen es in der Legende heißt, daß sie beim Begräbnis in den Wolken verborgen sangen, begleiten den Zug zum Grab und tragen liturgische Geräte. Die Grabtragung kehrt in der deutschen Portalplastik des 14. und frühen 15. Jh. immer wieder.

In der Tafelmalerei war sie kein Hauptgegenstand, sondern kam nur auf größeren Flügelaltären – in der Kirche zu Annaberg auch an der Emporenbrüstung, 1499 – in einem Zyklus oder als Hintergrundszene innerhalb einer anderen Darstellung vor, letzteres zum Beispiel bei der Gürtelspende des Fronleichnamaltars von 1496 in Lübeck, *Abb. 681, vgl. auch Abb. 700*. Der Leichenzug, dem viele Nonnen folgen, ist auf dem Lübecker Bild als eine große Prozession, die aus einer mittelalterlichen Stadt kommt, gezeigt. Das Frevlermotiv fehlt, Johannes, neben Petrus an der Spitze des Zuges, trägt den leuchtenden Palmzweig, der im Bild nördlich der Alpen des 15. Jh. höchst selten ist. Aus der Nonnenprozession läßt sich auf die Stiftung des Altars durch ein Frauenkloster schließen.

Die Heilung der gelähmten Hände zweier bewaffneter Soldaten durch Johannes und Petrus steht im Zentrum der Tafel eines fränkischen Altars, 1400–1420, Nürnberg, *Abb. 680*. Derselben Zeit gehört ein Tafelbild aus den Marken im Diözesan-Museum zu Köln an, das den Überfall durch bewaffnete Soldaten (mit Skorpionschild) zeigt. Auf einem der Flügel des ehemaligen Christgartner Altars von Schäufelein, 1525–1530, fallen neben dem sehr großen, schwarz verhängten Sarg mehrere Nebenszenen auf: Ein bewaffneter Soldat ohne Arme ist vor Petrus niedergesunken. Von links oben kommen vier Männer herbeigelaufen, die offenbar die Apostel steinigen wollen, denn einer von ihnen hält im Arm mehrere Steine. Ein gleichzeitiges Bild des Meisters von Cappenberg befindet sich im Museum in Münster (Westfalen), siehe weitere Tafeln von ehemaligen Altären u. a. im Bayerischen Nationalmuseum München, in der Kunsthalle Karlsruhe und im Landesmuseum in Mainz.

Die Grablegung. Wie schon gesagt, wird manchmal die Grablegung bei der Darstellung des Marientodes statt der auf dem Bett liegenden Toten verwendet, *vgl. Abb. 601 und 713.* Als Einzelszene wird sie im Verhältnis zur Grabtragung selten dargestellt, doch ist sie schon im späten 11. Jh. im Oxforder Jesaja-Kommentar, *Abb. 615,* zu belegen, steht da allerdings nicht in einem zyklischen Zusammenhang. Der Zyklus des englischen Psalters von Glasgow aus dem 12. Jh. bringt sie und fügt vier Engel, die Weihrauchfässer schwingen, hinzu, *Abb. 622* oben. Das aus dem Bereich zwischen Rhein und Weser stammende Perikopenbuch, Mitte 12. Jh., aus dem wir die Darstellung des Marientodes abbildeten, *vgl. Abb. 606,* Seite 101, zeigt auf der gegenüberstehenden Seite, fol. 52, das Begräbnis Marias in einer einfachen, von innerlicher Verhaltenheit geprägten Form: Der Leichnam Marias liegt in einem in Bodenwellen eingelassenen Sarkophag, der in der vordersten Bildebene steht und die ganze Breite der Fläche einnimmt. Von den wenigen der dargestellten Apostel sind Petrus – der Redegestus verweist auf die von ihm gesprochenen Gebete – und Johannes, das Weihrauchgefäß schwingend, hervorgehoben. Dieses stille Begräbnis des Leichnams setzt die Seelenaufnahme, die das vorangehende Bild darstellt, voraus und bestätigt sie (Kat. »Zeit der Staufer«, 1977, Abb. 540).

Duccio gleicht auf der Maestà-Tafel die Bildkomposition formal und im Stimmungsgehalt der Darstellung der Grablegung Jesu an, *Abb. 668 (vgl. Bd. 2, Abb. 569).* Jedes Attribut des Begräbnisritus fehlt. Petrus und Paulus nehmen an den Schmalseiten des Sarges wieder die Plätze ein, die sie beim alten Bildtypus der Koimesis innehaben, und neigen sich auch in ähnlicher Weise Maria zu. (Vgl. Nikodemus und Joseph von Arimathia im Bild der Grablegung Jesu.) Mit der Landschaft weist Duccio auf das Tal Josaphat hin. Von Taddeo di Bartolo befindet sich ein Fresko mit der Darstellung der Grablegung, 1397, in Pisa. Eine Zwischenform zwischen Tod und Grablegung ist die Aufbahrung des Leichnams, bei der die Totenfeier zum Ausdruck kommt. Sie ist aber nur selten im 15. Jh. in Italien dargestellt worden, siehe unten. Die Legende erwähnt nur die Tatsache der Grablegung ohne Einzelzüge, so daß literarische Anregungen, die bei der Grabtragung so reichlich

sind, bei der Grablegung fehlen. Das erschwert oft die eindeutige Abgrenzung zu den anderen Grabszenen.

Die Erhebung des Leichnams und die Auferweckung der Toten. Hierbei handelt es sich nicht um ein Nebenmotiv, sondern um eine in theologischer Sicht zentrale mariologische Aussage, deren bildliche Formulierung, wie oben ausgeführt, sich in unterschiedlichen ikonographischen Darstellungstypen in der französischen Kathedralplastik bis in die Mitte des 12. Jh. zurückverfolgen läßt. Sie scheinen beide vom direkten Einfluß der Legendentexte unabhängig zu sein, wollen aber vermutlich die leibliche Aufnahme Marias in den Himmel veranschaulichen. Der Begriff Auferweckung ergibt sich aus der bildlichen Darstellung, in der Mariologie ist er unpräzise, denn Maria wird nicht wie Lazarus (Joh 11) zu einem neuen irdischen Leben erweckt. Die eine, äußerst seltene Bildform zeigt, wie Christus selbst Maria aus dem Grab hebt, *Abb. 642 und 643,* die andere, die in der gotischen Portalplastik mehrere Jahre zu verfolgen ist, wie Engel Maria erwecken und ihr beim Erheben aus dem Grab helfen, *Abb. 625, 626, 629, 632, 637.* Man geht vermutlich nicht fehl, wenn man darin die von der hohen Schule der Theologie angeregte oder sogar anerkannte Form der Darstellung der Todesüberwindung Marias sieht. Sie ist die Vorbedingung ihrer Erhöhung, die in der Portalplastik als Erhebung auf den Thron Ausdruck findet.

Der Bildzyklus des York-Psalters, um 1170, hält sich im ganzen an den Legendentext, *Abb. 622.* Am Schluß wird gezeigt, wie über dem leeren Grab im Beisein Christi vierzehn Engel den verhüllten Leichnam Marias mit dem Grabestuch emportragen. Eine Version der Legende sagt, daß Christus drei Tage nach der Bestattung mit seinen Engeln zum Grab kam, um den Leichnam in das Paradies zu bringen, wo er mit der Seele Marias vereint werden sollte. Nach der anderen, etwa ebenso alten Version bringen die Engel die Seele herab und vereinen sie am Grab mit dem Leichnam. Maria wird dann lebend in den Himmel aufgenommen. Es ist möglich, daß die Handschrift aus St. Martin zu Tours, 1. Hälfte 12. Jh., *Abb. 608,* an diesen Text anknüpft, zumal nicht nur das leere Grab dargestellt ist, sondern eine Beischrift auf das Grab im Tal Josaphat ausdrücklich hinweist und von den Aposteln einige in das Grab, andere aber zu Maria aufsehen, die von Engeln – wiederum mit dem Grabestuch – emporgetragen wird.

Hier ist es aber nicht der Leichnam, sondern die Gestalt der gekrönten Maria-Orans, wie sie oft bei der Assumptio animae dargestellt wird; Christus erwartet sie als seine Braut. Bei der Fülle der marianischen Glaubensgehalte läßt sich die Darstellung nicht an eine bestimmte Aussage binden. Sieht man in ihr an erster Stelle die Aufnahme in den Himmel, so ist eine Beziehung zur dritten Darstellung im Tympanon von Cabestany zu erkennen, *Abb. 642*.

Das Kölner Diptychon, Mitte 14. Jh., *Abb. 676*, gab der weiterhin sehr selten dargestellten Erhebung des Leichnams eine andere Form. Zwei aus Wolken hervorkommende Engel tragen die in das Grabestuch gehüllte Gestalt empor. Die horizontale Lage hebt hervor, daß es sich um den noch unbeseelten Leichnam handelt. (Vgl. das Fußnote 278 erwähnte Tympanonrelief des Magdeburger Doms und das Fußnote 296 genannte französische Elfenbeintriptychon.)

Auffallend ist, daß das kleine Relief des Kölner Diptychons im unteren Teil statt des leeren Grabes vier Instrumente spielende Engel zeigt (Psalterion, Geige, Laute, Handorgel)): Bekehrte Juden lauschen kniend der himmlischen Musik. An einzelnen Motiven des Diptychons wird deutlich, daß sich die bildlichen Darstellungen in dieser Zeit keineswegs nur an die Legenda Aurea halten, sondern auch andere Texte bekannt waren und Anregungen gaben[304].

Das Fresko der Auferweckung Marias der Sieneser Rathauskapelle, *Abb. 669*, läßt künstlerische Beziehungen zwischen Siena und der französischen Gotik und in einzelnen Zügen den Einfluß der zeitgenössischen literarischen Quellen erkennen – doch in einer sehr persönlichen Verarbeitung. Nach der Goldenen Legende vereinigte Christus selbst Leib und Seele Marias und erweckte sie: »Stehe auf, du, meine Nächste ... du Gefäß des Lebens ... Und stund herrlich auf aus dem Grabe«. Die von beiden Seiten zur Mitte hin abfallenden Felsen sind wie auf anderen Darstellungen eine reale Ortsangabe, doch auch ein künstlerisches Mittel, mit dem der Blick des Betrachters in dieser figuren- und handlungsreichen Komposition auf die Hauptgruppe gelenkt wird, die keine der dargestellten Personen wahrnimmt. Die Goldene Legende erzählt, daß

die Seele Marias bei ihrer Auffahrt von roten Rosen und weißen Lilien umgeben war, die als die Chöre der Märtyrer und die Scharen der Engel und Jungfrauen interpretiert werden. Vom 14. Jh. an wird es üblich, die Blumen dieser Vision umzudeuten in das sogenannte »Blumenwunder«: Die Apostel fanden blühende Rosen und Lilien im leeren Grab und wurden dadurch von der Auferstehung Marias überzeugt. Auf der Darstellung in Siena erblicken die Apostel staunend dieses sichtbare Wunder im Grab. Jedoch bleibt allen das Geheimnis der Aufnahme Marias durch Christus verborgen, die künstlerisch in dem schwerelosen Aufeinanderzuschweben beider Gestalten und der Handergreifung auf einer anderen Ebene geistige Realität wird. Zum erstenmal in der italienischen Kunst ist es hier Christus selbst, der Maria aus dem Grab befreit und der Verherrlichung entgegenführt. Die disputierenden, mißtrauischen Skeptiker und die feindseligen Gegner, zum Teil in exotischer Kleidung, sind an den linken Rand gerückt und vertreten den Unglauben. Auf der anderen Seite sprechen die Zuschauer miteinander, und ihre Gestik läßt erkennen, daß sie sich mühen, das Wunder des leeren Grabes mit den Blumen zu verstehen. Sie vertreten den Glauben. Thomas zeigt zwei Aposteln den Gürtel als Beweis der leiblichen Assumptio Marias. Die Gruppen bilden formal als senkrechte Blöcke einen wichtigen Gegenpol zu den Aposteln, die sich über das Grab neigen, und zu dem diagonalen Richtungsakzent der aufeinander bezogenen schwebenden Gestalten der überirdischen Sphäre. Dieses Bildmotiv ist von Taddeo di Bartolo oder einem Schüler sehr ähnlich auf einer Predella noch einmal dargestellt worden[305].

Für die Bildentwicklung in Italien ist nicht die Darstellung der Erhebung Marias aus dem Grab durch Christus bestimmend geworden, sondern die in der Glorie über dem leeren Grab schwebende Maria, die »Assunta«, die sehr oft mit Thomas, der den Gürtel von ihr empfängt, verbunden ist.

Die Gürtelspende an Thomas. Auf die Einbeziehung dieser Episode in das byzantinische große Koimesisbild der Wandmalerei des Balkangebietes gingen wir Seite 119ff. ein.

304. Für freundliche Auskunft zu diesem Diptychon danke ich Herrn Dr. W. Schulten, Köln.

305. S. Symeonides, Taddeo di Bartolo, Siena 1965, Seite 239, Tf. LXXXV, Vatikan.

Im Kapitel zur Kathedralplastik ist auf zwei Darstellungen hingewiesen worden: Thomas mit Gürtel in der Hand, Cabestany, gegen 1150, *vgl. Abb. 642*, Seite 108f., und die Gürtelspende Marias an Thomas, ehemaliger Türsturz des Straßburger Münsters, um 1230, Seite 113, die die Annahme einer eigenen Thomastradition des Westens nahelegen.

In Italien läßt sich die Gürtelspende in Verbindung mit den frühesten Darstellungen der über dem Grab schwebenden Maria seit der 2. Hälfte des 13. Jh. nachweisen, *vgl. Abb. 709, 708.* Sie ist offenbar auch hier mit der Himmelfahrt Marias schon im ersten Stadium einer Bildkonzeption verbunden worden. Das Nebenmotiv unterstützt oder bestätigt die Aussage des Hauptbildes. In einem Zyklus der Wandmalerei ist diese Verbindung zuerst im Chor der Arenakapelle in Padua zu finden, *Abb. 671.* Die Blumenglorie der thronend über dem Grab Schwebenden bezieht sich auf eine Legende des Mittelalters, die besagt, daß die Apostel Rosen und Lilien im leeren Grab fanden. Im Gegensatz zur byzantinischen Bildformulierung, *vgl. Abb. 706*, schwebt der Apostel nicht auf einer Wolke, sondern er kniet seitlich etwas erhöht auf der Erde. Das entspricht der Legende, vgl. Seite 87. Auffallend ist in Padua die Angleichung der erschreckten Apostel an die Grabeshüter der Darstellung der Auferstehung Christi. Sie liegt nahe, da nach der Transituslegende Christus den Aposteln mit der Anweisung, sie sollten nach der Bestattung drei Tage das Grab bewachen, bis er wiederkomme, die Funktion der Grabeswächter zuerteilt. Jeder von ihnen wird von einem Lichtstrahl, der von der Auferweckten ausgeht, getroffen. Aus dem Schlafe auffahrend, schauen einige der Apostel die Erscheinung zwischen Erde und Himmel. Der Zyklus in Padua schließt mit der Krönung Marias ab, *Abb. 670*, siehe dazu unten.

Die Rückseite des freistehenden Marmortabernakels in Orsanmichele, Florenz, das im Sockelgeschoß Einzelszenen des Marienlebens zeigt, wird von dem Relief der Assumptio mit der Gürtelspende an Thomas beherrscht, *Abb. 672.* Diese Verherrlichung Marias steht oberhalb der Dormitio, gegen die sie abgegrenzt ist. Ein Altarretabel Benozzo Gozzolis, um 1450, Pinakothek des Vatikans, *Abb. 674*, ist wie das Tabernakel Orcagnas ein Beispiel für die Zuordnung eines erzählenden Zyklus (Predella) zu einer Hauptdarstellung. Hier thront Maria auf einer Wolkenbank über dem Grab, in dem die Blumen blühen. Tho-

mas empfängt den Gürtel aus ihren Händen. (Auf der Predella sind dargestellt: Marias Vermählung mit Joseph, Verkündigung, Geburt und Darstellung Jesu, Marientod.) An der Gestalt des Thomas läßt sich ermessen, in welcher Weise der erzählende Legendenstoff in die bildliche Darstellung eingeht und, auf seine Sinndeutung reduziert, in deren Gesamtaussage eingeschmolzen wird. Thomas ist im Verständnis der damaligen Zeit viel weniger die Gestalt des Zweiflers, der sehen will, um überzeugt zu werden, als vielmehr der, der schauen darf und einer besonderen Nähe zu Christus bzw. zu Maria gewürdigt wird. Bei den Beispielen zur italienischen Darstellung der Assunta wird noch deutlicher werden, welchen Sinn die Thomasgestalt, die sich sehnsüchtig und schauend der zwischen Himmel und Erde thronenden Gottesmutter entgegenstreckt, in diesem Bild hat.

Die Häufigkeit der Darstellung der Gürtelspende hängt in Italien auch mit dem Kult der Gürtelreliquie in Prato zusammen. Die Reliquie soll nach der Lokaltradition von einem in Prato ansässigen Teilnehmer am ersten Kreuzzug 1141 von Jerusalem, wo sie von der Tochter eines Priesters beschützt wurde, mitgebracht worden sein. Er heiratete diese Priestertochter und erhielt den Gürtel als Heiratsgut. Vor seinem Tod übergab er die Reliquie dem Bischof von Prato, der sie im Hochaltar verwahrte. Im 14. Jh. beschloß man, den Dom zu einem Heiligtum für die Reliquie umzubauen, und errichtete einen neuen Chor mit der »Cappella della Cintola«, wo sich seitdem die Reliquie befindet. Ende 14. Jh. malte Agnolo Gaddi in dieser Kapelle zehn Fresken mit Szenen dieser Legende und verflocht diese mit einem Marienzyklus (K. Künstle, Ikonographie I, S. 583). Im Dom zu Prato befindet sich außerdem eine Predella von Bernardo Daddi, 2. Viertel 14. Jh., mit Szenen aus beiden Legenden, darunter Thomas, wie er den Aposteln den Gürtel zeigt, *Abb. 673.*

Von etwa Mitte des 15. Jh. an zeigen südlich und nördlich der Alpen die Darstellungen der Himmelfahrt Marias in der Regel alle Apostel am Grab. Unter ihnen hält Thomas oft den Gürtel in der Hand, siehe unten. Als Hauptmotiv bedeutet die Gürtelübergabe einer Tafel des Fronleichnamsaltars, 1496, Lübeck, eine Ausnahme, *Abb. 681.* Die hier gezeigte, seltene Überreichung des Gürtels durch einen Engel ist auf einem westfälischen Triptychon, 1460, in der Nikolaikirche zu Kalkar mit dem Marientod verbunden. Thomas, der zur Sterbestunde zu spät kam, ist vor dem Haus stehengeblieben und erhält vom Engel den Gürtel.

Der Marientod im späten Mittelalter und in der Renaissance

Das italienische Bild geht im allgemeinen hinsichtlich der Christusfigur (mit Mandorla oder Strahlenglorie), die in der Mitte hinter dem bildparallel angeordneten Sterbelager mit der Seelenfigur Marias im Arm steht, und in der Verteilung der Apostel an den Schmalseiten des Lagers vom ursprünglichen byzantinischen Vorbild und seiner Erweiterung aus, vgl. das Mosaik in der Apsis von S. Maria Maggiore in Rom unterhalb der Krönung Marias, *Abb. 647 unten*. Die Einfügung der Kleriker und Frauen, die Vielzahl der Engel, von denen einer bereit ist, mit verhüllten Händen die Seele Marias in Empfang zu nehmen, und die drei sich zu Maria neigenden Apostel – Petrus, Johannes und Paulus – entsprechen der östlichen Ikonographie dieser Zeit. In den Wolken sind außerdem von Engeln geführte alttestamentliche Gestalten zu sehen, dagegen fehlt die Reise der Apostel, die der Westen nicht übernahm. Die seitlich die Szenerie begrenzenden Berge mit zwei Kirchen sind Zion und Ölberg benannt, wo Gedächtniskirchen errichtet waren. Die anderen Szenen des Mosaikzyklus – Verkündigung, Geburt Christi, Darbringung und Anbetung der Könige – geben als Motive der Geburtsgeschichte Jesu Ereignisse der Epiphanie Gottes auf Erden wieder, sind andererseits aber auch Szenen eines Marienzyklus. Derselben Zeit gegen 1300 gehören die schon erwähnten, heute kaum noch erkennbaren, vier Fresken von Cimabue in der Oberkirche von S. Francesco in Assisi an.

Der Loslösungsprozeß vom östlichen Bildtypus, der nicht so weit geht wie nördlich der Alpen, läßt sich am Bild des Marientodes innerhalb der oben behandelten zyklischen Darstellungen im Laufe des 14. Jh. beobachten. Duccio faßt auf der Tafel des Sieneser Hochaltars die Apostel zu einer dicht gedrängt stehenden Gruppe hinter dem Fußende des Sterbelagers zusammen. Nur Petrus und Johannes mit dem Palmzweig in der Hand knien unmittelbar bei Maria. Durch diese Anordnung ist Platz gewonnen für sieben Engel zu beiden Seiten des Herrn mit der Seelenfigur. Eine weitere Reihe Engel schließt das Bild oben ab (nicht abgebildet). Das Chorfresko der Arenakapelle, *Abb. 664*, bleibt dem byzantinischen Vorbild näher. Den beiden Gebäuden sind mehrere Teilnehmer zugeordnet und einige sind nimbiert. Zwei Frauen knien im Vordergrund am Lager. Rückenfiguren sind in dieser Zeit ein beliebtes Mittel, den Blick des Betrachters zum Hauptgegenstand der Darstellung zu lenken und ihm das Gefühl zu geben, am Geschehen teilzunehmen. Es geht bei dieser Darstellung in erster Linie um den Kreis der Trauernden. Christus ist mit der Seele Marias (Gestalt eines Kindes) schon entschwebt und wird in der oberen Bildzone vom Chor der Engel gepriesen. Petrus trägt, wie häufig auf späteren Darstellungen, liturgische Gewandung und hält ein geöffnetes Buch, aus dem er vermutlich die Sterbegebete vorliest. Taddeo di Bartolo, *Abb. 665*, verlegt den Marientod in einen Innenraum[306]. Durch zwei Öffnungen des Gebäudes sind Engel mit großen Kerzen getreten. Die Apostel bilden einen Kreis um das Totenlager und die Christusgestalt. Ihre Äußerungen der Trauer und Andacht sind wesentlich differenzierter als auf dem Fresko der Giottoschule in Padua. So trocknet zum Beispiel Johannes, der den Palmzweig hält, seine Tränen, und einer der knienden Apostel verbirgt sein Gesicht in den Händen. Auf dem Marmortabernakel in Florenz, *Abb. 672 unten*, hat Andrea Orcagna[307] den traditionellen Typus nur wenig abgewandelt. Von den dicht gereihten Engeln im Hintergrund sind fast nur Köpfe zu sehen; neben Christus hält einer von ihnen die Sterbekerze. Die Seelenfigur ist wie in der Arenakapelle kindhaft wiedergegeben. Die Apostel am Kopf- und Fußende des Totenlagers, das die Form eines Sarkophags hat, halten das Linnen wie bei der Niederlegung des Leichnams. Durch die Rückwendung des Apostels am Fußende des Lagers wird der trauernd abseits stehende Apostel in den Kreis der anderen einbezogen. Die Männer hinter ihm sind vielleicht Zeitgenossen. Auf der anderen Seite ist hinter Petrus mit dem geöffneten Buch ein Mönch zu erkennen. Im Vordergrund steht – in der Haltung ähnlich dem trauernden Apostel

---

306. Es wird nicht ganz deutlich, ob die Architektur einen Kirchenraum darstellt. Wenn dies der Fall ist, wäre ein Hinweis auf Maria als Ekklesia gegeben. Vgl. Darstellungen der Gottesmutter mit dem Kind oder der Verkündigung in einem Kirchenraum.

307. Er heißt eigentlich Cione, siehe Signatur auf dem Sarkophag, wird aber Orcagna genannt.

ihm gegenüber – der erste Märtyrer, Stephanus. Er ist als Diakon gekennzeichnet und hält sein Attribut, den Stein, in der linken Hand.

In der italienischen Tafelmalerei ist der Marientod außerhalb von Zyklen äußerst selten und vielfach nur auf Predellen großer Altarbilder als letzte Szene eines Zyklus im herkömmlichen Schema dargestellt, vgl. das Retabel von Benozzo Gozzoli, *Abb. 674*. Zu den ikonographischen Besonderheiten zählt die Darstellung auf dem rechten Flügel eines Diptychons des Pietro da Rimini, 1320–1330, Hamburg, *Abb. 682*. Der Bezug zur Kreuzigung Christi auf dem linken Flügel ist für den Rang, den der Marientod einnimmt, aufschlußreich[308]. Ihm ist hier der Überfall des Hohenpriesters mit zwei Frevlern eingefügt. Nichts deutet darauf hin, daß die Grabtragung dargestellt sein soll. Die Männer zerren an der großen Decke, die über die Tote gebreitet ist. Die Apostel, von denen zehn hinter dem Lager Marias und zwei an den Schmalseiten stehen, richten ihren Blick auf das Angesicht der Toten und nehmen keine Notiz von dem Überfall. Nur die beiden Apostel, die die Palme (baumartig, später übermalt?) bzw. das Weihrauchgefäß halten, blicken zu der kleinen, einem Wickelkind ähnlichen Seelenfigur, die Christus an sein Herz drückt. Fünf Gestalten sind weitgehend von den Aposteln verdeckt und nur an den Diademen, die beiden äußeren an den Flügeln als Engel zu identifizieren. Im Giebel oben erscheinen noch einmal fünf Engel mit den beiden schwebenden zusammen, die als Psychopompoi die Seelengestalt auf einem Tuch zu Gott bringen. Diese Seele ist bei der Ankunft im Himmel nicht in Kindesgestalt, sondern als Abbild der Toten dargestellt.

Von Fra Angelico sind vier große Altartafeln aus den Jahren zwischen 1425 und 1455 bekannt, eine mit der Krönung und drei mit der Verkündigung Marias (Florenz, Cortona, Montecarlo, Madrid), deren kleine Predellenbilder mit dem Marientod abschließen. Dabei fällt auf, daß es sich um eine Verschmelzung des traditionellen Bildes mit dem Begräbnis oder der Aufbahrung, die mit der To-

tenmesse verknüpft ist, handelt. Auf der Predella der Marienkrönung in Florenz, *Abb. 683*, steht die Bahre auf einem hohen Gestell zwischen vier Leuchtern in einer von Felsen seitlich begrenzten Landschaft; hinter der Bahre die Christusgestalt mit Seelenfigur und Segensgestus. Vier Engel, die Kerzen, Weihrauch- und Weihwassergefäße tragen, erweitern den Kreis der betenden und singenden Apostel beim Totenoffizium, siehe zu diesen Riten Seite 134[309].

Während bei Fra Angelico die Zusammenziehung von Motiven aus zwei Darstellungen unter dem Aspekt der Totenfeier vorliegt, hat Mantegna um 1465 auf dem Gemälde im Prado zu Madrid eindeutig die Aufbahrung Marias (einer sehr alten Frau) mit der Feier des Totenoffiziums, die nur von den Aposteln vollzogen wird, dargestellt, *Abb. 684*. Das Lager Marias steht an der Rückwand einer großen Halle, deren hohe Öffnung Ausblick in eine weite Landschaft gewährt. Das Bild ist wahrscheinlich oben beschnitten, und es liegt die Vermutung nahe, daß in dem heute fehlenden Teil Christus mit der Seele Marias dargestellt war. Es gibt in der Capella dei Mascoli von S. Marco in Venedig ein von Mantegna beeinflußtes Mosaik, um 1490, das ebenfalls die Aufbahrung Marias zeigt, und zwar vor einem römischen Triumphbogen. Durch ihn fällt der Blick in eine Stadt; zwischen den Häusern führt eine Straße nach vorn unmittelbar auf die aufgebahrte Gottesmutter zu. Die Verlebendigung und Vergegenwärtigung eines Bildgegenstandes durch die Verbindung mit einer Stadtarchitektur ist typisch für die Renaissance. Im oberen Teil des Triumphbogens thront Christus und hält auf einer kleinen Wolke die Marienseele[310]. Zweimal hat Carpaccio zwischen 1504 und 1508 die im Freien aufgebahrte Maria mit dem Totenoffizium vor einer Stadtkulisse gemalt. Einmal im Zusammenhang eines Marienzyklus für die Scuola degli Albanesi in Venedig, die mit Geburt, Tempelgang und Vermählung beginnt und an die Verkündigung und Heimsuchung den Tod Marias anschließt. Diese großen Gemälde sind heute zerstreut. Die Aufbahrung Marias befindet sich in der Cà d'Oro in Venedig[311]. Auf

308. Abb. der Kreuzigung in: Hamburger Kunsthalle, hg. von A. Hentzen und Mitarbeitern, Köln 1969, Nr. 1. Bei der Kreuzigung fallen zwei für das 14. Jh. im Abendland kaum nachzuweisende Motive auf: der zerrissene Tempelvorhang und die Auferstehung von Toten aus den Gräbern.

309. Abbildungen bei F. Schottmüller, Fra Angelico da Fie-

sole, 2. Aufl., Berlin 1924, S. 25, 73, 75, 91.

310. Tietze-Conrat, Mantegna, Köln 1956, S. 187, Abb. 56 und Anhang S. 91, Abb. 60.

311. Jean Lauts, Carpaccio. Gemälde und Zeichnungen, Köln 1962, Kat. Nr. 20–25, Abb. 127–132; und R. v. Marle XVIII, S. 269ff. und 287f.

dem anderen Gemälde von 1508 in Ferrara, *Abb. 685*, ist die zeitgenössische Stadtarchitektur so niedrig gehalten, daß sie nur die Mitte der Bildfläche erreicht. Am Himmel erscheint auf dem Regenbogen thronend eine große Christusfigur. Die Lichtmandorla wird umrandet von geflügelten Engelköpfchen. Christus hält auf einer breiten Wolkenbank, die wie ein ausgespanntes Tuch wirkt, die unbekleidete Seelenfigur Marias vor sich, die betend ihre Hände hebt. Eine ebensolche Wolkenbank liegt zu Füßen des Thronenden. Diese Christusfigur stimmt mit der des Bildes Carpaccios in Venedig überein und ist der des Mosaiks ähnlich. Sie wäre bei Mantegna auf dem verlorenen oberen Bildteil in kleinem Format auch denkbar.

Nördlich der Alpen liegt der Schwerpunkt der Darstellung des Marientodes einseitig bei der Tafelmalerei (Retabel und Flügelaltäre), im späten 15. und frühen 16. Jh. auch bei den Schnitzaltären. Der überlieferte Bildtypus, der mit den künstlerischen Prinzipien und der inhaltlichen Akzentsetzung des späten Mittelalters in Einklang zu bringen war, wurde modifiziert und entwickelt. Die böhmische und die niederländische Kunst nahmen an der Verlebendigung der Komposition und der Formulierung neuer Darstellungstypen teil, während andere Kunstlandschaften wenig eigene neue Akzente setzten. Wie schon ausgeführt, hat auch Italien nur geringen Anteil an der Entwicklung der Dormitio, leistete aber in der 2. Hälfte des 15. Jh. mit der »Aufbahrung« einen eigenen Beitrag zur Bildgeschichte. Der Reichtum der erhaltenen Werke des deutschen Raumes (einschließlich Böhmens und Österreichs) erlaubt es, uns auf die Darstellungen dieses Gebietes zu konzentrieren. Nur wenige Tafeln sind in ihrem ursprünglichen Zusammenhang erhalten, da viele Flügelaltäre auseinandergenommen wurden. Insgesamt ist die Anzahl so groß, daß wir nur die ikonographisch wichtigen heranziehen, um die Bedeutung des Themas für diese Zeit in seiner Vielfalt und den Abschluß seiner Bildgeschichte aufzuzeigen[312].

Der Grund für die Häufigkeit der Darstellung ist in der gesteigerten Marienverehrung zu suchen, die zu der Aufstellung der vielen Marienaltäre führte. Sie schließen meistens mit dieser Szene ab. Im Gegensatz zu der Epoche der Gegenreformation, in der die Verherrlichung und die Machtstellung Marias im Zentrum stehen, liegt der Akzent in der spannungsreichen und von Angst erregten vorreformatorischen Zeit auf der Gnadenvermittlung und der Hilfeleistung der Gottesmutter für den einzelnen beim Sterben. Ihr Tod ohne Qual und Anfechtung war Vorbild, die Aufnahme ihrer Seele durch Christus gab Trost und Hoffnung: »Bitt für uns arme Sünder« war das tägliche Gebet. (Vgl. in Bd. 2 die Bildgruppen der Passion dieser Zeit.) Die gesteigerte Angst vor dem Tod und dem Gericht Gottes führen im Bild des »Heimgangs der seligen Gottesmutter« zu der Ausweitung der Totenbräuche und Zeremonien, die als sinnbildlich-liturgische Handlungen die bösen Geister bannen sollen und die Seelen der Gnade Christi anempfehlen. Anregungen zu der realistischen Darstellung der Aktionen der Apostel haben sicher auch die geistlichen Volksspiele gegeben. Da der Betrachter im Spiel und Bild den Glaubensgehalt in seiner eigenen Umwelt erlebte, gewann er an Überzeugungskraft. Diese Vergegenwärtigung erleichterte es ihm, sich mit dem dargestellten Inhalt zu identifizieren. Der Goldgrund wird allmählich abgelöst durch den Innenraum, in dem sich die Personen handelnd bewegen. Das heißt für den Marientod im 15. Jh. die Ausgestaltung des Sterbezimmers analog zur Wochenstube bei der Darstellung der Geburt Marias (oder auch des Johannes d. T.) und die Hervorhebung des Sterbens, das nun beispielhaft als »Guter Tod« verstanden wird. Das heißt aber auch: Vermenschlichung der Christusgestalt mit der Seelenfigur, an der festgehalten wird.

Die älteste erhaltene Tafel, das Retabel von Wennigsen (Niedersachsen), um 1290, Hannover, *Abb. 686*, ist noch ganz vom byzantinischen Kompositionstypus abhängig, der von der Epiphanie Christi am Totenbett der Mutter bestimmt ist. Die auffallend große, vom Lichtglanz umgebene Christusgestalt beherrscht die Darstellung. Die untere Spitze der Mandorla und die Enden des Gewandes Christi sind unterhalb des bildparallel ganz vorn stehenden Lagers, das auf vier reich verzierten Säulenkapitellen steht, zu sehen. Wie häufig in der Buchmalerei des 13. Jh. ist die bräutliche Seele als weiß gekleidete, gekrönte Orans im Arm Christi dargestellt. Petrus und Paulus nehmen ihre angestammten Plätze ein und stützen sorgsam die

---

312. LCI 4, Sp. 333–338. Gertrud Holzherr, Die Darstellung des Marientodes im Spätmittelalter, Diss., Tübingen 1971. Das

Material ist nach Kunstgebieten zusammengestellt, keine Abbildungen.

Tote. Nach der Loslösung von der byzantinischen Ikonographie wird Paulus nur selten hervorgehoben, oft gar nicht dargestellt. Anstelle der Kleriker des östlichen Bildes ist hier Augustin, der Kirchenpatron von Kloster Wennigsen, eingefügt.

Im Laufe des 14. Jh. gerät die Bildkomposition in Bewegung. Die frontale Haltung der Christusfigur wird vielfach aufgegeben, oft ist auch auf die Mandorla oder Strahlenglorie verzichtet. Ein böhmischer Meister (Umkreis des Meisters vom Hohenfurter Altar) verlegte auf einer Tafel um 1345 aus Košátky, heute in Boston, *Abb. 690*, die Sterbeszene in einen Kirchenraum mit Spitzbögen und Kassettendecke (Mischform aus heimischer Gotik und italienischer Renaissance). Zwei der den Raum gliedernden Säulen heben durch ihre rahmende Funktion die Christusgestalt hervor, die nur noch von den Schultern abwärts mit einem schmalen, gekräuselten Wolkenband umgeben ist. Wie die Seele in seinem Arm, so trägt auch er eine Krone, mit leuchtenden Steinen geschmückt. Johannes, vom Geheimnis des Sterbens ergriffen, blickt am Fußende des Lagers sitzend unverwandt auf Maria. Petrus, neben dem ein geöffnetes Weihrauchfaß steht, beugt sich über das Haupt der Toten. Auf der anderen Seite oben läutet einer der Apostel die Sterbeglocke. Dieser Brauch fordert dazu auf, für den Heimgang der Seele des Verstorbenen zu Gott zu bitten, und gehört zur Commendatio animae. Die Exequien (Aussegnung) beinhalten die Commendatio animae, ein Gebet in Litaneiform, das die Seele des Verstorbenen Gott anempfiehlt. Dabei brennt die Kerze nieder, die allgemein Sterbekerze genannt wird, jedoch das Leben symbolisiert. (Im christlichen Brauchtum wird diese Lebenskerze zum erstenmal bei der Taufe entzündet.) Vor der Grablegung findet die Missa da Requiem (Totenmesse) statt, danach das Tumbagebet; bei beiden wird Weihrauch und Weihwasser gespendet. Mit dem Läuten der Sterbeglocke ist auf der böhmischen Tafel ein neues Motiv in das Bild aufgenommen, das das Streben nach Verlebendigung aller Sterberiten in der Darstellung dieser Zeit kennzeichnet. Ebenso ist hier unter dem Einfluß italienischer Raumdarstellungen versucht worden, die Sterbeszene in einen Innenraum zu verlegen. Wenn die perspektivische Tiefenraumerschließung und das Verhältnis der Personen zum Raum auch noch nicht gelungen sind, so zeigt dieser Versuch doch schon die folgende Entwicklung an. Mit den vierkantigen Stüt-

zen sollen das Lager Marias und alle Gestalten etwas in die Tiefe gerückt werden. Da das Bild unten beschnitten ist, läßt sich nicht beurteilen, wieviel Raum im Vordergrund für die beiden Frauen und den Mönch zur Verfügung stand. Der Mönch dürfte den Orden, der den Altar stiftete, oder das Kloster, für den er bestimmt war, vertreten. Er ist hier als Devotionsfigur eingefügt. Ob der Meister nur einen Innenraum malen oder durch den sakralen Raum auf das Sterben »in der Kirche« verweisen wollte, läßt sich nicht entscheiden.

Ein Wiener Meister hält auf einer etwas älteren Tafel, 1330–1335, die an der Rückseite des Klosterneuburger Altars angebracht ist, am Goldgrund fest, verzichtet aber auf die Gloriole Christi, *Abb. 687*. Er gruppiert die Apostel an den Schmalseiten des Bettes, das bildparallel vorn steht (aus Raummangel ist der Kopfteil schräg nach hinten geführt). Die vorgebeugte Haltung Christi beim Empfang der Seele beruht vermutlich auf der Vorstellung, die Seele werde beim Sterben ausgehaucht oder entweiche durch das Ohr. Das ausgehauchte Leben wird als unvergängliche Seele von Christus aufgenommen. Der Sohn scheint mit ihr zu sprechen und – obwohl sie als Braut die Krone trägt – ihr Thron und Krone zuzusagen: »Ich bin gekommen, meine Auserwählte, um die Zierde meines Thrones an dich zu legen, denn der König begehrt nach deiner Schöne« (Legenda Aurea nach älteren Texten mit einzelnen Worten aus dem Hohenlied). Vgl. zu der bereitgehaltenen Krone die Beispiele der Buchmalerei, *Abb. 604, 607, 610*. Petrus hält den wie einen Stern strahlenden Palmenzweig, vier andere Apostel tragen brennende Kerzen. Der Sitzende schwingt das Weihrauchgefäß, dem der Wohlgeruch sichtbar entströmt. Am unteren Ende des Bettes steht ein Apostel mit dem Weihwassereimer. Mit dem Vortragekreuz ist auf den Leichenzug zur Totenfeier und zum Begräbnis Bezug genommen. Die Riten, auf die durch den Gebrauch der Geräte hingewiesen wird, sind – wie es häufig geschieht – auf die Darstellung des Marientodes konzentriert, obwohl sie sich nach dem kirchlichen Brauch auf die Aussegnung des Toten und die Bestattung verteilen.

Einen anderen neuen Gedanken nimmt Mitte des 14. Jh. ein kleines Wandbild in einer Sediliennische der Predigerkirche in Erfurt auf: Maria liegt auf einer Matte auf dem Boden[313]. Dieses Sondermotiv dürfte an den Brauch von

313. Auf der Darstellung des 12. Jh. im Salzburger Perikopen-

Mönchen und anderen Frommen, den Tod auf einer Matte oder auf dem Erdboden ausgestreckt zu erwarten, anknüpfen. Als weiteres Beispiel für die Bodenlage ist der Marientod des Apokalypse-Altars der Meister-Bertram-Werkstatt, Anfang 15. Jh., London, *Abb. 688*, zu nennen. Die einfache Komposition zeigt Maria auf einer Matratze mit Leinentuch am Boden liegend[314].

Vom Beginn des 15. Jh. an zielen die Abwandlungen der überlieferten Bildelemente und neue Konzeptionen immer mehr auf eine wirklichkeitsnahe Vergegenwärtigung der Sterbestunde Marias ab. Das im Vordergrund parallel stehende Lager, auf dem Maria in ihren Mantel gehüllt liegt, wird nur noch kurze Zeit beibehalten, jedoch deutlich zu einer Bettstatt im Stil der Zeit mit Laken, Decke und Kissen abgewandelt. Auf der Darstellung der Lüneburger Goldenen Tafel, um 1418, Hannover, trägt die Tote ein Kleid in der zeitgenössischen Mode und ist mit einer kostbaren Bettdecke, über die ein Laken geschlagen ist, zugedeckt, *Abb. 689, vgl. das Gesamtwerk Bd. 2, Abb. 21–24*. Die Wiedergabe des Bettes und der Zudecke sind nicht neu, *vgl. Abb. 621*, sie wird aber seit Mitte des 14. Jh. zur Regel. Johannes kniet vor dem Bett und gibt Maria die brennende Kerze in die Hand. Dieses Motiv kehrt von jetzt an neben dem Lesen der Totengebete in beinahe allen Darstellungen wieder. Auch die Kerzen, von Aposteln oder Engeln getragen, sind schon auf älteren Darstellungen häufig zu finden, aber erst seit dem 15. Jh. wird das Darreichen der Sterbekerze hervorgehoben, vgl. die Miniatur in dem Matutinalbuch von Scheyern, 1206–1225, *Abb. 616*, wo Petrus im liturgischen Gewand neben Christus steht und einen Leuchter hält, der durch seine Isolierung zwischen den Gestalten den Blick auf sich zieht. Das neue Motiv verdeutlicht den Brauch als einen letzten persönlichen Dienst des Apostels. Christus erscheint auf dem Bild der Lüneburger Tafel in einem Himmelssegment, das sich in der Mitte herabsenkt, und segnet aus der Ferne die Sterbende. Zwischen ihm und dem Totenbett stehen die

Apostel. Petrus hat das Aspergill in der Hand und besprengt die Tote mit Weihwasser. Diese Funktion des Offiziums ist ihm nun auf vielen Darstellungen übertragen. Er nimmt dabei den Platz am Sterbelager ein, den ehemals Christus innehatte. Drei Apostel lesen in einem Buch, drei weitere (einer mit Brille) in einer Buchrolle mit hebräischer Schrift[315].

Aus der gleichen Zeit wie die Goldene Tafel, stilistisch ihr verwandt, stammt der dreiteilige Marienaltar, den Konrad von Soest für die Marienkirche in Dortmund malte. Das Sterben der Gottesmutter nimmt als Hauptdarstellung die Mitteltafel ein, die allerdings nur als Fragment erhalten ist, da die Tafeln beim Einbau in einen Barockaltar zersägt wurden. Die erhaltenen Teile sind heute wieder zusammengefügt und als Altarretabel in der nach dem Krieg erneuerten Marienkirche aufgestellt. Das Zentrum des Mittelbildes blieb unversehrt, *Abb. 691*. Die jungfräuliche Gottesmutter scheint nur zu schlummern. Der Schleier ist lose um ihr Haupt gelegt; ihr Schmuck ist das goldene Haar, mit dem ein Engel spielt[316]. Zwei andere Engel schließen Augen und Mund der lieblichen Toten. Sie hält die Sterbekerze in ihrer zarten Hand, und Johannes gibt ihr außerdem die Palme des Paradieses. Bevor dieses Motiv in die Darstellung Eingang fand, schloß des öfteren Johannes die Augen der Toten, vom 15. Jh. an übernimmt ein Engel diesen Dienst. Konrad von Soest hat wie der Meister der Lüneburger Tafel die unmittelbar hinter dem Totenlager stehende Christusfigur aufgegeben. Vermutlich war rechts oben in einem heute zum Teil zerstörten Himmelssegment (nicht abgebildet) Christus mit der Seelenfigur Marias dargestellt. Der im 2. Viertel des 15. Jh. von einem Lochner-Schüler gemalte Heisterbacher Altar in München zeigt oben in der Mitte in einer kleinen Kreisgloriole Christus als Halbfigur mit der Seele Marias, vgl. *Abb. 609*.

Je mehr die Malerei im Laufe des 15. Jh. den Innenraum erschließt, desto tiefer rückt das Bett in den Raum, bis es

buch aus St. Erentrud, *vgl. Abb. 603*, hat man den Eindruck, es liege an dem Hochformat der Bildfläche, daß das Bett gegen die schrägliegende Kline ausgetauscht ist, um Platz zu gewinnen.

314. Noch Ende des 15. Jh. wirkt die Bodenlage auf der Tafel des Marienaltars aus der Johanneskirche in Freising nach, Kreuzlingen, Slg. Kisters. Doch mögen da formale Gründe ausschlaggebend gewesen sein. Siehe Ausst. Kat. »Hans Holbein d. Ä. und die Kunst der Spätgotik«, Augsburg 1965, Nr. 126, Abb. 133.

315. Siehe E. Hagemann, Annunciatio- und Transitus-Darstellungen der Landesgalerie zu Hannover, in: Niederdt. Beiträge 12, 1973, S. 172. Verf. nimmt an, daß auf der Schriftrolle der Esra 2,34–35 entnommene Introitus der Totenmesse in Hebräisch steht.

316. Vgl. für dieses Motiv die Beweinung von Villeneuve-les-Avignon, zwischen 1440 und 1460, *Bd. 2, Abb. 608*.

schließlich parallel zu den Seitenwänden in der Mitte der Stube steht. Die Apostel werden um die Tote locker gruppiert. Das Haupt Marias ist durch Kissen oder perspektivische Verkürzungen so angehoben, daß der Blick des Betrachters auf ihr Angesicht fällt. Die Ausdrucksskala ist weit gespannt: Hoheit des Todes, sanftes Schlummern, Sterben einer alten Frau in alltäglicher Umwelt. Das oft dargestellte Himmelbett übernimmt in dieser bürgerlichen Umwelt, zu der es als Mobiliar gehört, die Funktion des Baldachins, grenzt die Tote ab und überhöht sie. Die vielfältige Charakterisierung der Apostel reicht von Dabeisein bis zur Betroffenheit, von der in sich gekehrten Trauer bis zum letzten Liebesdienst. Für den Vollzug der Sterberiten bilden sich bestimmte Zuordnungen zu einzelnen Aposteln aus.

In vollendeter Meisterschaft sind die künstlerischen Absichten einer realistischen Vergegenwärtigung des Marientodes bei dem Niederländer Hugo van der Goes erreicht. Der mit 42 Jahren verstorbene Meister hat wahrscheinlich zwischen 1475 und 1480 dreimal den Tod Marias in etwas unterschiedlichen Fassungen gemalt; zwei von ihnen sind in zeitgenössischen Kopien erhalten, die letzte Fassung befindet sich im Original im Museum Groeninge in Brügge, *Abb. 693.* Auch von diesem Werk sind drei Kopien auf uns gekommen[317]. Gegenüber den wirklichkeitsnahen, individuell charakterisierten Männern, die das Sterben der Gottesmutter miterleben, bildet die Erscheinung Christi über dem Haupt Marias einen Gegenpol. Christus kommt als der Erlöser und zeigt der Sterbenden, deren Augen noch nicht ganz geschlossen sind, seine Wundmale. Diese sind bei der Darstellung des erhöhten Christus das Signum des Richters (vgl. Bd. 2, S. 200–202 und *Abb. 646–653,* vgl. auch Bd. 3 die Erscheinung des Auferstandenen vor Thomas). Das Vorweisen der Wundmale, die Ostentatio vulnerum des Erlösers ist in diesem Zusammenhang ein Zeichen der Verheißung, das sich auf die Aufnahme der Sterbenden in den Himmel bezieht.

Auf der Tafel des Meisters vom Erfurter Regler-Altar, um 1470, *Abb. 694,* stehen nebeneinander am schräg gestellten Totenbett: der Sterbegebete lesende Apostel, Petrus mit Weihwasserbecken und Aspergill, Johannes, der die Kerze in die Hand der Toten gibt (der Palmzweig

kommt in der 2. Hälfte des 15. Jh. nur noch selten vor), und ein weinender Apostel. Ein kleiner Engel schließt die Augen der Toten. Im Vordergrund auf dem Fliesenboden knien drei Apostel, einer lesend. Für die Seelenaufnahme ist das alte Motiv der Levatio animae wieder aufgegriffen. Zwei Engel tragen die unbekleidete Seelenfigur (mit langem Haar) zu Gott-Vater empor. In der Buchmalerei und in der Portalplastik des 13. Jh. ist diese Art der Seelenerhebung einige Male anzutreffen, doch ist keine übereinstimmende Form zu beobachten, siehe oben. In Oberitalien war Anfang des 14. Jh. das Motiv nicht ganz unbekannt, und es klingt auch noch auf den Gemälden Carpaccios nach 1500 an, *vgl. Abb. 682, 685.*

Michael Pacher findet auf der Tafel des Hochaltars der Pfarrkirche in St. Wolfgang, 1481, *Abb. 697,* eine einmalige Lösung des schwierigen Problems, in einer realistischen Stilepoche die Epiphanie des Herrn und die Erhebung der Seele darzustellen. Christus thront über dem Himmelbett und ist so der Sterbeszene zwar eingefügt, doch zugleich entrückt. Sein Haupt ragt in den Bogen, in dem alttestamentliche Figuren dargestellt sind. Maria – auffallend groß und jugendliches Ebenbild der als alte Frau wiedergegebenen Toten – kniet vor ihm, von ihm aufgenommen wie eine Erwartete und Heimgekehrte. Pacher muß oberitalienische Darstellungen gekannt haben. Maria als alte Frau ist bei Orcagna, *Abb. 672,* und Mantegna, *Abb. 684,* vorgebildet. Der Bogen mit alttestamentlichen Gestalten, der letzten Endes auf die Portalplastik zurückgeht, kommt in neuer Formulierung und Sinngebung ebenfalls in der 2. Hälfte des 15. Jh. in Oberitalien vor.

Neben solchen Bildschöpfungen stehen in derselben Zeit andere, die konventionell anmuten. Christus steht unauffällig zwischen den Aposteln, manchmal an die Seite gedrängt und ohne Bezug zu Maria oder den Aposteln. Wenn ihm auch des öfteren das Himmelsattribut der gekräuselten Wolke beigegeben ist, so wirkt die Gestalt doch in hohem Grad vermenschlicht. Dieser Gruppe sind zuzurechnen die Tafeln des Hochaltars in der Kirche zu Sterzing (Tirol), Werkstatt des Hans Multscher, 1458, *Abb. 696,* des Uttenheimer Altars, um 1480, München, und die Tafel eines Flügels am Kefermarkter Schnitzaltar, 1491–1493. Beim Marientod aus der Werkstatt des Kölner Meisters des Marienlebens, 1473, Nürnberg GNM, *Abb. 695,* tritt an die Stelle der Christusgestalt mit der Seele Marias eine Vision der Mondsichelmadonna

317. F. Winkler, Hugo van der Goes, Berlin 1964.

(siehe dazu unten) am Himmel, die aber nur von Johannes erblickt wird.

Um 1400 entstand neben diesem von der Tradition ausgehenden, aber vielfach variierten Bildtypus ein zweiter, der die Mariengestalt neu formulierte. Sie wird als Sterbende, nicht als Tote dargestellt. Dadurch erhöht sich der Empfindungsgehalt. Die Aussage konzentriert sich auf Maria selbst, die traditionellen Zeremonien der Aussegnung werden Nebensache oder fallen weg. Dieser neue Bildtypus ist auf der Mitteltafel des Raudnitzer Altars, um 1410, Prag, *Abb. 692*, zum erstenmal faßbar und ist mit großer Wahrscheinlichkeit eine Schöpfung der böhmischen Kunst[318]. Die Architektur eines Innenraumes bildet den Hintergrund. Die ganze Breite der Bildfläche nimmt das etwas schräg gestellte Bett ein, über das eine kostbare Decke gebreitet ist. Darauf kniet Maria am vordersten Rand des Bettes. Sie ist im Begriff zusammenzusinken und wird von hinten von Johannes gehalten. Die zarte Gestalt der Sterbenden wirkt schwerelos, der irdischen Wirklichkeit nicht mehr ganz angehörend. In dieser Maria-Johannes-Gruppe kann man eine Parallele zu der unter dem Kreuz zusammenbrechenden Maria sehen, die von Johannes gestützt wird. Dort ist es der Schmerz über den Tod des Sohnes, der sie übermannt, hier überkommt sie selbst der Tod. Da sie ihn herbeisehnte, ist es ein sanftes Niedersinken. Der weiche Fluß der Falten und die Zartheit der Bewegungen sind selbstverständlich auch stilbedingt, doch ebenso vom Gehalt her als Ausdruck des seligen Sterbens zu verstehen. Manchmal liegt bei diesem Bildtypus ein Schimmer von Freude auf Marias Gesicht. Die Darstellungen der Seitenflügel des Raudnitzer Altars beziehen sich allgemein auf den Tod als »der Sünde Sold«. Bei Maria in der Gestalt der Schutzmantelmadonna (siehe unten) suchen Geängstigte Fürsprache und Hilfe, bei Christus, der als Schmerzensmann (vgl. Bd. 2) mit Schutzmantel dargestellt ist, Erbarmen und Erlösung. Um 1425 entstand unter böhmischem Einfluß eine dem Raudnitzer Altar ähnliche Darstellung des Heimgangs der Gottes-

mutter, die Tafel des Cosmas-Damian-Altars der Danziger Marienkirche. Maria kniet am Boden vor dem Bett und wird von Johannes gehalten. Auch hier ist sie in dem schwebenden Zustand, der das Hinübergleiten in ein anderes Sein ausdrückt. Das Knien auf dem Erdboden hat eine Parallele in dem Bildtypus der Geburt Jesu, der, angeregt durch die schon häufig genannten Meditationes vitae Christi und die Visionen der Birgitta von Schweden, seit dem 14. Jh. üblich wurde, *vgl. Bd. 1, Abb. 185–187, u. a. m.*[319].

In der 2. Hälfte des 15. Jh. verliert sich die Auswirkung mystischer Frömmigkeit, und das Sterben wird auch in dieser Bildgruppe realistischer dargestellt: Müde, mit erschlafft herabhängenden Händen sinkt die vor dem Bett oder am Betpult kniende oder stehende Mariengestalt in sich zusammen: menschliche Hinfälligkeit, doch ohne Sterbensnot. In der österreichischen Kunst des 15. Jh. ist der Typus in beiden Varianten mehrmals zu finden[320]. Die Christusgestalt mit der Seelenfigur im Raudnitzer Altar ist aus dem älteren Bildtypus übernommen. Öfters steht sie nur unauffällig zwischen den Aposteln, als sei sie eben eingetreten, bis sie schließlich nach 1500 aus der Sterbeszene verdrängt wird. Martin Schaffner stellt auf dem Altar aus Wettenhausen, um 1524, München, *Abb. 698*, Maria auf dem Fußboden am vorderen Bildrand kniend dar. Sie würde gegenüber dem großen komplizierten Raumgebilde, das im mittleren Teil ein überdimensioniertes Himmelbett umschließt, kaum zur Wirkung kommen, wenn sie nicht in frontaler Ansicht dem Betrachter zugewandt und der dunklen Fläche eines hoch emporsteigenden Pfeilers zugeordnet wäre. Ihr Blick fällt auf das Buch, das ihr ein Apostel im Priesterornat hinhält. Ein Kandelaber ersetzt die Sterbekerze in ihrer Hand. Von oben bricht in das Gebäude der Glanz des Himmels ein; Christus kommt der von Engeln und Wolken emporgetragenen Maria entgegen. Diese Begegnung wirkt wie eine Nebenszene, da die hochgeführte Architektur auf dem Bild sehr viel Gewicht hat, doch klingt darin ein Thema an, das die letzte Phase dieser Mariendarstellungen ankündigt.

---

318. Der Raudnitzer Altar gehört wie der Dortmunder und die Lüneburger Goldene Tafel der Epoche des sog. weichen Stils an.

319. G. Holzherr, 1971, S. 116, spricht hier von der schwebenden Maria.

320. Siehe O. Pächt, Österreichische Tafelmalerei der Gotik,

Wien 1929, Abb. 16: Meister von Schloß Lichtenstein; Abb. 35: D. Pfennig, Venedig; Abb. 47: Meister von Großgmain. Im Katalog der Ausstellung »Gotik in Österreich«, Krems a. d. Donau, 1967, Abb. 2, Konrad Laib, Flügelaltar in Pettau.

In einzigartiger Weise fügte Hermen Rode auf der Lübecker Tafel des Greverade-Altars 1494 den Aufstieg Marias der Darstellung der Totenfeier im Sterbezimmer ein, *Abb. 700*. Nur der Betrachter sieht ihn durch das Fenster, während im Raum sich alle Apostel mit ihrem Tun auf die Totenfeier konzentrieren. Maria steht als die Auferstandene in neuer makelloser Leiblichkeit auf einem Grab – eine kleine bepflanzte Fläche mit einer Steineinfassung innerhalb einer Landschaft (Friedhof?). Nur ein Tuch ist um ihre Hüften gelegt. Mit dieser Mariengestalt hat der Meister formal an den Bildtypus der Erhebung Magdalenas angeknüpft. Maria als die Auferstandene auf dem unversehrten Grab stehend ist im Zusammenhang der Sterbeszene vermutlich einmalig in der Kunst. Durch ein anderes Fenster des Sterbezimmers ist die Grabtragung zu sehen.

Hans Holbein d. Ä. hat den zweiten Darstellungstypus mit der sterbenden Maria mehrmals abgewandelt[321]. Er befreit die Szene von der bürgerlichen Atmosphäre und vermeidet die Geschäftigkeit der Apostel. Diesen Altären geht ein Epitaph von ihm voraus, um 1491, das aus der Jakobskirche in Straubing stammt und sich in Budapest befindet[322]. Holbein zeigt auf ihm die sterbende Maria in aufrechter Haltung auf dem Bett sitzend, gestützt von mehreren Kissen. In den Wolken nimmt sie Christus in Empfang[323]. Auf dieses Motiv verzichtete er bei den späteren Darstellungen. Auf einem Flügel des ehemaligen Augsburger Afra-Altars, datiert 1490, Basel, *Abb. 699*, sitzt Maria in einem festlichen Gewand mit ausgebreitetem Mantel im Vordergrund der Bildfläche inmitten der Apostel. Sie hält die Kerze in der Hand, ihr Angesicht und ihre Haltung drücken Ergebenheit und Erschöpfung aus. Das große Bett, auf das sich trauernd Jakobus stützt, füllt im Hintergrund den Innenraum. Die Komposition des Hohenburger Altars, 1509, Prag, zeigt das Bett mit hoher Rückwand in der Tiefe des Raumes und zu beiden Seiten

trauernde Apostel. In der Mitte vorn gibt Johannes die Kerze an Maria. Dabei sind beide im Begriff niederzuknien, so daß sie in ihrer spiegelbildlich übereinstimmenden Haltung als Hauptgruppe hervortreten. Maria in anmutiger Mädchenhaftigkeit scheint gelassen ohne Trauer den Tod zu erwarten. Dagegen sitzt Maria auf einer Tafel des Kaisheimer Altars, 1502, München, auf einem Stuhl neben dem Bett. Sie verliert auf diesem Bild inmitten des Vielerlei der Umgebung an Bedeutung[324]. Ihre volle Würde verleiht ihr die Darstellung des ehemaligen Hochaltars der Dominikanerkirche in Frankfurt a. M., 1501 datiert, Basel, *Abb. 701*. Das Bett mit dem hohen Rückteil ist so verkürzt, daß es wie ein Thron wirkt, auf dem Maria inmitten der stehenden Apostel hoheitsvoll sitzt. Holbein hat in diesen verschiedenen Konzeptionen aus dem Motivschatz der Bildtradition geschöpft, ihn aber eigenständig verarbeitet und mit der sitzenden und auf dem letzten Bild thronenden Mariengestalt am Ende der Bildgeschichte des Marientodes noch einen wichtigen Beitrag geleistet.

Unter den Schnitzaltären des späten 15. Jh. ragt der des Veit Stoß in der Marienkirche von Krakau, 1477–1489, heraus, *Abb. 704 und 705*.[325] Der Schrein gibt den Marientod in der vom zweiten Typus abhängigen Form wieder; darüber schwebt Christus mit Maria zum Himmel auf. Die Predella zeigt die Wurzel Jesse mit den Vorfahren Christi und Marias (vgl. oben die Stammbaumdarstellungen an den gotischen Marienportalen); die Seitenflügel tragen bei ganz geöffnetem Zustand sechs neutestamentliche Szenen (Verkündigung, Geburt, Christi, Anbetung der Könige, Auferstehung und Himmelfahrt Christi, Pfingsten); bei der ersten Öffnung sind einige Szenen der Kindheitslegende Marias zu sehen (Verkündigung an Joachim und seine Rückkehr zu Anna, Geburt Marias und ihr Tempelgang, im übrigen Passion Jesu). Im Gesprenge über dem Schrein, durch einen kleinen Sockel mit ihm verbunden, ist die Krönung Marias durch die Trinität dar-

---

321. N. Lieb und A. Stange, Hans Holbein d. Ä., München-Berlin 1960.

322. Im 15. Jh. ist der Marientod in der Sepulkralkunst häufiger dargestellt, ohne daß eine eigene Bildform dafür entwickelt wurde. Ein Beispiel eines größeren Grabmals ist das der Margarete Pfollenkofer, um 1420, in St. Emmeram, Regensburg. Siehe Th. Müller, Alte Bairische Bildhauer, München 1950, Abb. 43.

323. Lieb/Stange, Abb. 2.

324. Katalog der Ausstellung »Hans Holbein«, Augsburg 1965, Abb. 47. Vgl. auch Abb. 50, Oberschönenfelder Altar, Werkstatt Holbeins; Abb. 137 Meister des Pfullendorfer Altars, um 1500; Abb. 142 Bernhard Strigels Schussenrieder Altar, nach 1500 – alles Varianten des zweiten Typus.

325. T. Dobrowolski u. J. E. Dutkiewicz, Wit Stwosz, Der Krakauer Altar, Warschau 1953, mit vielen Detailaufnahmen.

gestellt. Die Doppeldarstellung des Mittelschreins ist von einem torartigen Bogen überwölbt (vgl. Pacher und Mantegna), und der spitze Bogen einer gotischen Zierarchitektur umfaßt die beiden aufschwebenden Figuren, von denen die Goldstrahlen bis zu den Aposteln herabreichen. Die Aufwärtsbewegung kann sich durch die Zierarchitektur nicht ganz entfalten. Vor dem Original wirken beide Figuren nicht so massiv wie in der Abbildung, da sie für den Betrachter sehr hoch stehen. In der unteren Darstellung kniet die jugendliche Maria auf einem Kissen. Ihre Hände hängen schlaff herab wie auf mehreren Darstellungen dieses Typus. Weist die thronende Gestalt der Holbeinschen Darstellung auf die Würde der Himmelskönigin, so die kniende dieses Schnitzaltars von Veit Stoß auf die Demut, mit der die Jungfrau ihre Berufung annahm und ihren Tod erwartet. Jakobus, der Bruder des Herrn, stützt Maria. Johannes steht etwas höher hinter Maria und ringt verzweifelt die Hände. Wie beim Tod des Herrn, so ist er auch hier beim Sterben der ihm anvertrauten Gottesmutter derjenige unter den Jüngern, der am stärksten betroffen ist. – Eine Reihe von Schnitzaltären in Ostdeutschland erhielt von dem Meisterwerk des Veit Stoß Anregung.

In Süddeutschland und Österreich sind einfachere Schnitzaltäre oder Holzretabel mit Darstellungen des Heimgangs Marias in größerer Anzahl erhalten. Wir fügen davon nur noch ein Beispiel ein, das ein neues ikonographisches Motiv aufweist: das Retabel eines Ulmer Meisters, um 1500, in der Pfarrkirche von Mittelberg (Kleinwalstertal), Abb. 703, Ausschnitt. Neben der sterbenden Maria steht ohne irgendein Zeichen seiner Göttlichkeit Christus. Er hält einen Kelch in der erhobenen Hand. Mit dieser unauffälligen Gestalt ist ein Hinweis auf das Sterbesakrament und auf das hohepriesterliche Amt Christi gegeben. In ganz anderer Weise nimmt schon vorher ein Teppichfragment, 1. Viertel des 15. Jh., aus dem Kloster Gnadental in Basel, Köln, Schnütgenmuseum, diesen Gedanken auf. Die Anregung hierfür gab vermutlich die in Klöstern viel gelesene Dichtung »Von unser frouven Hin-

vart«. Im Hintergrund ist Christus zu sehen (Halbfigur). Johannes reicht der neben ihrem Bett knienden Maria die Hostie. Zwei Engel halten eine Stola vor Maria, die auf ihrem von den sieben Tauben des Heiligen Geistes umgebenen Haupt die Krone der Himmelskönigin trägt – Hinweise auf ihre künftige Würde. Neben Christus steht ein Engel, der das Totenhemd bringt. Den liturgischen Dienst übernehmen Engel (Rauchfaß, Weihwasser, Musikinstrument[326]. Auch das Lukas-Retabel des 15. Jh. in Segorbe, Erzbischöfliches Palais, und das Gemälde von A. Cano in Genua, Palazzo Bianco[327], gehören in diesen Vorstellungskreis, der sich aber äußerst selten in der Kunst niederschlägt: Maria kniet vor einem Altar, an dem Petrus die Messe zelebriert. Es ist der Augenblick festgehalten, in dem er die Hostie bricht. Mit diesen Darstellungen, die die Versehung mit dem Sterbesakrament hervorheben, erreicht die didaktische Absicht, auf den guten Tod des Frommen hinzuweisen, die in das Bild des Marientodes im ausgehenden Mittelalter integriert ist, ihren Höhepunkt.

Unter dem Einfluß der Reformation und in den Wirren der Bauernkriege hört die Herstellung der großen Marienaltäre auf. Der Christgartner Altar von Schäufelein, zwischen 1525 und 1530, der noch einmal einige Nebenszenen der Legende bringt, siehe oben, und in der Profanisierung des Gegenstandes sehr weit geht, dürfte einer der letzten sein, der sich in herkömmlicher Weise mit dem Lebensende der Gottesmutter befaßte. Die Hochrenaissance hat vermutlich auch künstlerisch wenig Interesse mehr an solchen Szenen, die sich in engen Innenräumen abspielen. Das ist an Holbein zu verfolgen. Bei den letzten seiner Bilder umschließen die großen Architekturen, die Raumtiefe öffnen, nicht mehr den Vorgang. Er ist in den Vordergrund verlegt und weitgehend unabhängig von der Architektur. Eine andere Beobachtung ist bei Wolf Huber zu machen. Von ihm ist in Basel eine undatierte Entwurfszeichnung (Pause) erhalten, um 1525–1530, von der man nicht weiß, ob sie je ausgeführt wurde, Abb. 702. Huber verlegt die Sterbeszene in einen sehr hohen Kirchenraum, dessen Gewölbezone den Himmel umfaßt[328]. Maria kniet

326. Katalog der Ausstellung »Bildteppiche aus sechs Jahrhunderten«, Hamburg 1953, S. 39f., Abb. 40. Kat. Kunstepochen der Stadt Freiburg, Freiburg 1970, Nr. 125. Der Teppich, zu dem dieses Teilstück gehörte, stellte vermutlich einen Zyklus zum Lebensende der Gottesmutter dar. In der Fürstenbergschen Samm-

lung in Heiligenberg befinden sich noch zwei Fragmente davon, eines mit der Darstellung der Ankunft der Apostel, das andere mit der der Grablegung.

327. A. de Santos Otero, Evangelios apocr., Abb. 30.

328. Vgl. die Mariengeburt von Altdorfer, Abb. 522, der wie

dort auf Wolken vor der Trinität[329]. Zweierlei ist in unserem Zusammenhang an dieser beachtenswerten Zeichnung wichtig. Wolf Huber genügte nicht mehr das Sterbezimmer, sondern er schuf statt dessen einen weiten, hohen Raum für den Heimgang Marias, in den ihre Ankunft im Himmel einbezogen werden konnte. Das geschieht nicht im Sinne einer fortlaufenden Erzählung, wie sie das späte Mittelalter bevorzugte. Das Himmelsbild steht für sich; ob als eine Vision über dem irdischen Sterben oder als Ausdruck künstlerischer Konzeption, die bereits auf das Marienthema der barocken Kuppelmalerei vorausweist, ist nicht eindeutig zu sagen, beides läßt sich auch nicht trennen. Die Himmelfahrt und die Krönung sind in der Renaissance die Hauptthemen, die so gleichwertig sind, daß sie ausgewechselt werden können oder verschmelzen. Beiden Motiven der Verherrlichung können das Grab und Attribute aus der Darstellung des Todes Marias gegenübergestellt werden. So knien auf dem Blatt der Krönung im Marienleben Dürers, *vgl. Abb. 749*, die Apostel um das leere Grab, vor dem die Totenbahre steht. Petrus hat das Aspergill in der Hand, andere Apostel halten das offene Buch. Vgl. auch *Abb. 748 und 750*.

Die Renaissance verdrängt das Bild der toten oder sterbenden Gottesmutter zwar für lange Zeit, aber nicht für immer. Im 17. und 18. Jh. ist es wieder, wenn auch selten, zu finden. Es sei an das Fresko C. D. Asams um 1725 in Kladrau und an F. J. Spieglers Darstellung in St. Fridolin in Säckingen erinnert. Aufs Ganze gesehen erlangt aber das Thema des Marientodes, das in seiner vielschichtigen Aussage vom 10. Jh. an bis zum Ende des Mittelalters neben der Madonna mit dem Kind die wichtigste Mariendarstellung war, in der Kunst der Gegenreformation keine Bedeutung mehr. Die Darstellung der Aufnahme Marias in den Himmel – ihre Himmelfahrt – hat sich von der ihres Sterbens losgelöst.

Maria in der Glorie über dem Grab und ihre Himmelfahrt

In dem Abschnitt zu den zyklischen Darstellungen ist deutlich geworden, daß im Osten vom 13. Jh. an neben der

Dormitio mit der Assumptio animae durch Christus selbst oder durch Engel eine zweite Form der Assumptio in Anlehnung an den Bildtypus des in der Glorie thronend auffahrenden Christus den großen Gesamtkompositionen der serbischen Wandmalerei oder Zyklen eingefügt wurde. Da schon das älteste bekannte Beispiel dieser byzantinischen Bildform, eine Tafel der Susdaler Türen, 1227–1237, *Abb. 706*, die Gürtelspende an Thomas mit der Assumptio verbindet, ist der Gedanke der körperlichen Auffahrt in diese Bildform von Anfang an aufgenommen worden.

Die Erhebung Marias aus dem Grab durch Engel oder Christus, wie sie die französische Portalplastik schon Mitte des 12. Jh. entwickelte und in abgewandelter Form noch nach 1300 bei dem Sienesen Taddeo di Bartolo nachzuweisen ist, bleibt auf diese Werke beschränkt. Anders ist es mit der in der Gloriole stehenden Maria, die von Engeln repräsentiert wird. Sie kommt vereinzelt in der Buchmalerei bei der Assumptio animae schon im 11. Jh. vor, *Abb. 595*, und ist in der 2. Hälfte des 12. Jh. in der französischen Portalplastik im Zusammenhang mit der Erweckung oder Erhebung der Toten aus dem Grab nachzuweisen, *Abb. 625*. Dieser Mandorlatypus wird in der gleichen Zeit in die Glasmalerei aufgenommen. Ist er in den wenigen erhaltenen Beispielen der Portalskulptur im Zusammenhang der Erweckung der Toten vermutlich Ausdruck der Assumptio corporis, so bleibt seine Bedeutung in der französischen Glasmalerei in der Schwebe, es sei denn, daß sich aus der Bildfolge eines Zyklus die Deutung ergibt. In ein Brevier aus Basel ist diese Assumptio-Bildform (stehende Maria mit Palme) im 2. Viertel des 13. Jh. übernommen und durch die Hinzufügung des Ölbergs und der Apostel (Dreiviertelfiguren) als Assumptio corporis ausgewiesen worden, *Abb. 712*. Nördlich der Alpen scheint aus solchen Ansätzen im 13./14. Jh. noch keine Bildtradition, die zur Verbreitung der Himmelfahrt Marias geführt hätte, entstanden zu sein. Vielmehr ist in der Tafelmalerei des späten Mittelalters der Marientod mit der Assumptio animae weiterhin das Hauptthema[330].

In Oberitalien entwickelt sich dagegen vom 13. Jh. an, von unterschiedlichen Ansätzen ausgehend, das Bild der

---

Huber zu den bedeutendsten Meistern der Donauschule gehört. Zu Huber vgl. *Abb. 482*, wo der Passauer Dom als Vorbild für den Innenraum dient.

329. Zu diesem Darstellungstypus der dreiköpfigen Trinität, der am Rand des Blattes skizzenhaft wiederholt ist, s. Bd. 6.

330. Lit.: E. Staedel, 1935; B. Nieto 1950; M. Meiss, Painting

über dem Grab schwebenden Maria, das, »Assunta« genannt, in erweiterten Formen überleitet zu der Darstellung der Himmelfahrt Marias in der Renaissance und mit neuen Akzenten im Barock. Die Gestalt Marias vermittelt auf diesen Darstellungen ihrer Glorifizierung bis zum späten 15. Jh. nicht den Eindruck einer Aufwärtsbewegung, sondern vielmehr eines Verharrens zwischen Himmel und Erde. Obwohl sie, wenn auch in variierender Form (Engel, Wolken, Licht), emporgetragen zu werden scheint, so ist das Tragen doch kaum Aktion, sondern mehr Repräsentation ihrer Erhöhung gleich einer Vision ihrer Verherrlichung. Selbst wenn das Bild berichtende Motive aufnimmt wie das leere Grab, Apostel, die Gürtelspende an Thomas, sind diese Details der verherrlichten Maria des Transitus vom irdischen Leben zur Erhöhung bei Christus untergeordnet.

Die ältesten erhaltenen Darstellungen Italiens stammen aus dem letzten Viertel des 13. Jh. In dieser Zeit war die Auseinandersetzung der Scholastik über das Lebensende Marias abgeklungen, und die leibliche Aufnahme Marias in den Himmel war von so bedeutenden Lehrern wie Albertus Magnus (ca. 1200–1280) und Johannes Bonaventura (1221–1274) anerkannt. Dafür war einerseits die Verehrung Marias als Himmelskönigin bestimmend, wie sie in der Liturgie der Marienfeste zum Ausdruck kommt, andererseits die immer stärker hervortretende Angleichung von Marias Wirken an das des Sohnes, für das Marias Partizipation an seinem Triumph über Sünde und Tod als Voraussetzung gesehen wurde. Eine neue Art der Fragestellung und das Verlangen nach Versinnlichung und Begreifbarkeit übersinnlicher Vorgänge war charakteristisch für diese Zeit, in der Italien die geistige Führung übernahm. Sie bedeuten für unser spezielles Thema die

Konkretisierung der Todesüberwindung und leiblichen Auffahrt Marias zu Christus, die im Zusammenhang der gesamten marianischen Frömmigkeit der Zeit und insbesondere Italiens gesehen werden muß. Einen bedeutenden künstlerischen Ausdruck findet diese Marienverehrung auch in Dantes Göttlicher Komödie. Der Florentiner (Zeitgenosse Giottos) hat in der visionären Schau dieser Dichtung ein Bild von Maria im Paradies als Sponsa-Regina im Chor der Verklärten entworfen, das auf die bildende Kunst zurückstrahlte (Parad. 32,4–6 und 121 bis 124).

Ein Retabel, das zwischen 1270 und 1280 von Simeon und Machilos aus Spoleto gemalt wurde und sich heute im Museum von Antwerpen befindet, zeigt als Hauptbild die thronende Gottesmutter und auf den beiden Seitentafeln auf vier Feldern die Geburt Marias und ihre Erhöhung (oben), die Verkündigung an Maria und die Geburt Jesu (unten)[331]. Das Himmelfahrtsbild, *Abb. 710*, das das Ende ihres irdischen Lebens dem Anfang gegenüberstellt, zeigt Maria in Oranshaltung zwischen zwei sie verehrenden Engeln über ihrem Grab schwebend. Elf Apostel stehen in zwei dicht gefügten Gruppen zu beiden Seiten des Grabes. Der nach rechts gewandte Blick Marias geht über die Apostel hinweg zu dem Sohn. Zu dieser Gruppe der auferstandenen Maria gehört ein weiteres Retabel der umbrischen Schule, das Margaritone von Arezzo zwischen 1280 und 1290 restauriert (?) haben soll, *Abb. 711*. Es wird im Santuario S. Maria delle Vertighe bei Monte San Savino verwahrt. Der thronenden Gottesmutter in der Mitte sind hier zugeordnet: Verkündigung an Maria und ihre Erhöhung (oben), Geburt Jesu und Anbetung der Könige (unten)[332]. Die Maria Orans steht hier im Grab; zwei herabfliegende Engel ergreifen die Mandorla, deren obere Spitze

in Florence and Siena after the Black Death, Princeton 1951; H. Feldbusch, 1951; H. Schnell, Die Darstellung von Mariä Himmelfahrt im süddeutschen Barock (Ihre Entwicklung aus Spätgotik und Renaissance), in: Das Münster 4, 1951, S. 19–44; K. Oettinger, Zur Assunta-Phase in Deutschland, in: Festschrift für Peter Metz, Berlin 1965, S. 282–294; H. W. van Os, Marias Demut und Verherrlichung in der sienesischen Malerei 1300–1450, Den Haag 1969; LCI, II. Sp. 276–282 (J. Fournée).

331. Abbildung des ganzen Retabels siehe Katalog des Museums, Nr. 2. Zu den Inschriften S. 139. Weitere Literatur zu dieser Tafel: M. Meiss, A Dugento Altarpiece at Antwerpen, in: BurlMag II. 1937. S. 14–25; E. B. Garrison jr., Simeone and Ma-

chilone Spoletenses, in: GBA 1949, S. 53–58; E. B. Garrison, Italian Romanesque Panel Painting. An Illustr. Index, Florence 1949, 30, 141 (Nr. 360); van Os, 1969, S. 154. Unserer Abbildung liegt eine Aufnahme der Tafel nach der Restauration 1975 zugrunde, die das Museum freundlicherweise zur Verfügung stellte.

332. Abbildung des gesamten Flügelretabels siehe H. Hager, Die Anfänge des italienischen Altarbildes, München 1962, Abb. 147. Die Datierung des Retabels in das frühe Ducento S. 103 erscheint mir von der italienischen Ikonographie der Himmelfahrt Marias ausgehend zu früh. Siehe auch M. Meiss, BurlMag 1937 und van Os 1969.

in den Rahmen der Tafel stößt und das herabsinkende Himmelssegment berührt.

In SS. Giovanni e Paolo zu Spoleto nahe bei Assisi befindet sich das Fragment eines Wandbildes vom Ende des 13. Jh., das als älteste italienische Darstellung der Gürtelspende gilt, *Abb. 708*. Maria steht auf dem Gipfel eines kleinen Berges, der als Ölberg zu verstehen ist, sich also auf die Stätte der Himmelfahrt Christi und zugleich auf das am Ölberg gelegene Tal Josaphat bezieht, in dem nach alter Tradition das Grab Marias war. Sie ist durch ihre frontale Haltung und die sie umgebende Mandorla aus der irdischen Wirklichkeit herausgenommen und nur noch durch den Gürtel, den sie Thomas reicht, um ihn zum Glauben zu führen, mit ihr verbunden. Von den vier Engeln, die die Mandorla tragen, sind zwei zerstört, ebenso fehlt das zweite Seitenfeld mit einer Heiligenfigur, die das Pendant zu Franziskus bildete. Einer der Engel wendet sich unmittelbar Thomas zu, als wolle er den Gnadenerweis, den Maria dem Apostel gewährt, erläutern. Die Thomasgestalt ist in Haltung, Gestik, Blick insgesamt Ausdruck des Verlangens, im Schauen zum Glauben zu finden (siehe zum Verständnis der Thomasgestalt in dieser Zeit Bd. 3, S. 108 ff., bes. S. 112 f.). Auch Franziskus blickt auf Maria in der Glorie, die ihr die Kunst nur dann verleiht, wenn sie als Königin des Himmels verstanden wird. Die dunklen Punkte auf den Händen des Franziskus sind vermutlich die Zeichen seiner Stigmatisation: Ausdruck der von Franziskus ersehnten Conformitas mit dem Leiden Christi. Die Gürtelspende zeigt auch eine Miniatur der sienesischen Schule in einem Graduale, 3. Viertel 13. Jh., das sich im Museo d'Arte Sacra in Asciano bei Siena befindet, *Abb. 709*. Maria erhebt sich aus der Mitte der sie dicht umstehenden Apostel und wendet sich herabblickend Thomas zu, der von ihr den Gürtel empfängt. Die Miniatur schmückt die Initiale zum Introitus des Offiziums zum Fest der Aussumptio Mariae: Gaudeamus omnes in domino diem festum celebrantes sub honore Mariae virginis, de cuius assumptione gaudent angeli det collaudant filium dei[333]. Schließlich ist aus diesen letzten Jahrzehnten des 13. Jh. noch ein Hauptwerk der sienesi-

schen Kunst zu nennen, das Domfenster von Duccio in Siena, 1287–1288, *Abb. 713*. Es zeigt im unteren Feld Christus am Grab Marias ohne die Seelenübernahme – sofern der heutige Zustand des Fensters nicht täuscht ist es die Auferweckung –, im oberen die Krönung. In der Mitte wird Maria Orans in der Mandorla auf dem Bogenthron sitzend von vier Engeln getragen[334].

Bei diesen frühesten Darstellungen sind Gestalt- und Symbolformen aus verschiedenen Darstellungstypen verbunden worden. Bei der Himmelfahrt Christi ist die von der Mandorla und Engeln umgebene, in frontaler Ansicht dem Betrachter zugewandte, stehende und thronende Christusgestalt, die sich aus der Mitte der Apostel erhoben hat, bis zum 14. Jh. häufig, vgl. Bd. 3. Selbst die Wolke, die die Gestalt des Auffahrenden den Blicken der Apostel entzieht, kommt im entsprechenden Marienbild vor: Chorbuch in S. Maria dei Servi, Siena, fol. 29 r. Andererseits steht bei dem östlichen Bildtypus der Himmelfahrt unterhalb des in der Glorie thronenden oder stehenden Christus Maria als Orans (Hände ausgebreitet oder mit den Innenflächen nach außen gewandt vor die Brust gehalten). Für Italien sind insbesondere die in franziskanischen Kreisen vom späten 12. bis frühen 14. Jh. beliebten Tafelkreuze mit einer Darstellung dieser Himmelfahrt Christi auf der Cimasa über dem Kreuz als mögliche Anregung für die Maria Orans der neuen Bildform zu beachten. Der Kruzifixus wird durch den Hinweis auf die Himmelfahrt als Sieger über den Tod gekennzeichnet, vgl. Bd. 2. Auf einem Kreuz des Coppo di Marcovaldo in S. Gimignano, um 1260, *Abb. 707*, ist die Himmelfahrt abgewandelt zu einem Bild des erhöhten Christus – Halbfigur im Clipeus. Maria steht höher als die zur Seite gedrängten Apostel und bildet mit den beiden Engeln eine gesonderte Gruppe. Durch die Öffnung des Tafelrahmens oben ist sie auch in eine unmittelbare Beziehung zu Christus gesetzt und partizipiert an seinem Sieg über den Tod und an der Herrlichkeit des Erhöhten. Auf anderen Cimasatafeln ist der obere Teil der Himmelfahrt des öfteren weggelassen, so daß der Akzent allein auf Maria zwischen den Engeln liegt, *vgl. Bd. 2, Abb. 499 und 501*[335]. Diese verschiedenen Darstel-

---

333. Kat. »Mostra delle Miniatura«, Rom 1953, Nr. 235. Van Os, S. 155.

334. E. Carli, Vetrata Duccesca, Florenz–Mailand 1946. Auf das Fresko von Cimabue im Chor der Oberkirche in Assisi ist

oben in anderem Zusammenhang schon hingewiesen worden.

335. Weitere Beispiele bei Sandberg-Vavalà, La Croce dipinta italiana, Abb. 143, 147, 149.

lungen der Himmelfahrt Christi mögen neben Einflüssen von Frankreich durch die Bereitstellung von Formtypen und den damit verbundenen Inhalten bei der italienischen Formulierung der Himmelfahrt Marias Pate gestanden haben. Die Initiative und künstlerische Leistung, neben der Inthronisation und Krönung Marias, die von Frankreich ausging, ein zweites Bild der Verherrlichung Marias im Zusammenhang der Assumptio corporis zu schaffen und damit den Weg zur Himmelfahrtsdarstellung zu öffnen, ist die Leistung der oberitalienischen Kunst. Im 14. und 15. Jh. vollzieht sich vor allem in Siena und Florenz die Entfaltung der in das 13. Jh. zurückreichenden Bildformulierungen, die von der einfachen Form der noch mit dem Grab verbundenen Mariengestalt des Retabels von Antwerpen bis zu ihrer zeitlosen Verherrlichung des sienesischen Fensters reichen und auch Darstellungen aufweisen, die das mit der Legende verbundene Motiv der Gürtelspende an Thomas aufnehmen.

Siena war in dieser Zeit ein Zentrum der Marienverehrung. Davon zeugt heute noch eine große Anzahl von Marienbildern der besten sienesischen Meister. Nicht nur die ganze Stadt war Maria geweiht, in ihren Mauern wurde damals auch eine der bedeutendsten Frauen des geistlichen Lebens geboren, Katharina von Siena (1347–1380). Ihre große Liebe zu Maria und ihr Wissen um die marianischen Geheimnisse führten bei den Zeitgenossen dazu, ihr Leben in Parallele zu der Christusnachfolge des Franz von Assisi als Nachfolge Marias zu sehen. Einen großen Einfluß auf die Marienfrömmigkeit hatte auch der in den ersten Jahrzehnten des 15. Jh. in Siena wirkende Franziskaner Bernhardin (1380–1444), ein hervorragender Prediger und Lehrer. Er entfachte durch seine Marienpredigten in bilderreicher Sprache im ganzen Volk eine hingebungsvolle Marienverehrung[336].

Für die Darstellung der Assunta überwiegt das Bild der zwischen Erde und Himmel Thronenden, wie sie in Padua die Giottoschüler Anfang des 14. Jh. in den Zyklus aufnahmen, *Abb. 671*, und wie sie in Siena ihre Ausprägung fand. In der florentinischen Darstellung blieb Thomas, seitlich von der Thronenden kniend, ein wichtiger Bestandteil, vgl. Orcagna und Benozzo Gozzoli *Abb. 672*

und 674. Oft wurde die Gürtelspende durch die Hinwendung Marias zu Thomas hervorgehoben: die Erhöhte ist zugleich die Barmherzige. Doch gibt es in der florentinischen Malerei im 14. Jh. auch die isolierte, im Lichtglanz thronende Maria, die betend ihre Hände vor die Brust hält, nur von vier Engeln umgeben, z.B. Meister der Fogg-Pietà, Florenz, S. Croce, Cap. Tosinghi.

Die sienesische Malerei legt den Akzent auf die Entrückung und Verherrlichung Marias, weniger auf ihr Wirken. Wahrscheinlich hat Simone Martini als erster die aufschwebende Maria als Königin der Engel aufgefaßt, ihr einen Cherubimthron und einen Kreis von musizierenden Engeln beigegeben. Die Darstellung ist nicht erhalten, doch kam ein kleines Bild dieses Typus von einem seiner Schüler auf uns: Lippo Memmi (?), 2. Viertel 14. Jh., München, Alte Pinakothek. Auf Thomas und das Grab mit den Aposteln ist verzichtet; erst um 1400 nahmen die sienesischen Maler diese Motive auf. Christus erscheint bereits bei dieser frühen Formulierung des Bildtypus über dem Goldgrund im Blau des Himmels mit weit geöffneten Armen, um zusammen mit einigen Gestalten des Alten Testamentes (vgl. Bd. 3 die beim Abstieg Christi in das Totenreich Erretteten) die Königin des Himmels zu empfangen. Von den Himmelsbewohnern (vgl. die Schilderung in der gegen 1300 bekanntgewordenen Legenda aurea) sind David mit der Harfe und Johannes d. T. mit Kreuzstab und einem Schriftband zu identifizieren. Ganz oben ist auf dem Münchener Bild in kleinem Format die Krönung Marias dargestellt. Im letzten Viertel des 14. Jh. übernimmt Gualtieri di Giovanni die Bildform, doch ohne Krönung, Berlin-Dahlem, *Abb. 714*. Eine Wolke trägt Maria empor. Allerdings ist die Aufwärtsbewegung kaum wahrzunehmen, so sehr ist die Gestalt im Licht unverrückbare Mitte, umtönt von den Klängen der Engelmusik, demutsvoll in das Gebet versunken. Noch Matteo di Giovanni knüpft mit seiner Darstellung von 1474 auf der Mitteltafel eines Altartriptychons aus S. Agostino zu Asciano, London, Nat. Gal., *Abb. 716*, an die alte sienesische Bildkomposition an, bezieht aber Thomas zum leeren Grab inmitten einer Landschaft eilend, mit ein. Durch seine Isolierung erhalten seine Bewegungen und sein Aufblik-

---

336. T. Burckhardt, Siena. Stadt der Jungfrau. Olten-Lausanne 1958. H. W. van Os 1969 gibt Auszüge aus Marien-Predigten Bernhardins und setzt sie zu einigen Bildern sienesischer

Maler in Beziehung. Diese Predigten sind nicht frei von theologischen Übertreibungen.

ken große Intensität. Der Gürtel, genau in der Achse des Bildes, gleitet zu ihm herab – nicht gereicht oder zugeworfen. Die Thronende ist durch eine Inschrift in ihrem Nimbus als Himmelskönigin bezeichnet: »Regina Celi Letare«. Christus, durch die Wundmale als der Auferstandene gekennzeichnet, kommt ihr mit den Heiligen des Himmels entgegen und öffnet seine segnenden Hände über der Betenden. Unten hebt Thomas seine Hände bittend zu ihr empor.

Mehrfach ist Thomas als Rückenfigur wiedergegeben, entweder allein am Grab, wie auf einem Tafelbild des Meisters von S. Pietro Ovile, oder hinter den am Grab disputierenden Aposteln etwas erhöht stehend, wie auf dem Mittelteil eines großen Triptychons von 1401 in Montepulciano von Taddeo di Bartolo[337]. Thomas beugt sich weit zurück, um Maria zu schauen, und zieht in dieser Haltung den Blick des Betrachters mit nach oben. Für diesen hält er – Zeuge der Erhöhung der Gottesmutter – den erhaltenen Gürtel als Zeichen hoch. Ebenso ist seine Haltung auf einem Epitaphbild des Andrea di Bartolo dat. 1401, Richmond (Virginia), *Abb. 715*. Hier gilt sein Zeugnis den beiden Männern, die am leeren Grab stehen. Die Bitte des Stifters Ser Palmides von Urbino um einen guten Tod für sich und seinen Sohn ist auf dem Sarkophag zu lesen. Wie die Darstellung des Marientodes, so ist auch manchmal die der Assunta in die Sepulchralkunst aufgenommen worden.

Mehr als bei den Darstellungen, die Thomas in unmittelbare Nähe zu Maria setzen, kommt in einem Bild des Pietro di Giovanni d'Ambrogio, Museum in Esztergom, die Assumptio als eine von Thomas geschaute Vision im jenseitigen Bereich zum Ausdruck, da das Tal Josaphat mit dem Grab scharf von der himmlischen Sphäre abgegrenzt ist. Thomas steht allein in der Landschaft neben dem leeren Grab und blickt still nach oben. Da der direkte Kontakt zu Maria fehlt, streckt er sich ihr nicht entgegen. Wäre er nicht bereit, mit einem Tuch, das über seinen nach vorn gehaltenen Armen liegt, den Gürtel, den ihm ein Engel zuwirft, aufzufangen, könnte man annehmen, es würde ihm träumend eine innere Schau zuteil. Thomas rückt hier in die Nähe des Sehers Johannes, der am Him-

mel die mit der Sonne bekleidete und mit dem Diadem der zwölf Sterne geschmückte Frau, der der Drachen (Tod) nichts anhaben kann, schaut, Apk 12. Diese Vision ist im späten Mittelalter mariologisch gedeutet und auch mit der Aufnahme Marias in den Himmel in Verbindung gebracht worden, so daß um Marias Haupt manchmal die zwölf Sterne zu sehen sind und die von ihr ausgehenden Strahlen sich auf das Sonnenkleid dieses Visionsbildes beziehen können, siehe dazu unten das Bild der Immaculata, das im 15. Jh. in Parallele zur Assunta gesehen werden kann[338].

Äußerst selten ist die Assumptio zusammen mit anderen Szenen dargestellt, wie auf einer Seite eines Antiphonars um 1340, Impruneta, Collegiata di S. Maria. Auf dem Bild einer Initiale, *Abb. 717*, wird unterhalb der Assunta mit der Gürtelspende das Grab inmitten der Apostel und Engel in einer Felsenlandschaft mit Ölbäumen gezeigt. Die hinten stehenden Gestalten, die nur durch Nimben angedeutet sind, gehören zum himmlischen Hofstaat Christi. Die Komposition ist typisch für die Vermischung der Ikonographie verschiedener Bildthemen. Aus der Darstellung des Marientodes ist übernommen: der Apostel mit dem Palmzweig; derjenige, der sich abschiednehmend über die Tote beugt, Petrus mit Stola, das offene Buch in Händen. Die Kerze hält ein Engel. Der Sarkophag in der Landschaft deutet auf die Grablegung, aber es sind zwei Engel und nicht Apostel, die das Grabestuch ergriffen haben, und sie halten die Tote über dem geschlossenen Grab, so daß es keine Grablegung sein kann, sondern die Erhebung des Leibes gemeint sein wird. Die Christusgestalt ist zwar typisch für den Marientod, aber sie kann auch für die Darstellung der Erscheinung am Grab mit der Seele Marias verwendet werden. So ist hier wahrscheinlich diese Legendenversion der Vereinigung der Seele mit dem Leib drei Tage nach dem Tod der Assunta im oberen Bildteil gegenübergestellt. Bestätigt wird diese Deutung durch die auf der Buchseite unten in ganzer Breite gleich einer feierlichen Prozession dargestellten Grabtragung ohne Frevlermotiv (nicht mit abgebildet), die in der gleichen Legende erzählt wird[339].

Wir fügen hier zwei französische Miniaturen von Jean Fouquet der Bildfolge im Stundenbuch des Etienne Che-

---

337. Einer der Apostel des Triptychons, der sich dem Betrachter zuwendet, soll nach S. Symeonides, Taddeo di Bartolo, Siena 1965, S. 88 ff., ein Selbstportrait des Malers sein, Abbildung Tf. XX.

338. Weitere Beispiele zu der italienischen Assuntadarstellung des 14. und 15. Jh. siehe in der angegebenen Literatur.

339. Gesamtabbildung siehe R. Offner, Corpus, III, VII, Pl. XVI.

valier, 1452–1460, ein, *Abb. 718 und 719*, die die Aufnahme der Seele und die des Leibes Marias einander gegenüberstellen oder zuordnen. Die beiden Bilder mit getrennten Zonen sind gleich komponiert und zeigen vermutlich unter italienischem Einfluß sowohl beim Marientod zu seiten der Christusgestalt mit der Seelenfigur als auch bei der Himmelfahrt zu seiten der Assunta in der himmlischen Zone einige alttestamentliche Gestalten. Bei der Assumptio animae sind noch die Engelscharen hinzugefügt. Im unteren Bildteil sind auf der ersten Miniatur alle Apostel um das Sterbelager, auf der zweiten um den leeren Sarkophag versammelt. Die Gegenwart aller Apostel, die der schon in himmlische Gefilde aufgenommenen Gottesmutter nachblicken, ist Bestandteil der sich im 15. Jh. durchsetzenden Darstellung der Himmelfahrt Marias. Diese hat mehr Realitätsgehalt als die italienische Assunta und kann nun als Pendant zu dem biblisch-historischen Bild der Himmelfahrt Christi auftreten[340].

Nördlich der Alpen beginnt in der Tafelmalerei die Darstellung der Himmelfahrt Marias später als die ihres Todes und ihrer Krönung; sie ist in Entsprechung zur Himmelfahrt Christi in der Regel im Zusammenhang mit allen Aposteln dargestellt. Die Gürtelspende in Verbindung mit der Himmelfahrt kommt kaum vor, doch hält Thomas öfters den Gürtel in der Hand. Zu der gesonderten Darstellung des Lübecker Altars, *Abb. 681*, siehe oben.

Eine der ältesten Darstellungen der Himmelfahrt Marias in der deutschen Altarmalerei befindet sich auf einem Flügel des fränkischen Tucher-Altars, 1440–1450, Nürnberg, Frauenkirche, *Abb. 720*. Von der Tragbahre aus erhebt sich Maria in frontaler Ansicht stehend aus der Mitte der Apostel. Die Christusfigur im Himmel mit der Krone und dem Spruchband – »veni electa« – entspricht älteren Marientod-Darstellungen der Buchmalerei. Der Apostel, der in Rückenansicht wiedergegeben ist und sein Haupt in den Nacken legt, um alles zu erschauen, ist Thomas. Unauffällig hält er in der rechten Hand den Gürtel. – Zwei Flügel eines Altars der »Sieben Freuden Marias« des Meisters der Heiligen Sippe, 1495, Nürnberg, *Abb. 721*, stellen in einer sich entsprechenden Kompositionsform die Himmelfahrt Christi und die der Maria dar. Inmitten der

dem aufgefahrenen Christus nachblickenden Aposteln stehen Maria und Johannes; der Apostel legt seinen Arm um die ihm von Christus am Kreuz Anvertraute. Beide blicken zu Maria empor, die auf der anderen Tafel im Himmel von Christus empfangen wird. Auf dieser Darstellung kniet Johannes vor dem leeren Sarg der Gottesmutter und hält ihr schleierartiges Sudarium andächtig in Händen (vgl. das Motiv in der Darstellung Petrus und Johannes am leeren Grab Christi Bd. 3, *Abb. 58 und 59*). Drei Apostel diskutieren über das leere Grab, andere blicken empor. Thomas hält den Gürtel in der erhobenen Hand. Die Gestalten, die bei der ersten Tafel Christus umgeben, bedeuten, wie schon auf italienischen Darstellungen, die von Christus aus dem Totenreich Befreiten des Alten Bundes, vgl. *Bd. 3*, die Himmelfahrt Christi von Giotto, *Abb. 513*. Zu identifizieren sind links Adam und Eva, David, Mose, Abraham (?); rechts Noah (?). Auf der Marientafel kommt ein Zug von vorwiegend weiblichen Gestalten, offenbar aus den unermeßlichen Weiten des Himmels, um Maria zu empfangen; zu identifizieren ist niemand. Der Widerspruch, der bei allen diesen Darstellungen zwischen dem Gnadenprivileg Marias und den sie im Himmel empfangenden Erlösten entsteht, ist nur aufzuheben, wenn die Figuren – zum größten Teil unbekleidet – als der Vollendung im Paradies harrende Seelen zu verstehen sind und Maria in vollkommener Leiblichkeit als Königin der Engel und Heiligen aufgenommen ist. – Die Ankunft Marias bei Christus zeigt ganz ähnlich die Tafel des Kölner Meisters des Marienlebens, München, um 1465, *Abb. 725*, hier über dem geschlossenen Sarkophag, vgl. dieses Motiv, das das Wunder der Auferstehung betont, *Bd. 3* bei Auferstehung Christi, *Abb. 209, 217, 224, 225, 226*.

Riemenschneider erhebt beim Creglinger Altar, um 1505–1508, die Himmelfahrt Marias zum Hauptthema des Mittelschreins, *Abb. 722*. Ausgeprägter noch als bei diesem Schnitzwerk sind die Engel, die Maria geleiten, auf der Tafel des Meisters von St. Severin, um 1500, Staatsgalerie Bamberg, Ausdruck der Freude und Schmuck der sich von der Erde Erhebenden. Sie haben nicht mehr die Funktion des Tragens, *Abb. 724*. Bei dem Bild von 1490 des Rueland Frueauf, Wien, *Abb. 726*, gewinnt man den Eindruck, daß Maria, versunken ins Gebet, dicht über dem Grab schwebt und sich aus der sie bedrängenden Enge frei und einsam – nur wenige Apostel erblicken sie – erheben

---

340. Farbige Abbildungen siehe C. Sterling und C. Schaefer, Jean Fouquet, Les heures d'Etienne Chevalier, Paris 1971.

wird. Diese sich stehend aus dem Irdischen erhebende Figur, wie sie nördlich der Alpen üblich ist, steht im Gegensatz zu der aus der Verehrung der Himmelskönigin entwickelten in der Glorie zwischen Erde und Himmel thronenden Figur in Italien.

Die Aussagegehalte Himmelfahrt und Krönung Marias decken sich im 15. Jh., auch wenn sich die Vorgänge, als Tatsachen verstanden, in unterschiedlichen Sphären abspielen. Durch die Übereinstimmung beider kann auch, wie schon gesagt, die Krönung mit dem leeren Grab verbunden werden. Andererseits kommt es vor, daß die Darstellung der Himmelfahrt aus dem Krönungsbild die Darstellung der Trinität übernimmt. Von daher ist ein Bild von Albert Bouts, Anfang 16. Jh., Brüssel, zu verstehen, *Abb. 723*, das Maria über der Todeswelt (Begräbniszug, Grab) schwebend zeigt, von Christus und dem Heiligen Geist (in menschlicher Gestalt) zum Himmel geleitet. Oben erwartet sie Gott-Vater.

Die beiden Orgelflügel von Jörg Breu, 1518–1520, in der ehemaligen Grabkapelle der Familie Fugger in der St. Annakirche in Augsburg, stellen die Himmelfahrt Christi und die der Maria dar. Der thematische Bezug der Bilder zur Grabstätte ist unverkennbar, auch wenn es sich nicht um Epitaphien handelt. Bei der Himmelfahrt Marias, *Abb. 727*, sind manche Übernahmen aus der italienischen Malerei nachzuweisen[341]. Die Form des Orgelflügels zwingt zur Verschiebung der Marienfigur von der Mitte zu der höheren Seite der Tafel, dadurch wird der Eindruck der Aufwärtsbewegung gesteigert. Wie auf einem Fresko des Filippino Lippi in der Carafa-Kapelle von S. Maria sopra Minerva, Rom, 1488–1493, an das sich Breu anlehnt, steht Maria von Engeln umjubelt im himmlischen Licht auf einer Wolkenbank und neigt nur wenig ihr Haupt. Die Attribute der Engel – Kränze, Musikinstrumente, Fackeln, Füllhörner – drücken das freudige Fest

eines Sieges aus. Auch die Figurengruppe um das Grab auf Erden ist gegenüber anderen Darstellungen in Bewegung geraten und erweitert (in Italien schon Anfang des 15. Jh.) durch Porträtdarstellungen des Stifters, des Malers und diskutierender Zeitgenossen. Unter den Aposteln fällt Thomas mit dem Gürtel in der nach oben weisenden Hand und im Vordergrund eine Rückenfigur auf: Dieser Apostel will einen skeptisch blickenden Mann von dem Wunder überzeugen und reißt mit seinem emporgereckten Arm den Blick des Betrachters nach oben. Nur wenige Apostel können sich nicht vom Grab abwenden, über dem das von Maria zurückgelassene Tuch liegt und über das Blumen gestreut sind.

Jörg Breu knüpft genau in den Jahren an ein italienisches Vorbild vom späten 15. Jh. an, als mit Tizians »Assunta«, die 1518 in der Kirche S. Maria dei Frari aufgestellt wurde, die neue dynamische Bildform der Hochrenaissance ihren Höhepunkt erreichte, *Abb. 728*. Es muß von diesem Bild eine große Faszination ausgegangen sein; nach zeitgenössischen Berichten feierte das Volk mit Jubel dieses Ereignis. Offenbar entsprach das in diesem Bild zum Ausdruck gebrachte Pathos und der Drang, sich vom Irdischen zu lösen, dem Empfinden und religiösen Erfahrungen der Menschen dieser Zeitspanne[342].

Charakteristisch für Tizians Assunta ist die horizontale Dreischichtigkeit, die vorher auf keinem Bild klar und zwingend auftrat: Erdenzone mit Aposteln, Schwebezone der emporfahrenden Maria, Himmelszone Gottes. Vorausgehende Darstellungen sind zweizonig oer verzichten auf größere Zwischenräume. Auf Albert Bouts Gemälde, *Abb. 723*, sind die zweite und dritte Zone durch die Engel und durch die Farbigkeit zusammengefaßt. Die untere Zone zieht sich weit hinauf, über ihr liegt eine sehr schmale helle Freizone, die nicht die Wirkung einer eigenen Raumzone hat. Beim Krakauer und Creglinger Altar

---

341. F. Antal, Breu und Filippino, in: ZBK. N. F. 62, 1928/29, S. 29–37ff.

342. Karl Oettinger grenzt in einem Beitrag in der Festschrift für Peter Metz, Berlin 1965, »Zur Assunta-Phase in Deutschland« diese ekstatische Stilwelle in Deutschland auf die Zeit zwischen 1510 bis 1518 ein und nennt sie nach Tizians berühmtem Werk Assunta-Phase. Er sieht bei denselben Meistern anschließend an diese Stilphase eine plötzliche Wende, die zur Beruhigung und monumentalen Standfestigkeit der Einzelgestalt führt. Diese ist

geeignet, das Bekennerhafte, das die Kunst der Reformationszeit kennzeichnet, zum Ausdruck zu bringen. Aus unserem Themenkreis nennt Oettinger für diese kurze deutsche Assunta-Phase den einstigen Hochaltar von Stift Zwettl, beg. 1517 (Vereinigung von Assunta und Krönung Marias mit der Stiftungslegende); Schnitzaltar von Mauer bei Melk, 1510–1517, (untere Zone Allerheiligen, obere: schwebende Gottesmutter mit Kind wird von Engeln gekrönt, ihr Sohn ist die zweite Person der Trinität); Niederrotweiler Altar des Meisters HL, gegen 1530, Krönung Marias.

ist die Trennung der Zonen von der Architektur des Schreines überlagert. Bei Tizian erhält die Gestalt Marias durch die eigene Zone und die machtvolle Bewegung, die sich dem ganzen Körper mitteilt, einen Eigenwert, der ihre Auffahrt als Ereignis überzeugend macht. Die Wolke trägt sie nicht empor, sie ist nur Standfläche. Noch weniger wird sie von den spielenden Putten getragen. Die Aufwärtsbewegung wird in dem in Rückenansicht gegebenen Apostel vorbereitet, und durch seinen erhobenen Arm, der in der Mitte die Wolke zu berühren scheint, weitergeleitet. Die Kreisbewegung des Manteltuchs der Auffahrenden hemmt die steigende Bewegung nicht, sondern betont sie durch den Schwung. Dann öffnet sich die Gestalt ganz nach oben, und der letzte Abstand zu der horizontal gelagerten Gestalt Gott-Vaters ist durch die intensive Blickbezogenheit zwischen ihm und Maria schon überwunden.

Die Mariengestalt mit den ausgebreiteten Armen und dem Aufblick ist in den nächsten Jahrzehnten mehrfach wiederholt worden, da aber die Dreizonigkeit aufgegeben wurde und die Inbrunst einer echten Ekstase oft fehlt, realisieren manche Werke nicht in dem Maße das Ereignis der Auffahrt, wie die Assunta von Tizian. Tintoretto dagegen hat die verschiedenen überlieferten Kompositionsformen (mit und ohne Apostel) durch die seinem Stil eigene gesteigerte Bewegung dramatisiert. Für das Gemälde von etwa 1550 in Bamberg fand er eine neue Formulierung der sich von oben und von unten aufeinander zu bewegenden Gestalten und bewirkte außerdem durch das Licht eine dem Glaubensgehalt adäquate Atmosphäre des Visionären und Überwirklichen.

Zwischen 1616 und 1635 hat Rubens dieses Marienthema mehrmals gemalt und es durch die Dynamisierung und den Ausdruck festlichen Triumphes zu einem Höhepunkt geführt. Die Gruppe der Apostel, die immer durch drei prächtig gekleidete Frauen erweitert ist, aktiviert Rubens. Sie sind dem Sarkophag oder der Entschwebenden zugewandt. Jeder erlebt individuell in großer Erregung das Wunder. Auf einigen Gemälden bildet die Grabeshöhle einen dunklen Kontrast zu dem lichten Grabestuch, das, mit Blumen bestreut, die Frauen ausgebreitet halten. Den Empfang im Himmel bezieht Rubens nicht ein. Engel sind in unterschiedlicher Anzahl dargestellt, doch fallen sie neben der beherrschenden Gestalt Marias nicht auf. Auf dem Münchner Gemälde, um 1630, *Abb. 729*, strömt

das Licht des Himmels in die irdische Welt ein. Maria schwebt in diagonaler Bewegungsrichtung aus der Mitte derer, die ihr sehnsüchtig nachblicken, empor, getragen vom Licht, hingegeben an das Ziel[343]. Im 17. und 18. Jh. verschmelzen in dem sieghaften Auffahren Marias von der Erde zum Himmel die künstlerischen Absichten dieser Stilepoche und das religiöse Pathos des Katholizismus der nachtridentinischen Zeit zur Einheit, *vgl. Abb. 788*. Die Himmelfahrt Marias ist das Hauptthema der Marien-Ikonographie in der Gegenreformation. Es weitet sich in den aufeinander bezogenen Darstellungen des Altarblatts und der Altarbekrönung oder in der Deckenmalerei darüber oft zu dem Empfang Marias durch die Trinität im Himmel aus, *Abb. 789, 790*. Diese barocke Konzeption nimmt schon Correggio, ein Hauptmeister des Manierismus, in der Kuppelausmalung von S. Maria Assunta in Parma voraus, die nach seinem Tod 1534 von anderen Malern ergänzt wurde. Ist es bei diesem Empfang im Himmel das Allerheiligenthema, das sich mit Marias Himmelfahrt verbindet, so kommen in der Barockmalerei in der Gestalt Marias ihre verschiedenen Interpretationen zum Ausdruck, die sich im 18. Jh. im Bild der Verherrlichung Marias überlagern und verbinden, siehe dazu unten. Doch auch der ältere Darstellungstypus der über dem Grab auf Wolken emporschwebenden Maria in frontaler Ansicht ist im späten 18. Jh. noch gebräuchlich, ein Beispiel dafür ist das Alabasterrelief von Johann Georg Dirr, um 1780, Salem, Münster, Hochaltar.

Die Krönung Marias im späten Mittelalter und in der Renaissance

Wie oben im Kapitel zur Monumentaldarstellung schon ausgeführt wurde, ist die Krönung Marias im 13. Jh. von der älteren Darstellung der Inthronisation (Synthronoi) der Braut Christi abgeleitet worden. Beide Varianten kommen in der gotischen Portalplastik am Tympanon als Hauptdarstellung der Marienportale vor, die in der Regel im Türsturz Tod (Grablegung) und Auferweckung Marias zeigen. Es sind oben auch schon italienische Beispiele der Krönung gegen 1300 genannt worden: Mosaik S. Maria

343. Wir kommen im nächsten Kapitel noch einmal auf Rubens zurück.

Maggiore, Rom, dem ein Mosaik der neben Christus thronenden Braut von S. Maria in Trastevere vorausgeht, und die älteste italienische Darstellung der Tafelmalerei auf einem Retabelfragment, um 1280, in London. Gerade diese Beispiele machen durch die gleichbleibenden Inschriften, die der Brautsymbolik entstammen, deutlich, daß die Brautvorstellung der auslösende Gedanke für die Triumphdarstellung der Krönung Marias war, vgl. S. 103 ff. Worte wie Ps 45 (44), 10 und HL 4,8, die in die Festliturgie eingegangen sind, tragen mit zur Bildformulierung einer Krönung Marias durch Christus im Himmel bei.

Die Feierlichkeit dieses Krönungsaktes wird oft durch die Hinzufügung einer Schar Engel und Heiliger gesteigert. Vorläufer dieser Chori beatorum in der Darstellung des 14. und 15. Jh. sind alttestamentliche Gestalten in den Archivolten der französischen Kathedralplastik, die wahrscheinlich außer ihrer Bedeutung als Vorfahren Christi auch die der Zeugen der Erhebung der Braut auf den Thron haben. In der Literatur werden sie von Honorius von Autun (ca. 1080–ca. 1165) und von Vinzenz von Beauvais (ca. 1190–ca. 1264) bei der Vereinigung Christi mit der Ecclesia-Sponsa geschildert, Philipp der Kartäuser, 13. Jh., nimmt das höfische Krönungszeremoniell als Vorbild für die himmlische Krönung; und Bernhardin von Siena beschreibt im 14. Jh. den jubelnden Empfang Marias durch die Seligen im Himmel.

In der italienischen Malerei sind die Chöre der Communio sanctorum des neuen Paradieses zum erstenmal in einem Polyptychon Giottos (früher dem Meister des Stefaneschi-Altars zugewiesen) um 1330 der Cappella Baroncelli in S. Croce zu Florenz nachzuweisen, *Abb. 730*. Auf vier Tafeln stehen über musizierenden Engeln die Chöre der Heiligen und Seligen, den Blick auf die Krönung der Mitteltafel gerichtet. In unmittelbarer Nähe zu Maria sind gleichsam als die Ersten der Erlösten Adam und Eva zu erkennen, die den Nimbus wie alle anderen tragen. Sie sind nicht als Antithese (Adam-Christus, Eva-Maria) aufgefaßt, sondern in die Communio sanctorum aufgenommen. Dieses Krönungsbild Giottos, das Maria als Königin der Heiligen und Engel zeigt, ist der Auftakt zu der Verbindung von Krönungs- und Allerheiligenbild, die von da an in vielen Varianten, vor allem in der italienischen Kunst vorkommt, und dann in den großen Barockdarstellungen des Empfangs Marias im Himmel, in die das Krönungs-

thema einmündet, aufgeht[344]. Vgl. das Fresko im Chor der Arenakapelle, *Abb. 670*.

Schon auf dem Fenster von Duccio, 1287–1288, *Abb. 713*, wenden sich, wie dann bei Giotto, Maria und Christus einander zu, und Christus setzt mit beiden Händen die Krone auf das Haupt Marias, die sich in Demut neigt und die Hände kreuzt. Dieser Gestus ist Maria im Verkündigungsbild dieser Zeit eigen (bei Giotto in der Arenakapelle) und entspricht da dem Wort ihrer Einwilligung (consensus) »Siehe, ich bin des Herrn Magd, mir geschehe ...« Die Krönung in dieser Form tritt im 14. und 15. Jh. in Oberitalien sehr oft als Mitteltafel von Altarretabeln auf. Die Assistenzfiguren sind variabel. So umstellt Lorenzo Monaco auf einer Darstellung, 1410–1420, London, die Thronstufe mit sieben Engeln, *Abb. 731*. Auf einem vollständig erhaltenen Triptychon desselben Meisters von 1413, Uffizien-Florenz, nehmen die beiden Seitenflügel je zehn Heilige auf, unter denen Johannes d. T., Petrus, Paulus, Stephanus, Laurentius zu erkennen sind, aber keine alttestamentlichen Gestalten. Paolo Veneziano steigert in der Art, wie sie für die von Byzanz beeinflußte venezianische Kunst des 14. Jh. typisch ist, die Pracht der Stoffe (Gewänder und Vorhang) und schmückt die Thronlehne, über der ein Chor von Engeln musiziert, mit Sternen, um 1350, Venedig, Accademia, *Abb. 733*. Vgl. zu Sonne und Mond zu Füßen von Christus und Maria das Mosaik von Torriti in S. Maria Maggiore, *Abb. 647*. Der Florentiner Jacopo di Cione fügt der Krönung um 1373 oben zwei Propheten und unten mehrere Heilige hinzu, *Abb. 732*.

In der Mitte des 14. Jh. entsteht neben dieser Bildform der Giotto-Nachfolge eine zweite, die in Frankreich bevorzugt wird: Maria kniet auf einem Kissen in betender Haltung vor dem thronenden Christus: Tondo eines nordfranzösischen Meisters (Paris oder Dijon), 1400–1410, Berlin-Dahlem, *Abb. 734*. Mit den Sonnenstrahlen über dem Haupt Marias klingt die Deutung der Maria-Regina als die »Mulier amicta sole« (Apk 12) an, siehe unten. Christus krönt mit einer Hand, in der anderen hält er als Zeichen seiner Herrschaft die Weltkugel. Der Thronbaldachin, dessen Vorhang von Engeln geöffnet wird, bedeutet das Himmelszelt; mit den Blumen ist die Paradieseswiese angedeutet.

In Deutschland vertritt das kleeblattförmige Retabel

344. Siehe E. Guldan, Eva-Maria, 1966, S. 83.

vom Hochaltar der Ägidien-Kirche zu Quedlinburg, Mitte des 13. Jh. (ehem. Berlin) den ältesten Typus des Thronbildes mit der Christusfigur, die mit einer Hand die neben ihm sitzende Maria-Sponsa krönt. Der Gebetsgestus und die Haltung Marias sind die gleichen wie in der Kathedralplastik. Die Krönung steht oberhalb der Kreuzigung Jesu und ist wahrscheinlich in diesem Zusammenhang als Hinweis auf die Enderwartung aufzufassen. (Zu den Passionsszenen und der Auferstehung Christi der Seitenteile siehe *Bd. 2, Abb. 215, und Bd. 3, Abb. 207.)* Der niedersächsischen Kunst des 13. Jh. gehört noch eine Darstellung eines perlgestickten Antependiums des Domschatzes in Halberstadt an[345]. Ein niedriges Retabel vom Petersberg bei Brannenburg (Inn), um 1300, München, BNM, ist nicht der Krönung als Teilhabe an der Herrschaft des Sohnes zuzuordnen. Je sechs Apostel sitzen zu beiden Seiten des Thrones. In der Mitte ist die Tafel bogenförmig erhöht, so daß die Krönung hervorgehoben ist. Christus hält eine Krone auf dem Schoß, eine setzt er Maria auf das Haupt und eine dritte bringt ein fliegender Engel. Bei der Dreizahl handelt es sich nicht um einen Hinweis auf Maria als Braut der Trinität, sondern um die Kronen des Lebens, die Christus denen verliehen wird, die im Glauben bis zum Tod getreu waren. Die Mehrzahl der Kronen machen das hohe Maß der Tugenden Marias deutlich. So liegt auch hier der Akzent auf der Enderwartung[346].

An zwei Beispielen der Glasmalerei wird deutlich, daß auch in Deutschland die Krönung Marias in einen größeren Zusammenhang gestellt worden ist. In der Johanneskapelle (früher Michaelskapelle) des Kölner Doms befindet sich eine Glasmalerei von 1315–1320 des Meisters der Chorkapellenfenster, die den ältesten Typus der französischen Portalplastik, die Inthronisation und die Segnung der gekrönten Maria-Sponsa, mit dem Thron Salomo verbindet. Es ist der Thron mit sechs Propheten (drei der Worte ihrer Schriftbänder beziehen sich auf Christus, drei auf Maria), sechs Stufen (Stände der Seligen), darauf zwölf Löwen (Apostel) und den vier Tugenden, die Maria bei der

Verkündigung besaß (Verecundia, Prudentia, Virginitas, Humilitas), wie er mehrfach dargestellt wurde; allerdings in der Regel mit der thronenden Gottesmutter und dem Sohn als dem wahren Salomo *(vgl. Bd. 1, Abb. 46–51).*

Außerdem befindet sich in der Kapelle ein Allerheiligenfenster der gleichen Zeit, das oben mit der Segnung der gekrönten Maria abschließt. Die von der Allerheiligenliturgie abgeleiteten Chöre sind mit den neun Engelchören vereint. In acht weitgespannten Bögen nehmen je acht Arkaden abwechselnd Heilige und Engel auf. Die Hierarchie der Chöre steigt von unten nach oben an. Diese hierarchische Ordnung der Himmelsbewohner, die in dem gekrönten Paar kulminiert, beruht auf älteren Himmelsvorstellungen, die vom Majestasgedanken ausgehen, während bei Giotto und in der folgenden Zeit der Gedanke der Erlösung und der typologische Bezug mehr hervortreten[347].

Anfang des 15. Jh. sind in der deutschen Tafelmalerei noch beide im 14. Jh. bekannten Darstellungsformen zu finden. Die Außenseite des rechten Außenflügels vom sog. Buxtehuder Altar der Werkstatt Meister Bertrams, ein Marienaltar um 1410, Hamburg, *Abb. 736*, verwendet die ältere: Christus krönt mit einer Hand die neben ihm Sitzende und hält in der anderen die Weltkugel. Die kleinen Löwen gehen auf die Ikonographie des salomonischen Thrones zurück, ohne daß sie hier den Sitz als solchen kennzeichnen. An ihnen wird aber deutlich, daß das Kölner Fenster mit der Ausgestaltung des Thrones zu dem der Inkarnations-Ikonographie angehörenden salomonischen Thron kein Einzelfall war, sondern hierfür vermutlich eine Bildtradition bestanden hat. Bei geschlossenem Zustand des Altars steht der Marientod neben der Krönung. Diesen häufigen Abschluß eines größeren Zyklus weist auch die sog. Goldene Tafel, der ehemalige Hochaltar von St. Michael in Lüneburg, auf, um 1418, Hannover, *Abb. 737.* Hier setzt Christus der vor ihm knienden Maria die Krone mit der linken Hand auf das Haupt, während er die rechte segnend über sie hält. Auf beiden Altären trägt Christus selbst eine Krone. Konrad von Soest schließt sich beim Seitenflügel des Dortmunder Altars, um 1420, an die

345. J. Flemming, E. Lehmann, E. Schubert: Dom und Domschatz zu Halberstadt, Köln 1974. Abb. 163.

346. R. Hoffmann, Bayerische Altarbaukunst, München 1923, Abb. 1. Zu einer arabischen Legendenversion, in der Johannes am Sterbebett von leuchtenden Kronen spricht, die Maria nach ihrem

Tod von ihrem Sohn empfangen wird, siehe O. Sinding, S. 13 und Anm. 45.

347. Siehe zu den beiden Fenstern H. Rode, Die mittelalterlichen Glasmalereien des Kölner Domes, Berlin 1974, S. 68f., Abb. 87 und S. 65ff., Abb. 68.

ältere Anordnung der Figuren an. Christus krönt mit einer Hand und gibt das Zepter der neben ihm sitzenden Maria in die betend zusammengelegten Hände.

Mitte des 15. Jh. kommt eine allerdings seltene Variante auf: Gott-Vater krönt die kniende Maria. Ein Fresko der Apsiskonche im Dom zu Spoleto von Fra Filippo Lippi, 1466–1469, zeigt inmitten der Chori beatorum, zu denen wieder Adam und Eva gehören, Gott-Vater die vor ihm im prächtigen Krönungsmantel kniende Königin aller Heiligen krönend, *Abb. 739 Ausschnitt*. Auch Botticellis Gemälde um 1490 in Florenz wählt die Gott-Vater-Gestalt und kennzeichnet sie durch die Tiara. Ferner bringt diese Variante eine Altartafel eines österreichischen, niederländisch beeinflußten Meisters um 1460, die sich im Redemptoristen-Kloster von Maria am Gestade in Wien befindet, nach dem der Meister genannt wird, *Abb. 738*. Die Krönung vollzieht sich hier inmitten eines Engelkonzerts in einem kulissenartig in der Fläche ausgebreiteten Kirchenraum vor einem überkuppelten Chor.

Die großen spätgotischen Flügelaltäre übernehmen die Krönung seit Michael Pachers Hochaltar in der Pfarrkirche zu St. Wolfgang, vollendet 1481, oft als Hauptdarstellung im Mittelschrein, der nur an Festtagen zu sehen ist, *Abb. 740 Ausschnitt*. Die kniende Maria trägt hier schon die Krone und wird von Christus gesegnet. Oberhalb des Thrones schwebt die Taube des Heiligen Geistes (nicht mit abgebildet). Ob es sich hier um die Krönung durch die Trinität, bei der Gott-Vater und Christus in einer Person vereint sind, handelt, sei dahingestellt. Die Taube bezieht sich vermutlich unmittelbar auf Maria.

Seit etwa 1400 ist in der Tafelmalerei die Krönung durch die Trinität nachzuweisen und wird allmählich zu der vorherrschenden Darstellungsform. Sie hat im frühen 13. Jh. Vorläufer in der oben schon erwähnten seltenen Illustration des 110. (109.) Psalms: »Setze dich zu meiner Rechten ...«, die Christus und Maria nebeneinander sitzend zeigt. Diese geht von der ursprünglichen Illustration dieses Psalmverses aus, die im 12. Jh. zu einer Trinitätsdarstellung erweitert wird, Beispiele siehe Bd. 6, Trinität. Diesem

Bildtypus der Trinität wird dann um 1400 Maria hinzugefügt. Sie kann im Profil oder Halbprofil wiedergegeben sein; immer mehr setzt sich aber die frontal zwischen oder vor den göttlichen Personen kniende Figur durch. Der Heilige Geist ist unterschiedlich dargestellt, entweder unter dem Symbol der Taube oder als Figur, siehe Bd. 6. Die Mystik des 14. Jh. hat ältere Bildvorstellungen wie die Bernhards von Clairvaux von der Ankunft Marias im Himmel, bei der sie von Engeln begrüßt und zum Thron der Trinität geführt wird, oder Mechthilds Vision (1250–1263) von Maria als Braut der Dreifaltigkeit wachgehalten und möglicherweise dadurch diese Darstellungsform der Krönung mit ausgelöst. Da das Trinitätsbild, das in sehr verschiedenen Formen auftritt, jedoch immer die Tendenz hat, sich mit anderen ikonographischen Typen zu verbinden, ist es gar nicht notwendig, zur Begründung der neuen Bildform nach auslösenden Gedanken in älterer Literatur zu suchen. Die von Anfang an in der Krönungsdarstellung enthaltene Vorstellung der Vereinigung von Christus und seiner Braut kommt auch in einigen Darstellungen der Krönung durch die Trinität zum Ausdruck, wenn, wie z. B. auf einem Bild von Carlo Crivelli vom Ende des 15. Jh. in der Galerie Brera zu Mailand, Gott-Vater nicht nur Maria, sondern mit ihr auch Christus krönt, die in Übereinstimmung nebeneinander thronen, während Gott-Vater hinter ihnen steht. Christus hält das Zepter in Händen, die Taube ist sehr klein oberhalb der Gekrönten angebracht[348].

Im Hospiz von Villeneuve-lès-Avignon befindet sich das bedeutendste Bild der Marienkrönung durch die Trinität, die mit den Heiligenchören und einer Gerichtsdarstellung in der untersten Bildzone verbunden ist. Dieses 220 cm breite Bild ist nach genauen thematischen Anweisungen des Auftraggebers, dem Priester Jean von Montanac, von Enguerrand Charonton (Quarton) 1453–1454 gemalt worden, *Abb. 742*[349]. Die Figuren sind in dem erhaltenen Vertrag alle genannt und beschrieben und von Enguerrand entsprechend ausgeführt worden. Die Hauptzone stellt das Paradies mit der Marienkrönung dar,

---

348. F. Drey, Carlo Crivelli, München 1927, Abb. 77.
349. D. Denny, The Trinity in Enguerrand Quarton's Coronation of the Virgin, in: Art Bull 45, 1963, S. 48–52. Zum Kontrakt siehe Charles Sterling, Le Couronnement de la Vierge par Enguerrand Quarton, Paris 1939. Auszüge aus dem Vertrag in deutscher Übersetzung bei H. Deinhard, Bedeutung und Ausdruck, Neuwied-Berlin 1967, S. 25–27; Detailaufnahmen des Bildes siehe bei W. Hausenstein, Tafelmalerei der alten Franzosen, München 1923.

das unten mit dem gestirnten Himmel abschließt. Er trennt das Paradies von der irdischen Zone, in der sich zwei sehr detaillierte Stadtlandschaften befinden: Rom und Jerusalem. Kleiner als diese Zone und in der Farbigkeit trüber schließt sich eine dritte Zone an, die das Fegefeuer und die Hölle zeigt. In dem Vertrag heißt es von der Krönung: »1. Es soll das Paradies gezeigt werden, und in dem Paradies die Hl. Dreifaltigkeit, und zwischen dem Vater und dem Sohn soll keinerlei Unterschied bestehen; der Hl. Geist soll in der Gestalt einer Taube gezeigt werden; und Unsere Liebe Frau davor, wie es Meister Enguerrand am besten dünkt; die Dreifaltigkeit soll die Krone auf das Haupt Unserer Lieben Frau setzen. Item: Die Gewänder sollen sehr reich sein; das Unserer Lieben Frau aus weißgemustertem Damast, wie es dem erwähnten Meister Enguerrand am besten dünkt; und um die Hl. Dreifaltigkeit sollen Cherubim und Seraphim sein. Item: Zur Seite Unserer Lieben Frau soll der Engel Gabriel gezeigt werden mit einer Anzahl anderer Engel, und auf der anderen Seite St. Michael, auch mit einer Anzahl von Engeln, wie es Meister Enguerrand am besten dünkt. Item: Zur anderen Seite Sankt Johannes der Täufer mit Patriarchen und Propheten, wie es Meister Enguerrand am besten dünkt ...« Der Anweisung entsprechend sind Gott und Christus in völliger Übereinstimmung im Christustypus spiegelverkehrt dargestellt. Sie krönen mit einer Hand und heben die andere sprechend oder segnend. Die Taube über dem Haupt Marias berührt mit ihren ausgebreiteten Schwingen den Mund der beiden göttlichen Personen: der Heilige Geist geht vom Vater und vom Sohn aus. Michael und Gabriel stehen zu beiden Seiten der Krönung vor einer Gruppe Engel, nach unten schließen sich die Heiligen an, denen auf der untersten Wolke die »Unschuldigen Kindlein« (vgl. Bd. 1, Kindermord), die als erste Märtyrer gelten, hinzugefügt sind. Diese Darstellungsform der Trinität durch identische Figuren ist in der erwähnten Illustration des 110. Psalms als Einleitungsbild zum 8. Psalterteil neben der Illustration mit differenzierten Figuren vom 13. Jh. an häufig, kommt bei der Marienkrönung aber erst Mitte des 15. Jh., und zwar in Frankreich, vor. Auf dem Konzil von Florenz, dessen Ziel die Einigung der römischen und der griechisch-orthodoxen Kirche war, wurde 1438 bezüglich der Frage des Heiligen Geistes in das »Dekret der Einheit« die römische Formel des »Filioque« (der Heilige Geist geht vom Vater *und* vom Sohn aus) auf-

genommen. (Die griechische Formel war: Der Heilige Geist wird *durch* den Sohn gesandt, siehe Bd. IV 1, Pfingsten). Da die Einheit von Gott-Vater und Sohn in der Lehre vom Heiligen Geist durch das Konzil in Florenz im theologischen Gespräch damals akut war, forderte vermutlich der Auftraggeber von Enguerrand diese Darstellungsform für die Trinität in dem Bild der Marienkrönung. Dieses Konzil spiegelt sich außerdem in den beiden durch das Kreuz Christi verbundenen Stadtlandschaften unten: Zur Rechten des Kreuzes Rom mit einer Basilika, in der eine Darstellung der »Imago Pietas« zu sehen ist. In S. Croce, eine der sieben von den Rompilgern aufgesuchten Hauptkirchen, ist ein byzantinisches Gnadenbild der Imago Pietatis verehrt worden (vgl. Bd. 2, Seite 213). Die Darstellung dieser Kirche ist im Vertrag ausdrücklich genannt. Davor ist die Berufung Moses zu erkennen. Links vom Kreuz ist Jerusalem als Sinnbild für die Christenheit des Ostens mit dem Grab Christi und dem Engel, der die Auferstehung verkündet, zu sehen. Die Kirche seitlich vom Grab Christi umschließt das Grab Marias. Sie steht nach der Anweisung neben den Bergen des Tals Josaphat. In der untersten niedrigen Bildzone sind nach mittelalterlichen Vorstellungen in kleinem Format schattenhaft dargestellt: die in der Vorhölle im Gebet Knienden, die der Erlösung harren (unterhalb von S. Croce), die aus dem Purgatorium im Innern der Erde Aufsteigenden und die der Höllenpein Überantworteten. Der Berg Golgatha trennt die Geläuterten und Erlösten von den Verdammten. Der Maler hat die thematischen Wünsche des Auftraggebers erfüllt. Bei aller Glanzentfaltung der von Cherubim und Seraphim umgebenen Hauptgruppe ist Maria die Demutsvolle, wie sie seit den ersten Darstellungen ihrer Krönung in der Frühgotik immer dargestellt wurde. Fünfzig Jahre später verschmilzt der Meister von Moulins, *Abb. 743*, die Bildvorstellungen der Himmelfahrt und Krönung – hier durch drei Engel – mit der der Immaculata auf der Mondsichel. Maria ist in das göttliche Licht des geöffneten Himmels hoch über die Erde entrückt. Vgl. die Madonna desselben Meisters, die in gleicher Weise als Vision der jungfräulichen Gottesmutter im göttlichen Licht dargestellt ist, *Abb. 815*.

Aus den Jahren 1452–1460 stammen die Miniaturen im Stundenbuch des Étienne Chevalier von Jean Fouquet, dessen Marienzyklus mit der Krönung abschließt, *Abb. 744a*. Drei Stufen führen zu dem goldenen Thron mit den drei Sitzen vor einer durch Pilaster dreigeteilten Rückwand. Zu beiden Seiten nehmen drei Engelchöre (rot, orange, blau) an der Krönung teil. Christus hat sich von dem Sitz zur Rechten des Vaters erhoben und krönt vor den Stufen des Thrones die vor ihm kniende Maria. Ihr blauer, mit Gold durchwirkter Mantel ist über die Fliesen ausgebreitet, deren Muster auf der Dreizahl beruht. Der Trinitätsgedanke erhält durch die Wiederholung der Dreizahl sinnbildlicher Hinweise Gewicht. Auf dem Bild der Trinität in der Glorie zu den Gebeten am Allerheiligenfest im gleichen Stundenbuch, *Abb. 744 b*, hat Maria den Sitz seitlich des göttlichen Throns eingenommen. Wenn diese im höfischen Kunststil der Zeit reich illuminierten Stundenbücher auch ausschließlich für den privaten Gebrauch der Auftraggeber bestimmt waren, so ist eine solche Darstellung, die Maria in die Verehrung der Gottheit durch die Engel und Heiligen einbezieht, doch typisch für die Marienfrömmigkeit in der vorreformatorischen Epoche und wird nicht auf einem Sonderwunsch des Auftraggebers beruhen. (Vereinzelt kommt in dieser Zeit auch die Krönung durch den Engel Gabriel vor, vgl. Dante, Paradiso 23,2.)[350]

In einer kreisförmigen Zentralkomposition gibt der Meister IM, vermutlich französischer Herkunft, ebenfalls die Verbindung von Marienkrönung und den Chören der Engel und Heiligen auf einem Tafelbild von 1457, Basel, wieder, *Abb. 735*. Die göttlichen Gestalten sind differenziert, nur Gott-Vater in der Mitte des Thrones trägt die Krone. Sie krönen gemeinsam die in ihrer Mitte kniende Maria.

Der um 1500 auch in Deutschland sehr verbreiteten Bildform fügt Jan Polack auf dem rechten Seitenflügel des Hauptaltars der Schloßkirche Blutenburg, München, 1491 vollendet, nur wenige Engel hinzu, *Abb. 741*. Die drei göttlichen Figuren sind gleichgestaltet, Gott-Vater segnet Maria. Im Zentrum des Schnitzwerks vom sog. Dürnberger Altar in der Bischofskapelle der Basilika zu Seckau (Steiermark), das ein südtiroler Meister zwischen 1489 und 1507 schuf, *Abb. 745 Ausschnitt*, ist die Einheit der Trinität durch die Gestaltgebung der göttlichen Figuren hervorgehoben (Vereinheitlichung der drei Körper). Die

Gekrönte erscheint in der kindhaften Zartheit als die jungfräuliche Braut der Trinität. Diese unterschiedlichen Darstellungen der Trinität mit der anthropomorphen Gestalt des Heiligen Geistes sind im späten Mittelalter häufiger zu finden, sie werden nicht für die Marienkrönung formuliert, sondern bevorzugt für sie übernommen, siehe Bd. 6. Zwischen den beiden zum Doppelring gefügten Stämmen mit reichem Astwerk befinden sich Adam, Noah, Abraham, Mose, Josua und Samuel. Außerhalb des Kranzes knien unten zwei Könige des alten Bundes (auf der Predella), zwei weitere stehen oben.

Der Meister HL stellt im Mittelschrein des Hochaltars im Breisacher Münster, 1523–1526, *Abb. 747, Ausschnitt*, Maria im Typus der zum Himmel Auffahrenden dar. Sie hat keine Standfläche, sondern schwebt, umspielt von wirbelnden Engelchen, in der Mitte zwischen Christus und Gott-Vater, die eine ebenso hohe Krone über Marias Haupt halten, wie sie selbst tragen (überhöhte Form der kaiserlichen Bügelkrone). Auf der Krone Marias steht die ebenfalls gekrönte Taube des Heiligen Geistes. Der mittlere Bogen der Dreipaßform und das Gesprenge überhöhen Maria. Auch diese Maria ist in ihrer zarten Jugendlichkeit und demütigen Haltung die Braut, die der Vater und der Sohn in ihre Mitte nehmen. Christus ist im Typus des Auferstandenen, der gelitten hat und die Todeswunden an seinem Leib trägt, dargestellt. Die starke Ornamentalisierung und Bewegtheit der Figuren (Haare und Gewänder) des Breisacher Werkes ist für eine kurze Epoche, vor allem im süddeutschen Raum für die Plastik, charakteristisch. In der Dorfkirche von Niederrotweil (Kaiserstuhl) befindet sich eine kleine Replik des Altars.

Im oberen Teil des Hochaltars von Jörg Zürn im Überlinger Münster, ein Werk süddeutscher Holzschnitzerei des frühen 17. Jh., *Abb. 746*, steht Maria bei der Krönung mit geöffneten Armen und erhobenem Blick in der Mitte. Christus blickt nicht auf Maria, die er mit dem Vater zusammen krönt. Vielmehr schaut er auf das erhobene Haupt der Schlange herab, die sich zu seinen Füßen zwischen einem Totenschädel und der Weltkugel windet. Als Salvator mundi – Sieger über die dem Tod und dem Satan verfallene Welt – setzt er den Fuß auf die Weltkugel, vgl. unten »Maria vom Siege«.

Wie oben schon erwähnt, bedeuten im späten Mittelalter die Darstellungen der Krönung und Himmelsaufnahme im Prinzip das gleiche, so daß auch die Krönung

---

350. Siehe weitere Beispiele der in Frankreich sehr verbreiteten Krönung Marias bei M. Meiss, French Painting in the Time of Jean Berry, London 1967, vor allem S. 121 ff.

mit dem Grab kombiniert werden kann. Von 1500 an wird vielfach der Thron durch Wolken ersetzt oder durch einen Bogen, der in der Motivgeschichte auf den Regenbogen, den Gott nach der Sintflut als Friedenszeichen stiftet, zurückgeht. Er dient im Mittelalter in der Regel bei der Gerichtsdarstellung dem Richter am Jüngsten Tag als Sitz. Auf der Krönung des »Marienlebens« von Dürer, 1510, *Abb. 749*, kniet Maria nicht, sondern sitzt etwas tiefer als Gott-Vater und Christus auf einem zweiten Bogen. Der Himmel senkt sich tief herab in eine Waldlandschaft. Für die um das Grab knienden Apostel wird die Krönung in der lichten jenseitigen Welt zu einer Vision. Dürer hat mit dieser Komposition, die er auch für den nur in einer unzulänglichen Kopie auf uns gekommenen Helleraltar verwendete, neue Akzente für das Krönungsbild gesetzt, die für die weitere Bildgeschichte wichtig wurden, wenn auch keine Darstellung in seiner unmittelbaren Nachfolge den Gehalt so überzeugend zum Ausdruck brachte wie Dürers Holzschnitt. Raffaels Gemälde von 1503, Vatik. Pinak., gehört in diese Gruppe. Christus und Maria sitzen nebeneinander (alte Kompositionsform) in den Wolken; vier musizierende Engel umgeben sie. Auf Erden umstehen die nach oben blickenden Apostel – Thomas mit dem Gürtel – den leeren Sarkophag, in dem Rosen und Lilien blühen.

Leonhard Schäufeleins Epitaphbild für Anna Prigel (†1517) von 1521, Nördlingen, *Abb. 750*, steht in der Nachfolge Dürers, aber es fehlt die innere Dramatik des Aufeinandertreffens von Himmel und Erde, in dem zugleich die Ferne wirksam ist, die den Eindruck einer visionären Schau vermittelt. Die statuarische Einzelgestalt des Petrus wendet sich voll dem Zuschauer zu und bezeugt ihm durch den Hinweis auf das leere Grab die Auferstehung Marias. An der Schau der Erhöhung Marias, die einigen Aposteln zuteil wird, nimmt er ebensowenig teil wie die disputierenden Apostel. Dieses Lehrhafte der Petrusgestalt kündet eine Wende in der deutschen Malerei der Reformationszeit an.

Ein Werk des Kölner Malers Anton Woensam, 1515, Köln, *Abb. 748*, greift ebenfalls die Dürersche Komposition auf. Unten ist jedoch nicht das leere Grab in der Landschaft, sondern Marias Tod dargestellt, so daß sich die Wolke des Himmels in das Sterbezimmer senkt. Von den Aposteln am Bett Marias nimmt keiner den Himmel wahr. Der unrealistische Vorgang im Himmel erhält nur im Glauben als Hoffnung und Erwartung Realität. Die Apostel erleben im unteren Bildteil den Tod. Über der Krönungsgruppe wölbt sich ein triumphbogenartiger Baldachin, dessen hohe Öffnung vom Licht des Heiligen Geistes erfüllt ist. Unter den Anbetenden hinter Gott-Vater sind Johannes d. T. sowie Adam und Eva zu identifizieren; auf der anderen Seite David, Mose, Samuel(?).

Bei dieser Bildthematik hat die sehr alte theologisch-typologische Beziehung zwischen Eva und Maria, in der die neue Eva gesehen wurde, eine Rolle gespielt, siehe dazu unten. Das im Ausschnitt *Abb. 739* gezeigte Fresko der Huldigung des himmlischen Hofstaates bei der Krönung Marias von Fra Filippo Lippi von 1466–1469 in der Apsiskalotte des Domes zu Spoleto stellt an die Spitze der Patriarchen und Propheten Adam (hinter ihm knien Johannes d. T., Daniel, Elias, Micha, Jona, Amos, Josua) und ihm gegenüber Eva als erste der alttestamentlichen Frauen (Rahel, Bathseba, Lea), außerdem die tiburtinische und die erythreische Sibylle. Alle sind namentlich bezeichnet und nimbiert. Rings um die Krönung entfaltet sich der jubelnde Empfang Marias durch die Engel. Ein 1518 entstandenes Fresko Sodomas im Oratorio di S. Bernardino zu Siena stellt Adam und Eva unmittelbar neben Christus und Maria. Maria ist eng an Christus herangerückt, der sie allein krönt. Dadurch ist der Abstand zu Gott-Vater, der mit ausgereckter Hand Maria segnet, motiviert und zugleich die beabsichtigte Zusammengehörigkeit von Maria und Christus in Parallele zu Adam und Eva hervorgehoben. Adam beugt sich vor und blickt über die Schulter Christi hinweg intensiv auf Maria, in der er die Sündenlose erkennt.

Die Darstellung der Marienkrönung ist im 15. und frühen 16. Jh. weit verbreitet. Dabei fällt nahezu immer die demütige Haltung Marias auf, als kniende Figur ist sie häufig gleichartig mit der Maria der Verkündigung und der der Anbetung des Kindes. Das ist wahrscheinlich weder Zufall noch Mangel an schöpferischer Kraft, neue Gestaltformen zu finden. In der Mariologie wird immer die Erhöhung Marias von ihrer Gottesmutterschaft hergeleitet und ihre Mitwirkung am Erlösungswerk des Sohnes, aufgrund derer ihr der Titel Mediatrix gegeben wird, mit ihrer Gott gehorsamen und demütigen Einwilligung zu ihrer Erwählung begründet. Ihre vornehmste Aufgabe an der Seite des Sohnes ist die Fürbitte.

Um 1530 tritt die isolierte Darstellung der Krönung hinter der der Himmelfahrt zurück, wenn auch einige

Meister das Thema im 17. Jh. in unterschiedlichen Formulierungen wieder aufgreifen, zum Beispiel: P. Candids ehemaliges Hochaltarbild des Münchner Doms, 1620, das Christus und Maria über dem Grab in wirbelnden Wolken stehend wiedergibt, und das Gemälde von Velasquez, 1642, aus dem Oratorium der Königin Isabella im Alcazar Madrid, heute im Prado, das in der von der Trinität gekrönten Mariengestalt Aristokratie und Demut verbindet. In der Wand- und Deckenmalerei des 17./18. Jh. geht die Krönung vielfach in der Darstellung des Empfangs im Himmel auf. Dabei kann zwar Christus die Krone bereit halten, aber die Krönung wird selten vollzogen, siehe unten.

Die Immaculata Conceptio Mariae*
(Unbefleckte Empfängnis)

Die Lehre

Wie für die Theologumena vom wundersamen Tod und der leiblichen Himmelsaufnahme Marias, so gibt es auch für das von ihrer immerwährenden Jungfräulichkeit (virgo permanens) kein biblisches Zeugnis, vgl. oben S. 88 f. Mt 1,23 unter Berufung auf Jes 7,14 und Lk 1,27 bezeichnen Maria als Jungfrau. Dies mag zunächst nur ein Hinweis auf das Wunder der Menschwerdung Gottes sein, aber ihre Jungfräulichkeit galt bald wie ihre Demut und Bereitschaft, Gott zu gehorchen, Lk 1,38, als besondere Tugend der Erwählten. Des Engels Anrede Marias als ›Gebenedeite‹ wurde als ein Gnadenprivileg aufgefaßt, ohne daß daraus Konsequenzen für die Person Marias abgeleitet wurden. Dennoch geben schon um 200 die oben im Kapitel ›Kindheit Marias‹ behandelten Apokryphen, allen voran das Protoevangelium des Jakobus, auch wenn sie keinen historischen Wert haben, Anhaltspunkte für einen in dieser Zeit aufkeimenden Glauben an die bleibende Jungfräulichkeit Marias, der sich allmählich, von Theologen mitunterstützt, festigte. Als Maria im Zusammenhang des auf den Konzilien von Nicäa und Chalkedon im 5. Jh. formulierten christologischen Bekenntnisse – »wahrer Mensch und wahrer Gott« – den Titel Theotokos, Gottesmutter, lateinisch: Deigenetrix, Deipara – zuerkannt bekam, stellt sich die Frage nach dem Wesen ihrer Jungfräulichkeit dringlicher. Auf das mariologische Fundamentaldogma der Gottesmutterschaft wird später nicht nur der Glaube an die leibliche Himmelsaufnahme Marias und ihre Verherrlichung als Himmelskönigin, sondern auch der an ihre Immaculata Conceptio zurückgeführt. Mit dieser ist nicht Marias Empfangen durch den Heiligen Geist bei der Verkündigung, die Inkarnation Gottes (»Et verbum caro factum est«) gemeint, sondern die durch ein Eingreifen Gottes herbeigeführte Empfängnis Annas (die sog. passive Empfängnis Marias). Davon spricht allerdings nur die apokryphe Erzählung: Verkündigung durch einen Engel an Joachim auf dem Feld und an Anna zu Hause, siehe oben. Die darauf folgende Begegnung beider an der Goldenen Pforte des Tempels ist als Sinnbild der Empfängnis Marias gedeutet worden. Der Verehrung der Gottesmutter entsprach es, Maria über alle anderen Menschen zu erheben und schon ihre Empfängnis mit einem von Gott gewirkten Wunder, das ihre Heiligkeit bestätigt, zu verbinden.

Hinter diesen Apokryphen stehen klare theologische Konzeptionen, die sich dann massiv im Volksglauben auswirken. Doch wurde die immerwährende Jungfräulichkeit Marias auch in der theologischen Auseinandersetzung im Osten und im Westen ein viel diskutiertes Thema. Wer die den führenden Theologen wichtige und von ihnen biblisch (u. a. mit Ez 44,12, HL 4,12, Joh 20,19) begründete Virginitas in partu (während der Geburt Jesu) vertrat, wurde zwangsläufig gedrängt, auch zur Virginitas post

---

* Entgegen der Mitteilung im Vorwort zum 1. Teil des Bandes ist auch das folgende Kapitel von der Autorin verfaßt worden, da Herr Schnell aus unvorhergesehenen beruflichen Gründen seine seinerzeit gegebene Zusage nicht aufrecht erhalten konnte. Das Erscheinen des Bandes hat sich dadurch verzögert.

partum und damit zur immerwährenden Jungfräulichkeit Stellung zu nehmen. Unter Jungfräulichkeit verstand man in der Auseinandersetzung körperliche Unberührtheit und das gesamte ethische Verhalten, vor allem Keuschheit des Herzens, Demut, Glaube, Gehorsam – kurz alles, was dem christlichen Jungfrauenideal entsprach. 1 Kor 7,34 charakterisiert die Jungfrau als »heilig an Leib und Seele«. Das genügte jedoch der Marienfrömmigkeit für die Gottesmutter nicht, und es entstand die Frage nach ihrer totalen Sündenfreiheit, d.h. auch Freiheit von Erbsünde.

Der Kennzeichnung der Heiligkeit der Mutter des Erlösers diente in der patristischen Zeit vornehmlich die Eva-Maria-Parallele. Sie zeigt einerseits den Kontrast zwischen der Stammutter, die durch ihren Ungehorsam versagte, und Marias Tugenden, die Voraussetzung zu ihrer Berufung waren. Andererseits lehnt sich diese Parallele an die biblisch begründete Adam-Christus-Parallele an und rückt von daher gesehen Maria in die Nähe des Erlösers. Wichtig in unserem Zusammenhang ist ein weiterer Aspekt der Eva-Maria-Parallele, der die Gottesmutter als die »neue Eva« mit der Stammutter vor dem Fall gleichsetzt und darin eine Bestätigung ihrer Sündenlosigkeit sieht, die – nach der Deutung von 1 Mos 3,15 auf Maria – sie befähigte, den Kopf der Schlange zu zertreten. Damit kündigt sich der Gedanke der Erwählung Marias zur Mitwirkung in der Heilsgeschichte an[1].

Die in dieser Typologie liegende Tendenz, Maria die totale Sündenlosigkeit zuzusprechen, stieß in der abendländischen theologischen Diskussion auf die Schwierigkeit, sie mit dem Erlösungsdogma und der von Augustin eingeleiteten Erbsündenlehre in Einklang zu bringen. Die dadurch bestimmte Auseinandersetzung um die Conceptio Immaculata zog sich über das ganze Mittelalter hin. Sie kam im 13. Jh. in der konträren Auffassung der Franziskaner und Dominikaner an der Pariser Universität zu ihrem Höhepunkt und fand erst auf dem Konzil von Basel (Entscheidung vom 17. 9. 1439) eine vorläufige Definition, die

sich aber zunächst nicht allgemein durchsetzen konnte, weil über die Anerkennung des Konzils nach seiner Spaltung Streit entstand[2].

Die griechischen und die orientalischen Kirchen verhielten sich der abendländischen Erbsündenlehre gegenüber zurückhaltend. Sie verstanden unter totaler Sündenfreiheit nicht die Freiheit von der Erbsünde, so daß es nicht zu den theologischen Auseinandersetzungen wie im Westen kam. Parallel zum Entstehen des Glaubens an die leibliche Aufnahme Marias in den Himmel sind die Äußerungen zu der Sündenfreiheit Marias in den Predigten und den Preisungen der »allheiligen« und »allreinen Jungfrau« an den Marienfesten zu suchen. Diese byzantinischen Gebete bedienen sich alttestamentlicher Zitate, die in der Fortführung der Typologie für die vergleichende Beweisführung der makellosen Jungfräulichkeit Marias üblich wurden. Abgesehen von den in den Evangelien gründenden Festen (Verkündigung an Maria, Geburt Christi und Darbringung im Tempel = Hypapantefest, siehe Bd. 1,) gab das an den Apokryphen orientierte Fest der Geburt Marias am 8. September für den Lobpreis Marias Anlaß. Es wurde bereits im 6. Jh. in Konstantinopel und Jerusalem gefeiert (ursprünglich vielleicht Kirchweihfest der Kirche am Schafsteich in Jerusalem, die nun als Haus Joachims galt; neben ihr bauten die Kreuzfahrer die St. Annen-Kirche. Dort wird heute in der Krypta die Geburtsstätte der Gottesmutter verehrt). Im 7. Jh. kam im Osten das Annenfest am 9. Dezember hinzu, in dem (neun Monate Abstand zur Geburt Marias) die Empfängnis Annas gefeiert wurde. Mit gleichem Recht wird das Fest Empfängnis Marias genannt[3].

Im Osten war das Bild für dieses Fest die Verkündigung an Anna und an Joachim (siehe das Malerbuch vom Athos), *vgl. die Themen oben, Teil 1.* Ende des 10. Jh. ist die Begegnung von Joachim und Anna an der Goldenen Pforte als Festbild für den 9. Dezember in der byzantinischen Buchmalerei nachzuweisen, Menologion Kaiser

---

1. Zur Deutung von 1 Mos 3,15 s. Bd. 4, Teil 1, S. 43 ff., 92 f.
2. Zum Entstehen des Glaubens an die Unbefleckte Empfängnis und den theologischen Auseinandersetzungen die neueste fundierte Darlegung: G. Söll, Mariologie, Freiburg 1978, mit Quellen- und Literaturangaben. Diese Ausführungen ermöglichen auch demjenigen, der nicht der römisch-katholischen Kirche angehört, einen Zugang zum Verständnis der beiden jüngsten Mariendogmen (1854 und 1950). Eine kurze Zusammenfassung

zu dem Begriff und der Geschichte der Lehrentwicklung gibt Paul Eich in RDK V, 1959, Sp. 242–246 als Einleitung zu dem ikonographischen Artikel.
3. Zum Annenkult siehe B. Kleinschmidt, Die Heilige Anna. Ihre Verehrung in Geschichte, Kunst und Volkstum, Düsseldorf 1930, vor allem Kap. XIII. Lexikon für Marienkunde (LMK), Regensburg 1967, Sp. 230–243 (J. Schmid, L. Böer). H. Aurenhammer, I, 139ff. LCI 5 (1973), Sp. 168–184 (M. Lechner).

Basileios' II., *vgl. Abb. 503.* Die Feier des Annenfestes und der damit verbundene Annenkult vermittelte dem gläubigen Volk die Vorgeschichte und Kindheit Marias, wie sie die Apokryphen erzählen, und weist insbesondere durch das Wunder ihrer Empfängnis auf die die Theologen bewegenden Gedanken hin. Die Kindheitsgeschichten haben insgesamt die Tendenz, das Außergewöhnliche des Marienkindes hervorzuheben und betonen ihre Heiligkeit auch durch die feierliche Übergabe des jungen Mädchens an die Priester (Tempelgang) und seinen Aufenthalt als dienende Jungfrau im Tempel, wo sie von Engeln gespeist wird.

Im Abendland korrespondiert die Übernahme des Annenfestes mit der jeweiligen Lehrmeinung in bezug auf die Unbefleckte Empfängnis. Es setzt sich aufgrund der vielfach mit unklaren Begriffen argumentierenden theologischen konträren Auffassungen, in denen die Legenden kaum eine Rolle spielten, nur zögernd und gebietsweise zu unterschiedlichen Zeiten durch. Mitte des 9. Jh. scheint das Fest zuerst in Sizilien und Neapel, wo sich größere griechische Niederlassungen befanden, gefeiert worden zu sein. Möglicherweise war das Fest im 9. Jh. auch in Irland schon bekannt. In der 1. Hälfte des 11. Jh. soll es in England in Exeter, Canterbury und Winchester gefeiert worden sein, sicher zwischen 1060 und 1066. Der Gedanke der Empfängnis Marias, wenn auch noch nicht klar gefaßt, wurde bei der Erneuerung des Festes 1127 in England mit diesem verbunden, offenbar zum erstenmal überhaupt. Doch löste diese Sinngebung sofort Gegenargumente aus, die in der weiteren Diskussion, vor allem durch Anselm von Canterbury, 1109, geklärt werden konnten[4].

In Frankreich stieß das Fest im 12. Jh. noch auf Ablehnung; so wehrte sich z. B. Bernhard von Clairvaux entschieden dagegen: »Diesen Ritus kennt die Kirche nicht, mißbilligt die Vernunft, empfiehlt die alte Überlieferung nicht«[5]. Andere Theologen ließen das Annenfest gelten, bestritten aber die Sündenlosigkeit Marias. Zuerst führten die Franziskaner 1263 das Annenfest im Generalkapitel als »festum conceptionis« in Pisa ein. Bereits Ende des Jahrhunderts ist es in Paris von den Gegnern (vor allem Dominikanern) der Immaculata Conceptio wieder völlig verdrängt worden, fand dann aber in Duns Scotus (1270–1308), der dem Franziskanerorden angehörte, zuerst in Oxford und danach in Paris durch seine scharfsinnige theologische Analyse der von ihm bejahten besonderen Gnade der Erbsündenfreiheit Marias im Hinblick auf die Erlösungstat Christi einen Befürworter[6]. Von da an feierten mehrere Orden das Fest, neben den Franziskanern vor allem die Karmeliter, die im 13. Jh. eine Niederlassung bei der St. Anna-Kirche in Jerusalem hatten, die Augustiner und die Prämonstratenser. In Skandinavien wurde der Annakult durch Birgitta von Schweden (um 1303–1373) gefördert, die auf ihrer Pilgerfahrt im Heiligen Land selbst eine Vision Annas erlebte. Bis Mitte des 15. Jh. bedeutete die Feier dieses Festes nicht unbedingt auch die Anerkennung der Immaculata Conceptio. Es konnte bis zum Basler Konzil noch dem ursprünglichen Festgehalt entsprechend die Empfängnis Marias ohne einen besonderen Hinweis auf ihre totale Sündenlosigkeit gefeiert werden. Das Basler Konzil stellte 1438 fest, daß die Immaculata Conceptio mit dem katholischen Glauben übereinstimme. Papst Sixtus IV. (Franziskaner) approbierte 1477 ein neues Festoffizium und verankerte damit die Lehre von der Immaculata Conceptio in der Messe, ohne sie als verbindlich zu definieren. Diese Lehre zu verteidigen verpflichteten sich um 1500 die Universitäten Paris, Köln, Mainz und Anfang des 17. Jh. auch Salamanca. Im 16. Jh. wurden Bruderschaften der »Kongregation der Unbefleckten Empfängnis der heiligen Jungfrau« gegründet. Die theologischen Gegensätze blieben aber weiterhin, so daß das Konzil von Trient (1545–1563), von dem gerade in mariologischen Fragen nach der Reformation eine Klärung erwartet wurde, zu keiner positiven Lehrentscheidung für die Immaculata Conceptio Marias (so wenig wie für ihre körperliche Erhebung in den Himmel) fand. Erst 1708 konnte Clemens XI. das Fest auf die gesamte katholische Kirche ausdehnen, da nun weitgehende theologische Übereinstimmung erreicht war. Die Bedeutung, die der Glaube an die Immaculata Conceptio im 17. und 18. Jh. – nicht zuletzt im Zusammenhang der Gegenreformation – gewann, führte schließlich zu seiner Dogmatisierung 1854 durch Papst Pius IX. Die Formulierung dieses Dogmas

---

4. Dazu Brief des Abtes Osbert de Clare von Winchester, 1128/29, s. RDK V, 244, und G. Söll, S. 167. Beide beziehen sich auf X. M. le Bachelet, Immaculée Conception, in: Dictionnaire de Théologie Catholique, Bd. VII, 845–1218.

5. Epistola 174, MPL 182, 333 B.

6. Vgl. G. Söll, S. 174–177.

regte die längst fällige Frage nach der Definierbarkeit der Assumptio-Lehre an, über die, nachdem die Diskussion im 16. und 17. Jh. wieder durch Bedenken belebt wurde, seit dem 18. Jh. in der katholischen Theologie allgemein Konsens bestand, so daß die Bestreitung der körperlichen Aufnahme Marias in den Himmel nunmehr als Häresie verdächtigt wurde.

In der Mariologie der katholischen Kirche sind die Parallelen zwischen dem Glauben an die totale Sündenlosigkeit der Gottesmutter, auf der die Immaculata Conceptio beruht, und ihrer leiblichen Aufnahme in den Himmel offenkundig. Beide Lehren wollen, dem Dogma der Gottesmutterschaft vergleichbar, auf Christus bezogen sein. Mag das der marianischen Volksfrömmigkeit mit ihren Übertreibungen und gelegentlichen Auswüchsen nicht immer bewußt gewesen sein, so ging es den (im Mittelalter auch oft mißverständlichen) theologischen Auseinandersetzungen bis heute letzten Endes um eine spirituelle Interpretation der Stellung der Gottesmutter im göttlichen Heilsplan. Der Protest, der von der Reformation bestimmten Kirchen gegen die Dogmatisierung beider Lehren im 19. und 20. Jh. bezweifelt, daß die »totale Sündenlosigkeit« auf diese Weise von Christus auf die Gottesmutter übertragen werden kann, und hat dogmatische Bedenken, Fakten der Heilsgeschichte zu postulieren.

Die bildliche Formulierung der Glaubensinhalte beider Dogmen verläuft allerdings sehr unterschiedlich. Da das Fest der Assumptio niemals angefochten und die Auslegung der Aufnahme Marias in den Himmel dem Glaubensverständnis des einzelnen überlassen war, kam es 500 Jahre früher als bei der Immaculata Conceptio zu bildlichen Darstellungen. Im 18. Jh. verschmolzen die Bildformulierungen und wurden in den vom Römischen Katholizismus bestimmten Gebieten zu einem gemeinsamen Höhepunkt geführt.

Die bildliche Darstellung in ihrer Verknüpfung mit Anna

Infolge der Unsicherheit in der Ausbildung der Lehre und der Schwierigkeit, für diese Glaubensvorstellung eine bestimmte bildliche Fixierung zu finden, ist im Mittelalter nur in umschreibenden Bildformen auf die Immaculata Conceptio hingewiesen worden. Die vom Annenfest und den Legenden gegebene Verknüpfung des Themas mit Anna führt dazu, zunächst Bildthemen aus der Annenikonographie zu verwenden. Im Osten kam es niemals zu einem eigenen Bild der Immaculata Conceptio, die hier ja auch keine durchformulierte Lehre war, während der Westen vom späten 15. Jh. an neben der Umdeutung älterer Mariengestalten und -symbole mehrere künstlerisch neue Ausdrucksformen hierfür fand. Sie sind allerdings bei der Durchdringung und Überlagerung des überlieferten Bildgutes mit eigenen Gedanken und den vielfältigen Kombinationen – in einem naturalistischen Stil dargeboten – nicht immer theologisch eindeutig zu interpretieren. Das erschwert auch die ikonographische Gruppierung, und wir können nur Tendenzen aufzeigen und einige Beispiele geben.

Anna selbdritt. Darunter versteht man eine durch den Annakult angeregte Figurenkomposition, die Anna und Maria mit dem Jesuskind als Gruppe darstellt[7]. Aus mittelalterlichen Gebeten, die Anna um ihrer Tochter ohne Sünden willen preisen, geht hervor, daß die Anna selbdritt als ein Hinweis auf die Immaculata Conceptio oder sogar als symbolische Darstellung für sie verstanden werden konnte[8]. Anna ist in der Regel matronenhaft, von der Renaissance an oft in zeitgenössischer Frauentracht dargestellt. Ihr Attribut ist das Buch, das als das Alte Testament mit den Messiaspropheten zu verstehen ist. Maria wird als junges Mädchen mit offenem Haar in kleinerer Gestalt als Anna wiedergegeben. Sie trägt selten den Schleier, aber

---

7. B. Kleinschmidt, 1930, S. 217ff.; ders., Anna selbdritt in der spanischen Kunst, in: Ges. Aufsätze zur Kulturgeschichte Spaniens, I, 1928, S. 149ff. LMK I, Sp. 248ff. (E. Reinle, E. v. Witzleben); H. Aurenhammer I, 146–149 mit Lit. LCI 5, Sp. 185–190 (J. H. Emminghaus). – Die seit dem 8. Jh. nachweisbare Darstellung Annas mit dem Marienkind in den drei Madonnentypen – Nikopoia, Hodegetria und Orans – unterscheidet sich von diesen

nur durch die weibliche Kleidung des Kindes, das nicht wie der Christusknabe segnet. Der Bildtypus hat keinen Bezug zur Immaculata Conceptio.

8. LMK führt Sp. 248 außer Hortulus animae, ed. 1503, auch das 7. Kapitel der Schrift »De laudibus sanctissimae Annae« von Trithemius v. Sponheim an, um diese Deutung der Anna selbdritt auch für die Kreise der Humanisten zu belegen. Nicht überprüft.

oft die Krone oder einen Kronreif. Formal schließt diese zunächst in Frauenklöstern als Andachtsbild konzipierte Darstellung in der Anordnung der Figuren an die Typen der thronenden Nikopoia und der stehenden oder sitzenden Hodegetria in ihren verschiedenen Varianten an und erweitert diese um eine Person. Ein frühes Beispiel für die axiale Komposition der drei thronenden Figuren in frontaler Ansicht befindet sich auf einer kleinen Sardonyx-Kamee (2 cm) des 13. Jh. im Museo Estense zu Modena. Etwas aufgelockert liegt das Schema der italienischen Darstellung vom 14. Jh. an zugrunde und bestimmt auch noch im 15./16. Jh. die des öfteren zur Sacra Conversazione ausgeweitete Bildform. Die Ikonenmalerei, die vermutlich im 16. oder 17. Jh. unter westlichem Einfluß das Bildmotiv übernahm, hält an der axialen Komposition fest. Der Typus der sitzenden Hodegetria läßt sich ebenfalls bis ins späte 13. Jh. zurückverfolgen. Bei einer Regensburger Arbeit, um 1280, München, BNM, *Abb. 751*, dominiert die thronende Anna durch Größe und frontale Ansicht. Maria sitzt seitlich auf ihrem Knie und hält den Sohn so, daß er die Mitte der Gruppe einnimmt. Sie trägt über dem Schleier die Krone. Den stehenden Hodegetria-Typus hat Ende des 13. Jh. eine Anna-selbdritt-Statue am Turm des Erfurter Doms übernommen. Nördlich der Alpen herrscht auch im 14. Jh. noch die Holzplastik vor. Eine Figurengruppe, um 1400, Hannover, *Abb. 752*, zeigt eine dem Münchner Bildwerk ähnliche Komposition, jedoch von dem Empfindungsgehalt der Frömmigkeit dieser Epoche bestimmt. Anna, mit nach innen gewandtem Blick, hält einen großen Apfel in der Hand, der hier vermutlich ein Hinweis auf die Erbsünde ist. Dieses Symbol aus der Sündenfallgeschichte hält die Gottesmutter als die ›neue Eva‹ auf vielen Madonnendarstellungen in der Hand, oder sie reicht den Apfel dem Kind. Das ist auch in dieser Skulptur der Fall, so daß der Apfel zweimal eingefügt ist, siehe Beispiele unten bei Madonnendarstellungen.

Im 14. Jh. übernimmt die Malerei unter Führung Italiens den Gegenstand, dem sich dann im 15. Jh. – parallel zur Verbreitung des Annenkults und des Festes der Empfängnis Marias – alle Kunstsparten zuwenden, so daß es im ganzen Bereich der abendländischen Kunst zu einer großen Anzahl von Darstellungen der Anna selbdritt kommt. Nur in Frankreich und in England ist das Bildschema weniger vertreten. Nachdem Luca di Tommè schon 1367, Siena, Galerie, die Anna selbdritt in einem Dreiviertelfigurenbild eindrucksvoll darstellte, geht Masaccio auf einem Tafelbild, 1424–1425, Florenz, *Abb. 755*, von der zentralen Kompositionsform der Madonnendarstellung aus, nur der Knabe (vom 14. Jh. an sehr oft unbekleidet, siehe Bd. 1), über den Anna schützend die Hand hält, ist aus der Bildachse gerückt. Der Altersunterschied zwischen Mutter und Tochter tritt in den Gesichtszügen hervor, aber Maria ist – wie in Italien häufig – nicht als Mädchen, sondern als junge Frau wiedergegeben. Die Bindung an Madonnentypen ist auf dem Mittelteil eines Triptychons, um 1511, von Girolamo dai Libri, London, aufgegeben, *Abb. 756*. Maria sitzt zwar noch auf einem Knie Annas, aber sie ist ebenso groß wie die Mutter, die ihren Arm liebevoll um sie legt. Das Kind steht in der Mitte der beiden Frauen. Es hebt die rechte Hand segnend und bezeugt sich damit als das ewige Wort. In der Linken hält es einen Zweig des großen Zitronenbaumes, der Blüten und Früchte zugleich trägt. Der Gartenzaun deutet vermutlich auf den Hortus conclusus hin, der ein dem Hohenlied entnommenes Sinnbild der Unversehrtheit Marias ist. Das Bild ist wahrscheinlich von Leonardo da Vinci beeinflußt, dessen Gemälde, 1508/10, Paris, Louvre (Karton in London, National Gallery), in jeder Weise einen Höhepunkt in der Anna-selbdritt-Darstellung bildet. Maria sitzt quer auf dem Schoß Annas. Sie wendet sich in mütterlicher Besorgnis dem Kind zu, das im Begriff ist, auf ein Lamm zu steigen, und versucht, das zu ihr zurückblickende Kind von diesem wegzuziehen. Sie weiß um das dem Sohn auf Erden bestimmte Leiden, das dieses Lamm symbolisiert[9].

Hans Holbein d. Ä. hält sich bei einem Tafelbild, um 1490–1493, Kreuzlingen, *Abb. 760*, an eine seit Ende des 15. Jh. häufige Bildform: Der Knabe sitzt in der Mitte einer großen Thronbank zwischen Anna und Maria. Er ist durch den von Engeln hinter ihm gehaltenen Vorhang ausgezeichnet. Die Taube über ihm soll auf Marias Empfängnis durch den Heiligen Geist bei der Verkündigung

9. Siehe die Farbwiedergabe 191 in: L. H. Heydenreich u. G. Passavant, Italienische Renaissance. Die Großen Meister in der Zeit von 1500 bis 1540, München 1975. Zu dem Motiv des auf dem

Lamm sitzenden Jesusknaben vgl. daselbst Abb. 205 die Heilige Familie von Raffael, Madrid.

verweisen. Ein zweiter von Madonnendarstellungen unabhängiger Typus zeigt Anna, die auf einem Arm eine auffallend kleine Mariengestalt und auf dem anderen das Kind trägt: Predella des Göttinger Altars, 1424, Hannover. Eine Tafel des Michael Wolgemuth, 1508/11, Nürnberg, GNM, zeigt Maria mit dem Kind auf dem Boden und Anna hinter ihr etwas erhöht sitzend. Dieses Schema nimmt den im 14. und 15. Jh. verbreiteten Typus der Demutsmadonna auf, siehe unten zu diesem Typus.

Die mittelalterlichen Typen der Anna selbdritt werden Anfang des 16. Jh. allmählich durch Darstellungsformen der Immaculata Conceptio verdrängt, leben aber in Spanien neben den neuen Bildformulierungen noch eine Zeitlang fort. Andererseits kommt die Selbdritt-Darstellung vom Ende des 15. Jh. an, als der Annenkult seinen Höhepunkt erreichte, in erweiterter Form vor, so daß es durch die Hinzufügung von Annas Mutter Emerentiana oder von Joachim zu der Darstellung der Anna selbviert kommt[10]. Außerdem wird die Selbdritt-Gruppe in den in dieser Zeit üblichen Kompositionsformen zu der Seite 52f. erwähnten Sippe Annas ausgeweitet. Die Männer ihrer beiden späteren Ehen und die daraus stammenden zwei Töchter (beide wieder Maria genannt) mit deren Männern, häufig auch noch deren Kinder, gruppiert man um die das Zentrum bildende Anna selbdritt[11]. Die Mitteltafel des Annenaltars von Quentin Massys, 1509, Brüssel, stellt die Sippe Annas ohne novellistische Züge in einer Form dar, die der Würde eines Altarbildes entspricht (vgl. zwei der Seitenflügel *Abb. 481a und b*).

Eine andere Form der Verbindung der Anna selbdritt mit der Trinubiumlegende bietet ein Kupferstich des sog. Meisters mit dem Dächlein, 3. Viertel 15. Jh. (Berlin), *Abb. 761*, der den ›Baum der Anna selbdritt‹ darstellt. Er soll auf eine Vision eines Karmeliters zurückgehen. Auf einem großen Thron sitzt Anna lesend, vor ihr Maria mit dem Kind. Die Säulen der Thronlehnen zieren zwei Löwen, die an den salomonischen Thron erinnern. Zu beiden Seiten stehen als Ahnen Aaron und David. Das Geschlecht Annas wird nach einer legendären Tradition auf Aaron zurückgeführt, das Joachims auf David. Dadurch werden beide den Gestalten des Alten Testaments zugeordnet. Hinter dem Thron ragt ein Baum auf, über dessen Teilung in zwei Äste Joachim einen Platz in der Mittelachse zwischen Anna und der in der Glorie oben erscheinenden Maria mit dem Kind einnimmt. In den Blüten des Baumes ist die Sippe Annas nach der Trinubiumlegende dargestellt. Die drei Marien sind im oberen Teil des Baumes in der Form eines Dreiecks angeordnet, jeder ist ihr Mann hinzugefügt. Der symmetrische Aufbau der Darstellung veranlaßt den Meister, die Figur Gott-Vaters neben, nicht über Maria anzuordnen, so daß sie dem irdischen Vater gegenübergestellt ist. Links unter Gott-Vater sind Maria Kleophas und Alphäus zu Maria aufblickend und darunter ihre vier Söhne dargestellt: Josephus justus mit Buch emporblickend und Jakobus minor lesend, Simon Zelotes mit kurzem Schwert und Judas Thaddäus, die Säge als Attribut haltend. Die Blüten auf der rechten Seite tragen unterhalb von Joseph Maria Salome, in einem Buch blätternd, und Zebedäus, der die Gottesmutter grüßt; darunter ihre Söhne, die beiden Apostel Johannes, den Kelch in der Hand, und Jakobus d. Ä. mit dem Pilgerhut, die im Neuen Testament die Zebedäiten genannt werden. Den beiden Ehepaaren oben sind seitlich die Väter der beiden Marien bzw. die Männer Annas, Kleophas aus zweiter und Salomas aus dritter Ehe angefügt. Im Museum Galdiano in Madrid befindet sich ein flämisches Tafelbild, um 1500 (Gerard David?), das, vielleicht von diesem Kupferstich beeinflußt, den Baum der Anna selbdritt ähnlich darstellt.

Die sog. Darstellung der ›Drei heiligen Mütter‹, die

---

10. LCI 5, Sp. 190/191 mit der Abbildung einer singulären Darstellung eines flämischen Meisters um 1500 der ›Wurzel der Emerentiana‹. Für das 18. Jh. ist eine auf fünf Personen reduzierte Sippendarstellung nachzuweisen: Egid Quirin Asam, 1731–1732, Osterhofen, ehem. Prämonstratenser-Kirche. Zu beiden Seiten der thronenden Anna mit dem Marienkind stehen Joseph und Joachim; Maria greift nach der Lilie, die Joseph in der Hand hält.

11. Die Legende des Trinubium (dreimalige Heirat Annas) war im Abendland schon im 9. Jh. bekannt und verbreitete sich im 12. Jh. Sie wurde von Vinzenz von Beauvais in das Speculum histo-

riale aufgenommen und von da in die Legenda aurea tradiert. Veranlaßt wurde sie offensichtlich in der Absicht, das verwandtschaftliche Verhältnis der im Neuen Testament neben der Gottesmutter mehrmals genannten zwei Marien und der Brüder Jesu (vgl. MK 3,31–35; Lk 8,19–21; Joh 2,12; Apg 1,14; Gal 1,19; 1 Kor 9,5) untereinander und zu Jesus zu klären. Durch diese Konstruktion werden die Brüder Jesu zu dessen Vettern. Dadurch ist die bleibende Jungfräulichkeit gewährleistet. Nach Aurenhammer ist die Sippe Annas ein Sinnbild ihrer wunderbaren Fruchtbarkeit.

schon im 8. Jh. in der vom Osten beeinflußten Wandmalerei von S. Maria in Antiqua, Rom, nachzuweisen ist, im
Abendland jedoch selten vorkommt, zeigt nebeneinan-
derstehend die drei Mütter, die auf übernatürliche Weise
durch einen Gnadenakt Gottes ein Kind empfingen, Anna
mit dem Marienkind, Maria mit dem Jesuskind, Elisabeth
mit dem Johanneskind (Johannes der Täufer). Elisabeth
(Lk 1,36.40), die Frau des Priesters Zacharias (Lk 1,8ff.),
gilt nach der Legende als Tochter der Schwester Annas.
Eine gravierte Kupferplatte, 1. Hälfte 13. Jh.(?), Augsburg, *Abb. 754*, zeigt das Marien- und das Johanneskind
im Arm der Mutter als Wickelkind. Für Maria mit dem
Jesusknaben ist der Typus der Maria Eleusa übernommen
(Zärtlichkeitsgestus des Kindes)[12].

*Die Begegnung an der Goldenen Pforte und Stammbaum
Marias.* Wie schon erwähnt, wird diese Begegnung Annas
und Joachims neben der Verkündigung an Anna (vgl. das
Malerbuch vom Berg Athos) seit dem 10. Jh. in der byzantinischen Kunst als Festbild für das Annenfest am 8. Dezember verwandt, aber wahrscheinlich nur im Sinne der
Empfängnis Marias. Im Abendland gehört die Begegnung
zu den seit dem 13. Jh. sich allmählich ausbreitenden zyklischen Darstellungen des Apokryphons, siehe oben. Auf
Marienaltären des Spätmittelalters ist sie häufig zusammen
mit anderen Bildmotiven, die sich auf Marienfeste beziehen, dargestellt. Doch erst von der 2. Hälfte des 14. Jh. an
wird in der Szene durch die Hinzufügung eines Engels, der
Anna und Joachim zusammenführt, die übernatürliche
Empfängnis Annas zum Ausdruck gebracht, *vgl. Abb.
508, 509*[13]. Durch die der Architektur der Goldenen
Pforte eingefügte Darstellung des Sündenfalls kann ein al-
legorischer Hinweis auf die Erbsünde gegeben sein, *vgl.
Abb. 510*. Es war in dieser Zeit Volksglaube, daß bei Kuß
und Umarmung von Joachim und Anna die Empfängnis
erfolgte. Beides ist in sinnfälliger Weise auf einem spanischen Tafelbild der Begegnung Anfang des 16. Jh., Bi-

schöfliches Museum in Vich, dargestellt[14]. Vom 15. Jh. an
ist die Begegnung als Bild der Empfängnis Marias auch in
Meß- und Andachtsbücher aufgenommen worden. Auf
einem der schon erwähnten Reimser Teppiche,
1507–1530, der die Begegnung zeigt, ist die Pforte als
Tempel Salomos bezeichnet. Ihr sind zwei Propheten mit
Spruchbändern hinzugefügt. Die Worte Sir 24,14 und
Spr 8,24 verweisen bei der Begegnung von Joachim und
Anna auf die von der Symbolfigur der Sapientia-Ecclesia
auf Maria übertragene Vorstellung ihres von Anbeginn an
von Gott konzipierten sündenlosen Standes.

Vermutlich wird um 1500 zuerst in Flandern die Begegnung an der Goldenen Pforte erweitert und durch die Einbeziehung Marias als der »Blume Annas«[15] unverwechsel-
bar zu einem Bild der Empfängnis Marias, die in dieser
Zeit weithin als Immaculata Conceptio verstanden wird.
Diese Darstellung, die an das Motiv der Wurzel aus Jesse
anknüpft und es weiterentwickelt zu einem Stammbaum
Marias aus Anna, kommt in vielen Varianten in allen katholischen Kunstzentren des Abendlandes zur gleichen
Zeit vor.

Zum Beginn des Offiziums B. M. V. eines flandrischen
Stundenbuches, Anfang 16. Jh., Wien, setzt eine sich über
zwei Seiten erstreckende Miniatur die Begegnung in unmittelbare Beziehung zur Verkündigung an Maria, *Abb.
753*. Links von dem Hauptbild sind als Nebenszenen die
Verweigerung des Opfers und die Verkündigung
Joachims und unter der Verkündigung an Maria die Begegnung an der Tempelpforte zu sehen. Auf der gegenüberstehenden Seite, um den Eingangstext zum Stundengebet angeordnet, steht die Geburt und der Tempelgang
Marias. Bei der Begegnung Joachims und Annas neben der
Pforte eines mittelalterlichen Turmes wächst aus der Brust
jeder Figur eine Ranke, die bei ihrer Vereinigung eine
Blüte bilden. Diese trägt die betende Maria. Die ver-
schachtelten Architekturteile auf der ersten Seite sollen
offenbar zusammen einen Ausschnitt des Innenraumes

---

12. Unter der ›heiligen Familie‹ versteht man Maria, Joseph
und das Jesuskind, in erweiterter Form mit Elisabeth und dem
Johanneskaben.

13. Es scheint mir fraglich, ob der Engel im Zyklus am Annenportal der Kathedrale von Paris schon so gedeutet werden kann.
Er wird in dieser frühen Darstellung aus den beiden Verkündigungen in die Szene der Begegnung übertragen worden sein.

14. Abb. 132 bei B. Kleinschmidt, 1930. Siehe da noch andere
Beispiele.

15. Vgl. zu dieser Bezeichnung A. Salzer, Die Sinnbilder und
Beiworte Mariens in der deutschen Literatur und in der lateinischen Hymnenpoesie des Mittelalters, Seitenstetten 1886ff. S.
118.

vom Jerusalemer Tempel wiedergegeben. In den durch eine Kuppel hervorgehobenen und durch Säulen abgegrenzten Raum des Allerheiligsten, dessen Vorhänge zurückgeschlagen sind, kommt der Engel der Verkündigung zur Jungfrau Maria. Die Architektur des abgesonderten Raumes verweist auf die Jahre des Tempeldienstes und die Deutung Marias als Tempeljungfrau und Braut Gottes, siehe dazu unten.

Ein flämisches Tafelbild um 1520, Berlin, *Abb. 759*, setzt die ebenfalls als mittelalterlichen Wehrturm wiedergegebene Architektur der Tempelpforte in die Mitte zwischen Joachim und Anna, so daß sich die ihnen entsprießenden beiden Äste über dem Turm kreuzen. Vor der Pforte ist in sehr kleinem Format die Umarmung von Anna und Joachim dargestellt, die im Hauptbild ihre Deutung erfährt. In einem sehr großen Blütenkelch, der den Landschaftshorizont überschneidet, sitzt Maria mit dem Kind vor der Lichtglorie des Himmels, deren Glanz die zurückweichenden Wolken erhellt. Maria, in jugendlicher Anmut, mit langem, offenem Haar als Jungfrau gekennzeichnet, trägt die Sternenkrone der apokalyptischen Himmelserscheinung, Apk 12,1. Joachim und Anna sehen die Erscheinung vor dem übernatürlichen Licht des Himmels nicht. Anna schaut auf das zu ihren Füßen stehende Lamm – ein Hinweis auf die Passion des Erlösers. Ein Bild des Girolamo di Giovanni da Camerino, 3. V. 15. Jh., *Abb. 778*, verdeutlicht die Begegnung an der Goldenen Pforte, die in der Form einer erzählenden Darstellung mit Begleitpersonen wiedergegeben ist, als Sinnbild der Immaculata Conceptio durch die von Gott gesandte Jungfrau, die auf einer kleinen Wolke herabschwebt. Das in Demut leicht geneigte Haupt, das lang herabfallende Haar, der Gebetsgestus, das helle Gewand und ihre Glorie (Flammen, Strahlen und Mandorla), die noch mit dem Licht Gottes, von dem sie ausgeht, verbunden ist, sind Kennzeichen des Bildes der Immaculata, das auf der Schwelle zwischen Mittelalter und Neuzeit Gestalt gewann. Das Halbfigurenbild Gottes mit ausgebreiteten Armen – in der linken Hand oft die Weltkugel oder das Zepter, die rechte mit dem Sprech- oder Segensgestus – erscheint auf sehr vielen Immaculata-Darstellungen verschiedener Typen

unmittelbar über der Jungfrau als Ausdruck des Mysteriums der Immaculata Conceptio.

Die Verbindung von Joachim und Anna an der Goldenen Pforte mit der Wurzel Jesse (ein Bildtypus für den Stammbaum Jesu, siehe Bd. 1, S. 26–31) zeigt ein konvex gebogenes Bild an einer Säule im Erfurter Dom des Peter von Mainz, 1513. Es ist durch ein Wort des Schriftbands in der Hand des Stifters, das die unbefleckte Empfängnis Marias als unser ewiges Heil preist, als Immaculata-Conceptio-Darstellung ausgewiesen: »Sancta immaculata conceptio sit nostra sempiterna salus et protectio.« Unten liegt Jesse, der ausdrücklich als »Jesse pater David« bezeichnet ist. Da der Stammbaum Joachims wie der Josephs auf David-Jesse zurückgeführt wird, ergeben sich bei dieser Verbindung keine Schwierigkeiten. Anna wird dem Geschlecht Aarons zugewiesen, so daß auch Aaron im jüdischen Priesterornat unter den Ahnen erscheint. Den beiden aus Jesse wachsenden Stämmen sind fünf Vorfahren Jesu eingefügt. Die Stämme durchstoßen die Architektur der Pforte, wachsen dann aus der Brust Annas und Joachims hervor und tragen an der Stelle ihrer Vereinigung in einem aus Ranken gebildeten Kelch die betende jungfräuliche Maria. Über ihr thronen Gott-Vater und Christus[16].

Die Aufnahme von Anna und Joachim in die Reihe der biblischen Ahnen Jesu, die in vielen Varianten der weitverbreiteten Darstellung der marianischen Wurzel Jesse vorkommt, und die Verknüpfung dieses Stammbaumes mit Darstellungen aus dem Leben und der Sippe Annas ist insbesondere durch den volkstümlichen Annakult der Zeit ausgelöst oder gefördert, vielleicht auch durch Umformungen der mittelalterlichen Prophetenspiele beeinflußt worden[17]. Dahinter steht die Absicht, durch die Eltern Marias, die sehr oft in anbetender Haltung dargestellt sind, auf das Wunder der Empfängnis Marias hinzuweisen.

Matteo da Gualdo zeigt auf einer weiteren Darstellung zu diesem Thema, Anfang des 16. Jh., den marianischen Stammbaum, der aus Jesse wächst, mit 42 Ahnen. Er hebt den Gedanken der Immaculata durch die Zuordnung von Anna und Joachim zu der im Strahlenkranz schwebenden anbetenden Maria im Baumwipfel hervor. Wie alle Ahnen

---

16. Die Kunstdenkmale der Provinz Sachsen, I, Die Stadt Erfurt, 1929, Abb. 218.

17. M. Lindgren-Fridell, Der Stammbaum Mariä aus Anna und Joachim, in: Marburger Jb. 11/12, 1938/39, S. 289–308.

sind die Eltern als Halbfiguren in Rankenmedaillons dargestellt. Sie verehren die Tochter, über die sich Gott neigt, als Immaculata[18].

Die Anbetung der Maria Immaculata durch die knienden Eltern kommt in einer Ableitung von dem einfachen Bildtypus vor, der Anna und Joachim als Träger der ›Blume Annas‹ zeigt: Altarbild in Vejer de la Frontera (Spanien). Sie ist andererseits aber auch mit der stehenden Immaculata auf der Mondsichel verbunden worden, die als Einzelfigur (mit Gott-Vater und Emblemen) dargestellt wird: Altarbild von Juan de Juanes, 16. Jh., Sot de Ferrer (Castellón de la Plana/Spanien). Anna ist hier als Nonne wiedergegeben[19]. Ein bayerisches Tafelbild bringt noch Mitte des 18. Jh. die Anbetung der schwebenden Immaculata, Kirche zu Kraiburg am Inn[20].

Der Stammbaum ist in verschiedenen Abwandlungen auf vielen Schnitzaltären vom späten 15. Jh. an in allen Kunstgebieten zu finden. Ein Hauptwerk ist der Mittelteil des Altars der Annenkapelle der Kathedrale zu Burgos (Nordspanien) des Simon von Köln, um 1490. In der Mitte des Aufbaus ist in einer rechteckigen flachen Nische die Begegnung von Anna und Joachim dargestellt, die unter einem Torbogen stattfindet. Der Stamm, der aus dem unten liegenden Jesse hervorwächst, teilt sich, und die Äste werden an beiden Seiten des Mittelfeldes hochgeführt. Die Blütenkelche tragen zwölf Ahnen Jesu. In der Krone der sich oben vereinigenden Äste schwebt Maria mit dem Kind[21].

Neben solchen Stammbaumdarstellungen gibt es eine einfachere Bildform, die als ›Arbor Virginis‹ im engeren Sinn bezeichnet werden kann[22]. Sie reicht bis ins 14. Jh. zurück. Auf dem Steinrelief des sog. Rayseraltars, 1378, Ulmer Münster, sitzen Anna und Joachim einander zugewandt auf einer Bank. Aus ihnen wachsen die Wurzeln eines blühenden Rosenstrauches. In der Mitte des Stammes steht allein die jugendliche Maria mit einem kleinen Kreuz in der Hand. Aus ihrer Brust wächst ein Weinstock mit Trauben empor – eucharistisches Zeichen als Hinweis auf den Tod des Erlösers. In den obersten Reben erscheint

Christus mit einem Kreuz in der Hand. Dieser Darstellung verwandt ist der Flügel des Buxheimer Altars, um 1510, Werkstatt des Daniel Mauch, Ulm, *Abb. 757*. Die beiden aus Joachim und Anna (messianische Prophetie lesend) wachsenden Stämme eines Weinstocks vereinen sich in der betenden, gekrönten Jungfrau zum Baumkreuz, das den von zwei Engeln verehrten Kruzifixus trägt.

Eine ähnliche Bildkonzeption liegt der Zeichnung einer Rollenchronik (London BL., Add. 21219) des 15. Jh. zugrunde, doch ist hier der Kreuzbaum mit dem Kruzifixus, an dessen Stamm Maria steht, durch seine Gestaltgebung im Sinne von Bonaventuras Schrift zu dem als Kreuz des Erlösers gedeuteten Lebensbaum aufgefaßt. Um die schematisch angeordneten, nach beiden Seiten weit ausgreifenden Äste winden sich breite Schriftbänder mit Zitaten aus Bonaventuras Werk, das in mannigfacher Weise auf die Kunst des 14. und 15. Jh. wirkte. Genealogie und Gestalten sind hier dem Erlösungswerk Christi untergeordnet, doch hat die Jungfrau ihren Platz in seinem Heilswerk[23].

Einen künstlerischen Ausdruck finden diese Gedankenverbindungen der Arbor Virginis in süddeutschen Monstranzen vom Ende des 17. Jh., die in der Form eines aus Jesse wachsenden Stammbaums gestaltet sind. In die Monstranz, Augsburger Arbeit, in Hauzenberg (Niederbayern), *vgl. Bd. 1, Abb. 42*, ist oberhalb des Schaugehäuses, das die Hostie birgt, über den sich kreuzenden Ästen auf der Vorderseite Maria mit dem göttlichen Kind im Schoß und auf der Rückseite die Schmerzensmutter mit dem toten Sohn im Schoß eingefügt. Beide sind von der sonnenhaften Strahlenglorie umgeben. Die Zweige kreuzen sich ein zweites Mal und bilden auf beiden Seiten einen Kreis für die Gestalt Gottes. Vor den den Baum krönenden Blättern steht die Taube des Heiligen Geistes, überragt von einem Kreuz. Sinnfälliger kommt die Immaculata Conceptio im Zentrum einer Monstranz von Jos. Anton Kipfinger, 1698, Stadtkirche Weilheim (Obb.), zum Ausdruck. In einer ovalen Strahlenglorie, die mit Wolken und kleinen Engeln einen überirdischen Raum bildet, steht die jugendliche Maria, nur zum Teil sichtbar, hinter dem

18. R. v. Marle, The Development of the Italian Schools of Painting, XIV (Haag), 1953, Fig. 61.

19. B. Kleinschmidt, Abb. 139 und 137.

20. LCI V, Abb. 5, Sp. 179.

21. B. Kleinschmidt, 1930, Abb. 143. Siehe weitere Beispiele für den marianischen Stammbaum in der angegebenen Literatur.

22. Vgl. die Bezeichnung für einen siebenarmigen Bronzeleuchter im Dom zu Mailand, um 1200, Bd. 1, Abb. 43.

23. M. Lindgren-Fridell, 1938/39, Abb. 10.

Schaugehäuse. Eine hohe Krone schmückt ihr leicht ge-
senktes Haupt, in der Rechten hält sie das Zepter, mit der
Linken berührt sie die Fassung des Schaugehäuses, das ihren Leib verdeckt. Gott-Vater, Taube und Kreuz sind wie
auf der anderen Monstranz übereinander angeordnet;
zwölf alttestamentliche Gestalten mit Kronen auf den
Häuptern, mehrere davon mit Zeptern in Händen, David
mit Harfe, die beiden obersten mit Büchern, sitzen in den
Ranken des Weinstocks, der aus dem am Fuß der Monstranz liegenden Jesse emporwächst. Als drittes Beispiel
sei noch eine Monstranz des Doms zu Eichstätt genannt.
Hier liegt Jesse, aus dem Weinreben mit Trauben hervorgehen, oberhalb des Nodus unter dem Gehäuse für die
Hostie. Über diesem steht Maria mit dem Kind auf dem
Arm, in der rechten Hand das Zepter, auf der Mondsichel.
Die Gloriole ist aus Flammen gebildet; sie bezieht sich offensichtlich auf das von der Sonne umkleidete Weib, Apk
12,1.

Mitte des 18. Jh. ist die Darstellung der Empfängnis
Annas auch in der Form eines Visionsbildes ohne jeden
Bezug auf einen Text nachzuweisen: Altarbild des Giambattista Tiepolo für S. Chiara zu Cividale, 1759, *Abb. 762.*
Anna und Joachim schauen Gott-Vater in den Wolken
neben der Weltkugel sitzend – Sinnbild für die Welt, der
er den Sohn senden wird. Den Blick noch zu Gott erhoben, wird Maria, ein junges Mädchen, von Engeln auf einer sich über die Erde senkenden lichten Wolke herabge-
tragen. Die Engel blicken alle auf Anna, einer setzt den
Fuß auf ihren Arm. Anna nimmt das Kind noch nicht
wahr, sondern ist hingegeben an die Schau Gottes. – In
der Geburt Marias geweihten ehemaligen Stiftskirche in
Rottenbuch (Oberbayern) zeigt die plastische Gruppe des
Hochaltars, von Franz Xaver Schmädl, 1749–1751, ebenfalls die Schau des von Gott gesendeten Marienkindes in
der Strahlenglorie. Einer der das Wunder umspielenden
Engel deutet auf die Perle in der geöffneten Muschel, die
Sinnbild der Empfängnis Marias ist. Anders ausgedrückt
ist dieser Gedanke auf einem Altarbild des Luca Giordano, 1685, Rom, *Abb. 763.* Gott-Vater sendet den Geist
auf das Marienkind, das neben seiner Mutter sitzt. Anna
und Joachim schauen die Erwählung ihrer Tochter eben-

falls gleich einer Vision. Wie sehr im 18. Jh. die Immaculata Conceptio im Volksglauben noch an Anna und Joachim gebunden ist, obwohl die apokryphe Erzählung in
Zyklen nur noch selten dargestellt wird, zeigt ein kleines
Andachtsblatt, das das herabkommende Kind mit der
Verkündigung an Anna verbindet. Anna sieht Maria in
dem vom Engel gehaltenen Spiegel[24].

Anna Gravida. In Parallele zu der Darstellung der Maria
Gravida, der ›Maria in der Hoffnung‹, die nicht nur bei der
Heimsuchung, der Begegnung von Maria und Elisabeth,
vgl. Bd. 1, Abb. 98, 133, 142, sondern auch als Einzeldar-
stellung vorkommt, ist ebenso die Anna gravida dargestellt worden, vorzugsweise in Stundenbüchern. Das
Festbild zum 8. Dezember im Breviarium Grimani, um
1510, Venedig, bezieht die Anna gravida (lesend auf einem
Thronsessel sitzend) durch die Hinzufügung von David
und Salomon in die alttestamentliche Messiasprophetie
ein. Anna hält ein Spruchband mit dem Wort Sir 24,23; das
Marienkind mit Sir 24,31[25].

Als Beispiel für eine plastische Darstellung der Maria in
der Hoffnung fügen wir eine Holzstatuette, um 1300, aus
dem Dominikanerinnenkloster in Regensburg, *Abb. 767,*
Nürnberg, ein, die Maria gekrönt in frontaler Haltung
zeigt. Ihr Gebetsgestus gilt ihrem Kind, das in einem kleinen verglasten Schrein, der ›Herzkammer‹, sichtbar ist.
Das Bild des sog. Meisters des Bamberger Altars, um 1430,
Aachen, *Abb. 766,* zeigt das kleine Christuskind in einer
Strahlengloriole wie einen Stern vor Maria schwebend.
Solche Werke beschreiben in naiver Weise die Heilsverheißung. Sehr viel offizieller gibt Piero della Francesca in
der Friedhofskapelle zu Monterchi zu Ehren seines dort
bestatteten Vaters auf einem Fresko, um 1460, die Maria
in der Hoffnung wieder, *Abb. 770.* Von der Bestimmung
des Bildes aus gesehen verweist das Öffnen des Vorhangs
ebenso wie das geöffnete Gewand Marias, die ihre Hand
auf den gesegneten Leib legt, auf die verheißene Erlösung.

Eine Tafel eines Altars aus der Annenkapelle der Frankfurter Karmeliterkirche, um 1490, *Abb. 758,* erläutert die
theologische Disputation über die Lehre der Immaculata
Conceptio Marias, die sich nach dem Basler Konzil nicht

---

24. LMK, Abbildung S. 239.
25. Abbildung bei Kleinschmidt S. 207. Ausführlich behandelt
das Gravida-Motiv in der bildenden Kunst M. Lechner, Maria als

Gottesgebärerin, Diss. München 1970; ders. Verfasser zur Anna
gravida auch LCI 5, Sp. 178.

beruhigt hatte. Der Altar ist vermutlich von einem süd-
westflandrischen Meister im Auftrag der 1481 gegründe-
ten Annenbruderschaft in Frankfurt gemalt worden. Das
Bild stellt in die Mitte eines Altaraufsatzes eine Anna-Sta-
tue zwischen zwei Engel. Vor ihrem Leib schwebt in der
Glorie das Kind der Verheißung, vor ihrer Brust steht die
Taube des Heiligen Geistes, ein Hinweis auf die übernа-
türliche Empfängnis. Über Anna, in die Altarnische einbezogen, erscheint – für die verschiedenen Bildformen der
Immaculata Conceptio typisch – Gott-Vater. Auf dem
Spruchband über ihm ist das Wort aus dem Hohenlied 4,7
zu lesen, das u. a. als biblische Begründung für die Immaculata Conceptio Marias herangezogen wurde: »Vollkommen schön bist du, meine Freundin, und kein Fehl ist
an dir.« Das König Salomo zugeteilte Wort bezieht sich
auf die Erwählung Marias vor Anbeginn der Welt (vgl.
Bd. 4,1, Kap. Weisheit): »Da die Abgründe noch nicht
waren, da war ich schon geschaffen«, Spr. 8,24; das Wort
des David – mit der Harfe – ist nicht zu klären. Um den
Altar sind versammelt: links ein Bischof, Anselm von
Canterbury, mit einem Wort von ihm: »Den halte ich
nicht für einen wahren Verehrer Marias, der es ver-
schmäht, das Fest ihrer Empfängnis zu feiern«; rechts ein
Papst, vermutlich Sixtus IV., mit der Bulle. Der kniende
Bischof ist Augustin (sein Attribut das Herz): »Wenn es
sich um Sünde handelt, wollen wir Maria ausschließen.«
Hinter Augustin kniet ein nicht zu identifizierender Kardinal und auf der anderen Seite zwei Karmeliter. Die beiden Männer hinter Anselm und dem Papst sind Stabträger.
Der Orden der Karmeliter, der verhältnismäßig früh für
die Feier des Annenfestes eintrat, mühte sich nach dem
Basler Konzil auch um bildliche Darstellungsformen für
den Festgegenstand. Ein anderer Flügel des Altars zeigt
die Marienvision, die nach der legendären Tradition der
Karmeliter der Prophet Elia, der als Visionär mit dargestellt ist, gehabt haben soll. In einer Licht- und Engelglorie
sitzend offenbart sich Maria am Himmel. Auf ihrem
Schoß liegt ein geöffnetes Buch, in ihrer rechten Hand hält
sie eine Lilie, die das Christuskind trägt. Unter dieser Erscheinung sitzt Anna im Gebet versunken am Ufer eines
Sees[26]. Die Offenbarung Marias am Himmel ist in der Erscheinung des apokalyptischen Weibes (Apk 12) bereits

vorgebildet. In dieser Zeit sind oft deren Merkmale auf das
Marienbild übertragen worden. Darin wird, ebenso wie in
dem Wort aus Sir 24 in der Hand Salomos, deutlich, daß
mit der Immaculata der Gedanke der Maria aeterna, der
ewigen Maria, verbunden wurde. Diese Interpretation läßt
auch das Wort Spr. 8,22–35 erkennen, das bis heute zu den
Lesungen des Festes der Empfängnis Marias gehört.

Eine andere Form, die Immaculata Conceptio im Bild
zu »beweisen«, ist die Heranziehung der aus dem Alten
Testament stammenden Motive, die im Mittelalter als
Symbole der unversehrten Jungfräulichkeit der Gottesmutter gedeutet und seit dem 13. Jh. manchmal bei der
Verkündigung und der Geburt Jesu, vereinzelt auch bei
der thronenden Gottesmutter und der Wurzel Jesse mit
dargestellt wurden, vgl. Bd. 1, S. 26–33, *Abb. 26, 127, 129,
171*. Sie sind in der Lauretanischen (Loreto) Litanei zusammengefaßt und gelten vom 16. Jh. an immer auch als
allegorische Sinnbilder der unbefleckten Empfängnis. Sixtus V. bestätigte 1587 die Lauretanische Litanei, die auf
einer Gottesmutter-Litanei des 12. Jh. von St. Gallen
fußt[27].

Ein Kupferstich aus dem verbreiteten Stundenbuch des
Simon Vostre, Angers, 1510, verbindet die häufig mit dem
Immaculata-Bildkreis in Beziehung gebrachten fünfzehn
Embleme mit einer besonderen Form der Anna selbdritt
und der Anna gravida. Die Gestalt der Mutter Anna beherrscht die Bildkomposition. Mit beiden Händen öffnet
sie ihren Mantel, ein Motiv, das in der Darstellung der
Verkündigung an Maria mehrmals vorkommt und für die
Darstellung der Schutzmantelmadonna typisch ist, siehe
unten. Unmittelbar vor ihrem Leib thront Maria mit dem
Christusknaben in der Strahlenglorie. Die Gestalt Gottes
mit dem gleichen Wort wie auf der Frankfurter Altartafel
schließt die Darstellung oben ab. Zu beiden Seiten Annas
sind eine Reihe der marianischen Symbole mit erläuternden Schriftbändern angeordnet. Auf dem Originalstich
steht unterhalb von Anna das Wort aus Spr 18,24, das auf
der Frankfurter Altartafel Salomo zugeteilt ist. Zu den
Emblemen siehe unten[28].

Vom Bild aus ist bei dieser mit Anna verquickten Darstellungsgruppe nicht immer das Zeugnis der Immaculata
Conceptio unmittelbar ersichtlich, doch beweisen litera-

---

26. RDK V, Sp. 250, Abb. 3.
27. LCI 3, Sp. 27–31.

28. B. Kleinschmidt, Die Heilige Anna, 1930, Abb. 136. RDK
V, Sp. 251, Abb. 4.

rische Quellen, daß sie weithin so aufgefaßt wurde, mag auch bei dem fließenden Übergang von dem bis in die Anfänge des Christentums zurückreichenden Glauben an die Jungfräulichkeit und ethische Vollkommenheit der Gottesmutter zu dem sich allmählich durchsetzenden Glauben an Marias Freiheit von der Erbsünde die eine oder andere Darstellung nicht eindeutig zu interpretieren sein.

Einzeltypen der Maria Immaculata

Maria als Tempeljungfrau (Maria im Ährenkleid). Die Übergabe des Marienkindes in die Obhut der Priester des Tempels in Jerusalem für ein Gott geweihtes Leben erzählen das Protoev. des Jakobus und Ps.-Matthäus als Einlösung eines Gelübdes Annas in Anlehnung an 1 Sam 1,21–28, siehe oben S. 10, 67ff. Maria hat nach diesen apokryphen Schriften, bis sie nach ihrem 12. Lebensjahr mit Joseph verlobt wurde, als Tempeljungfrau gedient. Von dieser Zeit wird berichtet, daß sie keine irdische Speise zu sich nahm, sondern von einem Engel jeden Tag das Himmelsbrot empfing. Wie oben gezeigt wurde, hat die östliche Darstellung der feierlichen Einführung des von Fackeln tragenden Jungfrauen begleiteten Marienkindes in den Tempel[29] diese Speisung durch den Engel aufgenommen, *vgl. Abb. 527–531.*

Welchen Rang Maria als Tempeljungfrau in der Frömmigkeit des Ostens schon früh einnahm, ist an der Einführung des Festes der Präsentation Marias am 21. November zu erkennen, das im 6. Jh. durch den Patriarchen Germanos I. von Konstantinopel bezeugt wurde, sich aber im Westen erst seit dem 14. Jh. durchsetzte. Das Datum des Festes mag mit dem Kirchweihtag der Maria geweihten ›Neuen Kirche‹ in Jerusalem am 20. November zusammenhängen, die Kaiser Justinian wohl nicht zufällig in der Nähe des Tempelplatzes errichten ließ; die Legende von Maria

als Tempeljungfrau könnte sich hier ausgewirkt haben.

In abendländischen zyklischen Darstellungen gilt vom 14. Jh. an nach dem Tempelgang manchmal eine gesonderte Szene der Speisung, oder der Engel kommt zu Maria, wenn sie mit Weben oder dergleichen beschäftigt ist, *vgl. Abb. 533, 536, 547, 548, 552.* Das Annenfenster der Kathedrale von Le Mans, 13. Jh., zeigt den Engel im Gespräch mit Maria im Tempel. Es kommt auch vor, daß Maria von einem Engel die Stufen zum Tempel hinaufgeleitet wird, *vgl. Abb. 545.* Schon in einem Salzburger Perikopenbuch, um 1040, *vgl. Abb. 460,* Seite 44, findet die Verbindung von Erwählung und Gottesbrautschaft durch einen Engel, der über das Haupt der in den Tempel eintretenden Jungfrau die Krone hält, eine ungewöhnliche Bildform.

Dieser Abschnitt der apokryphen Schriften hängt eng mit dem in der theologischen Auseinandersetzung schon früh zu erkennenden Glauben an die immerwährende Jungfräulichkeit und an die Prädestination Marias zur Gottesmutterschaft zusammen. Offensichtlich war der Tempeldienst Marias – mag die Form der Erzählung auch letztlich durch pagane Kultmysterien angeregt worden sein – ein Ausdruck dafür. Die Formulierung eines Gestalttypus der »Maria als Tempeljungfrau« ist schon für das 5. oder 6. Jh. zu belegen. Aus dieser Zeit stammt eine Sgraffittoplatte von Saint Maximin (Provence), die Maria durch die Inschrift »Maria virgo minister de tempulo gerossale« als Tempeljungfrau bezeichnet, *Abb. 764* Ausschnitt (Original Ganzfigur). Die jugendliche Maria in der kreuzförmigen Gebetshaltung ist als Orans dargestellt. Sie trägt ein Übergewand mit weiten Ärmeln und hat langes, offenes Haar. Auf Attribute, örtliche Angaben, Nebenmotive ist verzichtet. Die Tempeljungfrau ist hier eine Personifizierung des Gebets und der Hingabe an Gott, der Pietas. Eine als Tempeljungfrau bezeichnete Mariengestalt ist sonst nicht bekannt.

---

29. Diesen Zug vom Elternhaus Marias in den Tempel schilderte der Mönch Jacobus Monachus (Anfang 7. Jh.) in einer Predigt zum Preis der jungfräulichen Gottesgebärerin nach dem Vorbild eines antiken Brautzugs und läßt die Mutter Anna beim Eintritt in den Tempel sagen: »Indem ich jetzt mein Gott gegebenes Gelübde erfülle, kann ich stolzer als jede andere Mutter mein Haupt erheben. Die anderen übergeben ihre geliebten Töchter einem sterblichen Bräutigam ...«, während ich dich heute einem un-

sterblichen Bräutigam zur Ehe übergebe.« Er spricht dann vom Tempel als vom Brautgemach und sagt, daß Maria im Allerheiligsten gewohnt habe. Vgl. A. Walzer, Zur Darstellung der Verkündigung im Gebetbuch des Herzogs Eberhard im Bart von Württemberg, in: Neue Beitr. zur Arch. und Kunstgesch. Schwabens, Stuttgart 1952, S. 98–106. Verf. nennt noch mehr Theologen bis zum 14. Jh., die durch ähnliche Äußerungen bekannt sind, S. 104.

Die mittelalterliche Bildtradition der Tempeljungfrau läßt sich wahrscheinlich auf ein von der deutschen Kaufmannskolonie (ex partibus Germaniae) in Mailand für den Dom gestiftetes Gnadenbild, eine Silberstatue, zurückführen. Über das Jahr der Stiftung und über ein dieser Statue vorangehendes Gnadenbild weiß man nichts. Die Statue ist 1385 beim Umbau des Doms zugrunde gegangen, doch erhielt 1465 Cristoforo de Mottis den Auftrag, wieder ein Gnadenbild mit derselben Darstellung als Gemälde anzufertigen. Dieses Bild ging zwanzig Jahre nach der Anfertigung bei neuen Baumaßnahmen wieder verloren und wurde durch eine plastische Figur, die Pietro Antonio Solario in Marmor arbeitete, ersetzt und auf einem eigenen Altar aufgestellt. Sie befindet sich nicht mehr im Dom, doch wird heute mit gutem Grund angenommen, daß es sich bei einer etwas beschädigten (ein Arm fehlt) Marmorfigur im Castello Sforcesco in Mailand um die von Solario als Gnadenbild für den Dom geschaffene handelt[30]. Die Gestalt mit langem, offenem Haar und einem Stirnreif trägt ein Kleid mit Ährenschmuck, das mit einem Gürtel, dessen Enden vorn tief herabhängen (zum Teil abgebrochen), zusammengehalten wird und einen flammen- oder strahlenförmigen Halskragen hat. Die Hände sind vor der Brust betend aneinandergelegt. Der Gürtel, der für die Tempeljungfrau typisch ist, trägt eine verstümmelte Inschrift aus HL 6,10(9): »electa ut sol, pulchra ut luna« – auserwählt wie die Sonne, schön wie der Mond. Da bei Wiederholungen eines Gnadenbildes der Typus immer beibehalten wird, ist anzunehmen, daß diese Figur die Urfassung der Silberstatue, vielleicht auch einer Vorgängerin wiedergibt.

Das Mailänder Gnadenbild war sehr bekannt und wurde spätestens seit der Mitte des 14. Jh. in Plastik, Malerei und Graphik nachgebildet. Es ist am häufigsten in Deutschland zu finden, und zwar im Süden (Bayern, Salzburg, Tirol) und Nordwesten (Niedersachsen, Rheinland, Westfalen), doch sind Beispiele auch für Italien, Frankreich, die Niederlande und Skandinavien bekannt.

Als früheste plastische Nachbildung der Silberfigur gilt eine rheinisch-westfälische Holzfigur, um 1350, Bonn, Landesmus., *Abb. 768*. Da die alte Fassung dieser mädchenhaften Gestalt nicht erhalten ist, läßt sich nicht sagen, ob ursprünglich das Gewand mit dem hoch sitzenden Gürtel, dessen Fortsetzung nach unten geführt ist, Ährenschmuck trug und der flammenförmige Kragen vorhanden war. Die Haare fallen in Flechten über den Rücken. Bei einer farbig gefaßten Holzfigur aus Itter in Tirol von Hans v. Judenburg, um 1430, Privatbesitz, ist der flammenförmige Kragen vorhanden, und es ist bekannt, daß das lichtblaue Kleid ehemals Ähren trug. Der für die Tempeljungfrau typische Gürtel ist vergoldet, ebenso der Kragen[31]. Das Bayerische Nationalmuseum besitzt eine große bayerische Holzfigur, um 1490, an deren Gewand noch goldene Ähren zu erkennen sind. Eine weitere Skulptur befindet sich in Nürnberg, GNM, die zu dem Epitaph des Friedrich Gerung, 1495, gehört.

Malerei und Grafik stellen die Jungfrau im Ährenkleid entweder auf einer Blumenwiese dar, häufiger jedoch neben einem Altar in einem Raum, der als Jerusalemer Tempel gedeutet werden kann. Anbetende Engel (vgl. Legende vom Tempeldienst) sind ihr oft zugefügt. Auf einem westfälischen Tafelbild (Votivbild), Ende 15. Jh., in der Kirche Maria zur Höhe in Soest, *Abb. 769*, ist die Tempeljungfrau im Ährenkleid mit tief herabfallendem, offenem Haar in frontaler Haltung im Tempel zu sehen. Der Altar in einem Nebenraum ist nur angedeutet. Links reicht eine kniende Frau einen Blütenkranz dar und rechts hebt ein Mann im Schraubstock die Hände zu Maria auf. Diese Hinzufügung der Gestalten geht darauf zurück, daß es sich um ein Votivbild handelt, und läßt den Bezug zu dem mit Wundern und Gebetserhörungen verbundenen Gnadenbild erkennen.

30. Vgl. zur Geschichte des Mailänder Gnadenbildes und seiner Nachbildungen mit Lit.-Angaben: H. v. Einem, Die »Menschwerdung Christi« des Isenheimer Altars, in: Kunstgesch. Studien für Hans Kaufmann, Berlin 1956. – Zu dem Auftrag für das Gemälde siehe S. 9.

31. Kat. Ausst. »Marienbild«, Villa Hügel-Essen 1968, Abb. 220. – Zwei Figuren der Tempeljungfrau stiftete Kardinal Albrecht von Brandenburg für das sog. Heiltum im Neuen Stift zu Halle. Ein illustriertes Inventar dieses Reliquienschatzes von Anfang des 16. Jh. in der Schloßbibliothek Aschaffenburg zeigt fol. 134v eine Zeichnung einer Silberstatuette, die die Tempeljungfrau darstellt, deren Kleid statt mit Ähren mit Sternen geschmückt ist; siehe Ph. M. Halm u. R. Berliner, Das Hallesche Heiltum, Berlin 1931, Tafel 11.

Der Jungfrau im Ährenkleid ist auf dem Tafelbild von Hinrik Funhof, um 1480, Hamburg, nur die kniende Stifterin hinzugefügt[32]. Der Kranz, der allen Darstellungen eingefügt ist und sich meistens in der Nähe des Altars befindet, hängt auf dem Hamburger Bild unmittelbar neben Maria in der Höhe ihrer gefalteten Hände an der Wand. Er besteht aus zwölf roten und zwölf weißen Blüten. Es ist bekannt, daß sich neben dem Gnadenbild in Mailand eine Votivgabe in Gestalt eines Kranzes befand. Die Jungfrau im Ährenkleid eines Bildes der Cranach-Werkstatt, 1518, im Schloßmuseum Weimar, steht hinter einem Pult, den Blick auf ein offenes Buch gesenkt. Eine Vase mit weißen Lilien, die auf dem Boden vor dem Pult steht, verweist auf die Makellosigkeit Marias. (Vgl. die Tempeljungfrau lesend in einem Glasfensterzyklus, *Abb. 542 b*.) Im Stundenbuch der Sophie Bylant, 1475, Köln WRM., zeigt der Bartholomäusmeister Maria im Ährenkleid, wie sie von einem Engel in den Tempel geleitet wird. Auf dem Altar des Tempels steht der siebenarmige Leuchter (vgl. dazu Bd. 1, S. 32).

Der Meister des Bamberger Altars (?), um 1430, München, BNM, stellt den drei kleinen anbetenden Engeln einen großen gegenüber, der das offene Buch hält, in dem die Tempeljungfrau stehend liest. Ein oberrheinischer Meister, 1445, *vgl. Abb. 556*, zeigt Maria, die im Gebet versunken vor einem Altar kniet, hinter und über ihr Engel, auf dem Boden Rosen. Das übermalte Gewand war ursprünglich vermutlich mit Ähren geschmückt. Die Figuren im Schrein des Altarretabels stellen David mit der Harfe und zwei andere alttestamentliche Gestalten dar, die zusammen auf die geweissagte Jungfrau hindeuten.

Ein 75,6 cm hoher kolorierter niederländischer Holzschnitt, um 1475, der in einen Sakristeischrank der Kirche in Dråby (Jütland) eingeklebt war und sich heute in Kopenhagen, Nat. Mus., befindet, gehört zu dem Typus der neben dem Altar isoliert stehenden Tempeljungfrau mit drei kleinen Engeln. Auf dem Altaraufsatz ist Christus dargestellt. Er hält neben sich die Doppeltafel des Geset-zes, auf die er weist und zugleich zur Jungfrau blickt. Auf dem Altartisch liegt ein geöffnetes Buch neben einem Leuchter mit brennender Kerze. An der Wand hinter Maria hängt auf der einen Seite der erwähnte Blütenkranz und auf der anderen ein gerahmtes Bild mit dem Leidensantlitz Christi (Schweißtuch der Veronika). Dieses Bildmotiv ist auf einem anderen Holzschnitt (Weimar) dem Altarretabel eingefügt[33]. Die Technische Hochschule in Zürich besitzt einen Holzschnitt, um 1465, der die Ährenjungfrau auf einer Wiese stehend zeigt, aber oben den Altar mit den Gesetzestafeln hinzufügt, während ein anderer, Mitte 15. Jh., von dem die Graphische Sammlung München ein Exemplar aufbewahrt, über der Blumenwiese einen ornamentalen Pflanzenhintergrund gibt. Dieser Holzschnitt ist mit einer Inschrift umgeben, die besagt, daß dies das Bild Unserer lieben Frau ist, als sie im Tempel war und ihr die Engel dienten, wie es im Dom zu Mailand gemalt ist[34] – Diese Inschrift kann sich nicht auf das 1465 in Auftrag gegebene Mailänder Bild beziehen, da die Holzschnitte zum Teil älter sind. Vermutlich ging der Silberstatue ein Tafelbild voraus, dessen Konzeption wie für manche Andachtsbilder um 1300 auf süddeutsche Frauenklöster zurückzuführen sein könnte.

Aus diesen Beispielen, denen noch viele hinzuzufügen wären, geht hervor, daß sich in den vom Mailänder Gnadenbild ausgehenden Darstellungen der Tempeljungfrau zwei Vorstellungen durchdringen. Zweifellos ist der Flammen- oder Strahlenkranz am Halsausschnitt und an der Öffnung der Ärmel, der vielfach vergoldet ist, ein Lichtsymbol. Nimmt man es mit dem Wort aus HL 6,9, das auf dem Gürtel der Mailänder Marmorfigur steht, zusammen, so bezieht es sich auf die Schönheit der Braut. Sieht man in der Jungfrau im Tempel die zukünftige Gottesmutter, so kann damit auf Christus, die Sonne, verwiesen sein. Wenn statt der Ähren Sterne das Kleid schmükken, so wird die Lichtsymbolik noch deutlicher[35]. Das Ährenkleid der Jungfrau hat sehr unterschiedliche Interpretationen gefunden, von denen die Auffassung von Ru-

32. A. Hentzen, Hamburger Kunsthalle, Köln 1969, Abb. 33.
33. U. Haastrup, Det store Bloktryk fra Dråby Kirke, Nationalmuseets Arbejdsmark, 1974, S. 61 und S. 68. Siehe auch Berliner, Zur Sinnesdeutung der Ährenmadonna, Abb. 109.
34. »Das pild ist unnser liebenn Frauen pild als si in dem tempel was ehe das sy sand joseph vermahelt ward. also dyentenn ir die engel in dem tempel und also ist sy gemalt in dem tum tzu maylandt.«
35. In der Literatur erwähnte astrologische Bezüge zum Sternbild der Jungfrau haben vielleicht in Einzelfällen eine Rolle gespielt, das Sternenkleid Marias läßt sich damit allein nicht erklären.

dolf Berliner, Maria werde durch die Ähren als Acker Gottes, der, ohne bearbeitet zu werden, doch Frucht bringt, die größte Wahrscheinlichkeit hat und heute allgemein akzeptiert wird[36]. Als theologische Belege für sein Verständnis der Ährenmadonna zitiert Berliner eine Reihe griechischer Theologen zwischen dem 3. und 9. Jh., deren gleichnishafte Wortbilder im Abendland bis ins 15. Jh. weiterwirkten und immer neu formuliert wurden[37]. Daraus ergibt sich, daß in der Entstehungszeit der Ährenjungfrau der Vergleich Marias mit der Frucht tragenden Erde noch lebendig war und als Bild für die übernatürliche Empfängnis und vielfach auch schon damals für die Erbsündenlosigkeit Marias verstanden wurde. Diese Deutung erhellt, warum die betende Tempeljungfrau das Ährenkleid mit dem Gürtel, Sinnbild der Keuschheit, und dem Strahlenkragen (Christus, die Sonne) trägt, oder umgekehrt, warum die Ährenmadonna – wie so oft Maria bei der Verkündigung – im Tempel dargestellt wurde, in dem die Gesetzestafeln und die alttestamentlichen Figuren an die Heilsverheißung erinnern, die sich auf wunderbare Weise an der Jungfrau erfüllt hat. Ebenso ist Maria als Tempeljungfrau zugleich Braut Gottes und selbst der Tempel und das Brautgemach, in dem Gott Wohnung nimmt. Die Identifizierung Marias mit dem Tempel geht auf die biblischen Aussagen über die Weisheit Gottes zurück, die auf Maria übertragen werden[38].

Wie weit der in die Kunst eingegangene Vorstellungskreis ist, der zu der Immaculata Conceptio hinführt, zeigt die Verbindung der schon erwähnten 15 Embleme mit der webenden Tempeljungfrau auf einem der Reimser Teppi-che, *vgl. oben Abb. 557*. Maria sitzt zwischen zwei Engeln, anstatt im Tempel im Hortus conclusus, einem blühenden Paradiesesgarten. Die beiden Engel bringen ihr Brot und Wein, die himmlische Speise; über ihr weitere sieben Engel. Zu ihren Füßen stehen links der brennende Dornbusch mit Blüte und rechts ein Rosenstrauch. Die beiden sich aufrichtenden Einhörner, die als Wächter zu fungieren scheinen, verkörpern nach einer alten Sage übernatürliche Kraft und können nur im Schoß einer Jungfrau gebändigt werden[39]. Über Maria erscheint Gott-Vater mit dem für die Darstellungen der Immaculata Conceptio typischen Wort: »Vollkommen schön bist du, meine Freundin, und ist kein Makel an dir«. – Ein Tafelbild, um 1520, Kamnikon (Jugoslawien), zeigt Maria im Ährenkleid im Tempel mit ihren Gefährtinnen am Webstuhl.

Die fünfzehn Embleme der Immaculata-Ikonographie, die auf dem Reimser Teppich dargestellt sind: stella maris – Meerstern (Venantius Fortunatus); electa ut sol – Sonne, HL 6,10b(9); civitas Dei – Stadt Gottes, Ps 87(86),3; porta coeli – Himmelspforte, 1 Mos 28,17b; dedrus exalta – Zeder, Sir 24,17; puteus aquarum viventium – Brunnen lebendigen Wassers, HL 4,15; virga Jesse – Wurzel Jesse, Jes 11,1; Hortus conclusus, HL 4,12a; Dornenbusch, 2 Mos 3,2; turris David cum propuga culis – Turm Davids mit Schilden behängt, HL 4,4; oliva speciosa – Olive, Sir 24,19a; fons hortorum – Brunnen im Garten, HL 4,15; speculum sine macula – Spiegel ohne Makel, Weish 7,26; plantatio rosae in Jericho – Rosengarten oder Rosenstock, Sir 24,18b; bei der zweifachen Darstellung der Brunnen

36. Rudolf Berliner, Zur Sinndeutung der Ährenmadonna, in: ChrK 26, 1929, S. 97–112, mit 6 Abbildungen von Ährenmadonnen.

37. Die Vorstellung findet sich auch im Heilsspiegel, der 1324 wahrscheinlich von Ludolf von Sachsen verfaßt wurde, s. P. Perdrizet, J. Lutz, Speculum humanae salvationis I, Mülhausen-Leipzig, 1907, S. 8 und 18.

38. Einige der literarischen Quellen, die Maria als Tempel und Brautgemach deuten, sind von A. Walzer, Die Darstellung der Verkündigung im Gebetbuch des Herzogs Eberhard im Bart von Württemberg, in: Neue Beiträge zur Archäologie und Kunstgeschichte Schwabens, 1952, S. 98–106, zusammengestellt worden. Für das Bild der symbolischen Maria des 15. und 16. Jh. sind als literarische Quellen die »Goldene Schmiede« des Konrad von Würzburg und die Visionen der Birgitta von Schweden wichtig.

Letztere erschienen um 1503 in deutsch.

39. Vgl. Bd. 1, »Einhornjagd«. Die Bildfassung des 15. Jh., die die Einhornjagd im Hortus conclusus darstellt und ihm die Embleme der Mariensymbolik einfügt, gilt als Allegorie für die Verkündigung Marias bzw. die Menschwerdung Christi. Die Embleme sind in diesem Abschnitt des 1. Bandes kurz erläutert. Im 16. Jh. spielt auch in diesem Darstellungstypus durch eingefügte Nebenszenen der Annenikonographie der Gedanke der Immaculata Conceptio hinein: Ein Teppich, 1. Hälfte 16. Jh., Privatbesitz, zeigt die Einhornjagd im Hortus conclusus in Verbindung mit der Anna selbdritt, die in der Mitte zwischen der heiligen Sippe in einem schmalen Streifen über dem Hauptbild dargestellt ist, siehe Abb. RDK I, Sp. 445/446; der Artikel »Einhorn« daselbst im Nachtrag zu Bd. IV, Sp. 1504–1544.

aus HL 4,15 kann einer auch als fons patens domui David nach Sach 13,1 gedeutet werden[40].

Die Mitteltafel des Isenheimer Altars, 1513–1515, von Matthias Grünewald, die im Gottesdienst nur bei der ersten Wandlung des Flügelaltars zu sehen war, stellt die Menschwerdung Gottes dar. Der Gottesmutter mit dem Kind rechts ist auf der linken Seite eine zweite Mariengestalt auf der Schwelle eines mit Prophetenfiguren geschmückten goldenen Tempels gegenübergestellt. Daneben zeigte der geöffnete Altarflügel die Verkündigung an Maria in einem Kirchenraum, so daß die Mariengestalt mit dem von Engeln erfüllten Tempel die Mitte der drei zusammenhängenden Mariendarstellungen bildet. In dieser Gestalt, die der Interpretation lange Zeit Rätsel aufgab, erkannte Herbert von Einem im Zusammenhang der das Wesen Marias deutenden symbolischen Darstellungen dieser Zeit die Tempeljungfrau[41].

In dieser »allerheiligsten Jungfrau« und Braut Gottes in dem Tempel verbinden sich Immaculata Conceptio und Incarnatio. Sie, die selbst »domus aurea« und »porta coeli« genannt wird, über der die Engel die Krone als Zeichen der Erwählung halten, die leuchtenden Hauptes und leuchtenden Leibes auf Erfüllung der Verheißung wartet, neigt sich anbetend dem göttlichen Sohn auf dem Schoß der Mutter zu, die auf der anderen Seite des Bildes in einer Landschaft sitzt, der Sinnbilder Marias, aber auch Hinweise auf das Leiden des Sohnes als natürliche Gegenstände zugefügt sind. Die durchsichtige Glaskanne (vasa spirituale) zu Füßen der Jungfrau, durch die die Sonnenstrahlen gehen, ohne sie zu verletzen, ist Sinnbild der unversehrten Jungfräulichen, der Maria ohne Makel.

Ein Tafelbild des Carlo Crivelli, 1492, aus S. Francesco zu Pergola, London, *Abb. 777*, leitet von dem Bildtypus der Tempeljungfrau über zu dem der Einzelgestalt der Immaculata. Die einer Balustrade eingefügte Nische, in der die Jungfrau vor einem Behang steht, ist eine Ableitung von der Tempelarchitektur. Das Gewand ist nicht mit Ähren, sondern mit Früchten und Pflanzenornamen-

ten geschmückt; Früchte hängen auch zu beiden Seiten an der Vorhangstange. Sie spielen auf die Frucht der neuen Erde des göttlichen Ackers an und verweisen vielleicht auch auf die Früchte des durch die neue Eva wiedererschlossenen Paradieses. Rechts steht ein Krug mit Rosen, links eine Lilie in einer Glaskaraffe. Von oben neigt sich Gott-Vater über die Jungfrau, und die Taube des Heiligen Geistes schwebt herab. Der Spruch, den die Engel über Maria halten, lautet: »Ut in mente Dei ab initio concepta, fui ita et facta sum« = »Wie ich im Geiste Gottes von Anbeginn an empfangen (konzipiert) war, so wurde ich und bin ich geworden«, Sir 24,14.

Immaculata – Tota Pulchra. In der Immaculatagestalt der Neuzeit werden wesentliche Züge der mariologischen Glaubensvorstellungen des Mittelalters mit den seit der Renaissance neu gewonnenen künstlerischen Mitteln revitalisiert und unter dem übergreifenden Begriff der Immaculata Conceptio neu interpretiert. Im 16. Jh. steht die Gestalt der »Tota pulchra« im Zentrum der Immaculata-Conceptio-Darstellungen. In ihr geht die Tempeljungfrau, selbst ein Bild der vollkommen Reinen, auf. Nachdem kurze Zeit beide Gestalten künstlerischen Ausdruck fanden, wurde der Bezug zum Tempel und das Kleid mit Ährenschmuck und Strahlenkranz, das die Tempeljungfrau kennzeichnet, aufgegeben. Die jungfräuliche, betende Gestalt mit dem langen, offenen Haar bleibt in der Tota pulchra erhalten. In ihr klingt die mariologische Interpretation der »mulier amicta sole«, an, die, mit der Sonne bekleidet und auf dem Mond stehend, am Himmel erscheint, Apk 12,1. Es ist vor allem das vom ausgehenden Mittelalter an verbreitete Bild »Johannes auf Patmos«, in dem das apokalyptische Weib am Himmel als Maria mit dem Jesuskind erscheint. Diese Interpretation äußert sich schon seit dem 14. Jh. in Sondertypen der Gottesmutter-Darstellungen, vor allem in der Demutsmadonna, Mondsichel-Strahlen-Madonna und gegen 1500 in der am Himmel schwebenden Gottesmutter, siehe unten.

---

40. Zu dem brennenden Dornbusch aus der Berufung Mose, der seit dem 11. Jh. ikonographisch als Präfiguration der Unversehrtheit Marias nachzuweisen ist, vgl. Bd. 1, Abb. 21, 26, 171 und später für die Immaculata-Ikonographie von besonderer Bedeutung ist, siehe E. Vetter, Maria im brennenden Dornbuch, in: Das Münster, 10, 1957, S. 237–253.

41. Vgl. den zitierten Aufsatz von H. von Einem, 1956, und die Ausführungen von L. Behling, Symbole der Revelationes der hl. Birgitta in Beziehung zum Isenheimer Altar des Matthias Grünewald, insbesondere für die Darstellung der knienden Maria im Goldtempel, in: Festschrift Altomünster 1973, S. 137–162.

Ein englisches Missale aus dem Kreis der Karmeliter, Ende 14. Jh., zeigt in einer Initiale B zum Graduale der Liturgie des Festes In Conceptione Immaculata B.M.V. (ein Gesang, dessen Lobpreis mehrmals an die zur Immaculata in Beziehung gesetzten alttestamentlichen Rühmungen der Weisheit anknüpft) die gekrönte Jungfrau mit den über die Schultern fallenden Haaren als Fürbitterin, *Abb. 772.* Die Sonne vor ihrer Brust verweist auf das apokalyptische Weib. Die Gestalt steht hier in engem Bezug zur Trinität. In ihr kann man eine Vorform zur Tota-Pulchra-Figur der Immaculata-Ikonographie sehen[42].

Kennzeichnend für diese Gestalt ist vom Ende des 15. Jh. an der schwebende Zustand, der die Immaculata als reine Symbolfigur ohne Hinweise auf eine Handlung verdeutlicht. Das Schweben geht ebenso wie die häufig hinzugefügten Gestirnzeichen offensichtlich auf die Übertragung der Symbole des »großen Zeichens am Himmel«, auf die Immaculatagestalt, zurück. Die Umwandlung der Tempeljungfrau in die schwebende Immaculata hat sich vermutlich Ende des 15. Jh. in den Niederlanden vollzogen und ist zu Beginn des 16. Jh. allgemein verbreitet, vor allem auch in dem mit den Niederlanden eng verbundenen spanischen Gebiet. Oberhalb der Jungfrau erscheint die Halbfigur Gottvaters, entweder mit Zepter und Weltkugel oder mit nach unten ausgebreiteten Händen, dem oft das zu Maria gesprochene Wort »Tota pulchra est amica mea – et macula non est in te« hinzugefügt ist. Der Gestus kann Empfang oder Sendung bedeuten. An die Stelle der Gottesgestalt tritt auch manchmal die Trinität. Entweder halten die beiden göttlichen Figuren im Himmel die Krone, über der die Taube des Heiligen Geistes schwebt, für die Erwählte bereit, oder sie krönen die Tota pulchra. Die Krönung kann auch von Engeln vollzogen werden. Ist Maria von mehreren Engeln umgeben, so ist die Vorstellung der Regina angelorum in das Bild mit einbezogen.

Diese Kennzeichen der Gestalt, von denen mehrere auch in anderen Darstellungstypen und Themen der Marienikonographie vorkommen, führten dazu, in manchem Immaculatabild die Himmelfahrt Marias oder allgemeiner die Verherrlichung Marias zu sehen. So ist die Darstellung

der hoch über der Erde im Lichtglanz des Himmels schwebenden Gestalt des Meisters von Moulins vom Anfang des 16. Jh. (Paris, Privatbesitz), *vgl. Abb. 743,* höchstwahrscheinlich als Immaculata zu deuten. Ebenso können die beiden Darstellungen flämischer Meister, das Tafelbild des Meisters der Luzien-Legende, 1485, Washington, *Abb. 776,* und das aus dem Umkreis des Geertgen tot Sint Jans, Landesmuseum Bonn, nicht als Himmelfahrt Marias bezeichnet werden, obwohl sie diesem Bildtypus (italienische Assunta) durch das Schweben der Gestalt und die sie umgebenden Engel nahestehen. Bei der Himmelfahrt Marias erscheint aber am Himmel nicht Gott-Vater (Bonn) oder die Trinität (Washington) sondern Christus mit den Erlösten, die Maria erwarten, siehe oben. Auf dem Bild in Washington ist unter der Mondsichel, auf die Maria tritt, ein Stück der Sonnenscheibe zu sehen, und auch hinter ihrem Haupt steht die Sonne. Die Sonnenformen beziehen sich auf die »mulier amicta sole« und auf das in der Immaculata-Ikonographie öfters wiederkehrende Wort, das auf dem Gürtel der Mailänder Marmorfigur steht: »electa ut sol, pulchra ut luna«. Ferner halten auf dieser Darstellung die beiden göttlichen Personen die Krone, während sie auf dem Bonner Bild von zwei fliegenden Engeln über Maria getragen wird.

Wenn die Symbole der Lauretanischen Litanei die schwebende Gestalt der Jungfrau umgeben, ist ihre Deutung als Immaculata außer Zweifel. Die Embleme können zeichenhaft auf der Bildfläche verteilt oder in realistischer Form einer Landschaft eingefügt sein. Zur ersten Gruppe gehört der Holzschnitt im Stundenbuch von Rouen, 1503, mit fünfzehn Emblemen, in deren Mitte die Tota pulchra, überstrahlt von dem von Gott-Vater ausgehenden Licht, steht[43], und ein Kupferstich im Stundenbuch des Simon Vostre. Hier steht die Jungfrau in einer Lichtglorie auf einem Hügel, der aus Wolken gebildet ist, die an beiden Seiten in einem schmalen Streifen vom Himmel herabgeführt werden und sich unten vereinen[44]. Beispiele für die zweite Form sind ein flämisches Tafelbild, von Anf. 16. Jh., des Warschauer Museums, auf dem Maria im Sternenkleid über der Civitas Dei inmitten einer Symbollandschaft

42. Vgl. M. Levi d'Ancona, The Iconography of the Immaculate Conception in the Middle Ages and Early Renaissance, New York 1957. Siehe Rezension von B. Gray, in: BurlMag 100, 1958, S. 138.

43. Vgl. H. von Einem, S. 17, Abb. 8.
44. Vgl. A.-M. Lépicier, L'Immaculée Conception dans l'Art et l'Iconographie, Spa 1956, Abb. S. 54.

schwebt[45], und die Miniatur des letzten Blattes in dem schon genannten Breviar Grimani, um 1510, Venedig, die die Immaculata hoch am Himmel über einer solchen Landschaft zeigt. In der Regel ist bei diesen Emblem-Kompositionen ganz oben die Halbfigur Gott-Vaters zu sehen[46]. Die Krönung der Tota pulchra durch die Trinität zeigt der spanische Meister Juan de Juanes auf einem Tafelbild des 16. Jh., Valencia, Kirche des Jesuitenkollegs. Das immer wiederkehrende Wort: Tota pulchra es amica mea – et macula non est in te steht zur Hälfte links bei Christus und der zweite Teil bei Gott-Vater; außerdem noch einmal unter der von einer Flammenglorie umleuchteten Immaculata-Figur. Sie trägt den Gürtel der Tempeljungfrau, ist von den fünfzehn Emblemen umgeben und wird von der Trinität gekrönt[47]. Zu dieser Gruppe der Tota pulchra-Figur, dem vorherrschenden Immaculatabild des 16. Jh., ist noch das Altarbild des El Greco, 1605–1610, für die Capella de Isabel de Oballe von S. Vincente, Toledo, zu rechnen, *Abb. 781* (Werkstatt-Nachbildung). Das Halbfigurenbild Gott-Vaters ist aufgegeben, statt dessen schwebt die Taube des Heiligen Geistes über der Jungfrau; auch die Handhaltung der Jungfrau ist abgewandelt. Auf einem Gemälde von Velasquez, 1618, London, *Abb. 782*, steht die Tota pulchra oder Purissima einsam, mit gesenktem Blick, auf der Weltkugel, deren oberer Teil das Licht des Himmels empfängt, während der untere in die Dunkelheit einer irdischen Landschaft eintaucht.

Ein Pinturicchio zugeschriebenes Tafelbild im Nationalmuseum zu Stockholm (NM 2067) zählt zu den Bildformulierungen, die dem Glaubensgeheimnis der Konzeption der Jungfrau sehr nahekommen. In einer spitz zulaufenden Mandorla, die unten die Erde eben noch berührt, steht die Jungfrau von Licht, Sternen und neun geflügelten Engelsköpfchen umgeben auf einer kleinen Wolke. Unterhalb ihrer gefaltet erhobenen Hände ist in einer mandorlaförmigen Öffnung ihres hellen Gewandes die kindhafte unbekleidete Christusgestalt zu sehen. Ihre

Rechte ist segnend erhoben, in der Linken hält sie als »Salvator Mundi« die Weltkugel. Über dem leicht gesenkten Haupt der Jungfrau breitet die Taube des Heiligen Geistes ihre Flügel aus (»empfangen vom Heiligen Geist«, vgl. Lk 1,35). Gott-Vaters Hände halten die Mandorla, sein Haupt überragt sie, seine Gestalt bleibt unsichtbar. Auf der Bildtafel steht: SENPRE · PATRE · ET · FIG / LIO · ET · SPV · SCO / INCREATO · I(N)ME(N)SO · ET · IN / FINITO · / LA MATRE · DE IESV. – (Da ich das Bild erst nach dem Druck des Bildteils und dem Abschluß des Manuskriptes kennenlernte, konnte es leider nicht abgebildet werden. Ich beabsichtige, es an anderer Stelle zu publizieren.)

Die Disputation über die Tota Pulchra. Die schwebende Gestalt Marias, die aus dem Schoß des göttlichen Vaters hervorgeht, verbindet auf einer Altartafel von Luca Signorelli, 1521, Cortona, *Abb. 775,* mit der Bezeugung der Immaculata Conceptio und der Erwählung der Jungfrau durch vier kniende Propheten, David und Salomo. Der Text in dem geöffneten Buch Salomos beginnt mit dem Wort aus Sirach 24,14, das sich auf ihre Erschaffung vor der Welt bezieht und Anlaß zu der Bezeichnung »Maria aeterna« gibt. Die Texte der Propheten beginnen mit Jes 7,10 (Die Wurzel Jesse blüht), Jes 7,14 (Eine junge Frau ist schwanger), 4 Mos 24,17 (Der Stern aus Jakob ist aufgegangen), HL 2,2 (Eine Lilie [Rose] unter den Dornen). Diese Schriftworte werden alle auf die Virginitas Marias bezogen. Unter Maria verweist die Darstellung des Sündenfalls auf die Erbsünde (Eva greift nach dem Apfel der Schlange). Maria ist mit Gott-Vater, der Zepter und Globus in Händen hält, durch die Überschneidung beider Gestalten, eine große ovale Lichtform und die sie umgebenden geflügelten Engelköpfchen, verbunden. Zwei Engel streuen Blumen auf die Erde.

Giovanantonio Sogliani bringt auf einer ähnlichen Darstellung vom Anfang des 16. Jh., Florenz, Accademia, die theologische Disputation. Am vorderen Bildrand liegt der

45. Vgl. Tatarkiewicz, Die Bilder des Warschauer Museums, in: ZBK NF 21, 1910 (unter Petrus Christus), und H. von Einem, S. 17, Abb. 11.

46. Vgl. H. von Einem, Abb. 9; eine bessere Abbildung der Miniatur siehe A.-M. Lépicier, 1956. Vgl. auch das Gemälde des J. de Ribera in der Augustinus-Kirche zu Salamanca in: E. Mâle,

L'Art Réligieux après le Concile de Trente, 1932, Fig. 16.

47. Abbildung siehe M. Trens, Maria, Iconografia de la Virgen en el arte español, Madrid 1947, S. 155. Vgl. S. 159 ein Tafelbild von Giuseppe de Arpino, 16. Jh., Madrid, und S. 176 von Francisco Pacheco, 16. Jh., Sevilla, Kathedrale.

tote Adam hingestreckt (ein Hinweis auf die Folge der Erbsünde), hinter ihm stehen sechs theologische Lehrer, die in dem Streit um die Immaculata Conceptio hervorragten. Darüber schwebt Maria auf einer Wolke. Gott-Vater hat Marias Mantel ergriffen und breitet ihn schützend aus; zwei Engel halten dahinter ebenso Gottes Mantel. Von den beiden neben ihm schwebenden Engeln hält einer ein Wort des Assuerus (bei Luther: Ahasveros) an Esther und der andere HL 4,7, die etwas tiefer schwebenden Engel Spr 8,23 und 24.

Piero di Cosimo zeigt auf dem Tafelbild A. 16. Jh., Fiesole, S. Francesco, Gott-Vater im Licht thronend. Vor ihm kniet die betende Jungfrau, über die er das Zepter ausreckt. Mit diesem Gestus ist die gnadenvolle Erwählung Marias ausgesprochen. Auf der Tafel in der Hand Gott-Vaters ist ein Wort an Esther zu lesen: »Non enim pro te, sed pro omnibus haec lex constituta est« – »Das Gesetz ist für alle Menschen gemacht, aber nicht für dich.« Esther gilt als alttestamentliches Vorbild Marias. Aus einem vornehmen israelischen Haus stammend fand in der Zeit des Exils ihre Fürbitte für ihr geknechtetes Volk vor dem heidnischen Herrscher Ahasveros Erhörung. Das Ausrecken des Zepters gegen Maria, das in den Bildern der Immaculata immer wiederkehrt, geht auf Esther 5,2 zurück und bedeutet, daß sie Gnade vor den Augen des Königs gefunden hat. Abgesetzt von der himmlischen Zone halten sechs theologische Lehrer, unter denen Petrus Damianus, Anselm von Canterbury und Thomas von Aquin zu identifizieren sind, Schrifttafeln, die sich für die Immaculata Conceptio aussprechen. Petrus Damianus: Das von Adam stammende Fleisch der Jungfrau nahm Adams Sünde nicht an. Der zum Himmel zeigende Heilige: Die Empfängnis der Jungfrau Maria bewundern die Himmel. Der neben ihm Kniende begründet: Was immer in Maria sich findet, alles war Reinheit, alles Wahrheit, alles Gnade. Thomas von Aquin: Maria war frei von aller Erbsünde und persönlicher Sünde. Anselm: Ich glaube nicht, daß der ein wahrer Freund der Jungfrau ist, der sich weigert, das Fest ihrer Empfängnis zu feiern.

Die Darstellung der Disputation mit der im oberen Bildteil knienden Mariengestalt, über die Gott das Zepter hält, geht auf das Ende des 15. Jh. zurück: Meister aus dem Umkreis Ghirlandajos, Lucca, Pinacoteca. Auch die Dresdner Bilder von Dosso Dossi gehörten zu dieser Gruppe. Auffallend ist bei einer Darstellung des Francesco Zaganelli, 1513, Forli, Pinacoteca, daß dem Wort HL 4,7 (das hier der Bräutigam zu seiner Braut sagt), nach ›macula‹ das Wort ›originalis‹ eingefügt ist. Damit wird der Glaube an die Makellosigkeit Marias von Anfang an ausgesprochen. Die häufigen Darstellungen der Disputation und Bezeugung der Immaculata Conceptio Anfang des 16. Jh. lassen sich als Dokumentation der Lehre und ihrer Verteidigung interpretieren. Durch drei Worte bestätigt sie ein Terrakotta-Altärchen in Empoli, 1. Viertel 16. Jh., Robbia-Werkstatt, *Abb. 779.* Maria steht etwas erhöht auf einem Felsen zwischen Augustin und Anselm. Über ihr lassen sieben Engel durch ihre Bewegungen ihre Freude erkennen[48].

Die von Licht umgebene gekrönte Jungfrau des oben schon erwähnten Tafelbildes des Girolamo di Giovanni da Camerino, um 1475, *Abb. 778,* zeigt offensichtlich die Sendung Marias zur Erde und verdeutlicht ebenso wie die vor Gott kniende jugendliche Mariengestalt auf der Darstellung des Piero di Cosimo insbesondere den Gedanken der Erwählung Marias von Anbeginn der Welt. Diese Vorstellung hängt mit der Identifizierung Marias als der ewigen Weisheit (vgl. Bd. 4,1, S. 68–77) und dem »großen Zeichen am Himmel«, der Frau mit dem Sohn, gegen die der Drache zum Kampf antritt (vgl. Bd. 4,1, S. 77–84 und Bd. 5), zusammen. Auf den Bezug zur ewigen Weisheit deutet das Wort: »Der Herr hat mich erwählt im Anfang seiner Wege; ehe er etwas schuf, war ich da. Ich bin eingesetzt von Ewigkeit, von Anfang, vor der Erde«, Spr 8,22 f., das in der Immaculata-Ikonographie mehrmals neben ähnlichen Stellen vorkommt. Insbesondere in den Disputationen weist es im Zusammenhang mit der Erbsündenlehre auf diese mariologische Interpretation hin. Sie beruht auf der S. 155 aufgezeigten Eva-Maria-Typologie in ihren zwei Aspekten: Maria als Parallele zu Eva vor dem Sündenfall, als »Neue Eva«, weibliches Urbild der Schöpfung, und Maria als Antithese zu der Eva des Sündenfalls, die die Schlange zertritt.

---

48. Zu den angeführten Inschriften siehe St. Beissel, Geschichte der Verehrung Marias im 16. und 17. Jh., Freiburg 1910, S. 252–261; hier sind u. a. noch einige Darstellungen der Disputation abgebildet. Zu dem erwähnten Bild der Ghirlandajo-Schule und der Esther-Maria-Typologie siehe M. Levi d'Ancona, S. 30; zum Bild von Sogliani, S. Esche, Adam und Eva, 1957, Abb. 43.

Maria als neue Eva zeigt ein kleiner Holzschnitt eines jesuitischen Andachtsbuchs von Pierre Biver, 18. Jh., in Verbindung mit der Austreibung aus dem Paradies. Hinter dem Engel mit dem feurigen Schwert steht die gekrönte Jungfrau auf der Schlange und erwidert den Blick der Davoneilenden[49].

Zwei spanische Tafelbilder der Immaculata Conceptio des 16. Jh. scheinen diese Gedanken aufzugreifen. Das eine von Pacheco, Sevilla, Kathedrale, schließt sich dem Schema der unterhalb der thronenden Trinität in der Bildachse schwebenden Jungfrau, über die zwei Engel die Krone der Erwählung halten, an. Hier kommt jedoch deutlich die Sendung der Jungfrau zu der der Sünde verfallenen Welt zum Ausdruck. Von den kleinen, in die Lichtglorie einbezogenen Engeln halten die vier untersten Schilde zur Abwehr gegen die bösen Mächte auf Erden, die durch Figuren personifiziert sind. Bei dem anderen Bild, Schule von Sevilla, Madrid, Privatbesitz, geleitet Gott Maria zur Welt, oder er läßt sie vom Himmel aus diese Welt schauen. Es ist das übliche Halbfigurenbild Gottes, aber der ewige Vater neigt sich über Maria und legt einen Arm um ihre Schulter, während er die andere Hand schützend zwischen Maria und die von dämonischen Wesen besessene Welt hält. Maria, auf der Mondsichel stehend, schwebt in diagonaler Richtung und blickt zu dieser Welt herab[50].

In diesem Zusammenhang kann man auch das Tafelbild für den Altar der Unbefleckten Empfängnis im Dom S. Salvatore zu Montalcino von Francesco Vanni, 1588, sehen, *Abb. 780.* Maria auf der Mondsichel steht im Paradies und tritt auf den Kopf des geflügelten Drachens. Sie hält den Sohn auf dem Arm, der, im Blick auf die Gottesgestalt und die Taube des Heiligen Geistes, als zweite Person der Trinität verstanden werden kann. Der paradiesischen traumhaften Landschaft sind die Symbole der Makellosigkeit der Jungfrau integriert, deren Anzahl gegenüber der in der Immaculata-Ikonographie üblichen Zahl erweitert ist. Die scala coelestis (1 Mos 28,12) führt vom Hortus conclusus zur geöffneten Pforte des Himmels, durch die das Licht in den Garten leuchtet. Mit dem Niedertreten der Schlange klingt das Immaculatathema des 17. und vor allem des 18. Jh. an, das im Bild der Gottesmutter und in dem der Jungfrau Vorläufer hat.

Eine Bonaguida zugeschriebene Illustration, um 1335–1340, der ältesten Version vom Panegyricus (Hymnus) des Convenevole da Prato, die vermutlich von Robert von Anjou (König von Neapel), der den Spiritualen des Franziskanerordens verbunden war, stammt, verbindet den Gedanken des Sieges der neuen Eva über die Schlange – die Erbsünde – mit der Verheißung der Krone, *Abb. 765.* Der Zusammenhang mit den Franziskanern, die das Fest der Empfängnis Marias in Italien schon im 13. Jh. feierten, und der illustrierte Text lassen die Vermutung zu, daß hier der Sieg der neuen Eva schon unter dem Aspekt der Immaculata gesehen wurde: Maria kniet betend neben einem Thron, auf dem eine Krone liegt. Zu dem Thron führen sieben Stufen hinauf, wie auf vielen Darstellungen des Tempelgangs. Auf der untersten Stufe liegt der als geflügelte Schlange wiedergegebene Satan tot auf dem Rücken. Die Schriftzeilen auf den Stufen beziehen sich auf die Verfluchung der Schlange 1 Mos 3,15: »Zu ihren Füßen liegt dieser scheußliche Feind hingestreckt ...«. Der Miniatur der knienden Maria steht auf der anderen Seite eine Darstellung des thronenden Christus gegenüber, auf den Maria blickt.

Dem burgundischen Missale, um 1513–1515 im Auftrag des Kaisers Maximilian I. wahrscheinlich in Mechelen angefertigt wurde, ist zum Officium de Immaculata-Conceptione B.M.V. eine Miniatur eingefügt, die die Vorstellung der neuen Eva mit einem anderen Bildmotiv verknüpft, *Abb. 773.* Maria mit dem Kind steht neben dem Baum des Lebens, ein Weinstock, der Trauben und Rosen trägt, dem die Taube des Heiligen Geistes zugehört. Sie tritt auf den Kopf der gestürzten Schlange. Eva steht als Antithese neben dem Baum des Todes, einem Feigenbaum, dessen verbotene Frucht der Sünde sie aß. Die Schlange hat zwei Gesichter: das eine gleicht Eva, das andere ist das des Todes. Die in das frühe 14. Jh. zurückreichende Baumallegorie ist hier neu interpretiert und vermutlich zum erstenmal mit der Immaculata Conceptio in Verbindung gebracht. Auf der Randleiste der Miniatur ist zu lesen: »Ab originali peccato virginem mariam praeservavi«, und daneben steht die Fortsetzung des oben angeführten Wortes aus Spr 8,22: »Quia necdum erant abyssi et ego iam concepta eram«. – Da die Tiefen noch nicht waren, da ward ich geboren –, V. 24. Die betenden Stifterfigu-

---

49. Vgl. Abbildung A.-M. Lépicier, 1956, S. 102.

50. Vgl. M. Trens, 1947, Abb. 96 und 99.

ren gehören dem Haus der Habsburger an. Weitere Miniaturen dieser und der gegenüberstehenden Seite zeigen Bild-
nisse von theologischen Verfechtern der Immaculata Con-
ceptio-Lehre. Ihnen sind wie auf den Disputationsbildern
Worte ihrer Schriften beigefügt (Duns Scotus, Innozenz V., Nikolaus IV., Sixtus IV. und Petrus von Candia als
Gegenpapst Alexander V.).[51]

*Maria Immaculata als Schlangentreterin – Maria vom
Siege (Maria victrix).* Der Mond, eine Übernahme aus
Apk 12,1, auf dem die Makellose in der besprochenen
Bildgruppe oft steht, ist schon seit dem frühen Mittelalter
in Apokalypse-Kommentaren wegen seiner sich ständig
wandelnden Erscheinungsform als Sinnbild der Vergäng-
lichkeit gedeutet worden[51]. Das Stehen über dem Mond
bedeutet bei der Immaculata Unberührtheit von der ver-
gänglichen Welt. Die Aufnahme der astralen Zeichen des
apokalyptischen Weibes in die Darstellung der Gottesmutter geht in das 14. Jh. zurück, siehe unten Seite 192,
vgl. Abb. 813, 815, 816, 817; im 15. Jh. entwickelt sich die
Strahlen- und Mondsichelmadonna, siehe unten Seite 198,
vgl. Abb. 826, 830, 831. Die Gottesmutter, die über dem
Drachen thront, *vgl. Bd. 1, Abb. 279, 280,* und auf die
Schlange (im 14. Jh. auch auf Eva) tritt, *vgl. Bd. 1, S. 51,
Abb. 281, und unten Abb. 803,* bei der Verkündigung
Bd. 1, Abb. 86, geht ins 12. bzw. frühe 13. Jh. zurück. Ob
der Akzent hierbei auf dem Sieg des Sohnes – auf Christus
– als Überwinder des Feindes liegt[52] oder auf Maria, die
als neue Eva vom Sohn legitimiert ist, läßt sich manchmal
nur aus dem Gesamtzusammenhang entscheiden. Erst im
späten 15. Jh. sind die typologischen Beziehungen der Eva
und des apokalyptischen Weibes mit Maria so ineinander
verwoben, daß die Mondsichel zu Füßen der Gottesmutter vereinzelt mit dem Drachen, Apk 12,2 (Tafelbild von
Geertgen tot Sint Jans, um 1480, Rotterdam), und im

16. Jh. mit der Schlange, manchmal auch mit Eva verbunden wurde, wobei die Schlange aus älteren Bildtypen
übernommen ist[53]. Die vergängliche Welt (Mondsichel) ist
in dieser Motivkomposition als der Sünde verfallen gekennzeichnet.

Luthers energische Ablehnung der Maria als Schlangentreterin kommt in seiner Genesis-Vorlesung 1535 an
der Universität Wittenberg, anschließend an die Kritik der
Übersetzung von 1 Mos 1,15 in der Vulgata – ipsa statt ip-
sum –, zum Ausdruck: »Deshalb wollen wir Gott danken,
daß wir auch diese Schriftstelle nun unverfälscht und nach
dem ursprünglichen Sinn haben; nicht daß Maria die ihr
zustehende Ehre entzogen würde, sondern um Götzendienst auszuschließen. Solches geschieht aber, wenn man
sagt, daß Maria dadurch, daß sie Christus geboren hat, alle
Macht des Satans zertreten habe ... Sie ist nämlich in einer
Ehe geboren worden nach der gewöhnlichen Ordnung der
Natur. Wenn sie selbst durch ihr Gebären den Satan zertreten hat, dann müßte man zu solcher Würde auch alle
ihre Vorfahren zusammennehmen. Aber die Schrift lehrt
uns anders und sagt: ›Christus ist für unsere Sünden gestorben und für unsere Gerechtigkeit auferstanden‹,
ebenso: ›Siehe, das ist Gottes Lamm, welches die Sünde
der Welt trägt‹. Es soll also der seligen Jungfrau ihr Platz
bleiben, den ihr Gott durch jenes Vorrecht unter allen
Frauen der Welt geschmückt hat, daß sie als Jungfrau den
Sohn Gottes geboren hat. Um so weniger darf dies dafür
gelten, daß dem Sohn die Ehre unserer Erlösung und Befreiung entrissen würde.«[54]

Aus der Zeit um 1600 sind einige Tafelbilder bekannt,
auf denen Maria das Christuskind die Schlange treten läßt
oder das Kind den Fuß auf den der Mutter setzt, so daß
beide gemeinsam den Kopf der Schlange treten und die
Kraft vom Kind ausgeht. Michelangelo da Caravaggios
»Madonna del Serpe«, 1605–1606, Rom, *Abb. 783 Aus-*

51. Vgl. zu dieser Miniatur, die nur etwa ein Sechstel der Seite
einnimmt, E. Guldan, 1966, S. 143 die Übersetzung aller Spruch-
bandinschriften, S. 122 weitere Angaben und Abb. 159.

52. Vgl. den Bildtypus des sieghaften Christus über den Tieren, eine Darstellung, die im 4. Jh. im Zusammenhang mit Ps.
91(90),13 entstand, Bd. 3, S. 32–41. Siehe auch die Illustrationen
von Ps. 109(110) Bd. 3, Abb. 672 und 677, und eine Illustration
zum Offizium des Trinitatisfestes Bd. 1, S. 19, Abb. 7. Hier findet
sich bei einem der niedergetretenen Feinde die Bezeichnung

Arius. Seit dem 4. Jh. ist diese Psalmstelle als Verheißung des Sieges
über die Ketzer ausgelegt worden.

53. Vgl. E. Guldan, 1966, Abb. 119 und S. 109–114. – Nach
Apk 12 besiegt Michael mit seinen Engeln den Drachen; die Ver-
selbständigung dieses Motivs führt seit karolingischer Zeit zu der
Darstellung Michaels als Drachentöter.

54. WA 42, 143, 29ff. aus dem Lateinischen übersetzt. Zur
Mariologie Luthers vgl. im übrigen Horst Dietrich Preuß, Maria
bei Luther (SVRG 172), Gütersloh 1954.

schnitt, zeigt diese Bildformulierung und bezieht Anna mit ein (nicht mit abgebildet); vor ihm zeigt schon Ambrogio Figino, um 1580, Mailand, S. Antonio dei Teatini, das Niedertreten durch Maria und den Sohn. Ein deutsches Täfelchen des frühen 17. Jh., das den im 15. Jh. häufigen Typus der Maria am Fenster aufgreift, stellt das Kind auf einem über der Schlange liegenden Faltenbausch des Mantels der Mutter stehend dar. Seine linke Hand ist segnend erhoben, die rechte hält das Zeichen der erlösten Welt, den Globus mit dem Kreuz[55]. Papst Paul V. hat 1614 vor der Kirche S. Maria Maggiore, Rom, auf eine Gedenksäule eine Bronzestatuette nach dem Modell von Guillaume Berthélot setzen lassen, die Maria über der Mondsichel und dem Drachen stehend zeigt, das Kind auf ihrem Arm durchbohrt den Kopf des Tieres. Diese Formulierung der Maria vom Siege mit dem Kind als Ausdruck der Überwindung der Schlange und des Sieges über die Feinde der katholischen Kirche wurde von den Jesuiten, den Franziskanern und den Rosenkranzbruderschaften gefördert, aber sie setzte sich nicht durch. Der Begriff der »Maria vom Siege« geht zurück auf den Sieg der päpstlichen Liga über die islamische Flotte bei Lepanto, 1571, vgl. Bd. 4, 1, S. 112.

Diese Vor- und Zwischenstufen der Maria als Schlangentreterin münden in die Einzelfigur der Immaculata des 18. Jh. ein, die in Malerei und Plastik in allen katholischen Ländern verbreitet ist und neben der Figur der Ekklesia als Siegerin über Tod, Satan und Häresie, *vgl. Band IV 1, Seite 107f., Abb. 271*, den Triumph der Gegenreformation repräsentiert.

Als Siegerin über die Schlange, die die verhängnisvolle Frucht des Paradieses im Maul hält, steht die Jungfrau auf dem über der Mondsichel in einem unbestimmbaren Raum schwebenden Erdball auf dem 380 cm hohen Gemälde aus der Chiesa di Aracoeli zu Vicenza, 1734–1736, von Giambattista Tiepolo, *Abb. 784.* Die zwölf Sterne bilden einen Kreis um ihr Haupt. Das Schweben der Weltkugel teilt sich der Figur mit, die nicht eigentlich steht. Die Haltung des rechten Fußes kann als Tritt auf den der Sünde verhafteten Erdball gemeint sein. Es ist möglich, daß in dieser sieghaften Immaculata Tiepolos nicht nur die Vorstellung der Tota pulchra impliziert ist (Handgestus),

sondern auch die der Assunta. Diese Glaubensvorstellungen bedingen sich gegenseitig und können sich deshalb in der bildlichen Darstellung verbinden. Auf einer Darstellung der gleichen Immaculatafigur, um 1767–1769, Madrid, hat Tiepolo den Wolken um den Erdball Palme, Spiegel, Rose, Lilie und Brunnen eingefügt, siehe zu den Sinnbildern oben Seite 169.

Eine oberschwäbische Holzfigur, um 1720, Deuchelried, Pfarrkirche, *Abb. 786,* zeigt die sieghafte Maria, wie sie nach oben blickt und die eine Hand voll Demut an die Brust legt, die andere dagegen triumphierend ausstreckt. Hier tritt sie zugleich auf den Mond und auf den Schlangenkopf. Charakteristisch für die Immaculata-Ikonographie ist die Darstellung Marias ohne Kind. Da sich aber die Typen besonders in der volkstümlichen Kunst oft überschneiden, hält auch die Maria Immaculata manchmal das Kind im Arm, ohne daß es in die symbolische Aktion einbezogen ist.

Die Beteiligung der Mutter am Sieg des Sohnes kommt im 18. Jh. noch mehrmals vor und ist dem neuen Typus der Immaculata, die auf dem von der Schlange beherrschten Erdball steht, angepaßt: Stuckplastik um 1775 von Joseph Christian, Bad Buchenau, *Abb. 787;* Ignaz Günther, Holzplastik, um 1764–1765, Weyarn; italienisches Mosaik in der Kathedrale von Toledo[56].

An die Stelle des Erdballs mit der Schlange kann der Sündenfall treten. Maria steht in dieser Bildform auf dem Baum, um dessen Stamm sich die Schlange windet und der Eva die verderbenbringende Frucht reicht. Als Immaculata militans kann Maria auch mit dem Speer in der Hand auf einem Monstrum stehen und mit ganzer Kraft auf dieses treten. Spanien hat eine besondere Vorliebe für plastische Werke zu diesen Varianten der sieghaften Maria Immaculata[57]. Adam und Eva verweisen in der Immaculata-Ikonographie bei der Tota pulchra auf die Erbsünde, von der die von Urbeginn an Erwählte nicht betroffen ist; bei der sieghaften Immaculata sind sie wie bei der Maria als Schlangentreterin in Antithese zur neuen Eva zu interpretieren – eine Gegenüberstellung, die die Einheit des heilsgeschichtlichen Weltplans Gottes aufzeigt. Die Stammeltern sind in diesem Bildzusammenhang nicht wie bei der Aufnahme Marias in den Himmel und vor allem bei ihrer

55. E. Guldan, 1966, Abb. 115; vgl. auch Abb. 116.
56. M. Trens, 1947, Abb. 108.

57. M. Trens, 1947, Abb. 106 und 107.

Krönung die Erlösten, die noch Tintoretto auf dem Pariser Gemälde des Paradieses, 1579, beseligt mit einigen Heiligen zur Marienkrönung aufblicken läßt. Auf einem Fresko der Pfarrkirche St. Maria in Niederaschau (Oberbayern), Mitte 18. Jh., *Abb. 774*, suchen sie, selbst von Schlangen umwunden, als Vertreter der Menschheit Schutz unter dem Mantel der Jungfrau, die auf die den Erdball umklammernde Schlange tritt. In der linken Hand hält sie die Lilie, die rechte ist vor die Brust gelegt. Seitlich wächst der Todesbaum. Oben erscheint Gott-Vater mit dem Gestus der ausgebreiteten Hände (vgl. die Tota-pulchra-Darstellung) und sendet den Sohn der Verheißung[58]. Diese theologische Komposition, die in Niederaschau in künstlerisch anspruchsloser Weise ausgeführt ist, war vielleicht verbreiteter als der Denkmälerbestand heute erkennen läßt. Ein Kupferstich von Gottfried Bernhard Göz, um 1750, Augsburg, Städt. Kunstsammlungen, zeigt dieselbe Komposition und fügt dem Blatt eine Inschrift aus Spr. 8,22 ein: »Der Herr hat mich geschaffen als Anfang seiner Wege«. Es ist eines der alttestamentlichen Worte, mit denen die katholische Kirche die Einheit von Maria und Sapientia in der Liturgie preist und die in die Immaculata-Ikonographie übernommen wurden.

Die Verherrlichung Marias im Zusammenhang mit der Lehre von der Immaculata Conceptio.

Wie aus dem vorhergehenden Abschnitt deutlich wurde, beherrscht im 18. Jh. in den Ländern der Gegenreformation die Verehrung der Immaculata die marianische Frömmigkeit. Diese Tendenz bestimmt in der Kunst in unterschiedlicher Akzentsetzung auch andere Marienthemen, deren Bildgeschichte oben schon behandelt wurde. Die Himmelfahrt Marias und ihre Aufnahme in den göttlichen Bereich bleiben bis zum Ende des 18. Jh. die mariologischen Hauptthemen. In der Mariengestalt sammeln und durchdringen sich die Aussagen über Maria, die im Laufe der Jahrhunderte die Glaubensbeziehungen zur Gottesmutter immer mehr erweiterten. Wir können darauf nur mit wenigen Beispielen hinweisen[59].

Das Fresko der Himmelfahrt Marias von Tiepolo, 1759, in der Chiesa della Purità, Udine, *Abb. 788*, führt die Dynamisierung der Auffahrt, die bei Rubens mit großem Pathos einsetzte durch eine lichte, festliche Farbigkeit zu einer Vergeistigung, in der das Thema im 18. Jh. einen letzten Höhepunkt erreicht. Das Grab mit drei Aposteln bildet nur noch einen niedrigen dunklen Sockel, aus dem Petrus, Personifikation der römischen Kirche, hervorragt und eindringlich nach oben weist. Das Licht strömt nicht herab, sondern durchleuchtet den ganzen Bildraum und die Gestalten. Es läßt Maria – als Tota pulchra hingegeben an das Göttliche – als eine vom Heiligen Geist Erleuchtete erscheinen, nicht mehr der Erde zugehörend.

Die süddeutsche Deckenmalerei des Rokoko vergegenwärtigt den Triumph in größeren marianischen Programmen, die mehrere Aussagen zu einer Einheit werden lassen. Sie sind in zahllosen Kirchen zu finden. So beginnt in der Wallfahrtskirche in Birnau am Bodensee der Zyklus, den Gottfried Bernhard Göz 1749 nach einem im nahen Zisterzienserkloster Salem erstellten Programm malte, über dem Hochaltar mit der vor Ahasveros knienden Esther, die für das Volk Israel in der Gefangenschaft Fürbitte leistet; gegenüber kniet Maria fürbittend vor Christus. Dieses alttestamentliche Vorbild für Maria, das im 16. Jh. in der Immaculata-Ikonographie anklingt, ist in Süddeutschland in zahlreichen Kirchen dargestellt. Das Fresko der Chorkuppel, Abb. 771, zeigt Maria dem Irdischen entrückt frei im Raum schwebend, der Abbild des Himmels ist. Sie wird von dem Seher Johannes geschaut, der als plastische Figur mit erhobenem Antlitz, Schreibzeug und Buch in der Hand, unten auf einem Nebenaltar im Chorraum steht. Die Sonne, die Maria überstrahlt (mulier amicta sole), kann nach alter Symbolik als Christus gedeutet werden, zu dem Maria entrückt ist, zugleich veranschaulicht sie wahrscheinlich die Maria zuteil gewordene Gnadenfülle. In ihrem Schoß leuchtet das Kind, die göttliche Weisheit. Zwei Engel halten ein Schriftband mit einem Ti-

---

58. Vgl. zur Darstellung der Sendung des Sohnes Bd. 1, S. 20–23, Abb. 12–16, und Verkündigung Abb. 99–104, vergleichbar vor allem Abb. 102.

59. Literatur für den süddeutschen Barock, der für das Marienthema einen Schwerpunkt bildet: H. Schnell, in: Das Münster, 1951; H. Bauer, B. Rupprecht, Corpus der barocken Deckenmalerei in Deutschland, Bd. 1, München 1976.

tel, der auf ein marianisches Gnadenbild zurückgeht: Mutter der schönen Liebe. Als Immaculata Gravida, und apokalyptisches Weib ist Maria in dieser Darstellung auch die Besiegerin der Schlange des Paradieses. Es gibt Malanweisungen des 18. Jh., die für die Gestalt der sieghaften Immaculata auf den Typus des apokalyptischen Weibes hinweisen. Schließlich verkörpern auf diesem Fresko noch vier Engel die theologischen Tugenden: sie halten Herz (Gottesliebe), Spiegel (Nächstenliebe), Kreuz und Kelch (Glaube), Anker (Hoffnung) in Händen. In den Zwickeln unterhalb der Kuppel sind die vier damals bekannten Erdteile in Bezug zu Maria dargestellt. Das Fresko der ovalen Kuppel über dem Hauptraum zeigt die Verehrung der Gottesmutter mit dem Kind als Wallfahrtsbild[60].

Ein sehr beliebtes Schema der Darstellung in den Hochaltären ist die Verteilung des Themas auf das gemalte Altarblatt und die plastischen Figuren in der Bekrönung. In der ehemaligen Zisterzienser-Abteikirche Fürstenfeld ist auf dem Altarblatt von Johann Nepomuk Schöpf des 1762 vollendeten Hochaltars die Himmelfahrt Marias zu sehen, *Abb. 789*. Ihm sind zu beiden Seiten zwei plastische Figuren zugeordnet: Zacharias (nicht abgebildet) und Joachim mit Hirtenstab und Buch und gegenüber Anna, ebenfalls mit Buch, und Elisabeth (nicht abgebildet). Im Zentrum der muschelförmigen Altarbekrönung schwebt die Taube von einem großen vergoldeten Strahlenkranz umgeben. Christus, der mit den Wundmalen gezeichnete Erlöser, beugt sich etwas herab und streckt beide Hände Maria erwartend entgegen. Rechts oben thront Gott-Vater[61]. Als höchst dramatische plastische Figurengruppe stellt Egid Quirin Asam, 1723, in der ehemaligen Augustiner Chorherren-Stiftskirche zu Rohr die Himmelfahrt Marias dar. Der leere Sarkophag mit den Aposteln, in Erregung und Ekstase als »lebende Figuren« wiedergegeben, steht auf einer Bühne über dem Altar. Vor dem Hintergrund eines goldgemusterten blauen Vorhangs fährt Maria triumphierend empor. Mit der Übersteigerung der Gestik und Bewegung der Figuren erreicht Asam eine eigenartige Verquickung von Naturalismus und Irrationalität. Die

Wurzeln dieses Werkes liegen im italienischen Barock und in heimischen Weihnachtskrippen und anderen Schaustellungen biblischer Ereignisse[62].

Den Empfang Marias im Himmel stellt Balthasar Riepp 1754 auf einem Deckenfresko im Chor der Pfarrkirche in Großaitingen dar, *Abb. 790*. Der leere Sarkophag ist nur von schwebenden Engeln umgeben; einer von ihnen hält das strahlende Monogramm Marias. Auf einer Wolke kniet Maria, die Mondsichel unter ihren Füßen, die zwölf Sterne um ihr Haupt. Ihr Hermelinmantel wird von zwei Engeln demonstrativ ausgebreitet. Sie blickt empor zu einer Frauengestalt hinter einem leeren Thronsessel, die durch sieben Flammen, die ihr Haupt umlodern, als Sapientia gekennzeichnet ist. Sie deutet mit der rechten Hand auf Maria, mit der linken auf Christus, der herabblickt und mit einer einladenden Geste Maria auf den leeren Thronsessel verweist. Mehrere Engel schweben von allen Seiten mit Siegeskränzen auf diesen Sessel zu. Neben Christus, dem Erlöser mit dem Kreuz, thront Gott-Vater, der als Schöpfer eine auffallend große Weltkugel neben sich hält. Sie darf nicht als Herrschaftszeichen verstanden werden wie der kleine Globus, den Gott-Vater und der thronende Christus oft in Händen halten. Gott hat die Welt mit einem Kreuz bezeichnet und sie dadurch unter die Herrschaft des Kreuzes gestellt. Ikonographisch lehnt sich dieser Empfang an die Darstellung der Rückkehr des Erlösers an, *vgl. Bd. 2, Abb. 794, 795*, vgl. aber auch die Marienkrönung in dem französischen Stundenbuch in Chantilly, *Abb. 744*.

Die Krönung Marias kommt in den großen Programmen selten vor, mehrmals aber in der Tafelmalerei mit Hinweisen auf die Immaculata. Auf einem Gemälde von Caspar de Crayer, Mitte 17. Jh., Mainz, Gemäldegalerie, halten Gott-Vater und Christus eine Zackenkrone über das Haupt der in den Wolken Knienden. Der irdischen Landschaft sind die Sinnbilder ihrer Makellosigkeit eingefügt. Unterhalb von Maria windet sich auf Erden die Schlange. Ein Gemälde im Stil Bergmüllers, um 1740, ehem. München, zeigte Maria in schwebendem Zu-

---

60. Vgl. N. Lieb, Barockkirchen zwischen Donau und Alpen, München 1969, Abb. 162, 163.

61. Vgl. N. Lieb, 1969, Gesamtaltar Abb. 21. – Vgl. zu dem Empfang Marias durch die Trinität in dieser häufigen Kombination von Malerei und Plastik: Diessen am Ammersee, ehem. Au-

gustiner Chorherren-Stiftskirche, vollendet 1740; Schäftlarn, ehem. Prämonstratenser-Abteikirche, Hochaltar von Joseph Baptist Straub, 1756; Amorbach, Klosterkirche.

62. Farbige Wiedergabe bei N. Lieb, 1969.

stand in frontaler Ansicht vor der Trinität. Sie wendet
ihren Blick dem Sohn und Erlöser zu, der ihre Hand ergreift. Mit Gott-Vater zusammen hält er den Kranz der
zwölf Sterne über das Haupt der in den Himmel Aufgenommenen. Engel halten Lilie, Rose und den Spiegel ohne
Makel; einer greift nach der Mondsichel zu Marias Füßen.
Die Aufnahme Marias schauen von unten aus David und
Aaron, Joachim und Anna, Johannes d. T. und Johannes
Ev., Joseph; dazwischen sitzen Barbara und Katharina
einander zugewandt.

Das ehemalige Hochaltarbild des Freisinger Doms, das
Rubens 1624/25 schuf, München, Alte Pinakothek, ist
eine Summe der mariologischen Vorstellungen des 17. Jh.
Die Mariengestalt für sich genommen bildet den Übergang zur Immaculata als Schlangentreterin des 18. Jh.
Über einem Stadtbild von Freising mit dem Dom in seiner
Mitte ist als apokalyptisches Visionsbild Maria in der
Konfrontation zu dem Drachen, der von Michael und seinen Engeln in die Tiefe gestürzt wird, dargestellt. Sie hält
den Sohn auf dem Arm und steht auf der von der Schlange
beherrschten Erdkugel. Ein Engel verleiht ihr die Flügel
zur Flucht, die aber hier als Aufnahme bei Gott aufgefaßt
ist. Deshalb reichen ihr Engel Siegeskränze und die Palme
dar. Rubens hat auch in einigen seiner Darstellungen der
Himmelfahrt Marias diese auf die Antike zurückgehenden
Siegeszeichen aufgenommen. Gott-Vater hält den Herr-
scherstab (Esther-Typologie) über die Ankommende als
Zeichen seiner Gnade und der Lossprechung von der Erbsünde. Durch die Identifizierung der triumphierenden
Maria-Immaculata mit dem apokalyptischen Weib, das bis
zum späten Mittelalter als Symbolgestalt der Ekklesia galt
(siehe oben Teil 1), ist in Maria hier auch die Kirche zu sehen, in dieser Zeit insbesondere die Kirche Roms. Sie
blickt herab zu dem von Michael besiegten Drachen, der
im Stürzen mehrere männliche Gestalten mit in den Ab-
grund reißt. In ihnen hat Rubens wahrscheinlich analog zu
anderen Darstellungen der Gegenreformation die Gegner

der römischen Kirche verdammen wollen, *vgl. Bd.4, 1,
S.107.*

Ignaz Günther hat 1768 in der Bekrönung des Altars der
Kirche des ehemaligen Benediktinerklosters in Mallersdorf, die dem Evangelisten Johannes geweiht ist, auch den
apokalyptischen Kampf dargestellt und die Flucht des
Weibes in Parallele zur Himmelsaufnahme der Maria-Immaculata gesetzt, *Abb. 792* Ausschnitt. Das Altarbild
zeigt Johannes auf Patmos, Gemälde von Martin Speer,
1749. Über dem Bogen des Altarauszugs schwebt vor einer großen strahlenden Sonnenscheibe, die Christus bedeutet, das Weib, die Maria-Ekklesia-Immaculata, mit
»Flügeln eines großen Adlers« (Apk 12,14) in diagonaler
Richtung nach links. Sie hält das Zepter in der rechten
Hand, ein Maria als Himmelskönigin in dieser Zeit oft zu-
geteiltes Signum. Die Zacken der kleinen Krone tragen
Sterne. Die zu Gott Fliehende blickt rückwärts nach oben
zu Michael, der den Drachen besiegt (nicht mit abgebildet).

Martin Johann Schmidt (Kremserschmidt) erhebt auf
einer Darstellung eines Leinwandbildes, um 1770–1780,
Augsburg, Barockgalerie, *Abb. 791*, die demütig kniende
Schlangentreterin in den Himmel. Christus berührt mit
seiner mit dem Wundmal gezeichneten Hand die jungfräuliche Mutter und blickt zu Gott-Vater, der für Maria
den Zwölf-Sterne-Kranz in der Hand hält. Die Taube des
Heiligen Geistes sendet den Strahl der göttlichen Liebe,
der auf den Spiegel ohne Makel trifft und von da zu Marias
Herz strahlt. Neben dem dunklen Erdball mit der
Schlange steht eine jugendliche Gestalt, die eine brennende Fackel gegen Schlange und Erde stößt. Will sie die
alte Welt verbrennen oder mit dem Feuer des Geistes läu-
tern? Der Gedanke der Erlösung durch das Kreuz tritt in
der Christusgestalt so eindringlich in Erscheinung, daß
ihm der Triumph Marias untergeordnet ist. – Die genannten Werke, die sich durch Überschneidung der Bildelemente vielfach einer Gruppierung entziehen, können das
Thema nur umreißen.

Das Bild der Gottesmutter im Abendland
(Die Madonna)

Dieses abschließende Kapitel will und kann keine Bildgeschichte zur abendländischen Darstellung der Gottesmutter mit dem Sohn geben, sondern nur einige Akzente setzen und Sonderentwicklungen gegenüber dem Osten aufzeigen. Basis aller Marienverehrung und Mariologie ist, daß Maria als Gottesgebärerin, volkstümlicher »Gottesmutter«, angesehen wurde. Dieses Marienprädikat gilt als dogmatisch korrekt, seit Kyrill von Alexandrien es auf dem Konzil von Ephesus 431 verteidigte. Religionsgeschichtlich und religionspsychologisch gesehen leben in der Marienverehrung, besonders in ihren kultischen Haftpunkten und Ausdrucksformen, vorchristlicher Kult von Muttergottheiten oder auch – theologisch sicher ambivalente – allgemein menschliche Muster religiösen Verhaltens fort[1]. Auch ikonographisch läßt sich zeigen, daß Mariendarstellungen an die Tradition paganer Bildwerke, die Muttergottheiten mit ihrem göttlichen Kind zeigen, anknüpfen konnten. Kirchliche Theologie hat vom 5. Jahrhundert bis zur lutherischen Konkordienformel in dem Prädikat »Gottesmutter« immer eine sachgerechte Verdeutlichung der neutestamentlichen Inkarnationsaussagen (etwa Gal 4,4f.; natürlich auch Luk 1,26ff. und Mt 1,21ff.) gesehen. Dies läßt sich an der Geschichte des Madonnenbildes im Abendland verfolgen. Obwohl, wie oben zu zeigen versucht wurde, in zunehmendem Maße die Tendenz besteht, Maria in das gesamte göttliche Heilswirken einzubeziehen und ihr Qualitäten und Funktionen, die über die Aussagen des Neuen Testaments hinausgreifen, zu geben, so steht doch im Zentrum der Marien-Ikonographie das Bild oder die Gestalt der Gottesmutter mit dem Sohn – ein figurales Zeichen der Inkarnation Gottes, die in ihm verherrlicht und verehrt wird[2].

Das Bild der Gottesmutter geht im Westen zunächst von den oben behandelten östlichen Darstellungstypen der Theotokos aus, die bis ins 5. Jh. zurückreichen und deren Bezeichnungen vielfach auf Hymnen und Liturgien zurückgehen:

1. Die thronende Gottesmutter, Kathedra-Madonna genannt und als Thron der Göttlichen Weisheit (Sedes sapientiae) aufgefaßt. (Vgl. auch Bd. 1 Anbetung der Weisen). Die ältere Bildform zeigt Maria in strenger frontaler Ansicht, die Füße stehen nebeneinander. Sie hat keine gefühlsmäßige Beziehung zum Sohn, der axial-frontal auf ihrem Schoß thront. Da in ihm die inkarnierte göttliche Weisheit, der Logos, gesehen wird, ist er nicht als Kind wiedergegeben, sondern unverhältnismäßig groß und immer in langem Gewand dargestellt. Er hebt segnend bzw. sich selbst bezeugend seine rechte Hand und hält in der linken Hand die Rolle, im Abendland das Buch oder den Globus, gelegentlich ein kleines Kreuz. Da bei diesem ältesten Kathedra-Typus, der im Osten »Nikopoia« genannt wird, *vgl. Abb. 415, 438, 440, 454,* der Sohn ursprünglich in einer Mandorla von der Mutter vor sich gehalten wurde, vgl. ein jüngeres Beispiel *Abb. 417,* behält er auch ohne dieses Attribut seiner Göttlichkeit in der italienischen Kunst des Mittelalters bis ins 13. und 14. Jh. oft eine schwebend-sitzende Haltung. Aus der Art, wie Maria oben und unten die Mandorla hielt, resultiert bis in diese Zeit die Handhaltung Marias: Berührung der einen Schulter und des einen Fußes des Sohnes.

Eine Variante des frontal-axialen Throntypus lockert die Haltung Marias geringfügig durch eine unterschiedliche Fußstellung, wodurch ein Knie etwas hochgezogen wird. Der Sohn sitzt tiefer im Schoß entweder in frontaler

---

1. Siehe zu der Übernahme hellenistischer Mythen, die sich zunächst in gnostischen Kreisen und in den niedrigen Volksschichten anbahnte und ihren Ausgangspunkt im 4. Jh. vermutlich in Ephesus und Alexandrien hatte: C. Schneider, Geistesgeschichte der christlichen Antike, München 1970, S. 148–153. Die Devotion der Artemis, der »ewigen Jungfrau«, und der Isis, der »Vielgestaltigen«, der »Gottesmutter« (Mutter des göttlichen Königs Horus) und der »Göttin der süßen Mutterliebe«, die ebenfalls als Himmelskönigin in Hymnen gepriesen wurde, ging

auf Maria über. Der Wortlaut der griechischen Marienhymne, »Akathistos«, die Romanos dem Meloden (um 490–ca. 560) zugeschrieben wird, S. 152.

2. Zur Darstellung der Menschwerdung Jesu nach den biblischen Texten siehe im 1. Bd. besonders die Kapitel: Jesus, der Christus, S. 17–35; Verkündigung an Maria, S. 36–43; Geburt Christi, S. 68–98, und die Anbetung der Weisen (Könige), S. 105–123.

Ansicht oder etwas zur Seite gewandt, *vgl. Abb. 411, 414.*

2. Der Hodegetria–Typus, Maria stehend oder als Halbfigur mit dem Sohn auf ihrem linken Arm und dem auf ihn weisenden Gestus, *Abb. 410, 421, 422, 424, 425, 455, als Halbfigurenbild 423, 426, 428, 457,* wird im Abendland vielfältig variiert und löst sich in der Gotik vom Vorbild. Schon die Plastik des 12. Jh. und wieder die italienische Tafelmalerei des 13. und 14. Jh. verbinden manchmal die thronende Maria mit dem auf ihrem Arm sitzenden Sohn. Die stehende Theotokos mit dem vor ihrer Brust axial-frontal angeordneten Kind, *vgl. Abb. 429,* kommt im Mittelalter nur auf getreuen Nachbildungen byzantinischer Werke vor; ebenfalls die Maria orans mit dem Sohn im Clipeus, *vgl. Abb. 450.*

Bei diesen beiden Theotokos-Darstellungen mit ihren Varianten bietet Maria den Sohn zur Verehrung und Anbetung dem Betrachter dar. Ihm wendet sich Christus zu.

3. Der Elëusa-Typus (nach dem Beinamen Elëusa – die Barmherzige so genannt), der wahrscheinlich in die frühbyzantinische Kunstepoche zurückreicht, vgl. die ältesten bekannten Beispiele *Abb. 430, 431, 432,* ist seit dem 12. Jh. im Abendland nachzuweisen. Das Charakteristikum des Typus sind die Zärtlichkeitsmotive des Kindes (Umarmung der Mutter, Anschmiegen, Küssen). Eine Variante des Bildes wird Glykophilusa, »zärtliches Küssen«, genannt. Die westlichen Darstellungen dieses Typus, die in allen Kunstgattungen zu finden sind, weisen neben Übernahmen auch vielfach Umformungen des östlichen Vorbildes auf. Die Übernahme und die weite Verbreitung dieser empfindungsreichen Gottesmutter-Darstellung neben dem Kathedra-Typus erklärt sich aus der eigenen, durch Bernhard von Clairvaux und die ihm folgenden Mystiker geprägten Frömmigkeit. Im Laufe des 13. Jh. – in Italien im 14. Jh. – erfolgt dann auch die Loslösung vom östlichen Vorbild, und es kommt in drei Bildformen (thronende und stehende Gottesmutter und Halbfigurenbild) zu zahllosen variierenden Formulierungen.

4. Die Galaktrophusa (Maria lactans), *vgl. Abb. 418, 419, 420,* ist der hauptstädtischen byzantinischen Kunst fremd. Der Typus der stillenden Gottesmutter ist Ende des 4. Jh. vermutlich unter dem Einfluß der Isis-Horus-

Darstellung in oströmischen Provinzen (Ägypten) entstanden. Dem abendländischen frühen Mittelalter wurde er durch Werke christlicher Kunst der Kopten (Christen in Ägypten), aber ebenso durch Isis-Darstellungen, die auch in westlichen römischen Provinzen zur Zeit der Christianisierung verbreitet waren, übermittelt. Die Lactans ist allerdings bis zum 13. Jh. äußerst selten, doch kann das Vorbild der mütterlichen Isis auch an abendländischen Umformungen, die auf das Lactansmotiv verzichten, erkannt werden. In den Besitz der Skulpturenabteilung der Staatlichen Museen, Berlin-Dahlem, ging 1961 eine der wenigen noch gut erhaltenen mittelägyptischen Statuen der thronenden Isis mit dem Horusknaben des 4. Jh., über (Kalkstein, Höhe 88,5 cm). Sie verdeutlicht den Zusammenhang mit abendländischen Werken des frühen und hohen Mittelalters[3]. – Im 14. Jh. wird die Lactans im Zusammenhang eigener Darstellungsformen neu konzipiert und von da an häufig dargestellt, siehe unten.

Mit der sich steigernden Marienfrömmigkeit bietet die Kunst der Gotik und der Renaissance ein breites Spektrum der Madonnendarstellung, in der sich der Empfindungsgehalt des Andachtsbildes ebenso wie die natürliche Freude der Mutter am Kind äußern. Religiöse Verehrung, Hinwendung zum Diesseits und eine vielfältige Symbolik bereichern die Darstellungen dieser Zeit. Nicht zuletzt kann sich das jeweilige Frauenideal in der Gestalt der Mutter Maria spiegeln. Außerdem entstehen Sonderformen und ikonographische Erweiterungen, in denen die westliche Mariologie und die vielfältige Marienfrömmigkeit nicht nur in den oben behandelten Themen, sondern auch im Bild der Gottesmutter mit dem Kind zum Ausdruck kommen. Das künstlerische Problem, das es bei jeder isolierten Darstellung der Gottesmutter zu lösen gilt, ist zwei in ihrer Größe und Wesenheit unterschiedliche Figuren so zu verbinden, daß der Rang beider zum Ausdruck kommt, auch bei der durch die Abhängigkeit von der jeweiligen Interpretation bedingten unterschiedlichen Akzentuierung.

In Italien sind die oben schon mehrfach aufgezeigten Kontakte zum Osten, die sich im 13. Jh. auch auf den Balkan ausweiten, besonders eng und vielfältig, so daß sich

3. Siehe in: Bildwerke der christlichen Epochen, Abb. 3, Nr. 9 (Kat. zur Eröffnung des Skulpturenmuseums Berlin-Dahlem 1966), München 1966. – Zur mütterlichen Isisgestalt und ihrem

Einfluß auf frühe christliche Werke der Gottesmutter siehe H. W. Müller, Isis mit dem Horuskinde, in: MüJb 3. F., 14, 1963, S. 7ff.

ihr ikonographischer und stilistischer Einfluß länger auswirkte als nördlich der Alpen. Es ist auch nicht zu übersehen, daß in Italien allgemein zugängliche Werke östlicher Provenienz noch aus dem 5. und 6. Jh. und aus dem 8. und 9. Jh. (Renaissance des Papstes Paschalis I. und seiner Nachfolger aus dem Osten) erhalten geblieben sind. Vermutlich wurden schon seit dem 7. Jh. originale östliche Marien-Ikonen in den Kirchen Roms verehrt, in denen Gottesdienste nach östlichem Ritus gefeiert wurden, *vgl. Abb. 422, 426, 440.* Siehe oben zu den Marienbildern in den Zentren des byzantinischen Einflusses auf italienischem Boden.

Daß karolingische Werkstätten schon zu Beginn des 9. Jh. spätantike und frühbyzantinische Elfenbeinschnitzereien mit der Darstellung der autonomen Theotokos als Vorbild dienten, zeigt die Mitteltafel des Londoner fünfteiligen Einbanddeckel vom Lorscher Evangeliar um 810, die sich ikonographisch und stilistisch an ein frühbyzantinisches Vorbild um 500 anschließt[4]. Dem 8. Jh. entstammt der Tassilokelch in Kremsmünster mit einem Halbfigurenbild Marias, das durch die Monogrammbuchstaben »Maria Theotokos« bezeichnet ist. Ihm entspricht das Halbfigurenbild Christi auf der anderen Seite der Kelchkuppa. Wie weit andererseits in der insularen Kunst dieser Zeit die Umformung eines Vorbildes in die eigene Bildvorstellung gehen kann, läßt eine irische Buchmalerei im Book of Kells, 8./9. Jh., in Dublin erkennen, *Abb. 793 - vgl. dazu Abb. 411.*

Die ständige Abwandlung überlieferter Typen ist für die Kunst des Westens charakteristisch, die, abgesehen von den Gnadenbildern an Stätten besonderer Marienverehrung (Wallfahrtskirchen), der genauen Wiedergabe des Urbildes eines Typus im Sinne der Ikonenmalerei kaum Bedeutung zumaß. Sie führte allgemein zu einer freieren Gestaltung, zur Aufnahme von interpretierenden Motiven und zu einer den sich wandelnden Stilepochen und ihrer Differenzierung in den einzelnen Kunstlandschaften entsprechenden Formulierung der Vorbilder.

Die Darstellungsmöglichkeiten für das Repräsentations- und Andachtsbild wurden im Abendland vom 10. Jh. an durch die vollplastische Figur, die der mittelbyzantinischen Kirchenkunst weithin fremd gewesen war, wesentlich erweitert und bereichert. Die beiden ältesten erhaltenen großformatigen Madonnenskulpturen (Höhe 74 cm bzw. 112 cm) stammen aus dem 10. und 11. Jh.: die »Goldene Madonna« in Essen wurde von einem Kölner Meister für das ottonische Damenstift in Essen unter Äbtissin Mathilde zwischen 973 und 982 geschaffen, *Abb. 795.* Auf allseitige Sicht gearbeitet stand die mit Goldblech überzogene Holzfigur auf dem freistehenden Altar der Stiftskirche, so daß sie bei Prozessionen umschritten werden konnte. Der Goldglanz trug zur Spiritualisierung der vollplastischen Figur bei. Die Aufstellung dieser Madonnenfigur fällt in die gleiche Zeit, in der Hrotsvith im Stift zu Gandersheim die oben erwähnte Mariendichtung schrieb. Sie läßt die Tempeldienerin von der Jungfrau sagen: »Königin auf ewig, Herrscherin des Himmels.« Um 1058 stiftete Bischof Imad (1051–1076) für den Dom zu Paderborn die sogenannte »Imad-Madonna«, die sich heute im Diözesanmuseum zu Paderborn befindet, *Abb. 796.* Die Holzfigur war ursprünglich farbig gefaßt, doch wahrscheinlich wie die Essener Madonna mit vergoldetem Kupferblech überzogen konzipiert. Der Essener Figur ging nur wenige Jahre die lediglich durch eine Zeichnung des 11. Jh. bekannte »Goldene Muttergottes« voraus, die Stephan II. von Clermont Ferrand (937–984) stiftete[5]. Diese Madonnenfiguren haben eine Entsprechung im vollplastischen Kruzifixus (Gerokreuz, Köln, 960–965), erreichten als Kultbild in dieser Zeit allerdings nicht die Verbreitung und Bedeutung wie dieser, da die Marienverehrung damals noch am Anfang stand und sich zunächst auf Klöster (Benediktiner und Cluniazenser) und auf Damenstifte konzentrierte[6]. Von der Mitte des 12. Jh. an verbreitete sich die in einer Nische oder frei stehende Gottesmutterfigur in zunehmendem Maße. Die Zisterzienser weihten ihre Kirchen in der Regel Maria; das machte ein

4. Vgl. den unteren Teil des Einbanddeckels Bd. 1, Abb. 163, das Gesamtwerk Kat. Ausst. »Karl der Große«, Aachen 1965, Abb. 97.

5. Stephan war zeitweise auch Abt von Conque, so daß die Figur der »Sainte Foy von Conque« ebenfalls auf ihn zurückgeführt wird. Siehe R. Wesenberg, Frühe mittelalterliche Bildwerke,

Düsseldorf 1972, S. 17f., die erwähnte Zeichnung Abb. 285, die Figur der Sainte Foy Abb. 279 und 281, verschiedene Ansichten der Essener Madonna Abb. 10–13.

6. Zu dem frühen großformatigen Kruzifixus siehe *Bd. 2, Abb. 455–462, und S. 152–155.* Wie der Kruzifixus so konnte auch die Mariengestalt vom 10. bis 13. Jh. als Kultgegenstand ein Reliqui-

Marienbild erforderlich. Gleichzeitig nimmt die repräsentative Mariengestalt in der Portalplastik zunächst im Tympanon und etwas später am Portalpfeiler (Trumeau) im Bildprogramm der Kathedralplastik eine bedeutende Stellung ein.

Neben der Skulptur, die ihre Entstehung einem dem antiken Christentum fremden Frömmigkeitsbedürfnis verdankte und durch ein neues künstlerisches Verhältnis zur Antike in ottonischer Zeit ermöglicht wurde, kommt im frühgotischen Kirchenbau mit seiner diaphanen Wandstruktur als Bildträger das Glasfenster hinzu, so daß mancherorts eine monumentale Farbgestaltung der Gottesmutter mit dem Sohn im Blickpunkt der Gemeinde und im Bezug zum Altar stand. Im italienischen Kirchenbau wurden die Wände nicht so aufgelöst wie in der cisalpinen Gotik. Dort kam es von der Mitte des 13. Jh. an zur Aufstellung großer Tafelbilder im Sinne von monumentalen Marien-Ikonen als Retabel im Hoch- und Querformat, die die an der Vorderfront des Altars angebrachten Antependien, deren größeres Mittelfeld oft ein Gottesmutterbild trug, ablösten. Mit den Marienantependien, die dann in der gleichen Form als Retabel, Triptychon oder Flügelaltar benutzt wurden, und den hochformatigen Vita-Tafeln setzt in Italien im frühen 13. Jh. neben dem ikonenhaften Bild der Gottesmutter die Darstellung von Szenen des Lebens Marias im Bereich des Altares ein, *vgl. Bd. 1, Abb. 59,* Flügelaltar 1270–1280, mit einer Leben-Jesu-Bildfolge und zum Vergleich den Elfenbeinbuchdeckel des 6. Jh., *Abb. 58,* in diesem Band *Abb. 459* mit einem Marienzyklus. Die Palen, aus denen oben Ausschnitte abgebildet wurden, *vgl. Abb. 708, 710, 711,* geben im Mittelfeld alle die thronende Gottesmutter wieder. Ihre Darstellung behält auch in Verbindung mit erzählenden Bildmotiven den zeitlosen Charakter eines symbolischen Repräsentationsbildes. Außerhalb Italiens sind aus dem 12. und 13. Jh. ebenfalls ähnliche Marien-Antependien erhalten (Spanien, Skandinavien).

Die Goldene Gottesmutter im Dom zu Essen, die die

überblickbare Entwicklung der vollplastischen Bildwerke einleitet, ist in mancher Hinsicht aufschlußreich, da unterschiedliche stilistische und ikonographische Elemente verarbeitet sind. Die Gottesmutter sitzt ebenso wie die Imad-Madonna frontal auf einer schmalen, von vier säulenartigen Stützen getragenen Bank. Ihre Haltung ist gegenüber der etwas jüngeren Figur durch die leichte Neigung des Hauptes nach vorn und zugleich zur Seite und durch die unterschiedlichen Bewegungen der Arme aufgelockert. Stilistische Nähe zur Antike ist spürbar. Die Lage des Kindes quer über dem Schoß der Mutter und deren stützende Armhaltung knüpfen offenbar an eine Galaktrophusa an, ohne sie darzustellen. Das Kind ist mehr auf die Mutter als auf den Betrachter bezogen. Da die rechte Hand erneuert ist, läßt sich ihre ursprüngliche Bewegung nicht bestimmen. Sie könnte nach der Brust der Mutter gegriffen haben. Es ist nicht ausgeschlossen, daß bei der Formulierung der Essener Gottesmutter oder bei ihrem Vorbild eine aus römischer Zeit erhaltene Isisgestalt Pate gestanden hat. Die gleiche Lage des Kindes kehrt bei der Gottesmutter auf der Hildesheimer Bronztüre, um 1015, in der Darstellung der Anbetung der Könige wieder, der die ihr Kind stillende Eva gegenübergestellt ist. Die drei Attribute der Essener Skulptur sind mit Filigran und farbigen Steinen geschmückt: der Nimbus des Sohnes und das Buch in seiner rechten Hand, das ihn als den göttlichen Logos bezeichnet, und der Globus in der Hand Marias. In dieser Kugel wird meistens der Apfel der »neuen Eva« gesehen. Wenn auch die Eva-Maria-Typologie in dieser Zeit literarisch schon bekannt ist, so äußert sie sich doch noch nicht in der Kunst. Andererseits hält der erhöhte Christus in der ottonischen Zeit den goldenen Reichsapfel als Herrschaftszeichen in der Hand. Es ist durchaus möglich, daß bei diesem Werk, das für ein dem Herrscherhaus nahestehendes Stift geschaffen wurde, das Attribut ein Zeichen der Christus übertragenen Weltherrschaft ist. Wann Maria die Krone bekam, die sie sehr lange Zeit trug, ist nicht bekannt. Die Adleragraffe ist staufisch und der Fürspan darunter gotische Zutat[7].

nendepositorium enthalten, doch war dieses nicht der vorrangige Anlaß für die Aufnahme der Skulptur in die christliche Kunst. Da der Holzkern der Essener Madonna 1902 durch eine Gußmasse befestigt und ergänzt wurde, ist kein Depositorium nachzuweisen.

7. Vgl. zur Ableitung des Lactansmotives aus der Antike und zur Ecclesia lactans *Bd. 4, Teil 1, Abb. 210, 211, 213–216* und S. 86f., wo wir schon auf diese Zusammenhänge hingewiesen haben, die durch die Abb. 295–300 bei R. Wesenberg, 1972, belegt werden. – Siehe auch P. Bloch, Überlegungen zum Typus der Essener

Die Imad-Madonna (am Kinn, an einer Hand und den Füßen beschädigt) verbindet den hieratisch frontal thronenden Typus der Mutter mit dem auf einem Knie Marias in Profilansicht sitzenden Kind. Gegenüber der älteren Essener Madonna ist eine Monumentalisierung und Verfestigung der Form beider Figuren eingetreten. Durch die auffallend betonte Profilansicht des Sohnes, der segnend bzw. sich selbst bezeugend die Hand hebt, kommt der Bezug zum Betrachter nicht so unmittelbar zum Ausdruck wie bei der frontalen Ansicht[8].

Für den rundplastischen Kathedra-Typus, bei dem die Gottesmutter den in der Mitte ihres Schoßes sitzenden Sohn der Menschheit zur Verehrung darbietet, sind u. a. folgende Beispiele des 11. Jh. aus dem deutschen Raum zu nennen: die Hildesheimer Gottesmutter, Anfang 11. Jh., Domschatz, stark beschädigt; die kleine Elfenbeinmadonna, Fulda (?), Ende 10. Jh., Mittelrheinisches Landesmuseum zu Mainz; die thronende Gottesmutter, Liebighaus Frankfurt/Main, Trierer Arbeit 1050–1060 (das Kind hält ein großes aufrecht stehendes Buch und streckt die rechte Hand nach vorn); die Gottesmutter aus Ayl (Saar), um 1070, Bischöfliches Museum Trier (stark beschädigt), bei der durch den großen Abstand beider Figuren das Darbieten des Sohnes zur Anbetung künstlerisch mehr realisiert ist als bei den anderen Werken[9].

Die Entfaltung der Mariologie in den verschiedenen Deutungen und Sinngebungen Marias kommt vom 12. Jh. an auch in der aus jedem Zusammenhang gelösten Darstellung der Gottesmutter mit dem Sohn zum Ausdruck. Das byzantinische Madonnenbild kennt außer der Schriftrolle in der Hand des Kindes keine Attribute und hält an der Kleidung Marias – mantelartiges Tuch (Himation) über dem Kleid, das auch über den Kopf gelegt ist und die Gestalt umhüllt – fest. Eine Ausnahme bildet nur die oben aufgezeigte Sonderentwicklung Roms vom 6. bis

9. Jh.[10]. Die abendländische Darstellung übernimmt im 12. Jh. die zeitgenössische Kleidung der vornehmen Frau und gibt der Gottesmutter als Attribute Krone und Zepter. Auch der Sohn trägt in dieser Epoche oft die Krone. Es war im Kapitel der Marienkrönung schon die Rede von der zweifachen Bedeutung der Krone Marias. Einerseits ist dieses königliche Herrschafts- und Würdezeichen bei Maria die davidische Krone, die auf die Abstammung Jesu aus dem königlichen Hause Davids verweist – das sich im 12. Jh. entfaltende Bildschema der Wurzel Jesse gilt diesen Gedanken –, andererseits ist die Krone Ausdruck für die Vorstellung von Maria als Königin des Himmels und Braut Christi, vgl. oben die Krönung Marias, ein abendländisches Bildthema, das bis 1170 zurückzuverfolgen ist. Der Sinngehalt der Marienkrone und ebenso des Zepters läßt sich bei der die Inkarnation Gottes repräsentierenden Darstellung der Gottesmutter nicht auf die eine oder andere Bedeutung festlegen. Vgl. das Blütenzepter, das auf das Reis der Jesaja-Prophetie verweist, auf einer englischen Miniatur *Bd. 1, Abb. 28*.

Das häufigste Attribut des Kindes ist das Buch, das in der Regel geschlossen, zuweilen auch geöffnet ist. Es hat außerdem oft eine Kugel als Zeichen der Erlösung in der Hand. Ein kleines Kreuz kann Maria oder der Sohn halten, doch kommt es selten vor.

An der Holzskulptur, um 1200, aus dem Beinhaus von Raron im Wallis, Zürich, Landesmuseum, *Abb. 797*, fällt die königliche Würde der thronenden Gestalt des Sohnes auf, der ein geöffnetes Buch auf den Knien hält, in das er deutet, als wolle er eine Botschaft verkünden. Der Gestus der rechten Hand läßt sich nicht mehr bestimmen, es war aber wohl der des göttlichen Lehrers. Der Bezug des Sohnes, der auf dem Schoß der Mutter thront, und dem in Ewigkeit thronenden Christus-Rex ist offenkundig.

Eine englische Walroßstatuette, um 1150, London

Madonna, Kolloquium über frühmittelalterliche Skulptur in Heidelberg 1968, Mainz 1969, S. 65–69. Zur späteren Hinzufügung der Krone siehe H. Schnitzler, Rheinische Bildkammer, Bd. 1, Düsseldorf 1957, Nr. 39, 40.

8. Vgl. das Fresko der Burgkapelle in Hocheppan (Etschtal), gegen 1200: der Sohn sitzt ähnlich wie auf dem älteren Werk in Essen und erhebt aufgrund der Profilhaltung die segnende Hand zur Seite. Der Gestus gilt aber offenbar nicht dem hier stehenden Engel, sondern beruht auf der Verbindung verschiedener Vorbil-

der, s. bei O. Demus, Wandmalerei 1968, Tf. XXX, Aufnahme noch vor der kürzlich erfolgten Restaurierung.

9. Siehe Abbildungen mit Detailaufnahmen bei R. Wesenberg, 1972: Abb. 467f., 430f., 246f., 249f.

10. Der römische Sondertypus, der die Gottesmutter in der prunkhaften Hoftracht byzantinischer Kaiserinnen mit Krone darstellt, beschränkt sich auf das unmittelbare Einflußgebiet Roms, vgl. *Abb. 438–440*. (Bei Hager, 1962, weitere Beispiele, Abb. 11, 27 etc.)

(Victoria and Albert Museum), zeigt die thronende Gottesmutter mit dem seitlich sitzenden Sohn in ähnlichen Größenverhältnissen der beiden gekrönten Gestalten wie das Walliser Werk, allerdings in einem anderen Stil. Der Redegestus des göttlichen Sohnes ist betont, in der linken Hand hält er die Schriftrolle. Die Majestät seiner Gestalt ist durch die Verschiebung aus der Achse zur Seite nicht gemindert. Ein eindrucksvolles, aber singuläres Beispiel der französischen Holzskulptur gegen 1160, das den gleichen Typus in die eigene Formsprache abwandelt, bietet die Gottesmutter aus Saint-Martin-des-Champs in Paris, die sich heute in der Abteikirche St. Denis befindet[11].

Die Bezeichnung der Gottesmutter als »Sedes sapientiae« findet gelegentlich durch eine Beischrift Bestätigung wie auf dem Sockel des Holzbildwerkes des Presbyters Martinus aus dem Camaldulenser-Kloster von Borgo Sansepolcro (Toscana), 1199, (Höhe 184 cm), Berlin-Dahlem, *Abb. 798*, und unter der verstümmelten Steinmadonna von Beaucaire, vor 1100: »In gremio matris residet sapientia Patris«. Der Berliner Holzfigur sind, wahrscheinlich durch die Beschreibung des Thrones Salomos 1 Kön 10, 18–20 und 2 Chron 9, 17–19 angeregt, zwei kleine Löwen unterhalb des Suppedaneums eingefügt. Vom 13. Jh. an wird der salomonische Thron nach dieser Beschreibung in mariologischer Deutung dargestellt, *vgl. Bd. 1, S. 33–36, Abb. 46–51*. Außerdem verweisen oft Löwen, die in verschiedener Anzahl und Anbringung dem Thron eingefügt sein können, auf diese Weisheits-Typologie.

Die Portalplastik Frankreichs räumt, wie schon gesagt, der thronenden Gottesmutter mit dem axial in ihrem Schoß thronenden Sohn Mitte des 12. Jh. in der Apsis der Marienportale den bevorzugten Platz ein. Der einfache Sitz erhält einen Baldachin (Hoheits- und Himmelszeichen). Er trägt häufig eine sinnbildhafte sakrale Architek-

turform, die sich auf das himmlische Jerusalem im Sinne der zukünftigen Vollendung der Kirche bezieht (Apk 21, siehe oben). Zwei den Thron flankierende Engel inzensieren die Thronenden. Das früheste Beispiel ist im Tympanon am rechten Westportal in Chartres, um 1150, erhalten; der Baldachin ist nur noch im Ansatz zu erkennen, *vgl. Bd. 1, Abb. 63*. Die Darstellung knüpft wahrscheinlich an ein älteres Gnadenbild an, das in Chartres verehrt wurde. Am Annenportal der Kathedrale in Paris, um 1165, ist der Baldachin mit der symbolischen Architektur darüber erhalten; Maria trägt die Krone und ein großes Zepter, *vgl. oben Abb. 463*. Die Gestalten an der Seite sind vermutlich Stifter, die äußerst selten der Darstellung im Tympanon hinzugefügt wurden. Am Südportal der Pfarrkirche von Donnemarie-en-Montois, 1222–1230, wo eines der letzten französischen Tympanon-Beispiele für die thronende Gottesmutter in diesem hierarchischen Typus zu finden ist, knien am Thron zwei männliche Gestalten, die die Fürbitte Marias erflehen[12]. Häufiger als die isolierte Darstellung ist im Tympanon die Verbindung der frontal thronenden Gottesmutter mit den anbetenden Drei Königen zu finden. Die Portalplastik übernimmt im 12. Jh., ebenso wie einige Apsisbilder, das Kompositionsschema der Epiphaniedarstellung der frühen östlichen Kunst, *vgl. Bd. 1, Abb. 258, 259, 274–279*, die vielleicht im 6. Jh. den Anstoß zur Kathedra-Theotokos gab. Neben Germigny-l'Extempt sind für Frankreich St. Gilles, Bourges, Laon zu nennen. Der seitliche Sitz des Kindes und seine Bewegungen sind motiviert durch die Zuwendung zu den Anbetenden[13].

In keiner Kunstgattung ist die Gottesmutter so der irdischen Wirklichkeit entrückt wie in der Glasmalerei. Aus der Mitte des 12. Jh. ist in der Kathedrale von Chartres das Chorhauptfenster erhalten, in dessen oberem Teil die Gottesmutter mit dem Blütenzepter in der erhobenen

11. W. Sauerländer, Gotische Skulptur in Frankreich von 1140 bis 1270, München 1970, Abb. 19. Vgl. für die Buchmalerei des 12. Jh. Bd. 1, Abb. 28 und für das sizilianische Mosaik die Apsis von Monreale Bd. 3, Abb. 660.

12. W. Sauerländer, 1970, Abb. 141. Vgl. für die deutsche Portalplastik die Gnadenpforte des Doms zu Bamberg, 1. Drittel 13. Jh., wo Kaiser Heinrich II. und seine Gemahlin Kunigunde neben der thronenden Gottesmutter stehen. Schon auf dem östlich beeinflußten Apsismosaik, 817–824, in S. Maria Domnica, Rom, ist

eine kleine kniende Stifterfigur am Thron der von Engeln umgebenen Theotokos angebracht.

13. Das ältere Relief im Tympanon der Kirche von Rozier-Côtes d'Aurec (Forez-Velay), 11. Jh., verschiebt den Thron aus der Mitte und faßt die drei Könige in eine Gruppe zusammen. Die Gottesmutter thront frontal mit einer sehr großen Christusgestalt, die durch den Kreuznimbus und einen Bart nicht als Kind aufgefaßt ist.

Hand thront. Auf ihr gekröntes Haupt fährt die Taube des Heiligen Geistes herab. Nicht minder erhaben erscheint im Farblicht des Fensters im ersten Joch des Chorumgangs der gleichen Kathedrale oben die sog. »Notre Dame de la Belle-Verrière«. Sie trägt die Krone, hält aber nach byzantinischem Vorbild mit beiden Händen den Sohn und bietet in ihm die »Weisheit des Vaters« der Menschheit dar. Christus hat den Kreuznimbus, hebt segnend die Rechte und hält in der linken Hand ein kleines geöffnetes Buch; das andere Fenster zeigt ihn mit dem Globus. Drei kniende Engel zu beiden Seiten der Thronenden schwingen Weihrauchgefäße und halten Leuchter. Mit ihnen wird die himmlische Liturgie vergegenwärtigt. Diese Madonnen der großen Glasfenster scheinen nicht nur der Zeitlichkeit entrückt wie die Skulpturen dieser Zeit, sondern wirken durch ihre Körperlosigkeit, das Farblicht und die hohe Anbringung transzendent[14].

Schließlich ist für das 12. Jh. noch auf das beim Marientod schon erwähnte Metall-Antependium des Altars der Kirche von Lisbjerg (Jütland), Kopenhagen, Nat. Mus., mit der Darstellung der thronenden Gottesmutter im Mittelfeld hinzuweisen, das zwischen 1135 und 1150 datiert wird, *Abb. 799*. In dem Architekturbogen über der Gottesmutter ist zu lesen: »Civitas Jerusalem«. Sie hält den Globus, auf dem ein kleines Kreuz steht, in der rechten Hand. Zu beiden Seiten der architektonischen Umfassung stehen Cherubim auf feurigen Rädern, die nach Hes 1 und 10 zum Thron und zu der Herrlichkeit der Epiphanie göttlicher Majestät gehören, vgl. Bd. 3, Seite 184 ff. Außerhalb des durch rautenförmige Bandornamente umgrenzten Mittelfeldes stehen vier Propheten. Als Beispiel solcher Antependien in Italien kann das Silber-Antependien im Dom zu Cividale (Friaul), um 1200, genannt werden.

In dem Bogenfeld des Westportals der Kirche von Corneilla-de-Conflent (Roussillon), um 1160, *Abb. 800*, thront die Gottesmutter in der Mandorla, die von zwei Engeln mit Weihrauchgefäßen gehalten wird. Mit diesem Zeichen der Doxa Gottes ist schon Anfang des 11. Jh. in der Rahmenleiste der ersten Seite des Johannesevangeliums im Grimbald-Evangeliar die Gottesmutter umgeben, *vgl. Bd. 1, Abb. 6*; für die Wandmalerei auch *Abb. 274 und 275*. Ebenso sind vereinzelt die vier Thronwesen (Evan-

gelistensymbole) der Gottesmutter zugeordnet: fragmentierte Abtkathedra aus der Abtei Siegburg, um 1150, Köln, Schnütgenmuseum; Apsisfresko im Dom von Aquileja, um 1030. Die Cherubim und die davon abgeleiteten Thronwesen sind wie die Mandorla oder die große, die ganze Figur umschließende kreisförmige Gloriole Zeichen der Theophanie und beziehen sich bei der Darstellung der Gottesmutter im hohen Mittelalter auf den Sohn als den durch die Geburt aus der jungfräulichen Mutter in der Welt erschienenen ewigen Logos-Christus. Vereinzelt kommt unter direktem byzantinischem Einfluß auch die Maria orans ohne Kind zwischen Engeln in der Gloriole thronend vor, wie auf einer Kelchschale, um 1170, Werkstatt oder Umkreis des Nikolaus von Verdun, *Abb. 801*. Hier handelt es sich vermutlich um die Vorstellung der Maria im Paradies, vgl. S. 97 f., die in einer anderen Darstellungsgruppe Ausdruck findet. Für das Bild der Gottesmutter mit dem Sohn, das die Inkarnation repräsentiert, werden im 12. Jh. sowohl symbolische Attribute wie Engelgestalten der Majestas Domini-Darstellung übernommen und Maria partizipiert an der Verherrlichung des Sohnes. Die Engel sind im 12. Jh. wie in der frühchristlichen Kunst als Thronpaladine zu verstehen und interpretieren Maria vermutlich noch nicht als Regina angelorum. Auf vielen Werken stehen die Darstellungen des erhöhten Christus und der Gottesmutter in Parallele. Sie sind der Zeitlichkeit enthoben und bedeuten Verherrlichung der Inkarnation des ewigen Logos und seiner Herrschaft nach der Vollendung seines Auftrages auf Erden.

Mit zunehmender Marienverehrung vom 13. Jh. an ist dann die Frage, ob bei der Darstellung der Gottesmutter der Akzent auf der Mutter oder dem Sohn liegt, schwerer generell zu beantworten. Auch die Marienexegese, die von der 2. Hälfte des 12. Jh. an bestimmte einheitliche Linien herausarbeitet, gibt der Gottesmutter in zunehmendem Maße Eigenbedeutung. Doch welche Titel, Qualitäten und Funktionen ihr auch über ihre jungfräuliche Mutterschaft hinaus zugesprochen werden, sie stehen alle in Beziehungen zu Christus und zur Kirche und finden auch im Bild der Gottesmutter mit dem Sohn Ausdruck.

Die Antithese Eva-Maria, die allgemein erst im 13. Jh. in der Kunst ins Blickfeld rückt, ist schon Anfang des 11. Jh. in der Darstellung des Widmungsblattes im sogenannten »Kostbaren Evangeliar« Bernwards angedeutet, *Abb. 794*. Der Hildesheimer Bischof gab selbst diese

14. H. Schrade, Die romanische Malerei, Köln 1963, S. 172 ff., Abbildungen S. 136 f., 173 f. und Farbwiedergabe.

Handschrift in Auftrag und nahm auf die theologische Interpretation der Darstellungen und auf die erläuternden Bildunterschriften Einfluß *(vgl. Bd. 1, Abb. 8 und 168).* Das doppelseitige Widmungsblatt zeigt links neben einem Altar Bernward, der im Begriff ist, das Evangelienbuch auf den Altar zu legen; rechts die Gottesmutter. Auf Bernward beziehen sich die seitlich ausgestreckten Hände Marias und des Sohnes, denn er widmet laut Inschrift das Buch Christus und seiner Mutter[15]. Drei Aspekte mariologischer Exegese treten uns in der Verbindung von Inschriften und Bildelementen entgegen, die für diese Zeit zwar in Hymnen, jedoch sonst noch nicht in bildlicher Darstellung zu belegen sind: 1. Die Gottesmutter ist Königin des Himmels (Regina Coeli). Sie thront in der durch die mit Blumen besetzten Erdschollen angedeuteten Paradieseslandschaft und wird von zwei sie flankierenden Engeln feierlich gekrönt. Die Engel als Thronpaladine sind der erwähnten östlichen Majestäts-Ikonographie entnommen, doch ist ihre Funktion im abendländischen Sinn abgewandelt und sie krönen Maria – 150 Jahre bevor die Krönung Marias durch Christus dargestellt wird. 2. Die jungfräuliche Gottesmutter ist der Tempel Gottes, dessen Pforte nur für den Eintritt des wahren Königs geöffnet wird. Diese auf Hes 44 zurückgehende Deutung ist durch die prächtige Tempelarchitektur, die hinten ein Vorhang abschließt, und durch Inschriften verdeutlicht: »Sei gegrüßt, du Tempel, geöffnet dem Heiligen Geist. Sei gegrüßt, du Pforte Gottes, geschlossen auf ewig nach der Geburt.« Erst in der zweiten Hälfte des 12. Jh. ist dieser symbolische Bezug in der bildlichen Darstellung wieder zu belegen, *Abb. 804.* – 3. Die Gottesmutter ist die neue Eva. Diese Antithese drückt sich in den beiden kleinen Brustbildern aus, die als Maria und Eva bezeichnet sind. Weitere Inschriften greifen die Metapher »Pforte« noch einmal auf, nun aber als Paradiespforte, die von Eva verschlossen, von Maria jedoch für alle Menschen wieder aufgetan wird. Diese für das frühe 11. Jh. außergewöhnliche Darstellung sagt allerdings mehr aus über das mariologische Denken einzelner Theologen und die liturgische Lobpreisung Marias (vgl. auch die Dichtung der Hrotsvith von Gandersheim) als über den Niederschlag allgemein verbreiteter Glaubensinhalte in der Kunst. Die Buchmalerei war dem Volk ohnehin unzugänglich. Die Maria-Eva-Typologie klingt in Hildesheim auf den Bronzetüren, die ebenfalls Bernward in Auftrag gab, in der schon erwähnten Gegenüberstellung der Gottesmutter und der ihr Kind nährenden Eva ein zweites Mal an[16].

Die Maria lactans des Steinreliefs nach Dom Rupert, vermutlich um 1170–1180, Lüttich, *Abb. 804,* ist durch die Umschrift als Pforte des Tempels gedeutet, durch die Gott in die Welt einging. Der in die Tiefe gestaffelte Bogen bildet eine Nische und erweckt zugleich die Vorstellung eines Tores. Dieser Hinweis ist der Darstellung immanent und noch nicht als ein alttestamentliches Sinnbild ihr zugeordnet. Auch das Nähren des Kindes hebt die Menschwerdung Gottes hervor. Daß ein solches Motiv der Bildform des 12. Jh. eingefügt werden konnte, zeigt, daß es theologisch von Bedeutung ist: Christus ist wahrer Mensch. Zu den seltenen Beispielen des Lactans-Motivs in dieser Zeit gehört auch die Gottesmutter im Tympanon des Hauptportals vom Dom zu Assisi. Hier ist sie in kleinem Format der Majestas Domini seitlich hinzugefügt. Die englische Buchmalerei nimmt die Lactans um 1250 auf: Amesbury-Psalter, Oxford. Hier thront sie unter einem Fünfpaß und wird von zwei Engeln inzensiert. Mit dem mütterlichen Motiv ist hier der Sieg über Drache und Löwe, auf die Maria tritt, verbunden (marianische Deutung von 1 Mos 3,5). Bei der erzählenden Darstellung der Geburt Christi ist im 13. Jh. das Stillen des Kindes einige Male anzutreffen, *vgl. Bd. 1, Abb. 179,* bei der thronenden Gottesmutter hingegen noch selten. Erst in der Malerei des 14. Jh. nimmt vor allem der Typus der Demutsmadonna das Motiv des Stillens wieder auf, siehe unten.

Mit der gekrönten, thronenden Gottesmutter können vom 13. Jh. an die vorher gelegentlich durch Beischriften angedeuteten alttestamentlichen Präfigurationen der Inkarnation und Mariensymbole verbunden werden. Ein frühes Beispiel für diese Zuordnung ist eine Pergament-

---

15. Ein vergleichbares Widmungsblatt enthält das Evangelistar der Äbtissin Uta von Niedermünster, 1002–1025 (München SB, Cod. lat. 13601). Uta überreicht der gekrönten Gottesmutter das Buch. Inschrift über Maria in griechischen Buchstaben: Sancta Maria (Monogramm) domina mundi electa ut sol pulchra ut luna.

Theotokos. Stella Maris virgo virginum.

16. Siehe die noch ausführlichere Interpretation des doppelseitigen Widmungsbildes im Hildesheimer Bernward-Evangeliar und die Übersetzung der Inschriften bei E. Guldan, Eva-Maria, 1966, S. 13 ff.

miniatur des Rückdeckels vom Hornplatteneinband des Bamberger Psalters, eine fränkische Arbeit des 13. Jh. (Bamberg, Staatsbibl. Cod. Bibl. 48). Die Gottesmutter thront auf dem Regenbogen in der Mandorla und trägt die Krone. Zugeordnet sind ihr: Aaron mit dem blühenden Stab, Jesaja mit dem grünen Reis, Hesekiel mit der verschlossenen Pforte, Salomo neben einem Brunnen, aus dessen drei Öffnungen Wasser herabrinnt, dem Born lebendiger Wasser (HL 4,15); hinter ihm stehen blühende Rosen. Vier weibliche Büsten stellen vermutlich vier Tugenden dar. (Zu den Symbolen und Präfigurationen siehe Bd. 1, S. 25 ff., 64 f. und 81 f.; oben bei Immaculata S. 168)[17].

Als der Gottesmutter am Mittelpfeiler des Eingangs (Trumeau) zur Kirche im 13. Jh. ein neuer Platz im Figurenprogramm gegeben und sie dadurch dem eintretenden Volk näher gerückt wird, behält sie als Stehende in ihrer frontalen Haltung zunächst die königliche Würde der thronenden Gestalt bei: nördliches Westportal von Notre Dame in Paris, 1210–1220 (Figur des Kindes erneuert), *Bd. 1, Abb. 281*, und Amiens, Westfassade, 1220–1230, hier *Abb. 803*. Die mariologische Exegese, die Maria in das Heilsprogramm einbezieht, kommt bei diesen Trumeau-Madonnen der 1. Hälfte des 13. Jh. insofern zum Ausdruck, als Maria als die neue Eva triumphierend auf die Schlange tritt, die in Amiens zu einem Mischwesen mit Frauenkopf umgebildet ist. Auf dem Sockel der Marienfigur ist in Paris der Sündenfall dargestellt, in Amiens die Erschaffung Evas, und in einem tieferen Geschoß der Sündenfall. Ein weiterer Bezug zum Alten Testament ist in Paris durch die Bundeslade (Arche) in der Stiftshütte oberhalb von Maria gegeben. In der typologischen Interpretation der Zeit heißt es, daß der Sohn Gottes im Schoß Marias geborgen war wie das Manna in der Bundeslade. Dieser über die Schlange triumphierenden neuen Eva steht in der gleichen Zeit am Trumeau eines der anderen Portale der über Löwe und Drache triumphierende Christus gegenüber, *vgl. Bd. 3, Abb. 60-98, besonders Abb. 93, Chartres Südportal*. Bei Trumeau-Madonnen wird wie bei anderen Mariendarstellungen Mitte des 13. Jh. die strenge Frontalität aufgegeben (Reims, 1245–1255, Amiens, süd-

liches Querhaus 1259–1269, die sogenannte Vièrge Dorée).

Die Mütterlichkeit und eine gefühlsbetonte Beziehung zwischen Maria und dem Sohn charakterisieren die Madonnendarstellungen allgemein von der Mitte des 13. Jh. an. Eine stehende Figur, die sich im Besitz der Kirchengemeinde St. Maria im Kapitol, Köln, befindet, geht zwar auf die Zeit um 1180 zurück, *Abb. 802*, ist aber einer byzantinischen Eléusa so eng verpflichtet, daß sie nur die Bereitschaft der Übernahme solcher Vorbilder beweist. Der Gefühlsgehalt der mit Bernhard von Clairvaux schon im 12. Jh. einsetzenden Mystik wirkt sich im 13. Jh. in der Madonnendarstellung aus. Er findet in der folgenden Zeit in eigenen Gestaltungen mannigfachen Ausdruck. Eine altbayerische stehende Madonnenfigur, um 1270, Regensburg, *Abb. 806 Ausschnitt*, bildet insofern einen Übergang, als der Sohn mit im Sprechgestus erhobener Rechten auf dem Arm der Mutter thronend präsentiert wird. Er blickt jedoch mild, beinahe lächelnd auf den Betrachter, während die Mutter dem Sohn versonnen den Apfel reicht. Im Blick der Mutter schwingt jetzt oft der Ausdruck der Verehrung und Anbetung des Sohnes mit. Im Zusammenhang der mystischen Liebe zu Christus und der nunmehr verbreiteten mariologischen Deutung der Braut des Hohenliedes kann der Apfel, vor allem, wenn er dem Kind gereicht wird, als paradiesisches Zeichen der bräutlichen Minne zu verstehen sein, HL 2,5 und 4,16b. Die Beziehung zwischen Mutter und Kind wird – ebenso in szenischen Darstellungen – gemäß dem Wandel der Frömmigkeit immer natürlicher und beseelter, da sich die Darstellungen an die Empfindungsfähigkeit und das Teilnahmebedürfnis der Betrachter wenden. Noch im 13. Jh. kommt es zur Umarmung des Kindes, vgl. das Wandbild im Dom zu Gurk, *Bd. 1, Abb. 48*. Die »Weiße Madonna« (Alabaster) des 14. Jh., Hauptaltar der Kathedrale von Toledo, zeigt das Kind die Mutter liebkosend, *Abb. 805 Ausschnitt*. Sie scheinen ein Gespräch zu führen, das nicht allein an die natürliche Mutter-Kind-Beziehung gebunden ist, sondern darüber hinaus auf die mystische Gemeinschaft der gottsuchenden Seele mit Christus weist. Die Figur stammt wahrscheinlich aus Frankreich und hat um 1300 in der »Vièrge Blanche« der Kathedrale von Paris einen Vorläufer. In dieser Zeit spielt das Kind auch manchmal mit dem Schleier der Mutter, der Sinnbild der Jungfräulichkeit ist, oder es hat – ausgehend von Frankreich –

hin und wieder einen Vogel als Sinnbild der Seele in der Hand. Maria hält zuweilen eine Rose; reicht sie sie dem Kind, so kann sie als Ausdruck der Gottesminne gedeutet werden.

In der 2. Hälfte des 13. Jh. kommt für den Sohn eine neue Haltung auf: Er steht auf dem Schoß der Mutter und wendet sich entweder ihr oder segnend dem Betrachter zu. Die Anordnung betont die Eigenbedeutung des Sohnes. Im Laufe des 14. Jh. wird er dann in der Gestalt eines Kindes wiedergegeben und trägt nicht mehr das lange Gewand der byzantinischen Tradition. Die Krone ist beim Kind äußerst selten; dagegen trägt sie die Gottesmutter weiterhin, oder sie wird von zwei Engeln über ihr Haupt gehalten.

In allen Kunstgattungen und Ländern wird von 1300 an die autonome Darstellung der Gottesmutter mit dem Kind zum bevorzugten Gegenstand des Andachtsbildes. In unserem Zusammenhang ist es jedoch nicht möglich, das Madonnenbild in allen Stilphasen und Variationen zu verfolgen. Wir gehen nur noch auf die italienische Sonderentwicklung ein, um dann einige ikonographische Bildschemata, die für das Abendland charakteristisch sind, ins Blickfeld zu rücken.

Das italienische Maestà-Retabel im 13. und 14. Jahrhundert

Die im 13. und 14. Jh. vorzugsweise von Franziskanern, Dominikanern, Serviten (1233 als Diener der Gottesmutter gestiftet, mit Niederlassungen in Siena, Florenz, Pistoja, Arezzo) und verschiedenen Bruderschaften stark geförderte Marienverehrung führt Mitte des 13. Jh. in Italien zur Aufstellung von auffallend großen, repräsentativen Marientafeln auf Hauptaltären. Sie sind der prägnanteste Ausdruck einer italienischen Sonderentwicklung des 13. und 14. Jh. Stilistisch ist an ihnen die später als in der cisalpinen Kunst einsetzende allmähliche Lösung von der byzantinischen Kunst zu beobachten. Zu diesen Hauptaltarretabeln, die zunächst im Hochformat vorkommen,

gehören die bekannten Madonnentafeln der miteinander wetteifernden Maler von Florenz und Siena (Coppo di Marcovaldo, Cimabue, Giotto einerseits, Guido da Siena, Duccio, Simone Martini andererseits, um nur die bedeutendsten zu nennen). Vorangegangen sind diesen monumentalen Tafeln, wie schon erwähnt, kleine Ikonen und Retabeln in der Nachfolge von Antependien im Querformat, die in der Mitte die »Maria in trono« und beiderseits Heilige oder mehrere Nebenszenen des Marienlebens zeigen. Sie waren an Nebenaltären oder in kleinen Kapellen aufgestellt[18].

Zunächst gehen die Maler dieser Hochaltartafeln vom in Italien beibehaltenen Kathedra-Typus in seinen beiden Varianten aus, doch bald wechseln sie zum Hodegetria-Typus über und übertragen ihn auf die thronende Maria. Die byzantinische Kunst kennt bei diesem Typus des auf dem Arm der Mutter sitzenden Kindes nur das Halbfigurenbild oder die stehende Figur[19]. Das älteste erhaltene monumentale Marienretabel eines namentlich bekannten Meisters ist die Madonna del Carmine in S. Maria Maggiore, Florenz, zwischen 1250 und 1260 von dem Florentiner Coppo di Marcovaldo gemalt, 2,50 m : 1,23 m. Unterhalb des Thrones sind zwei szenische Darstellungen eingefügt (Verkündigung an Maria und Frauen am Grabe), die an die ältere Bildform des Antependiums mit Nebenszenen anknüpfen. Maria und Kind, beide in frontaler Haltung und gekrönt, heben sich in Hochrelief von der gemalten Fläche ab. Das von einem plastisch geformten Nimbus umgebene Haupt Marias durchstößt den Rahmen und neigt sich leicht nach vorn. Die verzierte Krone Marias, die der byzantinischen Marienikonographie widerspricht und auf die Sonderentwicklung Roms im frühen Mittelalter zurückgeht, ist in der florentinischen Malerei seltener als in der sienischen. Der Rahmen des Bildes ist mit zwölf Apostelfiguren besetzt. Eine toskanische Marien-Ikone, »Regina Coeli« genannt, aus S. Maria de Flumine bei Amalfi vom späten 13. Jh., Neapel, *Abb. 808*, knüpft offensichtlich an dieses erste hohe Retabel an, rückt das Kind aber etwas aus der Mittelachse, ohne daß die überpersönliche Hoheit beider Gestalten abgewan-

---

18. Zum italienischen Marien-Hochaltarretabel und seinen Vorläufern siehe H. Hager, 1962, S. 118 ff. und S. 130–154. Wir können nur auf wenige Beispiele eingehen und verweisen auf das dort gegebene Bildmaterial.

19. R. Oertel, Ein toskanisches Madonnenbild um 1260, in: MittFlor VII, 1953. Die sitzende Hodegetria ist in Italien schon 1031 im Konchenfresko des Domes zu Aquileja zu finden.

delt ist. Schon 1261 erhielt Coppo, der wahrscheinlich bei der Schlacht von Montaperti in sienische Gefangenschaft geriet, den Auftrag, ein Altarbild für eine Kirche Sienas zu malen (Madonna del Bordone), und nur wenige Jahre später fertigte er für die Kirche S. Maria dei Servi in Orvieto ein 2,38 m : 1,35 m hohes Madonnenretabel an, *Abb. 807*. Bei diesen beiden Darstellungen gab er den Nikopoia-Typus auf und fügte der Gottesmutter hinter der lyraförmigen Thronlehne zwei kleine Engel hinzu. Maria neigt ihr Haupt gegen den auf ihrem Arm sitzenden Sohn, blickt aber, während dieser sie segnet, geradeaus. Von seinem sienischen Zeitgenossen Guido sind eine Reihe Marienretabel im Hodegetria-Typus bekannt[20].

Eine 3,85 m hohe Marientafel Cimabues für den Hochaltar von S. Trinità, zwischen 1280 und 1285, heute in den Uffizien, vermittelt den Eindruck einer überirdischen, hoheitsvollen Erscheinung der Gottesmutter. Die architektonische Form des hohen Thronaufbaus und sein Goldglanz bilden mit dem zarten Linienspiel, den tiefen warmen Farben und den natürlichen, wenn auch verhaltenen Bewegungen der Gottesmutter und des Sohnes eine Einheit, in die die acht symmetrisch angeordneten Engel einbezogen sind. In drei Öffnungen des Thronsockels sind drei Propheten und David als Halbfiguren mit Schriftbändern vor dem durchscheinenden Goldgrund wiedergegeben. Sie bezeugen die Ankunft des geweissagten, von der Jungfrau geborenen Sohnes. Diese Ankunft ist durch die Engel angedeutet, die den Thron herabzutragen scheinen und nach unten blicken, wo der Altar zu denken ist. Der Segensgestus des Sohnes und der versonnene, wie aus der Ferne kommende Blick der Mutter gelten gleichfalls den Gläubigen am Altar. Mit diesen Engeln greift Cimabue die Vorstellung der »Madonna degli Angeli« (Regina angelorum) auf[21]. In der Unterkirche von S. Francesco in Assisi hat sich Cimabue bei einem Fresko um 1280 an die Komposition der Trinità-Madonna angeschlossen, sie aufgrund des Querformates aber vereinfacht, *Abb. 809*. Das Halten oder Berühren des Thrones durch nur vier Engel wird hier nicht als Tragen empfunden, da die Höhendimension fehlt. Seitlich steht Franziskus.

Das etwa gleichzeitige Gegenstück eines sienischen Malers zu Cimabues Trinità-Madonna bildet die Rucellai-Madonna von Duccio, die er 1285 für eine Kapelle der Laudesibruderschaft in S. Maria Novella in Florenz malte. Als fünfzig Jahre später die Bruderschaft die Kapelle aufgab, kam die Tafel in das Oratorium der Familie Rucellai und von dort in die Uffizien. Duccio war zehn Jahre jünger als Cimabue und wurde offenbar von den Florentinern als der fortschrittlichere Meister empfunden, so daß ihm der Auftrag gegeben wurde, obwohl er mit den Florentiner Malern rivalisierte. Das monumentale Bild in seinen Ausmaßen von 4,50 m : 3,00 m ist die größte der Marientafeln des 13. Jh. Sechs schwebend kniende Engel halten hier den Thron und blicken alle auf den Sohn, der als Kind mit entblößtem Oberkörper wiedergegeben ist. Darin zeigt sich nicht nur eine Loslösung von byzantinischen Vorbildern, sondern die Vorwegnahme einer Wandlung zu der kindhaft natürlichen Wiedergabe des Sohnes.

Den künstlerischen Höhepunkt der Entwicklung des Hochaltarretabels in Florenz erreicht Giotto in der Ognissanti-Madonna, die wohl im Anschluß an die Fresken in Padua zwischen 1306 und 1310 für die Humiliatenkirche SS. Ognissanti in Florenz entstand, *Abb. 811*. Der Thron steht auf dieser 3,27 m hohen Tafel auf dem Boden. Dadurch sitzt Maria nicht wie auf älteren Darstellungen erhöht, ist jedoch durch ein leichtes, nach vorn offenes Gehäuse gegen die seitlich stehenden Figuren abgegrenzt. Die mächtige körperhafte Gestalt gibt die Vorstellung ihrer ständigen Gegenwart über dem Altar – im Gegensatz zu Cimabues Trinità-Madonna, die von fern herabzuschweben scheint. Die Engel haben andere Funktionen erhalten als bei Cimabue. Die zwei am Thron stehenden reichen Krone und Salbgefäß dar, die möglicherweise auf die Krönung des auf Erden geborenen Sohnes zum ewigen König verweisen. Die den anderen Engeln am Thron hinzugefügten Heiligen künden den neuen Typus des vielfigurigen Madonnenbildes an, der in Parallele zur Krönung Marias innerhalb des himmlischen Hofstaates steht, siehe oben.

Indem Duccio bei der »Maestà« des 1311 vollendeten

---

20. Z. B. Tafel 1262, Siena, und 1270–1275, Florenz, Akademie; Madonna Galli-Dunn, Siena, 1275–1280; Flügelaltar, Perugia, 1270–1280; vgl. Bd. 1, Abb. 59.

21. Das Tragemotiv für den Thron der Gottesmutter ist viel-

leicht eine eigene Konzeption Cimabues. Vgl. das Engelgeleit bei den Darstellungen Marias, die thronend über ihrem Grab zwischen Himmel und Erde schwebt, *Abb. 674, 714, 716*.

Hochaltarretabels für den Sieneser Dom das außergewöhnliche Breitformat (4,20 m) durch einen predellenartigen Sockel mit Einzeltafeln und eine Giebelkrönung erweitert, vereint er die unterschiedlichen Arten der Altaraufsätze dieser Zeit. Zu den Einzeldarstellungen der Giebelkrönung an der Vorderseite, von denen bei der Übertragung des bereits 1771 zersägten Altars in die Domopera (Magazin) 1878 einige verloren gingen, *vgl. Abb. 659, 661, 662, 668*. In der Predella der Marienseite waren Darstellungen der Geburt und Kindheit Jesu zu sehen, die zur Haupttafel hin durch eine Reihe Propheten abgegrenzt waren[22]. Das Querformat der Haupttafel gibt die Möglichkeit, den himmlischen Hofstaat oder die Communio Sanctorum zu erweitern. Der von einem Bogen überwölbte Mittelteil des von Engeln umgebenen Marienthrones schließt sich an die Tradition des hochformatigen Retabels an. Beiderseits stehen oder knien, abgesehen von vielen Engeln, die vier Stadtpatrone, Johannes der Täufer und der Apostel Johannes, die Märtyrerinnen Agnes und Katharina sowie Paulus und Petrus. Nach oben ist die Maestà durch eine Reihe der neun übrigen Apostel begrenzt, die den Propheten unten entsprechen. In damaliger Zeit war die Aufstellung eines Hochaltarbildes von der Hand eines berühmten Meisters ein Stadtereignis. In Siena wurde es in einem Festzug, an dem sich geistliche und weltliche Honoratioren und das Volk beteiligten, zum Dom gebracht. Eine sehr persönliche Inschrift des Malers auf dem Thron der Maestà lautet: »Heilige Mutter Gottes, sei den Sienesern Quell des Friedens, dem Duccio aber, der dich so gemalt hat, sei Leben.« Zum Chorfenster Duccios im Dom, das in einer anderen Thematik Maria verherrlicht, siehe oben und *Abb. 713*.

Segna di Bonaventura versuchte Duccios Hochaltarretabel in seinen Ausmaßen für den Dom von Massa Marittima zu wiederholen, was ihm jedoch nicht gelang. Für den Augustinerkonvent derselben Stadt erhielt um 1335 Ambrogio Lorenzetti den Auftrag, eine Maestà zu malen. Er begnügte sich mit kleineren Maßen, 1,55 m:2,06 m, und drängte die Figuren zusammen. Da er den mittleren

Teil erhöhte, gewann er Raum für zwei Thronstufen. Hier sitzen die drei Tugenden: Hoffnung, Liebe, Glaube, die Ambrogio, vermutlich als erster, in das Bild der thronenden Gottesmutter einführte. Die Liebe nimmt die Mitte der oberen Stufe ein. Sie hat zwei Attribute (Herz und Frucht), die auf die Liebe zu Gott und zum Nächsten hinweisen.

Wenn auch nicht in der Tafelmalerei, so findet Duccios berühmtes Dombild doch nach wenigen Jahren in der Wandmalerei eine gleichrangige monumentale Nachfolge, und zwar in einem profanen Raum. Die Verehrung Marias war damals nicht auf die Kirche und die Gläubigen beschränkt, sondern auch Sache der Öffentlichkeit, zumal in einer Stadt, die sich – wie Siena – Maria geweiht und sich ihrem Schutz anvertraut hatte. Simone Martini, der sich dem Einfluß der Gotik mehr als sein Lehrer Duccio öffnete[23], erhielt den Auftrag, für die Sala del Gran Consiglio im Palazzo Pubblico ein Fresko der Anbetung der Gottesmutter zu malen, den er 1315 ausführte, *Abb. 810, Ausschnitt*. Während Giotto und Duccio, an der mittelbyzantinischen Tradition festhaltend, auf den Schmuck und die Krone Marias verzichtet hatten, thront in diesem weltlichen Raum die Gottesmutter als Himmelskönigin (gotische Lilienkrone) mit ihrem Hofstaat unter einem großen, von leichten Stangen gestützten Baldachin. Anmut und Hoheit, sensible Linienführung und der Glanz des Goldes und der Farben verbinden sich in der zeitlosen Gestalt. Der auf Marias Schoß stehende Sohn ist in seiner vollen Zuwendung zu den im Saal Versammelten und durch die Art, wie er die Schriftrolle gleich einer Proklamation hält, hervorgehoben. Das stehende Kind, das hier in der figurenreichen Komposition zu besonderer Wirkung kommt, ist in dieser Zeit auch als isoliertes Andachtsbild in Italien und nördlich der Alpen anzutreffen. Die Berliner Staatlichen Museen (Dahlem) besitzen eine Christuskindstatuette aus Siena, um 1320. Bei Madonnendarstellungen kommt das stehende Kind vor allem bei der Gruppe der sogenannten »Schönen Madonna« vor[24].

Lippo Memmi hat 1317 für den Palazzo Comunale in

---

22. Zur Rückseite mit der Darstellung der Passionsgeschichte vgl. Bd. 2, Abb. 17–20, zu den Auferstehungsgeschichten der Bekrönung Bd. 3, Abb. 329, 337, 393.

23. Simone Martini war in Neapel am Hof der Anjou und in Avignon am Hof des Papstes tätig.

24. Eine Gruppe von Madonnen ist um ihrer um 1400 neuartikulierten Schönheit, ausdrucksvollen Anmut und sorgfältigen Werkarbeit willen als »Schöne Madonnen« bezeichnet worden. Als Entstehungsländer galten bisher vorzugsweise Böhmen, Schlesien, Salzburg. K. H. Clasen erbrachte in jüngster Zeit den

San Gimignano die Komposition des Simone Martini wiederholt. Mit diesem Fresko schließt die Nachfolge des Sieneser Dombildes in der profanen Wandmalerei bereits wieder ab. In der kirchlichen Tafelmalerei lebt sie, wie bereits gesagt, in veränderter Form weiter.

Italien bleibt fernerhin für das Madonnenbild führend, die künstlerische Basis wird breiter, die Ikonographie vielfältiger, überlieferte Inhalte werden neu interpretiert und individuell formuliert. Aus dem Sohn, den die Gottesmutter oder Himmelskönigin der Welt präsentiert, ist das Kind der Mutter geworden, aus Maria die Madonna, in Frankreich, Notre Dame, in Deutschland Unsere liebe Frau. Neben das Altarbild, dessen Hauptdarstellung in der Predella oft durch kleine erzählende Szenen ergänzt wird, tritt das intime Andachtsbild, das seinen Reichtum an Empfindung entfaltet. Es ist nicht erforderlich, die allgemeinen Voraussetzungen für die Entwicklung der Kunst im 14. und 15. Jh. zu wiederholen. Uns interessieren in diesem Abschnitt vor allem die ikonographischen Interpretationen Marias, soweit sie sich in Darstellungsformen der Gottesmutter fassen lassen. Nördlich der Alpen gibt es in dieser Zeit wenig bedeutende und wegweisende Altarbilder. Das szenische Bild und die plastische Vollfigur haben das Übergewicht. Zu nennen wären eine Tafel der westfälischen Schule um 1270, Florenz, Bargello, die auf den Eleusa-Typus zurückgeht, stilistisch sich aber der deutschen Stilphase der Zeit anschließt, und für das 14. Jh. die sogenannte »Glatzer Madonna«, deren architektonischer Thronaufbau mit eingefügten kleinen Löwen auffällt. Die Tafel gehörte zu einem größeren Altar, den Erzbischof Ernst von Pardubitz um 1350 der Minoritenkirche in Glatz stiftete, heute in Berlin-Dahlem. Sie erreicht mit einer Höhe von 1,86 m die Ausmaße italienischer Altartafeln.

Ikonographische Erweiterungen des Madonnenbildes vom 14. Jahrhundert an.

Maria lactans und Maria humilitatis (Madonna dell'Umilità, Demutsmadonna)[25]. Aus dem Umkreis des Simone Martini, der die Himmelskönigin als Repräsentantin irdischer Herrschaft im Rathaus der Stadt Siena um 1315 schuf, ist ein kleines intimes Tafelbild der Maria lactans (Madonna del Latte), um 1330, bekannt, das sich in Berlin-Dahlem befindet. Die Mutter sitzt auf einem großen Kissen und Erdboden und blickt sinnend auf das Kind an ihrer Brust. Ambrogio Lorenzetti erreichte in einer Madonna del Latte (Dreiviertelfigur), zwischen 1330 und 1335, Erzbischöfliches Seminar in Siena, eine Atmosphäre, in der die Intimität und mütterliche Innigkeit sich mit dem Ernst hingebender Betrachtung verbindet, *Abb. 812*. Die niederländische Malerei versetzt die Maria lactans Anfang des 15. Jh. – wie die Verkündigung an Maria vgl. *Bd. 1, Abb. 113* – in eine bürgerliche Stube, deren Gegenstände in sinnbildhaftem Bezug zu Maria stehen, vgl. dazu Bd. 1, S. 59 f. Das bekannteste Beispiel ist die Salting-Madonna des Meisters von Flémalle, um 1430, London. Ein aus Stroh geflochtener runder Ofenschirm dient als Nimbus für die stillende Mutter, die, auf einer niedrigen Bank sitzend, das unbekleidete Kind auf einer Windel im Arm hält. Sie stützt den Arm auf die Ecke eines Tisches, auf dem ein Kelch steht. Das bis 1300 seltene Motiv der Lactans, das – ebenso wie die nackte Wiedergabe des Kindes – auf die Menschheit Christi und auf die irdische Mutterschaft Marias hinweist, ist von da an bis zum 16. Jh. in der europäischen Kunst häufig anzutreffen und wird im 18. Jh. noch einmal im Zusammenhang der volkstümlichen Lebensbrunnendarstellung aufgegriffen.

Das erwähnte Tafelbild mit dem Lactans-Motiv von Simone Martini in Berlin, um 1330, gilt als das früheste erhaltene Beispiel der »Madonna der Demut« (Umilità), eines neuen ikonographischen Marientypus, der Maria auf dem Erdboden sitzend zeigt. Er ist höchstwahrscheinlich in der sienesischen Malerei im zweiten Viertel des 13. Jh. als Gegenpol zu der zeitlos Thronenden konzipiert

Nachweis, daß ein Meister im Bereich des Niederrheins und der angrenzenden Niederlande diesen neuen Madonnentypus schuf. Der Weg der Verbreitung ginge demnach vom Westen nach Osten, in umgekehrter Richtung, als man bisher annahm. K. H. Clasen,

Der Meister der schönen Madonnen. Herkunft, Entfaltung und Umkreis. Berlin 1974.

25. Vgl. Band 1, S. 58. M. Meis, The Madonna of Humility, in: Art Bull 18, 1936, S. 435 ff. H. W. v. Os, 1969.

wurde. Von Anfang an ist er häufig mit dem ihm verwandten Lactans-Motiv verbunden worden. Den Anlaß, Marias Demut und Niedrigkeit zu rühmen, gibt die Antwort der Jungfrau auf die Verkündigung Gabriels: »Ecce ancilla Domini ...« (vgl. in Bd. 1 die demütig kniende Haltung Marias bei der Verkündigungsdarstellung aus dem 14. Jh.). Darüber hinaus gilt die Antwort Marias als Glaubensentscheidung und als Einwilligung, den göttlichen Sohn zu gebären: darauf basiert in der mariologischen Exegese die Einbeziehung Marias in das göttliche Heilswirken. Demgemäß ist die Maria humilitatis die »Mater Salutis« (Mutter des Heils). Ihre Demut ist die Voraussetzung für ihre Verherrlichung. Kein Marienbildtypus entspricht so franziskanischer Frömmigkeit und der marianischen Exegese Bonaventuras wie die Demutsmadonna. In dem Sitzen auf dem Erdboden klingt außerdem die alte himmlische Preisung Marias als »Acker, der die Frucht des Erbarmens reifen läßt ...« (Akathistos, siehe Fußnote 1) an – eine Bezeichnung, die auch zu dem Darstellungstypus der Maria im Ährenkleid führt. Der Sohn als »Frucht des Erbarmens« steht in einem inneren Zusammenhang zu der jungfräulichen Mutter der Demut. Um 1341 erhält die Madonna dell'Umiltà im Tympanon des Hauptportals der Kathedrale von Avignon, wieder durch die Hand Simone Martinis, einen bevorzugten Platz an einem Kirchengebäude. Das Fresko ist weitgehend zerstört, aber an der Vorzeichnung ist zu sehen, daß auf das Stillen des Kindes verzichtet ist. Die Inschrift »Salve Regina« entspricht der Erweiterung des italienischen Umiltà-Typus, die bereits in diesen Jahren erfolgt.

Die Übernahme der Attribute des apokalyptischen Weibes. Die Demutsmadonna, die das Kind stillt, erhält des öfteren die Attribute der »Maria apocalyptica«. Mit diesen kosmischen Zeichen ist sie die der irdischen Welt entrückte Sonnenbraut, gleichzeitig bleibt sie die irdische Magd. Biblische und deutende Aussagen über die Gottesmutter verschmelzen in dieser Gestalt zur Einheit. Wie wir bereits ausführten, wurde das dem Seher am Himmel erschienene »große Zeichen« in der Gestalt des apokalyptischen Weibes (Apk. 12,1) vorwiegend als ein Bild der Kirche gedeutet. Erst allmählich sah die mariologische Exegese des späten Mittelalters nicht zuletzt im Zusammenhang der Auseinandersetzung über die Conceptio Immaculata allgemein in Maria die »Mulier amicta sole« – die »Virgo sole«. Sie ist dann unabhängig von Apokalypse-Illustrationen als Maria dargestellt worden bzw. erhielt Maria die kosmischen Zeichen und wurde in die himmlische Sphäre entrückt, vgl. S. 194.

Auf einem Tafelbild des Bartolomeo da Camogli von 1346 aus S. Francesco in Palermo, ist das Haupt der Umiltà von zwölf Sternen umgeben, die sich mit ihrem Strahlennimbus verbinden; zu ihren Füßen war die bei einer Restauration entfernte Mondsichel angebracht, *vgl. Bd. 1, Abb. 106.* Die Beischrift bezeichnet die Gestalt »Nostra Domina de humilitate«. Dieser Humilitatis-Virgo Sole ist auf einem Tafelbild des Carlo da Camerino, um 1400, Cleveland (Ohio), im unteren Bildteil Eva gegenübergestellt, *Abb. 813.* Sie lagert auf der Erde neben einem astlosen Baumstamm, um den sich die Schlange windet. Diese starrt auf die Frucht in der erhobenen Hand Evas. Anstelle eines Apfels ist eine Feige dargestellt. Zu dieser Zeit galt die Feige als Sinnbild des Verderbens und so auch des Sündenfalls[26]. In den zwölf wie kleine Sonnen gebildeten Sternen, die das Haupt Marias umgeben, sind der damaligen Deutung der Lichtkrone der als Kirche verstandenen Apokalyptika entsprechend kleine Brustbilder der Apostel angebracht. Sie repräsentieren die himmlische Kirche[27]. Die Sonne, die auf das Erwähltsein Marias verweist (»electa ut sole«), steht isoliert links oben. Feine Goldstrahlen gehen von einer kleinen hellen Scheibe im Schoß der jungfräulichen Mutter aus und verteilen sich über ihr Gewand. Die Mondsichel zu ihren Füßen ist ihr im Sinne von »pulchra ut luna« zugeordnet. Eva blickt über die trennende Leiste hinweg zur Mater Salvationis empor, zu dem »großen Zeichen«, das allen gegeben ist. Die Figuren im Rücken Marias, Michael mit der Waage – Zeichen des Gerichts – und Georg – eine irdische Projektion des himmlischen Streiters –, gehen vermutlich auf den Wunsch des Stifters, dessen Wappen bis jetzt nicht entzif-

---

26. O. Goetz, Der Feigenbaum, Berlin 1965, S. 106.

27. Nach dem Heilsspiegel, 1324 verfaßt, Kap. 36, werden die Apostel in der Krone als Zeugen der Himmelsaufnahme der Jungfrau genannt. Hier wird die am Himmel erscheinende »Mu-lier amicta sole« nicht nur mit der Braut des Hohenliedes, sondern auch mit der Assunta gleichgesetzt. Siehe P. Perdrizet, J. Lutz Speculum Humanae salvationis I, Mühlhausen 1907, S. 75. Vgl. oben Immaculata.

fert werden konnte, zurück. Welchem Zusammenhang dieses große, gleichwohl intime Bild einst angehörte, ist nicht bekannt – auch der Maler ist nicht identifiziert. Es handelt sich um das einzige erhaltene Tafelbild, das Eva der zur Virgo del Sole verklärten Demutsmadonna gegenüberstellt.

Eva im italienischen Bild der thronenden Gottesmutter. Häufiger als der Demutsmadonna ist Eva der thronenden Gottesmutter zugeordnet. Die Antithese Maria-Eva, für die mit der Pfeiler-Madonna in der französischen gotischen Kathedralplastik ein bis zum frühen 16. Jh. wiederholtes und für die Immaculata-Darstellung im 18. Jh. abgewandeltes ikonographisches Schema gefunden wurde, ist in Italien im zweiten Viertel des 14. Jh. von der sienesischen Malerei eigenständig neu formuliert worden. Dabei liegt, wie bei Carlo da Camerino, der Akzent der Gegenüberstellung auf der Heilsverheißung, die der ganzen gefallenen Menschheit gilt. Wahrscheinlich ist das in schlechtem Zustand erhaltene Lünettenfresko des Ambrogio Lorenzetti, um 1344, über dem Altar in einer Kapelle der Rundkirche auf dem Monte Siepi (Kloster S. Galgano bei Siena) das erste erhaltene Beispiel für diesen Darstellungstypus, der bis Anfang des 15. Jh. in Italien nachwirkte. Bei Ambrogio ist es eine Darstellung der vielfigurigen Maestà in der Nachfolge des Hochaltarbildes von Siena, in die Eva aufgenommen ist. Sie lagert unmittelbar vor dem Thron und hält einen Feigenzweig mit Frucht in der Hand. Die Schlange kriecht über ihren Schoß hinweg. Ihr Körper ist in ein durchsichtiges weißes Gewand gehüllt. Über ihren Schultern und Armen liegt das ihr von Gott bei der Austreibung aus dem Paradies zum Schutz gegebene Fell. Sie blickt nicht zu Maria auf, sondern mit schmerzlichem Ausdruck aus dem Bild heraus. Etwa zwanzig erhaltene Werke stellen Eva in ganz ähnlicher Weise unterhalb des Thrones dar. Ambrogio gibt ihr ein breites Schriftband in die Hand, auf dem ihr Schuldbekenntnis zu lesen ist: »Ich beging die Sünde, um derentwillen Christus gelitten hat, den diese Königin zu unserem Heil in ihrem Leib (unter ihrem Herzen) trug.« Mit diesem Wort ist Eva in die Heilswirkung der Inkarnation Gottes einbezogen, obwohl sie nicht in die Communio Sanctorum aufgenommen ist, wie bei der gleichzeitigen italienischen Darstellung der Marienkrönung (vgl. oben *Abb. 730* und Seite 148). Auch diesem Fresko hat

Ambrogio Tugenden eingefügt, allerdings nur zwei. Wenn der schlechte Erhaltungszustand nicht trügt, haben sie als Attribute ein Herz bzw. eine Furcht in Händen und wären somit als Liebe zu Gott und zum Nächsten zu verstehen. Diese Hervorhebung der Liebe erhärtet die Annahme, daß in dieser Bildgruppe mehr die Eva-Maria-Typologie ins Bildfeld gerückt werden soll als die Antithese, obwohl Eva gesondert von der Hauptdarstellung und mit allen Attributen des Sündenfalles ausgestattet dargestellt ist. Die Mitteltafel eines Flügelaltars von Lippo Vanni, 1358 im Kloster SS. Domenico e Sisto, Rom, *Abb. 814*, *Ausschnitt*, gibt Eva in anderer Haltung wie Ambrogio, doch ähnlich wie *Abb. 813* wieder. Mit dem Fellgewand bekleidet sitzt sie zu Füßen der thronenden Madonna und blickt zu ihr auf. Ihre Handbewegung kann bittend aufgefaßt werden oder als auf die Schlange, die sie verführte, hinweisend. Maria ist im byzantinischen Madonnentypus wiedergegeben; der stehende fröhliche Knabe greift nach ihrem Schleier. Unter den Tafelbildern dieser Gruppe sind einige, die die thronende Gottesmutter als Lactans darstellen. Dabei ist das Darreichen der Brust allerdings mehr eine symbolische Formel als eine Handlung. Dem Hinweis auf das Muttersein entspricht es, wenn ein Tafelbild des späten 14. Jh. der »Mutter Eva« deren Kinder Kain und Abel hinzufügt. Dabei klingt der Gegensatz der Mutterschaft Evas und Marias an: Eva hat in Schmerzen Kinder der Tränen geboren, Maria in Freuden den Sohn des Heils – eine Antithese, die schon in dem von uns mehrfach erwähnten alten syrischen Adamsbuch und bei Kirchenvätern zu finden ist[28].

Selbstverständlich sind wie häufig auf Darstellungen der Verkündigung an Maria auch dem Madonnenbild als kleine Nebenfiguren Adam und Eva (Sündenfall und Austreibung) in variierender Anordnung hinzugefügt. Die niederländische Kunst hat eine Vorliebe dafür, solche ikonographisch wichtigen Motive den Kapitellen der gemalten Architektur oder dem Rahmen im kleinsten Format einzufügen.

Einer Darstellung der Maria lactans fügt Anfang des 16. Jh. ein österreichischer Meister, Venedig, *Abb. 817*, den Brudermord ein. Der demutsvollen Mutter sind die

28. Siehe zu dieser Darstellungsgruppe E. Guldan, 1966, S. 128–135 und Abb. 142–146, und hier weitere Literaturangaben. Bei O. Goetz, 1965, außerdem Abb. 79 und 80.

Zeichen des apokalyptischen Weibes nicht nur beigegeben, sondern sie ist selbst eine Himmelserscheinung in einer großen Lichtgloriole, deren Rand kleine Engelköpfchen bilden, die Diademe mit winzigen Kreuzen tragen. Größere Engel musizieren außerhalb der Gloriole. Maria sitzt auf einem Kissen; in ihren Gewandsaum sind Worte des Magnifikat eingewebt. Sie setzt ihren Fuß auf den Mond, der, als Gegenpol zum Licht aufgefaßt, den Brudermord umschließt. In der Typologie gilt Abel als Typus Christi, der unschuldig den Tod erleidet. Wie man auch den Akzent bei der Deutung setzen will, immer ist der Brudermord wie der Sündenfall im Zusammenhang mit der Gottesmutter ein Hinweis auf die Tilgung menschlicher Schuld. Der Brudermord in Verbindung mit dem Mond (als vervollständigte Sichel), auf den Maria den Fuß setzt, steht in Parallele zu der Verbindung der Mondsichel mit der Schlange des Paradieses, auf der die siegreiche Immaculata steht, siehe zur Entwicklung dieses Motivs Seite 198 f. Eine Beziehung zur Immaculata-Ikonographie geht bei diesem Altar auch aus der Darstellung der sog. Heiligen Sippe auf den Seitenflügeln hervor[29].

Die Madonna als Himmelserscheinung. Die Darstellungen im ausgehenden Mittelalter und in der Renaissance, die die Erscheinung der in einer sonnenhaften Lichtgloriole thronenden Madonna zeigen, sind von Illustrierungen der Vision Apk 12,1, die verselbständigt vom 15. Jh. an in dem Bildtypus »Johannes auf Patmos« mit der marianisch gedeuteten Himmelserscheinung verbreitet war, inspiriert worden. Diese Anregung wird durch die Mitteltafel eines Flügelaltars der Kathedrale zu Moulins des sog. Meisters von Moulins, um 1500, deutlich, *Abb. 815.* Hier halten, während zwei Engel die Gottesmutter krönen, zwei weitere Engel unten ein großes Schriftband mit der Textstelle aus Apk 12,1. Unterhalb des Lichtkreises spannt sich die Mondsichel in einem großen Bogen. Die thronende Madonna eines steirischen Bildes, um 1410, Stift St. Lambrecht (Steiermark), ist in die Sonne entrückt, in deren Strahlen sie mit dem Kind ohne weitere Symbole thront. Die Vision des Augustus, *vgl. Abb. 839,* hat als

eine Vision der Gottesmutter am Himmel gleichfalls auf diese Darstellung eingewirkt. Auf dem Altar von Moulins sind die Stifter auf den Seitenflügeln dargestellt. Vielfach werden, vor allem in Italien seit der Renaissance, der am Himmel erscheinenden Gottesmutter (ohne astrale Zeichen) auf Erden sie verehrende Heilige hinzugefügt, z.B. Raffael, Madonna von Foligno, Rom, 1512/13. Die verselbständigte Darstellung der Maria apocalyptica als Gottesmutter vor der Sonne und auf der Mondsichel stehend zeigt ein böhmischer Meister um 1450, Prag, *Abb. 816.* Dieser Typus ist im 15. und 16. Jh. vor allem durch Werke der Skulptur verbreitet worden und verbindet sich mit anderen Bildschemata, siehe unten Mondsichel- und Strahlenmadonna.

Maria-Ekklesia. Die Deutung der Gottesmutter als Kirche durch einzelne symbolische Attribute und Hinweise zieht sich seit dem Ende des 12. Jh. in mannigfacher Weise durch die Mariendarstellung. Wir brauchen darauf nicht mehr gesondert einzugehen. Im Sinne der Identität Maria-Ekklesia konzipiert das 15. Jh. Darstellungen, die diese mariologische Deutung sinnfällig zum Ausdruck bringen. Die sog. Kirchen-Madonna von Jan van Eyck um 1430, Berlin, *Abb. 818,* zeigt Maria mit dem Sohn in einem gotischen Kirchenraum (Nachbildung der alten Lütticher Kathedrale), in den das natürliche Licht durch die Fenster in den Raum dringt und bestimmte Gegenstände (Marias Krone) und Stellen im Raum aufleuchten läßt. Er dient nicht nur als Raumkulisse wie auf vielen Madonnendarstellungen, sondern ist Maria in einer Weise zugeordnet, die Raum und Figur – in völlig unrealistischen Größenverhältnissen – sich gegenseitig interpretierend zur Übereinstimmung kommen läßt. Durch die Öffnung des Lettners, in dessen Nische eine Madonnenfigur und im Giebel darüber die Verkündigung, auf der anderen Seite die Marienkrönung angebracht sind, blickt man auf zwei Engeldiakone am Altar. Sie lesen in einem geöffneten Buch, einer weist den anderen auf eine Textstelle hin. Die in Einzelmotiven realistische Darstellung erweist sich als eine in hohem Maße symbolische, wenn man die transparente

---

29. Links ist die Anna Selbdritt mit der mädchenhaften Maria dargestellt, die kniend dem Jesuskind Blumen reicht, siehe zu diesem Bildschema oben. Die drei Männer darüber sind Joachim, Kleophas und Salome, die Anna nach der Legende nacheinander

geheiratet haben soll. Ihnen entsprechen rechts Joseph, Alphäus und Zebedäus, die Männer der drei Töchter Annas, die alle Maria heißen. Unter ihnen sitzen die beiden Marien aus zweiter und dritter Ehe Annas mit ihren sechs Kindern.

Bildsprache der niederländischen Kunst dieser Zeit berücksichtigt. Die auf Erden gebaute Kirche wird als Abbild des himmlischen Jerusalem oder des Paradieses verstanden, so daß Maria, die die Krone der Himmelskönigin trägt, hier nicht nur Typus der Ekklesia, sondern als Gottesmutter und Sinnbild der Inkarnation zugleich auch die zukünftige Kirche repräsentiert, die in der ewigen Stadt mit Christus vereint sein wird. Das natürliche Sonnenlicht, das ihre Krone aufleuchten läßt, ist zugleich das ewige Licht der zukünftigen Herrlichkeit. (Vgl. die Verkündigung im Kirchenraum von van Eyck *Bd. 1, Abb. 116, ferner 114.*)

Ähnliche Gedanken enthält die Darstellung eines niederrheinischen Meisters, um 1460, *Abb. 819.* Das große Kirchengebäude, unter dessen hohem Eingangstor die Gottesmutter steht, bedeutet wieder die himmlische Stadt. Die Gottesmutter ist als Porta Coeli (Pforte des Himmels) qualifiziert. Durch die Menschwerdung Gottes ist die Tür zum Paradies geöffnet worden. Es wird kein Zufall sein, daß der Maler dieses große Tor, das auf dem Bild mit der Gottesmutter identisch zu sein scheint, vor die im romanischen Kirchenbau »Paradies« genannte Vorhalle der von ihm schematisch abgebildeten Kirche setzte. Außerdem mag die Pfeiler-Madonna, die mit der Ausbreitung der Gotik überall anzutreffen ist, eine solche Darstellung angeregt haben, denn diese Madonnenfiguren zwischen oder über den Eingangstüren zur Kirche beinhalten ebenso den Gedanken der Porta Coeli, vgl. *Bd. 1, Abb. 115.*

Sondertypen der Mariendarstellung im späten Mittelalter

Die »Schutzmantelmadonna«.[30] Der Schutzmantel Marias versinnbildlicht eine ihrer Funktionen, die zu dem umfassenderen Begriff der »Mutter der Barmherzigkeit« gehören. Als Anrufung geht der Titel »Mater Misericordiae« bis

ins 9. Jh. zurück. Der Mantelschutz ist ein sehr alter Rechtsbegriff. Er wurde von hochgestellten Personen, vor allem von Frauen, den Schutzbedürftigen und Rechtlosen gewährt. Wer unter den Mantel oder unter die Arme genommen wurde, der war vor Verfolgung sicher. Wir haben oben schon vom Fürspracherecht der Königin seit karolingischer Zeit gesprochen. Mit dem Titel Maria Regina, der analog zu dem Christustitel Rex Gloriae entstand, ist auch dieses Fürspracheamt der Königin auf Maria übertragen worden. Sie vermittelt nach damaliger Vorstellung nur auf individuelle Bitte hin. Erst im späteren Mittelalter kommt daneben die Vorstellung einer universellen Intercessio auf. Die Übernahme der auf einem griechischen Bericht des 6. Jh. beruhenden Theophiluslegende in die Dichtung Hrotsvith ist ein Beleg für die Vorstellung der »Maria advocata« im 10. Jh.[31]

Die byzantinische Kunst kennt die Maria advocata als eigenen Bildtypus, der sich allgemein auf ihr Amt der Fürbitte bezieht, *vgl. Abb. 444, 445, 448.* Ebenso stammt die sogenannte »Deësis« – Maria und Johannes der Täufer fürbittend zu beiden Seiten Christi – aus dem Osten. Sie fußt auf einem alten liturgischen Gebet und wird häufig gesondert dargestellt, ist aber auch ein fester Bestandteil der Darstellung des Jüngsten Gerichts. Von da übernimmt das westliche Gerichtbild die Deësis, siehe Bd. 6. Die Intercessio des Erlösers und seiner Mutter vor Gott haben wir in Bd. 2 behandelt, *siehe S. 238ff., Abb. 798–802.*

Die Einfügung betender Stifterbilder in Darstellungen der Gottesmutter, von kleinen, unten knienden Figürchen im Mittelalter bis zu portraithaft wiedergegebenen bekannten Persönlichkeiten in der Renaissance, die unmittelbar neben Maria knien, bezieht sich auf die Bitte an Maria um Fürsprache bei Christus[32].

Der Begriff der Schutzmantelschaft ist schon im 12. und 13. Jh. auf Maria übertragen worden. Damals ist eine Legende bekannt geworden, die auf die Zisterzienser zurückgehen soll. Von ihr kann der Anstoß zur bildlichen

---

30. P. Perdrizet, La Vierge de Miséricorde, Paris 1908. V. Sussmann, Maria mit dem Schutzmantel, in: Marburger Jb. 5, 1929, 285–351, mit einem Katalog von ca. 500 Darstellungen. LCI 4, Sp. 129–133.

31. Ein Priester, der seine Seele dem Teufel verschrieben hatte, erhielt durch die Fürbitte Marias Vergebung und wurde aus der Gewalt des Teufels errettet.

32. Z. B. Kanzler Rolin oder Kanonikus Georg van der Paele auf zwei Madonnenbildern des Jan van Eyck; Peter II., Herzog von Bourbon und Anna von Beaujeu, die von Petrus und Mutter Anna (Namenspatrone) der Barmherzigkeit der im Himmel thronenden Gottesmutter empfohlen werden, Seitenflügel des Altars des Meisters von Moulins in der Kathedrale von Moulins, *Abb. 815.*

Formulierung der Schutzmantel-Maria ausgegangen sein[33]. Im 14. Jh. ist das Motiv auf Siegeln von Zisterzienserklöstern zu finden. Vorstellungen wie die der »Mater omnium« und vielleicht auch die der »Porta Coeli« mögen mit zur Verlebendigung in der Entwicklung der Darstellung beigetragen haben. Das Ausbreiten der schützenden Arme und die Aufnahme Hilfesuchender unter den Mantel, an dem alle Angriffe abprallen, ist in der christlichen Kunst allerdings nicht allein auf Maria beschränkt, sondern kommt vereinzelt auch bei Darstellungen von Heiligen (vor allem Ursula), bei der Sapientia, die die Tugenden schützt, und bei Ekklesia vor. Um 1400 ist im Zusammenhang der Darstellung des Schmerzensmannes der Sondertypus des Schutzmantelchristus aufgekommen, fand aber keine große Verbreitung, *vgl. Abb. 692, und Band 2, Abb. 701.* Selbst in szenischen Darstellungen kann das Schutzmantelmotiv anklingen. So wird z. B. bei der Marienkrönung des Enguerrand Charonton in Villeneuve-lès-Avignon, vgl. *Abb. 742,* die Ausbreitung des roten Krönungsmantels der Himmelskönigin über die Welt nicht allein auf die Absicht einer dekorativen Bereicherung zurückgehen, sondern auch den Gedanken der schützenden Macht der Himmelskönigin andeuten sollen. Der Meister hatte ein Jahr zuvor ein Schutzmantelbild gemalt (Chantilly Musée Condé), auf dem Maria selbst ihren auffallend weiten Mantel über die Schutzsuchenden ausbreitet.

Eine frühe erhaltene Darstellung der Schutzmantelmadonna, der eine Nachricht über ein älteres Fahnenbild einer Marienbruderschaft vorausgeht, ist ein Werk Duccios, gegen 1300, Siena, Pinakothek. Es zeigt in der italienischen Tradition des späten 13. Jh. die thronende Maria, die mit ihrem Mantel drei kniende Franziskaner schützend umfängt[34]. Doch herrscht keine Klarheit darüber, in welchem Land die Schutzmantelmadonna zuerst bildlich formuliert wurde, da die Beispiele der 2. Hälfte des 13. Jh. zu spärlich und verstreut sind[35]. In Deutschland und Frankreich breitet sich ebenso wie in Italien vom 14. Jh. an in Skulptur und Malerei der Typus der stehenden Schutzmantelmadonna aus und erreicht seinen Höhepunkt um 1500. In Italien ist von der gleichen Zeit an auch die thronende Madonna in dem dort üblichen Typus mit dem Schutzmantel zu finden. Nördlich der Alpen variiert die Marienfigur; die jungfräuliche Himmelskönigin herrscht vor. Unabhängig vom ikonographischen Typus hält sie das Kind auf dem Arm, kann aber auch ohne Kind dargestellt sein. Als Schutzsuchende sind entweder einzelne Vertreter von Orden und Bruderschaften oder des Volkes wiedergegeben; Männer und Frauen sind oft getrennt. Bald aber werden alle Stände charakterisiert und nach ihrem Rang geordnet in zwei Gruppen, in die die Stifter einbezogen sind, dargestellt. In der Renaissance ist das Schutzmantelbild auch im Sinne des persönlichen Epitaphs verwandt worden, um die eigene Familie dem Schutz und der Fürsprache Marias zu empfehlen. eine Mischform sind diejenigen Darstellungen, die unter dem Mantel alle Stände zeigen, die Stifter jedoch, die für sich persönlich um Schutz bitten, beiderseits außerhalb des Mantels kniend anordnen. Zu dieser Gruppe gehören zum Beispiel das oben genannte Bild in Chantilly, 1452, und eines von Parri di Spinello, 2. Viertel 15. Jh., Arezzo. Eine Sondergruppe bilden die Pest-Schutzmantel-Darstellungen in Parallele zu der Intercessio Christi und seiner Mutter vor Gott, siehe Bd. 2. Es geht bei der Schutzmantelschaft Marias einerseits um die Abwehr einer allgemeinen akuten Not und Bedrängnis und zugleich oder auch allein um die Sterbehilfe; beides gewährt sie durch die Fürbitte bei ihrem Sohn. Sie wird deshalb auch oft im Fürbittegestus gezeigt.

33. Bericht des Caesarius von Heisterbach über eine Vision eines Zisterziensermönchs, der im Himmel keinen Ordensbruder vorfand und sich deshalb bekümmert an Maria wandte. Diese öffnete ihren Mantel, unter dem die vermißten Brüder geborgen waren.

34. Nach der oben erwähnten Legende sollen die Sieneser 1260 den Sieg über die Florentiner der Maria verdankt haben, die am Vorabend der Schlacht ihren weißen Mantel über die Stadt ausbreitete. Das Bild Duccios wird jedoch durch die Mönchslegende und nicht durch diese Vision angeregt worden sein. Der schützende Mantel Marias war aber offenbar zu dieser Zeit eine allgemein bekannte Vorstellung.

35. Ein Freskofragment aus S. Piero in Palco, Florenz, das vielleicht noch dem 12. Jh. zuzurechnen ist, könnte allerdings auf Italien als Ursprungsland für den Bildtypus der Schutzmantelmaria verweisen, siehe: Kat. Firenze restaura, Firenze 1972, S. 109, Abb. 156 (Detail). Vg. auch die Ausführungen zur Schutzmantelmadonna in einer mir erst während des Drucks dieses Bandes bekannt gewordenen Abhandlung, die vor allem auch zu den antiken und frühchristlichen Vorstufen des Bildtypus der Blacherniotissa wertvolle Forschungsergebnisse darlegt: Christa Belting-Ihm, »Sub matris tutela«, Heidelberg 1976.

Daß in der Volksfrömmigkeit der Glaube aufkam, sie selbst könne Unheil abwenden, liegt nur zu nahe.

Wird Maria ohne Kind gezeigt, ergreift sie selbst den Mantel und umschirmt die um Schutz Flehenden, oder sie faltet die Hände wie auf dem Tafelbild im Dom zu Orvieto um 1320, Lippo Memmi (?), *Abb. 823*. Sowohl bei der betenden Figur als auch bei Maria mit dem Kind breiten Engel den Mantel aus. Eine Statue im Chor von St. Stephan, Wien, gegen 1430, stellt die Schutzmantelmadonna ohne Kind dar. Sie ergreift mit gesenkten Händen den Saum des Mantels und öffnet ihn nur wenig. Ähnlich ist eine Holzfigur um 1420 aus Herlatzhoven (Bodenseegegend), Aachen, *Abb. 825*; nicht näher charakterisierte Schutzsuchende sind an beiden Seiten der Figur nach oben gestaffelt. In der Tafelmalerei gehört zu dieser Gruppe der Seitenflügel des Raudnitzer Altars, um 1410, *vgl. Abb. 692*, wo die Schutzmantelmadonna dem seine Wunden weisenden Schmerzensmann mit dem Schutzmantel gegenübergestellt ist. Die Plastik des Michel Erhart aus Ravensburg, um 1480, Berlin, vertritt den üblichen Marientypus, jedoch ohne Kind; Maria hat nicht die Kennzeichen der himmlischen Königin. Sie öffnet den Mantel mit beiden Händen so, daß zwei tiefe Mulden entstehen, in denen sich zeitgenössisch gekleidete Figuren bergen (LCI 4, Abb. Sp. 130.). Von Mitte des 15. Jh. an erweitert sich auf den Bildern im Querformat der Personenkreis. Schon auf Enguerrand Charontons Tafelbild in Chantilly, 1452, knien rechts von Maria Papst, Bischof und Kardinal, auf der anderen Seite ein alter Kaiser mit einem gekrönten Paar (Thronfolger). Jan Polack, dem drei Schutzmanteldarstellungen zugeschrieben werden, trennt bei dem Bild von 1494 in der Pfarrkirche in Schliersee die Gruppen nach Männern und Frauen; hinter den geistlichen Würdenträgern knien die weltlichen Herrscher. Maria ist ohne Sohn dargestellt. Auf seinem Tafelbild in München-Ramersdorf hält sie ihn dagegen mit beiden Händen vor sich. Die Traube in seiner Hand und die Kette mit einem kleinen Kreuzchen um seinen Hals verweisen unmittelbar auf die Erlösung durch Christus. Das dritte Schutzmantelbild des bayerischen Malers im Liebfrauendom München, 1509–1510, *Abb. 824*, kennzeichnet nicht nur einen Stifter durch sein Wappen, sondern fügt im Sinne des Epitaphs die vielköpfige Familie den Schutzsuchenden ein. Maria wird von zwei Engeln gekrönt. Ihr offenes langes Haar ist ausgebreitet, und sie trägt das mit Ähren besetzte Gewand

mit dem herabhängenden Gürtel, das dem Typus der Tempeljungfrau (siehe oben) eigen ist. Ihr königlicher Mantel, den zwei Engel gemeinsam mit ihr ausbreiten, ist zum Schutzmantel für alle geworden. Der Gedanke der »Mater Omnium« steht bei diesen Darstellungen im Vordergrund, denn die ganze Christenheit sucht Schutz und Fürsprache in der Angst vor Tod und Gericht; sie hofft, daß sich die Pforte des Himmels für sie öffnen werde. An weiteren Werken sind u. a. zu nennen: Bartolo di Fredi in Pienza; Filippo Lippi, ehem. Berlin; Mitteltafel des Polyptychons, das Piero della Francesca um 1450 für die Arme-Seelen-Bruderschaft della Misericordia di Borgo Sansepolcro malte, *Abb. 822*, und von den deutschen späteren Meistern der Mittelschrein des Locherer Altars um 1520 im Münster zu Freiburg. Eine Sondergruppe des 14. und 15. Jh. entstand in Venedig, die, auf einen der byzantinischen Madonnentypen zurückgehend, das thronende unbekleidete Kind wie einen vergrößerten Brustschmuck vor Maria setzt. Ein venezianisches Relief, London, VAM, verbindet diese Schutzmantelmadonna, die nur Mönche unter ihrem Mantel birgt, mit einem hinter ihr aufwachsenden Baum mit vier Propheten und zwei Königen.

Die bekannte »Madonna des Bürgermeisters Meyer« von Hans Holbein d. J., Darmstadt, Schloßmuseum, ist ein für die Renaissance typisches Werk. Jacob Meyer, der in der Zeit der Glaubenskämpfe mehrmals Bürgermeister von Basel war, führte die Partei der Altgläubigen an. Etwa 1528 bestellte er für die Hauskapelle seines Landhauses ein Votivbild, auf dem er sich sowohl mit seiner verstorbenen als auch seiner zweiten Frau und den drei Kindern vor der Schutzmantelmadonna kniend abbilden ließ. Ausgelöst wurde der Auftrag durch die Sorge um seinen kranken Sohn, doch wollte er vermutlich auch sein persönliches Bekenntnis zum katholischen Glauben zum Ausdruck bringen. Das Persönlichkeitsbewußtsein der Renaissance und des Humanismus führte dazu, die schutzsuchenden Familienmitglieder in derselben Größe darzustellen wie die Madonna, von der sie nur deshalb überragt werden, weil sie kniend portraitiert sind. Während Maria auf diesem Bild ihren Blick senkt und keine Beziehung zu der Familie hat, hält das Christuskind segnend die Hand über die Knienden.

Die Madonna della Vittoria Mantegnas, 1495/96, Louvre, geht auf ein Gelübde zurück, das Francesco Gon-

zaga von Mantua nach einer siegreichen Schlacht über die
Franzosen, bei der er aus Lebensgefahr errettet wurde, ab-
legte. Auf Anweisung des Auftraggebers stellt das Bild
Michael und Georg dar, wie sie den Mantel der thronenden Gottesmutter ausbreiten, vor dem der Markgraf von
Mantua und ihm gegenüber neben dem Johannesknaben
dessen Mutter Elisabeth knien. Sie vertritt als Namens-
heilige die Markgräfin Isabella d'Este. Hier dient das
Schutzmantelmotiv dazu, den Dank Gonzagas für ge-
währten Schutz auszudrücken.

Gregor Erhart schuf um 1515, wahrscheinlich im Auftrag des Kaisers Maximilian, für die Wallfahrtskirche in
Frauenstein bei Klaus (Ob. Steyrtal) eine monumentale
thronende Schutzmantelmadonna – eine Neuschöpfung
der deutschen Plastik. Sie hat noch die alte Goldfassung.
Die gekrönte Mutter hält mit beiden Händen das sehr lebendig wiedergegebene Kind mit einem Rosenblüten-
kranz in der Hand. Die Breite der Sitzfigur läßt nicht viele
Schutzsuchende zu. Sie geben die Typen von drei Ständen
wieder: Kaiser, Ritter, Bürger, auf der anderen Seite deren
Frauen. Ein Frühwerk Erharts war die Kaiserheimer
Schutzmantelmadonna mit der traditionellen stehenden
Figur, um 1502, Berlin. Die genannten Werke, denen viele
hinzugefügt werden könnten, lassen die Bedeutung der
Schutzmantelmadonna für das ausgehende Mittelalter und
die Renaissance erkennen.

Im 17. Jh. mehren sich wieder die Schutzmanteldarstellungen der Orden. Hierfür liefert die spanische Malerei
mit der Schutzmantelmadonna der Kartäuser von Francisco de Zurbaran, um 1633, Sevilla Museum, einen Beitrag mit einem neuen, für die individualisierte Frömmigkeit der Zeit typischen Motiv: Maria legt segnend die
Hände auf die Häupter zweier Mönche.

Obwohl der Hauptgedanke, der den meisten Darstellungen zugrundeliegt, die Bitte um Schutz beim
Jüngsten Gericht ist, findet sich das Motiv nur vereinzelt in Darstellungen des Gerichts. Immerhin hat
Jan (?) van Eyck auf einem Diptychon vor 1436, New
York, diesen Gedanken aufgenommen. Maria kniet,
der Gerichts-Ikonographie entsprechend, fürbittend

neben dem Richter. Unter ihrem Mantel bergen sich
auf diesem Bild mehrere nackte Menschen, denen es
offenbar bei der Urteilsverkündung verwehrt war,
mit den Seligen, die Gewänder tragen, in das Paradies
einzuziehen[36]. Zur Verbindung der Schutzmantelmadonna in der Plastik um 1500 mit der Rosenkranz-
und der Strahlen- oder Mondsichelmadonna siehe
unten.

Die Mondsichel- und Strahlenmadonna. Als plastische
Figur kommt die Mondsichelmadonna in der einfachen
Form seit dem 3. Drittel des 14. Jh. vor und tritt von der
Mitte des 15. Jh. an häufig auf. Es handelt sich zunächst
um eine Motivbereicherung der Madonnenfigur, die die
Umwandlung der verselbständigt dargestellten apokalyptischen Frau in ein Madonnenbild ankündet: Hirsch-Madonna, um 1365–1370, Erfurt, Museum, so genannt, weil
ihr Gewand springende Hirsche zieren; Madonna Ende
14. Jh., Köln, St. Gereon; »Traubenmadonna« mit königlicher Krone und Mondsichel, um 1480, mittelrheinisch,
Trier, *Abb. 820.* Die Traube ist ein altes eucharistisches
Symbol, das die Gottesmutter oder das Kind seit dem
14. Jh. häufig in Händen halten[37]. Gegen Mitte des 15. Jh.
wird das Sonnenkleid in Form von vergoldeten Strahlen
der Madonnenfigur gegeben, so daß sie nun auch in der
Plastik als Lichtgestalt erscheint; *vgl. oben S. 194.* Bei der
Hirsch-Madonna sind die Strahlen durch breite Bänder
auf der Rückwand, vor der sie steht, schon angedeutet. Ein
niederländischer Holzschnitt bringt im 2. Viertel des
15. Jh. die voll ausgebildete Strahlenmadonna auf dem
Mond, der ein Engel eine mit zwölf Sternen verzierte
Krone aufsetzt. In der Tendenz realistisch war diese Um-
kleidung mit der Sonne auf dem im Krieg verbrannten
Lettner von Benedikt Dreyer der Marienkirche in Lübeck,
um 1520, veranschaulicht. Ein sich nach vorn wölbendes
Sonnenantlitz war in der Mitte geteilt, und Maria stand
dazwischen vor einer flachen Mulde. Hinter ihrem gekrönten Haupt gingen von einer kleinen Scheibe Lichtstrahlen aus, die einen großen Halbkreis bildeten. Die
Lettnerdarstellung zeigte, wie sehr sich die Kunst darum

36. E. Panofsky, Early Netherl. Paint., 1953, Abb. 301. In Skandinavien ist in Gerichtsdarstellungen der Wandmalerei des 15. Jh.
einige Male die Schutzmantelmaria einbezogen, Bd. 6.

37. Zur vielfältigen Bedeutung der Weintraube und des Wein-

stocks in bezug zu Maria siehe A. Thomas, Maria die Weinrebe,
in: Kurtrierisches Jb., 1970, S. 30–55, 14 Abbildungen. Ders.
Verf. LCI, Bd. 4, Sp. 484–496.

bemühte, die Signa der himmlischen Sonnenjungfrau nach Apk 12,1 sinnfällig auf Maria zu übertragen und die mariologische Deutung der Vision zu demonstrieren. Unterstützt wird dies manchmal durch die Beigabe marianischer Symbole wie z.B. auf mecklenburgischen Schnitzaltären[38]. Das historische Museum in Stockholm besitzt einen großen Schnitzaltar, 2. Viertel 15. Jh., dessen Mitte die Strahlenmadonna auf der Mondsichel einnimmt; ihr sind zu beiden Seiten je sechs Szenen der Jugendgeschichte Marias zugeordnet.

Eine generelle Deutung der Mondsichelmadonna ist nicht zu geben. Einerseits kling mit der Übernahme der Zeichen des apokalyptischen Weibes der mit ihr verbundene Ideengehalt in der neuen Madonnengestalt an, andererseits wird der Mond in der mit ihm verbundenen Symbolik unterschiedlich interpretiert. Entsprechend der Bezeichnung der Madonna ist der Mond, auf dem sie steht, in der Regel als Sichel dargestellt. In dieser Form kann er das Vergängliche und Schwindende bedeuten; die Sonne hat ihm ihr Licht entzogen. Die Möglichkeit, die Mondsichel als Sinnbild der Synagoge, über der Maria als Kirche, umgeben vom Glanz der wahren Sonne, sieghaft steht, ist nicht ganz auszuschließen. Daß der Mond bei diesem Madonnentypus nicht immer das aus Apk 12 übernommene Lichtzeichen ist oder sich auf das oben mehrmals als Beischrift zur Immaculata zitierte Wort aus HL 6,10(9) pulchra ut luna bezieht, geht aus dem männlichen Antlitz hervor, das oft mit der nach oben oder nach unten geöffneten Mondsichel verbunden ist. Möglicherweise verkörpert es die dämonische Natur des Mondes, die der Aberglaube, auf alte mythische Vorstellungen gestützt, ihm zuschreibt. Man darf annehmen, daß eine Gruppe der Mondsichelmadonnen den Mond durch das männliche Gesicht als dämonischen Gegenpol zu der vom Licht umgebenen Jungfrau mit dem göttlichen Sohn auffaßte und ihn dadurch mit dem Drachen, der das Kind des apokalyptischen Weibes verschlingen will, in Verbindung brachte. Es ist oben schon gesagt worden, daß sich die Vorstellungen der Maria apocalyptica und der Maria als neuer Eva, die auf die Schlange tritt, eng berühren und durchdringen. So kann auch bei der Gottesmutter auf der Mondsichel dieses Zeichen mit der Schlange verbunden

werden wie auf dem Mittelstück eines Steinaltars aus dem Dom zu Osnabrück, einheimischer Meister, um 1510–1520, *Abb. 831*. In der großen (beschädigten) Mondsichel ist das nach oben gewandte männliche Angesicht zu erkennen. Hinter ihm kommt die Schlange hervor und erhebt drohend den geöffneten Rachen. Vielleicht ist ihre Gestalt von der Schilderung der Tiere des Strafgerichts, die über die Feinde Gottes herfallen werden, Jes 34,14f., beeinflußt. Der vom Propheten aus assyrisch-babylonischen mythologischen Vorstellungen übernommene weibliche Nachtgeist (Vulgata übersetzt Lilith, Luther Kobold), der vor allem Neugeborene zu vernichten sucht, geht in die christliche Kunst als eine Variante der Paradiesesschlange ein. Die Schlange, die nach 1 Mos 3,15 zertreten werden wird, ist hier zugleich der Drache, der dem apokalyptischen Sonnenweib entgegentritt, Apk 12,2. Der versonnene Ausdruck der Mariengestalt, die dem Kind die Traube darbietet, ist nicht triumphierend wie der der Pfeilermadonna von Amiens des frühen 13. Jh., die auf den Kopf der Schlange (Mischwesen mit weiblichem Kopf) tritt, *Abb. 803*, oder wie der letzte späte Typus der Immaculata, der sog. Maria vom Siege, siehe oben.

Der ursprüngliche Typus der Mondsichel-Strahlenmadonna wird Ende des 15. Jh. erweitert zur Rosenkranzmadonna oder er geht in dieser auf.

Die Rosenkranzmadonna[39]. Im Begriff des Rosenkranzes kommen unterschiedliche Sachverhalte zusammen. Als Rosenkranz oder Rosarium wird eine Gebetsübung der römisch-katholischen Kirche und ebenso die dabei benützte Gebetsschnur (Zählgerät) bezeichnet. Der Rosenkranz im wörtlichen Sinn, ein mit blühenden Rosen besteckter Reif, den Maria auf dem Haupt trägt, der ihr als Attribut zugeordnet ist oder von Betern ihr dargereicht wird, geht auf die marianische Rosensymbolik zurück. Der sehr alte Brauch, bei bestimmten, sich wiederholenden Gebeten sich einer Gebetsschnur zu bedienen, reicht im christlichen Abendland wahrscheinlich in das 11. oder 12. Jh. zurück. Im 13. Jh. waren Gebetszählgeräte (Schnüre mit Knoten, Perlenketten aus verschiedenem Material in offener oder geschlossener Form) für das

38. Speziell zu dem Thema: E. Fründt, Mecklenburger Plastik von 1400 bis zum Ausgang des Mittelalters. Diss. Rostock 1954.

39. LCI 3, Sp. 568–572. Neueste Literatur: 500 Jahre Rosenkranz, Ausstellungskat. Köln 1975.

mehrmals gebetete Vaterunser verbreitet (Paternoster-schnur, *vgl. Teil 1, Abb. 361*). Sie wurden spätestens im 14. Jh. dann auch für das Psaltergebet mit 150 Perlen und für das Ave Maria mit 25 oder 50 Perlen übernommen.

Von Mitte 14. Jh. an sind diese Gebetsketten in der bild-lichen Darstellung zu belegen, entweder als Paternoster-ketten bzw. -schnüre oder in bezug zur Gottesmutter als Aveketten. Der schlesische Hedwig-Codex von 1353 aus dem Piaristenkloster Schlackenwerth enthält eine Minia-tur, die Hedwig von Schlesien (um 1174–1243) stehend vor einem Thron mit hoher Rückwand zeigt, auf dessen Stufen Ludwig I., Herzog von Liegnitz und Brieg, und seine Gemahlin Agnes von Glogau betend knien. Hedwig – dem Marientypus angeglichen – hält in der einen Hand eine auffallend lange Gebetsschnur, in der anderen ein Gebetsbuch. Zu ihren Attributen gehört außerdem eine kleine Madonnenfigur, die sie als hingebende Marien-verehrerin immer bei sich trug. Es handelt sich bei dieser Darstellung um eine Avekette mit fünfmal zehn Perlen, die jeweils durch eine größere unterbrochen sind[40]. Ebenso sind die Gebetsketten bei Madonnendarstellungen im 15. Jh. noch Aveketten, des öfteren erweitert durch Vaterunserperlen: der sog. Fröndenbergaltar, westfälisch, um 1405; das Kölner Bild der Madonna mit der Wicken-blüte um 1410, wo das Kind die Kette in einer Hand sehr auffällig hält und betrachtet, während es mit der anderen Hand die Mutter liebkost; eine süddeutsche Tafel um 1480, »Muttergottes im Erker« genannt, im Diözesan-Museum zu Köln. Während Maria sinnend in einem Buch blättert, erfaßt das Kind die um seinen Hals gelegte lange Kette mit beiden Händen. Die Gebetsschnur kann auch im Sinne eines Attributs von Maria als Halskette getragen werden. Seit sich die Gebetskette mit dem Rosenkranzge-bet verbindet, wird sie in der Regel in der geschlossenen Form mit markierten Zehnerreihen (»Gesetzen«) wieder-gegeben und Rosenkranz genannt. Von dieser Zeit an reicht sie Maria auch Betern, oder diese halten sie beim Ge-bet in der Hand.

Den Rosenkranz als Gebetsform führt eine wohl erst im 3. Viertel des 15. Jh. von Alanus de Rupe (gest. 1475) er-fundene Legende auf Dominikus († 1221) zurück. Danach habe Maria Dominikus das Rosenkranzgebet als Waffe

gegen die Irrlehre der Albigenser gegeben. Alanus, ein Bretone, gehörte der »Congregatio Hollandica«, einer 1464 entstandenen dominikanischen Reform an. Er war ein eifriger, aber etwas selbstherrlicher Rosenkranzpredi-ger. Durch eine Namensverwechslung beharrte er darauf, den Ordensgründer Dominikus für den Urheber des Ro-senkranzgebetes zu halten. Dieser von ihm auf vielen Rei-sen zwischen Lille und Rostock verbreitete Irrtum hat sich bis in jüngste Zeit gehalten. Noch im 18. Jh. gibt es viele Rosenkranzdarstellungen, die Dominikus einbeziehen, auch Einzeldarstellungen von Dominikus, der von Maria einen Rosenkranz empfängt. Im Spätmittelalter ist eben-falls Thomas von Aquin ein Traktat über das Rosenkranz-gebet (1225–1274) zugeschrieben worden, so daß auch er mehrfach in Rosenkranzdarstellungen zu finden ist. Fer-ner sind Katharina von Siena (1347–1380), die Schutz-heilige des Dominikanerordens, wegen ihrer großen Ver-ehrung der Gottesmutter und der Dominikanermönch Petrus Martyr († 1252), den die Legenda Aurea »eine Rose aus den Dornen« nennt, neben den Gestalten, die tatsäch-lich bei der Stiftung der Rosenkranzbruderschaft beteiligt waren, dargestellt worden.

Das Rosenkranzgebet geht nachweislich auf den Kar-täuserorden zurück. Adolf von Essen trat 1398 in die Trie-rer Kartause St. Alban ein, wurde 1409 Prior, übernahm 1415 das neue Kloster Marienfloß in Lothringen und starb 1439 in der Trierer Kartause an der Pest. In den Wirren dieser Zeit hat er sich schon in seiner Jugend ins Gebet und in die Meditation des Lebens Jesu, dessen Anfang er in Gabriels Gruß »Ave Maria« an die Jungfrau sah, vertieft. Um 1400 schrieb er für die lothringische Herzogin Mar-garethe von Bayern die Schriften »Rosengertlin Unser lie-ben Frau« und »Leben Jesu«. Von der Trierer Kartause breitete sich seitdem eine Gebetsbewegung aus, die zum Rosenkranzgebet, dessen Zentrum die Meditation des Le-bens Jesu ist, führte. Adolf von Essen nannte das Gebet Rosarium. Diese Bezeichnung für höfische Liebeslieder übertrug er auf die Verehrung »unser lieben Frau«. Ob er dabei von der Rosenmystik des Dominikaners Seuse (1295–1366) beeinflußt wurde, läßt sich nicht erkennen. Auf jeden Fall verband sich seit etwa 1400 für den Gläubi-gen mit dem Begriff Rosengarten die von der Mystik des 14. Jh. bestimmte marianische Symbolik, die sich der Bildsprache des Hohenliedes bediente. Unter Anleitung des Priors der Trierer Kartause faßte der 1409 als Novize

---

40. Der Hedwig-Codex von 1353, hrsg. von W. Braunfels, Berlin 1972, Faksimile.

in die Kartause aufgenommene Dominikus von Preußen (†1460) das Leben Jesu in fünfzig kurze Sätze zusammen (Clausulae des Lebens Jesu), die als Hilfe zum meditativen Gebet verteilt wurden. Zwischen 1435 und 1445 hat er dann den Rosenkranz auf 150 Clausulae zum sog. »Marianischen Psalter« erweitert. Adolf von Essen ließ von Anfang an die kurze Form des Rosariums mit fünfzig »Ave Maria« und die längere mit hundertfünfzig gelten. Ihm kam es vor allem auf die Betrachtung der Evangelien und die demütige Haltung im Gebet an, die Maria beim Empfang des Engelgrußes vorlebte. Diese Gebetsformen, die die Betrachtung des Lebens Jesu mit der Verehrung Marias verbanden, fanden sehr schnell weltweite Verbreitung. Durch die Verfallserscheinungen in der Kirche, die das abendländische Schisma (1378–1417) auslöste, kam es in Orden und bei Laien zu vielseitigen Versuchen, durch Verinnerlichung des religiösen Lebens den Wirren entgegenzuwirken. Daraus erklärt sich die Bereitschaft, sich das Gebet zu eigen zu machen. Die Benediktiner nahmen es sehr bald in ihre Reformbestrebungen auf, formten es ihrerseits weiter aus und hatten großen Anteil an der Verbreitung. Der Dominikanerorden pflegte den Rosenkranz als Gemeinschaftsgebet. Im Laufe der weiteren Gebetspraxis und der Verbreitung in der Erbauungsliteratur variierte der Umfang des Rosenkranzgebetes, bis es 1726 die heute noch im römischen Katholizismus gültige Form fand.

Die erste deutsche Rosenkranzbruderschaft wurde in Köln, wo neben den Kartäusern und Dominikanern auch kleinere Mariengilden und Gebetsbruderschaften das Rosenkranzgebet pflegten, gegründet. 1475 stiftete der Prior des Dominikanerkonvents Jakob Sprenger in St. Andreas die deutsche Rosenkranzbruderschaft zu Ehren Marias, die als ihre Patronin die »Mater Omnium« wählte. Der unmittelbare Anlaß zu der Stiftung war der Dank an Maria für ihre Hilfe bei der Aufhebung der feindlichen Belagerung der Stadt Neuß. Kaiser Friedrich III., der mit seinem Heer zu Hilfe gekommen war, trug sich mit seinem Sohn Maximilian und seiner verstorbenen Frau Eleonore in die Bruderschaft ein, für die er bald beim Papst die Bestätigung erreichte. Die Bruderschaft in Köln war das Zentrum der deutschen Gebetsgemeinschaft, deren Brüder weit verstreut lebten. In der Verbindung mit der Marienverehrung, die in dieser Zeit einen Höhepunkt erreicht hatte, breitete sie sich sehr schnell aus. Jedes Mitglied sollte den

Rosenkranz sichtbar tragen und dreimal wöchentlich fünfzig Ave Maria und fünf Vaterunser beten, heißt es in der Anweisung. Es wurden aber bald fünfzehn Betrachtungen der Geheimnisse der Erlösung (Rosenkranzgeheimnisse) eingefügt, die sich in drei Gruppen aufgliederten: Fünf galten den freudenreichen Geheimnissen (Verkündigung, Heimsuchung, Geburt Jesu, Darbringung im Tempel, zwölfjähriger Jesus), fünf den schmerzenreichen (Ölberg, Geißelung, Dornenkrönung, Kreuztragung, Kreuzigung), fünf den glorreichen (Auferstehung und Himmelfahrt Jesu, Pfingsten, Tod Maria, jüngstes Gericht)[41]. Die fünf »Ehre-sei-dem-Vater-Rosen« sind im späten Mittelalter auf die fünf Wundmale Christi bezogen worden, die schon Bernhard von Clairvaux mit fünf roten Rosen verglich. Seuse sah in ihnen das Leiden, das Gott den Menschen in der Nachfolge Christi auferlegt.

Bei der Bedeutung, die das Rosenkranzgebet und die Rosenkranzbruderschaft mit ihrem weit verbreiteten großen Mitgliederkreis im ausgehenden 15. Jh. hatten, war es selbstverständlich, daß die damit verbundenen Vorstellungen und Bräuche als neue Bildinhalte in die Kunst aufgenommen wurden. Es sind vornehmlich drei Gruppen, die jedoch ineinander übergehen können: die Spendung der Rosenkränze, Maria als Rosenkranzkönigin und das Rosenkranzgebet, bei dessen Darstellung dem Kranz entweder die fünf Wunden Christi oder die genannten neutestamentlichen Szenen eingefügt wurden. Die Schutzherrschaft der Mater omnium über die in Köln gestiftete Rosenkranzbruderschaft führte zu der Verehrung und Darstellung der Rosenkranzkönigin und zur Verschmelzung dieser mit der Schutzmantelmadonna, die als Mater omnium aufgefaßt wurde. In der Kapelle des nördlichen Seitenschiffs der Andreaskirche zu Köln, in der die Bruderschaft gestiftet wurde, befand sich nach Berichten ein Marienbild, das einen Rahmen mit 55 Rosen hatte. Es wurde um 1510 durch einen Flügelaltar des Meisters von St. Severin ersetzt, *Abb. 828*. Auf seinen Seitenflügeln sind Dorothea und Caecilia, die die weiße Rose der Keuschheit und die rote des Martyriums tragen, dargestellt. Die Mitte des Altarbildes nimmt die Mater Omnium ein. Über das

41. Eine Entsprechung dazu sind die spätmittelalterlichen Darstellungen der sieben Freuden und sieben Schmerzen Marias, Beispiel: Tafelbild von 1480 von Hans Memling, München.

Haupt der Schutzmantelmadonna halten zwei kleine Engel drei Rosenkränze. Die Dreizahl bezieht sich vermutlich auf die drei Betrachtungen der Erlösung im Rosenkranzgebet. Das Kind läßt eine lange Gebetskette aus
Korallen, die Maria um den Hals trägt, durch seine Finger
gleiten. Dominikus und Petrus Martyr halten den mit
Hermelin gefütterten roten Mantel Marias schützend über
die knienden ersten Mitglieder der Bruderschaft, die
rechts von Maria durch Papst Sixtus IV., links durch Kaiser Friedrich III. angeführt werden. Neben dem Kaiser
knien sein jugendlicher Sohn Maximilian und die Kaiserin
Eleonore. Daran schließen sich weltliche Mitglieder
der Bruderschaft an. Auf der anderen Seite kniet der Stifter Jakob Sprenger mit geistlichen Mitgliedern. Es
handelt sich hier um ein spezielles Rosenkranzbruder-
schaftsbild, das die Rosenkranzkönigin mit der Schutzmantelmadonna verbindet. Die Inschrift bezieht sich
auf die erste vorläufig private Gründung der Bruderschaft
1474.

In der bereits 1477 in Augsburg erschienenen Schrift
Sprengers »Die erneuerte Rosenkranzbruderschaft« befindet sich als Titelblatt ein Holzschnitt, der sich bezüglich der wiedergegebenen Personen noch genauer auf die
historische Stifung der Bruderschaft in Köln bezieht und
die Rosenkranzspende einschließt, *Abb. 827.* Er zeigt, wie
die thronende Maria und das Kind Rosenkränze von den
Vertretern der Bruderschaft in Empfang nehmen. Beide
tragen selbst einen Blütenkranz auf dem Haupt. Über Maria halten zwei Engel eine Krone, die in der Form mit der
des knienden Kaisers Friedrich III. übereinstimmt. Kardinal Alexander, der bei der Stiftung der Rosenkranzbruderschaft den abwesenden Papst vertrat, ist auf der rechten
Seite dargestellt. Er reicht auf dem Holzschnitt Christus den Kranz, während gegenüber der Kaiser in
Harnisch und mit Standarte den Kranz Maria darbringt.

Vor dem Kaiser kniet dessen Sohn, Erzherzog Maximilian, vor dem Kardinal der Dominikanerprior Jakob
Sprenger. Die Kranzspende an die Gottesmutter ist eine
Huldigung an die Patronin der Bruderschaft, der die Gebete dargebracht werden. Die Spende wird aber auch umgekehrt aufgefaßt: Die Rosenkranzkönigin und Christus
reichen den Betenden die Blütenkränze. Beide Möglichkeiten sind im Rosenkranzgebet enthalten. Sowohl das
Kölner Bild in St. Andreas als auch dieser Holzschnitt in
Sprengers Schrift gaben die Anregung für weitere Darstellungen[42].

Dürer hat offenbar beide Werke gekannt, als er 1506 in
Venedig den Auftrag für das erst viel später als »Rosenkranzfest« benannte Bild von den dort ansässigen Deutschen erhielt. Er faßte die Verteilung der Kränze allgemeiner auf und hielt sich nicht an die Wiedergabe der
Gründungsmitglieder der Bruderschaft. Nur Kaiser Maximilian und Dürer selbst, der mit einem Blatt in der Hand
vor einem Baum steht, sind zu identifizieren. Die thronende Gottesmutter krönt den Kaiser und das Christuskind gleichzeitig einen Papst, in dem aber nicht der 1506
regierende Julius II. zu erkennen ist. Der geistliche und
der weltliche Herrscher haben ihre Herrschaftsinsignien
– Tiara und Krone – abgelegt. Ein hinter dem Kaiser
kniender Mann hält eine Rosenkranzkette in der Hand.
Dominikus (Lilienattribut) krönt einen Kardinal, und
kleine Engel verteilen weitere Kränze. Die Zeremonie findet in einer Landschaft statt. Um Maria als die Königin des
Rosenkranzes hervorzuheben, halten zwei Engel einen
Vorhang baldachinartig über sie, zwei krönen sie mit einer
hohen, prunkvollen Goldkrone[43].

1679 ist in Düsseldorf nach der Erneuerung der dortigen
Bruderschaft durch Papst Alexander VII. (1656) in der
Kreuzherrenkirche ein Bruderschaftsbild aufgestellt wor-
den (heute Lambertuskirche), das, ähnlich wie seinerzeit

---

42. Die Graphik populärer Erbauungsliteratur, Rosenkranz-
gebetbücher und Einzelblätter des 15. und frühen 16. Jh. wandelt
das Rosenkranzthema mannigfaltig ab. In der Graphik ist häufiger das Darreichen der Rosenkränze von Betern an Maria veranschaulicht, während auf Altären Maria als die Spenderin wiedergegeben ist, siehe Beispiele in dem erwähnten Katalog, Köln 1975.

43. Wer die Auftraggeber Dürers bei seinem Aufenthalt in Venedig waren, ist nicht geklärt; entweder die deutsche Gemeinde,
zu der viele Mitglieder der Rosenkranzbruderschaft gehört ha-

ben, oder die Bruderschaft selbst. Das Bild stand in der Kirche
S. Bartolomeo auf dem Altar der deutschen Gemeinde, bis Kaiser
Rudolf II. es kaufte und 1606 in seine Residenz nach Prag über-
führen ließ. Siehe zu dem Schicksal des Bildes, von dem sich eine
im Vergleich zum Original besser erhaltene Kopie in Wien KHM
befindet, und den verschiedenen Versuchen, die Gestalten als
Portraits bestimmter Persönlichkeiten zu identifizieren, F. Anzelewsky, Albrecht Dürer, Berlin 1971, S. 187–198; zu seiner Deutung des Bildes S. 68.

das Kölner Bild, unmittelbar auf dieses historische Ereignis Bezug nimmt.

In Italien kommt die thronende Rosenkranzmadonna ohne Bezug auf die Bruderschaft in sehr viel einfacherer Form als in Deutschland vor. Die Madonna del Rosario von Antonello da Messina, 1473, Mitteltafel des S. Gregorio-Polyptychons, Messina Mus.Naz., wird von zwei kleinen Engeln mit einer Rosenkrone gekrönt. Auf dem in der Mitte vorspringenden Thronpodest liegt ein Perlenrosenkranz. Vgl. auch das Gemälde der Rosenkranzmadonna von Caravaggio, gegen 1607, Wien KHM. Im 17. und 18. Jh. ist die Rosenkranzspende in der Form der Darreichung des Kranzes durch die in den Himmel erhöhte Gottesmutter an einen der oben genannten Heiligen dargestellt worden.

Das Bildschema der Rosenkranzandacht zeigt Maria inmitten eines Andachtskranzes. Sitzt sie mit dem Kind auf dem Schoß, so liegt der Akzent auf der Gottesmutter; steht sie, dann auf der Rosenkönigin, die im Gegensatz zur Schutzmantelmaria immer mit Kind dargestellt ist. Die Rosenkranztafel der Schule Veit Stoß, ein Holzrelief um 1500 aus der Marienkirche in Nürnberg, zeigt im Mittelschrein die sitzende Gottesmutter (das Kind, das Maria auf dem Schoß hielt, ist zerstört). Der Kranz hat die oben genannte Anzahl der fünfzig Rosen in ständigem Wechsel von rot und weiß. Die fünf zwischen die Dekaden gesetzten größeren Blüten tragen die Bildzeichen der fünf Wunden Christi: die durchbohrten Füße und Hände und oben das verwundete Herz (vgl. die Fünf-Wunden-Darstellungen dieser Zeit, *Band 2, Abb. 668, 670–673*). Das Hauptwerk dieser Gruppe ist das große Tafelbild in Weilheim a.d. Teck, um 1510, das drei Rosenkränze mit je fünf szenischen Medaillonbildern und insgesamt 150 Rosen der großen Andacht konzentrisch um die vor einer Rosenhecke sitzende Gottesmutter (Rosenhagmadonna) anordnet. Auf die beiden von den geistlichen und weltlichen Würdenträgern angeführten Gruppen, die der Schutzmanteldarstellung entstammen, bei der Verleihung der Rosenkränze aber als Bruderschaft modifiziert sind, ist nicht verzichtet. Sie sind in den beiden unteren Ecken der Bildfläche, auf kleinen Rasenstücken kniend, als Beter dargestellt. Über dem Rosenkranz thront auf Wolken die Trinität inmitten der Engel mit den Leidensinstrumenten.

Die stehende Einzelfigur der Rosenkranzmadonna mit dem Sohn auf dem Arm, die häufig in der freien Hand das Zepter trägt, ist vom späten 15. Jh. bis etwa 1530 weit verbreitet gewesen. Als Vorform dieses Marientypus kann ein flandrisches Sandsteintondo (Fragment), 1470–1480, Utrecht, Erzbischöfliches Museum, angesehen werden. Die Rosenkranzkönigin wird in der Regel als Strahlenmadonna auf der Mondsichel dargestellt, sie trägt die Krone auf dem Haupt oder wird von zwei Engeln gekrönt. Fast immer bildet der Rosenkranz in der Form der Mandorla den äußeren Abschluß der Strahlenglorie. Vorwiegend ist sie im Schrein von Schnitzaltären, doch häufig auch im Raum freischwebend angebracht, anzutreffen. Der Rosenkranzaltar im Heilig-Geist-Spital zu Lübeck, um 1523, bringt die einfache Form des Kranzes: fünf mal zehn Rosenblüten mit fünf großen Blüten (Wunden Jesu). Die Altäre aus Volkersheim, 1525–1530 des sog. Urbanmeisters aus Hildesheim, heute in der Waisenhauskapelle zu Henneckenrode, und der schon genannte Lübecker Altar in der Kirche des Heilig-Geist-Spitals zeigen die Wundmale Christi auf den größeren Rosen. Die sogenannte Rosenkranz-Muttergottes der Wallfahrtskirche bei Volkach von Riemenschneider, 1521/22, gibt auf den fünf großen Rosen in Medaillonreliefs die freudenreichen Betrachtungen der Kindheit Jesu wieder.

Der Lübecker Altar um 1523, *Abb. 826*, ist ein Beispiel für die Verschmelzung von drei spätmittelalterlichen Darstellungstypen der Gottesmutter: Maria ist die Königin des Rosenkranzes und als solche – wie schon auf dem Kölner Bruderschaftsbild – die Mutter aller Schutzsuchenden, die durch Papst und Kaiser angeführt werden, und sie ist die Maria apokalyptica. Maria reicht dem knienden Papst den Perlenrosenkranz, während das Kind auf die um Fürbitte Flehenden herabblickt. Auf die Gottesmutterschaft, den Ursprung all dieser Marieninterpretationen, verweist am unteren Rand der Tafel die Anbetung des auf Erden geborenen Gotteskindes, das auf einem Tuch von zwei Engeln zwischen Maria und Joseph gehalten und dem Betrachter gezeigt wird. Die Seitenflügel geben in geöffnetem Zustand die Wurzel Jesse und die Ausgießung des Heiligen Geistes wieder.

Vorwiegend in Nord- und Westdeutschland sind die im Kirchenraum hängenden doppelseitigen »Marienleuchter« verbreitet gewesen. Es handelt sich um vergoldete Holzschnitzwerke, die zwei Marienfiguren im Typus der Strahlenmadonna im Rosenkranz nach beiden Seiten gewandt, veranschaulichen. Zu den schönsten Beispielen ge-

hört der Leuchter von 1517 in der Lamberti-Kirche zu Er-
kelenz, ein nur wenig älterer befindet sich in der
Nikolaikirche zu Kalkar. Die Gottesmutter des Leuchters
in der Johanniskirche zu Lüneburg, um 1490 trägt auch
die Sternenkrone des apokalyptischen Weibes.

Die heute an der Wand der Landshuter Martinskirche
angebrachte 2,20m hohe Madonnenfigur von Hans Leinberger, 1518–1520, *Abb. 821*, ist das Fragment einer ursprünglich freischwebenden Strahlenmadonna, die
höchstwahrscheinlich vom Rosenkranz umgeben war,
aber nicht als Leuchter diente. Im fränkischen Raum können als weitere Beispiele der im Raum frei hängenden
Werke die erwähnte Rosenkranzmadonna von Riemenschneider, 1521/22, und die Verkündigung (Englischer Gruß) im Rosenkranz mit Medaillondarstellung von
Veit Stoß, Lorenzkirche Nürnberg, genannt werden, *vgl.
Bd. 1, Abb. 123*.

Nach der siegreichen Seeschlacht von Lepanto gegen die
Türken am 7. Oktober 1571, siehe Bd. 4,1, S. 112, ist die
Darstellung der Rosenkranzkönigin durch die Verbindung des nun von Rom bestätigten Rosenkranzfestes mit
dem Gedächtnis an diesen Sieg noch einmal belebt worden: Rosenkranzaltar, 1632–1634, Martin und Michael
Zürn, Überlingen, im Münster St. Nikolaus, *Abb. 830*.
Die fünfzehn Rundbilder sind mit Perlenschnüren verbunden. Anstelle der üblichen beiden letzten Szenen, Marientod und Jüngstes Gericht, stehen Himmelfahrt und
Krönung Marias. Spätmittelalterliche ikonographische
Bildelemente leben in diesem Werk des 17. Jh. weiter, die
sieghafte Gestalt selbst ist Ausdruck der nachtridenti-
schen Marienfrömmigkeit. Es ist in dieser Zeit auch die
jüngfräuliche betende Immaculata ohne Kind, aber mit
den astralen Zeichen der Sonnenbraut auf der Schlange
stehend und umgeben von einem Perlenrosenkranz als frei
hängende Figur dargestellt worden: doppelseitige Holzskulptur, Mittelrhein, 1. Hälfte 17. Jh., Boppard, Karmeliterkirche.

Obwohl im 18. Jh. neben der szenischen Deckenmalerei
allegorische Darstellungen ohne Figuren beliebt sind,
werden doch auch die im späten Mittelalter formulierten
Mariengestalten weiterhin geschaffen. Die ehem. Stifts-
kirche St. Veit zu Ellwangen besitzt eine Strahlenkranz-
Mondsichelmadonna des frühen 18. Jh., eine Augsburger
Goldschmiedearbeit, die sich ursprünglich auf dem
Hochaltar der Kirche befand.

Die Gottesmutter über dem Löwen Juda. Dieser Darstellungstypus, den wir in *Bd. 1, S. 33, Abb. 44, 45*, neben Maria auf dem salomonischen Thron, zu dessen Emblemen
Löwen gehören, schon kurz erwähnt haben, ist von der
Mariengestalt, die aufgrund der mariologischen Interpretation von 1 Mos 3,15 als die neue Eva auf der Schlange
oder einem drachenähnlichen Mischwesen steht, *Abb. 803*,
zu unterscheiden. Außer bei der isoliert als Pfeilerfigur
dargestellten Gottesmutter kommt das Motiv auch bei der
Verkündigung vor, *vgl. Bd. 1, Abb. 86 und 93*, beide
12. Jh.; als ein jüngeres Werk ist die Verkündigung,
1490–1500, von Lorenz Luxberger, Wiener Neustadt,
Dom, zu nennen. Die außergewöhnlich große Schlange
trägt auf dem Kopf ein Krönchen.

Eine mit dieser stehenden Figur eng verwandte, aber
seltene Darstellungsform zeigt die thronende Gottesmutter, die ihre Füße auf Löwe und Drache setzt, *vgl. Bd. 1,
Abb. 279 und 280*, Anbetung der Könige. Sie wird auch
ohne szenischen Zusammenhang dargestellt und ist offensichtlich von dem von Ps 91(90),13 angeregten und oft als
Illustration dieses Verses dargestellten Bildtypus des sieghaft auf die Tiere tretenden Christus beeinflußt worden,
vgl. Bd. 3, S. 32–41 und Abb. 60–98. Ein frühes Beispiel
für diese über Drache und Löwe thronende Gottesmutter
ist die aus der Mitte des 12. Jh. stammende Steinfigur im
Kreuzgang der Kathedrale von Solsona (Lerida, Nordspanien). Sie ist gekrönt, trägt ein reich verziertes Gewand
und hält ein Globuszepter in der rechten Hand. Das auf
ihrem linken Knie sitzende Kind segnet. Von Werken anderer Länder sind u. a. zu nennen eine Wessobrunner
Steinfigur, München, BNM, um 1250 und eine Holzfigur
aus dem Dom von Visby (Schweden), Gotlands Fornsal,
um 1225. Die letzte Stufe dieser Ikonographie ist die Immaculata-Darstellung des 17. und 18. Jh. Diese Bemerkungen sollen nur an schon behandelte Bildgruppen der
Marienikonographie erinnern.

Wir greifen die Darstellung der »Gottesmutter über dem
Löwen Juda« nochmals auf, weil seit der Veröffentlichung
des 1. Bandes durch Forschungen von Peter Bloch neue
Erkenntnisse zur Entstehung des Darstellungstypus vor-
liegen, die wir einbeziehen[44]. Bei der Verkündigung an

44. P. Bloch, Die Muttergottes auf dem Löwen, in: JbBM 12,
1970 (Jahrbuch Berliner Museen). Zur gesamten Symbolik des
Löwen siehe den Artikel »Löwe« LCI 3, Sp. 112–119 (P. Bloch),

Maria Lk 1,32 verheißt Gabriel: »Gott der Herr wird ihm den Thron seines Vaters David geben.« Das Wort weist auf die Herrschaft Davids hin, die der Messias übernehmen wird. Mit dieser Prophetie wird ein anderer Traditionsstrang sichtbar als der der Weisheitstypologie (Thron Salomos). Die Verheißung des Erzvaters Jakob beim sog. Jakobssegen (1 Mos 49,9f.) an seinen Sohn Juda, den er einen jungen Löwen nennt, kündet ihm an, daß aus seinem Geschlecht der Held hervorgehen wird, dem die Völker anhängen werden. (Vgl. Bd. 1, S. 33, und *Bd. 3, S. 132, Abb. 424*, hier allerdings im Zusammenhang der Auferstehungstypologie.) Auf diese Messiasprophetie bezieht sich Apk 5,5, wo Christus am Thron Gottes als sieghafter Löwe aus dem Geschlecht Juda bezeichnet wird, *vgl. Bd.3, Abb. 568, S.199*, und ausführlich Bd. 5 bei Apk 5. Augrund dieses genealogischen Hinweises wird der Löwe zu einem Sinnbild der Herrschaft Davids, auf der die Messiasverheißung beruht. Da eine der hervorragendsten sinnbildlichen Qualifikationen für den Löwen von alters her Macht und Herrschaft ist, liegt seine Verbindung mit der Königsherrschaft Davids, auch von historisch-politischer Seite her gesehen, nahe. Die Kathedralplastik des 12./13. Jh. stellt als Vorfahren Christi die israelischen Könige in den sog. Königsgalerien dar, deren politischer Aspekt in bezug auf die Könige Frankreichs schon lange bekannt ist, *vgl. Bd. 1, S.24f. und Abb. 61*, Amiens, Königsgalerie, 1220–1230. Hier steht der vierte König von links auf einem Löwen. Er wird (Bloch, S. 287) als König Pippin gedeutet, der eine neue Dynastie analog zu der Verwerfung Sauls und der Erwählung Davids und seiner Nachkommen einleitete. Aufgrund der schon von Pippins Zeitgenossen gesehenen Parallele galt David als Prototypus Pippins. In der bildlichen Darstellung kann diese Typologie für alle in ähnlicher Weise auf Löwen stehenden Königsfiguren gelten.

Nachdem der messianische Titel »Löwe von Juda« – nach den biblischen genealogischen Aussagen – auf David übertragen worden war, lag es für eine Epoche, die die Menschheit Christi und seine Messiaswürde ins Blickfeld rückte, nahe, einen Typus zu schaffen, der die Abstam-

mung der Gottesmutter aus dem Königshaus Davids akzentuierte, und dafür eine bekannte Bildformulierung wie den Löwensockel zu verwenden, *vgl. Bd. 1, Abb. 44*. Von den anderen Mariendarstellungen unterscheidet sich die Gottesmutter auf dem Löwen Juda dadurch, daß sie den Löwen nicht niedertritt, sie wird vielmehr von ihm getragen und macht einen Schritt aufwärts. Entstanden ist dieser Typus um die Mitte des 14. Jh. in Ostdeutschland und war in Böhmen und Salzburg verbreitet, siehe Beispiele bei Bloch. Es ist selbstverständlich, daß Gedanken vorhergehender Darstellungsschemata mit ählichen Motiven in ihm anklingen.

Die Rosenstrauchmadonna. Die Rosensymbolik in der Gottesmutterdarstellung erschöpft sich keineswegs in der Rose von Jericho, die zu den marianischen Symbolen der Jungfräulichkeit gehört, und im Rosenkranzbild in seinen unterschiedlichen Bedeutungen der einzelnen Bildschemata, siehe oben. Schon in der 2.Hälfte des 13. Jh. hält vereinzelt die Gottesmutter statt des Zepters eine Rose in der Hand[45]. Vom 14. Jh. an ist das symbolische Attribut immer häufiger anzutreffen. Die Anregungen hierfür sind in der Mariendichtung des 13. Jh., in der Rosenmystik des Heinrich Seuse und in der auf die jungfräuliche Mutter und den göttlichen Sohn bezogenen Brautsymbolik zu sehen, desgleichen in der profanen Blumensybolik, die in übertragenem Sinn in die spätmittelalterliche Mariensymbolik aufgenommen wurde. Schließlich trägt auch das geläufige Vorstellungsbild der Wurzel Jesse zur Ausbildung der Rosensymbolik mit bei. Betrachtet Maria ohne Kind sinnend eine Rose, so kann diese Christus – die Blüte, die aus dem Reis (Virga) der Wurzel Jesse hervorgeht – bedeuten (vgl. Bd. 1, S.26); reicht sie aber dem Kind eine Rose, so ist diese ein Zeichen der Gottesminne (Rosenhagmadonna eines oberrheinischen Meisters um 1430, Solothurn). Der Titel »Rosa mystica« für Maria, der sowohl aufopfernde Liebe wie Gottesliebe bedeutet, ist später in die Lauretanische Litanei eingegangen. Bringen Engel dem Kind Rosen oder Äpfel, so sind diese Blumen und Früche des Paradieses[46].

---

der beim Abschluß des Manuskriptes unseres 3. Bandes (Auferstehung Christi) noch nicht vorlag.

45. Beispiele siehe E. Beer, Die Glasmalereien der Schweiz vom 12. bis zum Beginn des 14. Jh., Basel 1956, Farbtf. 7 u. 9.

46. HL 2,2–4 heißt es: »Wie eine Rose unter den Dornen, so

ist meine Freundin unter den Töchtern.« Die so gepriesene Braut antwortet: »Wie ein Apfelbaum unter den wilden Bäumen, so ist mein Freund unter den Söhnen ... und seine Frucht ist meiner Seele süß ... Er erquickt mich mit Blumen und labt mich mit Äpfeln.«

Die Rosenstrauchmadonna, die sich bis in das 3. Jahrzehnt des 14. Jh. zurückverfolgen läßt, ist eine für die Zeit
typische Bilderfindung. Sie hat Vorläufer in Pfeilermadon-
nen des späten 13. Jh. am Oberrhein. Am Portal des Freiburger Münsters, gegen 1300, wachsen am Pfeiler hinter der
gekrönten Gottesmutter ein Akanthus- und ein Rosenstrauch empor, die sich um das ganze Bogenfeld herum-
ziehen, *vgl. Bd. 1, Abb. 283.* Ein weiteres oberrheinisches
Beispiel für die Verbindung von Rosenstrauch und Madonna in der Plastik, das nur durch eine Nachzeichnung
des 17. Jh. gesichert ist, bot der Lettner des Straßburger
Münsters. Maria, die am Freiburger Portal auf Jesse steht
und in der Hand ein Zepter hält, ist die »Virga de Radice
Jesse«. In diesem Bildprogramm des Portals hat die Ro-
senranke, die von Maria ausgeht und die Passionsdarstel-
lungen im Bogenfeld umzieht, die Bedeutung des Neuen
Bundes.

Eine Hausmadonna aus Straubing, 1320–1330, München BNM, *Abb. 832,* ist von der populären Mystik geprägt und vermittelt den Eindruck einer heiteren Daseins-
freude. Sie steht ebenfalls wie die Freiburger Portalfigur
in bezug zur Wurzel Jesse, doch ist die Formgebung eine
ganz andere. Vor Maria wächst ein Rosenstamm auf, der
oben seine Rosen entfaltet. In diesen blühenden Ästen
sitzt das Kind: die Blüte der Virga de Radice. Der Strauch
selbst ist Sinnbild für Maria bzw. für sie als die Wurzel
Jesse. Er kommt neben den Füßen Marias aus dem Erdboden hervor, wächst in einem Bogen auf den Leib Marias
zu und biegt sich dann etwas zurück, um den Sitz für das
Kind zu bilden. Obwohl Maria die Himmelskrone über
dem Schleiertuch trägt, ist sie keine hoheitsvolle Gestalt,
sondern die Mater-Sponsa, die sich lächelnd dem Filius-
Sponsus zuwendet. Sie hat kein Zepter, sondern legt die
rechte Hand auf die blühenden Rosen. Das Kind trägt im
Haar ein Rosenkränzlein mit vier Rosen, das ihn insbesondere als die Rose, die aus dem Stamm erblüht, kennzeichnet. Die Vierzahl deutet jedoch auf die vier Wunden
Jesu, die nach den Mystikern in der Gestalt von Rosen gesehen werden, siehe oben. Es wird kein Zufall sein, daß

dieses Werk im Umkreis von Regensburg entstand, da
diese Stadt im 14. Jh. ein Zentrum der Marienverehrung
war. In der 2. Hälfte des 13. Jh. wirkten dort als Bischof
der Dominikaner Albertus Magnus, als Verehrer Marias
bekannt, und der berühmte Prediger Berthold von Regensburg, ein Franziskaner, der das geistige Erbe Bonaventuras diesem Zentrum religiösen Lebens Südost-
deutschlands vermittelte[47].

In dem blühenden Rosenstrauch dieser Madonnen-
gruppe klingt auch das Lebensbaummotiv als Hinweis auf
die Erlösung an. An einer von der Leidenssymbolik bestimmten Abwandlung der Rosenstrauchmadonna wird
das deutlich: Steinplastik um 1420, Darmstadt, Hess.
Landesmuseum. Im Rosenstrauch, den hier Maria in der
Hand hält, ist ein Kruzifixus mit einem Pelikan darüber
angebracht, *vgl. Bd. 2, Abb. 445, S. 147f.*

»Maria im Rosenhag«[48]. Die bekannte Rosenhagmadonna
von Stephan Lochner, Tafelbild um 1450, Köln, die unversehrt erhalten ist, gehört zu einer größeren Anzahl von
abendländischen Madonnendarstellungen, in denen sich
mittelalterliche Marienfrömmigkeit mit ihrer reichen
Symbolik und ihrem Stimmungsgehalt mit den neuen
Formprinzipien des 15. Jh. verbindet, sich jedoch ihren
realistischen Tendenzen entgegenstellt. Die Erschei-
nungsvielfalt der von der Freude an Natur und Umwelt
bestimmten Kunst ist als Gleichnis zu verstehen und weist
über sich hinaus. In der Maria im Rosenhag lebt ein Vers
des 14. Jh. bis in das beginnende 16. Jh. weiter: »Maria, die
viel zarte, sie ist eine Rosengarte, den Gott selber gezieret
mit seiner Majestät.«[49]

Vorläufer der etwa um 1400 entstandenen Rosenhagmadonna und ihr eng verwandt ist das höchstwahrscheinlich Anfang des 14. Jh. von Italien ausgehende, weit verbreitete Bild der Demutsmadonna, die auf dem Erdboden
sitzt, siehe oben. Daraus entwickelt sich die Madonna im
Garten und in der Landschaft. Bei der Rosenhagmadonna
ist aus der Landschaft durch eine Rosenhecke oder -laube
ein intimer Raum abgegrenzt, in dem Maria auf dem Rasen

---

47. Vgl. in Bertholds Predigten den Hymnus auf die »Rosa
Mystica« in: Bd. II., Regensburg 1884, S. 158 (hrsg. von Fr. Göbel). Siehe Ph. M. Halm in: MüJB. 11, 1921, S. 1 ff.

48. E. M. Vetter, Maria im Rosenhag, Düsseldorf 1956. M.

Wundram, Stephan Lochner: Madonna im Rosenhag, Stuttgart
1965, Werkmonographie Nr. 106.

49. A. Salzer, Die Sinnbilder und Beiworte Mariens, Seitenstetten 1886ff, S. 16.

oder einer mit Rasen bedeckten Bank sitzt. Dieser kleine Ausschnitt des Rasens verweist auf die Erde, die den Heiland empfing. Die bei der Demutsmadonna häufig zu ihren Füßen abgebildete Mondsichel kommt bei der Rosenhagmadonna vereinzelt vor, ein Beispiel hierfür gibt das Tafelbild des Robert Campin, nach 1438, Privatbesitz (Abb. 16 bei Vetter). Sie wirkt als Fremdkörper, da alle anderen symbolischen Gegenstände in natürlicher Weise der Umwelt Marias eingefügt sind.

Dem Rosenhag eng verwandt ist der »verschlossene Garten« (Hortus conclusus). Die Metapher entstammt HL 4,12 f.: »Liebe Braut, Du bist ein verschlossener Garten ... ein versiegelter Born. Deine Früchte sind wie ein Lustgarten von Granatäpfeln mit edlen Früchten ...« Der Hortus conclusus wird zunächst auf das Paradies und die Gottesbraut bezogen, dann versteht man ihn als Sinnbild der Jungfräulichkeit Marias oder Marias überhaupt. Dargestellt wird der verschlossene Garten durch einen von einer Mauer oft mit Zinnen und Türmen oder einem Zaun umgebenen Bezirk, in dem Maria inmitten vieler typologischer Sinnbilder ihrer Jungfräulichkeit sitzt (vgl. die Darstellungen der Einhornjagd *Bd. 1, Abb. 127–129*, für die Gottesmutter mit dem Kind in diesem mit Sinnbildern ausgestatteten Garten siehe Abb. 18 bei Vetter).

Der Rosengarten oder Rosenhag läßt sich nicht auf ein biblisches Wort zurückführen, obwohl die zitierte Stelle des Hohenliedes einen Garten mit Blumen voraussetzt, der in der allgemeinen Vorstellung des Paradieses mit blühenden Blumen um 1400 aufgeht. Mehr als das Hohelied prägten Visionen der Mystiker und die Mariendichtung das Bild der Maria im paradiesischen Garten, dessen königliche Blume die »Rose ohne Dornen« ist. Da die Kunst dieser Zeit bestrebt war, das Überwirkliche durch Requisiten des alltäglichen Lebens zu veranschaulichen, wird auch der in der höfischen Kultur um 1400 aufgekommene Liebesgarten mit seinen Lauben neben der geistlichen Literatur zu der Aufnahme der Rosenhecke in das Marienbild geführt haben.

In dem Garten, in dem Maria sitzt, befindet sich manchmal nach HL 4,12 f. ein Brunnen oder eine Quelle,

die wie der verschlossene Garten mariologisch gedeutet wurden. Wir erwähnten schon die Einband-Miniatur des Bamberger Psalters, 1. Hälfte 13. Jh., die im Zusammenhang alttestamentlicher Präfigurationen der thronenden Gottesmutter Rosen und einen Brunnen, zusammen mit der Gestalt des Salomo, zuordnet. In dem der typischen Rosenhagmadonna verwandten, aber nicht mit ihr identischen »Paradiesgärtlein«, Tafelbild um 1410, Frankfurt, schöpft Barbara aus einem Brunnen Wasser, während Dorothea Kirschen vom Baum pflückt[50]. Jan van Eyck erhebt den Brunnen in einem Tafelbild von 1439, Antwerpen, zu einem zweiten Hauptmotiv neben der stehenden Gottesmutter, die das Kind zärtlich an sich drückt. Der Brunnen ist als Springbrunnen dargestellt, der die Vorstellung des sprudelnden lebendigen Wassers hervorruft. Neben ihm ist ein Teil der Rasenbank und der blühenden Rosenhecke zu sehen. Der zwischen Maria und der Rasenbank von zwei Engeln gehaltene schmuckreiche Vorhang entzieht zwar Maria der Einheit mit ihrer Umwelt, aber der Springbrunnen gewinnt in dem durch den Vorhang eng begrenzten Garten an Bedeutung. Auf diesen Gartendarstellungen mit Brunnen treffen zwei bis zur Verehrung vorchristlicher Muttergottheiten zurückreichende Sinnbilder zusammen – Erde bzw. Garten und Quelle oder Brunnen –, deren Herkunft und Zusammenhang dem späten Mittelalter nicht mehr bewußt war, die aber in alte griechische Marienhymnen eingingen. Im 12. Jh. wurden sie, angeregt durch die mariologische Deutung der Braut des Hohenliedes (Rupert von Deutz, seit ca. 1120 Abt des Benediktinerklosters in Deutz), in oben schon genannte Mariendichtungen aufgenommen (»Lied der Frau Ava« um 1125, »Melker Marienlied« zwischen 1130 und 1140, »Arnsteiner Mariengebet« um 1150 und etwa achtzig Jahre später das »Rheinische Marienlob«[51]. Die Ikone der Gottesmutter der »Lebensspendenden Quelle« (Zoodochos Pege), die auf entsprechenden Anrufungen der griechischen Marienliturgie beruht, läßt sich bis ins 14. Jh. zurückverfolgen, *vgl. Abb. 452.* Während Maria auf diesen Ikonen in einem Wasserbecken sitzt und so mit der Quelle des Lebens identifiziert wird, ist auf

---

50. Siehe zur Deutung der reichen Symbolik dieses in der Form einer Idylle gegebenen Paradiesgärtleins G. Münzel, Das Frankfurter Paradiesgärtlein, in: Das Münster 9, 1956, S. 14–22.

51. Zu den Liedern: E. Haufe, Deutsche Mariendichtung aus

neun Jahrhunderten, 1961, S. 8 ff., S. 12 ff., S. 86 ff. Zu dem Gesamtkomplex siehe auch Muthmann, Mutter und Quelle, Basel 1975, vor allem Kap. 9–11.

abendländischen Darstellungen des ausgehenden Mittelalters der Gottesmutter im blühenden Garten der Brunnen
oder eine Quelle, oft ganz unauffällig, zugeordnet (auch
bei der Darstellung der Ruhe auf der Flucht). Sie haben
wie die verschiedenen Blumen und ein Baum mit Früchten, die Rosenhecke oder Mauer, die niedrige Rasenbank
und nicht zuletzt die Farben, hinweisenden Charakter.

Stephan Lochner, der nach Köln berufen wurde, um die
»Madonna im Rosenhag« zu malen, 1447–1450, *Abb. 833*,
ist im mittelalterlichen Empfindungsreichtum und in der
symbolischen Bildsprache verwurzelt. Die Gottesmutter,
die in der Mitte des ausgewogen aufgebauten Bildes sitzt,
ist die »Königin des himmlischen Gartens mit Würdigkeit
und Freuden, umgeben von den Blüten der Rosen und Lilien der Täler« – wie Maria von Seuse einmal geschildert
wird. Sie ist selbst die Rose im Garten und ist letzten Endes die Braut des Sohnes. Zwei Engel öffnen über der Rosenlaube den Vorhang und heben damit die Grenze zwischen Diesseits und Jenseits auf. Gott Vater im roten
Gewand des Schöpfers mit der weißen Taube des Heiligen
Geistes neigt sich der Jungfrau zu, die vor roten und weißen Rosen, durch die die goldenen Strahlen des Himmels
dringen, sitzt. Sie trägt eine mit Perlen und Blumen aus roten und blauen Steinen geschmückte Krone, und der große
goldene Nimbus steht gleich der Sonne hinter ihrem nur
leicht seitlich gewendetem Haupt. Unmittelbar neben ihr
blühen an jeder Seite zwei Lilien. Wie die Rose ist die Lilie
von alters her Blume des Paradieses. In dieser Zeit symbolisiert sie das Geheimnis der jungfräulichen Mutterschaft.
Auf dieses verweist auch das Einhorn mit der Jungfrau,
das den Brustschmuck (Fürspan oder Pectorale Marias)
ziert (zum Einhorn siehe Bd. 1). Gewand und Mantel Marias sind blau, im Gegensatz zu dem üblichen Farbkon-
trast blau-rot. Vor diesem blauen Hintergrund sitzt das
nackte Gotteskind. Es wird durch ihn optisch nach vorn
gerückt und gewinnt durch die von dem Betrachter erlebte
Nähe an Bedeutung. Auch der Sohn wendet, wie die Mutter, vor der flächenhaften Goldscheibe das Angesicht
leicht zur Seite. Die Bewegung ist durch die Engel motiviert, die ihm aus einer Schale Äpfel reichen. Das Sitzkissen
Marias liegt auf dem mit Veilchen (Blumen der Demut)

und Erdbeeren (Sinnbild des Leidens) übersäten Rasen vor
einer halbkreisförmigen mit Rosen bedeckten Bank. Musizierende Engel schließen beiderseits an die Bank an, so
daß sich der um die Gottesmutter schwingende Halbkreis
bis zum vorderen Bildrand fortsetzt. Engel und Musik gehören gleich den Blumen zum Vorstellungsbild des Paradieses. Wie musizierende Engel Maria als die von Christus
erwartete Braut in den Himmel geleiten (vgl. oben das Bild
der Assunta im 14. und 15. Jh.), so beglücken sie die Braut
des göttlichen Sohnes im Paradies durch ihr Musizieren,
wobei das Paradies nicht stimmungsvolle Umgebung,
sondern Ort des Lobes der Schöpfung Gottes ist, die
durch die Menschwerdung des Sohnes geheiligt wird und
unter der Verheißung der Vollendung steht.

Das Bild der Rosenmadonna von Martin Schongauer,
1473, Colmar, Martinskirche, *Abb. 834*, ehemals die Mitteltafel eines Altars, ist nur als Fragment auf uns gekommen[52]. Eine vor der Verkleinerung der Tafel angefertigte,
wenn auch nicht sehr gute Kopie in Boston zeigt, daß ursprünglich die Rosenhecke und die Bank an beiden Seiten
etwa um ein Fünftel des heutigen Maßes breiter waren und
daß neben Maria im Vordergrund einem schmalen Rasen-
stück Lilien entwuchsen. Über den Engeln mit der großen Krone war, wie bei Lochner, Gott Vater mit der
Taube inmitten von Goldstrahlen zu sehen. Die roten Gewänder Marias waren bis beinahe zum vorderen Bildrand
ausgebreitet, so daß die Gestalt auch im alten Zustand der
größeren Tafel beherrschend wirkte. Obwohl Schongauer
durch die Monumentalisierung der erhöht sitzenden Figur
sich von Lochner entfernte, hat er doch am Goldgrund,
der durch die Rosenhecke schimmerte, festgehalten. Seine
Rosenhagmadonna gehört – auch noch als Fragment – zu
den letzten bedeutenden Werken dieser ikonographischen
Sondergruppe innerhalb des weiten Spektrums der Madonnendarstellungen. Sie entstand im Umkreis von Straßburg, von wo dieser Madonnentypus vielleicht ausging;
für die Rosenstrauchmadonna ist das so gut wie sicher.
Stephan Lochner kam aus der Bodenseegegend nach Köln.
Wenn er sich auch in den Kölner Stil eingelebt hat, so daß
seine dort entstandenen Spätwerke, zu denen die Rosenhagmadonna gehört, als Hauptwerke der Kölner Schule

---

52. Wann der Altar auseinandergenommen und die Mitteltafel
verkleinert wurde, läßt sich nicht mehr ermitteln. Siehe E. Buchner, Martin Schongauer als Maler, Berlin 1941. Das Bild wurde

vor einigen Jahren gestohlen, ist aber zurückgegeben worden und
wieder in der Martinskirche zu sehen.

gelten, so besagt das nichts über eine besondere Verbindung der Rosenhagmadonna mit Köln.

Eine neue Künstlergeneration um 1500 lockert den Bildtypus auf oder löst sich von ihm. Die bergende Rosenlaube wird durch Architektur ersetzt, die einen Ausblick in die Landschaft offenhält. Der Blumenreichtum in seinen symbolischen Bezügen bleibt erhalten; die Rose steht jedoch nicht im Zentrum. Die Vorstellung des Paradieses ist verblaßt oder wird durchsetzt mit Hinweisen auf das Leiden Christi auf unserer Erde. Die sog. »Große Madonna« von Hans Burgkmair, Nürnberg, *Abb. 83* die er 1509 unmittelbar nach seiner Italienreise malte, läßt in den Architekturformen den italienischen Einfluß erkennen. Auch die monumentale Gestalt Marias geht auf den italienischen Typus der Gottesmutter auf einem Thron mit hoher Rückwand zurück. Sie sitzt bei Burgkmair jedoch auf einer Marmorbank vor einer Mauerecke, die ihr Geborgenheit gibt. Rasenbank und Rosenhag sind abgewandelt, der Gedanke des geschlossenen Bezirks ist erhalten. Doch wird neben der schützenden Mauer der Blick des Betrachters in eine offene Landschaft geführt, die durch die ihr eingefügte Architektur abbildhaften Charakter besitzt. Am Rand der Mauer wächst neben Maria ein weißer Rosenstrauch empor. Ihm ist etwas tiefer neben der Bank ein Feigenbaum gegenübergestellt. Diese Kombination kommt hier vielleicht zum erstenmal in einem deutschen Madonnenbild vor. Da der Feigenbaum in dieser Zeit nicht mehr wie der Ölbaum nach Micha 4 und Sach 3,10 nur als ein Zeichen des messianischen Friedens galt, sondern auch als Todesbaum gedeutet wurde – vgl. oben Eva mit der Feige in der Zuordnung zur thronenden Madonna –, ist er in der Konfrontation zur Rose vermutlich auch hier in negativer Bedeutung zu verstehen. Die Allegorie des Lebens- und Todesbaumes im Sinne der Gegenüberstellung von Sündenfall und Erlösung oder Unglaube und Glaube, Tod und Leben ist in dieser Zeit sehr verbreitet. In der oberitalienischen Malerei der Renaissance ist oft unmotiviert an einer auffallenden Stelle ein Feigenbaum, der übrigens auch als Baum des Sündenfalls vorkommt, angebracht. Im Zusammenhang mancher Darstellungen kann er als Hinweis auf das Leiden Jesu oder, im Gegensatz zu einem Lebensbaum, auf den Tod verweisen. Er tritt an die Stelle des sonst in dieser Symbolik üblichen entlaubten Baumes. In der Darstellung der Madonna im Paradiesgarten wäre in Anschluß an oberitalienische Bei-

spiele der Feigenbaum auf Burgkmairs Bild als der Baum des Verderbens im Gegensatz zur Rose und zu den blühenden Blumen zu deuten[53]. Der schräg nach unten gehende Blick Marias scheint den Feigenbaum zu treffen. Sieht man diese Blickrichtung zusammen mit dem wehmütig wissenden Ausdruck ihres Gesichtes, so könnte der Feigenbaum ein Hinweis auf das kommende Leiden des Sohnes sein bzw. auf die Schuld der Menschen, um deretwillen der Sohn leiden muß. Beide Deutungen hängen ursächlich zusammen. Das Kind, für das bekanntlich die Skulptur Michelangelos, um 1504, in Brügge, Liebfrauenkirche, Vorbild war, ist vom Schoß der Mutter heruntergeglitten und wendet sich von ihr ab. Seine nackte, pralle Körperlichkeit, die seine irdische Menschlichkeit sinnfällig veranschaulicht, fällt durch die volle Hinwendung des Kindes zum Betrachter und durch den dunklen Grund des Mariengewandes mehr ins Auge als auf den Darstellungen, bei denen Maria das nackte Kind im Schoß oder auf dem Arm hält. Das von der Mutter wegstrebende Kind hält einen geöffneten Granatapfel in der zum Betrachter hin ausgestreckten Hand. Diese unterschiedlich gedeutete Frucht galt in der Antike als ein Fruchtbarkeits- und Lebenssymbol, das im Christentum im übertragenen Sinn als Zeichen des geistlichen Lebens und der Auferstehung gedeutet wird. So kann die Frucht, die das auf den Altar im Kirchenraum herabschauende Kind in der Hand hält, als Zeichen des Lebensbrotes gelten, das Erlösung und Auferstehung verheißt. Die Anregung für die Aufnahme des Granatapfels wird Burgkmair in Italien erhalten haben. Die Mutter, die das Kind kaum noch festhält, liest. Die ernste Stimmung, die über dem ganzen Bild liegt, läßt den Schluß zu, daß Maria im Alten Testament Leidensankündigungen liest. Akelei, Schwertlilie, zur Erde geneigte rote Erdbeeren und Feuerlilien umgeben die Gottesmutter. Diese Blumen weisen nach dem damaligen Verständnis auf das Leiden Christi hin, vgl. Bd. 1, S.91. Das Maiglöckchen, eine viel verwendete Heilpflanze, gilt als Sinnbild für Christus als Salus Mundi.

Das Kind gesondert von der Mutter darzustellen ist nicht neu. Das schon erwähnte Tafelbild vom Meister des Paradiesgärtleins, um 1420, Solothurn, zeigt das Kind neben

---

53. O. Goetz, 1965, S. 93. Die negative Deutung des Feigenbaums geht darauf zurück, daß er für die Pflanzen in seiner Nähe verderblich ist.

der Mutter stehend, wie es sich emporreckt, um von ihr eine Rose zu erhalten. Auch hier hält die Mutter ein aufgeschlagenes Buch vor sich.

Unter den Madonnendarstellungen Botticellis und seines Kreises ist der Rosenhag auf vielen Werken zu finden, jedoch ohne Garten: Madonna delle Rose, um 1485, Tondo, *Abb. 836*, und Madonna vor der Rosenhecke, um 1470, beide Florenz; Madonna mit dem jungen Johannes, um 1468, Paris. Auf der Tafel der thronenden Madonna mit den beiden Johannesgestalten, 1485, Berlin, steht nur eine Schale mit weißen und roten Rosen neben Maria (hier auch das Lactansmotiv). Den offenen Granatapfel hält der Christusknabe auf zwei Tondi in der Hand: Madonna del Magnificat (Maria schreibt das Magnificat in ein von einem Engel gehaltenes Buch), um 1485, und Madonna della Melagrana, um 1487, beide Florenz. Auf der Tafel der Madonna der Eucharistie, um 1472, Boston, reicht ein Engel eine Schale mit Trauben und Ähren dar, die das Kind segnet. Maria greift nach einer Ähre – hier vermutlich ein Hinweis auf das sakramentale Brot des Lebens, siehe oben. Und schließlich nimmt Botticelli mit zwei Engeln, die drei Nägel bzw. den Dornenkranz halten, auf der Tafel der thronenden Madonna mit sechs Heiligen, um 1483, Florenz, auch den Hinweis auf das Leiden Christi auf, vgl. auch Bd II. *Abb 679*.

Ebenso weist in der Renaissance das schlafende Kind, das Maria sinnend anblickt und anbetet, auf sein zukünftiges Leiden hin, *vgl. Bd. 1, S. 93 f. und Abb. 209*: Giovanni Bellini, um 1500, London. Hier ist vermutlich der entlaubte Baum mit dem schwarzen Todesvogel ein weiterer Leidenshinweis, wahrscheinlicher ist, daß er sich auf die dem Tod verfallene Welt, die der Erlösung harrt, bezieht. Maria ist im Typus der Demutsmadonna, auf dem Rasen sitzend, wiedergegeben. Filippo Lippi stellte um 1450, auf einem Bild ein Zelt in die Mitte einer Landschaft,

das von zwei Engeln geöffnet wird. Es ist nicht lediglich ein raumbegrenzendes Requisit, sondern verweist auf die Hütte (oder das Zelt bzw. den Vorhang 2 Mos 26,31 ff., vgl. auch Ps 132[131],7), die die Bundeslade, über der sich Gott offenbarte, barg und die von Hebr 9,11 im übertragenen Sinn als die vollkommenere Hütte, in der sich Christus zum Opfer darbringt, gedeutet wird. So ist das Zelt – mit dem Baldachin verwandt – als Hinweis auf den geheiligten Raum zu verstehen, in dem das auf der Erde oder im Schoß der Mutter liegende Kind Mensch wurde, und zugleich – als alttestamentliche Metapher – auf dessen Opfertod und hohenpriesterlichen Dienst.

Matthias Grünewalds Madonnenbilder. Die beiden Madonnendarstellungen, das Menschwerdungsbild der Mitteltafel vom Isenheimer Altar, Colmar, 1513–1515 (zur linken Seite siehe oben S. 169), und die Stuppacher Madonna, 1517–1519(?), die ehemals zu dem für die Stiftskirche zu Aschaffenburg geschaffenen Maria-Schnee-Altar gehörte, ziehen gleichsam die Summe der im späten Mittelalter lebendigen Vorstellungen der Madonnendarstellungen und sind Höhepunkte deutscher Tafelmalerei zu Beginn des 16. Jh. Beide Altäre können bis in die einzelnen Gegenstände nur mit Hilfe der Revelationen Birgittas von Schweden, die mit einem »Sermo angelicus de excellentia Mariae Virginis« schließen, aufgeschlüsselt werden[54].

Die erste Druckausgabe der Offenbarungen Birgittas erfolgte 1492 in Lübeck, eine deutsche Ausgabe 1502 bei Koberger in Nürnberg; diese kannte Grünewald offenbar. Die Verbindung der Madonnendarstellung mit der des »Schneewunders« (Gründungslegende von S. Maria Maggiore, Rom) in einem Altar beruht gleichfalls auf Birgittas Visionen, die sie z. T. in S. Maria Maggiore erlebte. Vom Aschaffenburger Altar sind nur diese beiden Tafeln erhalten, die eine in Freiburg, Augustinermuseum, die andere

---

54. Siehe zur Einwirkung der Visionen, die Birgitta in Bethlehem und in Rom in S. Maria Maggiore zuteil geworden sind, das Bild der Geburt Christi *Bd. 1, S. 88 ff., Abb. 196–201*, und für die Leidensvorausschau dieser meditativen Visionen *Bd. 2, S. 200 f. und Abb. 674–680*. Auf den unmittelbaren Zusammenhang der Birgitta-Visionen mit Grünewalds Madonnen machte schon H. Feurstein, in: Matthias Grünewald, München 1938, aufmerksam. Siehe auch W. K. Zülch, Der historische Grünewald, München 1938; L. Behling, Neue Forschungen zu Grünewalds Stuppacher

Maria, in: Pantheon 26, 1968, S. 11–20, und den Beitrag in der oben genannten Festschrift, Altomünster 1973. Die Verfasserin verweist auf weitere literarische mittelalterliche Quellen für die Sinnbilder bei Grünewald; unter anderem auf die oben schon von uns genannte Goldene Schmiede des Konrad von Würzburg und Konrad von Megenberg, Das Buch der Natur, hg. von E. Pfeiffer, Stuttgart 1861. Zur Pflanzensymbolik speziell: L. Behling, Die Pflanze in der mittelalterlichen Tafelmalerei, Weimar 1957, Kap. IX, Grünewalds Heilkräuterkunde.

in der Pfarrkirche zu Stuppach (bei Bad Mergentheim), *Abb. 837*. Der die Visionen beschließende Sermo Birgittas, der ihr nach ihrer Aussage vom Engel Gabriel diktiert wurde, enthält 21 Revelationen von der Menschwerdung bis zur Auferstehung Christi. Die Visionen lehnen sich zum Teil an die schon oft genannten »Meditationes vitae Christi«, an, die vermutlich zwischen 1300 und 1320 von einem Franziskaner unter Einfluß von Bernhard von Clairvaux und Bonaventura geschrieben wurden. Da Birgitta höchstwahrscheinlich diese sehr bald verbreitete Schrift kannte, dürfte ihr das Gedankengut, das die franziskanische Frömmigkeit des 14. Jh. weithin bestimmte, vertraut gewesen sein.

Auf Grünewalds Gestaltung der Gottesmutter haben die Madonnendarstellungen Dürers einen gewissen Einfluß gehabt: die Hingabe an das Glück der Mutter, das zärtliche wortlose Gespräch mit dem Kind, das der Mutter entgegenlächelt. Andererseits schließt Grünewald mit der Monumentalität der beiden Gottesmuttergestalten an die Colmarer Rosenhag-Madonna Schongauers an, die er sicher von dem nahegelegenen Isenheim aus gesehen hat. Ikonographisch gehen beide Bilder von der älteren Tradition der Maria im verschlossenen Garten und der von symbolischen Pflanzen umgebenen Madonna auf der Rasenbank aus. Der Rosenhag ist bei Grünewald nicht wiedergegeben, jedoch wächst ein Rosenstrauch mit drei roten Blüten unmittelbar neben der Isenheimer Madonna auf. Die künstlerische Leistung Grünewalds ist die Interpretation der Menschwerdung des Heilands und die Integration der Hinweise auf sein Leiden, zusammen mit der dem Volk vertrauten marianischen Symbolik in eine Landschaftsdarstellung, die insgesamt in ihrer Unbegrenztheit nach oben, im einzelnen Gegenstand und in der Farbgebung Sinnbild ist – auf der Isenheimer Tafel mit dem Tempel und der Maria der Erwartung der linken Bildseite zu einer Einheit verbunden.

Auf dem Doppelbild des Isenheimer Altars stehen vor den Stufen des Tempels, von denen aus die Gottesbraut sich selbst in der Erfüllung der Verheißung schaut, Geräte des irdischen Lebens: ein Waschzuber, ein Topf, die Wiege mit ausgefranster Decke und dem Wickelband – Kontraste zu dem kostbaren Glasgefäß, das in der mittelalterlichen Literatur oft als Sinnbild der Jungfräulichkeit Marias genannt wurde (das Licht durchdringt das Glas, ohne es zu beschädigen), und zu der prächtig in Blau und Purpur gekleideten, im Verhältnis zur Landschaft und zu allen anderen Gegenständen übergroßen Gottesmutter, mit dem über ihre Schultern herabfließenden blonden Haar. Die Geräte haben nur wenig mit der Schilderung einer Wochenstube zu tun, auch wenn sie ihr entnommen sein könnten. In ihnen klingt die Leidensankündigung weiter, die sich in der zerrissenen Windel, auf der Maria das Kind hält, andeutet. Auf dem Kreuzigungsbild des Altars ist das Lendentuch Jesu ebenso ausgefranst wie die Windeln des Kindes. Der Badezuber im Vordergrund mit den darübergelegten Tüchern erinnert an das Grab. Bei Birgitta heißt es: »Sooft die Jungfrau Arme und Füße ihres Kindleins sanft mit Tüchlein wickelte, da gedachte sie, wie grausam dieselben mit eisernen Nägeln am Kreuz würden durchbohrt werden«; an anderer Stelle: »Wie die heilige Jungfrau mehr als alle anderen Mütter voll Freude war ..., so war sie doch im Vorherwissen seines bitteren Leidens zugleich die betrübteste aller Mütter.« Das Kind auf den Armen der Mutter hält den kleinen freudenreichen Rosenkranz mit goldenen Perlen und einer roten Koralle. Seine Finger berühren die erste und die vierte Perle, die mit den Gebeten verbunden sind: »Den du, o Jungfrau, vom Heiligen Geist empfangen hast« und »den du, o Jungfrau, im Tempel aufgeopfert hast« (vgl. die erste Leidensvorhersage Lk 2,35). Der hinter Maria blühende Rosenstrauch hat wie die Rose von Jericho, mit der Birgitta Maria vergleicht, keine Dornen. Die Rose von Jericho gehört zusammen mit Zeder, Zypresse, Palme und dem Ölbaum zu den paradiesischen Pflanzen, die Sir 24,16–28 beim Lob der ewigen Weisheit nennt. Der kleine See hinter der Rose, in dem sich der Himmel spiegelt, ist Sinnbild für das »Speculum sine macula« (Lauretanische Litanei); das Kirchengebäude verweist auf die Civitas Dei.

Auf der anderen Seite Marias führt ein Weg zu dem Tor der Mauer, das durch das Vorspringen und die Lichtführung betont ist. In der Öffnung, inmitten des Weges, steht ein großes Kreuz. Die Äste eines von dem zurückgezogenen Vorhang zum Teil verdeckten Feigenbaumes neigen sich über das Tor. Der Baum wird bei Birgitta nicht genannt, aber sie stellt den Baum der Erkenntnis mit der verbotenen Frucht der Jungfrau Maria entgegen, »welche treffend der Baum des Lebens genannt werden kann« (Goez, S. 89). Bei der ambivalenten Bedeutung des Feigenbaumes in dieser Zeit und aufgrund der Anordnung zwischen den beiden Bildteilen in engem Bezug zu dem

Kreuz im offenen Tor und den Geräten des irdischen Lebens gehört er – ob als messianisches Sinnbild oder als Todesbaum – zu den Hinweisen auf den Tod Christi.

Über Maria steigt im Hintergrund ein blaugrün schimmerndes, kristallinisches Gebirge auf, ein traumhaftes Bild der Berge des Libanon, angeregt durch das Hohelied. Es gipfelt in der Erscheinung Gott Vaters im sakralen Licht. Rechts empfangen zwei Hirten aus diesem göttlichen Bereich die Botschaft. In Wolken wogen Myriaden von himmlischen Geistern auf und nieder, aufgesogen oder getragen von dem geheimnisvollen, unwirklichen Farblicht. Diese Vision des Göttlichen interpretiert das irdische Kind auf dem Schoß Marias als Gottes Sohn.

Erst wenn man den gesamten Altar, der für die Kirche eines Hospitals gemalt wurde, ins Auge faßt, ist in vollem Ausmaß die geistige und künstlerische Leistung Grünewalds zu ermessen. Auf der Mitteltafel treffen die traditionelle Vergegenwärtigung des Göttlichen mit der visionären Darstellung der neuen künstlerischen Epoche zusammen. Der Akzent liegt auf der Vergegenwärtigung, wenn auch jeder Gegenstand hinweisenden Charakter hat. Bei der Auferstehung Christi auf einem der Seitenflügel des Altars ist Grünewald zu der neuen Zielsetzung der Hochrenaissance durchgestoßen. Hier fallen neben der Vision des Auferstandenen über dem Irdischen erzählende Motive kaum noch in den Blick.

Die Stuppacher Madonna, *Abb. 837*, weicht in mancher Hinsicht von der Isenheimer Darstellung ab und hat durch ungewöhnliche Symbole Rätsel aufgegeben, die erst gelöst werden konnten, als man die Birgitta-Visionen heranzog. Zu dem Regenbogen, der Maria und den Sohn wie eine große Gloriole überspannt und die seitlich hoch aufstrebende Kirche mit den Gebäuden einer Stadt im Hintergrund verbindet, vgl. Buch 3, Kapitel 10, und Buch 4, 78. Maria bezeichnet sich in der auf die Zeitgeschichte bezogenen Vision vom Verfall der Kirche Birgitta gegenüber als Regenbogen: »Darum stehe ich in beständigem Gebet über der Welt, wie der Regenbogen über den Wolken, der beide Enden niedersenkend die Erde zu berühren scheint. Unter dem himmlischen Bogen verstehe ich mich selbst, die ich mich zu den Erdbewohnern herabneige, die Guten und die Bösen mit meinen Gebeten berührend.«[55] Die

Sorge um die Kirche war um 1370, als Birgitta ihre Visionen niederschrieb, so akut (Schisma) wie am Vorabend der Reformation, als Grünewald den Altar malte. Bezieht man den Regenbogen im Bild Grünewalds auf die zitierten Worte der Vision, so deutet er Maria als Schützerin der Kirche, die sie durch ihre Gebete retten will.

Das defekte Kirchengebäude, das Maria in der Vision als Gleichnis für den Verfall der Kirche schildert, ist aber nicht mit der intakten Kirche, die hinter der Madonna des Stuppacher Bildes aufragt, in Beziehung zu bringen. In ihr ist seit langem ein etwas abgewandeltes Abbild des Straßburger Münsters aus dem 13. Jh. erkannt worden, und zwar die Südquerschiff-Fassade, zu der die Stufen emporführen, wo damals Gerichtsschranken angebracht waren. Neuerdings wird in dem Gebäude die Stiftskirche von Aschaffenburg gesehen, für deren Maria-Schnee-Kapelle der Altar bestimmt war. Die Personen auf den zu der Kirche führenden Stufen stimmen mit dieser Feststellung überein: Grünewald in der Tracht des Malers an der Seite des Kardinals Albrecht von Brandenburg (Schleppe), der die Kapelle 1516 weihte; etwas höher ein Mitstifter des Altars, der Kanoniker G. Schantz, und auf dem Platz vor dem Eingang zur Kirche Heinrich Retzmann, der Schirmherr der Stiftskirche und Mitstifter des Altars[56]. Das Gebäude ist in der Bildkomposition bestimmend, es steht in keinem Größenverhältnis zu der Stadt (Seligenstadt?) im Hintergrund und ist eindeutig Maria zugeordnet, so daß es über den realen Bezug hinaus als Sinnbild für Maria als Ekklesia und »Gott geweihtes Haus« (domus do dicata) verstanden werden kann. So ist hier Maria wahrscheinlich unter zwei Aspekten dargestellt: als Gottesmutter, das prächtige, faltenreiche Brokatgewand ausgebreitet, den bräutlichen Ring am Finger und dem lächelnd zu ihr aufblickenden Sohn die Frucht der Liebe reichend, neben ihr zur Rechten ein blauer Glaskrug und eine Fayenceschale mit einem Rosenkranz aus Bernsteinkugeln und Korallen. Die Bienenkörbe, die vor der wieder mit einem Kreuz verbundenen Pforte des Lattenzaunes stehen, erklären sich aus Buch 6, 12 der Visionen Birgittas, wo Maria sagt: »Ich war in Wahrheit ein Bienenkorb, als die hochgelobte Biene, der Sohn Gottes, von dem höchsten Himmel sich niederlassend, in meinem Schoß Einkehr nahm.« Als Kir-

55. Nach Feurstein S. 47–48.
56. B. Hilsenbeck, Die Stuppacher Madonna, Stuppach–Bad

Mergentheim 1974 (2. Aufl.), mit vielen farbigen Detailaufnahmen.

che: das Kirchengebäude und der Regenbogen, dem Zeichen des Friedens, der im Neuen Bund mit der Geburt des Sohnes anhebt, und Marias schützendes und versöhnendes Gebet symbolisiert. Den Regenbogen in seinen unterschiedlichen Farben hat vor Birgitta schon Bonaventura als Gleichnis für Maria, »die beide Naturen zugleich zusammenbringt«, verwandt. Er schließt die Betrachtung, indem er Maria rühmt als »unüberwindlicher Regenbogen, mächtiger Regenbogen, starker Regenbogen«[57].

Rosen stehen in einem Krug mit hohen weißen Lilien zusammen linker Hand von Maria. Der dahinter in Biegungen hochwachsende Ölbaum trägt verschiedenfarbige Oliven. Er wirkt durch die nicht abschätzbare Höhe, die unregelmäßigen Abstände der Astansätze und die unterschiedlichen Farben der Früchte (vielleicht auch Blüten?) unwirklich. Der niedrige Feigenbaum auf der anderen Seite Marias windet sich um einen als Kreuz geformten Pfosten und wird in dieser Verbindung wieder ein Hinweis auf das Leiden Christi sein. Über Maria und dem Sohn strahlt in durchsichtigen Farben das Licht, mit dem Grünewald auf der Tafel der Auferstehung des Isenheimer Altars den Auferstandenen umgibt. Sehr klein, wie in weiter Ferne, erscheint Gottvater.

Raffaels Sixtinische Madonna. Mit Grünewalds Altartafeln und Raffaels Sixtinischer Madonna, die in denselben Jahren entstanden, wird die ganze Spannweite der Madonnendarstellungen in diesen für Europas Geschichte und Kunst so entscheidenden Jahren sichtbar. Auftrag und Bestimmung der Sixtinischen Madonna, *Abb. 838*, sind nicht restlos geklärt, es fehlen jegliche zeitgenössische Aussagen. Erst 1550 erwähnt Vasari in den Künstlerviten das Bild. In der Diskussion der letzten Jahrzehnte[58] ist es mit der Bestattung von Papst Julius II. 1513 in Verbindung gebracht worden. Nach dieser Version soll die Sixtinische Madonna dazu bestimmt gewesen sein, hinter der Bahre des Verstorbenen oder, da das vom Papst Michelangelo in Auftrag gegebene große Grabmal beim Tod Julius II. noch

nicht fertig war, in einem provisorischen Bestattungsraum aufgestellt zu werden. Vasari hat die Sixtina als Hochaltarbild in S. Sisto in Piacenza gesehen. Julius II. gliederte 1512 Piacenza dem Kirchenstaat ein. Wann das Bild in S. Sisto aufgestellt wurde, ist nicht bekannt. Der Neubau der Klosterkirche war 1511 ziemlich abgeschlossen und bedurfte eines Altars. Die Kirche ist Barbara, der Nothelferin der Sterbenden, und Sixtus II., dessen Reliquien 1544 in den Hochaltar überführt wurden, geweiht. Die Vermutung, daß nach 1511 Raffael von Julius II. den Auftrag für ein Hochaltarbild dieser Kirche erhielt und ihn im Sterbejahr des Papstes ausführte, kommt wohl der Entstehungsgeschichte des Bildes am nächsten. Auffallend ist allerdings, daß das große Bild (266 cm : 196 cm) auf Leinwand gemalt ist, so daß die Vermutung, es sei ursprünglich nur zur gelegentlichen Aufstellung bei besonderen Anlässen oder in einem provisorischen Raum gedacht gewesen, nicht ganz von der Hand zu weisen ist. Bis Mitte des 18. Jh. stand die Sixtinische Madonna auf dem Altar der Sixtus II. geweihten Kirche. Von da wurde sie nach Dresden verkauft, wo sie in der Gemäldegalerie des Zwingers zu sehen ist.

Der Sixtinischen Madonna geht in Raffaels Werk die Madonna di Foligno, 1512, Vatikan, unmittelbar voraus. Sie steht in der Tradition der am Himmel in einer großen Lichtglorie auf Wolken thronenden Madonna, der auf Erden der kniende Stifter gegenübergestellt ist. Auch Tizians Madonna von 1520 aus S. Domenico in Ancona folgt noch diesem viel verwendeten Bildschema, das von beiden Malern künstlerisch mit neuen Impulsen durchdrungen wurde. In der Sixtina läßt jedoch Raffael die Vorstufen seiner eigenen Madonnendarstellungen weit zurück. Sie sind alle einzonig, nur die von Foligno, wahrscheinlich ein Epitaph, ist im Aufbau zweizonig. Der planimetrische Bildaufbau in drei Zonen der Sixtina beruht auf der klaren Senkrechten der Mariengestalt mit einer kaum wahrnehmbaren Verschiebung aus der Achse und auf der Waagerechten, die die Heiligengestalten mit der genauen Gegenüberstellung ihrer Köpfe und Hände und die Brüstung

---

57. Laus virginis 6, 496, siehe Salzer, 1886ff, S. 499, und L. Behling 1968, S. 14. Hier noch mehr Zitate zur mariologischen Deutung des Regenbogens im Mittelalter.

58. Zum Quellenmaterial siehe M. Putscher, Raffaels Sixtinische Madonna, Tübingen 1955. H. Grimme, Das Rätsel der Sixtinischen Madonna, in: ZBK NF 33, 1922, S. 41–48. Th. Hetzer,

Die Sixtinische Madonna, Frankfurt/M. 1947. R. Berliner, Raffaels Sixtinische Madonna als religiöses Kunstwerk, in: Das Münster 11, 1958, S. 85–102, dessen Deutung wir teilweise übernehmen. Außerdem W. Lotz, Raffaels Sixtinische Madonna im Urteil der Kunstgeschichte, in: Jb. der Max-Planck-Gesellschaft 1963.

unten mit den beiden Engelchen betonen. Die vielfältigen Bewegungen und Linienkurven, die in natürlicher Weise die Figuren miteinander verbinden, geben der bewußten Ordnung des Bildaufbaus organisches Leben. Der in feinen Nuancen abgestufte Wechsel zwischen flächenhafter, plastisch geformter und stärker bewegter Gestalt läßt den Verzicht auf eine perspektivische Konstruktion, die bestimmte Raumvorstellungen hervorrufen könnte, erkennen.

Mit dem Hauptmotiv knüpft Raffael an den alten Grundgedanken der frühen Madonnendarstellungen an: Maria bringt das Kind, in dem das Heil beschlossen ist, den Gläubigen zur Verehrung und Anbetung dar. Sie tritt aus einer mit zahllosen, kaum wahrnehmbaren Engelköpfchen erfüllten Lichtsphäre hervor, bleibt dieser aber in erhabener Einsamkeit verbunden. Obwohl sie über die lichten Wolken geschritten zu sein scheint, kommt sie der Welt nicht näher. Der zurückgezogene Vorhang hat keine raumgestaltende, sondern eine inhaltliche Funktion. Er enthüllt die göttliche Erscheinung, die in der visionären himmlischen Lichtsphäre und in jenseitiger Zeitlosigkeit verharrt. Der Vorhang geht motivgeschichtlich auf die Stiftshütte im jüdischen Tempel oder auf das Zelt Gottes zurück, wo sich Gott offenbarte, siehe oben. Das Zelt bildet hier ein Tabernakel über dem sich offenbarenden göttlichen Sohn, den die Mutter, in der sich die Vermählung von Gottheit und Menschheit vollzog, präsentierte. Es gibt in der Renaissance eine größere Anzahl von Darstellungen der Menschwerdung Gottes oder der Madonna, die das Öffnen des Vorhangs durch Engel oder ein offenes Zelt in der Landschaft im Sinn der Aufhebung der Grenze zwischen Diesseits und Jenseits oder der Heiligung des Raumes, in dem sich das Heilsgeschehen ereignet, verwenden.

Die hoheitsvolle Gestalt der Maria ruht in sich. Ihre großen Augen blicken eindringlich in die Weite, es ist ein aus innerster Tiefe kommendes Schauen. Ebenso wissend ist der Blick des Kindes in die Ferne gerichtet. Den vom Haupt Marias ausschwingenden Mantelbausch ergänzt das Auge des Betrachters zur Kreisform, die Mutter und Kind eng verbindet.

Das Kind schmiegt sich an die Mutter an. Seine Bewegungen, die nach verschiedenen Richtungen zielen, drücken natürliche Lebendigkeit aus, sie stellen zugleich Verbindungslinien zu den beiden Heiligen her, die etwas tiefer

in den Wolken knien. Die Kirche, wie oben erwähnt, ist Sixtus II., der von den Rovere-Päpsten hoch verehrt wurde, und Barbara (Attribut: der Turm) geweiht. Beide sind auf dem Bild dargestellt. Der Papst blickt zu der Gottesmutter und dem Sohn auf. Er hält eine Hand ehrfürchtig vor die Brust, mit der anderen weist er wie für jemanden bittend aus dem Bild hinaus. Barbara, die Schutzheilige der Sterbenden, wendet ihr Angesicht sehr entschieden zur Seite und blickt in milder Teilnahme nach unten. Steht das Bild tatsächlich im Zusammenhang mit dem Tod Julius II., dann würde der Gestus des Papstes die Bitte an die Maria advocata um Sterbehilfe für Julius II. und der Blick Barbaras gewährtes Erbarmen für ihn bedeuten. In der Antiphon Salve Regina heißt eine Bitte an Maria: »... nach diesem Elend zeige uns, Jesus, die gebenedeite Frucht deines Leibes ...«. Es ist sehr wahrscheinlich, daß Raffael in Gedanken an den Tod Julius II. das Bild malte: Maria zeigt den Sohn, der aus dem Tod zum Leben führt. Da nichts über die Auftragserteilung bekannt ist, wissen wir nicht, ob der Papst selbst einen solchen Gedanken äußerte. Raffael hat sich offenbar hinsichtlich der Gesichtszüge des Papstes an Botticellis Bilder der alten Päpste an der Langseite der Sixtinischen Kapelle gehalten, unter denen sich Sixtus II. befindet. Aber er fügte dem Mantel des Papstes dreimal eine vereinfachte Form des Wappens Julius II. ein und setzte diese auch auf die Tiara, die auf der Leiste neben den Putten steht (zwei Eichenblätter und eine Eichel). Diese mehrfache Anbringung des Wappens unterstützt die Annahme, daß es sich bei der Sixtinischen Madonna um einen Auftrag Julius II. handelt und Raffaels Konzeption auf den Tod des Papstes Bezug nimmt.

An der Sixtina wird beispielhaft klar, daß bedeutende Werke die Gottesmutter von Zeit und Raum losgelöst darstellen und die ganze Weite marianischer Exegese und Gläubigkeit erfassen, auch wenn keine spezielle Funktion Marias besonders herausgestellt ist. Die Mater Dei ist im Katholizismus Regina Coeli und Advocata, sie ist Ekklesia und als solche Sponsa Dei.

Wenn wir die Ausführungen zur Darstellung der Madonna mit diesem Werk der Renaissance beenden, so heißt das nicht, daß sie in den folgenden Jahrhunderten belanglos ist. Viele Künstler von Rang haben sich der Madonnendarstellung in kirchlichem und privatem Auftrag weiterhin zugewandt. Andererseits spielt das Gnadenbild an den Stätten der Marienwallfahrt und in der Volkskunst eine große Rolle. Die Gegenreformation brachte jedoch eine deutliche Akzentverschiebung im Madonnenbild selbst und in der gesamten Ikonographie. Sie wendet sich den Themen marianischer Exegese zu, mit denen der Katholizismus größtenteils im Gegensatz zur Reformation steht. Das Schwergewicht neuer künstlerischer Konzeptionen des Marienbildes liegt bei den Themen ihres Triumphes, siehe das vorhergehende Kapitel.

Kaiser Augustus und die Sibylle. Ergänzend zu den Madonnendarstellungen fügen wir eine Legende an, deren Darstellungsschema für das der Madonna in der Glorie wichtig wurde[59]. Es handelt sich um eine seit dem 6. Jh. in byzantinischen Chroniken nachweisbare Legende, die im Abendland im hohen Mittelalter mit der Kirche S. Maria in Aracoeli auf dem Kapitol in Verbindung gebracht wurde. Sie besagt, daß Augustus die Sibylle (nach der ältesten Fassung Pythia) zu sich rief und sie fragte, ob je ein Mensch auf Erden größer sein werde als er. Der Kaiser erfährt, daß nach ihm ein jüdischer Knabe herrschen werde. Daraufhin verzichtete Augustus auf göttliche Verehrung. Am Tag der Geburt Christi war die Sibylle im Gemach des Kaisers und wies ihn auf eine Erscheinung am Himmel hin. Über einem Altar thronte die »allerschönste Jungfrau mit einem Kind in ihrem Schoß inmitten des güldenen Kreises der Sonne«. Nachdem die Sibylle Augustus gesagt hatte, daß dieses Kind größer sei als er, bekannte er: »Dies ist ein Altar des Himmels«, betete das Kind an und opferte ihm Weihrauch. An dem Ort der Erscheinung stiftete Augustus einen Altar, der Maria Aracoeli geweiht wurde. Er soll später der Anlaß gewesen sein, an dieser Stelle auf dem Kapitol die Kirche S. Maria in Aracoeli zu errichten.

Erst im 13. Jh. ist die Sibylle als tiburtinische Sibylle bezeichnet worden, der man von alters her die Weissagung, der Messias würde in der Zeit des Augustus geboren, zuschrieb. Die zuerst in Italien bekanntgewordene Legende, deren Versionen nur geringfügig voneinander abweichen, ist durch die Aufnahme in die Legenda aurea auch nördlich der Alpen verbreitet worden. Außerdem hat Johann

von Morignola Mitte des 14. Jh. in seiner böhmischen Chronik die Augustuslegende ausführlich erzählt.

Die älteste Darstellung der Vision des Augustus, noch ohne Sibylle, ist für das späte 12. Jh. überliefert (Marmoraltar in der Kirche S. Maria in Aracoeli). Georgio Vasari beschreibt ein Fresko von Cavallini, das beim Abbruch der Tribuna derselben Kirche im 16. Jh. zerstört wurde[60]. Hier war die Sibylle, die dem knienden Augustus die Vision am Himmel zeigt, mit dargestellt. Diese Komposition hat weitere italienische Darstellungen beeinflußt; häufiger werden diese aber erst im 15. und 16. Jh., als durch die Renaissance das Interesse an der Antike größer wurde. Ein venezianisches Tafelbild, um 1400, Stuttgart, *Abb. 839*, fügt der Vision zwei weitere römische Legenden hinzu, die die Legenda aurea gleichfalls in diesem Zusammenhang erwähnt, wobei sie sich auf Orosius (Augustustheologie) bezieht. Beherrschend ist bei der italienischen Bildkomposition die Jungfrau mit dem Sohn im Sonnenkreis. Maria weist auf die Kirche Aracoeli herab, vor der Augustus anbetend mit erhobenem Angesicht kniet, während ihm die Sibylle die Erscheinung erklärt (Schriftband). Daneben sind der Brunnen, der am Tage der Geburt Christi statt Wasser Öl spendet, und der Einsturz des römischen Friedenstempels in der Nacht vor der Geburt des neuen Friedenskönigs dargestellt. Entsetzt sehen bei dieser letzten Szene die Römer die Risse im Tempel und die vom Altar stürzenden und fliehenden Götter. Die Darstellung dieser beiden Legenden beschränkt sich auf Italien.

Nördlich der Alpen ist die bildliche Wiedergabe der Vision des Augustus durch die Aufnahme in das Speculum humanae salvationis verbreitet worden. Sie ist in diesen typologischen Handschriften der Geburt Christi gegenübergestellt und wird häufig durch einige alttestamentliche Motive im typologischen Bildkreis verankert. Der nur teilweise erhaltene Heilsspiegelaltar des Konrad Witz, Basel, um 1435, stellte Augustus und die tiburtinische Sibylle anstelle der Geburt Christi dar; gegenübergestellt ist David, dem die drei Feldherren Wasser bringen, anstelle der Anbetung der Weisen. Rogier von der Weyden ordnet auf den Seitenflügeln des Bladelinaltars, Berlin, der Geburt

59. RDK I, Sp. 1269ff. (J. Bolten), H. Aurenhammer, 3./4. Lieferung, 1962. RAC I, 990–1004 (Quellenliteratur), LCI I, Sp. 227ff. S. a. R. Chadebra, Zwei Welten im Bilde, in: Ars 1967, 1, S. 79ff. Text: Legenda Aurea, hg. von R. Benz, Volkausgabe S. 52f.

60. L. Vayer, L'affresco absidiale di Pietro Cavallini nella chiesa di Sa. Maria in Aracoeli a Roma, in: Acta hist. artium 9, 1963, S. 39–73.

Christi auf der Mitteltafel Augustus und die Sibylle und die drei Könige, die das am Himmel erscheinende Christuskind verehren, zu, *vgl. Bd. 1, S. 92 und Abb. 205.* Bei der Vision kniet Augustus in seinem Gemach und schaut durch ein Fenster die am Himmel über einem Altar thronende Gottesmutter. Er hat die Krone abgenommen und schwingt mit der rechten Hand das Weihrauchgefäß. Der auf die Erscheinung weisenden Sibylle stehen drei Männer gegenüber, die den nach der Legenda aurea versammelten kaiserlichen Rat vertreten.

Neben solchen Darstellungen, die sich an die Erzählungen der Legenda aurea halten, gibt es andere, die die Figuren isolieren und auf erzählende Motive weitgehend verzichten. Abgesehen von einzelnen frühen Beispielen, die Augustus und die Sibylle in frontaler Ansicht getrennt stehend und über ihnen – von ihnen nicht gesehen und durch eine horizontale Markierung isoliert – in der Mitte die Gottesmutter zeigen (Miniatur einer lombardischen Handschrift des 13. Jh., Modena, Bibl. Estense, Liber de temporibus et etatibus), kommt es später zu mannigfachen symmetrischen Dreigruppenkompositionen. In der im Auftrag Karls IV. erbauten Kirche des Emmausklosters in Prag thronen auf einem von einem Spitzbogen gerahmten Fresko, 1360–1365, zu beiden Seiten Augustus und die Sibylle, beide mit Gefolge. Darüber steht die Gottesmutter in einer sonnenartigen Glorie auf der Mondsichel. Seit im Laufe des 14. Jh. die Gottesmutter als apokalyptisches Weib oder Sonnenjungfrau dargestellt wurde, lag es nahe, Maria bei der Augustusvision ebenso wiederzugeben. Im Typus der Mondsichelmadonna steht die Jungfrau mit dem Kind über einem Lettnerbogen des 16. Jh. der ehemaligen Deutschordenskirche in Siersdorf (Rheinland). Zwei vorspringende Pfeiler beiderseits des Lettnerdurchgangs bieten die Standflächen für die Figuren des Augustus und der Sibylle[61].

Eine noch direktere Beziehung beider Visionen äußert sich in der Gegenüberstellung des Augustus, dem die Sibylle die Gottesmutter am Himmel zeigt, und des Sehers auf Patmos, dem ein Engel das am Himmel erscheinende apokalyptische Weib deutet: Jan Jœst von Kalkar, Seitenflügel des Hochaltars, 1505–1508, Nicolaikirche in Kal-

kar; Flügel des Antwerpener Dreifaltigkeitsaltars, 1518, Lübeck, Marienkirche. Besonders sinnfällig wird der Bezug der Visionen bei der symmetrischen Dreigruppenkomposition, wenn Augustus und der Seher Johannes auf die Strahlenmadonna über ihnen bezogen sind: oberer Teil des Gesprenges vom Siebenschmerzenaltar, 1518–1521, Nicolaikirche in Kalkar und Marienaltar, 1535–1536, im Dom zu Xanten, beide von Heinrich Douvermann.

Das ganze 16. Jh., in geringerem Ausmaß auch noch das 17. Jh. hindurch, wird die Ara-coeli-Legende, die im 14. Jh. in die Typologie der Geburt Christi aufgenommen wurde, in verschiedenen Zuordnungen und Kompositionen dargestellt. Als weitere Szene der Legende kommt neben der Vision im 16. Jh. auch die Weihe des Altars durch Augustus vor: Deckenfresko von Trometta, 1566/67, in S. Maria Aracoeli[62]. Flämische Teppiche halten in der 1. Hälfte des 16. Jh. an typologischen Gegenüberstellungen fest, im allgemeinen überwiegen aber in der Neuzeit die ausschmückenden Motive: die Zahl der Begleitfiguren wird vermehrt, die Hintergrundarchitektur durch antike Bauten bereichert. Dabei tritt die himmlische Vision und des Kaisers Anerkennung eines größeren Herrn in der Welt immer mehr zurück.

Maria in der Passion. Die Leidensvorhersage des Simeon bei der Darbringung Jesu im Tempel Lk 2,35 wurde als Wissen Marias um das zukünftige Leiden des Sohnes von seiner Geburt an verstanden und klingt, wie mehrfach erwähnt, im Weihnachtsbild verschiedentlich an, vgl. oben die Zitate aus den Birgitta-Visionen. In Bd. 1 ist darauf mehrfach hingewiesen, *vgl. Abb. 209, S. 93 f. und Abb. 65,* rechter Flügel, bzw. *Bd. 2, Abb. 680.*

Im Neuen Testament wird Maria in der Passionsgeschichte Joh 19,26f. zusammen mit Johannes genannt. Beide werden durch ein Wort des am Kreuz sterbenden Herrn ausgezeichnet und erhalten deshalb bei der Darstellung Christi am Kreuz seit den frühen Darstellungen einen festen Platz am Fuß des Kreuzes. Sie erleben das Sterben des Herrn mit ihm und werden zum Inbegriff der Compassio mit Christus, so daß sie auch in die Darstellung der Kreuzabnahme aufgenommen werden, *vgl. Bd. 2,*

---

61. H. Neu, Der Lettnerbogen in der ehemaligen Kirche des deutschen Ordens in Siersdorf, s.l., s.a.

62. J. A. Gere, Drawings by Niccolò Martinelli, il Trometta,

in: Master Drawing I, 1963, S. 3–18, Abb. 6. – Siehe für das 16./17. Jh. auch Pigler I, 1956, S. 471–473.

Abb. 548ff. Als Schmerzensmutter bildet Maria in den Darstellungen der Beweinung und der Grablegung Christi die Hauptfigur unter den Trauernden, und beim Vesperbild (Pietà) hält die einsame Gottesmutter den toten Sohn in ihrem Schoß, *vgl. Bd.2, Abb. 575ff. und Abb. 622ff.* Manche der im 2.Band abgebildeten Darstellungen des Schmerzensmannes sind Teil eines Diptychons, das auf der zweiten Tafel in Parallele zu ihm die Schmerzensmutter zeigt, *vgl. Bd.2, Abb. 681, 683, 685; vgl. auch Abb. 730ff.* die mehrfigurigen Darstellungen des Schmerzensmannes. Im 17. und 18.Jh. steht neben den mannigfachen Veranschaulichungen des Triumphes Marias auch die Mater dolorosa unter dem Kreuz in Ableitung vom Kreuzigungsbild; oft durchbohrt ein Schwert ihre Brust, gelegentlich auch sieben Schwerter. Außerdem kommt die Schmerzensmutter häufig im Typus der Pietà vor. Die

Namen Ignaz Günther (Weyarn/Obb.) und Raphael Donner (Dom zu Gurk) mögen für viele Werke von Rang im 18.Jh. stehen. Da das Passionsthema mit den für die Darstellung der am Leiden des Sohnes teilhabenden Gottesmutter wichtigen Andachtsbilder bereits im 2.Band ausführlich behandelt wurde, erübrigt es sich, hier noch einmal gesondert auf Maria in der Passion einzugehen. In diesem Themenkreis spielen – im Gegensatz zur Geburt und Kindheit Jesu – die Legenden keine Rolle. Er hat seinen Ursprung in der Passionsmeditation. Eine Ausnahme ist der Abschied Jesu von seiner Mutter, der in zwei Versionen dargestellt wird, siehe oben die Bemerkungen dazu Seite 53. Marias Funktion als Advokata klang in den behandelten Marienthemen immer wieder an, siehe dazu auch Bd.5: Das Jüngste Gericht.

Register des vierten Bandes

Literatur

Abbad Rios, F.: Las Inmaculadas de Murillo. Estudio critico, Barcelona 1948.

Algermissen, K. (Hrsg.): siehe Marienkunde, Lexikon der.

Altaner, B.: Patrologie, Freiburg 1958⁵.

Alverny, M. Th. de: La Sagesse et ses sept filles, in: Mélanges dédiés à la mémoire de Félix Grat I, Paris 1946.

Amiranašvili, S. J.: Istorija gruzinskago iskusstva (russ.), Moskau 1950.

– Smalti della Georgia, Mailand 1963.

Ammann, A. M.: Slawische Christus-Engel-Darstellungen, in: Orientalia christiana periodica 6, 1940.

Andorfer, E.: Die Wandmalerei des 13. Jh. in Göß, in: Festschrift für H. Eggers, Graz 1933.

Antal, F.: Breu und Filippino, in: ZBK N. F. 62, 1928/29.

Anzelewsky, F.: Albrecht Dürer. Das malerische Werk, Berlin 1971.

L'Art Mosan, Journées d'études Paris, fèvrier 1952 (Bibliothèque générale de l'Ecole pratique des hautes études 6), Paris 1953.

Aubert, M.: Notre Dame de Paris. Architecture et Sculpture, Paris 1928.

Aurenhammer, H.: Lexikon der Christlichen Ikonographie, Wien 1959/60.

Avery, M.: The Exultet Rolls of South Italy, 2 Bde. Princeton 1936 u. 1937.

Babić, G.: Les fresques de Sušica en Macédoine et l'iconographie originale de leurs images de la vie de la Vierge, in: Cah. Arch. 12, 1962.

– Sur l'iconographie de la composition »Nativité de la Vierge« dans la peinture byzantine, in: Zbornik radova Vizantološkog Instituta 7, 1961.

Bamberger Psalter, der: Teilfaksimileausgabe, Kommentar E. Rothe u. G. Zimmermann, Wiesbaden 1973.

Bandmann, G.: Melancholie und Musik. Ikonographische Studien, Köln 1960.

Barbel, J.: Christos Angelos, in: Theophaneia. Beiträge zur Religions- und Kirchengeschichte des Altertums 3, Bonn 1941.

Bargellini, P.: Or San Michele a Firenze, Mailand 1969.

Barré, H.: La croyance à la Assomption corporelle en Occident de 750 à 1150, in: Études Mariales 7, 1949.

Bauch, K.: Die Madonna aus St. Gangolf, in: ZKW XXIV, 1970.

Bauer, H.: Der Inhalt der Fresken von Birnau, in: Das Münster XIV, 1961.

– Zum ikonologischen Stil der süddeutschen Rokoko-Kirche, in: MüJb. 3. F. XII, 1961.

Bauer, H., Rupprecht, B.: Corpus der barocken Deckenmalerei in Deutschland 1: Freistaat Bayern, Regierungsbezirk Oberbayern. Die Landkreise Landsberg am Lech, Starnberg, Weilheim-Schongau; München 1976.

Bauerreiß, R.: Fons sacer. Studien zur Geschichte des frühmittelalterlichen Taufhauses auf deutschsprachigem Gebiet, München 1949.

Baumstark, A.: Die leibliche Himmelfahrt der allerseligsten Jungfrau und die Lokaltradition in Jerusalem, in: Oriens Christianus 4, 1904 u. 5, 1905.

Beck, M., Felder, P., Schwarz, D.: Königsfelden. Geschichte, Bauten, Glasgemälde, Kunstschätze, Olten u. Freiburg i. Br. 1970.

Beer, E. J.: Die Glasmalereien der Schweiz vom 12. bis zum Beginn des 14. Jahrhunderts, Basel 1956.

Behling, L.: Ecclesia als arbor bona, in: ZKW XXIII, 1959.

– Die Pflanzenwelt der mittelalterlichen Kathedralen, Köln–Graz 1964.

– Die Pflanze in der mittelalterlichen Tafelmalerei, 2. Aufl. Köln 1967.

– Neue Forschungen zu Grünewalds Stuppacher Maria, in: Pantheon 26, 1968.

– Symbole der Revelationes der hl. Birgitta in Beziehung zum Isenheimer Altar des Matthias Grünewald, insbesondere für die Darstellung der knienden Maria im Goldtempel, in: Festschrift Altomünster 1973. Birgitta v. Schweden † 1373. Neuweihe der Klosterkirche nach dem Umbau durch J. Michael Fischer 1773, Aichach 1973.

Beissel, St.: Geschichte der Verehrung Marias in Deutschland während des Mittelalters, Freiburg i. Br. 1909.

– Geschichte der Verehrung Marias im 16. und 17. Jahrhundert, Freiburg i. Br. 1910.

Bellinati, C.: Recerche storiche sulla Capella degli Scrovegni, in: Patavium II, 1972.

Belting, H.: Das illuminierte Buch in der spätbyzantinischen Gesellschaft, Heidelberg 1970.

Belting-Ihm, Ch.: »Sub matris tutela«. Untersuchungen zur Vorgeschichte der Schutzmantelmadonna, Heidelberg 1976.

Benesch, O.: Der Maler Albrecht Altdorfer, 3. Aufl. Wien 1940.

Benzing, J.: Lutherbibliographie, Baden-Baden 1966.

Berenson, B.: Italian Pictures of the Renaissance.

– Florentine School, London 1963.

– Central and North Italian Schools, London 1968.

Berliner, R.: Zur Sinnesdeutung der Ährenmadonna, in: ChrK 26, 1926/30.

– Raffaels Sixtinische Madonna als religiöses Kunstwerk, in: Das Münster 11, 1958.

– *und Halm, Ph. M.:* Das Hallesche Heiltum siehe Halm, Ph. M.

Bernhart, J.: Die Symbolik im Menschwerdungsbild des Isenheimer Altars, München 1921.

Berthold von Regensburg: Die Predigten. 2 Bde., hrsg. v. F. Göbel, Regensburg 1884.

Beumer, J.: Die marianische Deutung des Hohenliedes in der Frühscholastik, in: Zschr. f. Kath. Theologie 76, 1954.

Beutler, Chr. u. Thiem, G.: Hans Holbein d. Ä., die spätgotische Altar- und Glasmalerei, Augsburg 1960.

Bihlmeyer, K.: Seuse, Deutsche Schriften siehe Seuse, H.

Bildwerke der christlichen Epochen von der Spätantike bis zum Klassizismus, hrsg. v. P. Metz. Aus den Beständen der Skulpturabteilung der Staatlichen Museen, Stiftung Preußischer Kulturbesitz Berlin-Dahlem, München 1966.

Blanch, M.: El arte gotico en España. Gothic art in Spain. L'art gothique en Espagne, Barcelona 1972.

Bloch, P.: Zur Deutung des sogenannten Koblenzer Retabels im Cluny-Museum, in: Das Münster 14, 1961.

– Ekklesia und Domus Sapientiae, in: Misc. Mediaevalia IV: Judentum im Mittelalter, Berlin 1966.

– Überlegungen zum Typus der Essener Madonna, in: Kollegium über frühmittelalterliche Skulptur in Heidelberg 1968, Mainz 1969.

– Die Muttergottes auf dem Löwen, in: Jb. d. Berliner Museen NF 12, 1970.

Blumenkranz, B.: Juden und Judentum in der mittelalterlichen Kunst, Stuttgart 1965.

Boase, T. S. R.: English Art 1100–1216, Oxford 1953.

– The York Psalter in the Library of the Hunterian Museum, New York–London 1962.

Böckeler, M.: Hildegard von Bingen. Wisse die Wege. Scivias, Salzburg 1954.

Boeckler, A.: Die Regensburg-Prüfeninger Buchmalerei des 12. und 13. Jh., München 1924.

– Abendländische Miniaturen bis zum Ausgang der romanischen Zeit, Berlin–Leipzig 1930.

– Das goldene Evangelienbuch Heinrichs III., Berlin 1933.

– Das Perikopenbuch Heinrichs II., Berlin 1944.

– Die Bronzetüren des Bonanus von Pisa und des Barisanus von Trani, Berlin 1953.

Bogler, Th.: Österliche Szenen auf dem Elfenbeindeckel des Drogosakramentars, in: Paschatis Sollemnis, Freiburg 1959.

Boschkov, A.: Die bulgarische Malerei, Recklinghausen 1969.

Boutemy, A.: La Bible de Saint-André-au-Bois, in: Scriptorium 5, 1951.

Brandi, C.: Quattrocentisti Senesi, Mailand 1949.

Braun, F.: Die Stadtpfarrkirche Unser Frauen in Memmingen, Kempten–München 1914.

Braunfels, W.: Der Hedwig-Codex von 1353. Sammlung Ludwig, Berlin 1972.

Bruyn, J.: A Puzzling Picture at Oberlin: The Fountain of Life, in: Allen Memorial Art Museum Bulletin 16, 1958.

Buchner, E.: Martin Schongauer als Maler, Berlin 1941.

Bühler, C. F.: The Apostels and the Creed, in: Speculum 28, 1953.

Burckhardt, T.: Siena. Stadt der Jungfrau, Olten–Lausanne 1958.

Burger, L.: Die apokalyptische Maria in dem unvollendet gebliebenen Figurenzyklus des Magdeburger Domportals, in: ZDVKW 4, 1937.

– Die Himmelskönigin der Apokalypse in der Kunst des Mittelalters (Neue deutsche Forschung, II), Berlin 1937.

Bushart, B.: Deutsche Malerei des Rokoko, Königstein i.T. 1967.

– Die Offenbarung der göttlichen Weisheit – zur Augsburger Bildskizze des Franz Anton Maulbertsch, in: Alte und moderne Kunst 16, 1971.

Cahier, Ch. – Martin, A.: Monographie de la Cathédrale de Bourges, Paris 1841–44.

Carli, E.: Vetrata Duccesca, Florenz–Mailand 1946.

– Duccio di Buoninsegna, Mailand 1961.

– Il Duomo di Orvieto, Rom 1965.

Casel, O.: Die Kirche als Braut Christi nach Schrift, Väterlehre und Liturgie, in: Mysterium der Ekklesia, Mainz 1961.

A Catalogue of Wall-Paintings in the Churches of Medieval Denmark 1100–1600. Scania–Halland–Blekinge, hrsg. v. K. Banning u. O. Norn. 3 Bde., Kopenhagen 1976.

Ceccelli, C.: Mater Christi. 4 Bde., Rom 1946–1954.

Chadebra, R.: Zwei Welten im Bilde. Zur antiken Grundlage dualistischer Kompositionen, in: Ars 1967, 1.

Chapeaurouge, D. de: Die Rettung der Seele. Genesis eines mittelalterlichen Bildthemas, in: WRJb 35, 1973.

Clasen, C. W.: Mönchengladbach (Denkmäler des Rheinlandes), Düsseldorf 1966.

Clasen, K. H.: Der Meister der schönen Madonnen. Herkunft, Entfaltung und Umkreis, Berlin 1974.

Claussen, H.: Wandmalerei aus lutherischer Zeit in der Pfarrkirche zu Sonneborn, in: Westfalen 41, 1963.

Clemen, P.: Die romanische Monumentalmalerei in den Rheinlanden, Düsseldorf 1916.

Cohrs, F.: Katechismus und Katechismusunterricht in Mittelalter und Neuzeit, in: Realenzyklopädie für protestantische Theologie und Kirche. Bd. 10, Leipzig 1901.

Cooper, A.: A Reconstruction of Duccio's Maestà, in: ArtBull 47, 1965.

Coor-Achenbach, G.: The Earliest Italien Representation of the Coronation of the Virgin, in: BurlMag 99, 1957.

Cornell, H.: Biblia Pauperum, Stockholm 1925.

Corpus Inseriptionum Graecarum. Begonnen von A. Boeckh, Berlin 1828–1877.

Čubinašvili, G. N.: Die georgische Goldschmiedekunst des VIII. bis XVIII. Jahrhunderts, Tbilisi 1957.

Daniélou, J.: Grégoire de Nysse et l'origine de la fête de l'Ascension, in: Kyrakion. Festschrift J. Quasten II, Münster 1970.

Daniel – Rops, H.: Die apokryphen Evangelien des Neuen Testaments, Zürich 1965.

Dasser, C. L.: Johann Baptist Enderle (1725–1798). Ein schwäbischer Maler des Rokoko, Weißenborn 1970.

Davies, M.: Rogier van der Weyden, London 1972.

Davis-Weyer, C.: Eine patristische Apologie des Imperium Romanum und die Mosaiken der Aula Leonina, in: Munuscula discipulorum, Berlin 1968.

Degering, H.: Des Priesters Wernher drei Lieder von der Magd. Nach der Fassung der Handschrift der Preußischen Staatsbibliothek metrisch übersetzt und mit ihren Bildern herausgegeben, Berlin 1925.

Deinhard, H.: Bedeutung und Ausdruck. Zur Soziologie der Malerei, Neuwied–Berlin 1967.

Delaporte, Y. u. Houvet, E.: Les vitraux de la Cathédrale de Chartres, siehe Houvet, E.

Delisle, L. V.: Notice sur les manuscrits du »Liber floridus« de Lambert, chanoine de Saint-Omer, Paris 1906.

Delius, W.: Geschichte der Marienverehrung, München–Basel 1963.

Demus, O. u. Diez, E.: Byzantine Mosaics in Greece, siehe Diez, E. u. Demus, O.

Demus, O.: Die Mosaiken von San Marco in Venedig, Wien 1935.

– The Mosaics of Norman Sicily, London 1950.

– Romanische Wandmalerei, München 1968.

Denny, D.: The Trinity in Enguerrand Quarton's Coronation of the Virgin, in: ArtBull 45, 1963.

Der Nersessian, S.: Manuscrits Arméniens Illustrés, Paris 1937.

– Note sur quelques images se rattachant au thème du Christ-Ange, in: Cah. Arch. 13, 1962.

Deschamps, P., Thibout, M.: La peinture murale en France. Le haut moyen age et l'époque romane, Paris 1951.

Devos, P.: La date du voyage d'Egerie, in: Analecta Bollandiana 85, 1967.

Dictionnaire de Théologie Catholique, 15 Bde., Paris 1903 bis 1950.

Diez, E. u. Demus, O.: Byzantine Mosaics in Greece: Hosois Lucas and Daphni, Cambridge/Mass. 1931.

Dillmann, A.: Das christliche Adambuch des Morgenlandes aus dem Äthiopischen mit Bemerkungen übersetzt, in: Jahrbuch der biblischen Wissenschaften V, Göttingen 1853.

Dinkler – von Schubert, E.: Der Schrein der heiligen Elisabeth zu Marburg, Marburg 1964.

Diringer, D.: The Illuminated Book. Its History and Production, 2. Aufl. London 1967.

Dobrowolski, T. u. Dutkiewicz, J. E.: Wit Stwosz. Der Krakauer Altar, Warschau 1953.

Dobschütz, E. v.: Christusbilder. Untersuchungen zur christlichen Legende, Leipzig 1899.

Dölger, F.: Mönchsland Athos, München 1943.

Drey, F.: Carlo Crivelli und seine Schule, München 1927.

Drost, W.: Die Marienkirche in Danzig und ihre Kunstschätze, Stuttgart 1963.

Dufrenne, S.: Les programmes iconographiques des églises byzantines de Mistra, Paris 1970.

Duft, J.: Die Stiftsbibliothek St. Gallen, Konstanz 1964.

Durić, V. J.: Byzantinische Fresken in Jugoslawien, München 1976.

Durliat, M.: Le Maître de Cabestany (La sculpture romane en Roussillon IV) Perpignan 1954.

Dutkiewicz, J. E. u. Dobrowolski, T.: Wit Stwosz, siehe Dobrowolski, T. u. Dutkiewicz, J. E.

Einem, H. v.: Entwicklungsfragen bei Hugo van der Goes, in: Das Werk des Künstlers 2, 1941/42.

– Die »Menschwerdung Christi« des Isenheimer Altars, in: Kunstgeschichtliche Studien für Hans Kaufmann, Berlin 1956.

– Das Stützengeschoß der Pisaner Domkanzel, Köln und Opladen 1962.

Elbern, V. H.: Die Rubensteppiche des Kölner Domes, ihre Geschichte und ihre Stellung im Zyklus »Triumph der Eucharistie«, in: Kölner Domblatt 10, 1955.

– Der eucharistische Kelch im frühen Mittelalter, II. Ikonographie und Symbolik, in: ZDVKW 17, 1963.

– Ikonen (Bilderhefte der Staatlichen Museen Preußischer Kulturbesitz, Heft 9), Berlin 1970.

Elbern, V. H., Reuther, H. u. Engfer, H.: Der Hildesheimer Domschatz. Katalog der Objekte, in: Alte und Neue Kunst im Erzbistum Paderborn 16, 1968.

Elsen, A.: Der Dom zu Regensburg. Die Bildfenster, Berlin 1940.

Elze, M.: Züge spätmittelalterlicher Frömmigkeit in Luthers Theologie, in: Zschr. f. Theologie und Kirche 62, 1965.

Endres, J. A.: Das Sankt-Jakobusportal in Regensburg und Honorius Augustodunensis, Kempten 1903.

Engelmann, A.: Die Psychomachie des Prudentius, Freiburg 1959.

Enger, M.: Joannis Apostoli de transitu Beatae Mariae Virginis liber (arabische Fassung), Elberfeld 1854.

Ephraem Syrus: Sancti Ephraem Syri hymni et sermones, ed. Th. J. Lamy, Mecheln 1886.

Ernst, U.: Poesie als Kerygma. Christi Geburt im ›Evangelienbuch‹ Otfrieds von Weissenburg, in: Beiträge zur Geschichte der deutschen Sprache und Literatur, Bd. 95, Tübingen 1973.

Eschweiler, J.: Das Erzbischöfliche Diözesanmuseum Köln, Köln 1936.

Fabre, A.: L'Iconographie de la Pentecôte. Le portail de Vézelay, les fresques de Saint-Gilles de Montoire et la miniature du »Lectionaire de Cluny«, in: GBA 65, p5 t8, 1923.

Falke, O. v., Schmidt, R., Swarzenski, G.: Der Welfenschatz. Der Reliquienschatz des Braunschweiger Domes aus dem Besitze des Herzoglichen Hauses Braunschweig-Lüneburg, Frankfurt a.M. 1930.

Feger, O., Richenthal, U.: Das Konzil von Konstanz, siehe Richenthal, U.

Feldbusch, H.: Die Himmelfahrt Mariae, Düsseldorf 1951.

Felicetti-Liebenfels, W.: Geschichte der byzantinischen Ikonenmalerei, Olten–Lausanne 1956.

Feurstein, H.: Matthias Grünewald, München 1930.

Février, P. A.: Les quatre fleuves du Paradis, in: RivAC 32, 1956.

Flemming, J., Lehmann, E. u. Schubert, E.: Dom und Domschatz zu Halberstadt, Köln 1974.

Fournée, J.: Iconographie de l'Immaculée-Conception au moyen-âge et à la Renaissance; la place de la Normandie dans le développement de la doctrine et dans son expression artistique, Paris 1953.

– Les thèmes essentiels de l'Immaculata Conception dans l'art français, in: Sanctuaires et Pélerinages 2, März 1958.

Friedmann, L. J.: Text and Iconography for Joinville's Credo, Cambridge/Mass. 1958.

Fries, H.: Handbuch theologischer Grundbegriffe I, München 1962.

Frodl-Kraft, E.: Die mittelalterlichen Glasgemälde in Wien. Corp. vitr. medii aevi, Reihe 5, Vol 1, Graz, Wien, Köln 1962.

Frolow, A., Millet, G.: La Peinture du Moyen Age en Yougoslavie, siehe Millet, G.

Fromm, H.: Untersuchungen zum Marienleben des Priesters Wernher, Turku 1955.

Fründt, E.: Mecklenburgische Plastik von 1400 bis zum Ausgang des Mittelalters, Diss. Rostock 1954.

Gaborit-Chopin, D.: Elfenbeinkunst im Mittelalter, Berlin 1978.

Gantner, J.: Konrad Witz. Der Heilsspiegelaltar (Reclams Werkmonographien), Stuttgart 1969.

Garas, K.: Franz Anton Maulbertsch, Wien 1960.

Garrison, E. B.: Italien Romanesque Panel Painting. An Illustrated Index, Florenz 1949.

– Simeone and Machilone Spoletenses, in: GBA 91, p6 t35, 1949.

Geisberg, M.: Cranach's Illustrations to the Lord's Prayer and the Editions of Luther's Catechism, in: BurlMag XLIII, 1923.

– Der deutsche Einblattholzschnitt in der ersten Hälfte des 16. Jh., München 1925–29.

Gere, J. A.: Drawings by Niccoló Martinelli, il Trometta, in: Master Drawing I, 1963.

Gertz, U.: Die Bedeutung der Malerei für die Evangeliumsverkündigung in der evangelischen Kirche des 16. Jahrhunderts, Diss. Heidelberg, Berlin 1936.

Gillen, O.: Christus und die Sponsa in der Heilig-Grab-Kapelle des Magdeburger Doms, in: Christl. Kunst 33, 1937.

Göbel, F.: Berthold von Regensburg. Die Predigten, siehe Berthold von Regensburg.

Goetz, O.: Der Feigenbaum in der religiösen Kunst des Abendlandes, Berlin 1965.

Goldschmidt, A.: Die Elfenbeinskulpturen aus der Zeit der karolingischen und sächsischen Kaiser. Bd. I–IV, Berlin 1914–1926.

Goldschmidt, A., Weitzmann, K.: Die byzantinischen Elfenbeinskulpturen des X.–XIII. Jahrhunderts. 2 Bde, Berlin 1930 u. 1934.

Gollinger, H.: Das »große Zeichen« von Apokalypse 12, Würzburg 1971.

Gomez-Moreno, M.: La Inmaculada en la escultura española, Comillas 1955.

Gordon, J. D.: The Articles of the Creed and the Apostels, in: Speculum 40, 1965.

Grabar, A.: Martyrium. Recherches sur le culte des reliques et l'art chretien antique, Paris 1943 (Album), 1946.

– La Peinture Byzantine, Genf 1953.

– Ampoules de Terre Sainte, Paris 1958.

Graef, H.: Maria. Eine Geschichte der Lehre und Verehrung, Freiburg i.Br. 1964.

Graffin, R. u. Hau, F.: Patrologia Orientalis, Paris 1907ff.

Gray, B.: Review of »The Iconography of the Immaculate Conception in the Middle Ages and Early Renaissance« by M. Levi d'Ancona, in: BurlMag 100, 1958.

Green, R. B. u. Ragusa, I.: Meditations on the Life of Christ, siehe Ragusa, I.

Greenhill, E. S.: Die geistigen Voraussetzungen der Bilderreihe des Speculum Virginum, Münster/Westf. 1962.

Greischel.W.: Der Magdeburger Dom, Berlin 1929.

Grimm, W.: Konrad von Würzburg, »Goldene Schmiede«, siehe Konrad von Würzburg.

Grimme, E. G.: Unsere liebe Frau, Köln 1968.

Grimme, H.: Das Rätsel der Sixtinischen Madonna, in: ZBK NF 33, 1922.

Grodecki, L.: Les vitraux de la Cathédrale du Mans, in: CA CXI-X^e session Maine 1961, Paris 1961.

– Les vitraux allégoriques de Saint-Denis, in: Art de France I, Paris 1961.

Grüneisen, E.: Grundlegendes für die Bilder in Luthers Katechismus, in: Luther Jahrbuch 1938.

Günther, G.: Der Antichrist. Der staufische Ludus de Antichristo, Hamburg 1969.

Guldan, E.: Eva und Maria. Eine Antithese als Bildmotiv, Graz–Köln 1966.

– Wolfgang Andreas Heindl, Wien–München 1970.

Guy, M.: Présentation des Tapisseries de Reims. La vie de la Vierge à la Cathédrale. La vie des Saint Remi au Musée Saint-Denis, Reims 1967.

Gynz-Rekowski, G. v.: Der Marienteppich im Dommuseum zu Halberstadt, in: Niederdt. Beiträge 7, 1968.

Haastrup, U.: Det store Bloktryk fra Dråby Kirke, in: Fra Nationalmuseets Arbejdsmark 1974.

Hagemann, E.: Annuntiatio- und Transitus-Darstellungen der Landesgalerie zu Hannover in ihrem ikonographischen Zusammenhang, in: Niederdt. Beiträge 12, 1973.

Hagen, O.: Hans Baldungs Rosenkranz, Seelengärtlein, Zehn Gebote, Zwölf Apostel, München 1928.

Hager, H.: Die Anfänge des italienischen Altarbildes, München 1962.

Hahnloser, H.: Chorfenster und Altäre des Berner Münsters, Bern 1950.

Haibach-Reinisch, M.: Ein neuer Transitus Mariae des Pseudo Melitus, Rom 1962.

Hallensleben, H.: Die Malerschule des Königs Milutin, Gießen 1963.

– *und Hamman-MacLean, R.:* Die Monumentalmalerei in Serbien und Makedonien, siehe Hamann-MacLean, R.

Halm, Ph. M.: Zur marianischen Symbolik des späteren Mittelalters. Defensoria inviolatae virginitatis beatae Mariae, in: Zschr. für Christliche Kunst XVII, 1904.

– Die Madonna mit dem Rosenstrauch im Bayerischen Nationalmuseum, in: MüJb 11, 1921.

Halm, Ph. M. – Berliner, R.: Das Hallesche Heiltum, Berlin 1931.

Hamann-MacLean, R. – Hallensleben, H.: Die Monumentalmalerei in Serbien und Makedonien vom 11. bis zum frühen 14. Jh., Gießen 1963.

Haseloff, A., Sauerland, H. V.: Der Egbertpsalter, siehe Sauerland, H. V.

Haseloff, G.: Die Psalterillustration im 13. Jh. Studien zur Geschichte der Buchmalerei in England, Frankreich und den Niederlanden, Kiel 1938.

Hau, F. u. Graffin, R.: Patrologia Orientalis, siehe Graffin, R.

Haufe, E. (Hrsg): Deutsche Mariendichtung aus neun Jahrhunderten, Berlin 1961.

Hausenstein, W.: Tafelmalerei der alten Franzosen, München 1923.

Hausherr, R.: Christus-Johannesgruppe in der Bible moralisée, in: ZKG 27, 1964.

Hecht, J.: Die frühesten Darstellungen der Himmelfahrt Mariens, in: Das Münster 4, 1951.

Heer, J. M.: Ein karolingischer Missionskatechismus: Ratio de cathecizandis rudibus, und die Tauf-Katechesen des Maxentius

von Aquileia und eines Anonymus im Kodex Emmeran XXXIII saec. IX, Freiburg i. Br. 1911.

Hegg, P.: Die Drucke der »Göttlichen Mühle« um 1521, in: Schweizerisches Gutenberg-Museum XL, 1964.

Heimann, A.: Six Days of Creation in a 12th Century Manuscript, in: JournWarburg I, 1937/38.

– Trinitas Creator mundi, in: Journ. Warburg II, 1938/39.

– The Capital Frieze and Pilasters of the Portail Royal, Chartres, in: JournWarburg XXXI, 1968.

Heisenberg, A.: Grabeskirche und Apostelkirche, zwei Basiliken Konstantins, Bd. II. Leipzig 1908.

Hennecke, E.: Altchristliche Malerei und Altchristliche Literatur, Leipzig 1896.

– Neutestamentliche Apokryphen. 3. Auflage bearbeitet und herausgegeben v. W. Schneemelcher. 2 Bde., Tübingen 1959 u. 1964.

Hentzen, A. u.a.: Die Hamburger Kunsthalle, Köln 1969.

Hetzer, Th.: Die Sixtinische Madonna, Frankfurt a.M. 1947.

Heydenreich, L. H. u. Passavant, G.: Italienische Renaissance (2). Die Großen Meister in der Zeit von 1500 – 1540 (Universum der Kunst), München 1975.

Hilsenbeck, B.: Die Stuppacher Madonna, Stuppach–Bad Mergentheim 1974.

Hoffmann, K.: Sugers »anagogisches Fenster« in St. Denis, in: WRJb 30, 1968.

Hoffmann, R.: Bayerische Altarbaukunst, München 1923.

Hollaardt, A.: Onze Lieve Vrouw Tenhemelopneming, in: Liturgisch Woordenboek II, Roemond 1966 (1968).

Hollstein, F. M. H.: German Engravings, Etchings and Woodcuts, Amsterdam 1954ff.

Holzherr, G.: Die Darstellung des Marientodes im Spätmittelalter, Diss. Tübingen 1971.

Homburger, O.: Die illustrierten Handschriften der Burgerbibliothek. Die vorkarolingischen und karolingischen Handschriften, Bern 1962.

Homeyer, H.: Roswitha von Gandersheim. Werke, Paderborn 1936.

Houvet, E.: La Cathédrale de Chartres, 7 Bde., Chelles 1919.

Houvet, E. u. Delaporte, Y.: Les vitraux de la Cathédrale de Chartres, Chartres 1926.

Hoving, T. P. F.: The Bury St. Edmunds Cross, in: The Metropolitan Museum of Art Bulletin N. S. 11, 1963/64.

Huber, P.: Athos, Zürich 1969.

Ihm, Ch.: Die Programme der christlichen Apsismalerei vom vierten Jahrhundert bis zur Mitte des 8. Jahrhunderts, Wiesbaden 1960.

Jantzen, H.: Ottonische Kunst, München 1947.

Jerphanion, G.: Les églises rupestres de Cappadoce, Paris 1925–1942.

Johannes de Caulibus: Des Minderen Bruders Johannes de Caulibus Betrachtungen vom Leben Jesu Christi, Berlin 1929.

Jugie, M.: Homilies mariales byzantines 2 (Patrologia orientalis 19, 3), Paris 1925.

– Theologia dogmatica graeco-russorum. Origo, historia, fontes (Theologia dogmatica christianorum orientalium ab ecclesia catholica dissidentium 1), Paris 1926.

– La mort et l'assomption de la Sainte Vierge, étude historico-doctrinale, Città del Vaticano 1944.

Juraschek, F. v.: Die Apokalypse von Valenciennes (Veröffentlichungen der Gesellschaft für österreichische Frühmittelalter-Forschung), Linz 1954.

Kaspar, K.: Die ikonographische Entwicklung der Sacra Conversazione, Diss. Tübingen 1954.

Kassing, A.: Die Kirche und Maria. Ihr Verhältnis im 12. Kapitel der Apokalypse, Düsseldorf 1958.

Katzenellenbogen, A.: The Separation of the Apostels, in: GBA 91, 1946.

– Allegories of Virtues and Vices in Mediaeval Art; 2. Aufl. New York 1964.

Kautzsch, E.: Alttestamentliche Apokryphen. 2. Teil, Tübingen 1900.

Kautzsch, R.: Der Dom zu Worms, Berlin 1938.

Kilström, B. I.: On tiv guds bud i medeltida Bildtradition, in: Fornvännen 44, 1949.

– Den Kateketiska undervisningen i Sverige under medeltiden, Lund 1958.

Klamt, J. Chr.: Die mittelalterliche Monumentalmalerei im Dom zu Braunschweig, Diss. Berlin 1968.

Klauser, Th.: Studien zur Entstehungsgeschichte der christlichen Kunst I–IX, in: JbAC I, 1958–X, 1967.

– Das Ciborium in der älteren christlichen Buchmalerei, in: Nachrichten der Akademie der Wissenschaften Göttingen I, Phil.-hist. Klasse 7, 1961.

Kleinschmidt, B.: Anna selbdritt in der spanischen Kunst. Eine ikonographische Studie, in: Gesammelte Aufsätze zur Kulturgeschichte Spaniens I, 1928.

– Die Heilige Anna. Ihre Verehrung in Geschichte, Kunst und Volkstum, Düsseldorf 1930.

– Die Wandmalereien in der Basilika S. Francesco in Assisi, Berlin 1930.

Kluge, D.: Gotische Wandmalerei in Westfalen von 1290–1530, Münster 1959.

Knappe, K. A. u. Oettinger, K.: Hans Baldung Grien und Albrecht Dürer in Nürnberg, siehe Oettinger, K. u. Knappe, K. A.

Knipping, J. B.: De iconografie van de contrareformatie in de Nederlanden. 2 Bde. Hilversum 1939 u. 1940.

Kober, A. H.: Geschichte der religiösen Dichtung in Deutschland; ein Beitrag zur Entwicklungsgeschichte der deutschen Seele, Essen 1919.

Koechlin, R.: Les Ivoires gothiques français, Paris 1924.

Koegler, H.: Die illustrierten Erbauungsbücher, Heiligenlegenden und geistlichen Auslegungen im Basler Buchdruck der ersten Hälfte des XVI. Jahrhunderts, in: Basler Zschr. f. Geschichte u. Altertumskunde 39, 1940.

Kohls, E.-W.: Holzschnitte von Hans Baldung in Martin Bucers »kürtzer Catechismus«, in: Basler Theologische Zeitschrift 23, 1967.

– Evangelische Katechismen der Reformationszeit vor und neben Luthers Kleinem Katechismus, Gütersloh 1971.

Kollwitz, J.: Rezension von J. Bolten, Die Imago Clipeata (Paderborn 1937), in: Gnomon 17, 1941.

Kolping, A.: Zur Frage der Textgeschichte, Herkunft und Entstehungszeit der anonymen Laus Virginis, in: RThAM 25, 1958.

Konrad von Heimesfurth: Von unserer vrouwen hinvart, in: Zschr. f. d. Altertum (Leipzig) 8, 1851; 65, 1928; 67, 1930.

Konrad von Würzburg: Die Goldene Schmiede, hrsg. v. E. Schröder, Göttingen 1926.

Kramm, H.: Wandmalereien des 14. und 15. Jahrhunderts in Niederhessen, in: Jb. der Denkmalpflege im Regierungsbezirk Kassel II, 1936.

Kretschmar, G.: Festkalender und Memorialstätten Jerusalems in altkirchlicher Zeit, in: Zschr. d. Deutsch. Palästinavereins 87, 1971.

– Himmelfahrt und Pfingsten, in: ZKG 66, 1954/55.

Kristeller, P.: Decalogus, Septimania poenalis, Symbolum apostolicum. Drei Blockbücher der Heidelberger Universitätsbibliothek, Berlin 1907.

Kroos, R.: Niedersächsische Bildstickerei des Mittelalters, Berlin 1970.

Krummer-Schroth, I.: Glasmalereien aus dem Freiburger Münster, Freiburg i. Br. 1967.

Künstle, K.: Ikonographie der christlichen Kunst, Bd. I, Freiburg i. Br. 1928.

Kunstdenkmale der Provinz Sachsen I. Die Stadt Erfurt, bearb. v. K. Becker, M. Brückner, E. Haetge, L. Schürenberg, Burg bei Magdeburg 1929.

Kurth, B.: Die deutschen Bildteppiche des Mittelalters. 3 Bde Wien 1926.

– Ecclesia and an Angel on the Andrew Cross, in: Journ. Warburg VI, 1943.

Laborde, A. de: La Bible Moralisée illustrée, Paris 1911–1921.

Lafontaine, J. G.: Peintures médiévales dans le temple dit de la Fortuna Virile à Rome, Brüssel–Rom 1959.

Lafontaine-Dosogne, J. G.: Iconographie de l'enfance de la

Vierge dans l'Empire byzantin et en Occident. 2 Bde., Brüssel 1964/65.

Lafontaine-Dosogne, J., Volbach, W. F.: Byzanz und der christliche Osten, siehe Volbach, W. F.

Lauts, J.: Domenico Ghirlandajo, Wien 1943.

– Andrea Mantegna – Die Madonna della Vittoria, Stuttgart 1960.

– Carpaccio – Gemälde und Zeichnungen, Köln 1962.

Lavagnino, E.: La Madonna dell'Aracoeli e il suo restauro, in: Bolletino d'Arte XXXI, 1937/38.

Lazarev, V. N.: Die Malerei und die Skulptur der Kiewer Rus, in Geschichte der russischen Kunst I. Hrsg. v. d. Akademie der Wissenschaften d. UdSSR, Dresden 1957.

– Die Malerei und die Skulptur Nowgorods, in: Geschichte der russischen Kunst II. Hrsg. v. d. Akademie der Wissenschaften d. UdSSR, Dresden 1958.

– Old Russian Murals and Mosaics from the XI to the XVI Century, London 1966.

– Storia della pittura bizantina, Turin 1967.

Lechner, M.: Zur Ikonographie der Zehn Gebote – Fresken in Nonnberg, Landkr. Altötting, in: Ostbairische Grenzmarken 11, 1969.

– Maria als Gottesgebärerin. Zum Gravida-Motiv in der bildenden Kunst, Diss. München 1970.

»Legenda Aurea« Dt. Übersetzung durch R. Benz. 2 Bde., Jena 1917/1921. Volksausgabe, Heidelberg o. J.

Lehner, F. A. von: Die Marienverehrung in den ersten Jahrhunderten, 2. Aufl. Stuttgart 1886.

Lépicier, A. M.: L'Immaculée conception dans l'art et l'iconographie, Spa 1956.

Leroy, J.: Les Manuscrits Syriaques à Peintures, Paris 1964.

Levi d'Ancona, M.: The Iconography of the Immaculate Conception in the Middle Ages and Early Renaissance, New York 1957 (Vgl. Rezension, B.Gray, in: BurlMag 100, 1958).

Lexikon für christliche Ikonographie, Freiburg/Br. 1968 ff.

Lieb, N.: Barockkirchen zwischen Donau und Alpen. Aufnahmen von M. Hirmer, München 1969[3].

Lieb, N. u. Stange A.: Hans Holbein d. Ä., München–Berlin 1960.

Lieske, R.: Protestantische Frömmigkeit im Spiegel der kirchlichen Kunst des Herzogtums Württemberg, München–Berlin 1973.

Lietzmann, H.: Das Sakramentarium Gregorianum nach dem Aachener Urexemplar (Liturgiegeschichtliche Quellen F 3, Nr. 148), Münster/Westf. 1921.

Lindemann, W.: Blumenstrauß von geistlichen Gedichten des deutschen Mittelalters den Freunden religiöser Dichtung gewidmet, Freiburg i. Br. 1974.

Lindgren-Fridell, M.: Der Stammbaum Mariä aus Anna und Jo-

achim. Ikonographische Studie eines Formbestandes des Spätmittelalters, in: Marburger Jb. 11/12, 1938/39.

Löffler, K.: Der Landgrafenpsalter. Eine Bilderhandschrift aus dem Anfang des XIII. Jh. in der Württembergischen Landesbibliothek, Leipzig 1925.

– Schwäbische Buchmalerei in romanischer Zeit, Augsburg 1928.

Logvin, G. N.: Kiew. Hagia Sophia, Kiew 1971.

L'Orange, H. P.: Der spätantike Bilderschmuck des Konstantinsbogens, Berlin 1939.

Lossky, W., Ouspensky, L.: Der Sinn der Ikonen, siehe Ouspensky, L.

Lotz, W.: Raffaels Sixtinische Madonna im Urteil der Kunstgeschichte, in: Jb. der Max-Planck-Gesellschaft 1963.

Lucius, E.: Die Anfänge des Heiligenkults in der christlichen Kirche. Hrsg. v. G. Anrich, Tübingen 1904.

Lutz, J. – Perdrizet, P.: Speculum Humanae Salvationis, siehe Perdrizet, P.

Mähl, S.: Quadriga virtutum. Die Kardinaltugenden in der Geistesgeschichte der Karolingerzeit, Köln–Wien 1969.

Mâle, E.: L'art religieux du XIIe siècle en France; étude sur les origines de l'iconographie du moyen âge, Paris 1905 (7. Aufl. 1966).

– L'art religieux du XIIIe siècle en France, Paris 1898 (9. Aufl. 1958).

Auf deutsch, übersetzt von L. Zuckernagel, erschienen unter dem Titel: Die Kirchliche Kunst des 13. Jh. in Frankreich, Straßburg 1907.

– L'art religieux de la fin du moyen âge en France; étude sur l'iconographie de moyen âge sur ses sources d'inspiration, Paris 1908 (5. Aufl. 1949).

– L'art religieux après le Concile de Trente; étude sur l'iconographie de la fin du XVIe siècle, du XVIIe, du XVIIIe siècle. Italie–France–Espagne–Flandres, Paris 1932. 2. Aufl.: L'art religieux du XVIIe siècle, Paris 1951.

Marienkunde, Lexikon der: Hrsg. v. K. Algermissen, L. Böer u. a. 1. Bd. Aa – Elisabeth, Regensburg 1957. Erscheinen eingestellt.

Marle, R. van: The Development of the Italian Schools of Painting (19 Vol., 2 Indices), Den Haag 1923 ff.

Marquardt, F.-W.: Altes Testament im Rokoko, in: Emuna, Horizonte zur Diskussion über Israel und das Judentum VII, 1972.

Martin, A. – Cahier, Ch.: Monographie de la Cathédrale de Bourgos, siehe Cahier, Ch.

Martin, H.: Aa Miniature Française du 13.–15. siècle, Paris 1924.

Mandowsky, E.: Untersuchungen zur Ikonologie des Caesare Ripa, Diss. Hamburg 1934.

Matezcek, A. u. Pesina, J.: Gotische Malerei in Böhmen: Tafelmalerei 1350–1440, Prag 1955.

Maurer, E.: Kloster Königsfelden, Bern 1955.

Meersmann, G. G.: Der Hymnos Akathistos. Die älteste Andacht zur Gottesmutter, Freiburg i. Ü. 1958.

Meier, Th.: Die Gestalt Marias im geistlichen Schauspiel des deutschen Mittelalters (Philosophische Studien und Quellen 4), Berlin 1959.

Meiss, M.: The Madonna of Humility, in: ArtBull 18, 1936.

– A Dugento Altarpiece at Antwerpen, in: BurlMag II, 1937.

– Painting in Florence and Siena after the Black Death, Princeton 1951.

– French Painting in the Time of Jean Berry, London 1967.

Mersmann, W.: Das Elfenbeinkreuz der Slg. Topic-Mimara, in: WRJb 25, 1963.

Metz, P.: Das Goldene Evangelienbuch von Echternach im Germanischen Museum zu Nürnberg, München 1956.

– Bildwerke der christlichen Epochen, siehe Bildwerke.

Meyendorff, J.: L'Iconographie de la Sagesse divine dans la tradition byzantine, in: Cah. Arch. X, 1959.

Meyer, M.: Das Konfessionsbild in der Andreaskirche zu Weißenburg, in: Wizinburc. Weißenburg 867–1967, Weißenburg 1967.

Michaelis, W.: Die apokryphen Schriften zum Neuen Testament, Bremen 1962.

Michlere, W.: Die Wand und Gewölbemalerei im Nonnenchor des ehemaligen Zisterzienserinnenklosters Wienhausen, Diss. Göttingen 1967.

Millar, E. G.: La Miniature anglaise du Xe au XIIIe siècle, Paris–Brüssel 1926.

Millet, G.: Monuments de l'Athos I, Paris 1927.

Millet, G., Frolow, A.: La Peinture du Moyen Age en Yougoslavie, Paris 1934ff.

Mindera, K.: Benediktbeuern, München–Zürich 1957.

Möller, L.: Nährmutter Weisheit, in: Deutsche Vierteljahresschrift f. Literatur- und Geisteswissenschaft 24, 1950, Heft 3.

Montag, U.: Das Werk der heiligen Birgitta von Schweden in oberdeutscher Überlieferung. Texte und Untersuchungen (Münchner Texte und Untersuchungen zur deutschen Literatur des Mittelalters, Bd. 18), München 1968.

Mrazek, W.: Ikonologie der barocken Deckenmalerei, Wien 1953.

Müller, H. W.: Isis mit dem Horuskinde, in: MüJb. 3. F., Bd. 14, 1963.

Müller, Th.: Alte Bairische Bildhauer, München 1950

Müller-Bochat, E.: Der allegorische Triumphzug. Ein Motiv Petrarcas bei Lope de Vega und Rubens (Schriften und Vorträge des Petrarca-Institutes Köln 11), Krefeld 1957.

Müller-Dietrich, N.: Die romanische Skulptur in Lothringen, München–Berlin 1968.

Münzel, G.: Das Frankfurter Paradiesgärtlein, in: Das Münster 9, 1956.

Murbach, E.: Die Zehn Gebote als Wandbild. Ein Beitrag zur Darstellung des Dekalogs im späten Mittelalter, in: Unsere Kunstdenkmäler XX, Bern 1969.

Musolino, G.: La Basilica di San Marco in Venezia, Venedig 1955.

Muther, R.: Die deutsche Bücherillustration der Gotik und Frührenaissance 1460–1530, München 1884.

Muthmann, F.: Mutter und Quelle. Studien zur Quellenverehrung im Altertum und Mittelalter, Basel 1975.

Neu, H.: Der Lettnerbogen in der ehemaligen Kirche des deutschen Ordens in Siersdorf, s.l. s.a.

Neuß, W.: Die katalanische Bibelillustration um die Wende des ersten Jahrtausends und die altspanische Buchmalerei, Bonn–Leipzig 1922.

– Die Oranten in der altchristlichen Kunst, in: Festschrift für Paul Clemen, Düsseldorf 1926.

Nieto, B.: La Asunción de la Virgin en le arte, Madrid 1950.

Noppenberger, F. X.: Die eucharistische Monstranz des Barockzeitalters. Eine Studie über Geschichte, Aufbau, Dekoration, Ikonologie und Symbolik der barocken Monstranzen vornehmlich des deutschen Sprachgebiets, Diss. München 1958.

Oertel, R.: Die Frühzeit der italienischen Malerei, Stuttgart 1953.

– Ein toskanisches Madonnenbild um 1260, in: Mitt Flor. VII, 1953.

Oertzen, A. v.: Maria, die Königin des Rosenkranzes. Eine Ikonographie des Rosenkranzgebetes durch 2 Jahrhunderte deutscher Kunst, Augsburg 1925.

Oettinger, K.: Zur Assunta-Phase in Deutschland, in: Festschrift für Peter Metz, Berlin 1965.

Oettinger, K. u. Knappe, K. A.: Hans Baldung Grien und Albrecht Dürer in Nürnberg, Nürnberg 1963.

Offner, R.: A Critical and Historical Corpus of Florentine Painting, New York 1947ff.

Ohly, F.: Hohelied-Studien, Wiesbaden 1958.

Okunew, N. u. Wratislaw-Mitrovic, L.: La Dormition de la Sainte Vierge ..., siehe Wratislaw-Mitrovic u. Okunew.

Omont, H.: Peinture de l'Ancient Testament dans une Ms. syr. du VII ou VIII siècle, in: Mont Piot XVII, 1909.

Os, H. W. van: Marias Demut und Verherrlichung in der sienesischen Malerei 1300–1450, Den Haag 1969.

Ost, H.: Borrominis römische Universitätskirche S. Ivo alla Sapienza, in ZKuG 30, 1967.

Osten, G. v. der (Bearb.): Katalog I der Gemälde alter Meister der Niedersächsischen Landesgalerie, Hannover 1954.

Ouspensky, L. und Lossky, W.: Der Sinn der Ikonen, Bern und Olten 1952.

Paatz, W. u. E.: Die Kirchen von Florenz, 6 Bde., Frankfurt/M 1940–1954.

Pächt, O.: Österreichische Tafelmalerei der Gotik, Augsburg/Wien 1929.

Pallas, D. I.: I Theotokos Zoodochos Pigi. Eikonographiki analysi si kai katagogi toy typoy – The Theotokos Zoodochos Pighi. Iconographical Analysis and History of the Subject (neugriech.-engl. Resumé), in: Archaiologikon Deltion 26, 1971.

Panofsky, E.: Early Netherlandish Painting. Its Origins and Character, Cambridge/Mass. 1953.

Patrologia Orientalis: siehe Graffin, R. und Hau, F.

Perdrizet, P.: La Vierge de Miséricorde. Etude d'un thème iconographique, Paris 1908.

Perdrizet, P. – Lutz, J.: Speculum Humanae Salvationis, 2 Bde, Mühlhausen 1907–1909.

Pesina, J. u. Matezcek, A.: Gotische Malerei in Böhmen, siehe Matezcek, A.

Peters, H. R.: Die Ikonografie des Marientodes, Diss. Berlin 1950.

Petković, V.: Monastir Studenica, Belgrad 1924.

– *Popović, P.:* Staro Nagoričino – Psoca – Kalendic, Belgrad 1933.

Petzet, M.: Landkreis Sonthofen (Die Kunstdenkmäler von Bayern. Die Kunstdenkmäler von Schwaben VIII), München 1964.

Pfeiffer, F.: Deutsche Mystiker des vierzehnten Jahrhunderts I/II, Leipzig 1845/57.

Pfeiffer, W.: Die Neupfarrkirche in Regensburg (Kleiner Kunstführer), München 1967.

Philipp der Kartäuser: Die Märe von Maria, hrsg. v. H. Rückert, Quedlinburg 1853

Pieper, P.: Israhel van Meckenem. Das Marienleben, in: Festschrift für E. Trautscholdt, Heidelberg 1965.

Pigler, A.: Barockthemen. Eine Auswahl von Verzeichnissen zur Ikonographie des 17. und 18. Jahrhunderts, Budapest 1956.

Popović, P., Petković, V.: Staro Nagoričıo – Psoca – Kalendic, siehe Petcovic, V., Popovic, P.

Posse, H.: Der römische Maler Andrea Sacchi, Leipzig 1925.

Powstenko, O.: The Cathedral of S. Sophia in Kiew, New York 1954.

Preuß. H. D.: Maria bei Luther, in: SVRG 172, 1954.

Putscher, M.: Raphaels Sixtinische Madonna. Das Werk und seine Wirkung, Tübingen 1955.

Quarré, P.: La sculpture des anciens portails de Saint-Bénigne de Dijon, in: GBA 99, p6 t1, 1957.

Raddatz, A.: Die Entstehung des Motivs »Ecclesia und Synagoge«. Geschichtliche Hintergründe und Deutung, Diss. Berlin 1959 (Humboldt-Univ. Theol. Fak.).

Radocsay, D.: Gotische Tafelmalerei in Ungarn, Budapest 1963.

Radojčić, S.: Die serbische Ikonenmalerei vom 12. Jahrhundert bis zum Jahre 1459, in: Jb der Österreichischen Byzantinischen Gesellschaft V, 1957.

– Geschichte der serbischen Kunst, Berlin 1969.

Ragusa, I. u. Green, R. B.: Meditations on the Life of Christ. Paris B.N. It. 115, Princeton 1961.

Rahner, H.: Maria und die Kirche, Innsbruck 1962.

– Symbole der Kirche. Die Ekklesiologie der Väter, Salzburg 1964.

– Mater Ekklesia, Köln–Einsiedeln 1964.

Ratzinger, J.: Die Einheit der Nationen. Eine Vision der Kirchenväter, Salzburg 1971.

Réau, L.: Iconographie de l'art chretien, Paris 1955–1959.

Renoux, A.: Un manuscrit du Lectionaire arménien de Jérusalem in: Le Muséon 74, 1961.

– Le Codex Arménien Jérusalem 121 I/II (I = Patrologia Orientalis t XXXV, Fasc. 1, Nr. 163; II = Patrologia Orientalis t XXXVI, Fasc. 2, Nr. 168), Turnhout 1969/71.

Restle, M.: Die byzantinische Wandmalerei in Kleinasien. 3 Bde., Recklinghausen 1967.

Richenthal, U., Feger, O.: Das Konzil von Konstanz, Konstanz 1964.

Rießler, P.: Altjüdisches Schrifttum außerhalb der Bibel, Augsburg 1928.

Ripberger, A.: Der Pseudo-Hieronymus-Brief IX »Cogitis me«. Ein erster marianischer Traktat des Mittelalters von Paschasius Radbert (Spicilegium Friburgense. Texte zur Geschichte des kirchlichen Lebens 9), Freiburg/Schweiz 1962.

Rode, H.: Die mittelalterlichen Glasmalereien des Kölner Domes, Berlin 1974.

Röhrig, F.: Der Verduner Altar, Klosterneuburg 1955.

– Rota in medio rotae. Forschungen zur biblischen Typologie des Mittelalters, Diss. Wien 1960.

– Rota in medio rotae. Ein typologischer Zyklus in Österreich, in: Jb. des Stiftes Klosterneuburg 5, 1965.

Ronig, F.: Ein fehlendes Blatt der Handschrift Nr. 142/124 des Trierer Domschatzes, in: Archiv f. mittelrhein. Kirchengeschichte 13, 1961.

– Der thronende Christus zwischen Ekklesia und Synagoge, in: Archiv f. mittelrhein. Kirchengeschichte 15, 1963.

– Die Geburt Christi mit der Darstellung der Sibylle, in: Paulinus, Trierer Bistumsblatt 1966 Heft 5.

– Zwei singuläre Darstellungen von Ekklesia und Synagoge in einer Handschrift des 12. Jh. zu Verdun, in: Archiv f. mittelrhein. Kirchengeschichte 18, 1966.

Rorimer, J. J.: The Cloisters, New York 1963.

Roswitha von Gandersheim: Werke, Paderborn 1936.

Rothemund, B.: Handbuch der Ikonenkunst, München 1966².

Rousseaus, O.: Originès. Homélies sur le Cantique des Cantiques, in: Sources chrétiennes 37, Paris 1954.

Rowley, G.: Ambrogio Lorenzetti, Princeton 1958.

Rückert, H.: Bruder Philipp's des Carthaeusers Marienleben, Leipzig 1853.

Salet, F.: La tapisserie française du moyen âge à nos jours, Paris 1946.

Salzer, A.: Die Sinnbilder und Beiworte Mariens in der deutschen Literatur und lateinischen Hymnenpoesie des Mittelalters, Seittenstetten 1886–1894, Neudruck Darmstadt 1967.

Sandberg-Vavalà, E.: La croce dipinta italiana e l'iconografia della passione, Verona 1929.

Santos Otero, A. de: Los evangelios apócrifos. Colección de textos griegos y latinos, versión crítica, estudios introductorios, comentarios e illustraciones, Madrid 1956.

Sauerland, H. V., Haseloff, A.: Der Egbertpsalter, Trier 1901.

Sauerländer, W.: Das Marienkrönungsportal von Senlis und Mantes, in WRJb 20, 1958.

– Gotische Skulptur in Frankreich 1140–1270, München 1970.

Savage, H. L.: Pilgrimages and Pilgrime Shrines in Palestine and Syria after 1095, in: The Art and Architecture of the Crusader States, ed. H. W. Hazard (A History of the Crusades IV), Madison/Wisconsin 1977.

Schade, H.: Studien zu der karolingischen Bilderbibel aus St. Paul vor den Mauern in Rom, in: WRJb XXI, 1959 u. XXII, 1960.

Schaefer, C. u. Sterling, C.: Les heures d'Etienne Chevalier, siehe Sterling, C.

Scharfe, M.: Evangelische Andachtsbilder, Stuttgart 1968.

Scheffczyk, L.: Das Mariengeheimnis in Frömmigkeit und Lehre der Karolingerzeit, Leipzig 1959.

Schilling, R.: Die Engelberger Bildersammlung aus Abt Frowins Zeit und ihre Beziehungen zur burgundischen und schwäbischen Schule, in: Anzeiger für Schweizerische Altertumskunde 35, 1933.

Schlee, E.: Die Ikonographie der Paradiesflüsse, Leipzig 1937.

Schlosser, J. v.: Quellenbuch zur Kunstgeschichte des abendländischen Mittelalters, Wien 1896.

Schmidt, G.: Die Armenbibeln des 14. Jh., Graz–Köln 1959.

– *Stummvoll, J., Unterkircher, F.:* Die Wiener Biblia pauperum, siehe Unterkircher, F.

Schmidt, Ph.: Illustration der Lutherbibel 1522–1700, Basel 1962.

Schmidt, R., Swarzenski, G., Falke, O. v.: Der Welfenschatz, siehe Falke, O. v.

Schmitt, M. (Hrsg.): »Großer Seelentrost«, Köln/Graz 1959.

Schmoll, gen. Eisenwerth, J. A.: Sion – Apokalyptisches Weib – Ecclesia Lactans, in: Miscellana pro Arte LXVI, 1965.

Schneider, C.: Geistesgeschichte der christlichen Antike, München 1970 (Gekürzte Sonderausgabe von: Geistesgeschichte des antiken Christentums I/II, München 1954).

Schnell, H.: Der baierische Barock, München 1936.

– Die Darstellung von Mariä Himmelfahrt im süddeutschen Barock, in: Das Münster 4, 1951.

Schnitzler, H.: Rheinische Schatzkammer. 2 Bde, Düsseldorf 1957 u. 1959.

Schottmüller, F.: Fra Angelico da Fiesole, Berlin 1924².

Schrade, H.: Zur Ikonographie der Himmelfahrt Christi, in: Vorträge 1928–1929 der Bibliothek Warburg, Leipzig 1930.

– Romanische Malerei, Köln 1963.

Schramm, A.: Der Bilderschmuck der Frühdrucke. 23 Bde, Leipzig 1920–1943.

Schreiber, W. L.: Die Meister der Metallschneidekunst nebst einem nach Schulen geordneten Katalog ihrer Arbeiten (Studien zur deutschen Kunstgeschichte 241), Straßburg 1926.

Schreyer, L.: Bildnis des Heiligen Geistes, Freiburg i. Br. 1940.

Schubert, U.: Der politische Primatanspruch des Papstes – dargest. am Triumphbogen von Santa Maria Maggiore in Rom, in: Kairos, Zeitschr. für Religionswiss. und Theologie XIII, 1971.

Schuette, M.: Gestickte Bildteppiche und Decken des Mittelalters.

Bd. I: Die Klöster Wienhausen und Lüne, das Lüneburgische Museum, Leipzig 1927.

Bd. II: Braunschweig, die Klöster Ebstorf und Isenhagen, Wernigerode, Kloster Drübeck, Halberstadt, Leipzig 1930.

Schulten, S.: Die Buchmalerei des 11. Jh. im Kloster St. Vaast in Arras, in: MüJb. 3. F. Bd. 7, 1956.

Seel, O.: Der Physiologus, Zürich–Stuttgart 1960.

Seeliger, S.: Pfingsten, Düsseldorf 1950.

– Das Pfingstbild mit Christus, in: Das Münster 9, 1956.

Seifert, H. u. Witzleben, E. von: Das Ulmer Münster, Augsburg 1968.

Seiferth, W.: Synagoge und Kirche im Mittelalter, München 1964.

Seuse, H.: Deutsche Schriften, Hrsg. v. K. Bihlmeyer, Stuttgart 1907.

Simon, K.: Die Grabtragung Mariae, in: Städel Jahrbuch V, 1926.

Sinding, O.: Mariae Tod und Himmelfahrt, Christiana 1903.

Skrobucha, H.: Katalog der Kunstsammlungen der Stadt Recklinghausen, Ikonenmuseum, Recklinghausen 1965³.

Smid, H. R.: Protevangelium Jacobi, A Commentary, Assen 1965.

Smith, E. B.: Architecture Symbolism of Imperial Rome and the Middle Ages, Princeton 1956.

Söll, G.: Mariologie. Handbuch der Dogmengeschichte III, Fasc. IV, Freiburg i. Br. 1978.

Sokransky, O.: Agoritschach, Geschichte einer protest. Gemeinde im gemischtsprachigen Südkärnten, Klagenfurt 1960.

Soria, M. S.: The Paintings of Zurbaran, London 1953.

Sotiriou, G. u. M.: Icônes du Mont Sinai, Athen 1956.

Staedel, E.: Ikonographie der Himmelfahrt Mariens, Straßburg 1935.

Stange, A.: Deutsche Malerei der Gotik, Berlin/München 1934 ff.

Stange, A. u. Lieb. N.: Hans Holbein d. Ä., siehe Lieb, N.

Steenbock, F.: Der kirchliche Prachteinband im frühen Mittelalter, Berlin 1965.

Steinbart, K.: Das Holzschnittwerk der Jakob Cornelicz von Amsterdam, Burg bei Magdeburg 1937.

Steingräber, E.: Die freigelegte Deckenmalerei in Neuburg a. d. Donau, in Deutsche Kunst und Denkmalpflege, 1952.

Sterling, C.: Le Couronnement de la Vierge par Enguerrand Quarton, Paris 1939.

Sterling, C. u. Schaefer, C.: Jean Fouquet. Les heures d'Etienne Chevalier, Paris 1971.

Stern, H.: Les représentations des Conciles dans l'Eglise de la Nativité à Bethléem, in: Byzantion XI, 1936.

Stierhof, H.: Einige Bemerkungen zur Schloßkapelle Ottheinrichs in Neuburg und ihren Fresken, in: Neuburger Kollektaneenblatt 122, 1969.

Stolpe, S.: Die Offenbarungen der hl. Birgitta von Schweden, Frankfurt 1961.

Stornajolo, C.: Miniature delle Omilie di Giacomo Monaco, Cod. vat. grec. 1162, Rom 1912.

Strobel, R.: Das Nordportal der Schottenkirche St. Jakob in Regensburg, in: ZKW XVIII, 1964.

Strycker, E. de: La forme la plus ancienne du Protévangile de Jacques. Recherches sur le Papyrus Bodmer 5 avec une édition critique du texte grec et une traduction annotée, Brüssel 1961.

Stuhlfauth, G.: Neuschöpfungen christlicher Sinnbilder, in: Festschrift für E. Fehrle, Karlsruhe 1940.

Stummvoll, J., Unterkircher, F., Schmidt, G.: Die Wiener Biblia pauperum, siehe Unterkircher, F.

Stylianou, A. u. J. A.: The Painted Churches of Cyprus, Stourbridge 1964.

Sussmann, V.: Maria mit dem Schutzmantel, in: Marburger Jahrbuch 5, 1929.

Swarzenski, G.: Denkmäler der süddeutschen Malerei des frühen Mittelalters I: Die Regensburger Malerei des X. und XI. Jahrhunderts, Leipzig 1901.

– Denkmäler der süddeutschen Malerei des frühen Mittelalters II: Die Salzburger Malerei von den ersten Anfängen bis zur Blütezeit des romanischen Stils, Leipzig 1908/13.

– *Schmidt, R., Falke, O. v.:* Der Welfenschatz, siehe Falke, O. v.

– Aus dem Kunstkreis Heinrich des Löwen, in: Städel Jahrbuch VII/VIII, 1932.

Swarzenski, H.: Die lateinischen illuminierten Handschriften des 13. Jh. in den Ländern an Rhein, Main und Donau, Berlin 1936.

Symeomides, S.: Taddeo di Bartolo, Siena 1965.

Talbot Rice, D.: Kunst aus Byzanz, München 1959.

Tatarkiewicz, W.: Die Bilder des Warschauer Museums, in: ZBK N. F. 21, 1910.

Taubert, J.: Die beiden Marienaltäre des Rogier van der Weyden, in: Pantheon 18, 1960.

Thibout, M. u. Dechamps, P.: La Peinture Murale en France, siehe Dechamps, P.

Thiem, G. u. Beutler, Chr.: Hans Holbein d. Ä. siehe Beutler, Chr. u. Thiem. G.

Thierry, N. u. M.: Eglise de Kizil – Tschoukour, chapelle iconoclaste, chapelle de Joachim et d'Anne, in: Mont Piot 50, 1958.

– Nouvelles Eglises rupestres de Cappedoce, Paris 1963.

Thode, H.: Franz von Assisi und die Anfänge der Kunst der Renaissance in Italien, Wien 1934.

Thomas, A.: Die mystische Mühle, in: Chr. K. 31, 1934/35.

– Maria die Weinrebe, in: Kurtrierisches Jb. 10, 1970.

– Ikonographische Studien zu Darstellungen des Lebensbrunnens in trierischen Handschriften des Mittelalters, in: Kurtrierisches Jb. 8, 1968.

Thomas, M.: Der Erlösungsgedanke im theologischen Programm der Arenakapelle. Erläuterungen zum paduanischen »Lignum Vitae« anhand theologischer Quellen, in: Franziskanische Studien 57, 1975.

Thulin, O.: Cranachaltäre der Reformation, Berlin 1955.

Tietze-Conrat, E.: Mantegna, Köln 1956.

Tintelnot, H.: Die barocke Deckenmalerei in Deutschland, München 1951.

Tischendorf, C. v.: Apocalypses apocryphae, Leipzig 1866, 2. Aufl. 1876.

Toubert, H.: Une fresque de San Pedro de Sorpe (Catalogne) et le thème iconographique de l'Arbor Bona-Ecclesia, Arbor Mala-Synagoge, in: Cah. Arch. 19, 1969.

Trens, M.: Maria, Iconografia de la Virgen en el arte español, Madrid 1947.

Underwood, P. A.: The Fountain of Life in Manuscripts of the Gospels, in: Dumbarton Oaks Papers 5, 1950.

– The Kariye Djami. 3 Bde, London 1967.

Unterkircher, F., Schmidt, G., Stummvoll, J.: Die Wiener Biblia pauperum. Codex Vindobonensis 1198. Faksimiledruck mit Erläuterungen, Graz–Wien–Köln 1962.

Vayer, L.: L'affresco absidiale di Pietro Cavallini nella chiesa di S. Maria in Aracoeli a Roma, in: Acta hist. artium 9, 1963.

Venturi, A.: Storia dell'arte italiana, 25 Bde, Mailand 1901–1940.

Vetter, E. M.: Zur Ikonographie des Altars, in: Der Windsheimer Zwölfbotenaltar von Tilman Riemenschneider. Beiträge zu seiner Geschichte und Deutung (Hrsg. v. G. Poensgen), München–Berlin 1955.

– Maria im Rosenhag, Düsseldorf 1956.

– Maria im brennenden Dornbusch, in: Das Münster 10, 1957.

– Mulier amicta sole und mater salvatoris, in: MüJb. 3. F. Bd. 9/10, 1958/59.

Vloberg, M.: La vièrge et l'Enfant dans l'art français, Paris 1954.

Vögtlin, A. (Hrsg.): »Vita beate Virginis Marie et Salvatoris rhythmica«, in: Bibliothek des litterarischen Vereins Stuttgart 180, Tübingen 1888.

Volbach, W. F.: Elfenbeinarbeiten der Spätantike und des frühen Mittelalters, Mainz 1952.

– Frühchristliche Kunst, München 1958.

– Lafontaine-Dosogne, J.: Byzanz und der christliche Osten (Propyläen-Kunstgeschichte Bd. 3), Berlin 1967.

Wadell, M.-B.: Fons Pietatis. Eine ikonographische Studie, Göteborg 1969.

Walter, Chr.: Papal Political Imagery in the Medieval Lateran Palace, in: Cah. Arch. 20, 1970.

Walter, J.: Herrad von Landsberg, Straßburg–Paris o. J.

Walzer, A.: Zur Darstellung der Verkündigung im Gebetbuch Herzog Eberhards im Bart von Württemberg, in: Neue Beiträge zur Archäologie und Kunstgeschichte Schwabens. Julius Baum zum 70. Geburtstag am 9. April 1952 gewidmet, Stuttgart 1952.

Wandel, G.: To Broderede Billetaepper og deres Islandske oprindelse, Fra Nationalmuseets Arbejdsmark, Kopenhagen 1941.

Wayment, H.: The Windows of King's College Chapel Cambridge. Corp. vitr. medii aevi. Great Britain Suppl. vol. 1, London 1972.

Weber, P.: Geistliches Schauspiel und kirchliche Kunst in ihrem Verhältnis erläutert an einer Ikonographie der Kirche und Synagoge, Stuttgart 1894.

Wegner, W.: Beiträge zum graphischen Werk Daniel Hopfers, in: ZKuG 20, 1957.

Wehrli, M.: Deutsche Lyrik des Mittelalters, Zürich 1962.

Weidenhiller, E.: Untersuchung zur deutschsprachigen katechetischen Literatur des späten Mittelalters. Nach den Handschriften der Bayer. Staatsbibliothek (Münchner Texte und Untersuchungen zur deutschen Literatur des Mittelalters, Bd. 10), München 1965.

Weiss, A.: Die Synagoge am Münster zu Straßburg, in: Das Münster 1, 1947.

– Die Himmelaufnahme Mariens am Straßburger Münster und die Symbolik der Kathedralkunst, in: Das Münster 4, 1951.

Weitzmann, K.: Das Evangelium im Skevephylakion zu Lawra, in Sem Kond 8, 1936.

Weitzmann, K., Goldschmidt, A.: Die byzantinischen Elfenbeinskulpturen, siehe Goldschmidt, A.

Wellen, G. A.: Theotokos, Utrecht–Amsterdam 1959.

– Sponsa Christi. Het Apsismozaik van de Santa Maria in Trastevere te Rom en het Hoog Lied, in: Feestbundel F. van der Meer, Amsterdam–Brüssel 1966.

Wenger, A.: L'Assomption de la Très Ste. Vierge dans la tradition byzantine du VIe au XIIIe siècle, Paris 1955.

Wentzel, H.: Meisterwerke der Glasmalerei, Berlin 1951.

– Die ikonographischen Voraussetzungen der Christus-Johannes-Gruppe und das Sponsus-Sponsa-Bild des Hohenliedes, in: Jb. Heilige Kunst 1952.

– Die Glasmalerei in Schwaben von 1200–1350. Corp. vitr. medii aevi. Deutschland Bd. 1, Berlin 1958.

– Unbekannte Christus-Johannesgruppen, in: ZKuG 13, 1959.

– Die Christus-Johannesgruppe des 14. Jh., Stuttgart 1960 (Reclams Werkmonogr.).

Werner, W. (Hrsg.): Die Zehn Gebote. Faksimile eines Blockbuches, Dietikon–Zürich 1971.

Wesenberg, R.: Frühe mittelalterliche Bildwerke. Die Schulen rheinischer Skulptur und ihre Ausstrahlung, Düsseldorf 1972.

Wessel, K.: Die älteste Darstellung der Maria Eleousa, in: Atti del VI Congresso Internazionale di Archeologia Cristiana, Ravenna 1962, Città del Vaticano 1965.

– Byzantinische Plastik der palaiologischen Periode, in: Byzantion XXXVI, 1966.

Wilhelm, P.: Die Marienkrönung am Westportal der Kathedrale von Senlis, Hamburg 1941.

Wilkinson, J.: Egeria's Travels, London 1971.

Wilmart, Dom R.: Les anciens récits de l'assomption et Jean de Thessalonique, in: RThAM 12, 1940.

Winkes, R.: Clipeata imago, Studien zu einer römischen Bildform, Bonn 1969.

Winkler, F.: Hugo van der Goes, Berlin 1964.

Witzleben, E. von u. Seifert, H.: Das Ulmer Münster, siehe Seifert, H.

Wolff, R. L.: Footnote to an Incident of the Latin Occupation of Constantinople. The Church and the Icon of the Hodegetria, in: Traditio 6, 1948.

Wolska-Conus, W.: Cosmas Indicopleustès. Topographie chrétienne, Paris 1968/1970.

Wood, D. T. B.: »Credo«-Tapestries, in: BurlMag XXIV, 1913/14.

Woodruff, H.: The Illustrated Manuscripts of Prudentius, in: Art Studies VII, 1929.

Wortmann, R.: Das Ulmer Münster, Stuttgart 1972.

Wratislaw-Mitrovic, L. u. Okunew, N.: La Dormition de la Sainte Vierge dans la peinture médiévale orthodoxe, in: Byzantinoslavica III, 1931.

Wright, W.: Contribution to the Apocryphal New Testament, London 1865

Wundram, M.: Stephan Lochner: Madonna im Rosenhag, Stuttgart 1965.

Wynen, A.: Michael Ostendorfer, Diss. Freiburg i. Br. 1961.

Wyss, R. L.: Die Handarbeiten der Maria. Eine ikonographische Studie unter Berücksichtigung der textilen Techniken, in: Artes Minores. Festschrift für Werner Abegg, Bern 1973.

Zarnecki, G.: The Coronation of the Virgin on a Capital from Reading Abbay, in: JournWarburg XIII, 1950.

Zimmermann, E. H.: Vorkarolingische Miniaturen, Leipzig 1916.

Zimmermann, H.: Beiträge zur Bibelillustration des 16. Jh. Illustrationen und Illustratoren des ersten Luther-Testamentes und der Oktav-Ausgabe des Neuen Testamentes in Mittel-, Nord- und Westdeutschland (Studien zur Kunstgeschichte 226), Straßburg 1924.

– Vom deutschen Holzschnitt der Reformationszeit, in: Archiv f. Reformationsgeschichte 23, 1926.

– Lutherische Katechismus-Illustrationen, in: Der Katechismus Dr. Martin Luthers. Eine Festschrift zu seinem Jubiläum 1529–1929, Berlin 1929.

Zülch, W. K.: Der historische Grünewald: Mathis Gothard Neithardt, München 1938.

Ausstellungskataloge

»Bildteppiche aus sechs Jahrhunderten«. Kat. Ausst. Hamburg 1953.

»Firenze restaura«. Mostra di opere restaurate dalla Soprintendenza alle Gallerie, Florenz 1972.

Freyheyt – »Von der freyheyt eynes Christenmenschen«. Kunstwerke und Dokumente aus dem Jahrhundert der Reformation. Kat. Ausst. Berlin 1967.

»Gotik in Österreich«. Kat. Ausst. Krems a. d. Donau 1967.

»Hans Holbein d. Ä. und die Kunst der Spätgotik«. Kat. Ausst. Augsburg 1965.

»Karl der Große«. Kat. Ausst. Aachen 1965.

»Kunstepochen der Stadt Freiburg«. Ausstellung zur 850-Jahrfeier, Augustinermuseum. Kat. Ausst. Freiburg 1970.

»Martin Luther Ausstellung 1517–1967«. Ausstellung zur Erinnerung an die 95 Thesen Martin Luthers vom Jahre 1517. Kat. Ausst. Veste Coburg 1967.

»Marienbild in Rheinland und Westfalen«. Kat. Ausst. Essen 1968.

»Monumenta Judaica«. Kat. Ausst. Köln 1963 (hrsg. v. K. Schilling). Teil 1: Katalog; Teil 2: Handbuch.

»Mostra storica nazionale della miniatura«. Kat. Ausst. Rom 1953 (1. Aufl. Florenz 1953; 2. Aufl. Florenz 1954).

»Rhein und Maas«. Kunst und Kultur 800–1400. Kat. Ausst. Köln 1972. (Handbuch 1973.)

»500 Jahre Rosenkranz«. 1475 Köln 1975. Kat. Ausst. Köln 1975.

Ikonographisches Stichwortverzeichnis

Das Register geht bei Szenen von der jeweils wichtigsten, handelnden Person aus – mit Ausnahme von Maria. Die Marienszenen wurden ihrer großen Anzahl wegen unter der jeweiligen Benennung der Szene / Handlung eingeordnet.

- Salbung Jesu in Bethanien 53
- als Salvator mundi 152
- als Schmerzensmann 137, 196 f., 217
- als Schutzmantelchristus 196 f.
- als Sieger auf Löwe und Drache stehend 187
- Taufe 38, 45, 49, 50
- Versuchung 45
- als Weltenrichter s. Gericht, Jüngstes

Compassio Marias 216

Daniel 153
Darbringung/Darstellung Jesu im Tempel 29, 37 f., 50, 69, 80, 130 f., 155, 201, 216
Darbringung Marias im Tempel s. Tempelgang
David 10, 39, 41 f., 50, 109, 143, 145, 153, 159, 161, 163 f., 167, 171, 178, 183, 189, 205; s. a. Stammbaum Marias
Deesis 195; s. a. Gericht, Jüngstes
Dominikus 201 f.;
   s. a. Rosenkranzmadonna
Dormitio s. Tod Marias
Dorothea 201, 207
Dreifaltigkeit 147, 149 f., 152, 170; s. a. Krönung Marias

Einführung Marias in den Tempel s. Tempelgang
Ekklesia (Kirche) 79 f., 102 f., 113 f., 116, 175, 178, 194 ff.; s. a. Krönung Marias, Maria-Ecclesia-Sponsa (als Braut)
Elias 13, 88 f., 153
Elisabeth 26, 31, 67, 86, 160, 177, 198; s. a. Heimsuchung
Emerentiana (Mutter Annas) 159
Empfang Marias im Himmel 147 f., 153 f., 177
Empfang Marias im Tempel s. Tempelgang
Empfang der Palme durch Maria 84, 87, 119, 124 f.; s. a. Todesverkündigung an Maria
Empfängnis Marias, unbefleckte, s. Immaculata conceptio
Engel 21, 85 ff., 93, 97 ff., 105, 107 f., 111, 113, 116 f., 119 ff., 124, 126 ff., 135 f., 139 ff., 158, 163, 167 ff., 176 f., 185 f., 189 f., 194, 198, 202, 205, 207 f., 210,

214, 216; s. a. Anna – Verkündigung, Auferweckung Marias, Engelbesuch bei Maria im Tempel, Grabtragung Marias, Joachim – Opfer und Traum Joachims auf dem Feld – Verkündigung an Joachim, Josephs Traum, Krönung Marias, Speisung Marias durch den Engel im Tempel, Todesverkündigung an Maria, Übergabe der Seele Marias an den Engel, Verkündigung an Maria
- musizierend 143, 148, 150, 153
- Verkündigung der Geburt Christi an die Hirten 45, 50
Engelbesuch bei Maria im Tempel 10, 42, 69, 72 ff., 165 f.; s. a. Speisung Marias durch den Engel im Tempel
Erbsünde 155, 160, 165, 171 ff.
Erdbeeren 208 f.
Erhöhung Marias s. Verherrlichung Marias
Erhebung Marias aus dem Grab 112, 128 f., 140, 144; s. a. Aufnahme Marias in den Himmel, Auferweckung Marias
Erscheinung Christi vor dem Tod Marias 122, 124, 133
Erscheinung des Auferstandenen vor Maria 123
Esther 172, 176
Eva 13, 14, 51, 62, 79, 88, 103, 110, 145, 148, 150, 153, 155, 158, 169, 171 ff., 174 f., 182, 185 ff., 192 ff., 209; s. a. Maria als neue Eva

Feige, Feigenbaum 192, 209, 211, 213
Flucht nach Ägypten 40, 43, 50 ff., 208
Fluchwasserprobe s. Prüfwasserprobe
Franziskus 142, 189
Frauen am Grab Christi 19, 121, 123, 188
Frevler s. Juden

Gabriel 23, 35, 40, 43, 47, 78, 84 f., 122, 124, 151 f., 205, 210; s. a. Verkündigung an Maria, Krönung Marias, Todesverkündigung
Gebet Marias
- am Heiligen Grab 84
- am Ölberg 84, 87, 124 f.
- im Tempel s. Engelbesuch bei Maria im Tempel, Tempeldienst Marias

Geburt Jesu 9, 10, 18, 32 f., 37 ff., 44 ff., 49 f., 52, 63 f., 75, 80, 110, 130 f., 137, 141, 155, 164, 186, 190, 201, 215 ff.
Geburt Marias 10, 33 ff., 44, 48, 50 ff., 55, 62 ff., 71, 77, 80, 132 f., 138, 141, 155, 160, 163
Geist, Heiliger 185, 208; s. a. Dreifaltigkeit
Genealogie s. Stammbaum
Georg 192, 198
Gericht, Jüngstes 44, 47 f., 108, 110, 136, 153, 195, 201, 204, 217
Gespräch Marias mit Johannes bzw. Petrus vor ihrem Tod 125, 127
Glorifikation Marias s. Verherrlichung Marias
Goldene Pforte, Begegnung an der 10, 34 f., 37 f., 41, 44, 46, 48, 50 ff., 58, 60 ff., 71, 154 f., 160 ff.; s. a. Immaculata conceptio
Grablegung Marias 85 ff., 109, 111, 122, 128, 132, 134, 144, 147
Grabtragung Marias 49, 85 ff., 101, 106, 109 f., 113, 119 ff., 126 f., 132, 134, 144; s. a. Juden – Angriff der Juden bei der Grabtragung Marias (Frevlermotiv)
Granatapfel 209 f.
Gürtel Marias 18, 24, 130, 166, 171, 197; s. a. Gürtelspende an Thomas, Maria als Tempeljungfrau
Gürtelspende Marias an Thomas 13, 18, 48, 87, 109, 113 f., 119 ff., 123, 127, 129 ff., 140 ff.

Hanna 67
Heimsuchung 9, 10, 34 f., 38, 45 f., 50, 53, 63, 78, 80 f., 132, 163, 201
Henoch 89
Herodes 45
Hesekiel 187
Himmelfahrt Marias s. Aufnahme Marias in den Himmel
Hochzeit Marias s. Verlobung/Vermählung Marias
Hochzeitszug Marias und Josephs 47, 78
Hoherpriester; s. a. Abschied Marias von den Priestern, Juden – Angriff der Juden bei der Grablegung Marias, Erwählung Josephs, Segnung Marias durch

Verzeichnis der zitierten biblischen Texte

Bildverzeichnis

Sofern für Buchmalerei Maße angegeben sind,
beziehen sie sich auf die Seite und nicht auf das Bild

429 Istanbul, Hagia Sophia; Mosaik auf der Südempore, unterer Teil zerstört, um 1118
Das Kaiserpaar Johannes II. Komnenos und Irene bringen der Kyriotissa Gaben dar.

430 Elfenbeinstatuette; Alexandria (?), Mitte 7. Jh. Baltimore, The Walters Art Gallery.
Eleousa.

431 Ikone (Sog. »Muttergottes von Vladimir«); Temperamalerei, Konstantinopel, mehrfach übermalt, Gesichter und Hände ursprünglich, um 1130. H. 104 cm, B. 69 cm. Moskau, Tretjakov-Galerie.
Eleousa (Vladimirskaja).

432 Ikone; Temperamalerei, Korfu, 16. Jh. Berlin (West), Preuß. Kulturbesitz, Frühchristlich-byzantinische Sammlung.
Eleousa (»Die Freude aller«).

433 Sog. Kreuz des Erzbischofs Agnellus; Silbertreibarbeit, Ravenna, 557-570. Ravenna, Museo Arcivescovile. Mittelmedaillon. Durchmesser 20 cm.
Betende Maria (Blacherniotissa).

434 Reliefikone; Marmor, Konstantinopel, aus Sulu-Monastir in Psamatia, 12. Jh. H. 96 cm, B. 33 cm. Berlin (Ost), Staatl. Museen, Frühchristlich-byzantinische Abt.
Betende Maria (Blacherniotissa).

435 Reliefikone; Marmor, E. 13. o. Anf. 14. Jh. Athen, Byzantinisches Museum.
Blacherniotissa mit durchbohrten Händen.

436 Relieftondo; Serpentin, Konstantinopel, aus Stift Heiligenkreuz/Niederösterreich, inschriftlich bezogen auf Kaiser Nikephoros III. Botaneiates, 1078-1081. Durchmesser 17,9 cm. London, Victoria and Albert Museum.
Betende Maria.

437 Murano, SS. Maria e Donato; Mosaik in der Apsiskalotte, venetobyzantinisch, M. 12. Jh.
Betende Maria.

438 Rom, Sa. Maria Antiqua; Wandmalerei an der Apsiswand, mehrfach übermalt und beschädigt, 6. Jh (?).
Nikopoia in Kaiserlicher Hoftracht.

439 Rekonstruktion des ursprünglichen Zustandes von 438.

440 Ikone (sog. »Madonna della Clemenza«); Temperamalerei, römisch (?), wahrscheinlich von Papst Johannes VII. gestiftet, 705-707. Rom, Sa. Maria in Trastevere.
Nikopoia in Kaiserlicher Hoftracht.

441 Weltchronik des Kosmas Indikopleustes; Buchmalerei, vermutlich nach einer Vorlage des 6. Jh., Konstantinopel, 3. Dr. 9. Jh. Rom, Vatikan, Biblioteca Apostolica Vaticana, Cod. gr. 699, fol. 76r.
Heilige Sippe: Maria als Fürbitterin (Deomene), Christus, Johannes d. Täufer, Zacharias und Elisabeth; in den Medaillons Anna und Symeon.

442 Elfenbeintafeln; ursprünglich vielleicht von einem Ikonostas-Balken, als Einbanddeckel zu einem Graduale, dem sog. Gebetbuch der Hl. Kunigunde, verwendet, byzantinisch, um 1000. H. 27,7 cm, B. 10,9 cm. Bamberg, Staatliche Bibliothek, Cod. Lit. 8.
Maria Deomene und Christus.

443 Istanbul, Kariye Cami (Erlöserkirche vom Chora); Mosaik im inneren Narthex, Gesamtausstattung 1315-1320, von Theodoros Metochites gestiftet.
Maria vor Christus als Fürbitterin für Isaak Kommenos.

444 Reliefikone; Marmor, Konstantinopel, 11. Jh. H. 104 cm, B. 39 cm. Washington, Dumbarton Oaks Collection.
Maria Deomene.

445 Ikone (»Die Hoffnung der Verzweifelten«); Temperamalerei mit vergoldetem Beschlag und Emailtäfelchen, Thessaloniki, Mitte 13. Jh. Freising, Dom.
Maria Deomene.

446 Reliquiar; Email, Konstantinopel, 11. Jh. H. 8,7 cm, B. 7,2 cm. Maastricht, Domschatz.
Betende Maria (Chymeute).

447 Ikone; Temperamalerei, Konstantinopel, 11. Jh. Sinai, Katharinenkloster.
Maria mit Schriftrolle (Paraklesis).

448 Ikone; enkaustische Malerei, römisch (?), 6./7. Jh., im 10. Jh. übermalt, Gesicht freigelegt. Rom, Sa. Maria in Aracoeli.
Maria Deomene.

449 Ikone; Temperamalerei, byzantinisch, aus der Sammlung Lichačev, 15. Jh. Leningrad, Staatliches Russisches Museum.
Glykophilousa.

450 Istanbul, Chorakirche, Mosaik im Esonarthex, um 1315-1320. Siehe Nr. 443.
Platytera.

451 Ikone; Temperamalerei, signiert Makarios Zographos, aus Zrze, 1421/22. H. 134 cm, B. 93,5 cm. Skopje, Kunstgalerie.
Pelagonitissa.

452 Mistra, Brontochion-Kloster; Wandmalerei in der Aphentiko, 14. Jh.

Maria als lebenspendende Quelle (Zoodochos Pege).

453 Homilien des Jakobos von Kokkinobaphos; Buchmalerei,
byzantinisch, Anf. 12. Jh. Paris, Bibl. Nationale, Cod. grec.
1208, fol. 8r. Siehe auch das Pendant: Bd. IV 1, Nr. 5
Maria von Engeln und Heiligen verehrt.

454 Ikone; Temperamalerei, Moskau, Stroganov-Schule, wahrscheinlich Rest eines Triptychons, um 1600. H. 17 cm, B. 13
cm. Berlin (West), Preuß. Kulturbesitz, Frühchristlich-byzantinische Sammlung.
Marienverehrung (»Über dich freuet sich«).

455 Reliefikone; feiner Kalkstein, rechter Flügel eines Diptychons, byzantinisch, A. 12. Jh. H. 19,5 cm, B. 13,5 cm. Berlin
(West), Preuß. Kulturbesitz, Frühchristlich-byzantinische
Sammlung. Das Gegenstück stellt Christus mit Szenen aus
seinem Leben dar.
Hodegetria mit Marienzyklus: Begegnung an der Goldenen
Pforte, Geburt Marias, Einführung Marias in den Tempel
und ihre Speisung durch den Engel, Verkündigung an Maria,
Vermählung Marias mit Joseph, Heimsuchung, Fluchwasserprobe, Darstellung Christi im Tempel, Todesverkündigung an Maria, Marientod (Koimesis).

456 Ikone, Moskau, um 1600, Berlin. Gegenstück zu Nr. 454.
Siehe dort.
Begegnung an der Goldenen Pforte, Geburt Marias, Tem-
pelgang Marias, Marientod (Koimesis).

457 Doppelseitige Ikone; Temperamalerei, bulgarisch, aus dem
Dorf Blgarevo bei Burgas, 16. Jh. H. 107 cm, B. 83 cm. Sofia,
Kirchenmuseum. Vorderseite.
Muttergottes Hodegetria Keharitomene mit Darstellungen
der Kindheit Marias: Zurückweisung von Joachims Opfer.
Joachim verläßt Anna, Verkündigung an Joachim in den
Bergen, Begegnung an der Goldenen Pforte, Geburt und Bad
Marias, Segnung des einjährigen Kindes, Marias Tempel-
gang, Gebet des Priesters am Altar und wundersame Spei-
sung Marias durch einen Engel; oben: Deesis mit Engeln
(Rückseite: Kreuzigung).

458 Ikone; Temperamalerei, griechisch, E. 16./A. 17. Jh. H. 104
cm, B. 79 cm. Athen, Byzantinisches Museum.
Passionsmadonna mit Marienzyklus: Zurückweisung von
Joachims Opfer, Joachim auf dem Felde, Gebet Annas im
Garten, Begegnung an der Goldenen Pforte, Geburt Marias,
Dankgebet am Passionsaltar, Joachim und Anna liebkosen
Maria, Segnung des einjährigen Kindes, Marias Tempelgang,
Gebet des Hohenpriesters und die Freier, Vermählung Ma-
rias mit Joseph, Verkündigung an Maria, Vorwürfe Josephs,

Heimsuchung, Gebet Marias auf dem Ölberg vor ihrem Tod,
Koimesis, Himmelfahrt Marias.

459 Ikone, »Madonna di San Martino«; Temperamalerei, pisanisch, wird Ranieri di Ugolino zugeschrieben, um
1285–1290. Pisa, Museo Nazionale di S. Matteo.
Thronende Muttergottes mit Hl. Martin im Thronsuppeda-
neum; Joachim-und-Anna-Zyklus: Verkündigung an Maria,
Zurückweisung von Joachims Opfer, Joachim gibt Almosen, Verkündigung an Anna und Verhöhnung Annas durch
die Magd, Verkündigung an Joachim bei den Hirten, Opfer
Joachims auf dem Feld, Traum Joachims und Aufbruch,
Rückkehr Joachims, Ankündigung der Rückkehr Joachims
durch einen Engel und Begegnung an der Goldenen Pforte,
Geburt und Bad Marias, Tempelgang Marias; vier männliche
Heilige.

460 Perikopenbuch aus Salzburg; um 1040. H. 37,4 cm, B. 29 cm.
München, Bayer. Staatsbibl., Cod. lat. 15713 fol. IV. Siehe
auch Bd. IV 1, Nr. 23.
Tempelgang Marias mit Krönung durch einen Engel. Josephs Traum.

461 Sog. Evangeliar Ottos III.; Buchmalerei, Reichenau, Li-
uthardgruppe, wahrscheinlich Geschenk Kaiser Heinrichs
II. an den Bamberger Domschatz, E. 10. Jh. H. 33,4 cm, B.
24,2 cm. München, Bayer. Staatsbibliothek, Cod. lat. 4453,
fol. 28r. Ausschnitt.
Vermählung Marias mit Joseph.

462 Winchester Psalter; lat. und franz., um 1150/60. Für Henry
de Blois geschrieben. H. 31,8 cm, B. 22,5 cm. London, Bri-
tisch Library, Cotton Nero C IV fol. 8r. Siehe auch Bd. IV 1,
Nr. 30.
Verkündigung an Anna, Begegnung an der Goldenen Pforte,
Geburt Marias, Darstellung Marias im Tempel.

463 Paris, Kathedrale Notre Dame, südl. Portal der Westfassade
(»Annenportal«); Portalanlage 1. V. 13. Jh., größtenteils un-
ter Verwendung älterer Teile um 1165 (Tympanon, oberer
Türsturz, Archivolten), unterer Türsturz um 1230 eingefügt.
Thronende Muttergottes zwischen Engeln, Bischof (Maurice
du Sully?) mit Schreiber und König (Ludwig VII.?). Tempelgang Marias, Verkündigung an Maria, Heimsuchung,
Geburt Christi, Verkündigung an die Hirten, die Magier vor
Herodes. Ankunft Josephs im Tempel, Joseph wird aus den
Freiern erwählt, Vermählung Marias mit Joseph, Joachim
verläßt Anna, Josephs Traum und Bitte um Verzeihung, Joseph geht zur Arbeit, Zurückweisung von Joachims Opfer,
Joachim geht zu seiner Herde (vgl. Abb. 483). In den Archivolten: Joachim auf dem Felde, Verkündigung an Joachim
und Begegnung an der Goldenen Pforte (nicht abgebildet).

464 Ulm, Münster, Südwestportal (»Marienportal«); Tympanon, Steinrelief, um 1380–1400. Ausschnitt.
Zurückweisung von Joachims Opfer, Verkündigung an Joachim, Begegnung an der Goldenen Pforte, Verkündigung an Anna, Geburt und Bad Marias, Tempelgang Marias, Maria als Tempeljungfrau, die 12 Freier mit den Ruten – Joseph mit der grünenden Rute, Vermählung Marias mit Joseph, Verkündigung an Maria, Heimsuchung. Oben: Bethlehemischer Kindermord, Flucht nach Ägypten, 12jähriger Jesus im Tempel, Marientod, Grabtragung Marias.

465a–e Elfenbeinkästchen; französisch, Anf. 14. Jh. Toulouse, Musée Paul Dupuy.
  a Vorderseite, untere Reihe: Zurückweisung des Opfers, Joachim und Anna verteilen Gaben an die Armen, Verkündigung an Joachim auf dem Felde, Begegnung an der Goldenen Pforte, Verkündigung an Anna.
  b Rechte Seite, Ausschnitt untere Reihe: Joachim und Anna im Gespräch, Segnung Annas, Geburt Marias.
  c Rückseite, Ausschnitt untere Reihe: Tempelgang Marias, Maria als Tempeljungfrau bei der Arbeit und wundersame Speisung, Freier im Tempel und Gebet des Hohenpriesters, Joseph mit dem grünenden Stab.
  d Linke Seite, Ausschnitt untere Reihe: Vermählung Marias mit Joseph, Verkündigung an Maria.
  e Vorderseite, obere Reihe: Zweifel Josephs, Joseph wird durch einen Engel aufgeklärt, Joseph bittet Maria um Verzeihung, Heimsuchung, Geburt Christi.

466 Altarbehang; Seiden- und Garnstickerei auf Leinen, wahrscheinlich in einem Nonnenkloster für die Jodocikapelle des Braunschweiger Doms gearbeitet, um 1400. H. ca. 93 cm, B. 234 cm. Braunschweig, Städtisches Museum. Ausschnitt, linke Seite.
Vermählung von Joachim und Anna, Joachim und Anna teilen ihren Besitz in drei Teile, sie verteilen Almosen. Begegnung an der Goldenen Pforte, Geburt Marias, das Kind wird in die Wiege gelegt. Anna unterrichtet Maria, Maria als Tempeljungfrau neben dem Altar, Maria im Gespräch mit dem Hohenpriester. Zur rechten Seite des Behangs mittlerer Streifen, siehe Abb. 544.

467 Stundenbuch (»Livre d'Heures«), Buchmalerei, Paris, Atelier des »Bedford-Meisters«, 1422–1425 wahrscheinlich für König Karl VII. und seine Gemahlin Maria von Anjou hergestellt. H. 26,5 cm, B. 19 cm. Wien, Österr. Nationalbibliothek, Cod. 1855, fol. 25r.
Hauptbild: Verkündigung an Maria.
Randszenen: Zurückweisung von Joachims Opfer, Joachim auf dem Felde, Verkündigung an Joachim, Verkündigung an Anna, Begegnung an der Goldenen Pforte, Geburt Marias, Tempelgang Marias, Maria wird vom Hohenpriester in den Tempel aufgenommen, Maria betet an der Bundeslade im Tempel, Maria als Bandweberin, die Freier und Joseph mit dem blühenden Stab, Vermählung Marias mit Joseph.

468–471 »Lied von der Magd« des Priesters Wernher von Tegernsee; kolorierte Federzeichnungen, süddeutsch (Tegernsee?), Anf. 13. Jh., Original seit 1945 verschollen, ehemals Berlin, Staatsbibliothek, Cod. germ. 8°, 109. Abbildungen nach der Ausgabe von H. Degering.

468 Joachim teilt sein Vermögen in drei Teile.

469 Vermählung Joachims und Annas.

470 Zurückweisung des Opfers Joachims.

471 Joachim reitet auf das Feld.

472–475 Regensburg, Dom südl. Seitenschiff; Glasfenster, Werkstatt Eberhard Väßler, um 1370. Ausschnitte aus dem Marienleben.

472 Joachim und Anna verteilen ein Drittel ihres Besitzes an Arme.

473 Joachim und Anna geben ein weiteres Drittel an die Kirche.

474 Zurückweisung des Opfers Joachims und Annas.

475 Verkündigung an Joachim.

476 Giotto di Bondone (1266–1337); Padua, Scrovegni-(Arena-)Kapelle, Freskoausmalung, 1305–1307. (Nach G. Bellinati schon 1304–1305).
Zurückweisung von Joachims Opfer und Ausweisung aus dem Tempel.

477 Giovanni da Milano (nachweisbar zwischen 1347 u. 1369) und Meister der Rinuccini-Kapelle; Florenz, S. Croce, Altarraum der Sakristei (»Rinuccini-Kapelle«), Freskoausmalung, um 1365.
Zurückweisung von Joachims Opfer.

478 Ugolino d'Illario (di Prete Ilario / nachweisbar seit 1356–vor 1408); Orvieto, Dom, Freskoausmalung der Apsis, 1357–1364.
Joachim wird aus dem Tempel ausgewiesen.

479 Sog. Schottenaltar; Tafelmalerei, hessisch, um 1370 (Stange) oder um 1390 (Hamann). Schotten (Hessen), Pfarrkirche. Ausschnitt.
Zurückweisung von Joachims Opfer.

480 Hans Holbein d. Ä. (um 1465–1524); Weingartner Altar, nur die Flügel erhalten, datiert 1493. Je Flügel H. 222 cm, B. 127 cm. Augsburg, Dom.
Linker Flügel, außen: Zurückweisung von Joachims Opfer, Verkündigung an Joachim auf dem Felde (Nebenszene).
Rechter Flügel, außen: Geburt Mariae, Begegnung an der Goldenen Pforte (Nebenszene).
Linker Flügel, innen: Tempelgang Marias, Heimsuchung (Nebenszene).
(Nicht abgebildet: rechter Flügel, innen: Beschneidung Jesu, Marienkrönung.)

481 Quentin Massys (1465–1530); Sippenaltar (Annenaltar), datiert 1509, aus der Peterskirche zu Löwen. Brüssel, Koninklijk Musea voor Schone Kunsten van Belgie.
a Linker Flügel, außen: Anna überreicht die Spende einem Priester. Übergabe der Beglaubigung. Kleine Nebenszene links: Verteilung an die Armen.
b Rechter Flügel, außen: Zurückweisung von Joachims Opfer.

482 Wolf Huber (um 1485–1553); Flügelbilder vom Altar der Feldkircher Annenbruderschaft (»Feldkircher Annenaltar«), Tafelmalerei, signiert, 1515–1521. H. 72,9 cm, B. 47,6 cm. Bregenz, Vorarlberger Landesmuseum.
Zurückweisung des Opfers Joachims und Annas; Einblick in den Passauer Dom vor seinem barocken Wiederaufbau nach dem Brand von 1662.

483 Paris, Notre Dame, unterer Türsturz vom Annenportal, um 1230. Siehe Nr. 463. Ausschnitt.
Joachim geht mit einem Knecht zu seiner Herde.

484 Glasfenster; nach einem Entwurf von Hans Baldung Grien (1484–1545) von Veit Hirschvogel gemalt aus dem ehem. Karmeliterkloster Nürnberg, 1504–1508. Nürnberg-Großgründlach, ev. Pfarrkirche. Ausschnitt.
Joachim nimmt Abschied von Anna.

485 Rom, Sa. Maria Egiziaca im sog. Tempel der Fortuna Virilis; Wandmalereien, aus der Zeit der Umwandlung des Tempels in eine Kirche unter Papst Johannes VIII. (872–882).
Joachim auf dem Felde.

486 Istanbul, Chorakirche, um 1315–1320. Siehe Nr. 443, 450.
Gewölbemosaik im inneren Narthex, Ausschnitt.
Joachim auf dem Felde.

487 Giotto, Padua, 1305–1307. Siehe Nr. 476.
Joachim kommt zu den Hirten auf das Feld.

488a–f »Lied von der Magd«, ehemals Berlin, Anf. 13. Jh. Siehe Nr. 468, 469, 470, 471.
a Verkündigung an Anna.

b Verkündigung an Joachim.
c Dank Joachims an den Engel.
d Opfer Joachims und Auffahrt des Engels.
e Joachims Traum.
f Rückkehr Joachims zu Anna.

489 Giotto, Padua, 1305–1307. Siehe Nr. 476, 487. Ausschnitt.
Joachims Opfer auf dem Felde und Gespräch mit dem Engel.

490 Giotto, Padua, 1305–1307. Siehe Nr. 476, 487, 489.
Joachim empfängt im Traum vom Engel die Weisung, zu Anna zurückzukehren.

491 Ugolino d'Illario, Orvieto, 1357–1364. Siehe Nr. 478.
Verkündigung an Joachim.

492 Buxtehuder Altar; Tafelmalerei, Werkstatt Meister Bertrams, um 1410. Hamburg, Kunsthalle. Linker Flügel, Innenseite, Ausschnitt. Gesamt siehe Bd. 1, Nr. 65.
Zurückweisung von Joachims Opfer. Verkündigung an Joachim.

493 Giovanni da Milano, Florenz, um 1365. Siehe Nr. 477.
Verkündigung an Joachim. Begegnung an der Goldenen Pforte.

494 Wolf Huber, Feldkircher Altar, 1515–1521, Bregenz. Siehe Nr. 482. H. 72,1 cm, B. 47,6 cm.
Verkündigung an Joachim.

495 Quentin Massys, Sippenaltar, 1509, Brüssel. Siehe Nr. 481. Linker Flügel, Innenseite.
Verkündigung an Joachim.

496 Elfenbeinrelief; Kleinasien (?), Fragment der zum Murano-Diptychon (siehe Bd. I, Nr. 424) gehörigen und verstreuten Marientafel, Anf. 6. Jh. H. 10,3 cm, B. 7 cm. Leningrad, Eremitage.
Verkündigung an Anna.

497 Kiew, Hagia Sophia, Diakonikon (Joachim- und Anna-Kapelle); Freskoausmalung, byzantinisch, vermutlich zwischen 1046 u. 1067.
Gebet der Anna im Garten.

498 Daphni bei Athen, Koimesiskirche, Narthex; Mosaikausstattung, Ende 11. Jh.
Verkündigung an Anna im Garten. Verkündigung an Joachim auf dem Feld.

499 Istanbul, Chorakirche, um 1315–1320. Siehe Nr. 443, 450, 486. Lünettenmosaik (teilzerstört) im inneren Narthex.
Verkündigung an Anna im Garten.

500 Giotto, Padua, 1305–1307. Siehe Nr. 476, 487, 489, 490.
Verkündigung an Anna im Gemach.

501 Meister von Schloß Lichtenstein (tätig 2. V. 15. Jh.); Malerei auf Leinwand auf Holz, Tafel eines weit verstreuten Altarwerkes, um 1435. H. 100,9 cm, B. 50,1 cm. Wien, Österreichische Galerie.
Verkündigung an Joachim.

502 Bernardino Luini (1480/85–1532); abgenommene Freskoausmalung aus Sa. Maria della Pace, Cappella San Giuseppe, 1516–1521. Mailand, Pinacoteca di Brera. Detail.
Verkündigung an Anna. Verkündigung an Joachim (Nebenszene).

503 Menologion des Kaisers Basileios II. Bulgaroktonos; Buchmalerei, Konstantinopel, zw. 979 u. 984. H. 36,5 cm, B. 28,5 cm. Rom, Vatikan, Biblioteca Apostolica Vaticana, Cod. grec. 1613, fol. 229r.
Begegnung an der Goldenen Pforte.

504 Giotto, Padua, 1305–1307. Siehe Nr. 476, 487, 489, 490, 500.
Begegnung an der Goldenen Pforte.

505 Ohrid, Sv. Kliment, (ehemals Muttergottes-Peribleptos-Kirche); Wandmalereien, Michael Astrapas und Eutychios signiert, 1294/95. Siehe auch Bd. IV1, Nr. 162. Südwand, Detail des Marienzyklus.
Anna aus der Verkündigung. Begegnung an der Goldenen Pforte.

506 Sog. Schottenaltar, um 1370, Schotten. Siehe Nr. 479. Linker Flügel, Innenseite, obere Reihe, Ausschnitt.
Begegnung an der Goldenen Pforte mit Engel.

507 Meister des Marienlebens (tätig zw. 1463 u. 1480); Tafelmalerei, Teil des ehem. Marienaltares von St. Ursula in Köln, um 1465. H. 85 cm, B. 106 cm. München, Bayerische Staatsgemäldesammlungen, Alte Pinakothek.
Joachim auf dem Felde. Verkündigung an Joachim. Begegnung an der Goldenen Pforte.

508 Florenz, Sa. Maria Novella, Chiostro dei Morti; Fresko, Nardo di Cione (nachweisbar seit 1343–1365/66) zugeschrieben, nach 1360. Ausschnitt.
Begegnung an der Goldenen Pforte.

509 Bartolommeo Vivarini (um 1432–um 1499); Tafelmalerei, 1473. Venedig, Sa. Maria Formosa.
Begegnung an der Goldenen Pforte.

510 Meister der Divisio Apostolorum (tätig um 1490/95); Tafelmalerei, vor 1494. H. 78,5 cm, B. 73 cm. Wien, Österreichische Galerie.
Begegnung an der Goldenen Pforte, Verkündigung an Joachim. An der Tempelarchitektur: Sündenfall.

511 Menologion Basileios' II., 979/984, Rom. Siehe Nr. 503. Fol. 22r: Geburt Marias.

512 Pietro Cavallini (um 1250–1330); Mosaikzyklus mit Darstellungen zum Marienleben, um 1295. Rom, Sa. Maria in Trastevere, Apsis.
Geburt Marias.

513 Kiew, Hagia Sophia, M. 11. Jh. Siehe Nr. 497.
Geburt Marias mit Bad des Kindes.

514 Ohrid, Sv. Kliment, 1294/95 Siehe Nr. 505, auch Bd. IV1, 162. Südwand, Detail aus der Geburt Marias.
Die Magd am Spinnrocken neben der Wiege der Maria.

515 Studenica (Serbien), Königskirche (Joachims- und Anna-Kirche); Stiftung des Serbenkönigs Stefan Uroš II. Milutin, Wandmalereien, vermutlich von Michael und Eutychios 1313–1314. Südwand, Detail.
Geburt Marias, Bad des Kindes, Joachim und die Wärterin neben der Wiege.

516 Giotto, Padua, 1305–1307. Siehe Nr. 476, 487, 489, 490, 500, 504.
Geburt Marias.

517 Giovanni da Milano, Florenz, um 1365. Siehe Nr. 477, 493.
Geburt Marias.

518 Pietro Lorenzetti (nachweisbar 1280–1348); Tafelmalerei, Altartriptychon aus dem Sieneser Dom, Cappella di S. Savino, zugehörige Predella in der National Gallery, London, sign. u. dat. 1342. Siena, Museo dell'Opera del Duomo.
Geburt Marias.

519 Meister des Marienlebens, Marienaltar, um 1465, München. Siehe Nr. 507.
Geburt Marias.

520 Andrea di Bartolo (nachweisbar seit 1389–1428); Tafelmalerei, Teil eines zerlegten Polyptychons, Anf. 15 Jh. H. 44 cm, B. 32 cm. Washington, National Gallery of Art, Samuel H. Kress Collection.
Geburt Marias. (Rückseite: Tempelgang.)

521 Wolf Huber, Feldkircher Altar, 1515–1521, Bregenz. Siehe Nr. 482, 494.
Geburt Marias.

522 Albrecht Altdorfer (um 1480–1538); Tafelmalerei, um 1525. H. 140,7 cm, B. 130,0 cm. München, Bayerische Staatsgemäldesammlungen, Alte Pinakothek.
Geburt Marias in einem Kirchenraum.

523 Kremikovzi (Bulgarien), Klosterkirche; Wandmalerei, nach

1493. Ausschnitt aus dem Marienzyklus. Liebkosung des Marienkindes.

524 Istanbul, Chorakirche, um 1315–1320. Siehe Nr. 443, 450, 486, 499. Scheidbogenmosaik im inneren Narthex. Die ersten sieben Schritte Marias.

525 Istanbul, Chorakirche, um 1315–1320. Siehe Nr. 443, 450, 486, 499, 524. Kuppelmosaik im inneren Narthex. Joachim bringt das einjährige Marienkind zur Segnung den Priestern.

526 Ikone; Temperamalerei, russisch, Anf. 19. Jh. H. 31,5 cm, B. 27,5 cm Recklinghausen, Ikonenmuseum. Erscheinung Gottes über der Bundeslade, Verkündigung an Maria im Garten (sog. Vorverkündigung), Verkündigung an Joachim, Verkündigung an Anna, Verkündigung an Maria im Haus. Die ersten Schritte Marias, Geburt Marias mit Salbung und Bad des Kindes. Bettlegung des Marienkindes. Joachim und Anna liebkosen das Marienkind, Darbringung des einjährigen Marienkindes zur Segnung, Begegnung an der Goldenen Pforte.

527 Menologion Basileios' II., 979/984, Rom. Siehe Nr. 503, 511. Fol. 198. Tempelgang Marias und wundersame Speisung Marias durch den Engel.

528 Kiew, Hagia Sophia, M. 11. Jh. Siehe Nr. 497, 513. Tempelgang Marias und wundersame Speisung.

529 Studenica, Königskirche, 1313–1314. Siehe Nr. 515. Nordwand, Detail. Tempelgang Marias. Wundersame Speisung.

530 Istanbul, Chorakirche, um 1315–1320. Siehe Nr. 443, 450, 486, 499, 524, 525. Scheidbogenmosaik im inneren Narthex. Die wundersame Speisung Marias im Tempel durch einen Engel wird durch eine Tempeljungfrau beobachtet.

531 Sog. Peribleptos-Ikone; Temperamalerei, doppelseitige Ikone, serbisch, Anf. 14. Jh. H. 83 cm, B. 65,5 cm. Ohrid, Nationalmuseum in Sv. Kliment. Rückseite. Tempelgang Marias. Wundersame Speisung Marias im Tempel.

532 »Lied von der Magd«, ehemals Berlin, Anf. 13. Jh. Siehe Nr. 468, 469, 470, 471, 488a–f. Tempelgang Marias.

533 »Lied von der Magd«, ehemals Berlin, Anf. 13. Jh. Siehe Nr. 468, 469, 470, 471, 488 a–f, 532. Wundersame Speisung Marias im Tempel durch einen Engel.

534–538 »Meditationes Vitae Christi«; Illustrierte Handschrift, italienisch, 3. V. 14. Jh., Paris, Bibl. Nationale, Cod. ital. 115.

534 Fol. 6r: Tempelgang des dreijährigen Marienkindes.

535 Fol. 7v: Maria und andere Tempeljungfrauen beim Spinnen.

536 Fol. 8r: Maria empfängt das himmlische Brot vom Engel.

537 Fol. 8r: Maria empfängt das irdische Brot vom Priester.

538 Fol. 8v: Maria als Tempeljungfrau verteilt die Speise an Hungrige.

539 Giotto, Padua, 1305–1307. Siehe Nr. 476, 487, 489, 490, 500, 504, 516. Tempelgang Marias.

540 Taddeo Gaddi (um 1300–1366); Freskenzyklus, zw. 1328 u. 1337. Florenz, S. Croce, Baroncelli-Kapelle. Tempelgang Marias.

541 Meister des Marienlebens, Marienaltar, um 1465, München. Siehe Nr. 507, 519. Tempelgang Marias.

542a–d Esslingen, Frauenkirche; Marienfenster, Glasmalerei im Nordostfenster des Chores, Esslinger Werkstatt, um 1320–1325.
 a Tempelgang Marias.
 b Maria im Tempel am Lesepult.
 c Maria im Tempel betend.
 d Maria im Tempel am Webstuhl.

543 Altarbehang; Stickerei, aus der Reikjalid-Kirke auf Island, M. 14. Jh. H. 100 cm, B. 88 cm. Kopenhagen, Nationalmuseum. Ausschnitt. Geburt Marias, Marias Tempelgang, Maria wehrt sich im Gespräch mit dem Priester gegen ihre Vermählung.

544 Altarbehang, um 1400, Braunschweig. Siehe Nr. 466. Mittelstreifen des rechten Teils. Anna bringt Maria zur Tempelpforte, Maria steigt die Stufen des Tempels hinauf, Maria als Tempeljungfrau am Webstuhl neben dem Altar.

545 Kreuzigungsaltar; Tafelmalerei, Meister der Halberstädter Kreuzigungen, 4. Viertel 15. Jh. Halberstadt, Dom-Museum. Linker Flügel, Innenseite, Ausschnitt. Tempelgang Marias; links die Geburt Marias als Nebenszene.

546 Ulm, Münster; Marien- und Annenfenster, Glasmalerei, Werkstatt Jakob Acker, um 1400. Tempelgang Marias.

547 Glasmalerei, Hans Baldung Grien und Veit Hirschvogel, 1504–1508, Nürnberg-Großgründlach. Siehe Nr. 484.
Maria als Tempeljungfrau am Webstuhl, wundersame Speisung durch einen Engel.

548 Elfenbeinkästchen, Anf. 14. Jh., Toulouse. Siehe Nr. 465a–e. Detail.
Maria als Tempeljungfrau: am Webstuhl, an der Wollhaspel, wundersame Speisung.

549–550 Glasmalerei; Teile eines Marienfensters aus der Wallfahrtskirche Straßengel bei Graz, Wiener »Herzogswerkstatt« (?), 1350–1360. Wien, Österreichisches Museum für angewandte Kunst.

549 Maria als Tempeljungfrau am Webstuhl.

550 Marias Weigerung, sich zu verheiraten.

551–553 Chorstuhlwände; Holzschnitzerei, französisch, aus der Abtei von Jumièges, um 1500. New York, Metropolitan Museum of Art, The Cloisters Collection.

551 Tempelgang Marias.

552 Maria als Tempeljungfrau am Webstuhl, Engel mit der himmlischen Speise.

553 Vermählung Marias mit Joseph.

554 Tafelbild; Tempera auf Holz, vermutlich Kölner Schule, datiert 1503, H. 33,4 cm, B. 25,3 cm. Riggisberg bei Bern, Sammlung der Abegg-Stiftung.
Maria und andere Tempeljungfrauen bei der Handarbeit.

555 Meister von Schloß Lichtenstein, Altarfragment, um 1435, Wien. Siehe Nr. 501.
Maria wird als Tempeljungfrau aufgenommen.

556 Tafelbild; Tempera auf Holz, oberrheinisch, sog. Meister der Sierenzer Tafeln, um 1445. H. 39,6 cm, B. 28,4 cm. Straßburg, Frauenhausmuseum.
Maria als Tempeljungfrau im Gebet.

557 Wandteppich aus einer Folge von 17 Teppichen, von Robert de Lenoncourt, Erzbischof von Reims, in Auftrag gegeben, im Atelier von Tournai 1507–1530 hergestellt. Reims, Kathedralschatz.
Maria als Tempeljungfrau beim Bortenweben, Wundersame Speisung (»Les perfections de Marie«). Symbolik der lauretanischen Litanei.

558 Luis Borrassá (nachweisbar 1390–1424); Altarretabel, Ende 14. Jh., Villafranca del Panadés (Barcelona), San Francisco.
Maria mit anderen Jungfrauen in der Schule und im Gebet.

559 Tafelmalerei; ostenglisch, Teil eines Altarretabels, 1325 bis 1330. Paris, Musée Cluny.
Anna unterrichtet Maria.

560 Bernhard Strigel (um 1465/70–1528); Sippenaltar, Tafelmalerei, aus Mindelheim, um 1505. Nürnberg, Germanisches Nationalmuseum. Ausschnitt.
Anna und Joachim lehren Maria lesen.

561 Bartolomé Esteban Perez Murillo (1618–1682); Gemälde, Öl auf Leinwand, 1655–1665. H. 219 cm, B. 165 cm. Madrid, Prado.
Anna unterrichtet Maria.

562 Istanbul, Chorakirche, um 1315–1320. Siehe Nr. 443, 450, 486, 499, 524, 525, 530. Scheidbogenmosaik im inneren Narthex.
Gebet des Hohenpriesters vor dem Altar mit den Stäben der Freier Marias.

563 Istanbul, Chorakirche, um 1315–1320. Siehe Nr. 443, 450, 486, 499, 524, 525, 530, 562. Lünettenmosaik im inneren Narthex, Ausschnitt.
Der Hohepriester gibt Maria in die Obhut des erwählten Joseph. (Die anderen Freier nicht mit abgebildet.)

564 Ohrid, Sv. Kliment, 1294/95 Siehe Nr. 505, 514, auch Bd. IV 1, 162 Nordwand, Detail.
Der Hohepriester gibt Maria in die Obhut Josephs.

565 Kiew, Hagia Sophia, M. 11. Jh. Siehe Nr. 497, 513, 528.
Der Hohepriester gibt Maria in die Obhut Josephs.

566 Istanbul, Chorakirche, um 1315–1320. Siehe Nr. 443, 450, 486, 499, 524, 525, 530, 562, 563. Scheidbogenmosaik im inneren Narthex.
Joseph führt Maria in Begleitung seines Sohnes zu seinem Haus.

567a–f »Lied von der Magd«, ehemals Berlin, Anf. 13. Jh. Siehe Nr. 468, 469, 470, 471, 488a–f, 532, 533.

a Weigerung Marias, den Sohn des Priesters zu heiraten.
b Gebet des Priesters mit den Freiern.
c Ein Engel erscheint, um dem Priester den Stab Josephs zu zeigen.
d Joseph ist aus der Schar der Freier erwählt worden.
e Vermählung Marias mit Joseph.
f Joseph nimmt Abschied von Maria, um zur Arbeit nach Kapernaum zu gehen.

568 Esslingen, Frauenkirche, um 1320/25. Siehe Nr. 542a–d.
Joseph mit dem blühenden Stab wird Maria anverlobt.

569 »Meditationes Vitae Christi«, 3. V. 14. Jh., Paris. Siehe Nr. 534, 535, 536, 537, 538.
Fol. 9r: Vermählung Marias mit Joseph.

570–573 Giotto, Padua, 1305–1307. Siehe Nr. 476, 487, 489, 490, 500, 504, 516, 539.

570 Die zwölf Freier bringen ihre Stäbe in den Tempel.

571 Gebet des Hohenpriesters am Altar mit den Stäben.

572 Vermählung Marias mit Joseph.

573 Rückkehr Marias nach Nazareth (sog. Hochzeitszug).

574 Giovanni da Milano, Florenz, um 1365. Siehe Nr. 477, 493, 517.
Vermählung Marias mit Joseph.

575 Raffaelo Santi (1483–1520); Tafelmalerei, 1504. Mailand, Pinacoteca di Brera.
Vermählung Marias mit Joseph (»Sposalizio«).

576 Robert Campin (um 1378–1444); Tafelbild, um 1420. H. 78 cm, B. 90 cm. Madrid, Prado.
Die Freierwahl im Tempel. Vermählung Marias mit Joseph am Eingang (Brautpforte) zu einer gotischen Kirche.

577 Meister des Marienlebens, Marienaltar, um 1465, München. Siehe Nr. 507, 519, 541.
Vermählung Marias mit Joseph.

578 Tafelbild; Konstanzer Meister, Fragment eines Flügelaltares, um 1400–1410. Konstanz, Rosgartenmuseum. Vgl. Bd. 1, Abb. 198.
Vermählung Marias mit Joseph.

579 Heinrich Douvermann (nachweisbar 1510–1544); Schnitzaltar der sieben Schmerzen Marias, 1518–1522. Kalkar, Pfarrkirche St. Nikolai, südl. Nebenchor. Ausschnitt.
Vermählung Marias mit Joseph.

580 Wandteppich, Tournai, 1507–1530, Reims. Siehe Nr. 557.
Vermählung Marias mit Joseph (Ausschnitt).

581 Istanbul, Chorakirche, um 1315–1320. Siehe Nr. 443, 450, 486, 499, 524, 525, 530, 562, 563, 566. Lünettenmosaik im inneren Narthex.
Maria erhält in Gegenwart der anderen Tempeljungfrauen die Purpurwolle für den Tempelvorhang.

582 Istanbul, Chorakirche, um 1315–1320. Siehe Nr. 443, 450, 486, 499, 524, 525, 530, 562, 563, 566, 581. Lünettenmosaik im inneren Narthex, Ausschnitt.
Joseph nimmt Abschied von Maria, um zur Arbeit zu gehen.

583 Venedig, San Marco; Mosaiken im Gewölbe des nördl. Querhauses, veneto-byzantinisch, Anf. 13. Jh. mehrfach restauriert. Siehe auch Bd. IV 1, Nr. 11.
Verkündigung an Maria am Brunnen. Fluchwasserprobe. Traum Josephs. Reise nach Bethlehem.

584 Staro Nagoričino, Georgskirche; Stiftung König Milutins, 1312/13; Freskenausmalung von Michael und Eutychios und Werkstatt, 1317/18 vollendet. Fresko in der Prothesis. Joseph macht Maria Vorwürfe wegen der Schwangerschaft.

585a–d »Lied von der Magd«, ehemals Berlin, Anf. 13 Jh. Siehe Nr. 468, 469, 470, 471, 488a–f, 532, 533, 567a–f.
a Maria erhält die Purpurwolle für den Tempelvorhang.
b Verkündigung an Maria am Brunnen.
c Joseph macht den Gefährtinnen Vorwürfe.
d Joseph bittet Maria um Verzeihung.

586 Tafelbild; Fragment eines Marienaltares aus dem Straßburger Münster, zugeschrieben dem Meister des Paradiesgärtleins, um 1420. H. 114 cm, B. 114 cm. Straßburg, Frauenhausmuseum.
»Josephs Zweifel«: Maria in der Hoffnung bei der Handarbeit, Joseph, im Begriff, sie zu verlassen, wird durch einen Engel aufgeklärt.

587 Elfenbeinrelief; byzantinisch, wahrscheinlich Konstantinopel, im Prachteinband vom Evangeliar Kaiser Ottos III. verwendet (siehe Nr. 461), 4. Viertel 10. Jh. H. 14,5 cm, B. 11 cm. München, Bayer. Staatsbibliothek, Cod. lat. 4453.
Koimesis.

588 Elfenbeinrelief; byzantinisch, E. 10. Jh. H. 14 cm, B. 13 cm. Köln, Schnütgenmuseum.
Koimesis.

589 Ikone; Temperamalerei auf Holz, Fragment eines Ikonostasisbalkens, Ende 12./Anf. 13. Jh. H. 38,4 cm, B. 25,6 cm. Sinai, Katharinenkloster.
Koimesis.

590 Evangeliar von Thargmantchats; Buchmalerei, armenisch, illuminiert vom Maler Grigor für den Prinzen Grigor in Siunik zur Erinnerung an dessen Gemahlin Aspa, dat. 1232. H. 26 cm, B. 20 cm. Etchmiadzin, Bibliothek, Cod. 1058.
Koimesis, Frevler und Erzengel Michael.

591 Ikone; Temperamalerei auf Holz, russisch, Schule von Pskov, 13. Jh. H. 92 cm, B. 69 cm. Recklinghausen, Ikonenmuseum.
Koimesis; Frevler und Erzengel Michael.

592 Palermo, Sa. Maria dell'Ammiraglio (»Martorana«); Mosaik

im Gewölbe westlich des Kuppelraumes, byzant., um 1150
Koimesis.

593 Elfenbeinkästchen Seitenwand; süditalienisch, gegen 1072.
     Farfa, Benediktiner-Abtei, Abteischatz. Vgl. Bd. IV 1 *Abb. 60*
     mit falscher Standortangabe.
     Koimesis.

594 Sog. Tuotilo-Tafel; Flügel eines Elfenbeindiptychons, gear-
     beitet von Tuotilo (nachweisbar 895–912) in St. Gallen, ver-
     wendet im Rückdeckel des sog. Evangelium Longum, um
     900. H. 32 cm, B. 15,5 cm. (Zugehöriger Flügel = Vorder-
     deckel des Evangelium Longum, siehe Bd. 3, Nr. 692) St.
     Gallen, Stiftsbibliothek, Cod. 53. Ausschnitt.
     Maria im Paradies.

595 Augsburger Dommissale; Buchmalerei, Umkreis der
     Reichenau, 1. H. 11. Jh. London, British Library, Ms. Har-
     ley 2908, fol. 123v.
     Assumptio Mariae.

596 Troparium und Sequentarium; Buchmalerei, möglicher-
     weise in Köln entstanden, 10. Jh. H. 19,3 cm, B. 14,4 cm.
     Bamberg, Staatsbibliothek, Cod. Lit. 5, fol. 121v.
     Marientod.

597 Perikopenbuch Heinrichs II. Reichenau, 1007 o. 1012, aus
     dem Bamberger Dom. H. 42,3 cm, B. 31,5 cm. München,
     Bayer. Staatsbibl., Cod. lat. 4452, fol. 161v. Siehe auch
     Bd. IV 1, Nr. 21.
     Marientod.

598 Lektionar und Kollektar; Buchmalerei, Reichenauer Schule,
     um 1018 H. 22,5 cm, B. 16,5 cm. Hildesheim, Beverina, Cod.
     688, fol. 84v.
     Assumptio Marias.

599 Bernulph-Evangelistar; Buchmalerei, Umkreis der Reiche-
     nau, angeblich von Bischof Bernold (1027–1054) dem Dom
     zu Utrecht geschenkt, M. 11. Jh. H. 31,5 cm, B. 22,5 cm. Ut-
     recht, Erzbischöfliches Museum, Cod. 1503 (ältere Zitierung
     Cod. 3), fol. 173v.
     Marientod.

600 Warmundus-Sakramentar; Buchmalerei, norditalienisch (?),
     um 1001. H. 32,5 cm, B. 22 cm. Ivrea, Kapitelbibliothek,
     Cod. 86, fol. 101 r.
     Marientod.

601 Lektionar des Custos Bertold (Perhtold); Buchmalerei,
     Salzburg, 1074-77. H. 24.1 cm, B. 18.4 cm, New York, Pier-
     pont Morgan Library, Ms. 780 (vormals Salzburg, Stift St.
     Peter, Cod. VI 55), fol. 64v. Siehe auch Bd. IV 1, Nr. 24.
     Marientod.

602 Prümer Evangeliar; Buchmalerei, Prüm, 2. V. 11. Jh. Mit
     Dedikationsinschrift des Abtes Ruotpertus (1026–1068). H.
     19.1 cm B. 14,6 cm Manchester, John Rylands Library, Ms.
     lat. 7, fol. 150 r. Siehe auch Bd. IV 1, Nr. 36.
     Marientod.

603 Perikopenbuch aus dem Kloster St. Erentrud auf dem
     Nonnberg in Salzburg; Buchmalerei, Salzburg, um 1140, H.
     30,8 cm, B. 21,6 cm. München, Bayer. Staatsbibliothek, Cod.
     lat. 15903, fol. 81v.
     Marientod.

604 Aethelwold-Benediktionale; Buchmalerei, erstes Haupt-
     werk der Winchesterschule, unter Bischof Aethelwold
     (963–984) entstanden, 975–980. H. 24 cm, B. 19 cm. London,
     British Library. Ms. Add. 49598, fol. 102v.
     Marientod.

605 Prümer Antiphonar; Buchmalerei, Prüm, zw. 993 u. 1001.
     Paris, Bibl. Nat, Ms. lat. 9448, fol. 62v Siehe auch Bd. IV 1,
     Nr. 37.
     Maria als Regina Coelestis und Regina Mundi.

606 Perikopenbuch; Buchmalerei, westfälisch o. niederrhei-
     nisch, um 1150. H. 27 cm, B. 20,5 cm. Paris, Bibl. Nationale,
     Cod. lat. 17325, fol. 51v.
     Marientod.

607 Prümer Antiphonar, fol. 52v, zw. 993 u. 1001, Paris. Siehe
     Nr. 605, auch Bd. IV 1, 37
     Marientod.

608 Sakramentar aus St. Martin in Tours; Buchmalerei, Tours (?),
     12. Jh. H. 28 cm, B. 21,8 cm. Tours, Bibl. Municipale, Cod.
     193, fol. 98r. Ausschnitt, Initiale V.
     Assumptio Mariae.

609 Einzelblatt; Buchmalerei, dt., Anf. 13. Jh. H. 12 cm, B. 12,5
     cm. München, Staatl. Graph. Sammlung, Inv. Nr. 40259 (r°).
     Marientod (Assumptio der Sponsa).

610 Sog. Stammheimer Missale; geschrieben vom Presbyter
     Heinrich im Michaelskloster zu Hildesheim, um 1160. H. 22
     cm, B. 13,5 cm. Privatbesitz, fol. 145v. Siehe auch Bd. IV 1,
     Nr. 45, 173.
     Assumptio. Sponsa – Sponsus.

611 Sog. Stammheimer Missale, fol. 146r, um 1160, Priv. Bes.
     Siehe Nr. 610, auch Bd. IV 1, 45 173.
     Die Jungfrau der Wurzel Jesse (Virgo de radice Jesse).

612 Psalterfragment; lavierte Federzeichnung, Regensburg-
     Prüfening, um 1180, H. 19,3 cm, B. 12,6 cm. München,
     Staatl. Graph. Sammlung, Inv. Nr. 39768.
     Marientod.

613 Fragment eines Lektionarium officii; Buchmalerei, Mainz (?)
um 1250, H. 51 cm, B. 35,5 cm. Hamburg, Staats- und Universitätsbibliothek, Cod. in scrin. 1, fol. 3v. Initiale C.
Assumptio Mariae.

614 Passionale und lat. Heiligenleben aus Mondsee; Federzeichnung, salzburgisch, vom Mönch Liutold, 1145. H. 28 cm, B.
20 cm. Wien, Österr. Nationalbibliothek, Cod. lat. 444, fol.
213r. Ausschnitt, Initiale H.
Grablegung Marias und Assumptio Mariae.

615 Jesaja-Kommentar des Ps-Hieronymus; Buchmalerei, Normandie, E. 11. Jh. Oxford, Bodleian-Library, Ms. Bodley
717, fol. 6v. Ausschnitt, Initiale E.
Die Jungfrau der Wurzel Jesse. Grablegung Marias.

616 Scheyerer Matutinalbuch; bayrisch, 1206–1225, H.55,1 cm,
B. 39,7 cm. München, Bayer. Staatsbibl., Cod. Lat. 17401,
fol. 24r. Siehe auch Bd.IV1, Nr. 197, 198. Ausschnitt.
Marientod.

617 Psalterium; Buchmalerei, nordfranzösisch, E. 12./Anf. 13.
Jh. H. 19,7 cm, B. 13,5 cm. Paris, Bibl. Nationale, Cod. lat.
238, fol. 62v.
Marientod und Marienkrönung.

618 Ingeborg-Psalter; Paris, gegen 1200. H. 30,4 cm, B. 20,4 cm.
Chantilly, Musée Condé, Cod. 1695, fol. 34v. Siehe auch
Bd.IV1, Nr. 62.
Tod (Grablegung) und Inthronisation Marias.

619 Hainricus-Missale; Buchmalerei, Weingarten, 2. V. 13. Jh.
New York, Pierpont-Morgan-Library, Ms. 711, fol. 57r.
Marienkrönung. Paradiesesflüsse, Evangelistensymbole.

620–622 York-(Hunterian-)Psalter; englisch um 1170. H. 29,2 cm
B. 19,0 cm. Glasgow, Hunterian Museum, Ms. V 3,2. Siehe
auch Bd. IV1, Nr. 2.

620 Fol. 17v: Todesverkündigung an Maria und Überreichung
des Palmzweiges aus dem Paradies.
Maria berichtet Johannes und Petrus von der Botschaft und
zeigt ihnen den Palmzweig.

621 Fol. 18r: Marientod mit Aposteln und Juden; Christus segnet die sterbende Maria. Grabtragung mit jüdischem Frevler.

622 Fol. 19v: Grablegung Marias. Erscheinung Christi am Grab
und Erhebung des Leichnams (Assumptio Corporis).

623 Sog. Berthold-Missale; Weingarten, um 1220. New York,
Pierpont-Morgan-Library, Ms.710, fol. 107r. Siehe auch
Bd.IV1, Nr. 87, 148.
Marientod mit jüdischem Frevler.

624 Civate, S. Pietro al Monte, Krypta; Stuckrelief, Ende. 11. Jh.
Marientod. (Darunter, nicht abgebildet: Kreuzigung).

625 Tympanon aus St. Pierre-le-Pullier in Bourges; Steinrelief,
um 1175. Bourges, Musée Berry.
Todesverkündigung an Maria, Ankunft der Apostel, Marientod (zerstört), Grabtragung. Erhebung des Leichnams
durch Engel, Assumptio Marias.

626 Chartres, Kathedrale, Nordquerhaus, Mittelportal; Tympanon und Türsturz, kurz nach 1204.
Marienkrönung. Marientod, Auferweckung Marias mit Engeln.

627–629 Senlis, Kathedrale, Nördliches Westportal (Marienportal); Steinrelief, gegen 1170.

627 Tympanon: Inthronisation Marias. In den Archivolten Vorfahren Christi der Wurzel Jesse.

628 Türsturz, linke Hälfte: Grablegung Marias und Assumptio
Animae.

629 Türsturz, rechte Hälfte: Auferweckung Marias durch Engel.

630 Steinrelief, 1. H. 12. Jh. Autun, Musée Rolin.
Auferweckung Marias.

631 Paris, Notre-Dame, Nördliches Westportal (Marienportal);
Steinrelief, Tympanon und Türsturz, 1210–1220. (Siehe auch
Nr. 463, 483).
Marienkrönung durch Engel. Auferweckung Marias durch
Christus. Drei Propheten, die Bundeslade, drei israelitische
Könige.

632 Laon, Kathedrale, Mittleres Westportal; Steinrelief, vielfach
ergänzt, Tympanon und Türsturz, gegen 1200.
Inthronisation Marias. Ankunft der Apostel, Marientod,
Übergabe der Seele Marias an einen Engel, Auferweckung
mit Engeln.

633 Straßburg, Münster, Südportal, 1225–1230. Siehe auch
Bd.IV1, Nr. 129, sowie 130, 131. Tympanon der östlichen
Tür.
Marienkrönung.

634 Straßburg, Münster, Südportal, 1225–1230. Siehe Nr. 129,
633 sowie 130, 131. Tympanon der westlichen Tür.
Marientod.

635–637 Lausanne, Kathedrale Notre-Dame, Portal an der südlichen Langhausseite (sog. Apostelpforte); Steinrelief, um
1230.

635 Tympanon: Marienkrönung.

636 Türsturz, linke Hälfte: Grablegung Marias.

637 Türsturz, rechte Hälfte: Auferweckung Marias mit Engeln.

638 Bardone, Pfarrkirche; Paliotto (Altarfrontale) des Hauptal-
tares, Steinrelief, 12. Jh. H. 111 cm, B. 202 cm.
Majestas Domini mit Marienkrönung.

639 Trier, Liebfrauenkirche, Nordportal (»Paradiespforte«);
Steinrelief, Tympanon, um 1240/50.
Marienkrönung.

640 Reims, Kathedrale, Nördliches Querhaus, Sog. Porte romane; Steinrelief, versetzte Fragmente vom Grabmal des
Erzbischofs Henri de France, gegen oder um 1180. Ausschnitt, Archivoltenscheitel.
Levatio Animae.

641 Tympanon aus St. Pierre-le-Pullier, um 1175, Bourges. Siehe
Nr. 625. Ausschnitt.
Assumptio Mariae.

642 Cabestany (Ostpyrenäen), Pfarrkirche, Tympanon, Fragment. Steinrelief, gegen 1150. Auferweckung Marias. Thomas mit dem Gürtel, Christus und Maria. Assumptio Mariae.

643–646 Clermont-Ferrand, Notre-Dame-du-Port, südöstliches
Chorsäulenkapitell; Steinrelief, E. 12. Jh. (Abbildung nach
Abguß).

643 Auferweckung Marias durch Christus.

644 Posaunenengel mit Siegesfahne.

645 Engel mit Lebensbuch.

646 Engel öffnet die Pforte der Himmelsburg.

647 Rom, Sa. Maria Maggiore; Mosaik in der Apsiskalotte, laut
Inschrift vom Franziskanermönch Jacopo Torriti, dat. 1295.
Krönung Marias. Darunter: Geburt Christi, Marientod, An-
betung der Könige.

648 Freiburg i. B., Münster, Märtyrerfenster im südlichen Seitenschiff; Maßwerkrosette mit Glasmalereien, 1270–1280.
Inthronisation Marias (Doppelthron).

649 Freiburg i. B., Münster, Schneiderfenster im nördlichen Seitenschiff über der Grafenkapelle; Maßwerkrosette mit Glasmalereien, 1320–1330.
Assumptio Mariae.

650 Ohrid, Sv. Kliment, E. 13. Jh. Siehe Nr. 505, 514, 564, auch
Bd. IV1, 162. Westwand, Ausschnitt.
Maria teilt ihren baldigen Tod den Frauen mit.

651 Ohrid, Sv. Kliment, E. 13. Jh. Siehe Nr. 505, 514, 564, 650,
auch Bd. IV1, 162. Westwand.

Koimesis mit den auf Wolken herbeigeführten Aposteln.
Gürtelspende der emporfahrenden Maria an Thomas. Grabtragung Marias.

652 Dečani (Serbien), Klosterkirche; Freskoausmalung,
1335–1350, Ausschnitt.
Gebet Marias am Ölberg vor ihrem Tod.

653 Studenica, Königskirche, 1313–1314. Siehe Nr. 515, 529.
Westwand, Ausschnitt aus dem fragmentierten Fresko.
Apostel und Frauen am leeren Grab Marias.

654 Čučer, Sv. Nikita, 1307. Siehe Nr. 412. Westwand.
Koimesis und Assumptio Corporis.

655 Staro Nagoričino, Georgskirche, 1317/18. Siehe Nr. 584.
Westwand, Ausschnitt.
Assumptio Corporis mit Gürtelspende.

656 Gračanica (Serbien), Klosterkirche; Wandmalereien der sog.
Milutinschule, um 1320. Siehe auch Bd. IV1, 161.
Koimesis in Form der Grabtragung (Translatio) mit Frevler.

657 Rom, S. Maria Egiziaca, zw. 872 und 882. Siehe Nr. 485.
Christus verkündet Maria den Tod.

658 Andrea di Cione, gen. Orcagna (tätig 1344–1368); Marmorrelief, zw. 1352 und 1360. Florenz, Orsanmichele, Tabernakel, Sockelzone.
Todesverkündigung an Maria durch einen Engel mit Palmzweig.

659 Duccio di Buoninsegna (1270/80–1319); Maestà, ehemaliger
Hochaltar des Sieneser Doms, Tafelmalerei, 1308–1311.
Siena, Opera del Duomo. Tafel vom Aufsatz, Vorderseite.
H. 41,5 cm, B. 54 cm.
Todesverkündigung an Maria durch einen Engel mit Palm-
zweig.

660 Padua, Arena-(Scrovegni-)Kapelle; Fresken der Giotto-
Schule im Chor, um 1310. Zweites Bildfeld.
Ankunft der Apostel und Abschiedsgespräch mit Maria.

661 Duccio, Maestà, 1308–1311, Siena. Siehe Nr. 659. Tafel vom
Aufsatz, Vorderseite, H. 41,5 cm, B. 54 cm.
Versammlung der Apostel, Abschied des Johannes von Ma-
ria.

662 Duccio, Maestà, 1308–1311, Siena. Siehe Nr. 659, 661. Tafel
vom Aufsatz, Vorderseite, H. 41,5 cm, B. 54 cm.
Abschiedsgespräch der Apostel mit Maria.

663 Taddeo di Bartolo (1362–1422); Freskenzyklus, 1407 datiert.
Siena, Cappella del Palazzo Pubblico.
Abschied der Apostel von Maria.

664 Padua, Arenakapelle, Giotto-Schule, um 1310. Siehe Nr. 660.
Marientod.

665 Taddeo di Bartolo, Siena, Palazzo Pubblico, 1407. Siehe Nr. 663.
Marientod.

666 Padua, Arenakapelle, Giotto-Schule, um 1310. Siehe Nr. 660, 664.
Grabtragung mit Bestrafung der frevlerischen Juden.

667 Taddeo di Bartolo, Siena, Palazzo Pubblico, 1407. Siehe Nr. 663, 665.
Grabtragung mit Bestrafung der frevlerischen Juden.

668 Duccio, Maestà, 1308–1311, Siena. Siehe Nr. 659, 661, 662.
Ausschnitt, Aufsatz, Vorderseite. H. 41 cm, B. 54,5 cm.
Grablegung Marias.

669 Taddeo di Bartolo, Siena, Palazzo Pubblico, 1407, Siehe Nr. 663, 665, 667.
Auferweckung Marias durch Christus.

670 Padua, Arenakapelle, Giotto-Schule, um 1310. Siehe Nr. 660, 664, 666.
Krönung Marias.

671 Padua, Arenakapelle, Giotto-Schule, um 1310. Siehe Nr. 660, 664, 666, 670.
Assumptio Mariae mit Gürtelspende.

672 Andrea Orcagna, Tabernakel, Rückseite, 1352–1360, Florenz. Siehe Nr. 658.
Marientod. Assumptio Mariae mit Gürtelspende.

673 Bernardo Daddi (um 1295– um 1348); Tafelmalerei, Predella mit sieben Szenen der Legende vom Heiligen Gürtel von Prato. 2. V. 14. Jh. Prato, Galleria Comunale. Ausschnitt.
Thomas zeigt den anderen Aposteln den Gürtel Marias.

674 Benozzo Gozzoli (1420–1497); Altarretabel, Tafelmalerei, um 1450. Rom, Vatikan, Pinacoteca.
Gürtelspende an Thomas. Predella: Mariengeburt, Vermählung Marias, Verkündigung, Geburt Christi, Darbringung Christi, Marientod.

675–676 Buchsbaum-Diptychon; rheinisch, vermutlich aus S. Maria im Kapitol zu Köln. M. 14. Jh. H. 19,4 cm, B. je 10,2 cm. Köln, Erzbischöfliches Diözesanmuseum.

675 Linker Flügel, von oben: Johannes bringt Maria einen Palmzweig als Ankündigung ihres nahen Todes (?), Maria bricht in Gegenwart einiger Apostel zusammen, Maria betet allein auf dem Ölberg. Abschied von den Aposteln. Marientod.

676 Rechter Flügel, von unten: Grabtragung Marias mit Frevler. Der Leichnam Marias wird durch Engel emporgetragen. Marienkrönung.

677 Hans Schäufelein (1480/85– um 1539); sog. »Christgartner Altar«, Tafelmalerei, aus dem Kartäuserkloster Sankt Peter in Christgarten am Ries, originaler Zusammenhang unbekannt, um 1525–1530. H. 126 cm, B. 100 cm. München, Bayer. Staatsgemäldeslgn., Alte Pinakothek.
Todesverkündigung an Maria durch einen Engel; Ankunft der Apostel.

678 Paris, Notre-Dame; Sockelrelief an der Chornordseite, 1. H. 14. Jh.
Grabtragung Marias mit jüdischen Frevlern.

679 Nürnberg, St. Sebald; Westliches Portal der Nordseite, Steinrelief, um 1320. Tympanon.
Marientod, Grabtragung Marias mit Frevlern, Marienkrönung.

680 Tafelbild; fränkisch, 1400–1420. Nürnberg, Germanisches Nationalmuseum.
Grabtragung Marias; Heilung der Frevler durch Johannes und Petrus.

681 Meister der Marienbestattung (tätig um 1500); Fronleichnamsaltar aus der Burgkirche zu Lübeck, Tafelmalerei, 1496. Lübeck, St. Annen Museum. Predellenflügel, Innenseite, H. 60 cm, B. 81 cm.
Grabtragung Marias; Engel bringt Thomas den Gürtel Marias.

682 Pietro da Rimini (tätig 2. V. 14. Jh.); Tafelbild, Flügel eines Diptychons, 1320–1330. H. 63,3 cm, B. 32,5 cm. Hamburg, Kunsthalle.
Marientod mit frevlerischen Juden und Assumptio im Bildtypus der Levatio Animae.

683 Fra Giovanni Angelico da Fiesole (1387–1455); Tafelbild, rechter Predellenteil zur Marienkrönungstafel aus Sa. Maria Nuova zu Florenz, derzeit in den Uffizien, 1434–1435. H. 19 cm, B. 50 cm. Florenz, Museo di San Marco.
Begräbnis Marias (Mischform mit Marientod).

684 Andrea Mantegna (1431–1506); Tafelbild, angeblich ursprünglich Bestandteil des sog. Florentiner Triptychons, um 1465. H. 54 cm (oben beschnitten), B. 42 cm. Madrid, Museo del Prado.
Aufbahrung des Leichnams Marias.

685 Vittore Carpaccio (um 1455–1526); Tafelbild, aus dem Baptisterium von Sa. Maria del Vado zu Ferrara, 1508. H. 242 cm, B. 147 cm. Ferrara, Pinacoteca Comunale.

Aufbahrung des Leichnams Marias mit Assumptio animae.

686 Retabel aus Wennigsen; Tafelmalerei, niedersächsisch, um 1290. H. 114 cm, B. 139,5 cm. Hannover, Niedersächsische Landesgalerie.
Marientod.

687 Tafelmalerei; österreichischer Meister, 1330–1335. H. 108 cm, B. 120 cm. Eine der vier Tafeln von der Rückseite des Klosterneuburger Altars. Die 1181 von Nikolaus von Verdun vollendeten Emailtafeln, ehemals Kanzelverkleidung, wurden nach einem Kirchenbrand von 1330, unter Hinzufügung weiterer Emailtafeln und der vier Tafelbilder, zu einem Flügelaltar umgestaltet. Klosterneuburg bei Wien, Stifts-Kirche, Leopoldskapelle am Kreuzgang.
Marientod.

688 Apokalypse-Altar; Werkstatt Meister Bertrams, Tafelmalerei, 1400–1415. London, Victoria-and-Albert-Museum. Ausschnitt, linker Außenflügel.
Marientod.

689 Sog. »Goldene Tafel«; ehemaliger Hochaltar von St. Michael zu Lüneburg, Tafelmalerei, Meister der Goldenen Tafel, um 1418. Vier Flügel, vgl. Bd. 2, Abb. 21–24. Schrein verloren. H. 231 cm, B. 184 cm. Hannover, Niedersächsische Landesgalerie. Ausschnitt, rechter Außenflügel, Innenseite.
Marientod.

690 Marientod aus Košátky; Tafelmalerei, böhmisch, Umkreis des Meisters von Hohenfurth, um 1345. H. 100 c, B. 71 cm. Vermutlich unten beschnitten. Boston. Museum of Fine Arts.
Marientod.

691 Konrad von Soest (um 1370–1422 ?); Marienaltar, Tafelmalerei, bei der Einfügung in einen Barockaltar Anf. 18. Jh. stark verändert. Das Mittelbild auf etwa zwei Fünftel der ursprünglichen Größe reduziert, H. 137 cm, B. 110 cm. Um 1420. Dortmund, Marienkirche. Fragment der Mitteltafel.
Marientod.

692 Raudnitzer Altar; Triptychon, Tafelmalerei, böhmisch, Umkreis des Meisters von Wittingau, um 1410–1415. Prag, Nationalgalerie. Mitteltafel: H. 147 cm, B. 118,5 cm. Marientod. Linker Flügel: Schutzmantelmadonna. Rechter Flügel: Schutzmantelschmerzensmann.

693 Hugo van der Goes (um 1440–1482); Tafelbild, um 1480. H. 146 cm, B. 121 cm. Brügge, Groeninge-Museum.
Marientod.

694 Meister des Erfurter Regler-Altars (tätig 3. V. 15. Jh.); Tafel-

malerei, Flügel eines Altars, um 1470. H. 160,5 cm, B. 59,3 cm. München, Bayer. Staatsgemäldelgn., Alte Pinakothek. »Rechter« Flügel, Innenseite.
Marientod.

695 Tafelbild; rheinisch, Werkstatt des Meisters des Marienlebens, vom Flügel des mutmaßlichen früheren Hochaltars von St. Columba zu Köln, dat. 1473. H. 92 cm, B. 79 cm. Nürnberg, Germanisches Nationalmuseum (Dauerleihgabe der Bayer. Staatsgemäldeslgn. München).
Marientod.

696 Sterzinger Altar; Tafelmalerei, Flügel des verstreuten Altars, Werkstatt Hans Multschers, sog. Meister des Sterzinger Altars, 1458 vollendet. Sterzing (Südtirol), Rathaus.
Marientod.

697 Michael Pacher (um 1435–1498); Wolfgangsaltar, mehrflügliger Schreinaltar, 1471–1481. St. Wolfgang, Pfarrkirche. Rechter Innenflügel, Innenseite. H. 180 cm. B. 145 cm.
Marientod.

698 Martin Schaffner (1477/78–um 1547); Innen- und Außenflügel vom Hochaltar des ehemaligen Augustiner-Chorherrenstifts Wettenhausen, Tafelmalerei, 1523–1524. München, Bayer. Staatsgemäldeslgn., Alte Pinakothek. Rechter Außenflügel, Innenseite, 1523, H. 300 cm, B. 158 cm.
Marientod.

699 Hans Holbein d. Ä. (um 1465–1524); Tafelmalerei, Fragment des verstreuten Afra-Altars aus St. Ulrich und Afra zu Augsburg, dat. 1490. Basel, Öffentliche Kunstsammlungen. Linker Flügel, Innenseite. H. 137 cm, B. 71,2 cm.
Marientod.

700 Hermen Rode (um 1430–um 1504); Greverade-Altar, Tafelmalerei, Diptychon, dat. 1494. H. 164 cm, B. je 188 cm. 1942 verbrannt, ehemals Lübeck, Marienkirche. Linker Flügel, Innenseite.
Marientod mit Grabtragung und Assumptio.

701 Hans Holbein d. Ä. (um 1465–1524); Tafelmalerei, Fragment vom verstreuten ehemaligen Hochaltar aus der Dominikanerkirche in Frankfurt a. M., dat. 1501. Basel, Öffentliche Kunstsammlungen. Nach der Rekonstruktion rechter Innenflügel, Innenseite, unten. H. 165 cm, B. 152 cm.
Marientod.

702 Wolf Huber (um 1485–1553); Zeichnung, undatiert, um 1525–1530. H. 41,8 cm, B. 30,8 cm. Basel, Öffentliche Kunstsammlungen, Kupferstichkabinett.
Marientod in einem Kirchenraum (vgl. dazu Nr. 482) und Empfang Marias im Himmel.

703 Holzretabel; Ulmer Meister, um 1500. Mittelberg (Kleines Walsertal), Klosterkirche.
Marientod.

704–705 Veit Stoß (um 1445–1533); Marienaltar, Holzschnitzwerk, gefaßt, 1477–1489. Gesamthöhe mit Sprengwerk 13 m. Krakau, Marienkirche.

704 Mittelschrein, gesamt.

705 Ausschnitt: Marientod.

706 »Susdaler Bildtüren«; Kupferplatten, graviert und feuervergoldet auf Holzkern, um 1227–1237. Susdal, Mariae-Geburt-Kathedrale im Kreml. Westtür, Ausschnitt.
Himmelfahrt Marias mit Gürtelspende an Thomas; Niederlegung des Gürtels auf dem Altar der Blachernenkirche zu Konstantinopel.

707 Coppo di Marcovaldo (um 1225–1274); Tafelkreuz, um 1260. H. 296 cm, B. 247 cm. San Gimignano, Pinacoteca Civica. Ausschnitt: obere Quertafel (»Cimasa«).
Sonderform einer Himmelfahrt Christi.

708 Spoleto, SS. Giovanni e Paolo; Freskenfragment, umbrisch, E. 13. Jh.
Himmelfahrt Marias mit Gürtelspende an Thomas; hl. Franziskus.

709 Graduale; sienesisch, 3. V. 13. Jh. H. 45,8 cm, B. 35,2 cm. Asciano bei Siena, Museo d'Arte Sacra, Ms. Cor. ss., fol. 20r.
Gürtelspende.

710 Retabel; Tafelmalerei, umbrisch-sienesisch, signiert: Simeon und Machilos von Spoleto, zw. 1270 und 1280. H. 79,2 cm, B. 120 cm. Antwerpen, Museum Mayer van den Bergh. Ausschnitt.
Himmelfahrt Marias.

711 Flügelaltar; Tafelmalerei, toskanisch, um 1225 (?), angeblich um 1280/90 von Margarito d'Arezzo restauriert. Santuario Santa Maria delle Vertighe bei Monte San Savino (Toskana). Ausschnitt.
Himmelfahrt Marias vom Grab aus.

712 Brevier; Buchmalerei, aus der Diözese Basel, kurz nach 1235. H. 20 cm, B. 15,3 cm. St. Gallen, Stiftsbibliothek, Cod. 402, fol. 12r.
Himmelfahrt Marias vom Ölberg aus.

713 Duccio di Buoninsegna (1250/70–1319); Siena, Dom, Rundfenster im Chor, Glasmalerei, 1287 auf 1288, Mittelteil.
Grablegung, Himmelfahrt und Krönung Marias. (Seitenfelder mit den Evangelisten und vier Heiligen nicht abgebildet.)

714 Gualtieri di Giovanni da Pisa (nachweisbar 1389–1445); Tafelbild, E. 14. Jh. H. 65 cm, B. 42 cm. Berlin (W), Preuß. Kulturbesitz, Gemäldegalerie.
Maria in der Glorie.

715 Andrea di Bartolo (ab 1389 nachweisbar–1428); Epitaph für Ser Palmides und seinen Sohn, Tafelmalerei, signiert und datiert, 1401, H. 200 cm, B. 84 cm. Richmond/Virginia, Virginia Museum of Fine Arts.
Assunta; Thomas empfängt den Gürtel Marias.

716 Matteo di Giovanni (um 1433–1495); Tafelbild, vermutlich Mitteltafel eines verstümmelten Polyptychons aus S. Agostino zu Asciano. 1474. H. 331 cm, B. 173 cm. London, National Gallery.
Assunta mit Gürtelspende.

717 Antiphonar; Buchmalerei, dem sog. Meister der Dominikaner-Bilder zugeschrieben, um 1340. H. 52 cm, B. 37,5 cm. Impruneta, Collegiata di Santa Maria, Cod. A–V, fol. 158r. Ausschnitt.
Ikonographische Mischform: Depositio mit Seelenempfang durch Christus – Assunta mit Gürtelspende.
(Nicht abgebildet, am unteren Blattrand: Grabtragung Marias)

718 Jean Fouquet (um 1415/20–1477/81); Heures d'Etienne Chevalier, Buchmalerei, 1452–1460. Chantilly, Musée Condé, Ms. Cat. res. Gr. 201.
Marientod.

719 Jean Fouquet, Heures d'Etienne Chevalier, 1452/60, Chantilly. Siehe Nr. 718.
Himmelfahrt Marias.

720 Meister des Tucheraltars (tätig M. 15. Jh.); Tucheraltar, Tafelmalerei, um 1440/50. Bis 1487 als Hochaltar der Augustinerkirche St. Veit nachweisbar, 1615 für die Karthäuserkirche im Auftrag der Familie Tucher renoviert, seit 1816 in der Frauenkirche, alle Nürnberg.
Nürnberg, Frauenkirche. Linker Flügel, Außenseite (H. 178 cm, B. 109 cm), Ausschnitt.
Himmelfahrt Marias.

721 Meister der Hl. Sippe (tätig um 1480–1520); sog. »Siebenfreudenaltar«, Tafelmalerei, aus dem Benediktinerinnenkloster zu den Machabäern in Köln, fragmentiert und verstreut. Flügel jeweils H. 123 cm, B. 42 cm. Um 1495. Nürnberg, Germanisches Nationalmuseum (Dauerleihgabe der Bayer. Staatsgemäldeslgn., München).
Himmelfahrt Christi. Himmelfahrt Marias.

722 Tilmann Riemenschneider (um 1460–1531); Creglinger Ma-

rienaltar, Flügelaltar, Schnitzwerk, um 1505/08. Mittelschrein: H. ca. 250 cm, B. 186 cm. Creglingen, Herrgottskir-
che. Ausschnitt. Mittelschrein.
Himmelfahrt Marias.

723 Albert Bouts (um 1460–1549); Triptychon, Tafelmalerei, aus
     der Kapelle Notre-Dame-hors-les-murs zu Louvain, Anf.
     16. Jh., Mitteltafel H. 186 cm, B. 108 cm. Brüssel, Koninklijk
     Musea voor Schone Kunsten van Belgie.
     Apostel am leeren Grab Marias; Grabtragung. Auffahrt Ma-
     rias in den Himmel, von der Trinität geleitet.

724 Meister von St. Severin (tätig E. 15. Jh.–Anf. 16. Jh.); Teile
     einer Bilderfolge aus St. Severin zu Köln, Tafelmalerei, um
     1500. Jeweils H. 125 cm. München, Bayer. Staatsgemäl-
     deslgn., derzeit Bamberg, (Filial-)Staatsgalerie.
     Himmelfahrt Marias.

725 Meister des Marienlebens, Marienaltar, um 1465, München.
     Siehe Nr. 507, 519, 541, 577.
     Himmelfahrt Marias.

726 Rueland Frueauf (um 1440/45–1507); Tafelmalerei, Frag-
     ment eines Altars aus Passau, signiert und datiert, 1490. H.
     209 cm, B. 134 cm. Wien, Kunsthistorisches Museum. Au-
     ßenseite.
     Himmelfahrt Marias.

727 Jörg Breu d. Ä. (um 1480–1537); Orgelflügel, Tafelmalerei,
     um 1518/20. Augsburg, St. Anna. Rechter Flügel, Innenseite.
     Aufnahme Marias im Himmel.

728 Tiziano Vecellio (um 1477–1576); Altarbild, Tafelmalerei,
     1516–1518. H. 690 cm, B. 360 cm. Venedig, Santa Maria
     Gloriosa dei Frari, Hochaltar.
     Assunta.

729 Rubenswerkstatt; Altarblatt, Leinwandbild, aus der kur-
     fürstlichen Privatkapelle im Schloß Schleißheim, um 1630,
     H. 155 cm, B. 110 cm. München, Bayer. Staatsgemäldeslgn.,
     Depot.
     Himmelfahrt Marias.

730 Giotto di Bondone (1266–1337) und Werkstatt; Polypty-
     chon, sog. »Polittico Baroncelli«, Tafelmalerei, beschnitten
     und neu gerahmt (2. H. 15. Jh.), zw. 1329 und 1332. H. 185
     cm, B. 325 cm. Florenz, S. Croce, Baroncelli-Kapelle. Aus-
     schnitt ohne Rahmen und Predella.
     Marienkrönung mit Himmelsstaat (mit Adam und Eva).

731 Lorenzo Monaco, eigentlich Piero di Giovanni (um 1370/
     71–1423/24); Mittelteil eines Altars, Tafelmalerei, vermut-
     lich Fragment eines Retabels aus dem Camaldulenserkloster

S. Benedetto fuori della Porta a Pinti bei Florenz, um 1410/
20. H. 217 cm, B. 115 cm. London, National Gallery.
Marienkrönung.

732 Jacopo di Cione (nachweisbar 1365–1398), Niccolo di Pietro
     Gerini (nachweisbar 1368–1415) und Simone di Lapo Gucci
     (?); Tafelbild, um 1373. H. 350 cm, B. 190 cm. Florenz, Gal-
     leria dell'Accademia.
     Marienkrönung.

733 Paolo Veneziano (nachweisbar 1333–1362); Vielteiliges Re-
     tabel, Tafelmalerei, um 1350. Venedig, Gallerie dell'Accade-
     mia (früher Mailand, Pinacoteca di Brera). Ausschnitt, Mit-
     teltafel (H. 98 cm, B. 63 cm).
     Marienkrönung in Sonnen- und Sternglorie.

734 Tondo; Tafelmalerei, Hofatelier von Paris oder Dijon, um
     1400/1410. Durchmesser 20,5 cm. Berlin (West), Preuß.
     Kulturbesitz, Gemäldegalerie.
     Marienkrönung.

735 Tafelbild; französisch (?), signiert I. M., dat. 1457. H. 126
     cm, B. 110 cm. Basel, Öffentliche Kunstsammlungen.
     Marienkrönung durch die Trinität. Sechs Heiligen-Chöre,
     Engel, Stifterfamilie; Evangelistensymbole.

736 Buxtehuder Altar, um 1410, Hamburg. Siehe Nr. 492. Linker
     Außenflügel, Außenseite, Ausschnitt.
     Marienkrönung.

737 Sog. »Goldene Tafel«, um 1418, Hannover. Siehe Nr. 689.
     Rechter Außenflügel, Innenseite, Ausschnitt.
     Marienkrönung.

738 Meister von Maria am Gestade (tätig um 1460); Altartafel,
     um 1460. Wien, Redemptoristenkloster Maria am Gestade
     (Maria Stiegen).
     Marienkrönung durch Gott Vater.

739 Filippo Lippi (1406–1469); Spoleto, Dom, Freskoausmalung
     der Apsis, 1466–1469. Ausschnitt aus der Apsiskalotte.
     Marienkrönung durch Gott Vater.

740 Michael Pacher, Wolfgangsaltar, vollendet 1481, St. Wolf-
     gang. Siehe Nr. 697. Mittelschrein, Ausschnitt.
     Marienkrönung.

741 Jan Polack (nachweisbar 1482–1519); Blutenburger Altar,
     Tafelmalerei, 1491 vollendet. München, Blutenburg,
     Schloßkapelle, Hauptaltar. Ausschnitt, rechter Seitenflügel,
     Innenseite.
     Marienkrönung durch die Trinität.

742 Enguerrand Charonton (um 1410–nach 1466); Tafelmalerei,

Programm durch einen Priester Jean de Montagnac vertraglich festgelegt, für die Grabkapelle des Papstes Innozenz VI. in der Chartreuse du Val-de-Bénédiction zu Villeneuve, 1453–1454. H. 183 cm, B. 220 cm. Villeneuve-lès-Avignon, Musée de l'Hospice.
Marienkrönung durch die Trinität, Himmelsstaat. (Zu den Nebenszenen siehe Text.)

743 Meister von Moulins (tätig 2. H. 15. Jh.–Anf. 16. Jh.); Tafelbild, Anf. 16. Jh. Paris, Privatbesitz.
Verherrlichung Marias.

744a,b Jean Fouquet, Heures d'Etienne Chevalier, 1452/60, Chantilly. Siehe Nr. 718, 719.
a Marienkrönung.
b Inthronisation Marias, Allerheiligenhimmel.

745 Sog. Dürnberger Altar; Holzschnitzwerk, dat. 1507. Seckau (Steiermark), Benediktinerabtei, Bischofkapelle.
Marienkrönung durch die Trinität.

746 Jörg Zürn (um 1580–um 1635) und Gehilfen; sog. Überlinger Altar, Holzschnitzwerk, 1613–1616. Gesamthöhe ca. 10 m. Überlingen, Münster, Hochaltar. Ausschnitt aus dem Aufbau.
Marienkrönung durch die Trinität.

747 Meister H. L. (tätig um 1510–1530); »Breisacher Altar«, Holzschnitzwerk, datiert 1526. Breisach, Münster, Hochaltar. Ausschnitt, Mittelschrein (H. 431 cm, B. 362 cm).
Marienkrönung durch die Trinität.

748 Anton Woensam (vor 1500–1541); Tafelbild, nachträglich mit Inschrift (Albertus Dürer) und Datierung versehen, 1515 (?). H. 114,5 cm, B. 128,5 cm. Köln, Wallraf-Richartz-Museum.
Tod und Krönung Marias.

749 Albrecht Dürer (1471–1528); Holzschnitt, aus dem Marienleben, 1510. H. 29 cm, B. 20,7 cm.
Marienkrönung über dem leeren Grab.

750 Hans Leonhard Schaeufelein (um 1480–1538/40); Epitaph für Anna Prigel, Tafelmalerei, 1521. H. 148 cm (184 komplett), B. 97 cm. Nördlingen, Stadtmuseum. Ausschnitt ohne Stifter.
Krönung Marias über dem leeren Grab.

751 Holzplastik; regensburgisch, halbrunde Wandplastik, um 1280. H. 95 cm. München, Bayer. Nationalmuseum.
Anna Selbdritt.

752 Holzplastik; niederdeutsch, aus Ribbesbüttel, um 1400. H. 40 cm. Hannover, Niedersächsische Landesgalerie.
Anna Selbdritt.

753 Stundenbuch; Buchmalerei, Flandern, Anf. 16. Jh. H. 13,4 cm, B. 8,2 cm. Wien, Österreichische Nationalbibliothek, Cod. 1984, fol. 42v, 43r.
Verkündigung an Maria; Szenen aus der Joachim-und-Anna-Legende.

754 Beschlagplatten; Kupfer, graviert und vergoldet, Augsburg, vermutlich von einem Reliquienkästchen, E. 12. Jh.–2. V. 13. Jh. H. je ca. 10,8 cm, B. 4,5 bzw. 5 cm. Augsburg, Städtische Kunstsammlungen (Diözesanmuseum).
Dreimatresdarstellungen: Anna mit dem Marienkind, Maria mit dem Jesusknaben, Elisabeth mit dem Johannesknaben.

755 Tommaso Masaccio (1401–1428) und Masolino da Panicale (1383–um 1435); Tafelbild, aus S. Ambrogio zu Florenz, um 1424/25. H. 175 cm, B. 103 cm. Florenz, Uffizien.
Anna Selbdritt.

756 Girolamo dai Libri (um 1474–1555); Leinwandbild, ehemals Mittelteil eines Triptychons, aus Santa Maria della Scala zu Verona, um 1511/12. H. 158 cm, B. 94 cm. London, National Gallery.
Anna Selbdritt – Maria zertritt die Schlange.

757 Sog. Buxheimer Altar; Daniel Mauch und Werkstatt, Holzschnitzwerk und Tafelmalerei, um 1510. Ulm, Städtisches Museum, Ausschnitt.
Allegorie des Stammbaums Christi.

758 Tafelmalerei; südwestflandrisch, Fragment des Altars der Annenkapelle in der Frankfurter Karmeliterkirche, um 1490. H. 91 cm, B. 53 cm. Frankfurt, Historisches Museum.
Anna Gravida. Disputation über die Unbefleckte Empfängnis Mariae.

759 Tafelbild; flämisch, um 1520, H. 45,7 cm, B. 33 cm. Berlin (W), Preuß. Kulturbesitz, Gemäldegalerie (früher Sigmaringen, Hohenzollernsches Museum).
Sinnbild der Unbefleckten Empfängnis Marias.

760 Hans Holbein d. Ä. (um 1465–1524); Tafelbild, um 1490/93. H. 42 cm, B. 35 cm. Kreuzlingen, Sammlung Kisters (früher Meersburg, Slg. Kisters).
Anna Selbdritt.

761 Sog. Meister mit dem Dächlein (tätig um die Mitte d. 15. Jh.); Kupferstich, 3. V. 15. Jh. H. 41,5 cm, B. 27,6 cm.
Stammbaum Marias mit Anna Selbdritt.

762 Giambattista Tiepolo (1696–1770); Altarbild für Santa Chiara zu Cividale, 1759. H. 244 cm, B. 120 cm. Dresden, Staatliche Gemäldegalerie.
Vision der Hl. Anna.

763 Luca Giordano (1632–1705); Altarbild, Leinwand, 1685. H. 400 cm, B. 225 cm. Rom, Santa Maria in Campitelli. Hl. Anna und die Erwählung des Marienkindes.

764 Marmorsgraffito; südfranzösisch, ursprünglich mehrfarbig, 5./6. Jh. Saint-Maximin-la-Sainte-Baume (Var), Dominikanerkirche Ste-Madeleine, Krypta. Maria als Tempeljungfrau (Ausschnitt).

765 Panegyricus des Convenevole da Prato; Buchmalerei, Pacino di Bonaguida zugeschrieben, um 1335/40. London, British Library, Ms. Royal 6 E IX, fol. 5r. Ausschnitt. Maria als Tempeljungfrau.

766 Meister des Bamberger Altars (tätig 1. H. 15. Jh.); Tafelbild vom verstreuten Marienaltar von Langenzenn, um 1430. H. 106 cm, B. 42 cm, unten und oben beschnitten, Aachen, Suermondt-Museum. Maria Gravida.

767 Holzstatuette; mit Farb- und Edelmetallfassung, aus dem Dominikanerinnenkloster Regensburg, um 1300. H. 33 cm. Nürnberg, Germanisches Nationalmuseum. Maria Gravida.

768 Holzplastik; vermutlich rheinisch-westfälisch, um 1350. H. 71 cm. Bonn, Rheinisches Landesmuseum. Maria als Tempeljungfrau.

769 Tafelbild; westfälisch, dem sog. Meister von 1473 zugeschrieben, E. 15. Jh. Soest, Maria zur Höhe (»Hohenkirche«). Maria als Tempeljungfrau im Ährenkleid; Stifterpaar.

770 Piero della Francesca (um 1416–1492); Fresko, zu Ehren des dort begrabenen Vaters, um 1460. Monterchi (Toskana), Friedhofkapelle. »Madonna del Parto« (Maria Gravida).

771 Gottfried Bernhard Göz (1708–1774); Birnau, Wallfahrtskirche, Fresko in der Chorkuppel, 1749 datiert. Allegorie der Unbefleckten Empfängnis (»Mutter der schönen Liebe, der Erkenntnis und der heiligen Hoffnung«).

772 Missale-Fragmente; Buchmalerei, Ausschnitte aus einem lateinischen Missale, England, E. 14. Jh. London, British Library, Ms. Add. 29704, fol. 193v (Forts. Ms. Add. 29705). Trinität und Maria als apokalyptisches Weib. (Fürbittedarstellung)

773 Missale für Kaiser Maximilian I.; Buchmalerei, burgundisch, um 1513/15. H. 26 cm, B. 22,5 cm. Jena, Universitätsbibliothek, Chorbuch 4, fol. 29v. Eva-Maria-Typologie (Todes- und Lebensbaum); kaiserliche Stifter.

774 Niederaschau, Pfarrkirche St. Maria; Freskoausmalung der Seitenschiffe, Balthasar Furthner zugeschrieben, M. 18. Jh. Maria Immaculata als Siegerin über die Erbsünde.

775 Luca Signorelli (um 1450–1523) zugeschrieben; Tafelbild aus Il Gesu in Cortona, 1521. H. 217 cm, B. 210 cm. Cortona, Museo Diocesano. Disputation über die Unbefleckte Empfängnis.

776 Sog. Meister der Luzien-Legende (tätig 1480–1489); Tafelbild, aus einem Kloster bei Burgos, um 1485. H. 215,9 cm, B. 185,4 cm. Washington, National Gallery of Art, Samuel H. Kress Collection. Verherrlichung Marias.

777 Carlo Crivelli (um 1430/35–1500); Tafelbild aus S. Francesco zu Pergola, signiert und datiert 1492, H. 195 cm, B. 94 cm. London, National Gallery. Die Jungfrau Maria als Auserwählte Gottes.

778 Girolamo di Giovanni da Camerino; (tätig 3. V. 15. Jh.). Tafelbild, Gualdo Tadino (Umbrien), Pinacoteca Comunale in San Francesco. Allegorie der Unbefleckten Empfängnis; Joachim und Anna an der Goldenen Pforte.

779 Dossale; Majolikarelief, Art des Andrea und Giovanni della Robbia, 1. V. 16. Jh. Empoli (Toskana), Museo della Collegiata. Aus S. Maria a Ripa. Die Jungfrau Maria zwischen den Heiligen Anselm und Augustinus.

780 Francesco Vanni (1563–1610); Tafelbild, datiert 1588. H. 168 cm, B. 115 cm. Montalcino, Dom S. Salvatore, Altar der Unbefleckten Empfängnis. Maria Immaculata mit Kind und Mariensymbolik.

781 El-Greco-Werkstatt; Leinwandbild, verkleinerte freie Wiederholung des Altarbildes der Capilla de Isabel de Oballe von San Vicente, jetzt Museo de Santa Cruz, Toledo. Um 1605/10. H. 108 cm, B. 82 cm. Lugano-Castagnola, Sammlung Thyssen. Maria Immaculata.

782 Diego Velasquez (1599–1660); Leinwandbild, um 1618. H. 135 cm, B. 102 cm. London, National Gallery, Woodall and Frere Loan. Maria Immaculata.

783 Michelangelo Merisi, gen. Caravaggio (1573–1610); Leinwandbild, für den Altar der Palafrenieri in St. Peter gemalt, um 1605/06. H. 292 cm, B. 211 cm. Rom, Galleria Borghese. Ausschnitt. »La Madonna del Serpe«.

784 Giambattista Tiepolo (1696–1770); Leinwandbild, aus der Chiesa di Aracoeli zu Vicenza, 1734–1736. H. 380 cm, B. 190 cm. Vicenza, Museo Civico, Pinacoteca.
Maria Immaculata.

785 Holzplastik; oberschwäbisch, um 1760/70. H. 127 cm. Obermaiselstein (Allgäu), Pfarrkirche St. Katharina, Chor.
Maria Immaculata mit Kind.

786 Holzplastik; oberschwäbisch, von einer Erneuerung des Hochaltars, um 1720. Deuchelried bei Lindau, Pfarrkirche St. Peter, Hochaltar.
Maria Immaculata.

787 Joseph Christian (1706–1777); Bad Buchau am Federsee (Oberschwaben), ehemalige Damenstiftskirche St. Cornelius und Cyprian, lebensgroße Stuckplastik an der linken Seite des Mittelschiffes, um 1775.
Maria Immaculata mit Kind, das die Schlange tötet.

788 Giambattista Tiepolo (1696–1770); Udine, Chiesa della Purita, Deckenfresko, signiert und datiert, 1759.
Himmelfahrt Marias.

789 Johann Nepomuk Schöpf (um 1735–nach 1785); Fürstenfeld bei Fürstenfeldbruck, ehem. Zisterzienserstiftskirche, Hochaltar, 1760–1762, Altarblatt; Holzplastik von unbekannter Hand, Ausschnitt.
Himmelfahrt Marias und Empfang im Himmel durch die Trinität.

790 Balthasar Riepp (1703–1764); Großaitingen (Schwaben), Pfarrkirche, Fresko im Chor, 1754.
Empfang Marias im Himmel durch die Trinität.

791 Martin Johann Schmidt, gen. Kremserschmidt (1718–1801) und Werkstatt; Leinwandbild, um 1770/80. H. 78 cm, B. 55 cm. Augsburg, Städtische Kunstsammlungen, Deutsche Barockgalerie.
Empfang Marias im Himmel durch die Trinität.

792 Ignaz Günther (1725–1775); Mallersdorf (Niederbayern), ehem. Benediktinerklosterkirche St. Johannes Evangelist, Hochaltar (1749–1770), Auszug. Holzplastik, 1768.
Apokalyptisches Weib.

793 Book of Kells; Buchmalerei, irisch, um 810/20 vollendet. H. 32,8 cm, B. 25,5 cm. Dublin, Trinity College Library, Ms. 58, fol. 7v.
Thronende Maria mit Kind.

794 Bernward-Evangeliar; Buchmalerei, Hildesheim, für Bischof Bernward von Hildesheim, wahrscheinlich zw. 1011 und 1014 entstanden. H. 18,3 cm, B. 14,5 cm. Hildesheim, Domschatz, Cod. 18, fol 17r (Gegenseite zum Widmungsblatt).
Thronende Gottesmutter.

795 Sog. Goldene Madonna; Holzplastik, mit vergoldetem Kupferblech überzogen, ursprünglicher Holzkern 1902 durch eine Gußmasse ersetzt. Schmuckarbeiten teilweise später zugefügt, älteste erhaltene freistehende Madonnenplastik, um 973–982. H. 74 cm. Essen, Münsterschatz.
Thronende Gottesmutter.

796 Sog. Imad-Madonna; Holzplastik, ursprünglich farbig gefaßt, dann mit vergoldetem Kupferblech überzogen, beide Fassungen fast vollständig verloren, unter Bischof Imad von Paderborn in den Dom zu Paderborn gestiftet, zw. 1051 und 1076. H. 112 cm. Paderborn, Erzbischöfliches Diözesanmuseum.
Thronende Gottesmutter.

797 Holzplastik; alt gefaßt, aus dem Beinhaus der Kirche von Raron (Wallis), um 1200. H. 90 cm, Zürich, Schweizerisches Landesmuseum.
Thronende Gottesmutter.

798 Holzplastik; alt gefaßt, aus dem Camaldulenserkloster zu Borgo Sansepolcro, laut Inschrift von dem Presbyter Martinus, 1199 datiert. H. 184 cm. Berlin (W), Preuß. Kulturbesitz, Skulpturenabteilung.
Thronende Gottesmutter.

799 Lisbjerg-Altar; Goldtreibarbeit auf Holzkern, um 1135/50. Antependium. H. 101 cm, B. 158 cm. Kopenhagen, Nationalmuseum. Ausschnitt aus dem Antependium. (Siehe Mittelteil des Retabels Bd. III, Nr. 90.) Thronende Gottesmutter im himmlischen Jerusalem.
Unten: Marientod, Seelenerhebung.
Oben: Verkündigung, Seelenerhebung (?).
Seitlich: Tugenden.

800 Corneilla-de-Conflent (Ostpyrenäen), Kirche einer ehem. Augustinerniederlassung, Westportal, Tympanon, um 1160.
Thronende Gottesmutter in von Engeln getragener Mandorla.

801 Kelchschale (Kuppa); Nielloarbeit auf vergoldetem Silber, Köln, um 1165–1170. H. 6,4 cm, Durchmesser 12,4 cm. Köln, Erzbischöfliches Diözesanmuseum.
Thronende Maria Orans. (Gegenseite: Thronender Christus).

802 Sog. Hermann-Joseph-Madonna; Kalksteinrelief, im 19. Jh. durch Gipsauftrag zur Vollplastik umgestaltet, kölnisch, um 1180. H. 90 cm. Köln, St. Maria im Kapitol.
Stehende Madonna (Eleusa-Typ).

803 Amiens, Kathedrale; Westfassade, rechtes Seitenportal (Marienportal, Steinplastik am Trumeau, teilweise erneuert, 1220–1230.
Stehende Madonna auf der Schlange.

804 Sog. Madonna des Dom Rupert; Grausandstein, alt gefaßt, 1149/50 o. 1170/80. H. 92 cm, B. 64 cm. Lüttich, Curtius Museum.
Maria lactans. (Inschrift Hes 44,2)

805 »Weiße Madonna«; Alabasterplastik, französisch (?), 14. Jh. Toledo, Kathedrale, Altar de la Prima. Detail.
Stehende Madonna.

806 Holzplastik; Reste alter Fassung, altbayrisch, um 1270. H. 89,5 cm. Regensburg, Kollegiatsstift Unsere Liebe Frau zur Alten Kapelle. Detail.
Stehende Madonna.

807 Coppo di Marcovaldo (um 1225–1274); Tafelbild, für Santa Maria dei Servi zu Orvieto gemalt, um 1268. H. 238 cm, B. 135 cm. Orvieto, Museo dell'Opera del Duomo.
Thronende Madonna.

808 Ikone; aus S. Maria de Flumine bei Amalfi, E. 13. Jh. H. 185 cm, B. 88 cm. Neapel, Museo Nazionale di Capodimonte.
Thronende Madonna mit Stabkreuz.

809 Cimabue (um 1240–1302); Assisi, San Francesco, Unterkirche, Fresko im rechten Querarm. Um 1278–1280.
Thronende Madonna mit Engeln; hl. Franziskus.

810 Simone Martini (1284–1344); Siena, Pallazzo Pubblico, Sala del Mappamondo. Fresko, 1315. Ausschnitt.
Thronende Gottesmutter mit Engeln und Heiligen.

811 Giotto di Bondone (1266–1337); Tafelbild, aus der Kirche Ognisanti zu Florenz, zw. 1306 und 1310. H. 325 cm, B. 204 cm. Florenz, Uffizien.
Thronende Madonna mit Heiligen und Engeln (Marienmaestà).

812 Ambrogio Lorenzetti (um 1290/95–1348); Tafelbild, um 1330/35. H. 90 cm, B. 45 cm. Siena, Ex-Convento di S. Francesco, Seminario Arcivescovile, Kapelle.
Maria lactans (»Madonna del Latte«).

813 Meister von Ancona (Carlo da Camerino, tätig ca. 1380–1420); Tafelbild, um 1400, H. 186 cm, B. 99 cm. Cleveland/Ohio, The Cleveland Museum of Art, The Holden Collection.
Demutsmadonna mit den Zeichen des apokalyptischen Weibes (Maria Lactans). Versuchung Evas.

814 Lippo Vanni (nachweisbar 1344–1375); Tafelmalerei, Triptychon, 1358 dat. Rom, Convento di SS. Domenico e Sisto, Clausura. Mitteltafel, Ausschnitt.
Thronende Gottesmutter mit Engeln und Heiligen; Versuchung Evas.

815 Meister von Moulins (tätig ca. 1480–1520); Tafelmalerei, Triptychon, zwischen 1499 u. 1502. H. 157 cm, B. gesamt 283 cm. Moulins, Kathedrale.
Maria mit dem Kinde in der Glorie. Auf den Seitentafeln: Der Hl. Petrus empfiehlt Peter II., Herzog von Bourbon, Herrn von Beaujeu, bzw. die Hl. Anna empfiehlt dessen Gemahlin Anna, Tochter Ludwigs XI. von Frankreich an Maria.

816 Madonna von Děstna; Tafelbild, böhmisch, um 1450. H. 144 cm, B. 111 cm. Prag, National-Galerie.
Madonna mit den Zeichen des apokalyptischen Weibes; Stifterbildnisse.

817 Triptychon; Tafelmalerei, alpenländisch (Hans Fries ?), Anf. 16. Jh. Venedig, Museo Correr. Mitteltafel.
Maria lactans als Himmelskönigin mit den Zeichen des apokalyptischen Weibes. Seitenflügel: Hl. Sippe mit Stifterpaar.

818 Jan van Eyck (um 1390–1441); Tafelbild, um 1426/30. H. 32 cm, B. 14 cm. Berlin (W), Preuß. Kulturbesitz, Gemäldegalerie.
Maria mit dem Kinde in einem Kirchenraum (sog. »Kirchenmadonna«).

819 Tafelbild; niederrheinisch, um 1460. H. 58 cm, B. 34 cm. Köln, Wallraf-Richartz-Museum.
Maria als Sinnbild der Porta Coeli.

820 Holzplastik; mittelrheinisch-moselländisch, um 1480. H. 28 cm. Trier, Rheinisches Landesmuseum.
Madonna auf der Mondsichel (»Traubenmadonna«).

821 Hans Leinberger (um 1480/85–nach 1530); Holzplastik, alt gefaßt, ursprünglich mit Strahlenkranz, vielleicht freischweibend in einem Rosenkranz, 1518–1520. H. 220 cm. Landshut, St. Martin, Stirnwand des rechten Seitenschiffs.
Madonna.

822 Piero della Francesca (um 1416–1492); Polyptychon, Tafelmalerei, Stiftung der Compagnia della Misericordia di Borgo Sansepolcro, 1445–1460. Mitteltafel: H. 134 cm, B. 91 cm. Borgo Sansepolcro, Pinacoteca Comunale.
Zentralbild (um 1450): »Madonna della Misericordia« (Schutzmantelmadonna).

823 Lippo Memmi (nachweisbar 1317–1347); Tafelbild, Zu-

schreibung zweifelhaft, um 1320. Orvieto, Duomo, Cappella del Santo Corporale.
»Madonna dei Raccomandati« (Schutzmantelmadonna).

824 Jan Polack (nachweisbar 1479–1519); Tafelmalerei, Votivbild der Familie Sänfftl, 1509 o. 1510. München, Dom Unserer lieben Frau.
Schutzmantelmadonna im Ährenkleid.

825 Holzplastik; oberschwäbisch, aus Herlatzhoven/Württemberg, um 1420. H. 117,5 cm. Aachen, Suermondtmuseum.
Schutzmantelmadonna.

826 Rosenkranzaltar; Holzschnitzwerk, lübeckisch, in Anlehnung (?) an den Marientidenaltar, um 1523. Lübeck, Heilig-Geist-Spital. Ausschnitt aus dem Mittelteil.
Schutzmantel- und Strahlenkranzmadonna im Rosenkranz mit den fünf Wunden Jesu.

827 Holzschnitt; süddeutsch, Titelblatt zu Jakob Sprengers »Die erneuerte Rosenkranzbruderschaft«, 1477 in Augsburg bei Johannes Bämler gedruckt.
Maria und das Christuskind verteilen Rosenkränze an die Kölner Rosenkranzbruderschaft.

828 Meister von St. Severin (tätig E. 15. Jh.–Anf. 16. Jh.); fünfteiliges Tafelbild für den Altar an dem 1474 die Rosenkranzbruderschaft gestiftet worden ist, stark restauriert, um 1500. H. 220 cm, B. Mittelstück 68 cm, Seitenteile je 43 cm. Köln, St. Andreas. Mittelpartie.
Schutzmantelmadonna mit Rosenkranzbruderschaft, Dominikus und Petrus Martyr.

829 Albrecht Dürer (1471–1528); Tafelbild, 1506. H. 162 cm, B. 194,5 cm. Prag, National-Galerie.
Thronende Gottesmutter und Christuskind spenden Rosenkränze (»Das Rosenkranzfest«).

830 Martin und Michael Zürn; Rosenkranzaltar, Holzschnitzwerk, 1632–1640. Überlingen, Münster, südl. Seitenschiff.
Madonna auf der Mondsichel im Rosenkranz (150 Perlen und 15 Medaillons mit Darstellungen des Lebens Jesu, anschließend Himmelfahrt und Krönung Marias).

831 Sandsteinrelief; Fragment eines Altars, vermutlich aus dem Dom zu Osnabrück, um 1520. H. 112 cm. Osnabrück, Diözesanmuseum.
Strahlenmadonna im Rosenkranz auf Mondsichel und Schlange stehend.

832 Steinplastik; niederbayrisch, alt gefaßt, ehemalige Straubinger Hausmadonna, um 1320/30. H. 134 cm. München, Bayer. Nationalmuseum.
Madonna mit dem Rosenstrauch.

833 Stephan Lochner (um 1400–1451); Tafelbild, 1447–1450. H. 51 cm, B. 40 cm. Köln, Wallraf-Richartz-Museum.
Maria im Rosenhag.

834 Martin Schongauer (um 1450–1491); Tafelbild, Mitteltafel eines verlorenen Flügelaltars, 1473 dat. H. 200 cm, B. 115,3 cm, allseitig beschnitten. Kolmar, St. Martin.
Madonna im Rosenhag.

835 Hans Burgkmair (1473–1531); Tafelbild, 1509. H. 164 cm, B. 100 cm. Nürnberg, Germanisches Nationalmuseum.
Madonna im Garten (»Die große Madonna«).

836 Botticelli-Werkstatt; Tondo, Tafelmalerei, um 1485. Durchmesser 110 cm. Florenz, Galleria Palatina nel Palazzo Pitti.
»La Madonna delle Rose«.

837 Matthias Grünewald (um 1480–1528); Tafelbild, Mitteltafel des ehemaligen Aschaffenburger Maria-Schnee-Altars, 1517–1519. H. 180 cm, B. 150 cm. Stuppach, Pfarrkirche.
»Stuppacher Madonna«.

838 Raffaelo Santi (1483–1520); Leinwandbild, ehemaliges Hochaltarbild von S. Sisto zu Piacenza, zw. 1513 u. 1515. H. 265 cm, B. 196 cm. Dresden, Staatliche Gemäldegalerie.
Muttergottes zwischen Hl. Papst Sixtus II. und Hl. Barbara (»Sixtinische Madonna«).

839 Tafelbild; venezianisch, um 1400. H. 95 cm, B. 79 cm. Stuttgart, Staatsgalerie.
Allegorie des Sieges des Christentums über das Heidentum: Die Tiburtinische Sibylle deutet Kaiser Augustus die Erscheinung der Gottesmutter am Himmel.
Das Brunnenwunder am Tage vor der Geburt Christi.
Der Einsturz des Friedenstempels in der Nacht der Geburt Christi.

Bildquellen

Aartsbischoppelijk Mus. Utrecht: 599 – ACL, Brüssel: 481, 495, 723, 804. – Anderson, Rom: 500, 518, 661, 662, 663, 665, 667, 668, 669, 673, 674, 713, 739, 810. – Alinari, Florenz: 459, 476, 477, 487, 489, 490, 493, 504, 508, 509, 512, 516, 517, 539, 540, 570, 571, 572, 573, 574, 583, 592, 624, 647, 659, 660, 664, 666, 670, 671, 672, 730, 732, 755, 775, 779, 783, 784, 836. – Archives Photographiques, Paris: 463, 465, 548, 559, 742, 815. – Aufsberg, Sonthofen: 679, 703, 771, 774, 785, 786, 790. – Bayer. Amt f. Denkmalpflege, München: 750 – Bayer. Staatsbibl., München: 460, 461, 587, 597, 616, 827. – Bayer. Staatsgemälde-Sammlung, München: 507, 519, 522, 577, 541, 677, 694, 695, 698, 724, 725, 729, 741, 749. – Biblioteca Apostolica Vaticana, Rom: 503, 511, 527. – Biblioteca Capitolare, Ivrea: 600 – Bibliothèque Nationale, Paris: 534, 535, 536, 537, 538, 569, 605, 719, 744. – Bildarchiv der Abtei Maria Laach: 598, 602, 603, 606, 618 – Böhm, Venedig: 728, 733. – British Library, London: 462, 595, 604, 722, 765. – Brogi, Florenz: 683, 780. – Bruckmann, München: 781, 838. – Byzantin. Museum, Athen: 458 – Cleveland Museum, Ohio: 813 – Diözesanmuseum Osnabrück: 831 – Dumbarton Oaks, Washington: 499, 524, 525, 530, 562, 563, 566, 581, 582. – Foto-Marburg: 479, 506, 515, 529, 545, 557, 580, 608, 627, 628, 629, 633, 634, 635, 636, 637, 638, 643, 644, 645, 646, 675, 676, 678, 747, 764, 794, 800, 803, 834. – Frauenhausmuseum, Straßburg: 556, 586. – Gabinetto fotografico nazionale, Rom: 657, 763, 814. – Germ. Nat. Museum, Nürnberg: 484, 547, 560, 680, 720, 721, 835. – Giraudon, Paris: 630 – Green Studio, Dublin: 793 – Hirmer, München: 789, 832. – Histor. Mus., Bern: 554 – Ikonenmuseum, Recklinghausen: 526, 591. – Kunstfreunde d. Niedersächs. Landesmuseums, Hannover: 752 – Kunsthalle, Hamburg (Kleinhempel): 492, 736. – Kunsthistor. Mus., Wien: 501, 726, 738. – Landesbildstelle Württemberg, Stuttgart: 542, 546, 568, 787. – Lauterwasser, Tübingen: 746, 830. – MAS, Barcelona: 558, 561, 576, 684. – Metropolit. Mus. of Art, New York: 551, 552, 553. – Morscher, St. Gallen: 594 – Münchow, Aachen: 766, 825 – Münsterbauverein, Freiburg: 648, 649. – Museo civico, Udine: 785 – Mus. of Fine Arts, Boston (Mass.): 690 – Museum f. Kunst u. Kulturgesch., Lübeck: 681, 701, 826. – Mus. Mayer-Bergh, Antwerpen: 710 – Narodni-Galerie, Prag: 692, 816, 829. – National Gallery, London: 716, 731, 756, 777, 782. – National Gallery of Art, Washington: 520, 776. – Nationalmuseet, Kopenhagen: 543, 799. – Niedersächs. Landesgalerie, Hannover: 686, 737. – Öffentl. Kunstsammlung Basel: 699, 702, 735. – Österr. Bundesdenkmalamt, Wien: 687, 697. – Österr. Galerie, Wien: 510, 555. – Österr. Museum f. angewandte Kunst, Wien: 549, 550. – Österr. Nat. Bibl., Wien: 467, 614, 753. – Pierpont Morgan Library, New York: 601, 619. – Pinacoteca di Brera, Mailand: 502 – Rhein. Bildarchiv, Köln: 579, 588, 610, 611, 691, 748, 795, 801, 802, 819. – Rheinisches Landesmuseum, Bonn: 768, 820. – Rosgartenmuseum, Konstanz: 578 – Rostra, Augsburg: 727 – Schweizerisches Landesmuseum, Zürich: 797 – Soprintendenza alle Gallerie, Florenz: 711, 808. – Staatsbibl., Bamberg: 596 – Staatsgalerie, Stuttgart: 839 – Staatl. graph. Sammlg., München: 609, 612. – Staatl. Museen, Berlin-Dahlem: 455, 456, 714, 734, 759, 761, 798. – Staats- und Univ. Bibl., Hamburg: 613 – Stadtbildstelle, Augsburg: 480 – Städt. Kunstsammlungen, Augsburg: 754, 791. – Städt. Museum, Braunschweig: 466, 544. – Theil, Bozen: 696 – Victoria-and-Albert-Museum, London: 688 – Virginia Museum of Fine Arts, Richmond/Virginia: 715 – Vorarlberger Landesmus., Bregenz: 521 – Univ. Bibl., Jena: 773 – Univ. Bibl., Saarbrücken: 607 – Univ. Libr., Glasgow: 620, 621, 622. – University Press, Oxford: 615.

Bildteil

410

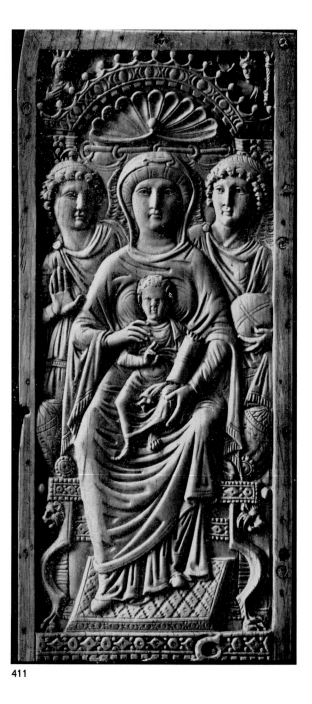

411

412

410 Ikone, russisch, 16. Jh., Weimar. Lukas malt die Hodegetria.

411 Elfenbeindiptychon, r. Flügel, Konstantinopel, Mitte 6. Jh., Berlin. Maria mit dem Kind zw. Erzengeln.

412 Cučer, Klosterkirche, 1307. „Das nichtschlafende Auge".

413 Wollwandbehang, Alexandria (?), 6. o. Anfang 7. Jh., Cleveland. Nikopoia zw. Erzengeln.

414 Ikone, Konstantinopel (?), 6./7. Jh., Sinai. Nikopoia zw. Erzengeln und Märtyrern.

413

414

268

416

415

415 Istanbul, Hagia Sophia, Apsismosaik, um 867, Nikopoia.
416 Goldmedaillon, byzant., 6. Jh. (?), Berlin. Nikopoia.
417 Ohrid, Sv. Sofija, Wandmalerei, Mitte 11. Jh., Nikopoia.
418 Marmorkrater, oström., Ende 4. Jh., Rom. Galaktotrophousa, anbetende Magier.
419 Grabstelle, Kalksteingraffito, ägypt., 5./6. Jh., Berlin. Galaktotrophousa.
420 Bawit, Apollonkloster, Kopt. Wandmalerei, 6./7. Jh., Galaktotrophousa.

417

418

419

420

421 Kiti, Apsismosaik, Mitte 7. Jh., Hodegetria.
422 Ikone, röm., um 609, Rom. Hodegetria.
423 Elfenbeintafel, byzant., 10. Jh., Berlin. Hodegetria.
424 Reliquienpektoralkreuz, frühbyzant., Ende 6. Jh., Providence. Hodegetria.
425 Palermo, Capp. Palatina, Mosaik, um 1143—1153. Hodegetria.

424

425

426 Ikone, Tempera, frühbyzant., Mitte 7. Jh., Rom. Hodegetria.
427 Reliquiarpektoralkreuz, italo-byzant., um 600 od. 10./11. Jh., Rom. Kyriotissa.

428 Ikone, Miniaturmosaik, byzant., um 1200, Sinai. Hodegetria.
429 Istanbul, Hagia Sophia, Mosaik, um 1118, Kyriotissa.

426

427

428

429

274

430

430 Elfenbeinstatuette, Alexandria (?), Mitte 7. Jh., Baltimore. Eleousa.

431 „Muttergottes von Vladimir", Tempera, Konstantinopel, um 1130, Moskau. Eleousa.

432 Ikone, Tempera, Korfu, 16. Jh., Berlin. Eleousa.

433 Silbertreibarbeit, Ravenna, 557–570. Blacherniotissa.

431

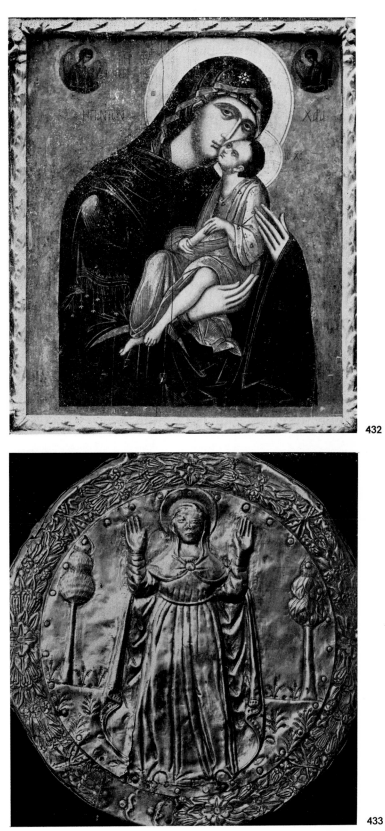

432

433

434

435

436

434 Reliefikone, Marmor, Konstantinopel, 12. Jh., Berlin. Blacherniotissa.

435 Reliefikone, Marmor, byzant., Ende 13. o. Anfang 14. Jh., Athen. Blacherniotissa.

436 Relieftondo, Konstantinopel, 1078–1081, London. Betende Maria.

437 Murano, Apsismosaik, venetobyzant., Mitte 12. Jh., Betende Maria.

438 Rom, Sa. Maria Antiqua, Apsiswandmalerei, 6. Jh., Nikopoia in kaiserlicher Hoftracht.

439 Rekonstruktion von 438.

437

438

439

440

440 Ikone, Tempera, röm. (?), 705–708, Rom. Nikopoia in kaiserlicher Hoftracht; päpstl. Stifter.

441 Buchmalerei, Weltchronik des Cosmas Indicopleustes, Konstantinopel, 9. Jh., Rom. Hl. Sippe mit Maria Deomene.

442 Elfenbeintafeln, byzant., um 1000, Bamberg. Maria Deomene und Christus.

443 Istanbul, Chorakirche, Narthex-Mosaik, um 1315–1320, Maria fürbittend vor Christus.

441

442

443

444 Reliefikone, Marmor, Konstantinopel, 11. Jh., Washington.
Maria Deomene.
445 Ikone, Tempera, Thessaloniki, Mitte 13. Jh., Freising. Maria
Deomene.
446 Email-Reliquiar, Konstantinopel, 11. Jh., Maastricht.
Chymeute.
447 Ikone, Tempera, Konstantinopel, 11. Jh., Sinai. Paraklesis.
448 Ikone, röm. (?), 6./7. Jh., Rom. Maria Deomene.

444

445

446

447

448

449

450

449 Ikone, Tempera, byzant., 15. Jh., Leningrad.
Glykophilousa.
450 Istanbul, Chorakirche, Narthex-Mosaik,
1315—1320. Platytera.
451 Ikone, Tempera, 1421/22, Skopje. Pelagonitissa.
452 Mistra, Brontochion-Kloster, 14. Jh., Zoodochos Pege.

451

452

ΗΕΙCΤΑΝΕΟΡΤΩΝΙΚ ΛΗΤΟCΠΡΩΤΟCΠΑΛΜΟC:-

ξωμεθα και διαψευφημησω
μβρημεραμ:-

μταωτηγαρτο παιοκα
ταυχκλοραωπεκιμθησϋ

453 Buchmalerei, Homilien des Jacobos Kokkinobaphos, byzant.,
Anf. 12. Jh., Paris. Maria von Engeln und Heiligen verehrt.
454 Ikone, Tempera, Moskau, um 1600, Berlin. Marienverehrung.

454

455

456

Marienleben — Kindheit

455 Reliefikone, Diptychonflügel, byzant., Anfang 12. Jh.,
Berlin. Hodegetria mit Marienzyklus.

456 Ikone, Tempera, Moskau, um 1600, Berlin. Marienszenen.

457 Ikone, Tempera, bulgarisch, 16. Jh., Sofia. Muttergottes
mit Marienszenen.

458 Ikone, Tempera, griech., Ende 16. / Anfang 17. Jh.,
Athen. Passionsmadonna mit Marienzyklus.

457

460

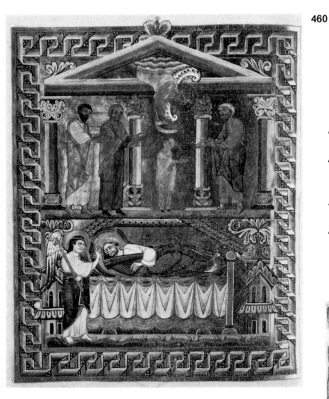

459 Ikone, Tempera, pisanisch, um 1285–1290. Pisa. Thronende
Muttergottes, unten Hl. Martin, Joachim-und-Anna-Zyklus.
460 Perikopenbuch aus Salzburg, um 1030, München. Tempelgang
Marias.
Josephs Traum.
461 Evangeliar Ottos III., Reichenau, Ende 10. Jh., München. Ver-
mählung Marias mit Joseph.
462 Winchester-Psalter, um 1150/60, London. Verkündigung an
Anna, Goldene Pforte, Geburt Marias, Darstellung Marias im
Tempel.

461

462

463

463 Paris, Notre Dame, Annenportal, um 1165 und um 1230,
Thronende Muttergottes, Marienzyklus.
464 Ulm, Münster. Marienportal, um 1380—1400. Marienzyklus
(Ausschnitt).
465 Elfenbeinkästchen, franz., Anfang 14. Jh., Toulouse.
Marienzyklus.

464

465 a

465 b

465 c

465 d

466

466 Altarbehang, linker Teil, Stickerei, um 1400, Braunschweig. Marienzyklus. (Vgl. Ausschnitt des rechten
Teils Abb. 544)
467 Stundenbuch, Paris, 1422–1425, Wien. Verkündigung an
Maria und Marienszenen.

294

geben und Unterhalt zu ihrem Leben. So tat
er dann in jedem Jahr, und, was er sprach,
das war stets wahr. Er wollt' und mochte nie=
mals lügen, noch irgend jemanden betrügen.

468
469

So hielt er seine Seele rein, war's Wunder,
daß solch' heil'gem Sein Gott schenkte seinen

gar reines Leben und pflegte Almosen zu ge=
ben. Auch bracht' sie Opfer, Gott, dem Herrn
als Kind schon und als Jungfrau gern mit
freud'gem Sinn und wohlgemut, wie man es
Gott zu Liebe tut. Sie mochte niemals ruhn
und rasten von Beten, Wachen und von Fasten,
wie sie es übt' mit großem Fleiß. Doch ihres
Hauses Freundeskreis, der lobte Gott, den

ihn an mit Worten hart und trat ihm drohend
in die Quer. Er sprach: „Du darfst fortan nicht
mehr mit uns zum Opferaltar gehen, denn
das hat jeder eingesehen, daß Gott dich so mit
Fluch beschwert, daß er wohl sicher nicht be=
gehrt ein Opfer fürder noch von dir. Dein
Übermut mißfället mir, drum rat' ich, hebe dich

470
471

der wilden Wüste klagen, daß doch die Welt
nichts andres ist fürwahr als eitel Staub und
Mist, ein Schatten, der in Nichts verschwindet,
sobald die Seele sich entwindet aus ihres ird'=
schen Leibes Banden, wenn alle Freud' zer=
geht mit Schanden und alle eitle Lust der
Welt, sobald der Leib in Staub zerfällt.

472

468–471 „Lied von der Magd" Wernhers von Tegernsee, Federzeichnungen, südostdtsch., Anfang 13. Jh., verschollen, nach
Reproduktionen.

468 Joachim teilt sein Vermögen.
469 Vermählung Joachims und Annas.
470 Zurückweisung von Joachims Opfer.
471 Joachim reitet aufs Feld.

472–475 Regensburg, Dom, Glasfenster, um 1370.

472 Joachim und Anna verteilen von ihrem Besitz an Arme.
473 Joachim und Anna geben von ihrem Besitz an die Kirche.
474 Zurückweisung des Opfers von Joachim und Anna.
475 Verkündigung an Joachim.

473

474

475

476

477

476 Giotto, Fresko, Padua, Arenakapelle, 1305–1307.
Zurückweisung des Opfers Joachims.

477 Giovanni da Milano, Florenz, S. Croce, Fresko, um 1365. Zurückweisung des Opfers Joachims.

478 Ugolino d'Illario, Orvieto, Dom, Apsis, Freskozyklus, 1357–1364. Joachim wird aus dem Tempel ausgewiesen.

479 Schottenaltar, Tafelmalerei, hessisch, um 1370 oder 1390. Zurückweisung des Opfers Joachims, Geburt Marias, Tempelgang.

480 Holbein d. Ä., Weingartner Altar, 1493, Augsburg. Zurückweisung des Opfers Joachims, Geburt Marias, Tempelgang.

478

479 S·YORCHIO·OB·STERILITATEM·IXORIS·REPENDULSIS·DE·TEMPLO·ASACERDOTE·

480

481 a

481 b

482

483

484

481 Quentin Massys, Sippenaltar, 1509, Brüssel.
a) Anna überreicht dem Priester die Spende.
b) Zurückweisung des Opfers Joachims.

482 Wolf Huber, Flügel des Feldkircher Annenaltars, Tafelmalerei, 1515—1521, Bregenz. Zurückweisung des Opfers Joachims und Annas.

483 Paris, Notre Dame, um 1230. Joachim mit Knecht.

484 Glasfenster, ehem. Karmeliterkloster Nürnberg, 1504—1508, Großgründlach. Abschied Joachims von Anna.

485 Rom, Sa. Maria Egiziaca, Wandmalereien, Ende 9. Jh., Joachim auf dem Felde.

486 Istanbul, Chorakirche, Narthex-Gewölbe, um 1315/20. Joachim auf dem Felde.

487 Giotto, Padua, Arenakapelle, 1305/07. Joachim kommt zu den Hirten.

485

486

487

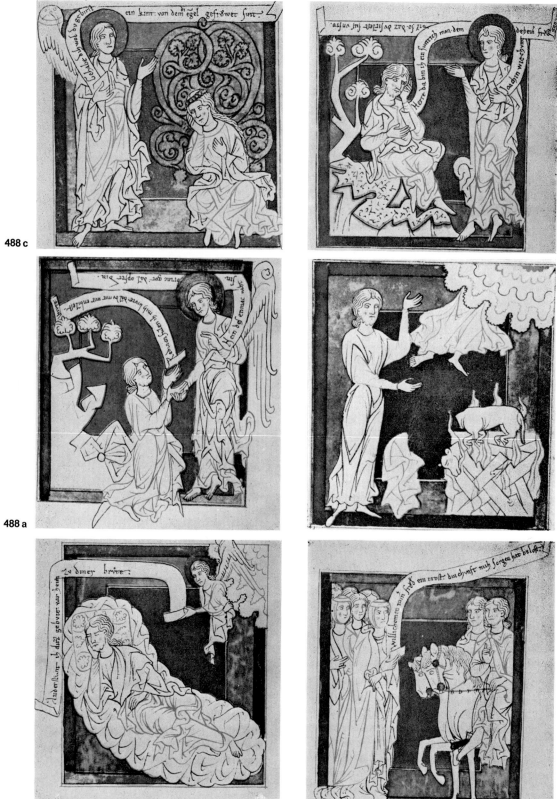

488 c

488 b

488 a

488 d

488 e

488 f

488 „Lied von der Magd", südostdeutsch,
Anf. 13. Jh., verschollen, nach Reproduktionen:
a) Verkündigung an Anna
b) Verkündigung an Joachim
c) Dank Joachims an den Engel
d) Opfer Joachims,
Auffahrt des Engels
e) Joachims Traum
f) Rückkehr Joachims zu Anna
489 Giotto, Padua, Arenakapelle,
1305—1307. Joachims Opfer.
490 Giotto, siehe 489. Joachims Traum

489

490

492

491

493

494

495

491 Ugolino d'Illario, Orvieto, Dom, 1357—1364. Verkündigung an Joachim.

492 Buxtehuder Altar, Tafelmalerei, um 1410, Hamburg. Zurückweisung des Opfers Joachims, Verkündigung an Joachim.

493 Giovanni da Milano, Florenz, S. Croce, um 1365. Verkündigung an Joachim, Goldene Pforte.

494 Wolf Huber, Feldkircher Altar, 1515—1521, Bregenz. Verkündigung an Joachim.

495 Quentin Massys, Sippenaltar, 1509, Brüssel. Verkündigung an Joachim.

496

497

498

499

500

501

501 Meister von Schloß Lichtenstein, Leinwand auf Holz, Altartafel, um 1435, Wien. Verkündigung an Joachim.

502 Bernardino Luini, Freskoausmalung aus Sa. Maria della Pace, 1516—1521, Mailand. Verkündigung an Anna und Joachim.

503 Menologion Basileios' II., Konstantinopel, zw. 979 und 984, Rom. Begegnung an der Goldenen Pforte.

504 Giotto, Padua, Arenakapelle, 1305—1307. Begegnung an der Goldenen Pforte.

502

503

504

505

506

507

505 Ohrid, Sv. Kliment, Freskenzyklus, Ende 13. Jh. Anna
aus der Verkündigung, Goldene Pforte.
506 Schottenaltar, hessisch, um 1370. Begegnung an der
Goldenen Pforte.
507 Meister des Marienlebens, Tafelmalerei, um 1465, München. Joachim auf dem Felde, Verkündigung an Joachim,
Goldene Pforte.
508 Florenz, Sa. Maria Novella, Fresko, Ausschnitt, nach
1360. Begegnung an der Goldenen Pforte.
509 Bartolommeo Vivarini, Tafelmalerei, 1473, Venedig. Begegnung an der Goldenen Pforte.
510 Meister der Divisio Apostolorum, Tafelmalerei, vor 1494,
Wien. Goldene Pforte, Verkündigung an Joachim.

508

509

510

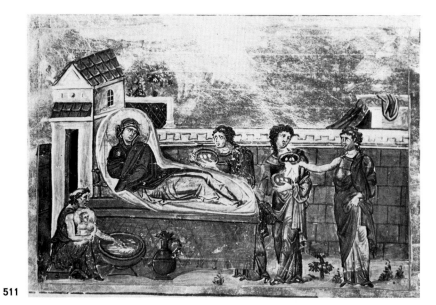

511

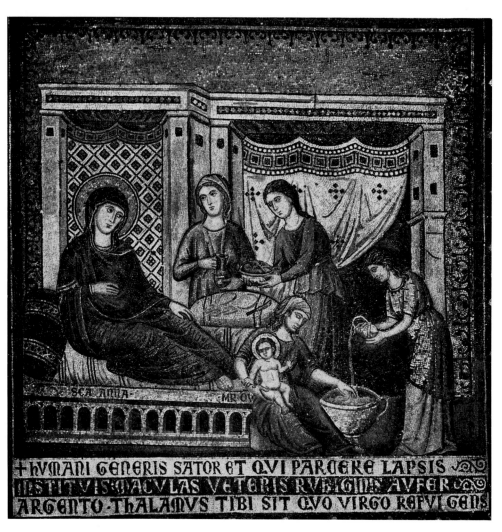

512

511 Menologion Basileios' II., 979—984, Rom. Geburt Marias.

512 Pietro Cavallini, Rom, Sa. Maria in Trastevere, Apsismosaik, um 1295, Geburt Marias.

513 Kiew, Hagia Sophia, Fresko, Mitte 11. Jh. Geburt Marias. Bad des Kindes.

514 Ohrid, Sv. Kliment, Fresko, Ende 13. Jh. Magd am Spinnrocken neben der Wiege Marias.

515 Studeniča, Königskirche, 1313—1314. Geburt Marias, Bad des Kindes, Joachim und Wärterin.

513

514

515

516

517

518

519

520

520 Andrea di Bartolo, Tafelmalerei, Anfang 15. Jh., Washington.
Geburt Marias.

521 Wolf Huber, Feldkircher Altar, 1515—1521, Bregenz.
Geburt Marias.

522 Albrecht Altdorfer Tafelmalerei, um 1525, München. Geburt Marias in einem Kirchenraum.

521

318

523

524

525

523 Kremikovzi, Klosterkirche, Wandmalerei, nach 1493. Liebkosung des Marienkindes.

524 Istanbul, Chorakirche, Narthex-Mosaik, um 1315—1320. Die ersten sieben Schritte Marias.

525 Istanbul, siehe 524. Joachim bringt das einjährige Marienkind zu den Priestern.

526 Ikone, Tempera, russ., Anf. 19. Jh., Recklinghausen. Marienzyklus.

527

528

529

530

531

535

536

537

538

539 Giotto, Padua, siehe 476. Tempelgang Marias.
540 Taddeo Gaddi, Freskenzyklus zw. 1328 u. 1337, Florenz,
S. Croce. Tempelgang Marias.
541 Meister des Marienlebens, Köln, Altartafel, um 1465,
München. Tempelgang Marias.

540

541

542 a-d

543

544

542 Eßlingen, Frauenkirche, Glasmalerei, um 1320–1325.
  a) Tempelgang Marias
  b) Maria im Tempel am Lesepult
  c) Maria betet im Tempel
  d) Maria webt im Tempel

543 Altarbehang, Stickerei, Teilstück, isländisch, Mitte 14. Jh.,
  Kopenhagen. Marienszenen.

544 Altarbehang, Ausschnitt des rechten Teils, Stickerei,
  um 1400, Braunschweig. Marienszenen.

545 Meister der Halberstädter Kreuzigungen, Tafelmalerei,
  4. Viertel 15. Jh., Halberstadt. Tempelgang Marias.

545

546

547

548

546 Ulm, Münster, Glasmalerei, um 1400. Tempelgang Marias.

547 Glasmalerei aus Nürnberg, 1504—1508, Großgründlach. Maria am Webstuhl, wundersame
   Speisung.

548 Elfenbeinkästchen, Anf. 14. Jh., Toulouse.
   Maria am Webstuhl, an der Wollhaspel,
   wundersame Speisung.

549—550 Glasmalerei aus Straßengel, 1350—1360,
   Wien. Maria am Webstuhl und ihre Weigerung
   zu heiraten.

549

550

551
552
553

554

551—553 Holzschnitzerei, Chorgestühl, franz., um 1500, New
York. Tempelgang Marias, Maria am Webstuhl und mit
himml. Speise, Vermählung mit Joseph.
554 Tafelbild, Tempera, 1503, Riggisberg. Maria und Tempeljungfrauen bei der Handarbeit.

555

555 Meister von Schloß Lichtenstein, Altartafel, um 1435, Wien. Maria wird als Tempeljungfrau aufgenommen.

556 Tafelbild, Tempera, oberrhein., um 1445, Straßburg. Maria als Tempeljungfrau im Gebet.

557 Wandteppich, Tournai, 1507—1530, Reims. Maria beim Bortenweben im Tempel, wundersame Speisung. Symbole der Lauretanischen Litanei.

556

558 Luis Borassa, Altarretabel, Ende 14. Jh., Vilafranca del Panadés. Maria und Tempeljungfrauen in der Schule und im Gebet.

559 Antependium, Tafelmalerei, ostenglisch, 1325—1330, Paris, Ausschnitt. Anna unterrichtet Maria.

560 Bernhard Strigel, Sippenaltar, Tafelmalerei, um 1505, Nürnberg. Anna und Joachim lehren Maria lesen.

561 Bartolomé Esteban Murillo, Ölgemälde, 1655—1665, Madrid. Anna unterrichtet Maria.

559

560

561

562

563

564

565

562 Istanbul, Chorakirche, Narthex-Mosaik, um 1315—1320. Gebet des Hohenpriesters, Stäbe der Freier auf dem Altar.

563 Istanbul, Chorakirche, siehe 562. Der Hohepriester gibt Maria in die Obhut Josephs (Ausschnitt).

564 Ohrid, Sv. Kliment, Ende 13. Jh. Der Hohepriester gibt Maria in die Obhut Josephs.

565 Kiew, Hagia Sophia, Fresko, Mitte 11. Jh. Der Hohepriester gibt Maria in die Obhut Josephs.

566 Istanbul, Chorakirche, siehe 562. Joseph führt Maria in Begleitung seines Sohnes in sein Haus.

566

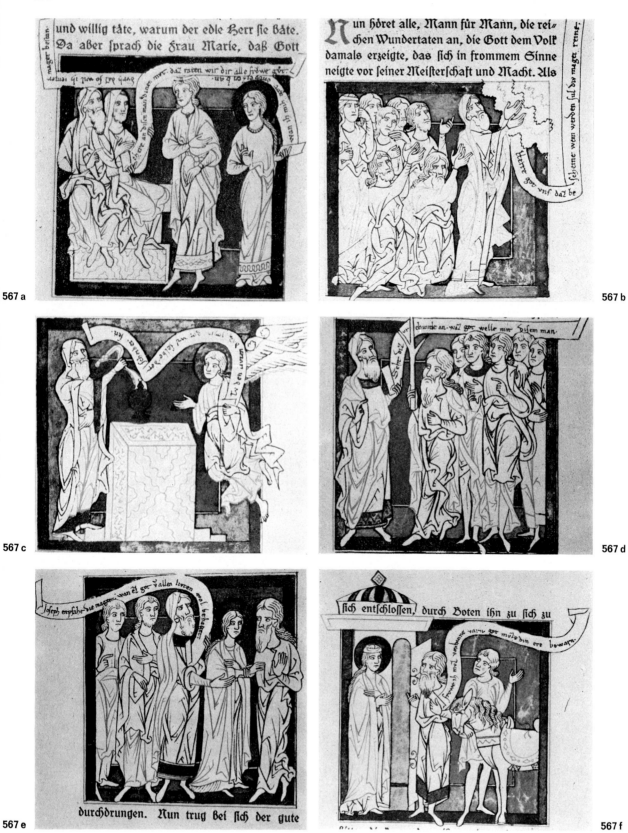

338

567 a

und willig täte, warum der edle Herr sie bäte.
Da aber sprach die Frau Marie, daß Gott

567 b

Nun höret alle, Mann für Mann, die reichen Wundertaten an, die Gott dem Volk
damals erzeigte, das sich in frommem Sinne
neigte vor seiner Meisterschaft und Macht. Als

567 c

567 d

567 e

durchdrungen. Nun trug bei sich der gute

567 f

sich entschlossen, durch Boten ihn zu sich zu

567 „Lied von der Magd", Anf. 13. Jh., verschollen, nach Reproduktionen:
    a) Maria weigert sich, den Sohn des Priesters zu heiraten
    b) Gebet des Priesters mit den Freiern
    c) Engel zeigt den Stab Josephs
    d) Joseph aus der Schar der Freier erwählt
    e) Vermählung Maria und Joseph
    f) Joseph nimmt Abschied von Maria um zur Arbeit zu gehen.

568 Eßlingen, Frauenkirche, Glasmalerei, um 1320–1325. Joseph wird mit Maria verlobt.

569 Meditationes Vitae Christi, ital., 2. Hälfte 14. Jh., Paris. Vermählung Marias und Josephs.

568

569

570

571

570—573 Giotto, Padua, Arenakapelle,
Fresken, 1305—1307.

570 Die zwölf Freier bringen ihre Stäbe in den
Tempel.
571 Gebet des Hohenpriesters.
572 Vermählung Marias mit Joseph.
573 Rückkehr Marias nach Nazareth
(sog. Hochzeitszug).

572

573

574

575

574 Giovanni da Milano, Florenz, S. Croce, um 1365. Vermählung Marias mit Joseph.

575 Raffaelo Santi, Tafelmalerei, 1504, Mailand. Vermählung
Marias mit Joseph.

576 Robert Campin, Tafelbild, um 1420, Madrid. Freierwahl,
Vermählung Marias mit Joseph.

577

578

579

577 Meister des Marienlebens, Köln, Altartafel, um 1465, München. Vermählung Marias mit Joseph.

578 Konstanzer Meister, Altartafel, um 1400—1410, Konstanz. Vermählung Marias mit Joseph.

579 Heinrich Douvermann, Schnitzaltar, Kalkar, 1518—1522. Vermählung Marias mit Joseph.

580 Wandteppich, Ausschnitt, Tournai, 1507—1530, Reims. Vermählung Marias mit Joseph.

581 Istanbul, Chorakirche, Narthex-Mosaik, um 1315—1320. Maria erhält die Wolle für den Vorhang.

580

581

582

583

584

582 Istanbul, Chorakirche, siehe 581. Joseph nimmt Abschied von Maria um zur Arbeit zu gehen.

583 Venedig, San Marco, Mosaik, Anfang 13. Jh. Verkündigung an Maria am Brunnen, Fluchwasserprobe, Traum Josephs. Reise nach Bethlehem.

584 Staro Nagoričino, Georgskirche, Fresko, 1317/18. Joseph macht Maria Vorwürfe.

585 „Lied von der Magd", Anf. 13. Jh., nach Reproduktionen.
a) Maria erhält die Vorhangwolle
b) Verkündigung am Brunnen
c) Joseph macht den Gefährtinnen Marias Vorwürfe
d) Joseph bittet Maria um Verzeihung

586 Tafelbild, Altarfragment, um 1420, Straßburg. Maria in der Hoffnung, ein Engel klärt Joseph auf.

585 a

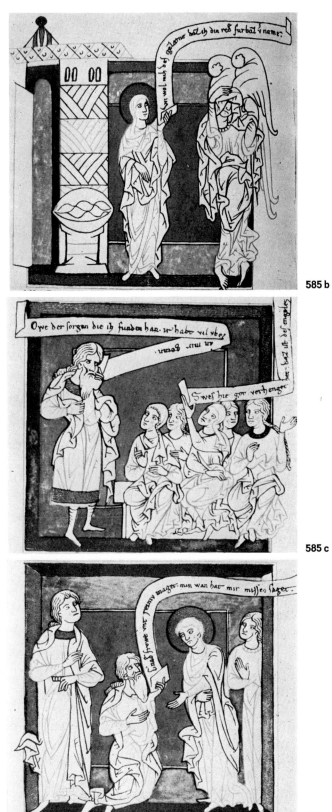

585 b

585 c

585 d

586

587

588

589

590

591

587–593 Koimesis.

587 Elfenbeinrelief, byzant., Konstantinopel (?),
   4. Viertel 10. Jh., München.
588 Elfenbeinrelief, byzant., Ende 10. Jh., Köln.
589 Ikone, Ende 12. / Anfang 13. Jh., Sinai.
590 Evangeliar von Thargmantchats, armenisch,
   1232, Etchmiadzin.
591 Ikone, russ., 13. Jh., Recklinghausen.
592 Palermo, Martorana, Mosaik, byzant., um 1150.
593 Elfenbeinkästchen, südital., 1070–1075,
   Ausschnitt, Farfa.

592

593

ASCENSIO SCE MARIE

594

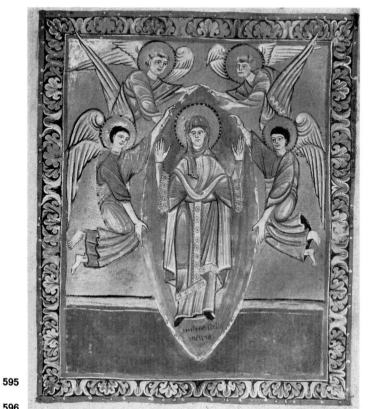

595

596

597

598

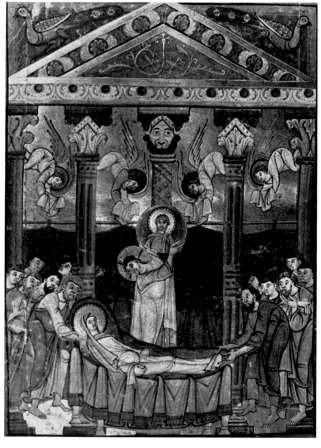

599

598 Lektionar, Reichenauer Schule, um 1018, Hildesheim. Assumptio Mariae.

599 Bernulph-Evangelistar, Reichenau-Umkreis, Mitte 11. Jh., Utrecht. Marientod.

600 Warmundus-Sakramentar, nordital., um 1001, Ivrea. Marientod.

601 Perikopenbuch des Bertold von Regensburg, 2. Hälfte 11. Jh., New York. Marientod.

602 Prümer Evangeliar, 2. Viertel 11. Jh., Manchester. Marientod.

603 St. Erentruder Perikopenbuch, Salzburg, um 1140, München. Marientod.

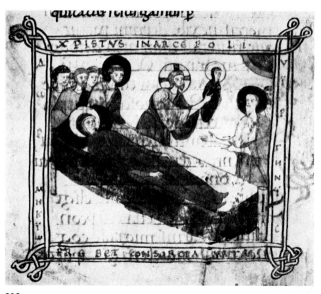

600

601

602

603

604 Aethelwold-Benediktionale, Winchester, 975—980, London.
    Marientod.
605 Prümer Antiphonar, zw. 993 u. 1001, Paris. Regina Coelestis
    und Regina Mundi.
606 Perikopenbuch, westfäl. oder niederrhein., um 1150, Paris.
    Marientod.
607 Prümer Antiphonar, siehe 605. Marientod.
608 Sakramentar aus St. Martin, 12. Jh., Tours. Assumptio
    Mariae.

604

605

606

607

Mons syon apti vallis iosaphat Sepultru s marie. mons oliueti

Generanda nobis domine

608

356

609

609 Einzelblatt, deutsch, Anfang 13. Jh., München. Marientod.

610 Stammheimer Missale, um 1160. Privat-Bes. Assumptio, Sponsa-Sponsus.

611 Stammheimer Missale, um 1160. Jungfrau der Wurzel Jesse.

612 Einzelblatt eines Psalters, Regensburg-Prüfening, um 1180, München. Marientod.

613 Fragment eines Lektionars, Mainz (?), um 1260, Hamburg. Assumptio Mariae.

614 Passionale und Heiligenleben aus Mondsee, salzburgisch, 1145, Wien. Grablegung und Assumptio Mariae.

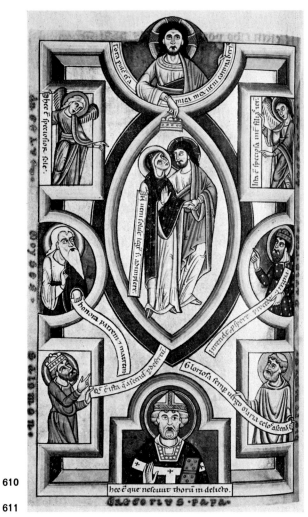

610

611

612

613

614

616

617

618

619

620—622 York-Psalter, um 1170, Glasgow.

620 Todesverkündigung an Maria mit Überbringung der Palme; Maria berichtet den Aposteln.
621 Marientod; Grabtragung.
622 Grablegung Marias (oben); Erscheinung Christi am Grab und Erhebung des Leichnams Marias.
623 Berthold-Missale, Weingarten, um 1220, New York. Marientod mit Frevler.

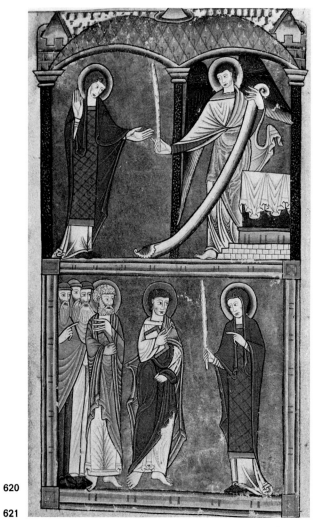

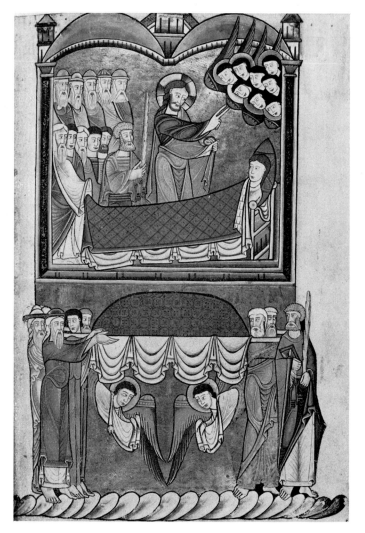

620

621

623

622

624

624 Civate, S. Pietro al Monte. Stuckrelief, Ende 11. Jh.
Marientod.
625 Bourges, Tympanon aus St.-Pierre-le-Pullier, um 1175.
Transituslegende (Sechs z. T. zerstörte Szenen).
626 Chartres, Nordquerhaus, Mittelportal, 1204. Marienkrönung.
Marias Tod und Auferweckung.

625

627

628

627—629 Senlis, Kathedrale, Marienportal, gegen 1170.

627 Tympanon: Inthronisation Marias.
628 Türsturz links: Grablegung Marias (Tod).
629 Türsturz rechts: Auferweckung Marias durch Engel.

630 Steinrelief, 1. Hälfte 12. Jh., Autun. Auferweckung Marias.

630

629

631

631 Paris, Notre-Dame, Marienportal, 1210—1220. Marienkrönung. Auferweckung.

632 Laon, Kathedrale, mittl. Westportal, gegen 1200. Inthronisation Marias. Tod und Auferweckung Marias.

633 Straßburg, Münster, Südportal, Tympanon der östl. Tür, 1225—1230. Marienkrönung.

634 Straßburg, Südportal, Tympanon der westl. Tür, 1225—1230. Marientod.

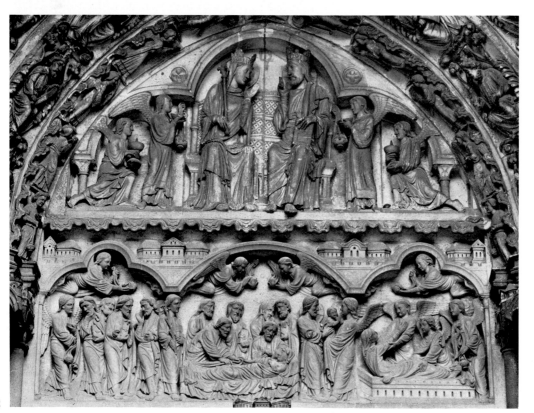

632

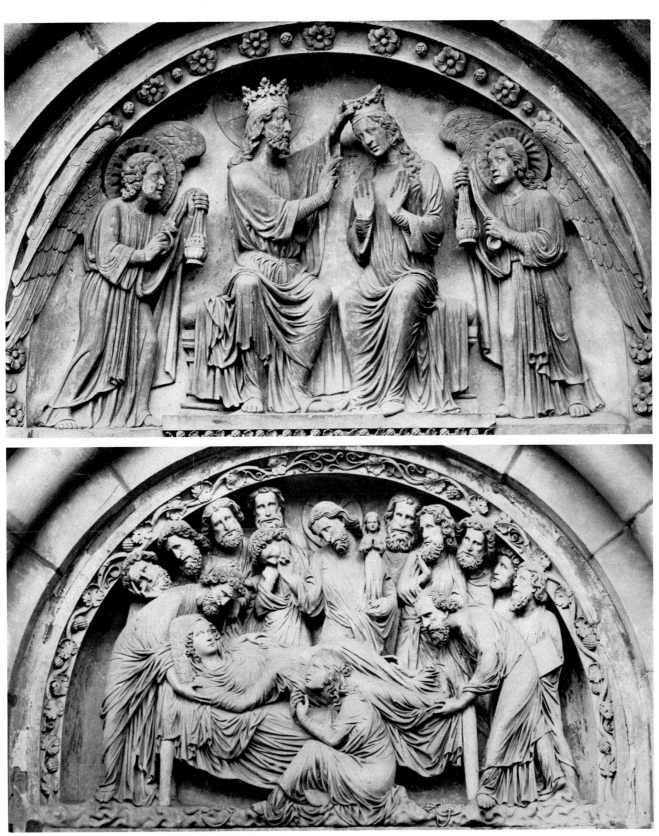

633

634

635

635—637 Lausanne, Kathedrale Notre-Dame, Apostelpforte,
um 1230. Marienkrönung. Grablegung und Auferweckung
Marias.

636

637

638

639

638 Bardone, Pfarrkirche, Paliotto, 12. Jh. Majestas Domini mit Marienkrönung.

639 Trier, Liebfrauenkirche, Nordportal, Ende 13. Jh. Marienkrönung.

370

640

641

640 Reims, Kathedrale, sog. Porte romane, Archivolte, um 1180. Elevatio animae.

641 Bourges, Ausschnitt aus dem Tympanon, siehe Nr. 625. Assumptio Mariae.

642 Cabestany, Pfarrkirche, Tympanonfragment, gg. 1150. Auferweckung Marias. Thomas mit Gürtel, Christus und Maria. Assumptio Marias.

643—646 Clermont-Ferrand, Notre-Dame-du-Port, südöstl. Chorsäulenkapitell, Ende 12. Jh. Auferweckung Marias — Posaunenengel — Engel mit Lebensbuch — Engel öffnet Himmelspforte.

642

643

644

645

646

647 Rom, S. Maria Maggiore, Apsismosaik, 1295. Krönung
Marias. Geburt Christi, Marientod, Anbetung der Könige.
648 Freiburg i. B., Münster, Maßwerkrosette des Märtyrer-
fensters, 1270—1280. Inthronisation Marias.
649 Freiburg, Maßwerkrosette des Schneiderfensters, 1320—1330.
Assumptio Mariae.

647

648

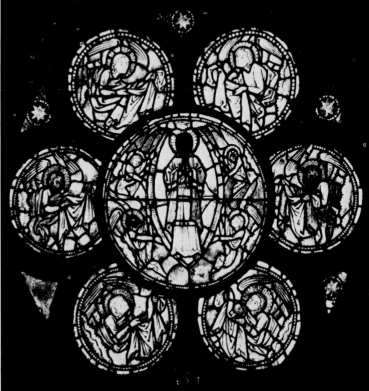

649

650

651

655

656

657

658

659

660

660 Padua, Arena-Kapelle, Chor, um 1310, Giotto-Schule. Ankunft der Apostel und Abschiedsgespräch mit Maria.

661 Duccio, Siena, siehe 659. Versammlung der Apostel, Abschied des Johannes von Maria.

662 Duccio, siehe 659. Abschiedsgespräch der Apostel mit Maria.

663 Taddeo di Bartolo, Siena, Kapelle des Palazzo Pubblico,
Fresko. 1407. Abschied der Apostel von Maria.

661

662

663

664

664 Padua, Arena-Kapelle, Chor, Giotto-Schule, um 1310.
Marientod.
665 Taddeo di Bartolo, Siena, Fresko, 1407, Marientod.

666 Padua, Arena-Kapelle, siehe 664. Grabtragung Marias.
667 Taddeo di Bartolo, siehe 665. Grabtragung Marias.

665

666

667

668

669

668 Duccio, Tafel vom ehem.
Hochaltar, 1308—1311,
Siena.
Grablegung Marias.

669 Taddeo di Bartolo,
Siena, Fresko, 1407.
Auferweckung Marias.

670 Padua, Arena-Kapelle,
Chor, Fresko, um 1310,
Giotto-Schule.
Krönung Marias.

671 Padua, Arena-Kapelle,
siehe 670.
Assumptio Mariae.

670

671

672 Andrea Orcagna,
Florenz, Orsanmichele,
Tabernakel, Marmor,
zw. 1352 u. 1360.
Tabernakel. Marien-
tod, Assumptio mit
Gürtelspende.

673 Bernardo Daddi,
Predella (Ausschnitt),
2. Viertel 14. Jh.,
Prato. Thomas zeigt
den Aposteln den
Gürtel Marias.

674 Benozzo Gozzoli,
Altarretabel, um 1450,
Vatikan. Gürtel-
spende. Predella:
Szenen aus dem
Marienleben.

673

674

675–676 Buchsbaum-Diptychon, rhein., Mitte 14. Jh., Köln.
Linker Flügel: Johannes bringt den Palmenzweig, Maria
bricht zusammen, Gebet Marias auf dem Ölberg, Abschied,
Marientod – rechter Flügel: Grabtragung, Emportragung
des Leichnams, Marienkrönung.

677 Hans Schäufelein, Christgartner Altar, 1525–1530, München.
Todesverkündigung, Ankunft der Apostel.

675

676

678

678 Paris, Notre-Dame, Sockelrelief, 14. Jh.
Grabtragung Marias.

679 Nürnberg, St. Sebald, Nordseite, westl.
Portal, um 1320. Marientod, Grabtragung, Marienkrönung.

680 Tafelbild, fränk., 1400–1420, Nürnberg.
Grabtragung Marias, Heilung der Frevler.

681 Fronleichnamsaltar, Tafelmalerei, 1496,
Lübeck. Grabtragung Marias, Gürtelübergabe an Thomas durch einen Engel.

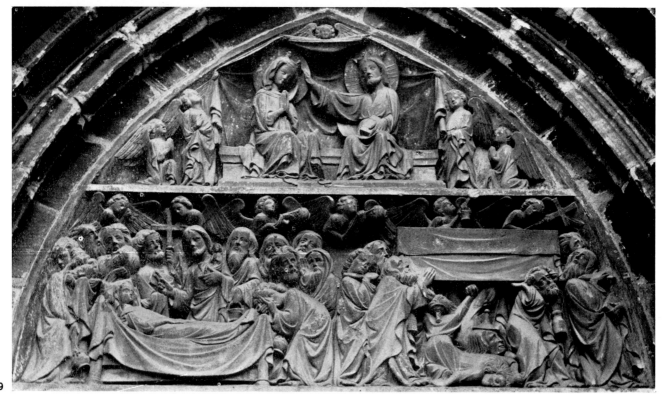

679

680

681

682

682 Pietro da Rimini, Diptychonflügel, 1320–1330, Hamburg. Marientod.

683 Fra Angelico, Ausschnitt aus der Predella einer Marienkrönungstafel, 1434–1435, Florenz. Begräbnis Marias.

684 Andrea Mantegna, Tafelbild, um 1465, Madrid. Aufbahrung Marias.

685 Vittore Carpaccio, Tafelbild, 1508, Ferrara. Aufbahrung Marias, Assumptio animae.

683

684

685

686

687

688

689

690

691

691 Konrad von Soest, Marienaltar, Fragment der Mitteltafel, um 1420, Dortmund. Marientod.

692 Raudnitzer Altar, Tafelmalerei, böhm., um 1410–1415, Prag. Marientod, Schutzmantelmadonna und -schmerzensmann.

693 Hugo van der Goes, Tafelbild, um 1480. Brügge. Marientod.

694 Meister des Erfurter Regler-Altars, Tafelmalerei, um 1470, München. Marientod.

695 Meister des Marienlebens - Werkstatt, Altarflügel aus Köln, 1473. Nürnberg. Marientod.

696 Sog. Meister des Sterzinger Altars, Tafelmalerei, 1458. Sterzing. Marientod.

697 Michael Pacher, Wolfgangsaltar, 1471–1481, St. Wolfgang. Marientod.

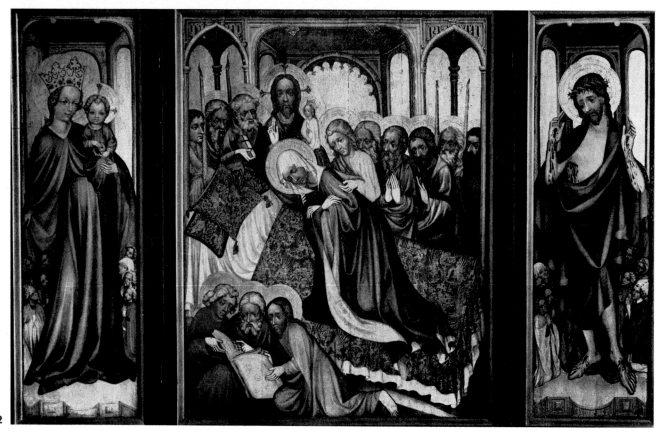

695

694

696

698 Martin Schaffner, Tafelmalerei, Außenflügel des Wettenhausener Altars, 1523—
1524, München. Marientod.
699 Hans Holbein d. Ä., Tafelmalerei, Altarflügel vom ehem. „Afra-Altar", 1490,
Basel. Marientod.

699

700

701

700 Hermen Rhode, linke Tafel des Greverade-Altars, 1494, ehem. Lübeck. Marientod.
701 Hans Holbein d. Ä., Flügel des ehem. Hochaltars der Dominikanerkirche zu Frankfurt a. M., 1501, Basel.
   Marientod.
702 Wolf Huber, Zeichnung, um 1525/30, Basel. Marientod, Empfang Marias im Himmel.
703 Holzretabel, Ulmer Meister, um 1500, Mittelberg. Marientod.

702

703

704—705 Veit Stoß, Marienaltar, Holzschnitzwerk, 1477—1489,
Mittelschrein gesamt und Ausschnitt. Krakau. Marientod.

705

706

707

708

706 Susdaler Bildtüren, Kupferplatte, um 1227–1237. Himmelfahrt Marias, Gürtelspende.

707 Coppo di Marcovaldo, Cimasa eines Tafelkreuzes, um 1260, San Gimignano. Himmelfahrt Christi (Sonderform).

708 Spoleto, Freskenfragment, umbrisch, Ende 13. Jh. Himmelfahrt Marias, Gürtelspende.

709 Graduale, sienesisch, 3. Viertel 13. Jh., Asciano. Gürtelspende.

710 Tafelmalerei, umbrisch-sienesisch, zw. 1270 u. 1280, Antwerpen. Himmelfahrt Marias.

711 Flügelaltar, Ausschnitt, toskanisch, um 1225 und 1280/90 (?) Monte S. Savino. Himmelfahrt Marias.

712 Brevier aus Basel, kurz nach 1235, St. Gallen. Himmelfahrt Marias.

713
714

713 Duccio, Siena, Dom, Glasmalerei, zw. 1287 u. 1288. Grablegung, Himmelfahrt und Krönung Marias.
714 Gualtieri di Giovanni da Pisa, Tafelbild, Ende 14. Jh., Berlin. Maria in der Glorie.
715 Andrea di Bartolo, Epitaph, Tafelmalerei, 1401, Richmond (Virginia). Assunta, Thomas mit Gürtel Marias.
716 Matteo di Giovanni, Tafelbild, 1474, London. Assunta, Gürtelspende.

715

716

717 Antiphonar, um 1340, Impruneta. Grablegung Marias.
Assunta mit Gürtelspende.
718 Jean Fouquet, Stundenbuch des Etienne Chevalier, 1452–
1460, Chantilly. Marientod.
719 Jean Fouquet, siehe 718. Himmelfahrt Marias.

720 Tucheraltar, linker Flügel, um 1440/50, Nürnberg. Himmelfahrt Marias.

721 Meister der Hl. Sippe, Fragmente eines Kölner Altars, um 1495, Nürnberg. Himmelfahrt Christi und Himmelfahrt Marias.

722 Tilmann Riemenschneider, Creglinger Marienaltar, Schnitzwerk, um 1505/08, Mittelschrein. Himmelfahrt Marias.

720

721

723

724

725

723 Albert Bouts, Triptychon-Mitteltafel, Anfang 16. Jh., Brüssel. Leeres Grab Marias, Grabtragung, Himmelfahrt Marias.

724 Meister von St. Severin, Köln, Tafelmalerei, um 1500, München. Himmelfahrt Marias.

725 Meister des Marienlebens, Köln, um 1465, München, Tafel des Marienaltars. Himmelfahrt Marias.

726 Rueland Frueauf, Tafelmalerei, Altarfragment, 1490, Wien. Himmelfahrt Marias.

727 Jörg Breu d. Ä., Tafelmalerei, Orgelflügel, um 1518/20, Augsburg. Aufnahme Marias in den Himmel.

726

727

728

728 Tizian, Tafelmalerei, Hochaltarbild, 1516—1518, Venedig.
Assunta.

729 Rubenswerkstatt, Leinwandbild,
um 1630, München. Himmelfahrt
Marias.

416

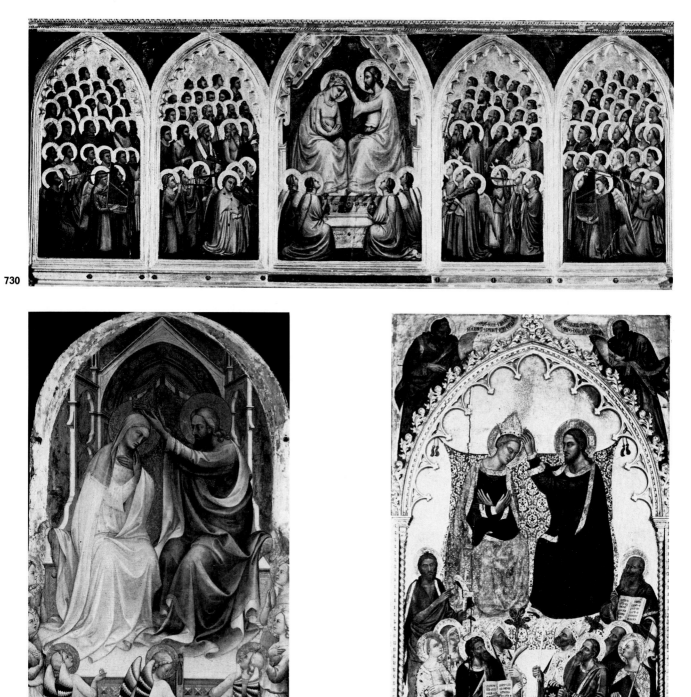

730

731

732

734

736

737

738

739

740

741

736 Buxtehuder Altar, um 1410, Ausschnitt, Hamburg. Marienkrönung.

737 „Goldene Tafel", um 1418, Ausschnitt, Hannover. Marienkrönung.

738 Meister von Maria am Gestade, Altartafel, um 1460, Wien. Marienkrönung durch Gott Vater.

739 Filippo Lippi, Spoleto, Dom, Apsisfresko, Ausschnitt, 1466—1469. Marienkrönung durch Gott Vater.

740 Michael Pacher, Wolfgangsaltar, 1481, St. Wolfgang, Ausschnitt des Mittelschreins. Marienkrönung durch Gott Vater.

741 Jan Polack, Blutenburger Altar, rechter Flügel, 1491, München. Marienkrönung durch die Trinität.

422

742 Enguerrand Charonton, Tafelmalerei, 1453–1454, Villeneuve-lès-Avignon. Marienkrönung durch die Trinität.

743 Meister von Moulins, Tafelbild, Anfang 16. Jh., Paris. Verherrlichung Marias.

744 Jean Fouquet, Stundenbuch des Etienne Chevalier, 1452/60, Chantilly. a) Marienkrönung, b) Inthronisation Marias.

742

743

744 a

744 b

745

746

747

745 Dürnberger Altar, Holzschnitzwerk,
   1507, Seckau. Marienkrönung.

746 Jörg Zürn, Holzschnitzwerk, Teil des
   Hochaltars im Münster, 1613–1616,
   Überlingen. Marienkrönung.

747 Breisacher Altar, Mittelschrein, Holzschnitzwerk, 1526. Marienkrönung.

748 Anton Woensam, Tafelbild, 1515 (?),
   Köln. Tod und Krönung Marias.

749 Albrecht Dürer, Holzschnitt aus dem
   Marienleben, 1510. Marienkrönung.

750 Hans Leonhard Schaeufelein, Epitaph,
   Tafelmalerei, um 1521, Nördlingen.
   Marienkrönung.

748

749

750

751

751 Holzplastik, regensburgisch, um 1280, München. Anna Selbdritt.

752 Holzplastik, niederdeutsch, um 1400, Hannover. Anna Selbdritt.

753 Stundenbuch, Flandern, Anf. 16. Jh., Wien. Verkündigung an Maria. Szenen aus der Joachim-und-Anna-Legende.

754 Beschlagplatten, 12./13. Jh., Augsburg. Anna mit Marienkind, Maria mit Jesuskind, Elisabeth mit Johannesknaben.

752

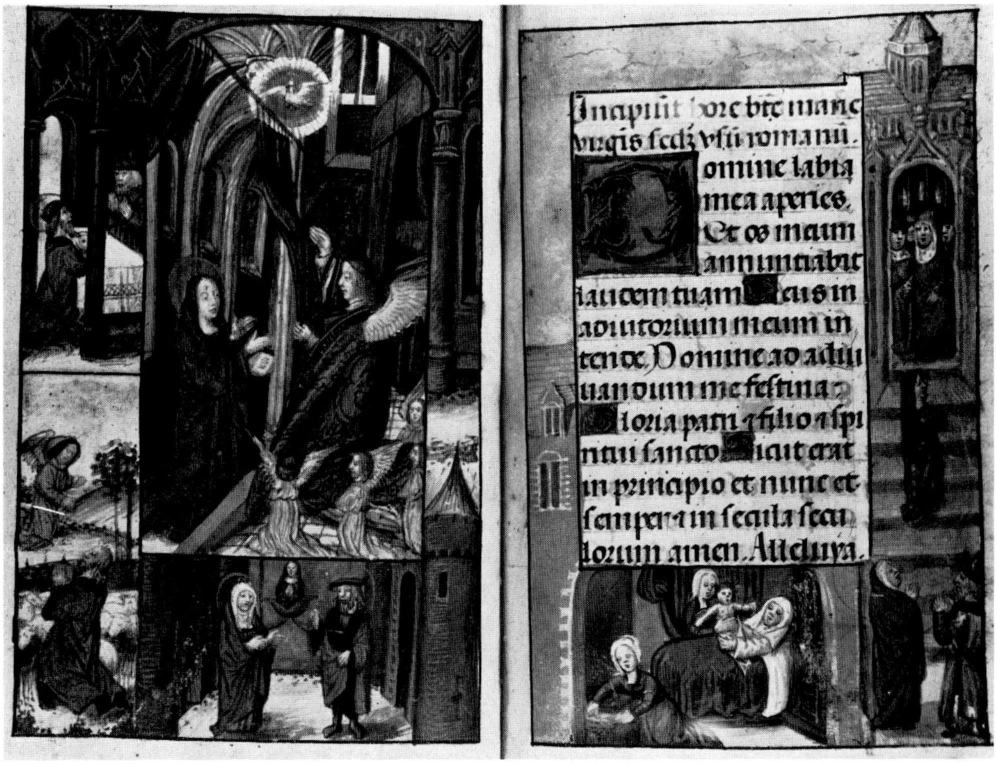
Incipiunt hore bte marie
virginis sed'm usum romanum.
omine labia
mea aperies.
Et os meum
annunciabit
laudem tuam. eus in
adiutorium meum in
tende. Domine ad adiu
uandum me festina.
loria patri et filio et spi
ritui sancto. icut erat
in principio et nunc et
semper et in secula secu
lorum amen. Alleluya.

753

S·MARIA
ELISABE

754

755

756

755 Masaccio und Masolino, Tafelbild, 1424/25, Florenz. Anna Selbdritt.

756 Gerolamo dai Libri, Leinwandbild, um 1511/12, London. Anna Selbdritt.

757 Buxheimer Altar, Ausschnitt, Holzschnitzwerk und Tafelmalerei, um 1510, Ulm. Allegorie des Stammbaums Christi.

758 Tafelmalerei, südwestflandr., um 1490, Frankfurt. Anna Gravida. Disputation der vier Kirchenväter über die unbefleckte Empfängnis Marias.

757

758

430

759

760

761

759 Tafelbild, fläm., um 1520, Berlin. Unbefleckte Empfängnis.
760 Hans Holbein d. Ä., Tafelbild, um 1490/93, Kreuzlingen. Anna Selbdritt.
761 „Meister mit dem Dächlein", Kupferstich, 3. Viertel 15. Jh., Berlin. Stammbaum Marias. Anna Selbdritt.
762 Tiepolo, Altarbild, 1759, Dresden. Vision der Hl. Anna.
763 Luca Giordano, Altarbild, 1685, Rom. Erwählung der Hl. Jungfrau.

762

763

764

765

766

767

768

769

770

764 Marmorsgraffito, Gallien, 5./6. Jh. Saint-Maxim-la-Sainte-Beaume (Var). Maria als Tempeljungfrau (Ausschnitt).

765 Buchmalerei, Pacino di Bonaguida zugeschr., um 1335/40, London. Maria als Tempeljungfrau.

766 Meister des Bamberger Altars, beschnittene Tafel eines verstreuten Marienaltars, um 1430, Aachen. Maria Gravida.

767 Holzstatuette, Regensburg, um 1300, Nürnberg. Maria Gravida.

768 Holzplastik, rhein.-westfäl., um 1350, Bonn. Maria als Tempeljungfrau.

769 Tafelbild, westfäl., Ende 15. Jh., Soest. Maria im Ährenkleid.

770 Piero della Francesca, Fresko, um 1460, Monterchi. „Madonna del Parto".

771 Gottfried Bernhard Göz, Deckenfresko, 1749, Birnau. Allegorie der Immaculata Conceptio.

772 Missale, England, um 1400, London. Trinität und Maria als apokalyptisches Weib (Fürbittedarstellung).

773 Chorbuch für Kaiser Maximilian I., burgund., um 1513/15, Jena. Eva-Maria-Typologie.

774 Niederaschau, Fresko, Mitte 18. Jh. Maria Immaculata als Siegerin über die Erbsünde.

775 Luca Signorelli, Tafelbild, 1521, Cortona. Disputation über die Unbefleckte Empfängnis.

771

772

773

774

775

776

777

776 Meister der Luzien-Legende, Tafelbild, um 1485, Washington. Verherrlichung Marias.

777 Carlo Crivelli, Tafelbild, 1492, London. Jungfrau Maria als Auserwählte
Gottes.

778 Girolamo di Giov. da Camerino, 3. V. 15. Jh., Gualdo Tadino.
Immaculata, Joachim und Anna an der Goldenen Pforte.

779 Dossale, Majolikarelief, Ende 15. Jh., Empoli. Jungfrau Maria zw.
Anselm und Augustinus.

780 Francesco Vanni, Altar der unbefleckten Empfängnis, 1588, Montalcino.
Maria Immaculata mit Kind.

778

779

780

438

781 El Greco-Werkstatt, Leinwandbild, um 1605/10, Lugano-Castagnola. Maria Immaculata.

782 Diego Velasquez, Leinwandbild, um 1618, London. Maria Immaculata.

781

783

784

783 Caravaggio, Leinwandbild, um 1605/06, Rom. „La Madonna del Serpe" (Ausschnitt).
784 Giambattista Tiepolo, Leinwandbild, 1734–1736, Vicenza. Maria Immaculata.
785 Holzplastik, oberschwäb., um 1760/70, Obermaiselstein. Maria Immaculata mit Kind.
786 Holzplastik, oberschwäb., um 1720, Deuchelried. Maria Immaculata.

787

787 Joseph Christian, Stuckplastik, um 1775, Bad Buchau. Maria Immaculata mit Kind.

788 Giambattista Tiepolo, Deckenfresko, 1759, Udine. Himmelfahrt Marias.

789 Johann Nepomuk Schöpf, Altarblatt, 1760–1762, Plastik unbekannter Meister, Fürstenfeld. Himmelfahrt Marias - Trinität.

790 Balthasar Riepp, Fresko, 1754, Großaitingen. Empfang Marias im Himmel.

791 Martin Johann Schmidt und Werkstatt, Leinwandbild, um 1770/1780, Augsburg. Empfang Marias im Himmel.

792 Ignaz Günther, Holzplastik aus dem Hochaltar, 1768, Mallersdorf. Apokalyptisches Weib.

448

793

794

793—800: Gottesmutter.

793 Book of Kells, irisch, um 810/20, Dublin. Thronende Gottesmutter.

794 Bernward-Evangeliar, zw. 1011 u. 1014, Hildesheim. Krönung der thronenden Gottesmutter.

795 Sog. Goldene Madonna, Holzplastik mit vergoldetem Kupferblech, um 973–982. Essen.

796 Imad-Madonna, Holzplastik, zw. 1051 u. 1076, Paderborn.

797 Holzplastik, Wallis, um 1200, Zürich.

798 Holzplastik, Borgo Sansepolcro, 1199, Berlin.

795

796

797

798

799 Lisbjerg-Altar, Goldtreibarbeit, um 1135/50, Mittelteil des Antependiums Kopenhagen.

800

801

804

805

806

800 Corneilla-de-Conflent, Westportal, um 1160.

801 Kelchschale, Nielloarbeit, um 1165–1170, Köln. Thronende
Maria Orans.

802 Sog. Hermann-Joseph-Madonna, Kalksteinrelief, kölnisch,
um 1180, Köln, Stehende Madonna.

803 Amiens, Kathedrale, Steinplastik am Trumeau, 1220–1230.
Stehende Madonna auf der Schlange.

807

804 Madonna des Dom Rupert, Grausandstein, 1149/50 o. 1170/80, Lüttich.
Maria lactans.

805 Weiße Madonna, Alabasterplastik, franzos. (?), 14. Jh., Ausschnitt,
Toledo. Stehende Madonna.

806 Holzplastik, altbayerisch, um 1270, Ausschnitt, Regensburg. Stehende
Madonna.

807 Coppo di Marcovaldo, Tafelbild, um 1268, Orvieto. Thronende Madonna.

808 Tafelbild aus S. Maria de Flumine, 1280 oder 1290, Neapel.
Thronende Madonna mit Stabkreuz.

808

809

810

809 Cimabue, Assisi, Unterkirche, Fresko, um 1280. Thronende Madonna. Franziskus.

810 Simone Martini, Fresko, 1315, Siena, Palazzo Publico, Ausschnitt. Marienmajesta.

811 Giotto, Tafelbild, zw. 1306 u. 1310, Florenz. Thronende Madonna.

812 Ambrogio Lorenzetti, Tafelmalerei, um 1330/1335, Siena. Maria lactans.

811

812

815 Meister von Moulins, Tafelmalerei, zw. 1499 u. 1502, Moulins. Maria mit dem Kinde in der Gloriole.
816 Tafelbild, böhmisch, um 1450, Prag. Madonna mit den Zeichen des apokalyptischen Weibes.
817 Triptychon, Mitteltafel, österr., Anfang 16. Jh., Venedig. Maria lactans als Himmelskönigin.

813 Carlo da Camerino, Tafelbild, um 1400, Cleveland. Demutsmadonna mit den Zeichen des apokalyptischen Weibes. Eva.
814 Lippo Vanni, Triptichon, Mitteltafel, Ausschnitt, 1358. Rom. Thronende Gottesmutter. Eva.

813

814

815

816

817

460

818

819

818 Jan van Eyck, Tafelbild, um 1426/30, Berlin. „Kirchen-madonna".

819 Tafelbild, niederrhein., um 1460, Köln. Maria als Sinnbild der Porta Coeli.

820 Holzplastik, mittelrhein.-moselländ., um 1480, Trier. Madonna auf der Mondsichel.

821 Hans Leinberger, Holzplastik, Fragment, 1518–1520, Lands-hut. Madonna.

820

821

462

822

823

824

TV·QVÆ·SOLA·POTES·ÆTERNI·NVMINIS·IRAM
FLECTERE·VIRGINEO·NOS·TEGE·DIVA·SINV·

822 Piero della Francesca, Tafelmalerei, 1445–1460, Borgo Sansepolcro.
Madonna della Misericordia.

823 Lippo Memmi (?), Tafelbild, um 1320, Orvieto. „Madonna dei Raccomandati."

824 Jan Polack, Votivtafel, 1509/1510, München. Schutzmantelmadonna.

825 Holzplastik, oberschwäb., um 1420, Aachen. Schutzmantelmadonna.

826 Rosenkranzaltar, Holzschnitzwerk, um 1523, Ausschnitt aus dem Mittelteil, Lübeck. Schutzmantel- und Strahlenmadonna im Rosenkranz.

825

826

827 Holzschnitt, süddt., 1477, Augsburg. Maria und
das Christuskind verteilen Rosenkränze.

828 Meister von St. Severin, Tafelbild, um 1500, Köln.
Schutzmantelmadonna mit Rosenkranzbruderschaft.

829 Albrecht Dürer, Tafelbild, 1506, Prag. „Das Rosenkranzfest".

830 Martin und Michael Zürn, Holzschnitzwerk, 1632–
1640, Überlingen. Rosenkranzaltar.

827

828

829

831

832

831 Sandsteinrelief, um 1520, Osnabrück. Strahlenmadonna im Rosenkranz auf Schlange stehend.

832 Steinplastik, niederbayer., um 1320/30, München. Madonna mit dem
Rosenstrauch.

833 Stephan Lochner, Tafelbild, 1447–50, Köln. Maria im Rosenhag.

468

834

834 Martin Schongauer, Fragment eines Flügelaltars, 1473, Kolmar. Madonna im Rosenhag.

835 Hans Burgkmair, Tafelbild, 1509, Nürnberg. Madonna im Garten.

836 Botticelli-Werkstatt; Tondo, um 1485, Florenz. La Madonna delle Rose.

835

836

837 Matthias Grünewald, Tafelbild, 1517/19, Stuppach. Madonna.
838 Raffaelo Santi, Leinwandbild, zw. 1513 u. 1515, Dresden.
„Sixtinische Madonna".

839 Tafelbild, venez., um 1400, Stuttgart. Tiburtinische Sibylle deutet Kaiser Augustus
die Erscheinung der Gottesmutter — Brunnenwunder — Einsturz des Friedenstempels.